개념 학습과 정리가 한번에 끝나는 기본서

개념풀

물리학 I

개념책

- 키워드와 흐름으로 쉽게 풀어 가는 개념 학습법 도입
- 생생한 자료와 탐구로 개념을 이해하는 특강 학습 구성
- 내신과 수능 대비를 위한 다양한 유형의 단계별 문제 수록

물리학 I을 집필하신 선생님

남종민 인천고잔고등학교 교사
김경철 인천해송고등학교 교사
채규선 경기북과학고등학교 교사

개념과 정리가 한번에 끝나는 기본서

개념풀

─ 물리학 I ─

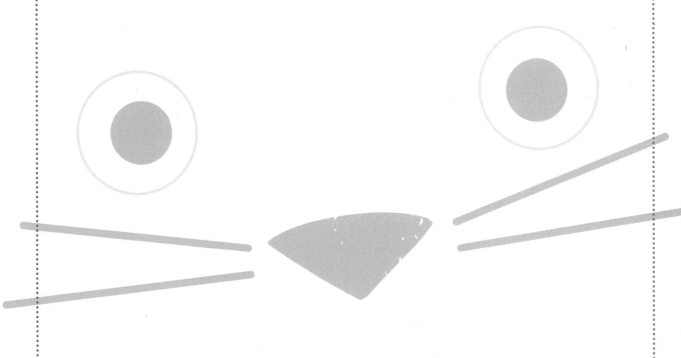

구성과 특징

쉽게 풀어 이해가 잘 되는 개념책

이해하기 쉬운 개념 학습

▪ 단원 도입 학습

'배울 내용 살펴보기'로 이 단원의 흐름을 한눈에 파악할 수 있습니다.

❶ 소단원별 흐름을 한눈에 파악

❷ 스토리로 단원의 흐름을 전개

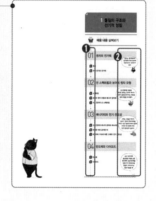

▪ 본문 학습

8종 교과서를 완벽 분석하여 중요 개념을 쉽게 풀어 정리하였습니다.

❶ '핵심 키워드로 흐름잡기'와 '출제 단서'를 통해 시험에 잘 나오는 중요 개념을 한눈에 파악

❷ '빈출 자료', '빈출 탐구', '빈출 계산연습'으로 관련 내용을 생생하게 설명

❸ '용어 알기'를 통해 내용을 이해하는 데 도움이 되는 단어 정리

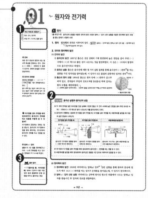

▪ 특강 학습

개념과 탐구의 완벽한 이해를 위해 생생한 자료로 자세하게 설명하였습니다.

❶ '개념 POOL'을 통해 개념을 한 번에 쉽게 이해

❷ '탐구 POOL'을 통해 교과서 중요 탐구를 과정별 사진으로 생생하게 제시

❸ '확인 문제'로 이해도 점검

다양한 유형의 단계별 문제

▪ 콕콕! 개념 확인하기

개념 확인에 적합한 유형을 엄선하여 구성하였습니다.

▪ 탄탄! 내신 다지기

학교 시험 빈출 유형 중에서 난이도 중 이하의 문제로 구성하였습니다.

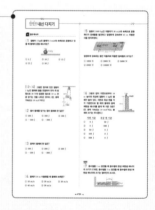

▪ 도전! 실력 올리기

학교 시험에 꼭 나오는 난이도 중상의 문제와 서답형 문제로 구성하였습니다.

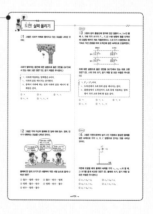

실전에 대비하는 마무리 학습

- **수능을 알기 쉽게 풀어주는 수능 POOL**
  출제 의도와 문제 분석을 통해 수능 대표 유형을 미리 연습할 수 있도록 구성하였습니다.

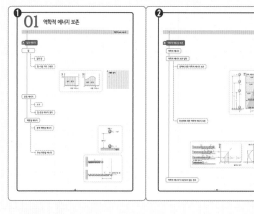

- **실전! 수능 도전하기**
  수능 기출 분석을 통한 실전 수능형 문제로 구성하여 수능에 대비할 수 있도록 구성하였습니다.

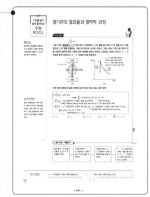

- **대단원 마무리**
  '한눈에 보는 대단원 정리'를 통해 대단원 핵심 내용을 다시 한 번 정리하고, '한번에 끝내는 대단원 문제'로 학교 시험에 대비할 수 있도록 구성하였습니다.

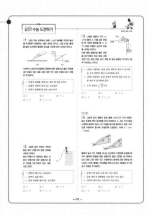
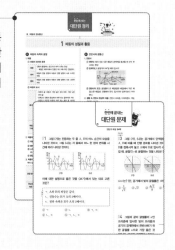

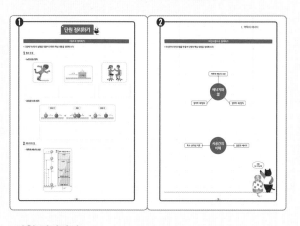

- **소단원별 노트 정리**
  ❶ 개념책의 흐름을 한눈에 살펴보고 스스로 정리해 볼 수 있도록 충분한 여백을 두고 구성하였습니다.
  ❷ 개념책과 교과서를 보면서 소단원 전체의 중요한 내용을 정리하여 단권화할 수 있도록 최적의 노트 형태로 구성하였습니다.

- **단원 정리하기**
  ❶ '그림으로 정리하기'는 단원별로 중요한 그림에 자신만의 설명을 적어 정리할 수 있도록 구성하였습니다.
  ❷ '마인드맵으로 정리하기'는 자신만의 마인드맵을 만들어 단원의 핵심 내용을 구조화하여 정리할 수 있도록 구성하였습니다.

그래도 어렵다면,
선배들의 노트 정리를 참고해서
필기하면 좋다~옹!

개념책과 1:1 맞춤 노트라
개념책을 보면서 정리해도
된다~옹!

차례

무엇을 공부할지 함께
확인해 볼까~옹?

개념풀과 우리 학교
교과서 비교

우리 학교 교과서가 개념풀의 어느 단원에 해당하는지 확인하세요!

교과서랑 비교하며 공부할때 유용하다~옹!

교학사	금성	동아	미래엔	비상	지학사	천재	YBM
13~21	14~19	11~15	14~19	12~17	13~18	11~17	12~18
22~35	20~23	16~23	20~27	18~25	19~24	18~26	19~25
36~38	24~29	24~27	28~31	26~28	25~30	27~30	26~30
43~49	30~33	28~33	32~39	29~33	31~36	32~36	31~36
50~54	34~37	34~38	40~45	34~39	37~42	37~41	37~42
57~70	42~45	39~45	50~55	46~51	47~52	45~50	48~55
71~75	46~52	51~55	56~62	52~57	53~59	51~59	56~61
76~78	54~55	56~60	64~67	58~63	60~64	60~63	62~68
81~89	60~67	65~72	72~81	66~73	69~76	67~75	74~86
90~94	68~71	73~76	82~85	74~77	77~81	76~79	87~90
103~106	84~89	87~90	98~101	88~91	93~97	91~92	104~108
107~112	90~95	91~97	102~107	92~97	98~105	93~100	109~114
115~118	96~99	98~103	108~113	98~103	106~111	101~106	115~120
119~123	100~105	104~109	114~120	104~107	112~117	107~113	121~126
127~134	110~117	115~119	126~133	114~119	123~130	117~123	132~138
136~140	118~123	120~124	134~139	120~125	131~136	124~128	139~143
141~149	124~131	125~130	140~145	126~131	137~143	129~134	144~148
159~169	144~151	143~151	161~165	142~147	155~161	147~153	162~168
179~183	152~157	152~157	166~171	148~151	162~167	154~159	169~173
185~191	168~172	158~163	172~177	152~156	168~172	160~163	174~178
170~176	158~163	164~171	178~186	158~165	173~178	164~169	179~186
195~201	173~179	177~183	192~199	170~175	183~188	173~177	192~198
202~208	180~187	184~190	200~205	176~179	189~193	178~182	199~204

I

역학과
에너지

스스로 계획하고 실천하면
실력이 올라간다~옹!

1 힘과 운동

 배울 내용 살펴보기

01 ~ 여러 가지 운동

핵심 키워드로 흐름잡기

A 이동 거리, 변위, 속력, 속도, 가속도

B 등속 직선 운동, 등가속도 직선 운동
  등속 원운동, 포물선 운동, 진자 운동

❶ 이동 거리와 변위
· 운동 경로가 달라도 출발점과 도착점이 같으면 변위는 같다.
· 직선상에서 한 방향으로만 이동하는 경우 이동 거리와 변위의 크기는 같다.
· 곡선 운동에서는 항상 이동 거리>변위의 크기이다.
· 원형 트랙을 돌 때 출발점과 도착점이 같으면 이동 거리는 0이 아니지만 변위는 0이다.

❷ 운동 방향
직선 운동에서 한쪽 방향을 (+) 방향으로 하면 반대 방향은 (−) 방향이다. 일반적으로 처음 운동 방향을 (+)방향으로 한다.

❓ 언제 속력과 속도의 크기가 같을까?
직선 위에서 운동 방향이 바뀌지 않는 경우 속력과 속도의 크기가 같다.

🐱 용어 알기
● 변위(변할 變, 위치 位) 위치의 변화
● 속도(빠르다 速, 정도 度) 빠른 정도

A 운동의 표현

|출·제·단·서| 속력과 속도, 가속도를 구하는 문제가 시험에 나와!

1. 이동 거리와 변위❶

구분	이동 거리	*변위
정의와 특징	물체의 운동 방향과 상관없이 물체가 이동한 경로의 전체 길이이다.	물체의 처음 위치에서 나중 위치까지의 변화량으로 처음 위치에서 나중 위치까지의 직선거리와 방향으로 나타낸다.
직선 운동	(변위의 크기: 10 m) P━━━━━━Q◀━━━━ 10 m 20 m	
	30 m (=20 m+10 m)	동쪽으로 10 m (=20 m−10 m)
곡선 운동	이동 거리 30 m P ～～～ Q 변위의 크기: 20 m	
	30 m └ 곡선 경로의 총 길이	동쪽으로 20 m 변위의 방향 └ ┘ 변위의 크기

(암기TIP) 이동 거리는 운동 경로의 총 길이, 변위는 위치의 변화

2. 속력과 속도

(1) 속력과 속도

구분	속력	*속도
정의와 특징	물체의 빠르기만을 나타내는 물리량으로, 단위 시간 동안의 이동 거리로 나타낸다.	물체의 운동 방향❷과 빠르기를 함께 나타내는 물리량으로, 단위 시간 동안의 변위로 나타낸다.
표현식	속력=$\dfrac{이동 거리}{걸린 시간}$, $v=\dfrac{s}{t}$	속도=$\dfrac{변위}{걸린 시간}$, $v=\dfrac{s}{t}$
단위	m/s, km/h 등	속도의 v는 영어로 속도를 뜻하는 velocity의 약자이다.

(2) 평균 속도와 순간 속도 전체 이동 거리를 걸린 시간으로 나눈 값을 평균 속력이라고 한다.

구분	평균 속도	순간 속도
정의와 특징	일정 시간 동안의 물체의 평균적인 속도로, 운동하는 도중의 속도 변화는 무시하고, 전체 변위를 걸린 시간으로 나눈 값이다.	어느 한 순간의 속도로, 아주 짧은 시간 동안의 평균 속도와 같다.

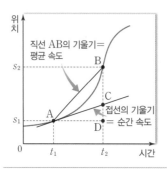

· $t_1 \sim t_2$ 동안의 평균 속도: 위치−시간 그래프에서 $t_1 \sim t_2$ 동안의 위치 변화로 A점과 B점을 잇는 직선의 기울기

$$\overline{v}=\frac{s_2-s_1}{t_2-t_1}=\frac{\overline{BD}}{\overline{AD}}$$ $\overline{v}$는 평균 속도를 나타내는 기호이다.

· t_1에서의 순간 속도: 위치−시간 그래프에서 t_1의 A점에 접하는 접선의 기울기

$$v=\frac{\overline{CD}}{\overline{AD}}$$

3. °가속도

(1) 가속도 물체의 속도가 시간에 따라 변하는 정도를 나타내는 물리량으로 단위 시간(1초) 동안의 속도 변화량

> 가속도의 a는 영어로 가속도를 뜻하는 acceleration의 약자이다.
>
> $$\text{가속도} = \frac{\text{속도 변화량}}{\text{걸린 시간}} = \frac{\text{나중 속도} - \text{처음 속도}}{\text{걸린 시간}}, \quad a = \frac{\Delta v}{t} = \frac{v - v_0}{t} \; [\text{단위: m/s}^2 \text{ 등}]$$

(2) 평균 가속도와 순간 가속도

구분	평균 가속도	순간 가속도
정의와 특징	일정 시간 동안의 물체의 평균적인 가속도로, 운동하는 도중의 가속도 변화는 무시하고, 속도 변화를 걸린 시간으로 나눈 값이다.	어느 한 순간의 가속도로, 아주 짧은 시간 동안의 평균 가속도와 같다.

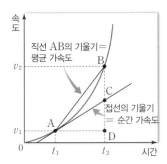

- $t_1 \sim t_2$ **동안의 평균 가속도**: 속도−시간 그래프에서 $t_1 \sim t_2$ 동안의 속도 변화로 A점과 B점을 잇는 직선의 기울기

$$\bar{a} = \frac{v_2 - v_1}{t_2 - t_1} = \frac{\overline{BD}}{\overline{AD}}$$

- t_1**에서의 순간 가속도**: 속도−시간 그래프에서 t_1의 A점에 접하는 접선의 기울기

$$a = \frac{\overline{CD}}{\overline{AD}}$$

(3) 가속도의 방향과 속력 변화❸

조건	속력 변화
가속도의 방향과 운동 방향이 같을 때	속력 증가
가속도의 방향과 운동 방향이 반대일 때	속력 감소

B 여러 가지 운동

|출·제·단·서| 속력이 변하거나 속력과 방향이 모두 변하는 등 다양한 운동을 해석하는 문제가 시험에 나와!

1. 속력과 운동 방향이 모두 일정한 운동

(1) 등속 직선 운동 속도가 일정한 직선 운동, 즉, 속력과 운동 방향이 일정한 운동으로 등속도 운동이라고도 한다.

$$\text{속력} = \frac{\text{이동 거리}}{\text{걸린 시간}} = \text{일정}, \quad v = \frac{s}{t} = \text{일정}$$

(2) 등속 직선 운동의 조건 물체에 작용하는 알짜힘❹(°합력)이 0이어야 한다. ❺

(3) 등속 직선 운동의 그래프

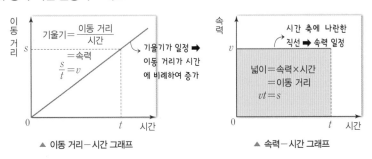

▲ 이동 거리−시간 그래프   ▲ 속력−시간 그래프

(4) 등속 직선 운동의 예 무빙워크, 에스컬레이터, 컨베이어 벨트 등

❓ 다양한 물체들의 가속도는 서로 어떻게 다를까?

물체와 상황	가속도의 크기 (m/s²)
케이블식 엘리베이터	1
달에서의 자유 낙하 가속도	1.6
지구의 중력 가속도	9.8
로켓의 발사 가속도	10~40
롤러코스터(최대)	50

❸ 힘의 방향과 속력의 변화

물체의 운동 방향으로 힘이 작용하면 물체의 속력은 점점 빨라지고, 물체의 운동 방향과 반대 방향으로 힘이 작용하면 물체의 속력이 점점 느려진다.

❹ 알짜힘

물체에 작용하는 모든 힘의 합력

알짜힘에 대한 자세한 설명은 p.020를 참조

❺ 물체에 작용하는 알짜힘이 0일 때

정지해 있던 물체는 계속 정지해 있고, 운동하던 물체는 등속 직선 운동을 한다.

용어 알기 🐱

- °가속도(더할 加, 빠를 速, 정도 度) 속도가 변하는 정도
- °합력(합할 合, 힘 力) 합쳐진 힘

2. 운동 방향은 일정하고 속력만 변하는 운동 운동 방향이 일정하므로 직선 운동을 하고, 속력이 변하므로 가속도 운동이다.

(1) 등가속도 직선 운동 탐구 POOL 가속도의 크기와 방향이 일정한 직선 운동. 즉, 시간에 따른 속도 변화율이 일정한 직선 운동

$$v=v_0+at,\ s=v_0t+\frac{1}{2}at^2,\ 2as=v^2-v_0{}^2,\ \overline{v}=\frac{v_0+v}{2}$$

(v: 나중 속도, v_0: 처음 속도, a: 가속도, t: 시간, s: 변위, $\overline{v}$: 평균 속도❻)

(2) 등가속도 직선 운동의 그래프 개념 POOL 등가속도 직선 운동을 분석할 때에는 가속도—시간 그래프와 위치—시간 그래프를 속도—시간 그래프로 바꿔서 분석하면 쉽다.

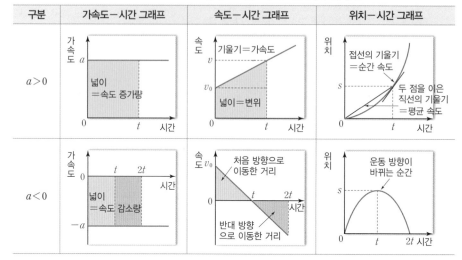

구분	가속도—시간 그래프	속도—시간 그래프	위치—시간 그래프
$a>0$	넓이 =속도 증가량	기울기=가속도 / 넓이=변위	접선의 기울기 =순간 속도 / 두 점을 이은 직선의 기울기 =평균 속도
$a<0$	넓이 =속도 감소량	처음 방향으로 이동한 거리 / 반대 방향으로 이동한 거리	운동 방향이 바뀌는 순간

(3) 등가속도 직선 운동의 예 자유 낙하 운동, 빗면을 미끄러져 내려오는 운동, 연직 위로 던진 물체의 운동 등
└─ 물체가 중력만을 받아 낙하하는 운동을 말한다.

3. 속력은 일정하고 운동 방향만 변하는 운동 운동 방향이 변하므로 속도가 변하는 가속도 운동이다.

(1) 등속 원운동❼ 일정한 속력으로 원을 그리며 회전하는 운동
① 특징: 속력은 일정하고 운동 방향은 계속 변한다.
② 운동 방향: 각 위치에서의 접선 방향이다.
③ 예: 지구 주위를 도는 인공위성, 회전하는 선풍기 날개
등속 원운동 하던 물체에 작용하던 힘이 갑자기 사라지면 물체는 그 지점에서 원의 접선 방향으로 날아간다.

일상생활에서 볼 수 있는 대부분의 물체는 속력과 운동 방향이 모두 변하는 운동을 한다.

▲ 등속 원운동

4. 속력과 운동 방향이 모두 변하는 운동 속력과 운동 방향이 모두 변하므로 가속도 운동이다.

(1) 진자 운동❽ 물체가 줄에 매달려서 하는 왕복 운동
① 특징: 속력과 운동 방향이 계속 변한다.
② 운동 방향: 진자가 그리는 궤도의 접선 방향이다.
③ 예: 그네의 운동

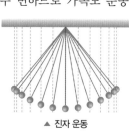

▲ 진자 운동

(2) 포물선 운동❾ 비스듬히 던져 올린 물체가 하는 운동
① 특징: 수평 방향 속력은 일정하고, 연직 방향 속력만 변한다.
② 운동 방향: 포물선 궤도의 접선 방향이다.
③ 예: 수평 방향으로 던진 물체의 운동, 비스듬히 던져 올린 물체의 운동

포물선 운동 하는 물체는 연직 방향으로는 등가속도 운동을 한다.

▲ 포물선 운동

---

❻ 등가속도 직선 운동의 평균 속도

등가속도 직선 운동 하는 물체에서 평균 속도는 처음 속도와 나중 속도의 중간 값으로 구할 수 있다.

❼ 등속 원운동 하는 물체에 작용하는 힘

운동 방향에 대해 수직 방향인 원 궤도의 중심을 향하는 방향으로 힘이 작용한다. 이를 구심력이라고 한다.

❽ 진자 운동 하는 물체에 작용하는 힘

진자는 실이 잡아당기는 힘과 중력의 합력에 의해 운동한다. 진자의 속력은 가장 낮은 지점에서 가장 빠르다.

❾ 포물선 운동 하는 물체에 작용하는 힘

포물선 운동 하는 물체에는 중력만이 알짜힘으로 작용한다. 따라서 포물선 운동은 중력 가속도로 등가속도 운동 한다.

🐱 **용어 알기**

● 진자(진동할 振, 접미사 子) 일정한 주기로 진동하는 물체
● 포물선(던질 抛, 물체 物, 선 線) 물체를 비스듬히 던졌을 때 물체가 그리는 선

등가속도 운동 그래프 분석과 변환

목표 등가속도 운동 하는 물체의 위치, 속도, 가속도를 시간에 대한 그래프로 나타내고, 이를 분석하고 변환할 수 있다.

다양한 그래프들을 서로 변환할 줄 알아야 해!

1 등가속도 운동 그래프 분석

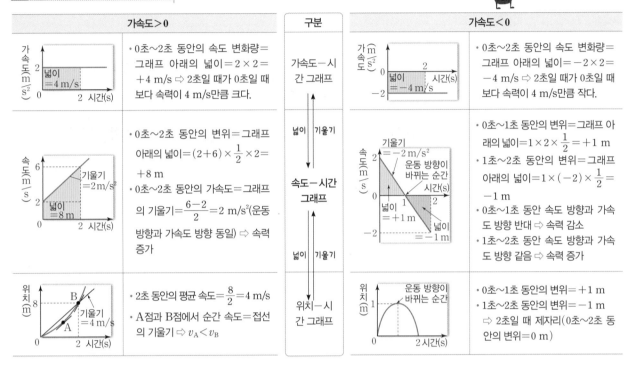

가속도>0	구분	가속도<0
• 0초~2초 동안의 속도 변화량= 그래프 아래의 넓이=2×2= +4 m/s ⇨ 2초일 때가 0초일 때보다 속력이 4 m/s만큼 크다.	가속도-시간 그래프 ↕ 넓이 | 기울기	• 0초~2초 동안의 속도 변화량= 그래프 아래의 넓이=−2×2= −4 m/s ⇨ 2초일 때가 0초일 때보다 속력이 4 m/s만큼 작다.
• 0초~2초 동안의 변위=그래프 아래의 넓이=$(2+6)×\frac{1}{2}×2=$ +8 m • 0초~2초 동안의 가속도=그래프의 기울기=$\frac{6-2}{2}=2$ m/s²(운동 방향과 가속도 방향 동일) ⇨ 속력 증가	속도-시간 그래프 ↕ 넓이 | 기울기	• 0초~1초 동안의 변위=그래프 아래의 넓이=$1×2×\frac{1}{2}=$ +1 m • 1초~2초 동안의 변위=그래프 아래의 넓이=$1×(−2)×\frac{1}{2}=$ −1 m • 0초~1초 동안 속도 방향과 가속도 방향 반대 ⇨ 속력 감소 • 1초~2초 동안 속도 방향과 가속도 방향 같음 ⇨ 속력 증가
• 2초 동안의 평균 속도=$\frac{8}{2}=4$ m/s • A점과 B점에서 순간 속도=접선의 기울기 ⇨ $v_A<v_B$	위치-시간 그래프	• 0초~1초 동안의 변위=+1 m • 1초~2초 동안의 변위=−1 m ⇨ 2초일 때 제자리(0초~2초 동안의 변위=0 m)

2 등가속도 운동 그래프의 변환

	가속도-시간 그래프	속도-시간 그래프	위치-시간 그래프
그래프			
구간 A	속도 변화량: 4 m/s ⇨ 속력 증가	가속도: 2 m/s², 변위: 4 m	그래프 기울기: +값으로 증가 ⇨ 속력 증가
구간 B	속도 변화량: 0 ⇨ 속력 일정	가속도: 0, 변위: 8 m	그래프 기울기: +값으로 일정 ⇨ 속력 일정
구간 C	속도 변화량: −4 m/s ⇨ 속력 감소	가속도: −2 m/s², 변위: 4 m	그래프 기울기: +값으로 감소 ⇨ 속력 감소

한·줄·핵심 그래프를 통해 물체의 운동에 대한 정보를 파악할 수 있다. 물체의 운동을 분석하기 가장 좋은 그래프는 속도-시간 그래프이다.

정답과 해설 02쪽

확인 문제

01 ㉠, ㉡ 안에 알맞은 값을 쓰시오.

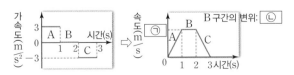

02 그래프는 직선 운동 하는 물체 A의 속도를 시간에 따라 나타낸 것이다. 0초부터 3초까지 A의 변위의 크기를 쓰시오.

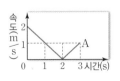

기울기가 일정한 빗면을 내려가는 물체의 운동 분석하기

목표 기울기가 일정한 빗면을 내려가는 물체의 운동을 관찰하고, 구간별 평균 속도, 속도 변화량, 평균 가속도를 구할 수 있다.

과정

유의점
· 마찰을 최소화하려면 공기 부상 궤도(에어 트랙)을 사용한다.
· 물체가 빗면에서 내려오는 동안 빗면이 움직일 수 있으니 빗면을 고정시킨다.

❶ 실험 장치 설치

기울기가 일정한 빗면의 한 쪽을 높여 기울이고, 동영상 촬영 장치를 준비한다.

❷ 동영상 촬영 장치로 물체의 위치를 촬영

빗면에 물체를 가만히 놓은 순간부터 물체를 촬영하고 컴퓨터로 동영상을 분석한다.

결과

시간(s)	0	0.1	0.2	0.3	0.4	0.5
위치(cm)	0	1	4	9	16	25
평균 속도 (cm/s)		$\frac{1}{0.1}=10$	$\frac{3}{0.1}=30$	$\frac{5}{0.1}=50$	$\frac{7}{0.1}=70$	$\frac{9}{0.1}=90$
속도 변화량 (cm/s)			$30-10=20$	$50-30=20$	$70-50=20$	$90-70=20$
평균 가속도 (cm/s²)			$\frac{20}{0.1}=200$	$\frac{20}{0.1}=200$	$\frac{20}{0.1}=200$	$\frac{20}{0.1}=200$

🧪 이런 실험도 있어요!

일정한 알짜힘을 받는 물체의 운동 분석하기

수평면 위에서 공을 굴리면 굴러가는 동안 일정한 크기의 마찰력을 받기 때문에 속도가 일정하게 감소하는 운동을 관찰할 수 있다.

정리 및 해석

❶ 물체의 평균 가속도는 200 cm/s² = 2 m/s²이다.
❷ 물체의 위치와 시간의 관계, 물체의 속도와 시간의 관계를 그래프로 나타내면 다음과 같다.

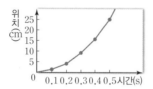

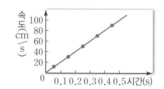

시간이 지남에 따라 물체의 위치 변화량이 점점 커져! 물체의 평균 속도는 0.1초 동안 20 cm/s씩 일정하게 증가해!

한·줄·핵심 빗면의 기울기가 일정할 때 물체는 등가속도 운동을 한다.

확인 문제
정답과 해설 02쪽

01 그림은 오른쪽 방향으로 등가속도 운동 하는 물체를 0.1초 간격으로 촬영한 모습을 나타낸 것이다.

0 10 20 30 40 50(cm)

이 물체의 가속도의 크기를 쓰시오.

02 기울기가 일정한 빗면을 내려가는 물체의 운동에 대한 설명으로 옳은 것은 ○, 옳지 않은 것은 ×로 표시하시오.

(1) 일정한 시간 간격마다 위치를 측정한다면 시간당 위치 변화량도 일정하다. ( )

(2) 일정한 시간 간격마다 평균 속도를 구하면 평균 속도는 일정하게 증가한다. ( )

콕콕!
개념 확인하기

정답과 해설 02쪽

✔ 잠깐 확인!

1. ☐☐ ☐☐
물체가 실제로 움직인 경로
의 길이

2. ☐☐
물체의 위치 변화로 출발점과
도착점의 직선 거리와 방향

3. ☐☐은 물체의 빠르기만
을 나타내는 물리량으로 이
동 거리를 시간으로 나눈 값
이고, 속도는 물체의 빠르기
와 ☐☐ ☐☐을 함께 나
타내는 물리량으로 ☐☐를
시간으로 나눈 값이다.

4. ☐☐ ☐☐ 운동
직선 위에서 물체의 운동 방
향과 속력이 일정한 운동

5. 가속도는 단위 시간 동안
의 ☐☐ 변화량이다.

6. 물체의 운동 방향과 가속
도의 방향이 같을 때 속력은
☐☐한다.

7. 속도-시간 그래프에서 그
래프 아래 넓이는 ☐☐이
고, 기울기는 ☐☐☐이다.

A 운동의 표현

01 철수가 동쪽으로 20 m를 이동한 후, 방향을 바꾸어 서쪽으로 30 m를 이동하였다. 철수의 이동 거리와 변위를 각각 쓰시오.

02 물체의 운동에 대한 설명으로 옳은 것은 ○, 옳지 <u>않은</u> 것은 ×로 표시하시오.
(1) 출발점과 도착점이 같아도 경로가 다르면 변위는 다르다. ( )
(2) 곡선 운동에서는 속력이 속도의 크기보다 크다. ( )
(3) 속도−시간 그래프에서 접선의 기울기는 평균 가속도를 의미한다. ( )
(4) 가속도의 방향과 물체의 운동 방향이 같으면 속력은 증가한다. ( )

03 다음의 여러 가지 운동에서 평균 가속도의 방향과 크기를 쓰시오.
(1) 동쪽으로 10 m/s의 속도로 달리던 자동차가 급정거하여 2초 후 정지
(2) 동쪽으로 10 m/s의 속력으로 운동하던 자동차가 2초 후 서쪽으로 10 m/s의 속력으로 운동
(3) 동쪽으로 10 m/s의 속력으로 운동하던 자동차가 속력이 증가해서 2초 후 16 m/s의 속력으로 동쪽으로 운동

B 여러 가지 운동

04 물체가 가속도 운동 하는 경우는 ○, 가속도 운동을 하지 <u>않은</u> 경우는 ×로 표시하시오.
(1) 지표면 위에서 자유 낙하 운동 하는 물체 ( )
(2) 지구 주위를 등속 원운동 하는 인공위성 ( )
(3) 지하철역에서 일정한 속도로 운동하는 무빙워크 ( )
(4) 굽어진 도로를 일정한 속력으로 달리는 자동차 ( )

05 다음 여러 가지 운동과 운동의 종류를 옳게 연결하시오.
(1) 에스컬레이터의 운동 •   • ㉠ 등속 직선 운동
(2) 연직 위로 던진 물체의 운동 •   • ㉡ 속력과 운동 방향이 모두 변하는 운동
(3) 회전하는 선풍기 날개의 운동 •   • ㉢ 등가속도 직선 운동
(4) 수평 방향으로 던진 물체의 운동 •   • ㉣ 속력은 일정하고 운동 방향만 변하는 운동

탄탄! 내신 다지기

A 운동의 표현

01 영희는 직선 도로를 따라 동쪽으로 12 m를 간 후, 사거리에서 북쪽으로 방향을 바꾸어 16 m를 더 가서 학교에 도착하였다. 영희의 변위의 방향과 크기를 옳게 짝 지은 것은?

	방향	크기		방향	크기
①	북동쪽	28 m	②	북동쪽	20 m
③	동쪽	28 m	④	동쪽	20 m
⑤	동쪽	16 m			

02 그림은 어떤 사람이 자동차를 타고 A 지점에서 출발하여 40분 동안 곡선 경로를 따라 50 km 떨어진 B 지점에 도착한 후, 30분 동안 휴식을 취한 후에 1시간 20분을 이동하여 다시 A 지점으로 돌아온 것을 나타낸 것이다.

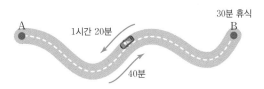

이 사람의 평균 속력은?

① 30 km/h ② 35 km/h ③ 40 km/h
④ 45 km/h ⑤ 50 km/h

03 그림은 비행기가 a, b, c점을 통과하여 곡선 경로를 따라 일정한 속력으로 운동하는

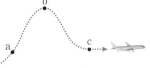

것을 나타낸 것이다. a, b, c는 동일 연직면에 있다.
a에서 c까지 비행기의 운동에 대한 설명으로 옳은 것만을 〈보기〉에서 있는 대로 고른 것은?

> **보기**
> ㄱ. 이동 거리는 변위의 크기보다 크다.
> ㄴ. 평균 속력은 평균 속도의 크기보다 크다.
> ㄷ. c점 이후 가속도의 방향이 오른쪽이면 비행기의 속력은 감소한다.

① ㄱ   ② ㄷ   ③ ㄱ, ㄴ
④ ㄴ, ㄷ   ⑤ ㄱ, ㄴ, ㄷ

04 그림은 철수가 A에서 B까지 동쪽으로 4초 동안 6 m를 이동한 후, B에서 C까지 북쪽으로 6초 동안 8 m를 이동한 것을 나타낸 것이다.
철수가 A에서 C까지 이동하는 동안 철수의 평균 속력과 평균 속도의 크기를 각각 v_1, v_2라고 할 때 v_1, v_2는?

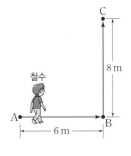

	v_1	v_2		v_1	v_2
①	1.2 m/s	0.8 m/s	②	1.2 m/s	1 m/s
③	1.4 m/s	0.8 m/s	④	1.4 m/s	1 m/s
⑤	1.6 m/s	0.8 m/s			

단답형

05 그림은 직선 도로에서 오른쪽으로 등속도 운동 하는 자동차 A, B, C를 나타낸 것이다. A, B, C의 속력은 각각 15 m/s, 25 m/s, 30 m/s이고 시간 $t=0$일 때 A와 B 사이의 거리는 100 m, B와 C 사이의 거리는 150 m이다.

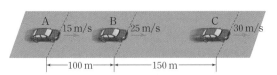

$t=10$초일 때, A와 B 사이의 거리를 s_1, B와 C 사이의 거리를 s_2라 하면 $s_1 : s_2$를 구하시오. (단, 자동차의 크기는 무시한다.)

B 여러 가지 운동

06 다음 중 가속도 운동을 하는 예가 아닌 것을 고르시오.

① 진자 운동을 하는 그네
② 수평 방향으로 던진 물체
③ 지구 주위를 도는 인공위성
④ 빗면을 미끄러져 내려오는 물체
⑤ 직선 컨베이어 벨트 위에 올려놓은 상자

07 그림은 수평면에서 기차가 일정한 속력으로 원운동을 하는 것을 나타낸 것이다.

기차의 운동에 대한 설명으로 옳은 것만을 〈보기〉에서 있는 대로 고른 것은?

> 보기
> ㄱ. 운동 방향이 변하는 운동이다.
> ㄴ. 속도는 일정하다.
> ㄷ. 기차에 작용하는 알짜힘은 0이다.

① ㄱ   ② ㄴ   ③ ㄷ
④ ㄱ, ㄴ   ⑤ ㄴ, ㄷ

08 그림 (가)는 민수가 출발선에서 출발하여 출발선으로부터 100 m 떨어진 도착선까지 직선 운동 하는 모습을 나타낸 것이다. 그림 (나)는 민수가 출발선을 지나는 순간부터 도착선에 도달할 때까지 속도를 시간에 따라 나타낸 것이다.

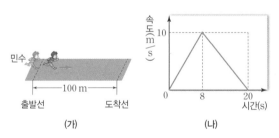

(가)   (나)

민수의 운동에 대한 옳은 것만을 〈보기〉에서 있는 대로 고른 것은?

> 보기
> ㄱ. 0초부터 8초까지 이동 거리는 40 m이다.
> ㄴ. 가속도의 크기는 2초일 때가 10초일 때보다 크다.
> ㄷ. 출발선에 도착선까지 운동하는 동안 평균 속력은 5 m/s이다.

① ㄱ   ② ㄷ   ③ ㄱ, ㄴ
④ ㄴ, ㄷ   ⑤ ㄱ, ㄴ, ㄷ

09 그림은 직선상에서 운동하는 물체의 속도를 시간에 따라 나타낸 것이다.

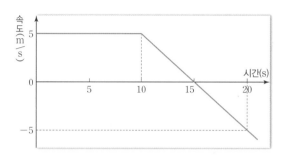

물체의 운동에 대한 설명으로 옳은 것은?

① 0초부터 15초까지 이동 거리는 75 m이다.
② 운동 방향은 12초일 때가 17초일 때와 같다.
③ 10초부터 20초까지 가속도의 크기는 감소한다.
④ 물체의 위치는 10초일 때가 20초일 때와 같다.
⑤ 가속도의 방향은 12초일 때가 17초일 때와 반대이다.

10 그림 (가)~(다)는 여러 가지 물체의 운동을 나타낸 것이다.

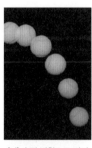  

(가) 수평 방향으로 던져져 포물선 운동 하는 공   (나) 등속 원운동 하는 회전목마   (다) 왕복 운동 하는 그네

이에 대한 설명으로 옳은 것만을 〈보기〉에서 있는 대로 고른 것은?

> 보기
> ㄱ. (가)에서 공은 등가속도 운동을 한다.
> ㄴ. (나)에서 회전 목마는 속도가 변하는 운동을 한다.
> ㄷ. (다)에서 왕복 운동 하는 동안 그네의 속력은 일정하다.

① ㄱ   ② ㄷ   ③ ㄱ, ㄴ
④ ㄴ, ㄷ   ⑤ ㄱ, ㄴ, ㄷ

도전! 실력 올리기

01 그림은 직선 운동 하는 물체의 위치를 시간에 따라 나타낸 것이다.
물체의 운동에 대한 설명으로 옳은 것만을 〈보기〉에서 있는 대로 고른 것은? (단, 물체의 크기는 무시한다.)

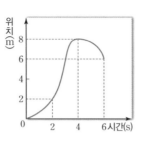

> 보기
> ㄱ. 0초부터 6초까지 이동 거리는 6 m이다.
> ㄴ. 운동 방향은 3초일 때와 5초일 때가 같다.
> ㄷ. 0초부터 6초까지 평균 속도의 크기는 1 m/s이다.

① ㄱ   ② ㄴ   ③ ㄷ
④ ㄱ, ㄴ   ⑤ ㄴ, ㄷ

---

03 그림은 고무마개가 점 O를 중심으로 줄에 매달려 등속 원운동을 하는 것을 나타낸 것이다.

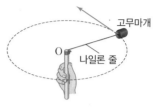

이에 대한 설명으로 옳은 것만을 〈보기〉에서 있는 대로 고른 것은?

> 보기
> ㄱ. 고무마개에는 원의 중심 방향을 향하는 힘이 작용한다.
> ㄴ. 고무마개와 같은 운동을 하는 물체의 예로는 지구 주위를 도는 인공위성이 있다.
> ㄷ. 운동하던 중에 갑자기 실이 끊어지면 고무마개는 원의 중심 방향을 향해 날아간다.

① ㄱ   ② ㄷ   ③ ㄱ, ㄴ
④ ㄴ, ㄷ   ⑤ ㄱ, ㄴ, ㄷ

출제예감

02 그림은 직선 운동을 하는 물체의 운동을 일정한 시간 간격으로 나타낸 것이다. 물체의 위치 사이의 간격은 구간 A에서 일정하게 감소하고, 구간 B에서는 일정하게 증가하였다.

처음 찍힌 물체의 위치
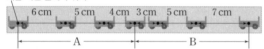

물체의 운동에 대한 설명으로 옳은 것만을 〈보기〉에서 있는 대로 고른 것은?

> 보기
> ㄱ. A에서 물체의 속력은 감소한다.
> ㄴ. 평균 속력은 A에서와 B에서가 같다.
> ㄷ. 평균 가속도의 크기는 A에서가 B에서의 2배이다.

① ㄱ   ② ㄷ   ③ ㄱ, ㄴ
④ ㄴ, ㄷ   ⑤ ㄱ, ㄴ, ㄷ

---

04 그림은 동일 직선 상에서 운동하는 물체 A, B의 속도를 시간에 따라 나타낸 것이다. 0초일 때 B는 A보다 10 m 앞서 있다.
이에 대한 설명으로 옳은 것만을 〈보기〉에서 있는 대로 고른 것은?

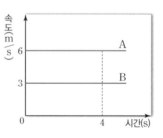

> 보기
> ㄱ. 0초부터 2초까지 이동 거리는 A가 B의 2배이다.
> ㄴ. 0초부터 2초까지 A와 B 사이의 거리는 가까워진다.
> ㄷ. 3초일 때 A와 B는 서로 만난다.

① ㄱ   ② ㄴ   ③ ㄷ
④ ㄱ, ㄴ   ⑤ ㄴ, ㄷ

05 그림은 $x=0$인 지점에 정지해 있던 철수가 등가속도 직선 운동 하여 거리 $x=L$인 지점을 속력 v로 통과한 후, $x=2L$인 지점까지 속력 v로 등속 직선 운동 하는 모습을 나타낸 것이다. $x=0$에서 출발하여 $x=L$인 지점까지 이동하는 데 걸린 시간은 t_1, $x=L$인 지점에서 $x=2L$인 지점까지 이동하는 데 걸린 시간은 t_2이다.

$t_1 : t_2$는? (단, 자전거의 크기는 무시한다.)

① $1:1$ ② $1:2$ ③ $2:1$ ④ $2:3$ ⑤ $3:2$

출제예감

06 그림과 같이 직선 도로에서 자동차 A가 기준선 P를 20 m/s의 속력으로 통과하는 순간 자동차 B는 기준선 R을 10 m/s의 속력으로 통과하였다. A와 B는 도로와 나란하게 운동하여 기준선 Q를 동시에 통과한 후 각각 R과 P에 동시에 도달하였다. P와 R 사이를 운동하는 동안 A는 등속도 운동, B는 등가속도 운동을 하였고 P와 R 사이의 거리는 200 m이다.

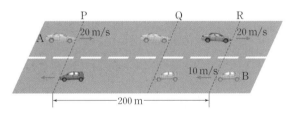

이에 대한 설명으로 옳은 것만을 〈보기〉에서 있는 대로 고른 것은? (단, 자동차의 크기는 무시한다.)

> 보기
> ㄱ. A가 P에서 R까지 운동하는 데 걸린 시간은 10초이다.
> ㄴ. B의 가속도의 크기는 2 m/s²이다.
> ㄷ. B가 R에서 Q까지 이동하는 데 걸린 시간은 6초이다.

① ㄱ   ② ㄷ   ③ ㄱ, ㄴ
④ ㄴ, ㄷ   ⑤ ㄱ, ㄴ, ㄷ

---

07 영희가 학교에서 집에 돌아갈 때 걸어가면 20분이 걸리고 뛰어가면 8분이 걸린다. 걸어갈 때의 평균 속력을 1 m/s라고 하면 뛰어갈 때 평균 속력은 얼마인지 쓰시오.

---

08 그림은 직선상에서 운동하는 물체의 위치를 시간에 따라 나타낸 것이다.

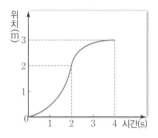

(1) 0초부터 2초까지 물체의 속력의 변화를 쓰고 그렇게 생각한 까닭을 서술하시오.

_____

_____

(2) 0부터 2초까지 물체의 평균 속력을 v_1, 2초부터 4초까지 물체의 평균 속력을 v_2라고 할 때, $v_1 : v_2$를 구하시오.

_____

_____

출제예감

09 그림은 빗면의 점 A에 가만히 놓은 공이 점 B, C, D를 차례로 지나며 등가속도 운동을 하는 모습을 나타낸 것이다. A와 B 사이의 거리는 L이고, B, C, D에서의 속력은 v, $2v$, $3v$이다.

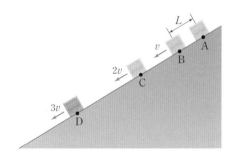

C와 D 사이의 거리를 구하고, 풀이 과정을 서술하시오.

_____

02 ~ 뉴턴 운동 제1, 2법칙

핵심 키워드로 흐름잡기

A 힘, 알짜힘, 힘의 평형
B 뉴턴 운동 제1법칙, 관성
C 뉴턴 운동 제2법칙

❶ kgf(킬로그램힘)
1 kgf은 질량이 1 kg인 물체에 작용하는 중력의 크기와 같다.

❷ 화살표를 이용한 힘의 표현
· 힘의 크기＝화살표의 길이(길이가 길수록 힘의 크기가 크다.)
· 힘의 방향＝화살표의 방향
· 힘의 작용점＝화살표의 시작점

❸ 힘의 °평형
크기가 같고 방향이 반대인 두 힘이 작용할 때와 같이 한 물체에 작용하는 알짜힘이 0인 상태를 힘의 평형이라고 한다. 물체에 작용하는 모든 힘이 평형을 이룰 때 물체의 운동 상태는 변하지 않는다.

❓ 추에 매단 실을 천천히 당기면 어떻게 될까?
추의 위아래에 실을 매달고 아래 실을 천천히 당기면 위에 매단 실에 실을 당기는 힘과 추의 무게가 합해져서 작용하기 때문에 위의 실이 끊어진다.

🐈 용어 알기
●요소(중요할 要, 바탕 素) 어떤 것을 이루는 낱낱의 구성 성분
●평형(평평할 平, 저울대 衡) 한쪽으로 기울어지지 않고 안정해 있음

A 힘

|출·제·단·서| 힘을 표현하는 방법을 이해하고, 힘의 합성과 힘의 평형에 관한 문제가 시험에 나와!

1. 힘 힘이 작용하면 물체의 모양이나 운동 상태가 변한다.

(1) **힘** 물체의 모양이나 운동 상태를 변화시키는 원인
(2) **힘의 단위** N(뉴턴), kgf(킬로그램힘)❶ 1 N의 힘이 1 kg의 물체에 작용하면 1 m/s²의 가속도가 생긴다.
(3) **힘의 3°요소** 힘의 크기, 힘의 방향, 힘의 작용점

힘의 작용선 / 힘의 크기 / 힘의 방향 / 힘의 작용점
▲ 화살표를 이용한 힘의 표현❷

2. 알짜힘 물체에 여러 힘이 동시에 작용할 때 작용한 모든 힘을 합한 것과 같은 효과를 내는 힘
힘을 합할 때에는 크기와 방향 모두를 고려해야 한다.
알짜힘을 구하는 과정을 힘의 합성이라고 한다.

구분	같은 방향의 두 힘	반대 방향의 두 힘	크기가 같고 방향이 반대인 두 힘(힘의 평형)❸
힘의 합성	4 N / 6 N	4 N ← ← → 6 N	← 4 N / 4 N →
알짜힘의 크기	두 힘의 크기를 더한 값 4 N＋6 N＝10 N	큰 힘에서 작은 힘을 뺀 값 6 N－4 N＝2 N	4 N－4 N＝0
알짜힘의 방향	두 힘과 같은 방향(오른쪽)	두 힘 중 큰 힘의 방향(오른쪽)	—

3. 힘에 의한 운동 변화

구분	운동 변화	예
알짜힘이 운동 방향과 같은 방향으로 작용	속력 증가	자유 낙하 운동
알짜힘이 운동 방향과 반대 방향으로 작용	속력 감소	연직 위로 던진 물체가 위로 올라가는 동안의 운동
알짜힘이 운동 방향과 수직으로 작용	속력 일정, 운동 방향 변화	등속 원운동
알짜힘이 운동 방향과 비스듬히 작용	속력과 운동 방향 모두 변화	진자의 운동
알짜힘이 작용하지 않음	속력과 운동 방향 모두 일정	등속 직선 운동

B 뉴턴 운동 제1법칙(관성 법칙)

뉴턴 운동 법칙은 과학자 뉴턴이 『프린키피아』에서 설명한 힘과 운동의 관계에 관한 법칙이다.

|출·제·단·서| 관성에 의해 나타나는 현상에 대한 문제가 나와!

1. 관성

(1) **관성** 물체에 작용하는 알짜힘이 0일 때 물체가 원래의 운동 상태를 계속 유지하려는 성질

정지해 있는 물체가 계속 정지해 있으려는 관성 (정지 관성)		움직이던 물체가 계속 운동하려는 관성 (운동 관성)	
정지해 있던 버스가 갑자기 출발하면 승객이 뒤로 넘어진다.	갑자기 실을 당기면 추의 아래쪽 실(B)이 끊어진다.	버스가 갑자기 정지하면 승객이 앞으로 넘어진다.	달리던 사람이 돌부리에 걸려 넘어진다.

(2) **관성의 크기** 물체의 질량이 클수록 관성이 크다.

2. 뉴턴 운동 제1법칙(°관성 법칙) 물체에 작용하는 알짜힘이 0이면 정지해 있던 물체는 계속 정지해 있고, 운동하던 물체는 등속 직선 운동을 한다.

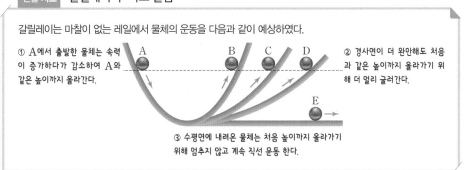

빈출 자료 갈릴레이의 °사고 실험

갈릴레이는 마찰이 없는 레일에서 물체의 운동을 다음과 같이 예상하였다.

① A에서 출발한 물체는 속력이 증가하다가 감소하여 A와 같은 높이까지 올라간다.

② 경사면이 더 완만해도 처음과 같은 높이까지 올라가기 위해 더 멀리 굴러간다.

③ 수평면에 내려온 물체는 처음 높이까지 올라가기 위해 멈추지 않고 계속 직선 운동 한다.

? 왜 마찰이 없는 레일에서 물체를 놓으면 같은 높이까지 올라갈까?

물체가 같은 높이까지 올라가는 것은 중학교 때 학습한 역학적 에너지 보존으로 설명할 수 있다.

C 뉴턴 운동 제2법칙(가속도 법칙)

|출·제·단·서| 물체의 속도 변화(가속도), 힘, 질량과의 관계를 파악하거나 물체에 작용하는 힘을 분석해서 가속도를 구하는 문제가 시험에 나와!

1. 가속도와 힘 및 질량의 관계 탐구 POOL

(1) 가속도와 힘의 관계 물체의 질량이 일정한 경우, 가속도의 크기는 물체에 작용한 알짜힘의 크기에 비례한다. ⇨ 가속도∝알짜힘 ∝는 두 물리량이 서로 비례한다는 기호이다.

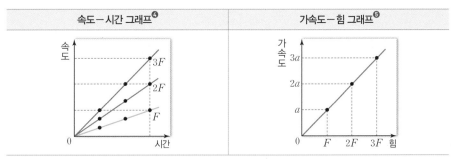

질량이 일정할 때, 힘이 커질수록 가속도의 크기는 커진다.

(2) 가속도와 질량의 관계 물체에 작용하는 알짜힘이 일정한 경우, 가속도의 크기는 물체의 질량에 반비례한다. ⇨ 가속도 $\propto \dfrac{1}{질량}$

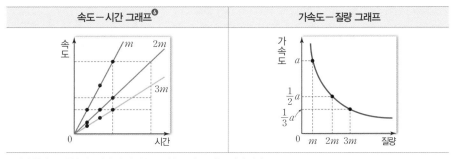

알짜힘이 일정할 때, 질량이 커질수록 가속도의 크기는 작아진다.

❹ 속도−시간 그래프에서 힘과 가속도의 관계

속도−시간 그래프에서 그래프의 기울기는 가속도를 의미하기 때문에 힘이 커지면 이에 비례하여 그래프의 기울기도 커진다.

❺ 가속도−힘 그래프에서 힘과 가속도의 관계

가속도와 힘 사이에는 비례 관계가 성립하기 때문에 가속도−힘 그래프는 일차함수의 그래프와 모양이 같다.

❻ 속도−시간 그래프에서 질량과 가속도의 관계

속도−시간 그래프에서 그래프의 기울기는 가속도를 의미하기 때문에 질량이 커지면 기울기는 점점 감소한다.

2. 뉴턴 운동 제2법칙(가속도 °법칙) 물체의 가속도의 크기 a는 물체에 작용한 알짜힘의 크기 F에 비례하고 물체의 질량 m에 반비례한다.

$$가속도 = \frac{알짜힘}{질량} , \quad a = \frac{F}{m} \Rightarrow F = ma \text{ 이것을 운동 방정식이라고도 한다.}$$

용어 알기 🐱

●관성(습관 慣, 성질 性) 물체가 운동 상태를 유지하는 성질
●사고(생각할 思, 생각할 考) 논리적으로 생각함

3. 뉴턴 운동 제2법칙의 적용 [개념 POOL]

(1) 한 물체에 힘이 작용하는 경우❼

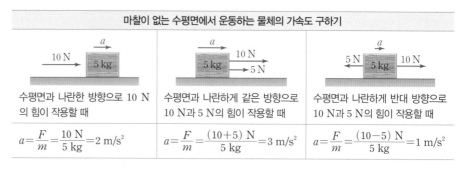

마찰이 없는 수평면에서 운동하는 물체의 가속도 구하기		
수평면과 나란한 방향으로 10 N 의 힘이 작용할 때	수평면과 나란하게 같은 방향으로 10 N과 5 N의 힘이 작용할 때	수평면과 나란하게 반대 방향으로 10 N과 5 N의 힘이 작용할 때
$a=\dfrac{F}{m}=\dfrac{10\ N}{5\ kg}=2\ m/s^2$	$a=\dfrac{F}{m}=\dfrac{(10+5)\ N}{5\ kg}=3\ m/s^2$	$a=\dfrac{F}{m}=\dfrac{(10-5)\ N}{5\ kg}=1\ m/s^2$

(2) 두 물체에 힘이 작용하는 경우❽(수평면에 놓인 두 물체)

구분	수평면에서 접촉해 있는 두 물체	수평면에서 실로 연결된 두 물체
가속도 (a)	$a=\dfrac{10\ N}{(3+2)\ kg}=2\ m/s^2$	$a=\dfrac{15\ N}{(3+2)\ kg}=3\ m/s^2$
A에 작용하는 알짜힘	① 가속도 법칙에 따라 $F_A=3\ kg\times2\ m/s^2=6\ N$ ② 힘의 합성에 따라 $F_A=(10-4)\ N=6\ N$ (B가 A를 미는 힘 (4 N)) 실이 A를 당기는 힘이 A에 작용하는 알짜힘이야!	$F_A=3\ kg\times3\ m/s^2=9\ N$ 실이 A를 당기는 힘(●장력)과 같다.
B에 작용하는 알짜힘	$F_B=2\ kg\times2\ m/s^2=4\ N$ A가 B를 미는 힘과 같다. A가 B를 미는 힘과 B가 A를 미는 힘의 크기가 같은 까닭은 ③단원에서 배워!	① 가속도 ●법칙에 따라 $F_B=2\ kg\times3\ m/s^2=6\ N$ ② 힘의 합성에 따라 실이 B를 당기는 힘 (9 N) $F_B=(15-9)\ N=6\ N$

[빈출 계산연습] 뉴턴 운동 제2법칙을 적용하여 문제 해결하기

그림과 같이 질량이 1 kg, 3 kg인 두 물체 A, B가 실로 연결되어 있고, B를 8 N의 힘으로 오른쪽으로 당기고 있다. 두 물체의 가속도와 A가 실을 통해 B를 당기는 힘을 쓰시오.

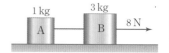

1단계 두 물체를 한 물체로 보고 작용하는 알짜힘을 구한다.
⇨ A와 B의 질량의 합: 4 kg, 작용하는 알짜힘: 8 N

2단계 $a=\dfrac{F}{m}$으로 가속도를 구한다.
⇨ $a=\dfrac{8\ N}{4\ kg}$로부터 A와 B의 가속도는 2 m/s²이다.

3단계 각 물체에 작용하는 알짜힘을 구한다.
⇨ $F_A=1\ kg\times2\ m/s^2$로부터 실이 A에 작용하는 알짜힘의 크기는 2 N이고, B에 작용하는 알짜힘은 $F_B=3\ kg\times2\ m/s^2$으로부터 6 N이다.

4단계 두 물체 사이에 작용하는 힘을 구한다.
⇨ B에 오른쪽으로 8 N의 힘이 작용할 때 B에 6 N의 알짜힘이 작용하므로 A가 B를 실을 통해 왼쪽으로 당기는 힘의 크기는 2 N이다.

---

❼ 한 물체에 힘이 작용할 때 가속도를 구하는 방법
① 물체에 작용하는 알짜힘을 구한다.
② $a=\dfrac{F}{m}$으로 가속도를 구한다.

❽ 두 물체에 힘이 작용할 때 힘과 가속도를 구하는 방법
① 두 물체를 한 물체로 보고 작용하는 알짜힘을 구한다.
② $a=\dfrac{F}{m}$으로 가속도를 구한다.
③ 각 물체에 작용하는 힘을 구한다.
④ 두 물체 사이에 작용하는 힘을 구한다.

🐱 용어 알기

● 장력(맬 張, 힘 力) 실이나 줄 따위를 통해 작용하는 힘
● 법칙(이치 法, 규칙 則) 원인과 결과를 연결하는 불변의 관계
● 합성(합할 合, 이룰 成) 둘 이상의 것을 합쳐 하나를 이룸

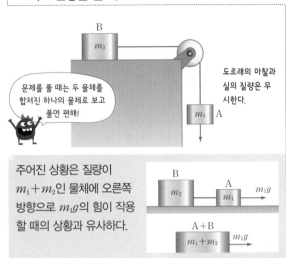

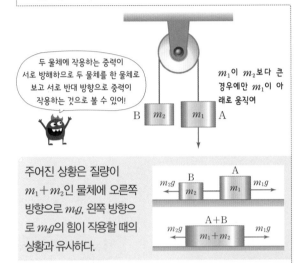

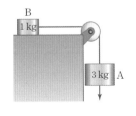

도르래에 걸쳐 연결된 두 물체의 운동 방정식

목표 두 물체가 도르래에 걸쳐 연결되어 함께 움직일 때, 물체의 가속도를 구할 수 있다.

1 수평면에 있는 물체와 도르래에 걸쳐 연결되어 등가속도 운동을 할 때

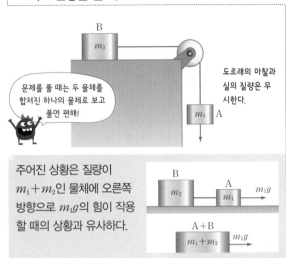

주어진 상황은 질량이 m_1+m_2인 물체에 오른쪽 방향으로 m_1g의 힘이 작용할 때의 상황과 유사하다.

(1) A가 운동하는 아래 방향을 (+), B가 운동하는 오른쪽 방향을 (+)방향으로 정한다. A와 B는 실로 연결되어 있으므로 가속도는 a로 같다.

(2) 실이 A를 당기는 힘(장력)을 T라고 하고, 중력 가속도를 g라고 하면 A에는 아래 방향으로 중력 m_1g, 위 방향으로 T의 힘이 작용한다. ⇨ $m_1g-T=m_1a$ ⋯ ①

(3) B에는 실이 오른쪽으로 당기는 힘(장력) T가 작용한다. ⇨ $T=m_2a$ ⋯ ②

(4) ①, ②를 연립하여 정리하면 $a=\dfrac{m_1}{m_1+m_2}g$이고, $T=\dfrac{m_1m_2}{m_1+m_2}g$이다.

2 두 물체가 도르래에 걸쳐 연결되어 등가속도 운동을 할 때

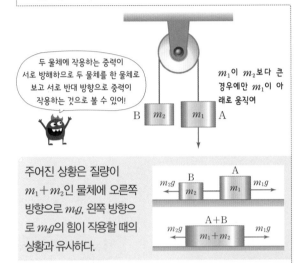

주어진 상황은 질량이 m_1+m_2인 물체에 오른쪽 방향으로 m_1g, 왼쪽 방향으로 m_2g의 힘이 작용할 때의 상황과 유사하다.

(1) A가 운동하는 아래 방향을 (+), B가 운동하는 위 방향을 (+)방향으로 정한다. A와 B는 실로 연결되어 있으므로 가속도는 a로 같다.

(2) 실이 A를 당기는 힘(장력)을 T라고 하고, 중력 가속도를 g라고 하면 A에는 아래 방향으로 중력 m_1g, 위 방향으로 T의 힘이 작용한다. ⇨ $m_1g-T=m_1a$ ⋯ ③

(3) B에는 위 방향으로 T, 아래 방향으로 중력 m_2g의 힘이 작용한다. ⇨ $T-m_2g=m_2a$ ⋯ ④

(4) ③, ④를 연립하여 정리하면 $a=\dfrac{m_1-m_2}{m_1+m_2}g$이고, $T=\dfrac{2m_1m_2}{m_1+m_2}g$이다.

한·줄·핵심 두 물체가 연결되어 함께 운동하는 경우 두 물체를 한 덩어리로 생각하고, 물체에 작용하는 외력의 합만으로 운동 방정식을 적용하여 가속도를 구할 수 있다.

◤ 확인 문제

정답과 해설 04쪽

[01~02] 그림은 두 물체 A, B가 실로 연결되어 등가속도 운동을 하고 있는 것을 나타낸 것이다.

01 A와 B의 가속도의 크기는 얼마인지 쓰시오. (단, 실의 질량, 모든 마찰, 공기 저항은 무시하고, 중력 가속도는 10 m/s²이다.)

02 A, B의 운동에 대한 설명으로 옳은 것은 ○, 옳지 않은 것은 ×로 표시하시오. (단, 중력 가속도는 10 m/s²이다.)

(1) A에 작용하는 알짜힘은 A에 작용하는 중력에서 실이 A를 당기는 힘을 뺀 힘이다. ( )

(2) A의 질량이 클수록 가속도의 크기도 크다. ( )

(3) 실이 B를 당기는 힘의 크기는 7.5 N이다. ( )

가속도와 힘, 질량의 관계 알아보기

목표 물체에 작용하는 알짜힘과 질량, 가속도의 관계를 구할 수 있다.

과정

유의점

용수철저울을 당기는 동안 눈금이 달라지지 않도록 유의하고, 배경에 있는 눈금이 잘 보이도록 확대하여 촬영한다.

❶ 그림과 같이 실험 장치 설치하기

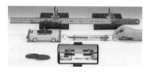

마찰이 최소화될 수 있도록 수레의 바퀴가 잘 구르는 수레를 선택한다.

❷ 질량이 0.5 kg인 수레를 1 N으로 당기기

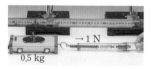

수레의 운동을 동영상으로 촬영한다.

❸ 촬영한 동영상을 분석하여 수레의 위치를 0.1초 간격으로 기록하기

시간(s)	0	0.1	0.2	0.3	0.4	0.5
위치(m)						
구간 거리(m)						
속도(m/s)						
속도 차이 (m/s)						
평균 가속도 (m/s²)						

동영상 분석 프로그램을 사용하여 시간별 이동 거리를 기록하고 평균 가속도를 구한다.

이런 실험도 있어요!

도르래와 추를 이용하여 수레를 당기는 힘이 일정하도록 하여 실험할 수도 있다.

❹ 질량을 일정하게 유지하고 힘의 크기를 변화시키면서 실험하기

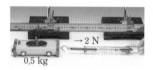

동일한 수레에 힘을 증가시키며 수레의 운동을 동영상으로 촬영한다.

❺ 힘의 크기를 일정하게 유지하고 질량을 변화시키면서 실험하기

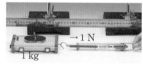

수레의 질량을 변화시키며 동일한 힘의 크기를 가할 때 수레의 운동을 동영상으로 촬영한다.

❻ 촬영한 동영상을 0.1초 간격으로 수레의 위치를 확인하여 표에 기록하기

시간(s)	0	0.1	0.2	0.3	0.4	0.5
위치(m)						
구간 거리(m)						
속도(m/s)						
속도 차이 (m/s)						
평균 가속도 (m/s²)						

동영상 분석 프로그램을 사용하여 시간별 이동 거리를 기록하고 평균 가속도를 구한다.

결과

질량(kg)	0.5	0.5	0.5	1	1.5
힘(N)	1	2	3	1	1
평균 가속도(m/s²)	2	4	6	1	$\frac{2}{3}$

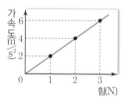

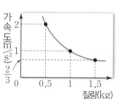

정리 및 해석

가속도의 크기는 질량이 일정하면 알짜힘의 크기에 비례($a \propto F$)하고, 알짜힘이 일정하면 질량에 반비례($a \propto \frac{1}{m}$)한다.

한·줄·핵심 $F = ma$이다.

확인 문제
정답과 해설 04쪽

01 마찰이 없는 수평면에서 질량이 m인 물체를 크기가 F인 힘으로 당겼더니 가속도가 a인 등가속도 운동을 하였다. 같은 물체를 $3F$의 힘으로 당겼을 때 물체의 가속도의 크기는 얼마인지 쓰시오.

02 마찰이 없는 수평면에서 질량이 m인 물체를 크기가 F인 힘으로 당겼더니 가속도가 a인 등가속도 운동을 하였다. 같은 힘으로 $2m$인 물체를 당겼을 때 물체의 가속도의 크기는 얼마인지 쓰시오.

정답과 해설 04쪽

✔ 잠깐 확인!

1. ☐
물체의 모양이나 운동 상태를 변화시키는 원인

2. 힘을 표현하는 3요소는 힘의 크기, 힘의 방향, 힘의 ☐☐이다.

3. 물체에 여러 힘이 동시에 작용할 때 작용한 모든 힘을 더한 것과 같은 효과를 내는 힘을 ☐☐☐이라고 한다.

4. 원래의 운동 상태를 유지하려는 성질을 ☐☐이라고 한다.

5. 물체에 작용하는 알짜힘이 0이면 정지해 있던 물체는 계속 정지해 있고 운동하던 물체는 ☐☐ ☐☐ ☐☐을 한다.

6. 물체의 가속도의 크기는 물체의 질량이 일정할 때 물체에 작용하는 ☐☐☐의 크기에 비례하고, 알짜힘이 일정할 때 ☐☐에 반비례한다.

A 힘

01 힘에 대한 설명으로 옳은 것은 ○, 옳지 않은 것은 ×로 표시하시오.

(1) 물체의 운동 방향과 물체에 작용하는 알짜힘의 방향이 같으면 물체의 속력은 증가한다. ( )

(2) 물체에 작용하는 알짜힘의 방향과 운동 방향이 서로 수직이면 물체는 등속 직선 운동을 한다. ( )

(3) 한 물체에 동시에 서로 반대 방향으로 3 N, 2 N의 힘이 작용할 때 물체에 작용하는 알짜힘의 크기는 5 N이다. ( )

02 한 물체에 작용하는 알짜힘이 0인 상태로, 물체의 운동 상태가 변하지 않는 상태를 무엇이라고 하는지 쓰시오.

B 뉴턴 운동 제1법칙(관성 법칙)

03 뉴턴 운동 제1법칙에 대한 설명으로 옳은 것은 ○, 옳지 않은 것은 ×로 표시하시오.

(1) 계속 정지해 있거나 등속 직선 운동 하는 물체에 작용하는 알짜힘은 0이다. ( )

(2) 질량이 클수록 관성이 크다. ( )

(3) 갈릴레이의 사고 실험에서 마찰이 없는 수평면을 운동하는 물체는 등가속도 운동을 한다. ( )

04 그림은 실 A, B에 연결된 물체가 정지해 있는 모습을 나타낸 것이다. B를 천천히 당겼을 때 끊어지는 실은 어느 쪽인지 쓰시오.

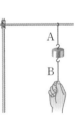

C 뉴턴 운동 제2법칙(가속도 법칙)

05 그림은 물체 A, B의 속력을 시간에 따라 나타낸 것이다.

(1) A, B에 작용하는 힘의 크기가 같다면, A, B의 질량비($m_A : m_B$)는 얼마인지 쓰시오.

(2) A, B의 질량이 같다면, A, B에 작용하는 힘의 크기의 비($F_A : F_B$)는 얼마인지 쓰시오.

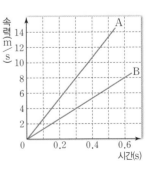

탄탄! 내신 다지기

A 힘

01 힘에 대한 설명으로 옳지 <u>않은</u> 것은?

① 힘의 단위로는 N, kgf 등이 있다.
② 힘의 3요소는 힘의 크기, 작용한 시간, 작용점이다.
③ 물체의 모양이나 운동 상태를 변화시키는 원인이다.
④ 1 kg의 물체에 1 N의 힘이 작용하면 1 m/s²의 가속도가 생긴다.
⑤ 힘을 화살표로 표현할 때 화살표의 길이는 힘의 크기를 나타낸다.

02 그림은 마찰이 없는 수평면에서 질량이 2 kg인 물체에 각각 10 N, 4 N인 힘이 서로 반대 방향으로 작용하는 것을 나타낸 것이다.

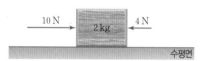

물체에 작용하는 알짜힘의 크기와 방향은?

	알짜힘의 크기	알짜힘의 방향
①	2 N	오른쪽
②	4 N	오른쪽
③	6 N	오른쪽
④	4 N	왼쪽
⑤	6 N	왼쪽

03 물체에 작용하는 알짜힘이 0인 것만을 〈보기〉에서 있는 대로 고른 것은?

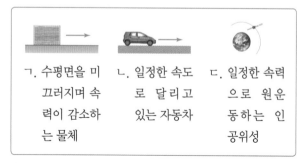

ㄱ. 수평면을 미끄러지며 속력이 감소하는 물체
ㄴ. 일정한 속도로 달리고 있는 자동차
ㄷ. 일정한 속력으로 원운동하는 인공위성

① ㄱ　　　　② ㄴ　　　　③ ㄷ
④ ㄱ, ㄴ　　　⑤ ㄴ, ㄷ

단답형
04 자유 낙하 하는 물체와 같이 속력이 증가하는 물체에 작용하는 알짜힘의 방향과 운동 방향의 관계를 쓰시오.

B 뉴턴 운동 제1법칙(관성 법칙)

05 관성에 대한 설명으로 옳은 것만을 〈보기〉에서 있는 대로 고른 것은?

> 보기
> ㄱ. 정지한 물체는 관성이 없다.
> ㄴ. 질량이 클수록 관성의 크기는 크다.
> ㄷ. 마찰이 없을 때 물체에 힘이 작용하지 않으면 운동하던 물체는 점점 속력이 줄어들어 정지한다.

① ㄱ　　　　② ㄴ　　　　③ ㄷ
④ ㄱ, ㄴ　　　⑤ ㄴ, ㄷ

단답형
06 다음은 갈릴레이의 사고 실험에 대한 설명이다.

· 물체가 마찰이 없는 빗면을 내려올 때는 속력이 (㉠)한다.
· 물체가 마찰이 없는 빗면을 올라갈 때는 속력이 (㉡)한다.
· 물체가 마찰이 없는 수평면을 운동할 때는 처음 높이까지 올라가기 위해 계속 (㉢) 운동을 한다.

㉠, ㉡, ㉢에 알맞은 말을 쓰시오.

C 뉴턴 운동 제2법칙(가속도 법칙)

07 그림 (가), (나)는 수평면 위에 놓인 물체 A, B에 수평면과 나란한 방향으로 10 N의 힘이 작용하는 것을 나타낸 것이다. A, B는 가속도의 크기가 각각 5 m/s², 2 m/s²인 등가속도 운동을 한다. 그림 (다)는 A, B가 접촉해 있을 때 수평면과 나란한 방향으로 7 N의 힘이 작용하는 것을 나타낸 것이다.

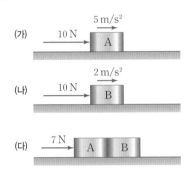

(다)에서 A의 가속도 크기는? (단, 모든 마찰, 공기 저항은 무시한다.)

① 1 m/s²　　② 2 m/s²　　③ 3 m/s²
④ 4 m/s²　　⑤ 5 m/s²

08 그림은 직선 운동 하는 물체의 속도를 시간에 따라 나타낸 것이다. 물체의 질량은 5 kg이다.
이에 대한 설명으로 옳은 것만을 〈보기〉에서 있는 대로 고른 것은?

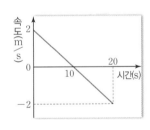

보기
ㄱ. 물체에 작용하는 알짜힘의 방향은 5초일 때와 15초일 때가 반대이다.
ㄴ. 물체의 운동 방향은 5초일 때와 15초일 때가 반대이다.
ㄷ. 10초일 때 물체에 작용하는 알짜힘의 크기는 1 N이다.

① ㄱ　　② ㄷ　　③ ㄱ, ㄴ
④ ㄴ, ㄷ　　⑤ ㄱ, ㄴ, ㄷ

09 그림은 마찰이 없는 수평면 위에서 정지해 있던 물체 A, B에 각각 크기가 $2F$, F인 힘을 작용했을 때 A, B의 속도를 시간에 따라 나타낸 것이다.

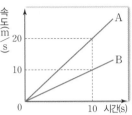

이에 대한 설명으로 옳은 것만을 〈보기〉에서 있는 대로 고른 것은?

보기
ㄱ. 가속도의 크기는 A가 B의 2배이다.
ㄴ. 질량은 A와 B가 같다.
ㄷ. 출발점으로부터 50 m를 이동하는 데 걸린 시간은 B가 A의 $\sqrt{2}$배이다.

① ㄱ　　② ㄷ　　③ ㄱ, ㄴ
④ ㄴ, ㄷ　　⑤ ㄱ, ㄴ, ㄷ

10 그림 (가)는 질량이 1 kg인 물체 A를 실로 연결하여 도르래에 걸친 후 크기가 20 N의 힘으로 당겼더니 A가 등가속도 운동을 하는 모습을 나타낸 것이다. 그림 (나)는 A와 2 kg인 물체가 실로 연결되어 도르래에 걸쳐져 등가속도 운동을 하는 모습을 나타낸 것이다.

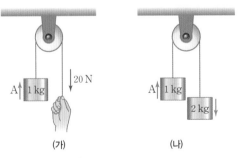

(가)　　　　(나)

(가), (나)에서 A의 가속도의 크기를 각각 $a_{(가)}$, $a_{(나)}$라 할 때, $a_{(가)} : a_{(나)}$는? (단, 중력 가속도는 10 m/s²이고 실의 질량과 모든 마찰, 공기 저항은 무시한다.)

① 1 : 1　　② 1 : 2　　③ 2 : 3
④ 3 : 1　　⑤ 3 : 2

 꼬마 캐릭터 이미지

도전! 실력 올리기

01 그림은 물체에 작용하는 알짜힘과 물체의 운동에 대해 철수, 영희, 민수가 대화하고 있는 모습을 나타낸 것이다.

제시한 내용이 옳은 학생만을 있는 대로 고른 것은?

① 철수
② 영희
③ 민수
④ 철수, 영희
⑤ 철수, 민수

출제예감

03 그림은 마찰이 없는 수평면에서 등가속도 운동 하는 질량이 2 kg인 물체가 왼쪽 방향으로 운동하는 모습을 나타낸 것이다. 물체에는 크기가 6 N, 8 N인 힘이 수평면과 나란하게 서로 반대 방향으로 작용하고 있다.

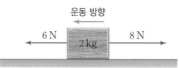

물체의 운동에 대한 설명으로 옳은 것만을 〈보기〉에서 있는 대로 고른 것은? (단, 물체의 크기와 공기 저항은 무시한다.)

> 보기
> ㄱ. 물체에 작용하는 알짜힘의 크기는 2 N이다.
> ㄴ. 가속도의 크기는 2 m/s²이다.
> ㄷ. 물체가 왼쪽으로 운동하는 동안 물체의 속력은 감소한다.

① ㄱ
② ㄴ
③ ㄷ
④ ㄱ, ㄴ
⑤ ㄱ, ㄷ

02 그림은 질량이 2 kg인 물체가 용수철에 매달려 정지해 있는 것을 나타낸 것이다.
이 물체에 작용하는 힘에 대한 설명으로 옳은 것만을 〈보기〉에서 있는 대로 고른 것은? (단, 중력 가속도는 10 m/s²이다.)

> 보기
> ㄱ. 물체에 작용하는 알짜힘은 0이다.
> ㄴ. 물체에 작용하는 탄성력의 크기는 20 N이다.
> ㄷ. 물체에 작용하는 힘들은 서로 평형을 이루고 있다.

① ㄴ
② ㄷ
③ ㄱ, ㄴ
④ ㄴ, ㄷ
⑤ ㄱ, ㄴ, ㄷ

04 그림은 수평면에 놓인 질량이 1 kg인 물체 A에 연직 위 방향으로 크기가 3 N으로 일정한 힘을 작용하였을 때 정지해 있는 모습을 나타낸 것이다. 수평면이 A를 떠받치는 힘의 크기는 F이다.

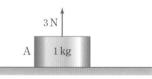

A에 작용하는 알짜힘의 크기와 F는? (단, 중력 가속도는 10 m/s²이다.)

	알짜힘의 크기	F
①	0 N	3 N
②	0 N	7 N
③	3 N	3 N
④	3 N	7 N
⑤	7 N	7 N

05 그림 (가)는 수평인 실험대 위에 놓인 질량 M인 물체에 추를 실로 연결하여 운동시키는 것을 나타낸 것이다. 그림 (나)는 추 A, B를 각각 물체와 연결하여 운동시킬 때 A, B의 속력을 시간에 따라 나타낸 것이다. A, B의 질량은 각각 m_A, m_B이다.

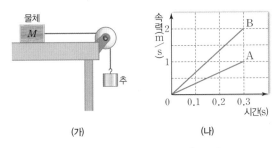

(가)   (나)

$m_A : m_B$는? (단, 중력 가속도는 10 m/s²이다.)

① 1 : 2   ② 1 : 3   ③ 1 : 4   ④ 2 : 3   ⑤ 3 : 4

출제예감

06 그림 (가)는 질량이 각각 3 kg, 2 kg인 두 물체가 실로 연결되어 등가속도 운동 하는 모습을 나타낸 것이다. 그림 (나)는 수평면 위에 놓인 질량이 2 kg인 물체가 물체 A와 실로 연결되어 등가속도 운동 하는 모습을 나타낸 것이다. 질량이 2 kg인 물체의 가속도의 크기는 (가)에서와 (나)에서가 같다.

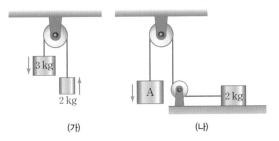

(가)   (나)

A의 질량은? (단, 중력 가속도는 10m/s²이고, 실의 질량과 모든 마찰, 공기 저항은 무시한다.)

① $\frac{1}{3}$ kg   ② $\frac{1}{2}$ kg   ③ 1 kg   ④ 2 kg   ⑤ 3 kg

07 그림은 수평면에서 일정한 속력 v로 직선 운동 하던 질량 m인 물체가 점 a를 지나는 순간부터 물체의 운동 방향과 반대 방향으로 일정한 크기의 힘 F를 받아 거리 L만큼 이동한 후 점 b에서 정지한 것을 나타낸 것이다. 물체에 작용한 힘 F를 m, v, L을 이용하여 나타내시오.

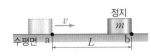

서술형

08 그림은 정지해 있던 버스가 갑자기 출발할 때 승객이 뒤로 넘어지는 것과 달리던 버스가 갑자기 정지하면 승객이 앞으로 넘어지는 것을 나타낸 것이다.

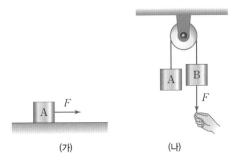

승객이 넘어지는 까닭을 뉴턴 운동 제1법칙과 연관지어 서술하고, 이와 같은 원리로 설명할 수 있는 사례를 한 가지 쓰시오.

_____

_____

_____

서술형

09 그림 (가)는 마찰이 없는 수평면에서 물체 A를 크기 F인 힘으로 당기는 모습을 나타낸 것이고, (나)는 A와 실로 연결된 물체 B를 연직 아래 방향으로 크기 F인 힘으로 당길 때 A와 B가 등가속도 운동 하는 것을 나타낸 것이다. (가)에서 A의 가속도의 크기는 a이고, (나)에서 A와 B의 질량은 같다.

(가)   (나)

(나)에서 A의 가속도의 크기를 구하고, 풀이 과정을 서술하시오. (단, 실의 질량과 모든 마찰, 공기 저항은 무시한다.)

03 ∿ 뉴턴 운동 제3법칙

핵심 키워드로 흐름잡기

A 작용, 반작용, 뉴턴 운동 제3법칙

B 작용 반작용과 두 힘의 평형

A 뉴턴 운동 제3법칙(작용 반작용 법칙)

|출·제·단·서| 작용 반작용의 관계를 구분하는 문제가 시험에 나와!

1. 뉴턴 운동 제3법칙(●작용 반작용 법칙)

(1) 작용과 반작용 힘은 항상 쌍으로 작용한다. 즉, 힘은 항상 두 물체 사이에서 서로 주고받는 형태로 작용한다. 이때 하나의 힘을 작용이라고 하면, 동시에 작용하는 다른 힘을 반작용이라고 한다. 이러한 관점에서 힘을 상호 작용이라고도 한다.

(2) 뉴턴 운동 제3법칙 한 물체가 다른 물체에 힘을 가하면 힘을 받은 물체도 힘을 가한 물체에 크기가 같고 방향이 반대인 힘을 동시에 가한다.

▲ 뉴턴 운동 제3법칙의 확인(용수철 저울)

$$F_{AB} = -F_{BA}$$

(—)부호는 두 힘의 방향이 반대임을 의미한다.

(3) 작용 반작용 관계에 있는 두 힘은 크기는 같고, 방향은 반대이며, 동일한 작용선●상에서 작용점이 서로 다른 물체에 있다.

● **작용선**
힘의 작용점에서 힘의 방향으로 그은 선

빈출 탐구 두 사람 사이에 작용하는 힘

두 사람 사이에 작용하는 두 힘의 크기와 방향을 설명할 수 있다.

과정

① 그림 (가)와 같이 바퀴가 달린 의자에 가까이 앉은 두 학생이 팔을 굽혀 손바닥을 마주 댄다.

② 한 학생이 다른 학생을 밀어 본다.

③ 두 학생이 동시에 서로 밀어 본다.

④ 그림 (나)와 같이 바퀴 달린 의자에 떨어져 앉은 두 학생이 줄의 양 끝을 잡는다.

⑤ 한 학생이 다른 학생을 당겨 본다.

⑥ 두 학생이 동시에 서로 당겨 본다.

(가)   (나)

결과

❶ 과정 ②, ③의 결과: 두 학생이 서로 멀어지는 방향으로 동시에 움직인다.

❷ 과정 ⑤, ⑥의 결과: 두 학생이 서로 가까워지는 방향으로 동시에 움직인다.

정리

❶ 힘은 항상 쌍으로 작용한다.

  ⇨ 한 학생이 밀거나 당기든지, 두 학생이 동시에 밀거나 당기든지 관계없이 두 학생은 항상 같이 움직인다.

❷ 두 학생 사이에 작용하는 힘은 작용 반작용 관계이다.

  ⇨ 한 학생이 다른 학생에게 작용하는 힘의 크기는 서로 같고, 힘의 방향은 서로 반대 방향이다.

❓ 뉴턴은 어떻게 운동 제3법칙을 증명했을까?

뉴턴이 쓴 『프린키피아』에 보면 두 개의 추를 천장에 매달아 서로 부딪히게 했을 때 서로 반대편으로 운동하는 것을 보고 두 개의 추가 서로에게 크기는 같고 방향이 반대인 힘을 작용함을 증명하고 있다.

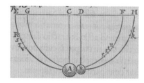

▲ 『프린키피아』에 나온 운동 제3법칙을 증명하는 그림

🐱 용어 알기

● **작용**(일어날 作, 쓸 用)어떠한 물리적 원인이나 대상이 다른 대상이나 원인에 기여함

2. 작용 반작용과 가속도, 속도, 변위 작용 반작용 관계에 있는 두 힘에 의해 물체가 운동하면 두 물체에 작용하는 힘의 크기는 서로 같으므로 두 물체의 가속도의 크기는 질량에 반비례한다. 만약 정지 상태에서 출발했다면 속도와 변위의 크기도 질량에 반비례한다.

(1) **가속도** $F=m_1a_1=m_2a_2$에서 $\dfrac{a_1}{a_2}=\dfrac{m_2}{m_1}$

    두 물체가 같은 시간 동안 움직이므로 t가 같다.

(2) **속도** $a=\dfrac{v}{t}$이고, $t=\dfrac{v_1}{a_1}=\dfrac{v_2}{a_2}$이므로, $\dfrac{v_1}{v_2}=\dfrac{a_1}{a_2}=\dfrac{m_2}{m_1}$

(3) **변위** $s=vt$이고, $t=\dfrac{s_1}{v_1}=\dfrac{s_2}{v_2}$이므로, $\dfrac{s_1}{s_2}=\dfrac{v_1}{v_2}=\dfrac{m_2}{m_1}$

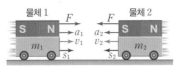
▲ 두 물체 사이의 작용 반작용

빈출 자료 작용 반작용의 적용

마찰이 없는 얼음판 위에서 정지해 있던 두 사람이 서로를 밀 때 운동의 분석

A와 B의 가속도의 비는 2 : 3

❶ A가 B를 미는 힘과 B가 A를 미는 힘은 작용 반작용 관계에 있는 힘이다.

❷ A와 B의 가속도의 크기의 비는 2 : 3이다. ⇨ $\dfrac{m_A}{m_B}=\dfrac{a_B}{a_A}=\dfrac{3}{2}$이다.

❸ 힘을 받는 동안 이동 거리의 비는 2 : 3이다. ⇨ 속도─시간 그래프의 넓이 $s_A : s_B=m_B : m_A=2 : 3$

B 작용 반작용의 예와 두 힘의 평형과의 비교

> 작용과 반작용은 서로 순서를 바꿔서 작용을 반작용이라고 하고 반작용을 작용이라고 해도 돼!

|출·제·단·서| 작용 반작용 관계와 평형 관계의 힘을 구분하는 문제가 시험에 나와!

1. 작용 반작용의 예❷

구분	걸어가는 사람	지구 주위를 공전하는 인공위성	로켓의 상승
예		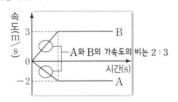	
작용	발이 땅을 뒤로 미는 힘	지구가 인공위성을 당기는 중력	로켓이 가스를 아래로 미는 힘
반작용	땅이 발을 앞으로 미는 힘	인공위성이 지구를 당기는 중력	가스가 로켓을 위로 미는 힘

반작용이 없다면 사람은 앞으로 걸어갈 수 없다.

2. 작용 반작용과 두 힘의 평형 개념 POOL

구분	작용 반작용	두 힘의 평형
공통점	두 힘의 크기가 같고 방향이 반대이며, 동일한 작용선상에 있다.	
차이점	• 두 물체에 각각 작용하는 힘이다. • 작용점이 서로 다른 물체에 있다. • 두 힘을 합성할 수 없다.❸	• 한 물체에 작용하는 두 힘이다. • 두 힘의 작용점이 동일한 물체에 있다. • 두 힘의 합력이 0이다.

❓ **지구가 물체를 당기는 만큼 물체도 지구를 당기는데 지구는 왜 끌려오지 않을까?**

물체가 지구를 당기는 힘은 지구가 물체에 당기는 중력과 크기가 같지만 지구의 질량이 물체의 질량에 비해 매우 크기 때문에 지구의 움직임은 무시할 수 있다.

❷ **주어진 힘에 대한 반작용 찾기**

어떤 힘이 주어졌을 때 주어와 목적어를 바꾸면 반작용을 쉽게 찾을 수 있다.

예 발이(주어) 땅을(목적어) 미는 힘 ↔ 땅이(주어) 발을(목적어) 미는 힘

❸ **두 힘의 합성**

작용 반작용은 서로 다른 두 물체에 작용하는 힘이므로 합성할 수 없다. 두 힘을 합성할 수 있으려면 힘의 목적어가 같아야 한다.

예 지구가 화분을 당기는 중력과 바닥이 화분을 떠받치는 힘(●수직 항력)

용어 알기

● 위성(호위할 衛, 별 星) 행성의 인력에 의하여 그 둘레를 도는 천체
● 수직 항력(드리울 垂, 곧을 直, 대항할 抗, 힘 力) 물체가 접촉하고 있는 면이 물체에 대해 수직 방향으로 작용하는 힘

두 물체의 상호 작용과 작용 반작용 찾기

목표 작용과 반작용 관계에 있는 힘과 평형 관계에 있는 힘을 구분하고 주어진 상황에서 작용 반작용을 찾을 수 있다.

1 작용 반작용과 두 힘의 평형 구분하기

한 물체에 크기가 같고 방향이 반대인 힘이 동시에 작용하면 힘의 평형을 이루어 합력이 0이 된다.

반면, 작용과 반작용 관계에 있는 두 힘은 크기가 같고 방향이 반대이지만, 서로 다른 물체에 작용하기 때문에 두 힘은 합성할 수 없다. 따라서 힘의 평형을 이루지도 않는다.

네 화살표의 길이가 같고 같은 작용선상에 있는 것에 주목해!

F_1 (지구가 물체를 당기는 힘)
F_4 (책상이 물체를 떠받치는 힘)
(물체가 책상을 누르는 힘) F_3
F_2 (물체가 지구를 당기는 힘)

▲ 지구와 물체, 책상 사이의 상호 작용

작용 반작용 관계에 있는 두 힘
• F_1(지구가 물체를 당기는 힘)과 F_2(물체가 지구를 당기는 힘)
• F_3(물체가 책상을 누르는 힘)과 F_4(책상이 물체를 떠받치는 힘)

평형 관계에 있는 두 힘
• F_1(지구가 물체를 당기는 힘)과 F_4(책상이 물체를 떠받치는 힘)

2 놀이 공원에서 작용 반작용 찾기

지구가 자이로드롭을 당기는 중력
자이로드롭이 지구를 당기는 중력
트램펄린이 사람을 밀어올리는 힘
사람이 트램펄린을 누르는 힘
그네가 사람을 받치는 힘
사람이 그네를 누르는 힘
친구 차가 내 차에 가하는 힘
내 차가 친구 차에 가하는 힘

한·줄·핵심 작용 반작용 관계에 있는 두 힘은 평형 관계에 있는 두 힘과 달리 합성할 수 없다.

확인 문제

정답과 해설 07쪽

[01~02] 그림은 책상 위에 정지해 있는 사과를 나타낸 것이다.

F_1: 지구가 사과를 당기는 중력
F_2: 책상이 사과를 떠받치는 힘
F_3: 사과가 책상을 누르는 힘
F_4: 사과가 지구를 당기는 중력

01 다음 물음에 답하시오.

(1) 작용과 반작용 관계에 있는 두 힘을 모두 쓰시오.

(2) 평형 관계에 있는 두 힘을 모두 쓰시오.

02 다음 설명 중 옳은 것은 ○, 옳지 않은 것은 ×로 표시하시오.

(1) F_1과 F_4는 작용점이 서로 다른 물체에 있다.
( )

(2) 힘의 크기는 F_1이 F_2보다 크다. ( )

(3) F_3과 F_4는 합성이 가능하다. ( )

(4) 책상 위에 놓인 사과에 작용하는 알짜힘은 0이다.
( )

콕콕! 개념 확인하기

정답과 해설 07쪽

✔ 잠깐 확인!

1. ☐☐☐☐☐☐ 법칙
한 물체가 다른 물체에 힘을 가하면 힘을 받은 물체도 힘을 가한 물체에 크기가 같고 방향이 반대인 힘을 동시에 가한다.

2. 작용 반작용 관계에 있는 두 힘은 힘의 크기가 같고, ☐☐이 반대이며, ☐☐ ☐이 서로 다른 물체에 있다.

3. 정지해 있던 두 물체가 작용 반작용에 의해 운동할 때 두 물체의 가속도의 크기는 ☐☐에 반비례하고, 같은 시간 동안의 속도와 ☐☐의 크기도 질량에 반비례한다.

4. 사람이 앞으로 걸어갈 때 발이 땅을 뒤로 미는 힘을 작용이라고 하면 ☐이 ☐을 ☐☐☐ 미는 힘을 반작용이라고 할 수 있다.

5. 작용 반작용과 힘의 평형 관계에서 공통점은 힘의 ☐ ☐가 같고, ☐☐이 반대라는 것이다.

A 뉴턴 운동 제3법칙(작용 반작용 법칙)

01 뉴턴 운동 제3법칙에 대한 설명으로 옳은 것은 ◯, 옳지 <u>않은</u> 것은 ✕로 표시하시오.

(1) 힘은 항상 작용과 반작용의 쌍으로 작용한다. ( )

(2) 작용 반작용 관계에 있는 두 힘의 크기는 서로의 질량에 비례한다. ( )

(3) 작용 반작용 관계에 있는 두 힘의 방향은 서로 반대이다. ( )

(4) 작용 반작용 관계에 있는 두 힘의 작용점은 서로 다른 물체에 있다. ( )

02 그림은 마찰이 없는 얼음판에서 A, B가 줄을 잡고 정지해 있는 모습을 나타낸 것이다. A, B의 질량은 각각 40 kg, 60 kg이다. A가 줄을 30 N의 힘으로 잡아당겼다.

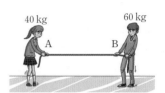

(1) 줄이 A를 잡아당기는 힘의 크기는 얼마인가?

(2) A, B의 가속도의 크기를 각각 a_A, a_B라고 할 때, $a_A : a_B$는 얼마인가?

B 작용 반작용의 예와 두 힘의 평형과의 비교

03 작용 반작용 관계로 옳은 것은 ◯, 옳지 <u>않은</u> 것은 ✕로 표시하시오.

(1) 사람이 걸어갈 때 발이 땅을 미는 힘과 땅이 발을 미는 힘 ( )

(2) 책상 위에 놓여 있는 책의 무게와 책상이 책을 떠받치는 힘 ( )

(3) 로켓이 가스를 내뿜은 힘과 가스가 로켓을 미는 힘 ( )

(4) 지구가 달을 당기는 힘과 달이 지구를 당기는 힘 ( )

04 그림은 책상 위에 정지해 있는 물체에 힘 F_1, F_2, F_3, F_4가 작용하는 것을 나타낸 것이다.

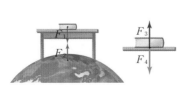

F_1: 지구가 물체를 당기는 힘

F_2: 물체가 지구를 당기는 힘

F_3: 책상이 물체를 떠받치는 힘

F_4: 물체가 책상을 누르는 힘

F_1과 작용 반작용 관계에 있는 힘과 평형 관계에 있는 힘을 순서대로 쓰시오.

탄탄! 내신 다지기

A 뉴턴 운동 제3법칙(작용 반작용 법칙)

01 그림은 A, B 두 개의 용수철저울을 연결하여 손으로 잡고 A 용수철저울을 2 N의 힘으로 당기는 것을 나타낸 것이다.

B가 A를 당기는 힘의 크기는?

① 2 N ② 4 N ③ 6 N ④ 8 N ⑤ 10 N

02 그림은 두 자석 A와 B 사이에 작용하는 힘 F를 나타낸 것이다.

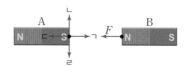

A가 B에 작용하는 힘 F의 방향이 왼쪽일 때 B가 A에 작용하는 힘의 방향으로 옳은 것은?

① ㄱ ② ㄴ ③ ㄷ ④ ㄹ ⑤ 없다.

03 그림 (가), (나)는 마찰이 없는 수평면 위에서 가벼운 실로 연결되어 있는 질량이 서로 다른 물체 A, B를 운동시키는 것을 나타낸 것이다. (가)는 A의 왼쪽에, (나)는 B의 오른쪽에 수평으로 일정한 크기의 힘 F를 작용하여 운동시켰다.

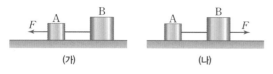

(가)와 (나)에서 같은 물리량만을 〈보기〉에서 있는 대로 고른 것은? (단, 공기 저항은 무시한다.)

> 보기
> ㄱ. A에 작용하는 알짜힘의 크기
> ㄴ. B의 가속도의 방향
> ㄷ. B가 실을 당기는 힘의 크기

① ㄱ ② ㄴ ③ ㄷ
④ ㄱ, ㄴ ⑤ ㄴ, ㄷ

04 그림은 마찰이 없는 수평면 위에 질량이 각각 2 kg, 3 kg인 물체 A, B를 서로 접촉시켜 놓고, 물체 A에 10 N의 힘을 수평 방향으로 작용시켰더니 A와 B가 등가속도 운동을 하는 모습을 나타낸 것이다.

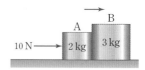

이에 대한 설명으로 옳은 것만을 〈보기〉에서 있는 대로 고른 것은? (단, 공기 저항은 무시한다.)

> 보기
> ㄱ. A의 가속도의 크기는 2 m/s²이다.
> ㄴ. 물체에 작용하는 알짜힘의 크기는 A와 B가 같다.
> ㄷ. B가 A를 미는 힘의 크기는 6 N이다.

① ㄱ ② ㄴ ③ ㄷ
④ ㄱ, ㄴ ⑤ ㄱ, ㄷ

05 그림은 질량이 각각 50 kg, 75 kg인 두 학생 A, B가 서로 바퀴 달린 의자에 앉아서 마주 보고 일정한 힘으로 미는 것을 나타낸 것이다.

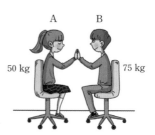

힘을 가한 직후 A의 속력이 3 m/s, A가 밀려난 거리가 60 cm라고 할 때 B의 속력과 밀려난 거리는? (단, 공기 저항과 모든 마찰은 무시한다.)

	B의 속력	B가 밀려난 거리
①	2 m/s	20 cm
②	2 m/s	40 cm
③	2 m/s	60 cm
④	3 m/s	40 cm
⑤	3 m/s	60 cm

B 작용 반작용의 예와 두 힘의 평형과의 비교

06 작용 반작용 관계에 있는 두 힘에 대한 설명으로 옳지 않은 것은?

① 작용 반작용 관계에 있는 두 힘은 합성할 수 있다.
② 로켓이 가스를 아래로 밀어낼 때 가스는 로켓을 위로 밀어낸다.
③ 작용 반작용 관계에 있는 두 힘의 작용점은 서로 다른 물체에 있다.
④ 사람이 걸어갈 때 발이 땅을 미는 힘을 작용이라고 하면 반작용은 땅이 발을 미는 힘이다.
⑤ 지구 주위를 도는 인공위성이 있을 때 지구가 인공위성에 작용하는 중력과 인공위성이 지구를 당기는 힘의 크기는 같다.

07 그림은 철수가 철봉에 매달려 가만히 정지해 있는 모습을 나타낸 것이다.
이에 대한 설명으로 옳은 것만을 〈보기〉에서 있는 대로 고른 것은?

> 보기
> ㄱ. 철수에게 작용하는 알짜힘은 0이다.
> ㄴ. 철수가 철봉을 당기는 힘의 크기는 철수에게 작용하는 중력의 크기와 같다.
> ㄷ. 철수가 철봉을 당기는 힘과 수평면이 철봉을 떠받치는 힘은 작용 반작용 관계이다.

① ㄱ ② ㄷ ③ ㄱ, ㄴ
④ ㄱ, ㄷ ⑤ ㄴ, ㄷ

단답형
08 그림은 자석 A는 천장에 매달린 용수철저울에 연결하고, 자석 B는 바닥에 놓인 접시저울 위에 놓은 것을 나타낸 것이다. A와 B의 질량은 2kg으로 같고, 용수철저울의 눈금은 24 N이다. 접시저울의 눈금은 얼마인지 구하시오. (단, 중력 가속도는 10 m/s²이고, 지구 자기장, 용수철저울의 질량은 무시한다.)

09 그림 (가)는 수영 선수가 벽을 미는 모습을, (나)는 보트 A에 탄 사람이 보트 B에 줄을 매어 당기는 모습을, (다)는 용수철에 매달려 정지해 있는 물체를 나타낸 것이다.

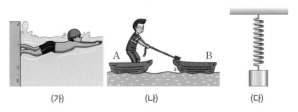

(가) (나) (다)

이에 대한 설명으로 옳은 것만을 〈보기〉에서 있는 대로 고른 것은?

> 보기
> ㄱ. (가)에서 수영 선수가 벽을 미는 힘의 크기는 벽이 수영 선수를 미는 힘의 크기와 같다.
> ㄴ. (나)에서 A는 정지한 채로 B가 A쪽으로 끌려온다.
> ㄷ. (다)에서 물체에 작용하는 중력과 용수철의 탄성력은 힘의 평형 관계이다.

① ㄱ ② ㄴ ③ ㄷ
④ ㄱ, ㄷ ⑤ ㄴ, ㄷ

10 그림은 무게가 각각 20 N, 10 N인 물체 A와 B를 가벼운 줄로 연결하여 구멍이 뚫린 책상 위에 걸쳐 놓은 것을 나타낸 것이다.

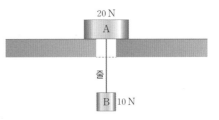

이에 대한 설명으로 옳은 것만을 〈보기〉에서 있는 대로 고른 것은?

> 보기
> ㄱ. A가 책상을 누르는 힘의 크기는 20 N이다.
> ㄴ. B가 줄을 당기는 힘의 크기는 10 N이다.
> ㄷ. 줄이 A를 당기는 힘과 책상이 A를 떠받치는 힘은 평형 관계이다.

① ㄱ ② ㄴ ③ ㄷ
④ ㄱ, ㄴ ⑤ ㄴ, ㄷ

01 그림 (가), (나)는 마찰이 없는 수평면 위에서 동일한 수레 2개와 3개를 각각 실로 연결하여 일정한 크기의 힘 F로 당기는 것을 나타낸 것이다.

(가)와 (나)에서 수레 2가 실 A, B를 당기는 힘의 크기를 각각 F_A, F_B라 할 때 $F_A : F_B$는?

① 1 : 2   ② 1 : 3   ③ 2 : 3

④ 3 : 4   ⑤ 3 : 5

출제예감

02 그림 (가)는 물체 A, B를 실 p로 연결하고, B는 실 q로 지면과 연결하여 A, B가 정지해 있는 것을 나타낸 것이다. 그림 (나)는 q를 끊었을 때 A와 B가 등가속도 운동 하는 것을 나타낸 것이다. A, B의 질량은 각각 2 kg, 1 kg이다.

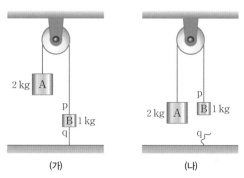

이에 대한 설명으로 옳은 것만을 〈보기〉에서 있는 대로 고른 것은? (단, 중력 가속도는 10 m/s²이고, A, B의 크기, 공기 저항, 모든 마찰은 무시한다.)

> **보기**
> ㄱ. (가)에서 p가 A를 당기는 힘과 q가 B를 당기는 힘은 작용과 반작용의 관계이다.
> ㄴ. (나)에서 A의 가속도의 크기는 $\frac{10}{3}$ m/s²이다.
> ㄷ. p가 A를 당기는 힘의 크기는 (가)에서가 (나)에서보다 크다.

① ㄱ   ② ㄴ   ③ ㄷ

④ ㄱ, ㄷ   ⑤ ㄴ, ㄷ

03 그림은 미끄러운 얼음판 위에서 A, B가 서로 마주 보고 줄을 당기고 있는 모습이다. 질량은 B가 A의 2배이다.

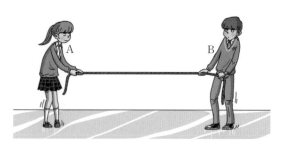

A가 일정한 크기의 힘으로 줄을 당길 때, 이에 대한 설명으로 옳은 것만을 〈보기〉에서 있는 대로 고른 것은? (단, 공기 저항은 무시한다.)

> **보기**
> ㄱ. 가속도의 크기는 A가 B의 2배이다.
> ㄴ. A와 B가 만나기 직전 속력은 A와 B가 같다.
> ㄷ. A가 줄을 당기는 힘과 B가 줄을 당기는 힘은 작용과 반작용의 관계이다.

① ㄱ   ② ㄴ   ③ ㄷ

④ ㄱ, ㄴ   ⑤ ㄴ, ㄷ

04 그림은 용수철에 매달린 자석 A와 지면에 놓인 자석 B가 일정한 거리를 유지한 채 정지해 있는 것을 나타낸 것이다. 용수철은 원래 길이보다 압축되어 있고, A의 N극과 B의 N극은 서로 마주 보고 있다.
이에 대한 설명으로 옳은 것만을 〈보기〉에서 있는 대로 고른 것은? (단, A, B는 동일한 연직선상에 있고, 용수철의 질량과 지구 자기장은 무시한다.)

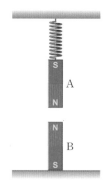

> **보기**
> ㄱ. 용수철이 A를 잡아당기는 힘과 B가 A를 밀어내는 자기력은 작용과 반작용의 관계이다.
> ㄴ. B에 작용하는 알짜힘은 0이다.
> ㄷ. 지면이 B를 떠받치는 힘의 크기는 B에 작용하는 중력의 크기보다 크다.

① ㄱ   ② ㄷ   ③ ㄱ, ㄴ

④ ㄴ, ㄷ   ⑤ ㄱ, ㄴ, ㄷ

05 그림은 수평면에서 전동 킥보드를 타는 A가 등속도 운동을 하는 모습을 나타낸 것이다.
이에 대한 설명으로 옳은 것만을 〈보기〉에서 있는 대로 고른 것은? (단, 공기 저항은 무시한다.)

보기
ㄱ. 킥보드에 작용하는 알짜힘은 0이다.
ㄴ. 킥보드가 A에게 작용하는 힘과 A가 받는 중력은 작용 반작용 관계이다.
ㄷ. A가 킥보드에 작용하는 힘의 크기와 수평면이 킥보드에 작용하는 힘의 크기는 같다.

① ㄱ   ② ㄴ   ③ ㄷ
④ ㄱ, ㄴ   ⑤ ㄴ, ㄷ

06 그림 (가)는 질량이 같은 물체 A, B가 손 위에 올려져 정지해 있는 것을 나타낸 것이고, (나)는 (가)에서 손을 치웠더니 A, B가 같은 가속도로 운동하는 것을 나타낸 것이다.

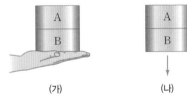

(가)   (나)

이에 대한 설명으로 옳은 것만을 〈보기〉에서 있는 대로 고른 것은? (단, 공기 저항은 무시한다.)

보기
ㄱ. (가)에서 B가 A를 떠받치는 힘의 크기는 A에 작용하는 중력의 크기와 같다.
ㄴ. (가)에서 손이 B를 떠받치는 힘과 A가 B를 누르는 힘은 평형을 이룬다.
ㄷ. (나)에서 물체에 작용하는 알짜힘의 크기는 A와 B가 같다.

① ㄱ   ② ㄴ   ③ ㄷ
④ ㄱ, ㄴ   ⑤ ㄱ, ㄷ

07 그림은 책상 위에 사과를 올려놓은 모습이다. 책상이 사과를 떠받치는 힘이 10 N이라고 할 때 사과의 질량과, 사과가 지구를 당기는 힘의 크기는 얼마인지 쓰시오. (단, 중력 가속도는 10 m/s²이다.)

서술형
08 그림은 마찰이 없는 수평면 위에서 물체 A와 B를 접촉시켜 놓고 A에 일정한 크기의 힘 F를 작용하여 미는 것을 나타낸 것이다.
B의 질량만을 증가시켰을 때, A의 가속도의 크기와 A가 B를 미는 힘의 변화를 까닭과 함께 서술하시오.

서술형
09 그림 (가)는 얼음판 위에서 A, B가 마주 보고 서로 상대방을 미는 모습을 나타낸 것이다. A와 B의 질량은 각각 m_A, m_B이다. 그림 (나)는 A, B의 속도를 시간에 따라 나타낸 것이다.

   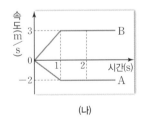

(가)   (나)

$m_A : m_B$를 구하고, 풀이 과정을 서술하시오.

등가속도 직선 운동

◢ **대표 유형**

그림과 같이 질량 m인 놀이 기구가 올라갔다 내려온다. 지면에 정지해 있던 놀이 기구에

<u>$t=0$부터 $t=T$까지 중력과 크기 $3mg$인 일정한 힘이 작용하고</u>, <u>$t=T$부터 $t=4T$까지는</u>
속력 증가, 놀이 기구에 작용하는 알짜힘$=3mg-mg=2mg$ 속력 감소하다가 증가, 놀이 기구에 작용하는 알짜힘$=-mg$
<u>**중력만 작용하다가** $t=4T$부터 지면에 도달할 때까지는 중력과 크기 F의 일정한 힘이 작용</u>
                    속력 감소, 놀이 기구에 작용하는 알짜힘$=F-mg$
한다.

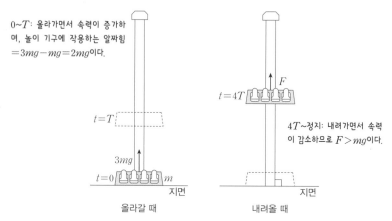

0~T: 올라가면서 속력이 증가하며, 놀이 기구에 작용하는 알짜힘$=3mg-mg=2mg$이다.

$t=T$

$3mg$

$t=0$ m

지면

올라갈 때

$t=4T$ F

$4T$~정지: 내려가면서 속력이 감소하므로 $F>mg$이다.

지면

내려올 때

지면에 도달할 때까지, 놀이 기구의 속력이 0이 되게 하는 F는? (단, 모든 힘은 연직 방향으로 작용하며, 중력 가속도는 g이고, 모든 마찰과 공기 저항은 무시한다.)

① $\dfrac{12}{11}mg$ ② $\dfrac{10}{9}mg$ ③ $\dfrac{8}{7}mg$ ✔ $\dfrac{6}{5}mg$ ⑤ $\dfrac{4}{3}mg$

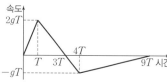

속도
$2gT$

T $3T$ $4T$

$-gT$ $9T$ 시간

놀이 기구에 작용하는 알짜힘을 토대로 가속도를 계산하여 놀이 기구의 속도를 시간에 따라 나타내면 왼쪽 그래프와 같다.
→ $t=4T$부터 $t=9T$까지 놀이 기구에 작용하는 알짜힘의 크기는 $F-mg$이므로 가속도의 크기는 $\dfrac{F-mg}{m}=\dfrac{1}{5}g$이다.

◢ **단계별로 문제 접근하기**

| 시간대 별로 놀이 기구에 작용하는 힘에 대한 운동 방정식을 세운다. | ⋙ | 시간대 별로 놀이 기구의 가속도를 구한다. | ⋙ | 놀이 기구의 속도를 시간에 따라 나타낸다. | ⋙ | 가속도의 크기로 놀이 기구에 작용한 힘 F를 구한다. |

출제 의도

시간대 별로 물체에 작용하는 힘을 분석하여 물체를 정지시키는 데 작용하는 힘을 구하는 문제이다.

✎ 이것이 함정

물체의 운동 방향과 가속도의 방향이 같으면 속력이 증가하고, 반대이면 속력이 감소한다는 것을 기억해야 한다.

추가 선택지

• 놀이 기구의 가속도의 크기는 $\dfrac{T}{2}$일 때가 $3T$일 때보다 크다.   (○)
⟶ 0부터 T까지 가속도의 크기는 $2g$이고, T부터 $4T$까지 가속도의 크기는 g이다.

• 놀이 기구의 속력은 T일 때가 $4T$일 때의 2배이다. (○)
⟶ T일 때 속력은 $2gT$이고, $4T$일 때 속력은 $|2gT-g(3T)|$ $=gT$이다.

실전! 수능 도전하기

01 그림과 같이 다리 위에서 자동차가 등가속도 직선 운동을 하고 있다. 자동차가 이웃한 교각 사이의 구간을 지나는 데 걸린 시간은 모두 같다.

점 O에서 점 P까지 자동차의 속력을 위치에 따라 나타낸 그래프로 가장 적절한 것은? (단, 자동차의 크기는 무시한다.)

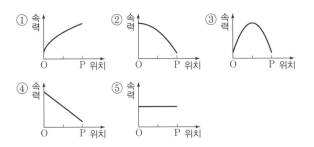

02 그림 (가)는 직선 도로에서 0초일 때 자동차 A가 기준선 P를 v의 속력으로 통과하는 순간, P에 정지해 있던 자동차 B가 출발하여 8초인 순간 A와 B가 기준선 Q를 동시에 통과하는 것을 나타낸 것이다. P와 Q 사이의 거리는 L이다. 그림 (나)는 A, B의 가속도를 시간에 따라 나타낸 것이다.

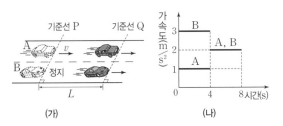

이에 대한 설명으로 옳은 것만을 〈보기〉에서 있는 대로 고른 것은?

> 보기
> ㄱ. $L=88$ m이다.
> ㄴ. $v=6$ m/s이다.
> ㄷ. 4초일 때 속력은 A가 B보다 크다.

① ㄱ   ② ㄷ   ③ ㄱ, ㄴ
④ ㄴ, ㄷ   ⑤ ㄱ, ㄴ, ㄷ

03 그림과 같이 직선 도로에서 자동차 A가 기준선을 10 m/s로 통과하는 순간, 기준선에 정지해 있던 자동차 B가 출발하여 두 자동차가 도로와 나란하게 운동하고 있다. A와 B의 속력이 v로 같은 순간, A는 B보다 20 m 앞서 있다. A와 B는 속력이 증가하는 등가속도 운동을 하고, A와 B의 가속도의 크기는 각각 a, $2a$이다.

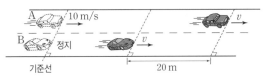

이에 대한 설명으로 옳은 것만을 〈보기〉에서 있는 대로 고른 것은?

> 보기
> ㄱ. 두 자동차가 기준선을 통과한 순간부터 속력이 v로 같아질 때까지 걸린 시간은 4초이다.
> ㄴ. $v=30$ m/s이다.
> ㄷ. $a=2$ m/s^{2}이다.

① ㄱ   ② ㄴ   ③ ㄷ
④ ㄱ, ㄴ   ⑤ ㄴ, ㄷ

04 그림과 같이 물체가 마찰이 없는 빗면을 따라 점 p를 통과하는 순간부터 점 q를 지나 점 r에 정지하는 순간까지 등가속도 직선 운동을 한다. p에서 물체의 속력은 $2v$이고 p에서 q까지, q에서 r까지의 거리는 각각 $3L$, L이다. p에서 q까지, q에서 r까지 운동하는 데 걸린 시간은 같다.

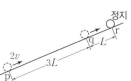

물체의 운동에 대한 설명으로 옳은 것만을 〈보기〉에서 있는 대로 고른 것은? (단, 물체의 크기는 무시한다.)

> 보기
> ㄱ. p에서 r까지 걸린 시간은 $\dfrac{4L}{v}$이다.
> ㄴ. 가속도의 크기는 $\dfrac{v^2}{2L}$이다.
> ㄷ. q에서의 속력은 $\dfrac{3}{2}v$이다.

① ㄱ   ② ㄴ   ③ ㄷ
④ ㄱ, ㄴ   ⑤ ㄴ, ㄷ

05 그림은 빗면을 따라 운동하던 물체 A가 점 p를 지나는 순간, 점 q에 물체 B를 가만히 놓은 모습을 나타낸 것이다. A와 B는 B를 놓은 순간부터 등가속도 운동을 하여 시간 T 후에 만난다. A와 B가 만나는 순간 B의 속력은 $3v_0$이다.

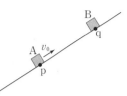

이에 대한 설명으로 옳은 것만을 〈보기〉에서 있는 대로 고른 것은? (단, A, B는 동일 연직면상에서 운동하며, 물체의 크기, 마찰과 공기 저항은 무시한다.)

〈보기〉
ㄱ. p와 q 사이의 거리는 v_0T이다.
ㄴ. A가 최고점에 도달하는 순간, A와 B 사이의 거리는 $\frac{1}{4}v_0T$이다.
ㄷ. A와 B가 만나는 순간, A의 속력은 v_0이다.

① ㄱ   ② ㄴ   ③ ㄱ, ㄴ
④ ㄱ, ㄷ   ⑤ ㄴ, ㄷ

06 그림 (가), (나)와 같이 실 p로 연결된 물체 A와 B를 마찰이 없는 수평면에 놓은 후 크기가 F인 일정한 힘을 각각 A, B에 수평 방향으로 작용하였다. (가), (나)에서 p가 A를 당기는 힘의 크기는 각각 6 N, 3 N이다.

(가)   (나)

이에 대한 설명으로 옳은 것만을 〈보기〉에서 있는 대로 고른 것은? (단, 실의 질량, 공기 저항은 무시한다.)

〈보기〉
ㄱ. A에 작용하는 알짜힘의 크기는 (가)에서가 (나)에서와 같다.
ㄴ. 질량은 A가 B의 2배이다.
ㄷ. $F = 9$ N이다.

① ㄱ   ② ㄴ   ③ ㄷ
④ ㄱ, ㄷ   ⑤ ㄴ, ㄷ

07 그림 (가)는 수평면에 놓인 물체 A를 물체 B와 실로 연결한 모습을, (나)는 (가)의 A를 물체 C와 연결한 모습을 나타낸 것이다. A와 B의 질량은 m이고, 질량은 C가 A보다 크다. A의 가속도의 크기는 (가)에서가 (나)에서의 2배이다.

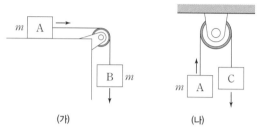

(가)   (나)

C의 질량은? (단, 실의 질량, 모든 마찰은 무시한다.)

① $\frac{4}{3}m$ ② $\frac{5}{3}m$ ③ $2m$

④ $\frac{7}{3}m$ ⑤ $\frac{8}{3}m$

08 그림 (가)와 같이 질량이 m, 3 kg인 물체 A, B를 실로 연결한 후 A를 가만히 놓았더니 A가 0.4 m 이동하였을 때 실이 끊어졌다. A를 놓은 순간부터 실이 끊어지기까지 걸린 시간은 t이다. 그림 (나)는 A가 움직이는 순간부터 A의 가속도의 크기를 이동 거리에 따라 나타낸 것이다.

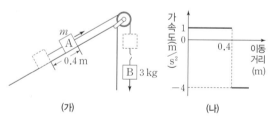

(가)   (나)

t와 m으로 옳은 것은?(단, 중력 가속도는 10 m/s²이고, 실의 질량, 모든 마찰 및 공기 저항은 무시한다.)

	t(s)	m(kg)		t(s)	m(kg)
①	$\frac{1}{\sqrt{5}}$	$\frac{21}{5}$	②	$\frac{1}{\sqrt{5}}$	$\frac{27}{5}$
③	$\frac{2}{\sqrt{5}}$	$\frac{21}{5}$	④	$\frac{2}{\sqrt{5}}$	$\frac{27}{5}$
⑤	$\frac{3}{\sqrt{5}}$	$\frac{21}{5}$			

09 그림 (가)는 물체 A, B가 용수철저울과 실로 연결되어 정지해 있는 모습을 나타낸 것이고, (나)는 수평한 책상면 위에 놓인 A가 B와 용수철저울과 실로 연결되어 등가속도 운동을 하는 모습을 나타낸 것이다. A, B의 질량은 m으로 같다.

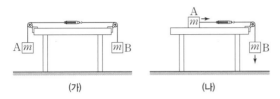

(가), (나)에서 용수철저울이 측정한 힘의 크기가 각각 F_1, F_2일 때, $F_1 : F_2$는? (단, 실의 질량, 모든 마찰과 공기 저항은 무시한다.)

① 1 : 1 ② 1 : 2 ③ 2 : 1 ④ 2 : 3 ⑤ 3 : 2

10 그림 (가)는 물체 B와 실로 연결된 물체 A를 일정한 힘 F로 당기는 동안 A가 위 방향으로 등속도 운동 하는 모습을 나타낸 것이다. A, B의 질량은 m으로 같다. 그림 (나)는 (가)에서 B를 물체 C로 바꾸어 F로 당길 때, A가 등가속도 운동 하는 모습을 나타낸 것이다. 이때 A는 위 방향으로 속력이 빨라지는 등가속도 운동을 하며, 가속도의 크기는 $\frac{1}{3}g$이다.

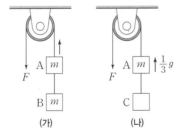

F와 C의 질량으로 옳은 것은? (단, 중력 가속도는 g이고, 실의 질량, 모든 마찰과 공기 저항은 무시한다.)

	F	C의 질량		F	C의 질량
①	mg	$\frac{1}{2}m$	②	mg	m
③	$2mg$	$\frac{1}{2}m$	④	$2mg$	m
⑤	$2mg$	$2m$			

11 그림과 같이 물체 A, B, C를 실 p, q로 연결하고 수평면 위의 C에 수평 방향으로 60 N의 힘을 작용한다. A, B, C의 질량은 각각 3 kg, 2 kg, 1 kg이다. 이에 대한 설명으로 옳은 것만을 〈보기〉에서 있는 대로 고른 것은? (단, 중력 가속도는 10 m/s²이고, 실의 질량과 모든 마찰 및 공기 저항은 무시한다.)

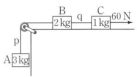

> 보기
> ㄱ. A의 가속도의 크기는 5 m/s²이다.
> ㄴ. p가 A를 당기는 힘의 크기는 45 N이다.
> ㄷ. q가 B를 당기는 힘의 크기는 q가 C를 당기는 힘의 크기보다 작다.

① ㄱ   ② ㄴ   ③ ㄷ
④ ㄱ, ㄴ   ⑤ ㄴ, ㄷ

12 그림 (가)와 같이 물체 A, B, C가 실 p, q로 연결되어 등가속도 운동을 한다. 그림 (나)는 (가)에서 q가 끊어진 후 A, B는 등가속도 운동을 하고 C는 등속도 운동을 하는 모습을 나타낸 것이다. A의 가속도의 크기는 (나)에서가 (가)에서의 2배이고, A, C의 질량은 각각 m, $2m$이다.

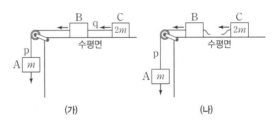

이에 대한 설명으로 옳은 것만을 〈보기〉에서 있는 대로 고른 것은? (단, 중력 가속도는 g이고, 실의 질량, 모든 마찰과 공기 저항은 무시한다.)

> 보기
> ㄱ. (가)에서 A의 가속도의 크기는 $\frac{1}{2}g$이다.
> ㄴ. (가)에서 p가 A를 당기는 힘의 크기는 q가 B를 당기는 힘의 크기보다 크다.
> ㄷ. p가 A를 당기는 힘의 크기는 (가)에서가 (나)에서의 $\frac{3}{2}$배이다.

① ㄱ   ② ㄴ   ③ ㄷ
④ ㄱ, ㄴ   ⑤ ㄴ, ㄷ

04 ∿ 운동량 보존 법칙

핵심 키워드로 흐름잡기

A 운동량, 운동량의 변화량

B 운동량 보존 법칙, 융합, 분열

❶ 벡터
크기와 방향을 모두 갖는 물리량을 벡터라고 한다.

A 운동량

|출·제·단·서| 운동량을 정량적으로 구하는 문제가 시험에 나와!

1. ●운동량(p) 물체의 운동 효과를 나타내는 양으로, 크기와 방향을 가진 ●물리량❶이다.

(1) **운동량의 정의** 물체의 질량과 속도의 곱으로 정의된다.

물체의 질량이 클수록, 속도가 빠를수록 운동량이 커!

$$운동량 = 질량 \times 속도, \quad p = mv \quad [단위: kg \cdot m/s]$$

(2) **운동량의 크기** 물체의 질량과 속력의 곱이다.

(3) **운동량의 방향** 속도의 방향과 항상 같다. 직선상에서는 한쪽 방향 운동량을 (+)로 두면, 반대 방향의 운동량은 (−)값을 가진다.

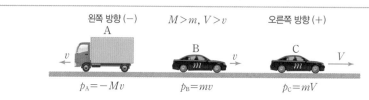
▲ 운동량의 크기와 방향

❶ A는 왼쪽으로 운동하므로 운동량은 (−)값이고, B, C는 오른쪽으로 운동하므로 운동량은 (+)값이다.
⇨ 운동량의 부호는 방향을 의미한다.

❷ 속력이 같을 때 질량이 클수록 운동량의 크기는 크다. ⇨ $p_A > p_B$, $p_{볼링공} > p_{축구공}$

❸ 질량이 같을 때 속력이 빠를수록 운동량의 크기는 크다. ⇨ $p_B < p_C$, $p_{빠른} > p_{느린}$

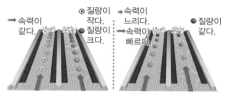
▲ 축구공과 볼링공의 운동량

❷ 운동량의 변화량
운동량의 변화는 물체의 속도의 변화와 질량의 곱이다. 따라서 단위 시간당 운동량의 변화량은 힘과 같다.

$$\frac{\Delta p}{\Delta t} = m \frac{\Delta v}{\Delta t} = ma = F$$

2. 운동량의 변화량(Δp)❷ 나중 운동량과 처음 운동량의 차이다.

$$운동량의 변화량 = 나중 운동량 - 처음 운동량 = mv - mv_0 \quad [단위: kg \cdot m/s]$$

처음 속력이 v_0, 나중 속력이 v이고 운동 방향이 바뀌지 않을 때 이 공식을 쓸 수 있다.

❓ 물체의 운동 방향이 변하면 운동량의 변화량은 어떻게 될까?
물체의 운동 방향이 바뀌면 처음 운동량을 $-mv_0$, 나중 운동량을 mv라고 할 수 있으므로 운동량의 변화량 $\Delta p = mv - (-mv_0) = mv + mv_0$이다.

B 운동량 보존 법칙

|출·제·단·서| 물체의 충돌 과정에서 운동량의 변화와 속력의 변화를 구하는 문제가 시험에 나와!

1. 운동량 보존 법칙 [탐구POOL] 물체들 간의 상호 작용(충돌, 융합, 분열) 과정에서 외력이 작용하지 않으면 상호 작용 전과 후의 물체들의 운동량의 합은 항상 일정하게 보존된다.

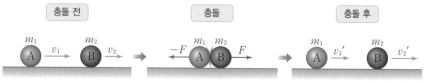

충돌 전 / 충돌 / 충돌 후

▲ 운동량 보존 법칙 충돌 과정에서 두 물체가 서로 작용하는 힘은 작용 반작용 관계이다.

$$충돌 전의 운동량의 합 = 충돌 후의 운동량의 합$$
$$m_1 v_1 + m_2 v_2 = m_1 v_1' + m_2 v_2'$$

용어 알기

●물리량(만물 物, 이치 理, 양 量) 물질이나 물체의 성질, 또는 상태를 나타내는 양

●운동량(움직일 運, , 움직일 動 양 量) 물체의 운동의 효과를 나타낸 물리량

운동량 ●보존 법칙의 증명

뉴턴 운동 제3법칙을 이용하면 운동량 보존 법칙을 증명할 수 있다.

❶ 충돌 과정에서 A가 B에 힘을 작용한 시간(Δt)와 B가 A에 힘을 작용한 시간(Δt)은 같다.

❷ 충돌 과정에서 A가 B에 작용한 힘과 B가 A에 작용한 힘은 서로 크기가 같고 방향은 반대이다.

❸ A가 B에 작용하는 힘 $F = \dfrac{\Delta p_A}{\Delta t} = \dfrac{m_1(v_1' - v_1)}{\Delta t}$

작용 반작용

❹ B가 A에 작용하는 힘 $-F = \dfrac{\Delta p_B}{\Delta t} = \dfrac{m_2(v_2' - v_2)}{\Delta t}$

$\therefore m_1(v_1' - v_1) = -m_2(v_2' - v_2)$
$\Rightarrow m_1 v_1 + m_2 v_2 = m_1 v_1' + m_2 v_2'$

2. 융합이나 분열이 일어날 때의 운동량 보존

종류	정의	특징
●융합	충돌 후 두 물체가 한 덩어리가 되어 운동	$m_1 v_1 + m_2 v_2 = (m_1 + m_2)v$ $\Rightarrow$ $v = \dfrac{m_1 v_1 + m_2 v_2}{m_1 + m_2}$
분열❸	정지해 있던 질량이 $m_1 + m_2$인 물체가 두 물체로 분열되어 운동	$0 = m_1 v_1 + m_2 v_2$ $m_1 v_1 = -m_2 v_2$

3. ●충돌의 종류

종류	정의	특징
탄성 충돌❹	충돌 과정에서 운동 에너지가 보존되는 충돌	질량이 같은 두 물체가 탄성 충돌 하면 두 물체는 충돌 과정에서 속도를 서로 교환한다.
완전 비탄성 충돌	충돌 후 두 물체가 붙어서 한 덩어리가 되는 충돌	운동량은 보존되지만 운동 에너지는 보존되지 않는다.

빈출 계산연습 운동량 보존 법칙을 적용하여 충돌 후 물체의 속력 구하기

수평면에서 2 m/s의 일정한 속력으로 운동하던 질량이 0.2 kg인 공 A가 질량이 0.1 kg인 정지한 공 B에 충돌하였다. 충돌 후 A가 처음 운동 방향으로 1 m/s로 운동한다면, B의 속력은 얼마인가?

1단계　충돌 전 A와 B의 운동량의 합을 구한다.
　　　$\Rightarrow$ A의 운동량 $p_A = 0.2 \times 2 = 0.4$ kg·m/s, B의 운동량 $p_B = 0$, $\therefore p_A + p_B = 0.4$ kg·m/s

2단계　충돌 후 A와 B의 운동량의 합을 구한다. 구하고자 하는 물체의 속력을 v라고 한다.
　　　$\Rightarrow$ A의 운동량 $p_A' = 0.2 \times 1 = 0.2$ kg·m/s, B의 운동량 $p_B' = 0.1 \times v = 0.1v$,
　　　$\therefore p_A' + p_B' = 0.2 + 0.1v$ kg·m/s

3단계　운동량 보존 법칙을 적용하여 B의 속력을 구한다.
　　　$\Rightarrow 0.4 = 0.2 + 0.1v$, $\therefore v = 2$ m/s

❓ 운동량이 보존되기 위해서는 어떤 조건이 필요할까?

운동량이 보존되기 위해서는 충돌, 융합, 분열 과정에서 물체 사이의 상호 작용 외에 외력이 작용하지 않아야 한다.

❸ 분열 상황에서의 운동량 보존의 활용

로켓이 운동할 때 뒤로 분출한 가스의 운동량을 계산하고 운동량 보존 법칙을 적용하면 로켓의 실제 운동 속력을 알아낼 수 있다.

❹ 탄성 충돌의 예

마찰이 없는 상황에서 당구공끼리의 충돌, 원자끼리의 충돌 등

용어 알기

●보존(지킬 保, 있을 存) 보호하여 남김
●융합(화할 融, 합할 合) 둘 이상의 것이 합쳐져 하나가 됨
●충돌(맞부딪힐 衝, 부딪을 突) 서로 맞부딪치거나 맞섬

운동량 보존 법칙 확인하기

목표 1차원 충돌에서 충돌 전과 후의 운동량이 보존되는 것을 정량적으로 설명할 수 있다.

과정

유의점

- 두 수레가 일직선으로 운동하게 한다.
- 수레의 질량을 측정할 때 고무찰흙의 질량을 포함하여 측정한다.
- 수레의 충돌 후 두 수레가 붙어서 운동할 수 있도록 고무 찰흙의 양과 수레의 속력을 조절한다.
- 속도 측정기가 없는 경우 스마트기기를 이용해 동영상을 촬영하여 운동을 분석할 수 있다.

🧪 이런 실험도 있어요!

합쳐져 있던 두 수레를 반발시켜 양쪽 방향으로의 운동량을 비교하여 운동량 보존 법칙을 확인할 수도 있다.

❶ 역학 수레에 고무찰흙 붙이기

두 수레가 충돌 후 붙어서 함께 운동할 수 있도록 수레의 충돌 면에 고무찰흙을 붙인다.

❷ 수레의 질량을 측정하고 실험 장치 설치하기

수레의 질량을 측정하고, 수레의 속력 측정을 위해 속도 측정기 2개를 설치한다.

❸ 두 수레 충돌시키기

수레 A를 정지시켜 놓고, 수레 B를 밀어 충돌 전과 후의 속력을 측정한다.

❹ 수레의 질량을 변화시키고 실험 반복하기

A에 추를 얹어 질량을 변화시키고 과정 ❸을 반복한다.

❺ 실험 결과를 표에 기록하기

실험 결과를 표에 기록한다.

❻ 충돌 전과 후의 운동량의 합 계산하기

실험 결과를 분석하여 충돌 전과 후의 운동량의 합을 구한다.

결과

횟수	충돌 전(A는 정지)				충돌 후(A와 B)		
	A의 질량 (kg)	B의 질량 (kg)	B의 속력 (m/s)	B의 운동량 (kg·m/s)	질량 (kg)	속력 (m/s)	운동량의 합 (kg·m/s)
1	0.6	0.63	0.5	0.315	1.23	0.25	0.307
2	0.8	0.63	0.5	0.315	1.43	0.22	0.328
3	1.0	0.63	0.5	0.315	1.63	0.20	0.325

정리 및 해석

충돌 전 운동량의 총합은 충돌 후 운동량의 총합과 같다.

한·줄·핵심 충돌 과정에서 외력이 작용하지 않으면 운동량의 총합은 일정하다.

값이 개략적으로 일치하지만 정확하게 일치하지 않는 것은 실험 오차 때문이야!

확인 문제

정답과 해설 12쪽

01 운동량 보존 법칙을 확인하는 실험에 대한 설명 중 옳은 것은 ○, 옳지 않은 것은 ✕로 표시하시오.

(1) 충돌 과정에서 A가 B에 가하는 힘의 크기는 B가 A에 가하는 힘의 크기와 같다. ( )

(2) B의 질량과 처음 속력이 일정할 때 A의 질량이 커질수록 나중 속력이 커진다. ( )

(3) 충돌 전 두 수레의 운동량의 총합은 충돌 후 두 수레의 운동량의 총합과 같다. ( )

02 그림은 마찰이 없는 수평면에서 물체 A가 정지해 있는 물체 B를 향해 v의 속력으로 운동하다가 충돌한 후 B와 한 덩어리가 되어 등속도 운동을 하는 것을 나타낸 것이다. A, B의 질량을 각각 $2m$, m이라고 할 때 충돌 후 A와 B의 속력을 구하시오.

A 운동량

01 운동량에 대한 설명으로 옳은 것은 ○, 옳지 않은 것은 ×로 표시하시오.

(1) 운동량의 크기는 물체의 질량과 가속도의 곱으로 주어진다. ( )

(2) 속도의 방향이 반대가 되면 운동량의 방향도 반대가 된다. ( )

(3) 속력이 같을 때 질량이 클수록 운동량의 크기는 작다. ( )

(4) 질량이 같을 때 속력이 빠를수록 운동량의 크기는 크다. ( )

02 다음 경우에 물체의 운동량의 크기를 구하시오.

(1) 질량이 5 kg인 물체가 3 m/s의 속력으로 등속 직선 운동을 할 때

(2) 질량이 5 kg인 물체가 지면으로부터 5 m의 높이에서 자유 낙하 하였을 때 지면에 닿기 직전 운동량의 크기 (단, 중력 가속도는 10 m/s²이고, 공기 저항은 무시한다.)

B 운동량 보존 법칙

03 운동량 보존 법칙에 대한 설명으로 옳은 것은 ○, 옳지 않은 것은 ×로 표시하시오.

(1) 외력이 작용하지 않는 물체 A, B의 충돌에서 충돌 전후 운동량의 변화량의 크기는 질량이 큰 쪽이 크다. ( )

(2) 외력이 작용할 때 충돌 전후의 운동량은 보존된다. ( )

04 그림은 질량 1 kg인 물체 A와 질량이 3 kg인 물체 B가 서로 마주 보고 운동하다가 충돌한 것을 나타낸 것이다. 충돌 전 A, B의 속력은 각각 5 m/s, 3 m/s이다. 충돌 후 A가 충돌 전의 운동 방향과 반대 방향으로 2 m/s의 속력으로 운동할 때 B의 운동 방향과 속력을 구하시오.

A			B		A		B
1 kg	5 m/s →		← 3 m/s 3 kg		← 2 m/s 1 kg		3 kg
		충돌 전				충돌 후	

05 질량이 2 kg, 3 kg인 물체 A, B가 오른쪽 방향으로 각각 3 m/s, 2 m/s로 운동하다가 충돌 후 한 덩어리가 되어 오른쪽 방향으로 운동하였다. 충돌 후 두 물체의 속력을 구하시오.

탄탄! 내신 다지기

A 운동량

01 운동량에 대한 설명으로 옳은 것만을 〈보기〉에서 있는 대로 고른 것은?

> 보기
> ㄱ. 운동량은 크기만을 갖는 물리량이다.
> ㄴ. 물체에 힘이 작용하면 운동량이 변한다.
> ㄷ. 운동량의 방향은 물체의 운동 방향과 항상 같다.

① ㄱ ② ㄴ ③ ㄷ
④ ㄱ, ㄴ ⑤ ㄴ, ㄷ

02 그림 (가)는 질량이 큰 볼링공과 질량이 작은 축구공을 같은 속력으로 굴렸을 때, 볼링공의 경우 볼링핀이 더 많이 쓰러지는 것을, (나)는 동일한 볼링공을 서로 다른 속력으로 굴렸을 때 속력이 빠른 경우 볼링핀이 더 많이 쓰러진 것을 나타낸 것이다.

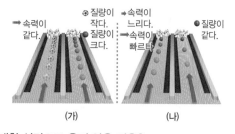

(가)   (나)

이에 대한 설명으로 옳지 <u>않은</u> 것은?

① 공의 운동량이 클수록 볼링핀이 더 많이 쓰러진다.
② 속력이 같을 때 질량이 클수록 운동량이 크다.
③ 질량이 같을 때 속력이 빠를수록 운동량이 크다.
④ 볼링공과 축구공을 같은 속력으로 굴릴 때 축구공의 운동량이 더 크다.
⑤ 동일한 볼링공을 빠르게 굴릴 때 운동량이 더 크다.

03 그림은 수평면 위에서 등속 직선 운동 하는 물체 A, B를 나타낸 것이다. A, B의 속력은 각각 2 m/s, 3 m/s이고, 질량은 각각 1 kg, 2 kg이다.

A, B의 운동량의 크기를 각각 p_A, p_B라 할 때, $p_A : p_B$는?

① 1:2 ② 1:3 ③ 1:4 ④ 2:3 ⑤ 3:4

04 그림은 수평면 위에서 운동하는 물체 A를 나타낸 것이고, 그래프는 A의 위치를 시간에 따라 나타낸 것이다.

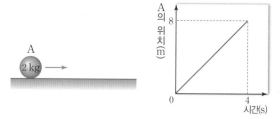

0부터 4초 동안, A의 운동에 대한 설명으로 옳은 것만을 〈보기〉에서 있는 대로 고른 것은?

> 보기
> ㄱ. A는 등속도 운동을 한다.
> ㄴ. 2초일 때 A의 운동량의 크기는 4 kg·m/s이다.
> ㄷ. A에 작용하는 알짜힘은 0이다.

① ㄱ ② ㄷ ③ ㄱ, ㄴ
④ ㄴ, ㄷ ⑤ ㄱ, ㄴ, ㄷ

B 운동량 보존 법칙

05 그림은 마찰이 없는 수평면에서 물체 A, B가 서로를 향해 같은 속력으로 운동하는 모습을 나타낸 것이다. 질량은 A가 B보다 크다. A, B는 충돌 후 각각 등속도 운동을 한다.

이에 대한 설명으로 옳은 것만을 〈보기〉에서 있는 대로 고른 것은? (단, 공기 저항은 무시한다.)

> 보기
> ㄱ. 충돌 과정에서 A가 B에 작용한 힘의 크기는 B가 A에 작용한 힘의 크기와 같다.
> ㄴ. 충돌 전후 운동량의 변화량의 크기는 A와 B가 같다.
> ㄷ. 충돌 전후 속도 변화량의 크기는 A가 B보다 작다.

① ㄱ ② ㄷ ③ ㄱ, ㄴ
④ ㄴ, ㄷ ⑤ ㄱ, ㄴ, ㄷ

06 그림은 무중력 상태인 우주 공간에서 물체 A를 잡고 정지해 있던 우주인이 A를 v의 속력으로 던지는 모습을 나타낸 것이다. 우주인의 질량은 물체의 질량보다 크다.

이에 대한 설명으로 옳은 것만을 〈보기〉에서 있는 대로 고른 것은?

> 보기
> ㄱ. A를 던진 후 우주인의 속력은 v보다 크다.
> ㄴ. A를 던진 후 운동량의 크기는 우주인이 A보다 크다.
> ㄷ. 우주인이 A를 던질 때 우주인이 A에 작용하는 힘의 크기는 A가 우주인에게 작용하는 힘의 크기와 같다.

① ㄱ   ② ㄴ   ③ ㄷ
④ ㄱ, ㄴ   ⑤ ㄴ, ㄷ

단답형
07 그림 (가)는 마찰이 없는 수평면에서 등속도 운동 하는 물체 A가 정지해 있던 물체 B에 정면으로 충돌한 후 한 덩어리가 되어 운동하는 모습을 나타낸 것이고, (나)는 A, B의 속도를 시간에 따라 나타낸 것이다. A, B의 질량은 각각 m_A, m_B이다.

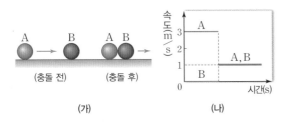

$m_A : m_B$는 얼마인지 쓰시오.

08 그림은 마찰이 없는 수평면에서 v의 속력으로 등속도 운동 하는 물체 A가 정지해 있는 물체 B와 충돌한 후, A는 정지하고 B는 $\frac{v}{2}$의 속력으로 등속도 운동 하는 것을 나타낸 것이다.

이에 대한 설명으로 옳은 것만을 〈보기〉에서 있는 대로 고른 것은? (단, 모든 마찰은 무시한다.)

> 보기
> ㄱ. 충돌 후 B의 운동량의 크기는 충돌 전 A의 운동량의 크기와 같다.
> ㄴ. 질량은 A가 B의 2배이다.
> ㄷ. 충돌 과정에서 운동량의 변화량의 크기는 A가 B보다 크다.

① ㄱ   ② ㄴ   ③ ㄷ
④ ㄱ, ㄴ   ⑤ ㄴ, ㄷ

09 그림은 등가속도 운동을 하는 물체 A, B의 운동을 동일한 다중 섬광 장치로 촬영한 모습을 나타낸 것이다. A, B의 질량은 같다.

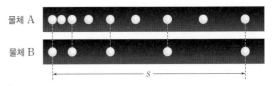

거리 s만큼 이동할 때까지 A, B의 운동에 대한 설명으로 옳은 것만을 〈보기〉에서 있는 대로 고른 것은?

> 보기
> ㄱ. 평균 속력은 A가 B보다 작다.
> ㄴ. 가속도의 크기는 A가 B보다 크다.
> ㄷ. 운동량의 변화량의 크기는 A가 B보다 작다.

① ㄱ   ② ㄴ   ③ ㄷ
④ ㄱ, ㄷ   ⑤ ㄴ, ㄷ

도전! 실력 올리기

01 그림은 마찰이 없는 수평면에서 등속 직선 운동 하던 질량이 같은 물체 A, B가 충돌하여 한 덩어리로 운동할 때, A의 위치를 시간에 따라 나타낸 것이다. A와 B는 1초일 때 충돌한다. 충돌 전, B의 속력은?

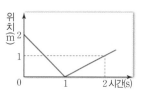

① 1 m/s   ② 2 m/s   ③ 3 m/s

④ 4 m/s   ⑤ 5 m/s

02 그림 (가)와 (나)는 각각 마찰이 없는 수평면에서 수레 A가 정지해 있는 수레 B와 C에 2 m/s의 속력으로 충돌하는 것을 나타낸 것이다. (가)에서 B와 충돌한 후 A는 오른쪽으로 0.4 m/s의 속력으로 운동하였고, (나)에서는 A와 C는 한 덩어리가 되어 운동하였다. A, B, C의 질량은 각각 1 kg, 2 kg, 2 kg이다.

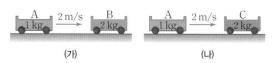

이에 대한 설명으로 옳은 것만을 〈보기〉에서 있는 대로 고른 것은? (단, 공기 저항은 무시한다.)

> 보기
> ㄱ. (가)에서 충돌 후 B의 속력은 0.8 m/s이다.
> ㄴ. 충돌 과정에서 운동량의 변화량의 크기는 B가 C 보다 크다.
> ㄷ. 충돌 후 A의 운동량의 크기는 (가)에서와 (나)에서가 같다.

① ㄱ   ② ㄷ   ③ ㄱ, ㄴ

④ ㄴ, ㄷ   ⑤ ㄱ, ㄴ, ㄷ

03 그림은 마찰이 없는 수평면에서 $2v$의 일정한 속력으로 운동하는 물체 A가 정지해 있는 물체 B와 충돌한 후, A와 B가 각각 등속 직선 운동 하는 모습을 나타낸 것이다. A, B의 질량은 m으로 같고, 충돌 후 B의 속력은 A보다 v만큼 크다.

충돌 과정에서 A의 운동량의 변화량의 크기는? (단, 공기 저항은 무시한다.)

① $\frac{1}{2}mv$ ② mv ③ $\frac{3}{2}mv$ ④ $2mv$ ⑤ $\frac{5}{2}mv$

출제예감

04 그림과 같이 수레 A와 B 사이에 용수철을 장치하여 압축시켜 놓은 후 용수철을 퉁겼을 때 두 수레가 수레 멈추개에 동시에 도달하게 하였다. A, B가 수레 멈추개까지 이동한 거리는 각각 $2d$, d이다.

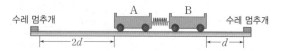

이에 대한 설명으로 옳은 것만을 〈보기〉에서 있는 대로 고른 것은? (단, 공기 저항 및 모든 마찰은 무시한다.)

> 보기
> ㄱ. 수레 멈추개에 도달하기 직전 속력은 A가 B보다 크다.
> ㄴ. 수레 멈추개에 도달하기 직전 운동량의 크기는 A가 B보다 크다.
> ㄷ. 질량은 A가 B의 2배이다.

① ㄱ   ② ㄴ   ③ ㄷ

④ ㄱ, ㄴ   ⑤ ㄴ, ㄷ

05 그림 (가)는 얼음판 위에서 썰매에 타고 정지해 있던 영희를 철수가 밀어 준 후 두 사람이 운동하는 모습을 나타낸 것이다. 그림 (나)는 철수와 영희의 속도를 시간에 따라 나타낸 것이다.

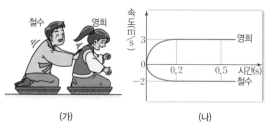

철수의 질량이 75 kg일 때 이에 대한 설명으로 옳은 것만을 〈보기〉에서 있는 대로 고른 것은?

> 보기
> ㄱ. 철수가 영희를 미는 힘과 영희가 철수에게 작용하는 힘은 작용 반작용 관계이다.
> ㄴ. 철수가 영희를 밀어 준 후 철수와 영희의 운동량의 크기의 비는 3 : 2이다.
> ㄷ. 영희의 질량은 50 kg이다.

① ㄱ   ② ㄷ   ③ ㄱ, ㄴ

④ ㄱ, ㄷ   ⑤ ㄴ, ㄷ

출제예감

06 그림 (가)는 마찰이 없는 수평면에서 물체 A와 C의 중간 지점에서 물체 B가 v의 속력으로 C를 향해 등속도 운동하는 모습을 나타낸 것이다. 이때 A, B, C는 각각 d만큼 떨어져 있다. A, B, C의 질량은 각각 $2m$, m, $2m$이다. 그림 (나)는 B가 C에 충돌한 후 C는 오른쪽으로 $0.6v$의 속력으로 운동하고 B는 왼쪽으로 운동하는 모습이다.

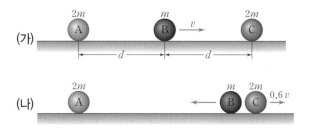

(나)에서 B가 C와 충돌한 순간부터 A와 충돌할 때까지 걸린 시간은? (단, 물체의 크기와 모든 공기 저항은 무시한다.)

① $\dfrac{6d}{v}$ ② $\dfrac{8d}{v}$ ③ $\dfrac{10d}{v}$ ④ $\dfrac{12d}{v}$ ⑤ $\dfrac{14d}{v}$

07 그림은 마찰이 없는 수평면 위에서 직선 운동을 하다가 충돌하는 두 물체 A, B를 나타낸 것이다. 충돌 전 A, B의 운동량의 크기는 p로 같고, 충돌 후 A, B의 운동량의 크기는 각각 p_A, p_B이다.

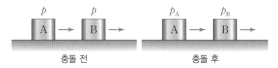

이에 대한 설명으로 옳은 것만을 〈보기〉에서 있는 대로 고른 것은? (단, 공기 저항은 무시한다.)

보기
ㄱ. 충돌 전 속력은 A가 B보다 크다.
ㄴ. 질량은 A가 B보다 크다.
ㄷ. $p = \dfrac{p_A - p_B}{2}$이다.

① ㄱ   ② ㄴ   ③ ㄷ
④ ㄱ, ㄴ   ⑤ ㄱ, ㄷ

08 그림은 질량이 0.5 kg인 장난감 차 A가 정지해 있는 질량 1 kg인 장난감 차 B와 충돌한 후 운동하는 모습을 나타낸 것

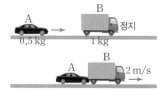

이다. 충돌 직후 A, B가 한 덩어리로 2 m/s의 속도로 운동한다면 A의 처음 속도는 얼마인지 쓰시오.

서술형

09 그림 (가)는 마찰이 없는 수평면 위에서 질량이 같은 물체 A, B가 각각 등속 직선 운동 하는 모습을 나타낸 것이다. 그림 (나)는 기준선으로부터 A의 위치를 시간에 따라 나타낸 것이다. 0초일 때 A와 B 사이의 거리는 2 m이고 A와 B는 1초일 때 충돌하였다.

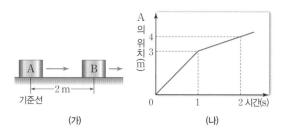

충돌 후 A와 B의 속력을 구하고, 풀이 과정을 서술하시오.

서술형

10

그림은 마찰이 없는 수평면에 질량이 같은 물체 A, B, C, D가 각각 L만큼 떨어져 있고, A가 v의 속력으로 운동하는 것을 나타낸 것이다. A, B, C, D는 차례로 충돌하면서 한 덩어리가 되어 운동한다.

A가 B에 충돌한 순간부터 C와 충돌할 때까지 걸린 시간을 t_1, B가 C에 충돌한 순간부터 D와 충돌할 때까지 걸린 시간을 t_2라 할 때, $t_1 : t_2$를 구하고, 풀이 과정을 서술하시오. (단, 물체의 크기, 공기 저항은 무시한다.)

05 충격량

핵심 키워드로 흐름잡기

A 충격량, 충격량과 운동량의 관계

B 충격력, 충돌 시간

❶ 충격량의 단위

힘의 단위는 $kg \cdot m/s^2$이고 시간의 단위는 s이므로 충격량의 단위는 $kg \cdot m/s$이다. 충격량의 단위는 운동량의 단위와 같다.

❷ 그래프의 해석

그래프를 해석할 때 기울기는 $\dfrac{y축\ 변화량}{x축\ 변화량}$ 이고, 넓이는 (x축 변화량)×(y축 변화량)이다.

그래프의 모양이 곡선이더라도 아래 부분을 매우 짧은 시간 동안의 직사각형들의 합으로 나타낼 수 있으므로 그래프 아래의 넓이는 항상 충격량의 크기를 나타내!

❸ 충격량과 운동량의 변화량의 방향

운동량의 변화량에서는 방향이 중요하기 때문에 충격량도 방향이 중요하다.

❹ 충격량과 운동량의 관계

주어진 관계식은 mv_1만큼의 운동량을 가진 물체가 $F\varDelta t$만큼의 충격량을 받아 운동량이 mv_2로 변한 것으로 해석할 수도 있다.

$mv_1 + F\varDelta t = mv_2$

🐱 **용어 알기**

• 충격량(맞부딪칠 衝, 부딪칠 擊, 양 量) 부딪침으로 인한 운동 효과

• 충격력(맞부딪칠 衝, 부딪칠 擊, 힘 力) 두 물체가 서로 충돌할 때 받는 힘

A 충격량과 운동량의 관계

|출·제·단·서| 충격량을 정량적으로 구하거나 충격량과 운동량의 관계를 묻는 문제가 시험에 나와!

1. 충격량(I) 물체가 받은 충격의 정도를 나타내는 양으로, 크기와 방향을 갖는 물리량이다.

(1) 충격량의 정의 물체에 작용한 힘과 힘이 작용한 시간의 곱이다.

> 충격량＝힘×시간, $I = F\varDelta t$ [단위: $N \cdot s$ 또는 $kg \cdot m/s$]❶

(2) 충격량의 크기 힘의 크기와 힘이 작용한 시간의 곱이다.

힘과 시간 중 힘만 방향을 갖는 물리량이므로 충격량의 방향은 힘의 방향과 같다.

(3) 충격량의 방향 힘의 방향(＝가속도의 방향)과 같다.

(4) 그래프의 해석❷ 힘−시간 그래프에서 곡선과 시간 축으로 둘러싸인 부분의 넓이는 충격량의 크기이고, 운동량−시간 그래프에서 기울기는 알짜힘을 의미한다. 그래프의 형태와 관계없이 그래프 아래의 넓이는 충격량과 같다.

힘−시간 그래프	운동량−시간 그래프
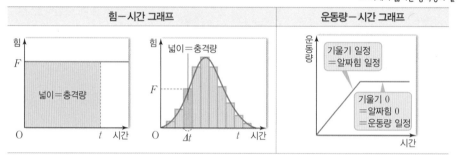	

2. 충격량과 운동량의 관계 물체가 받은 충격량은 물체의 운동량의 변화량과 같다.❸

> 충격량＝운동량의 변화량＝나중 운동량−처음 운동량❹
>
> $I (= F\varDelta t) = \varDelta p = mv_2 - mv_1$

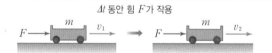

충격량＝나중 운동량−처음 운동량＝운동량의 변화량
$F\varDelta t = mv_2 - mv_1 = \varDelta p$

운동량의 변화량 계산에 필요한 속도 변화량을 구할 때도 속도의 방향을 고려해 주어야 한다.

운동량과 충격량의 관계식 유도

$F = ma = m\dfrac{\varDelta v}{\varDelta t} = \dfrac{m(v_2 - v_1)}{\varDelta t}$

$F\varDelta t = mv_2 - mv_1 = \varDelta p$

B 충격량과 충격력의 관계

|출·제·단·서| 충격력이 일정할 때 충격량을 크게 하거나, 충격량이 일정할 때 충격력을 줄이는 방법을 묻는 문제가 시험에 나와!

1. 충격력(평균 힘) 물체가 충격을 받는 시간 동안 물체에 작용하는 평균적인 힘

(1) 충격력의 크기 단위 시간 동안의 충격량, 즉 단위 시간 동안의 운동량의 변화량과 같다.

> 충격력＝$\dfrac{충격량}{시간}$＝$\dfrac{운동량의\ 변화량}{시간}$
>
> $F = \dfrac{I}{\varDelta t} = \dfrac{\varDelta p}{\varDelta t} = \dfrac{m\varDelta v}{\varDelta t} = \dfrac{m(v_2 - v_1)}{\varDelta t}$

(2) 충격력의 방향 운동량의 변화량의 방향과 같다.

2. 충격량과 충격력의 관계

(1) 충격력이 일정할 때 충돌 시간과 충격량의 관계 충격력이 일정하면 충돌 시간이 길수록 충격량이 커진다.

대포의 포신이 길수록 힘이 작용하는 시간이 길어져 충격량이 커지므로 포탄이 더 멀리 날아간다.	야구 방망이를 끝까지 휘두르면❺ 공과 방망이의 접촉 시간이 길어져서 충격량이 커지므로 야구공이 더 멀리 날아간다.

빈출 탐구 빨대로 면봉을 멀리 보내기

같은 크기의 힘이 작용할 때 힘이 작용하는 시간과 충격량의 관계를 알 수 있다.

과정

① 면봉을 반으로 잘라서 빨대 끝에 넣은 후 입으로 불어 준다.

② 면봉을 입 근처의 빨대에 넣은 후 같은 세기로 불어 주고 날아가는 거리를 비교한다.

결과

빨대에 넣은 면봉이 빨대 끝에 있을 때보다 입 근처에 있을 때 더 멀리 날아간다.

정리

일정한 크기의 힘이 작용할 때 힘이 작용하는 시간이 길수록 충격량의 크기가 크다.

> 빨대를 잘라서 길이를 반으로 해도 과정 ①과 같은 상황을 만들 수 있어!

---

(2) 충격량이 일정할 때 충돌 시간과 충격력의 관계 충격량이 같을 때 충돌 시간이 길수록 충격력이 작아진다. 탐구POOL

빈출 자료 충격력 비교하기

충격량이 같을 때 충돌 시간과 충격량은 서로 반비례한다.

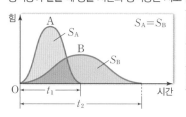

충격량	A=B	그래프 아래 부분의 넓이가 같으므로 충격량은 A와 B가 같다.
충돌 시간	A<B	충돌 시간이 길어지면 충격력(평균 힘)의 크기는 작아진다.
충격력	A>B	

---

(3) 일상생활에서 충격력을 줄이는 예❻

공을 받을 때 포수의 손동작	에어백, 범퍼	테니스채

야구공을 받을 때 손을 뒤로 빼면서 받으면 힘을 받는 시간이 길어지고 충격력이 줄어들어 손이 덜 아프다.	자동차의 에어백, 범퍼는 자동차가 충돌하여 정지할 때까지의 시간을 길게 하여 사람이 받는 힘의 크기를 최소화한다.	테니스채는 탄성이 있어 테니스공과의 충돌 시간을 길게 하여 팔에 작용하는 충격력을 감소시킨다.

❺ 팔로 스루

테니스나 야구 등에서 공을 강하게 보내기 위해 채나 배트로 타격 자세를 유지하며 공을 따라가듯이 힘을 가해 주는 것을 팔로 스루라고 한다.

❓ 스포츠 경기에서 공의 실제 충돌 시간은 얼마 정도 될까?

야구공과 배트의 충돌 시간은 약 0.5×10^{-3} s 정도이고, 농구공과 바닥의 충돌 시간은 약 0.2×10^{-3} s 정도이다.

❻ 충격력을 줄이는 예

도로의 가드레일, 태권도의 헤드기어, 포장재 등도 충돌 시간을 길게 하여 충격력을 줄이는 예에 해당한다.

용어 알기 🐱

● 포신(대포 砲, 몸체 身) 포의 몸통 전체

탐구를 알기 쉽게 풀어주는 **탐구 POOL**

충돌 시간에 따른 충격력의 크기 비교하기

목표 충격량이 일정할 때 충돌 시간에 따른 충격력을 비교하여 설명할 수 있다.

과정

유의점
· 너무 높은 곳에서 떨어뜨리면 방석에 부딪친 후에도 깨질 수 있으므로 적당한 높이에서 낙하시킨다.
· 달걀을 가지고 장난을 치지 않는다.

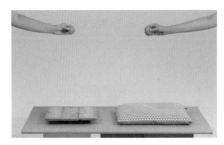

❶ 달걀을 동일한 높이에서 떨어뜨리기

질량이 비슷한 달걀 두 개를 각각 딱딱한 바닥과 방석 위로 동시에 같은 높이에서 떨어뜨린다.

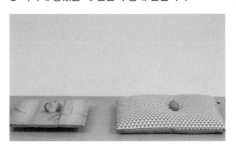

❷ 바닥에 닿았을 때 달걀의 상태 관찰하기

딱딱한 바닥에 떨어진 달걀과 방석 위에 떨어진 달걀의 상태를 관찰한다.

> 두 달걀의 가속도는 중력 가속도로 같기 때문에 출발 높이가 같다면 낙하 속도와 시간이 동일해!

결과

딱딱한 바닥에 떨어진 달걀은 깨지고, 방석 위에 떨어진 달걀은 깨지지 않는다.

🝆 이런 실험도 있어요!

보호 장치를 만들어서 2층 정도의 높이에서 달걀을 낙하시켰을 때 깨지지 않게 하는 장비를 만드는 프로젝트 탐구도 있다.

정리 및 해석

❶ 동일한 달걀을 같은 높이에서 떨어뜨렸으므로 딱딱한 바닥과 방석에 닿기 직전 두 달걀의 운동량의 크기는 같다.
❷ 두 달걀의 나중 운동량은 모두 0이므로 두 달걀의 운동량의 변화량, 즉, 두 달걀이 받은 충격량의 크기는 같다.
❸ 두 달걀이 받은 충격량의 크기가 같으므로 힘과 시간축이 이루는 그래프의 밑넓이는 같다.
❹ 딱딱한 바닥은 충돌 시간이 짧고, 푹신한 방석은 충돌 시간이 길다.
❺ 달걀이 받는 충격력의 크기는 딱딱한 바닥에서가 방석에서보다 크다.

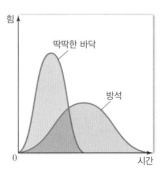

한·줄·핵심 충격량이 같을 때 충돌 시간이 클수록 충격력이 작다.

확인 문제

정답과 해설 15쪽

01 그림은 지면으로부터 같은 높이에서 질량이 같은 달걀 A, B를 벽돌 바닥과 방석에 각각 떨어뜨렸을 때 달걀에 작용한 힘의 크기를 시간에 따라 나타낸 것이다. 이에 대한 설명으로 옳은 것은 ○, 옳지 않은 것은 ×로 표시하시오.

(1) 충돌하는 동안 달걀이 받은 충격량의 크기는 A와 B가 같다.　　　　　(　　)

(2) 충격력의 크기는 A가 B보다 작다.　(　　)

02 표는 충격량과 충돌 시간에 관련된 사례를 나타낸 것이다.

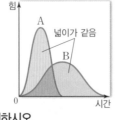

ㄱ. 포수의 장갑	ㄴ. 골프채	ㄷ. 에어백
두꺼운 포수 장갑은 공을 받을 때 공을 멈추는 데 걸리는 시간을 길게 한다.	금속 대신 나무로 된 골프채를 휘둘러 공과의 충돌 시간을 길게 한다.	자동차의 에어백은 충돌 사고 시 운전자에게 힘이 작용하는 시간을 길게 한다.

충돌 시간을 길게 함으로써 물체가 받는 힘의 크기를 감소시킨 사례만을 있는 대로 골라 기호를 쓰시오.

콕콕!
개념 확인하기

정답과 해설 15쪽

✔ 잠깐 확인!

1. 물체에 작용한 힘과 작용한 시간을 곱한 물리량을 ☐☐☐이라고 한다.

2. 물체가 받은 충격량은 물체의 운동량의 ☐☐☐과 같고 충격량의 방향은 작용한 ☐의 방향과 같다.

3. 힘─시간 그래프에서 힘과 시간축이 이루는 면적은 물체가 받은 ☐☐☐과 같다.

4. 물체가 충돌하는 동안 작용하는 평균적인 힘을 ☐☐☐(평균 힘)이라고 한다.

5. 물체에 작용하는 충격력이 일정할 때 충돌 시간이 ☐☐☐ 물체가 받은 충격량이 크다.

6. 에어백, 범퍼 등은 충격량이 일정할 때 충돌 시간을 ☐☐하여 충격력을 줄인다.

A 충격량과 운동량의 관계

01 충격량에 대한 설명으로 옳은 것은 ○, 옳지 않은 것은 ×로 표시하시오.

(1) 충격량은 크기와 방향을 갖는 물리량이다. ( )

(2) 물체가 받은 충격량의 방향은 물체에 작용한 힘의 방향과 같다. ( )

(3) 힘─시간 그래프에서 그래프와 시간 축으로 둘러싸인 부분의 넓이는 충격량의 크기를 의미한다. ( )

(4) 운동량─시간 그래프에서 기울기는 충격량의 크기를 의미한다. ( )

02 물체에 크기가 50 N인 힘이 0.1초 동안 작용하였다. 물체에 작용한 충격량의 크기가 얼마인지 쓰시오.

03 질량이 10 kg이고 5 m/s의 속력으로 운동하는 물체에 30 N·s의 충격량을 운동 방향과 반대 방향으로 작용하였다. 이 물체의 최종 속력은 얼마인지 쓰시오.

B 충격량과 충격력의 관계

04 어떤 물체가 5초 동안 20 N·s만큼의 충격량을 받았다. 물체에 작용한 충격력의 크기를 구하시오.

05 충격력과 충격량에 대한 설명으로 옳은 것은 ○, 옳지 않은 것은 ×로 표시하시오.

(1) 충격력이 일정하면 충돌 시간이 길수록 충격량이 커진다. ( )

(2) 충격량이 일정하면 충돌 시간이 길수록 충격력이 커진다. ( )

(3) 자동차 에어백은 충돌 시간을 길게 하여 충격력을 줄여 준다. ( )

06 충돌 과정에서 충돌 시간을 늘려 충돌할 때 받는 힘의 크기를 줄이는 경우로 옳은 것만을 〈보기〉에서 있는 대로 고른 것은?

보기

ㄱ. 에어백 　　 ㄴ. 긴 대포의 포신 　　 ㄷ. 자동차 범퍼 　　 ㄹ. 홈런을 치려는 야구선수

A 충격량과 운동량의 관계

01 물체에 일정한 크기와 방향으로 2 N의 힘이 10초 동안 작용하였다. 물체가 받은 충격량의 크기는 몇 N·s인가?

① 10 N·s
② 15 N·s
③ 20 N·s
④ 25 N·s
⑤ 30 N·s

02 다음은 충격량에 대해 철수, 영희, 민수가 대화하고 있는 모습을 나타낸 것이다.

제시한 내용이 옳은 학생만을 있는 대로 고른 것은?

① 철수
② 민수
③ 철수, 영희
④ 영희, 민수
⑤ 철수, 영희, 민수

03 그림 (가)와 (나)는 각각 마찰이 없는 수평면에 정지해 있는 물체에 수평 방향으로 작용하는 힘을 각각 시간에 따라 나타낸 것이다. (가)와 (나)에서 물체의 질량은 같다.

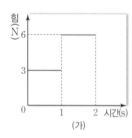
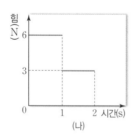

(가)와 (나)에서 물리량이 같은 것만을 〈보기〉에서 있는 대로 고른 것은?

보기
ㄱ. 0초부터 2초까지 물체가 받은 충격량의 크기
ㄴ. 2초일 때 속력
ㄷ. 0초부터 2초까지 이동한 거리

① ㄱ
② ㄷ
③ ㄱ, ㄴ
④ ㄴ, ㄷ
⑤ ㄱ, ㄴ, ㄷ

04 그림 (가)는 수평면에 정지해 있던 물체에 일정한 크기의 힘을 작용하는 것을 나타낸 것이다. 그림 (나)는 물체에 작용하는 힘을 시간에 따라 나타낸 것이다. 물체의 질량은 2 kg이다.

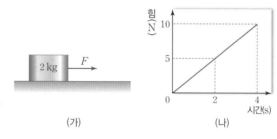

(가)   (나)

물체의 운동에 대한 설명으로 옳지 않은 것은?

① 0초부터 2초까지 물체가 받은 충격량의 크기는 5 N·s이다.
② 2초부터 4초까지 가속도의 크기는 일정하다.
③ 2초부터 4초까지 물체의 운동량의 변화량의 크기는 15 kg·m/s이다.
④ 4초일 때 가속도의 크기는 5 m/s²이다.
⑤ 4초일 때 물체의 속력은 10 m/s이다.

05 그림은 마찰이 없는 수평면에 정지해 있는 질량이 2 kg인 물체에 작용하는 힘을 시간에 따라 나타낸 것이다. 2초일 때 물체의 속력은 3 m/s이다.

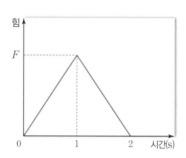

물체의 운동에 대한 설명으로 옳은 것만을 〈보기〉에서 있는 대로 고른 것은?

보기
ㄱ. 0초부터 1초까지 가속도의 크기는 일정하다.
ㄴ. 0초부터 2초까지 물체에 작용한 충격량의 크기는 6 N·s이다.
ㄷ. F=6 N이다.

① ㄱ
② ㄴ
③ ㄷ
④ ㄱ, ㄴ
⑤ ㄴ, ㄷ

B 충격량과 충격력의 관계

06 그림 (가)와 (나)는 물체에 작용하는 힘의 크기를 시간에 따라 나타낸 것이다. 힘과 시간축이 이루는 부분의 넓이는 (가)에서와 (나)에서가 같다.

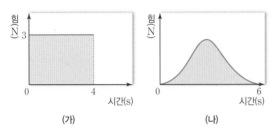

(가)   (나)

(나)에서 0초부터 6초까지 물체가 받은 충격력의 크기는?

① 1 N   ② 2 N   ③ 3 N
④ 4 N   ⑤ 5 N

07 그림은 질량이 2 kg인 직선 운동 하는 물체가 벽에 충돌할 때 물체의 속도를 시간에 따라 나타낸 것이다. 물체의 운동에 대한 설명으로 옳은 것만을 〈보기〉에서 있는 대로 고른 것은?

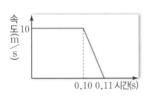

보기
ㄱ. 0초부터 0.10초까지 물체가 이동한 거리는 1 m 이다.
ㄴ. 벽에 닿기 전 물체의 운동량의 크기는 20 kg·m/s 이다.
ㄷ. 벽과 충돌하는 동안 벽이 물체에 작용한 힘의 크기는 2000 N이다.

① ㄱ   ② ㄷ   ③ ㄱ, ㄴ
④ ㄴ, ㄷ   ⑤ ㄱ, ㄴ, ㄷ

단답형
08 그림은 v의 속력으로 운동 하던 질량이 m인 야구공이 타자가 휘두른 방망이에 맞아 반대 방향으로 속력이 $2v$가 된 것을 나타낸 것이다. 공과 방망이는 시간 t 동안 접촉하였다.
방망이가 공에 작용한 충격력의 크기는 얼마인지 쓰시오.

09 그림 (가)는 면봉을 반으로 잘라 빨대 끝에 넣고 입으로 불어 주는 모습을 나타낸 것이고, (나)는 동일한 면봉을 입 근처에 넣고 같은 크기의 힘으로 불어 주는 모습을 나타낸 것이다.

(가)   (나)

입으로 바람을 불어 주는 순간부터 면봉이 빨대를 벗어나는 순간까지 이에 대한 설명으로 옳은 것만을 〈보기〉에서 있는 대로 고른 것은?

보기
ㄱ. 면봉이 힘을 받는 시간은 (가)에서가 (나)에서보다 짧다.
ㄴ. 빨대를 반으로 잘라서 실험해도 (가)와 같은 효과를 낼 수 있다.
ㄷ. 면봉이 받는 충격량의 크기는 (가)에서가 (나)에서보다 크다.

① ㄱ   ② ㄷ   ③ ㄱ, ㄴ
④ ㄴ, ㄷ   ⑤ ㄱ, ㄴ, ㄷ

10 다음은 자동차의 충돌 테스트에 대한 설명이다.

자동차가 충돌하였을 때, 인형에 작용하는 ㉠ 충격력을 감소시키기 위해 에어백이 부풀어 오른다.

㉠과 같은 까닭에 해당하는 사례만을 〈보기〉에서 있는 대로 고른 것은?

보기
ㄱ. 공중 곡예사 밑에 그물을 설치한다.
ㄴ. 대포의 포신을 길게 한다.
ㄷ. 높이뛰기 선수가 착지하는 곳에 두꺼운 매트를 설치한다.

① ㄱ   ② ㄴ   ③ ㄷ
④ ㄱ, ㄴ   ⑤ ㄱ, ㄷ

01 그림은 수평면에서 운동하는 질량 2 kg인 물체의 운동량을 시간에 따라 나타낸 것이다.
물체에 작용한 알짜힘을 시간에 따라 나타낸 것으로 가장 적절한 것은?

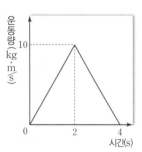

① 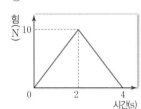 ②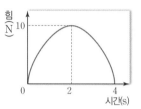

③ 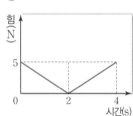 ④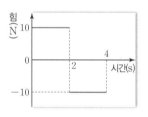

⑤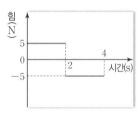

02 그림은 마찰이 없는 수평면에 정지해 있던 질량이 2 kg인 물체에 수평 방향으로 작용하는 힘을 시간에 따라 나타낸 것이다.
이에 대한 설명으로 옳은 것을 모두 고른 것은? (단, 공기 저항은 무시한다.)

ㄱ. 0초부터 0.2초까지 물체가 받은 충격량의 크기는 2 N·s이다.
ㄴ. 물체의 운동량의 크기는 0.2초일 때와 0.4초일 때가 같다.
ㄷ. 0.6초일 때 물체의 속력은 4 m/s이다.

① ㄱ ② ㄴ ③ ㄱ, ㄷ
④ ㄴ, ㄷ ⑤ ㄱ, ㄴ, ㄷ

03 그림 (가)는 마찰이 없는 수평면에 정지해 있는 질량이 2 kg인 물체에 힘 F가 작용하는 것을 나타낸 것이고, (나)는 F를 시간에 따라 나타낸 것이다.

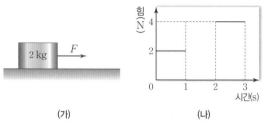

(가)　　　　(나)

3초일 때, 물체의 속력은? (단, 공기 저항은 무시한다.)

① 2 m/s ② 3 m/s ③ 4 m/s
④ 6 m/s ⑤ 12 m/s

출제예감

04 그림 (가)는 마찰이 없는 수평면에서 같은 속력 v로 운동하던 물체 A, B가 벽에 충돌한 후 정지한 모습을 나타낸 것이다. 그림 (나)는 A와 B가 벽과 충돌하는 순간부터 정지할 때까지 물체가 벽으로부터 받은 힘을 시간에 따라 나타낸 것이다. A, B가 벽으로부터 받는 힘과 시간축이 이루는 넓이는 각각 100 N·s, 150 N·s이다.

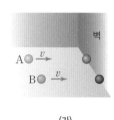 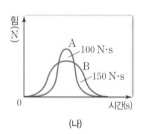

(가)　　　　(나)

이에 대한 설명으로 옳은 것만을 〈보기〉에서 있는 대로 고른 것은? (단, 공기 저항은 무시한다.)

ㄱ. 물체가 벽에 작용한 충격량의 크기는 A가 B보다 크다.
ㄴ. 벽과 충돌하기 전 운동량의 크기는 B가 A보다 크다.
ㄷ. 질량은 B가 A의 $\frac{3}{2}$배이다.

① ㄱ ② ㄴ ③ ㄷ
④ ㄱ, ㄴ ⑤ ㄴ, ㄷ

출제예감

05 그림 (가)는 마찰이 없는 수평면에서 $3v$의 속력으로 운동하던 질량이 m인 물체가 벽면에 수직으로 충돌한 후 v의 속력으로 튕겨 나오는 모습을 나타낸 것이다. 그림 (나)는 물체가 벽과 충돌하는 동안 물체가 벽면으로부터 받은 힘을 시간에 따라 나타낸 것이다.

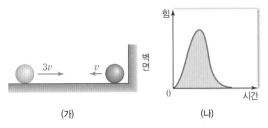

이에 대한 설명으로 옳은 것만을 〈보기〉에서 있는 대로 고른 것은? (단, 공기 저항은 무시한다.)

> 보기
> ㄱ. 물체가 벽면과 충돌하기 전 운동량의 크기는 $3mv$이다.
> ㄴ. 공이 충돌하는 동안 공이 벽에 작용한 힘의 크기는 벽이 공에 작용한 힘의 크기와 같다.
> ㄷ. (나)에서 힘과 시간축이 이루는 면적은 $4mv$이다.

① ㄱ   ② ㄷ   ③ ㄱ, ㄴ
④ ㄴ, ㄷ   ⑤ ㄱ, ㄴ, ㄷ

06 그림 (가)와 (나)는 마찰이 없는 수평면에서 속력 $3v$로 운동하던 질량 m인 물체 A, B가 벽에 수직으로 충돌한 후 각각 v, $2v$의 속력으로 반대 방향으로 튀어나오는 것을 나타낸 것이다. 벽과 충돌 시간은 A가 B의 2배이다.

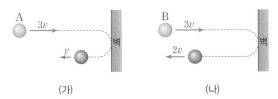

이에 대한 설명으로 옳은 것만을 〈보기〉에서 있는 대로 고른 것은? (단, 공기 저항은 무시한다.)

> 보기
> ㄱ. 충돌 과정에서 A의 운동량 변화량의 크기는 $2mv$이다.
> ㄴ. B가 벽과 충돌하는 동안 B가 벽에 작용한 힘의 방향은 벽이 B에 작용한 힘의 방향과 반대이다.
> ㄷ. 충돌하는 동안 벽이 물체에 작용하는 평균 힘의 크기는 (나)에서가 (가)에서의 $\frac{5}{2}$배이다.

① ㄱ   ② ㄷ   ③ ㄱ, ㄴ
④ ㄴ, ㄷ   ⑤ ㄱ, ㄴ, ㄷ

07 수평면에 정지해 있는 질량이 $0.5\ \mathrm{kg}$인 공에 일정한 힘 $2\ \mathrm{N}$이 2초 동안 작용하였다. 이 공의 2초 후 속력은 몇 m/s인지 쓰시오. (단, 마찰과 공기 저항은 무시한다.)

서술형

08 다음은 야구 선수의 타격 자세에 대한 내용이다.

> 야구 선수는 공을 멀리 치기 위해 ㉠ 방망이와 야구공이 충돌한 후에도 방망이가 야구공을 따라 가듯이 끝까지 휘두른다.
>

야구 선수가 ㉠과 같이 타격하는 까닭을 충격량과 연관 지어 서술하시오.

서술형

09 그림은 마찰이 없는 수평면에서 5 m/s의 속력으로 운동하던 물체 A, B, C가 정지해 있던 물체 P, Q, R에 각각 충돌할 때, 물체 A, B, C의 충돌 전후의 운동 방향과 속력을 나타낸 것이다. A, B, C의 질량은 같다.

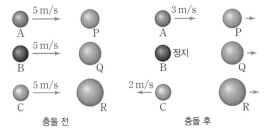

충돌 과정에서 P, Q, R가 받은 충격량의 크기를 각각 I_1, I_2, I_3라 할 때 I_1, I_2, I_3의 크기를 비교하고 풀이 과정을 서술하시오.

운동량과 충격량

수능을 알기 쉽게 풀어주는 수능 POOL

출제 의도

충돌 과정에서 운동량이 보존됨을 이용하여 (나)의 그래프를 분석하고 A, B의 운동량을 구하는 문제이다.

$E_k = \dfrac{1}{2}mv^2 = \dfrac{p^2}{2m}$

✏ 이것이 함정

운동 에너지는 운동량의 제곱에 비례하고, 질량에 반비례함을 기억해야 한다.

대표 유형

그림 (가)는 마찰이 없는 수평면에서 물체 A, B가 서로를 향해 등속 직선 운동을 하는 것을 나타낸 것이다. 그림 (나)는 A와 B의 운동량을 시간에 따라 나타낸 것이다. A와 B의 <u>운동 에너지의 합은 충돌 전과 충돌 후가 같다.</u>

(가)

운동량

충돌 전 A의 운동량 — p_0

충돌 전 A와 B의 운동량의 합 = $p_0 - 4p_0 = -3p_0$

0 ——— 시간

충돌 후 A의 운동량 — $-3p_0$

충돌 전 B의 운동량 — $-4p_0$

충돌 후 B의 운동량 = 충돌 전 A와 B의 운동량의 합 — 충돌 후 A의 운동량 = $-3p_0 - (-3p_0) = 0$

(나)

이에 대한 설명으로 옳은 것만을 〈보기〉에서 있는 대로 고른 것은?

〈보기〉

✗ 충돌 후 B의 운동량은 $-p_0$이다. → 운동량은 보존되므로 그래프를 통해 충돌 전과 충돌 후의 운동량을 비교하여 구할 수 있다.
　$-3p_0 - (-3p_0) = 0$

ⓛ 충돌하는 동안 B가 A로부터 받은 충격량의 크기는 $4p_0$이다.
　B가 받은 충격량의 크기=B의 운동량의 변화량의 크기=$0 - (-4p_0) = 4p_0$

ⓒ 질량은 B가 A의 2배이다.
　충돌 전과 충돌 후의 운동 에너지는 같으므로 $\dfrac{p_0^2}{2m_A} + \dfrac{16p_0^2}{2m_B} = \dfrac{9p_0^2}{2m_A}$에서 $m_B = 2m_A$이다.

① ㄱ　　② ㄱ, ㄴ　　③ ㄱ, ㄷ　　✔ ㄴ, ㄷ　　⑤ ㄱ, ㄴ, ㄷ

> 운동량 보존 법칙과 운동량과 충격량의 관계를 동시에 적용해서 풀어야 하는 문제야!

운동량-시간 그래프 순차적으로 분석하기

| 그래프를 통해 물체의 운동량을 찾는다. | ⟫ | 운동량 보존 법칙을 이용하여 충돌 후 B의 운동량을 구한다. | ⟫ | 충격량과 운동량의 변화량의 관계를 이용하여 B가 받은 충격량을 구한다. | ⟫ | 문제에서 제시되었던 충돌 전과 충돌 후 운동 에너지가 같다는 사실을 이용하여 A와 B의 질량을 구한다. |

추가 선택지

· 충돌 과정에서 A가 B에 작용하는 힘의 크기는 B가 A에 작용하는 힘의 크기와 같다.　　(○)

⋯ 서로에게 작용하는 힘은 작용과 반작용 관계이다.

· 충돌하는 동안 A가 B로부터 받은 충격량의 크기는 $4p_0$이다.　　(○)

⋯ 충돌하는 동안 A가 B로부터 받은 충격량의 크기는 B가 A로부터 받은 충격량의 크기와 같다.

실전! 수능 도전하기

정답과 해설 **17**쪽

수능 기출

01 그림 (가)는 마찰이 없는 수평면에서, 물체 B, C가 정지해 있고 물체 A가 B를 향해 운동하는 것을 나타낸 것이다. A가 B와 충돌한 후 B는 C와 충돌하여 한 덩어리가 되어 운동한다. A, C의 질량은 각각 2 kg, 1 kg이다. 그림 (나)는 B가 C와 충돌하기 직전까지 A, B의 위치를 시간에 따라 나타낸 것이다.

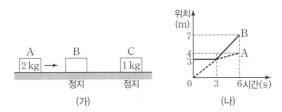

이에 대한 설명으로 옳은 것만을 〈보기〉에서 있는 대로 고른 것은?

> 보기
> ㄱ. B의 질량은 1 kg이다.
> ㄴ. A와 B가 충돌하는 동안 B가 A로부터 받은 충격량의 크기는 충돌 전후 A의 운동량 변화량의 크기보다 작다.
> ㄷ. 한 덩어리가 된 B와 C의 속력은 $\frac{2}{3}$ m/s이다.

① ㄱ   ② ㄴ   ③ ㄱ, ㄴ
④ ㄱ, ㄷ   ⑤ ㄴ, ㄷ

02 그림 (가)는 수평면에서 물체 A가 정지해 있는 물체 B를 향해 $2v$의 속력으로 운동하는 모습을 나타낸 것이다. 그림 (나)는 B와 충돌한 A가 반대 방향으로 v의 속력으로 운동하는 모습을 나타낸 것이다. A, B의 질량은 각각 m, $2m$이다.

충돌하는 동안 B가 받은 충격량의 크기는?

① mv ② $2mv$ ③ $3mv$ ④ $4mv$ ⑤ $5mv$

수능 기출

03 그림은 마찰이 없는 수평면에서 속력 v로 운동하던 물체가 벽과 충돌하였을 때, 충돌 전부터 충돌 후까지 물체의 운동량을 시간에 따라 나타낸 것이다. 물체는 동일 직선상에서 운동한다.

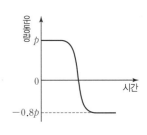

충돌 후 물체의 속력 v와 충돌하는 동안 물체가 받은 충격량 I로 옳은 것은?

	v	I		v	I
①	$0.2v$	$0.2p$	②	$0.2v$	$1.8p$
③	$0.8v$	$0.2p$	④	$0.8v$	$0.8p$
⑤	$0.8v$	$1.8p$			

수능 기출

04 그림 (가)는 마찰이 없는 수평면에 정지해 있던 질량이 m, $2m$인 물체 A, B에 각각 힘 F_A, F_B를 수평 방향으로 작용하여 나란하게 직선 운동 시키는 모습을 나타낸 것이다. 그림 (나)는 힘이 작용하기 시작한 순간부터 F_A, F_B를 시간에 따라 나타낸 것이다.

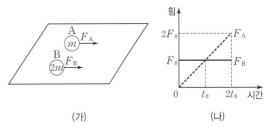

이에 대한 설명으로 옳은 것만을 〈보기〉에서 있는 대로 고른 것은? (단, 물체의 크기와 공기 저항은 무시한다.)

> 보기
> ㄱ. 0부터 t_0까지 물체가 받은 충격량의 크기는 A가 B보다 작다.
> ㄴ. t_0일 때, 물체의 속력은 A가 B보다 작다.
> ㄷ. $2t_0$일 때, 물체의 운동량의 크기는 A가 B보다 작다.

① ㄱ   ② ㄴ   ③ ㄱ, ㄷ
④ ㄴ, ㄷ   ⑤ ㄱ, ㄴ, ㄷ

05 그림 (가)는 마찰이 없는 수평면에서 물체 A가 정지해 있는 물체 B를 향해 2 m/s의 속력으로 등속도 운동 하는 것을 나타낸 것이다. 그림 (나)는 두 물체가 충돌하기 전부터 충돌한 후까지 B의 운동량을 시간에 따라 나타낸 것이다. 두 물체의 충돌 시간은 0.01초이며, 충돌 전후 동일 직선상에서 운동한다. A, B의 질량은 각각 2 kg, 1 kg이다.

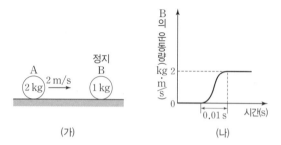

이에 대한 설명으로 옳은 것만을 〈보기〉에서 있는 대로 고른 것은? (단, 물체의 크기와 공기 저항은 무시한다.)

보기
ㄱ. 충돌하는 동안 A가 B로부터 받은 충격량의 크기는 2 N·s이다.
ㄴ. 충돌하는 동안 B가 A로부터 받은 평균 힘의 크기는 200 N이다.
ㄷ. 충돌 후 A의 운동 방향은 충돌 전과 반대이다.

① ㄱ   ② ㄷ   ③ ㄱ, ㄴ
④ ㄴ, ㄷ   ⑤ ㄱ, ㄴ, ㄷ

06 그림 (가)는 달걀이 마룻바닥에 떨어져 깨진 모습을, (나)는 동일한 달걀이 같은 높이에서 푹신한 방석에 떨어져 깨지지 않은 모습을 나타낸 것이다.

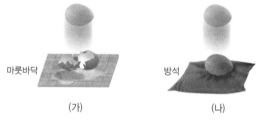

달걀의 운동에 대한 설명으로 옳은 것만을 〈보기〉에서 있는 대로 고른 것은?

보기
ㄱ. 달걀이 받은 충격량의 크기는 (가)가 (나)보다 크다.
ㄴ. 충돌 시간은 (가)가 (나)보다 작다.
ㄷ. 충격력의 크기는 (가)가 (나)보다 크다.

① ㄱ   ② ㄴ   ③ ㄷ
④ ㄱ, ㄴ   ⑤ ㄴ, ㄷ

07 그림 (가)는 마찰이 없는 수평면 위에서 물체 A가 정지해 있는 물체 B를 향해 일정한 속력 v_0으로 운동하는 것을 나타낸 것이다. A, B는 질량이 m으로 같고, 충돌 후 일직선상에서 등속 운동 한다. 그림 (나)는 충돌하는 동안 A가 B로부터 받는 힘의 크기를 시간에 따라 나타낸 것이며, 시간축과 곡선이 만드는 면적은 $\frac{2}{3}mv_0$이다.

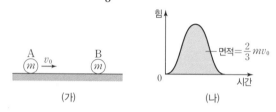

이에 대한 설명으로 옳은 것만을 〈보기〉에서 있는 대로 고른 것은? (단, A, B의 크기와 공기 저항은 무시한다.)

보기
ㄱ. 충돌하는 동안 B가 받은 충격량의 크기는 $\frac{2}{3}mv_0$이다.
ㄴ. 충돌 후 A의 속력은 $\frac{2}{3}v_0$이다.
ㄷ. 충돌 후 A와 B의 운동량의 합의 크기는 mv_0이다.

① ㄱ   ② ㄴ   ③ ㄷ
④ ㄱ, ㄴ   ⑤ ㄱ, ㄷ

08 그림은 수평면에서 점 P에 정지해 있는 물체를 일정한 힘 F로 당기는 모습을 나타낸 것이다. 물체는 P에서 점 R까지 등가속도 직선 운동을 한다. 점 Q는 P와 R의 중간 지점이고, 물체가 P에서 Q까지 운동하는 동안 물체가 받은 충격량의 크기는 I_1, Q에서 R까지 운동하는 동안 받은 충격량의 크기는 I_2이다.

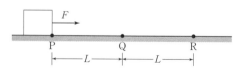

$\frac{I_2}{I_1}$는? (단, 물체의 크기는 무시한다.)

① 1   ② $\sqrt{2}$ ③ 2   ④ $\sqrt{2}-1$ ⑤ $\sqrt{2}+1$

09 그림 (가)는 수평면에 정지해 있는 질량이 m, $2m$인 공 A, B를 발로 차는 모습을 나타낸 것이다. 그림 (나)는 공을 발로 차는 순간부터 수평면에 직선 운동 하는 A, B의 운동량을 시간에 따라 나타낸 것이다.

(가)　　　　　　(나)

이에 대한 설명으로 옳은 것만을 〈보기〉에서 있는 대로 고른 것은? (단, A, B의 크기는 무시한다.)

> 보기
> ㄱ. 0부터 t_1까지 공이 받은 충격량의 크기는 A가 B보다 크다.
> ㄴ. t_2일 때 공의 속력은 A가 B보다 크다.
> ㄷ. 0부터 t_1까지 A가 받은 평균 힘의 크기는 0부터 t_2까지 B가 받은 평균 힘의 크기보다 작다.

① ㄱ　　　　② ㄴ　　　　③ ㄷ
④ ㄱ, ㄴ　　　⑤ ㄴ, ㄷ

10 그림 (가)는 마찰이 없는 수평면에서 같은 방향으로 운동하는 A와 B를 나타낸 것이고, (나)는 A, B의 위치를 시간에 따라 나타낸 것이다. 질량은 A가 B의 2배이다.

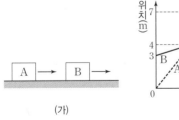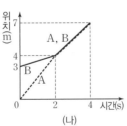

(가)　　　　　　(나)

이에 대한 설명으로 옳은 것만을 〈보기〉에서 있는 대로 고른 것은? (단, A, B의 크기는 무시한다.)

> 보기
> ㄱ. 충돌 전 운동량의 크기는 A가 B의 4배이다.
> ㄴ. 충돌하는 동안 속도 변화량의 크기는 B가 A의 2배이다.
> ㄷ. 충돌하는 동안 A가 받은 충격량의 크기는 B가 받은 충격량의 크기와 같다.

① ㄱ　　　　② ㄴ　　　　③ ㄷ
④ ㄱ, ㄴ　　　⑤ ㄴ, ㄷ

11 그림 (가)는 수평면 위에 정지해 있던 물체 A, B를 각각 수평 방향으로 막대로 쳤더니 A, B가 수평면을 따라 각각 속력 v로 등속도 운동 하는 모습을 나타낸 것이다. 그림 (나)는 (가)에서 A, B가 각각 막대기로부터 받은 힘의 크기를 시간에 따라 나타낸 것이다. 시간 축과 곡선이 만드는 면적은 A가 B의 2배이다.

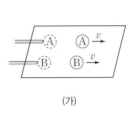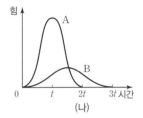

(가)　　　　　　(나)

이에 대한 설명으로 옳은 것만을 〈보기〉에서 있는 대로 고른 것은? (단, A, B의 크기는 무시한다.)

> 보기
> ㄱ. 막대와 충돌 후 등속도 운동을 하는 동안 운동량의 크기는 A와 B가 같다.
> ㄴ. 질량은 A가 B의 2배이다.
> ㄷ. 막대로 공을 치는 동안 공이 막대로부터 받은 평균 힘의 크기는 A가 B의 3배이다.

① ㄱ　　　　② ㄴ　　　　③ ㄷ
④ ㄱ, ㄴ　　　⑤ ㄴ, ㄷ

12 그림은 마찰이 없는 평면에 정지해 있던 물체 A, B에 크기가 같은 힘 F를 수평 방향으로 작용한 모습이다. A, B의 질량은 각각 $2m$, m이다. F를 수평 방향으로 계속 작용하여 A, B가 각각 거리 s만큼 이동할 때까지 걸린 시간은 각각 t_A, t_B이고 F로부터 받은 충격량의 크기는 각각 I_1, I_2이다. $t_A : t_B$과 $I_1 : I_2$로 옳은 것은?

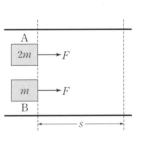

	$t_A : t_B$	$I_1 : I_2$		$t_A : t_B$	$I_1 : I_2$
①	$1 : \sqrt{2}$	$1 : 1$	②	$1 : \sqrt{2}$	$\sqrt{2} : 1$
③	$\sqrt{2} : 1$	$1 : 1$	④	$\sqrt{2} : 1$	$\sqrt{2} : 1$
⑤	$\sqrt{2} : 1$	$2 : 1$			

13 그림 (가)와 같이 수평면에서 질량이 $2m$인 물체 A가 정지해 있는 질량이 m인 물체를 향해 등속도 운동 한다. 그림 (나)는 A, B가 충돌하는 동안 B가 A로부터 받은 힘의 크기를 시간에 따라 나타낸 것이다. A와 B의 충돌 시간은 T이고, 시간축과 곡선이 만드는 면적은 S이다.

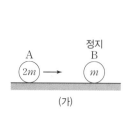
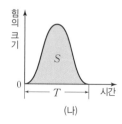

(가)　　　　　　　　　(나)

이에 대한 설명으로 옳은 것만을 〈보기〉에서 있는 대로 고른 것은? (단, A, B의 크기, 모든 마찰, 공기 저항은 무시한다.)

보기
ㄱ. 충돌하는 동안, A가 B로부터 받은 충격량의 크기는 B가 A로부터 받은 충격량의 크기보다 크다.
ㄴ. 충돌 직후 B의 속력은 $\dfrac{S}{m}$이다.
ㄷ. 충돌하는 동안, A가 B에 작용한 평균 힘의 크기는 $\dfrac{S}{T}$이다.

① ㄱ　　　　　② ㄴ　　　　　③ ㄷ
④ ㄱ, ㄴ　　　⑤ ㄴ, ㄷ

14 그림 (가)는 마찰이 없는 수평면에 놓인 물체 A, B가 서로 접촉한 상태에서 크기가 F인 힘이 A에 수평 방향으로 작용하는 모습을 나타낸 것이다. A, B의 질량은 각각 3 kg, 1 kg이다. 그림 (나)는 힘이 작용한 순간부터 A의 운동량을 나타낸 것이다.

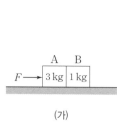
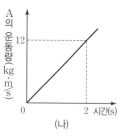

(가)　　　　　　　　　(나)

이에 대한 설명으로 옳은 것만을 〈보기〉에서 있는 대로 고른 것은? (단, A, B의 크기는 무시한다.)

보기
ㄱ. A의 가속도의 크기는 2 m/s²이다.
ㄴ. $F=6$ N이다.
ㄷ. B가 A를 미는 힘의 크기는 2 N이다.

① ㄱ　　　　　② ㄷ　　　　　③ ㄱ, ㄷ
④ ㄴ, ㄷ　　　⑤ ㄱ, ㄴ, ㄷ

수능 기출

15 그림 (가)와 같이 수평 방향의 일정한 힘 F가 작용하여 물체 A, B가 함께 운동하던 중에 A와 B 사이의 실이 끊어진다. 실이 끊어진 후에도 A에는 F가 계속 작용하고, A, B는 각각 등가속도 직선 운동을 한다. B의 질량은 2 kg이고, B의 가속도의 크기는 실이 끊어지기 전과 후가 같다. 그림 (나)는 실이 끊어지기 전과 후 A의 속력을 시간에 따라 나타낸 것이다.

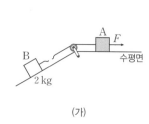
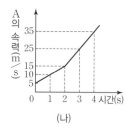

(가)　　　　　　　　　(나)

이에 대한 설명으로 옳은 것만을 〈보기〉에서 있는 대로 고른 것은? (단, 실의 질량, 모든 마찰과 공기 저항은 무시한다.)

보기
ㄱ. A의 질량은 4 kg이다.
ㄴ. 1초일 때, B에 작용하는 알짜힘의 크기는 10 N이다.
ㄷ. 3초일 때, B의 운동량의 크기는 20 kg·m/s이다.

① ㄱ　　　　　② ㄷ　　　　　③ ㄱ, ㄴ
④ ㄴ, ㄷ　　　⑤ ㄱ, ㄴ, ㄷ

16 그림 (가)와 같이 마찰이 없는 수평면에 정지해 있던 공 A를 발로 찼더니 A가 벽에 충돌한 후 튀어 나왔다. 그림 (나)는 A의 속도를 시간에 따라 나타낸 것으로 발과 벽은 A에 각각 t_0, $2t_0$ 동안 힘을 작용하였다.

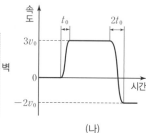

(가)　　　　　　　　　(나)

A가 발과 벽에 충돌하는 동안 받은 평균 힘의 크기를 각각 F_1, F_2라고 할 때, $F_1 : F_2$는?

① 3 : 5　　　② 5 : 6　　　③ 1 : 1
④ 6 : 5　　　⑤ 5 : 3

2 에너지와 열

 배울 내용 살펴보기

01 역학적 에너지 보존

A 일과 에너지

B 역학적 에너지 보존

일을 할 수 있는 능력을
에너지라고 하고, 에너지에는
운동 에너지, 퍼텐셜 에너지 등이 있어.
공기 저항이나 마찰이 없을 때 운동
에너지와 퍼텐셜 에너지의 합인
역학적 에너지가 보존돼.

02 열역학 제1법칙

A 내부 에너지와 열역학 제1법칙

B 열역학 과정

기체의 온도, 부피,
압력 사이의 관계를 설명한 법칙을
열역학 법칙이라고 해. 열에너지와
역학적 에너지를 포함한 에너지 보존
법칙을 열역학 제1법칙이라고 해.

03 열역학 제2법칙

A 열역학 제2법칙

B 열기관의 열효율

물속에 퍼진 잉크가
다시 뭉치지 않는 것처럼 자연
현상의 대부분은 한쪽 방향으로만
일어나. 이러한 방향성을 설명한 열역학
법칙을 열역학 제2법칙이라고 해.
열기관의 열효율을 통해 열역학
제2법칙을 이해할 수 있어.

01 ～ 역학적 에너지 보존

핵심 키워드로 흐름잡기

A 일, 운동 에너지, 퍼텐셜 에너지

B 역학적 에너지 보존

A 일과 에너지

|출·제·단·서| 일·운동 에너지 정리를 이용하여 운동하는 물체의 속력을 구하는 문제, 중력 퍼텐셜 에너지와 탄성 퍼텐셜 에너지를 계산하는 문제가 시험에 나와!

1. 일 물체에 힘이 작용하여 물체가 힘의 방향으로 이동할 때 힘이 물체에 일을 하였다고 한다.

(1) 일의 양(W) 힘이 물체에 한 일 W는 작용한 힘의 크기 F와 힘의 방향으로 이동한 거리 s의 곱으로 나타낸다.

$$W = Fs \ [\text{단위: 줄(J)}^{❶}, \ \underline{\text{N·m}}]$$ ┌─ 힘의 단위: N, 거리의 단위: m

(2) 힘–이동 거리 그래프 힘–이동 거리 그래프에서 그래프의 아랫부분의 넓이는 힘이 한 일을 나타낸다.

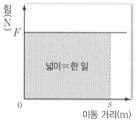

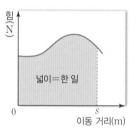

▲ 힘의 크기가 일정할 때 　　　▲ 힘의 크기가 변할 때

2. ●운동 에너지(E_k) 운동하는 물체가 가지는 에너지❷

(1) 운동 에너지의 크기 물체의 질량 $m(\text{kg})$과 속력 $v(\text{m/s})$의 제곱에 비례한다.

$$E_k = \frac{1}{2}mv^2 \ [\text{단위: J(줄)}]$$ ─ 일과 에너지의 단위는 모두 J(줄)이다.

(2) 일·운동 에너지 정리 알짜힘이 한 일 W는 운동 에너지 변화량 ΔE_k와 같다.

┌─ 등가속도 직선 운동의 식 $2as = v^2 - v_0^2$을 이용한다.

$$W = F \cdot s = ma \cdot s = m\frac{1}{2}(v^2 - v_0^2) = \frac{1}{2}mv^2 - \frac{1}{2}mv_0^2 = \Delta E_k$$

빈출 계산연습 일·운동 에너지 정리를 이용하여 물체의 속력 구하기

마찰이 없는 수평면에 가만히 놓여있던 질량이 2 kg인 물체에 20 N의 힘과 12 N의 힘이 서로 반대 방향으로 작용하여 물체가 오른쪽으로 2 m 이동하는 순간 물체의 속력을 구해 보자.

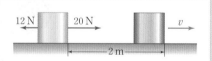

1단계　물체에 작용하는 알짜힘을 구한다. ⇨ 물체에 작용하는 알짜힘은 오른쪽 방향으로 8 N이다.

2단계　알짜힘이 물체에 한 일을 구한다. ⇨ 8 N×2 m=16 J

3단계　일·운동 에너지 정리를 적용하여 물체의 속력을 구한다.

　　⇨ $16(\text{J}) = \frac{1}{2}mv^2 - \frac{1}{2}mv_0^2 = \frac{1}{2}(2 \text{ kg})v^2 - 0$이므로 $v = 4 \text{ m/s}$이다.

❶ J(줄)

1 J은 1 N의 힘이 물체에 작용하여 물체가 힘의 방향으로 1 m 이동할 때 한 일의 양이다.

일의 부호

· 힘의 방향과 물체의 운동 방향이 같을 때: $W = Fs$

· 힘의 방향과 운동 방향이 반대일 때: $W = -Fs$

힘이 한 일이 0인 경우

· 물체에 작용하는 힘이 0일 때

· 물체의 이동 거리가 0일 때

· 힘의 방향과 물체의 이동 방향이 수직일 때

❷ 에너지

일을 할 수 있는 능력. 에너지의 종류에는 운동 에너지, 퍼텐셜 에너지, 열에너지, 전기 에너지, 빛에너지 등이 있다.

❓ 운동 방향과 반대 방향으로 물체에 힘을 작용해도 물체의 운동 에너지는 증가할까?

힘의 방향과 물체의 운동 방향이 반대 방향일 때 힘은 물체에 음(−)의 일을 한다. 따라서 물체의 운동 에너지는 감소한다.

🐱 용어 알기

·운동(옮길 運, 움직일 動) 물체가 시간의 경과에 따라 위치를 바꾸는 것

3. 퍼텐셜 에너지(E_p) 기준면으로부터의 위치에 따라 물체에 잠재된 에너지

(1) 중력 퍼텐셜 에너지 중력이 작용하는 공간에서 물체가 기준면으로부터의 높이에 따라 가지는 에너지

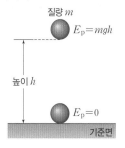

• 중력[3]이 작용하는 공간에서 기준면으로부터 높이 h(m)인 곳에 있는 질량 m(kg)인 물체는 지면까지 낙하하는 동안 mgh만큼 일을 할 수 있다.

⇨ 지면을 기준면으로 할 때 높이 h인 곳에 있는 물체는 mgh의 중력 퍼텐셜 에너지를 가지고 있다.

$$E_p = mgh \ [\text{단위: 줄}(\text{J})]$$
힘의 크기: 중력의 크기 mg ┘ └ 이동 거리: 높이 h

(2) ●탄성 퍼텐셜 에너지 용수철과 같은 탄성체가 변형되었을 때 가지는 에너지

• 길이가 x(m)만큼 변형된 용수철 상수[4]가 k(N/m)인 용수철에 물체를 매달면 물체에는 크기가 kx인 탄성력[5]이 작용하고, 용수철은 물체에 $\frac{1}{2}kx^2$만큼 일을 할 수 있다.

⇨ 길이가 x만큼 변형된 용수철은 $\frac{1}{2}kx^2$의 탄성 퍼텐셜 에너지를 가지고 있다.

$$E_p = \frac{1}{2}kx^2 \ [\text{단위: 줄}(\text{J})]$$
└ 힘의 크기: (평균)탄성력 $\frac{1}{2}kx$, 이동 거리: 변형된 길이 x

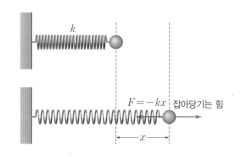
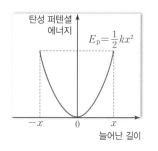

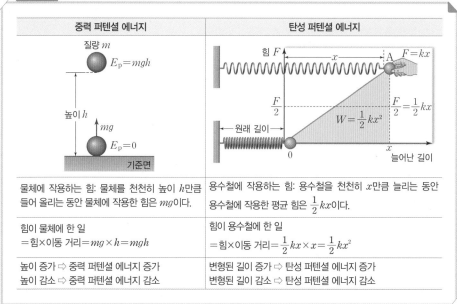

| 빈출 자료 | 일과 퍼텐셜 에너지 | 암기TIP 중력 퍼텐셜 에너지는 mgh, 탄성 퍼텐셜 에너지는 $\frac{1}{2}kx^2$ |

중력 퍼텐셜 에너지	탄성 퍼텐셜 에너지
물체에 작용하는 힘: 물체를 천천히 높이 h만큼 들어 올리는 동안 물체에 작용한 힘은 mg이다.	용수철에 작용하는 힘: 용수철을 천천히 x만큼 늘리는 동안 용수철에 작용한 평균 힘은 $\frac{1}{2}kx$이다.
힘이 물체에 한 일 =힘×이동 거리=$mg \times h = mgh$	힘이 용수철에 한 일 =힘×이동 거리=$\frac{1}{2}kx \times x = \frac{1}{2}kx^2$
높이 증가 ⇨ 중력 퍼텐셜 에너지 증가 높이 감소 ⇨ 중력 퍼텐셜 에너지 감소	변형된 길이 증가 ⇨ 탄성 퍼텐셜 에너지 증가 변형된 길이 감소 ⇨ 탄성 퍼텐셜 에너지 감소

❸ 중력

지구 중력에 의한 가속도를 g라고 표현하고, 지표면 근처에서 중력 가속도는 약 9.8 m/s^{2}이다. 지표면 근처에서 질량 m인 물체에 작용하는 중력의 크기는 mg이다.

❹ 용수철 상수(k)

용수철의 재질, 굵기, 길이 등에 의해 결정되는 상수로, 용수철 상수가 큰 용수철일수록 잘 늘어나지 않는다. 용수철 상수의 단위는 N/m이다.

❺ 탄성력

용수철이 변형될 때 원래 길이로 되돌아가려는 방향으로 탄성력이 작용한다. 탄성력의 크기는 용수철의 변형된 길이 x(m)에 비례하고, 변형된 방향과 반대 방향으로 작용하므로 음(−)으로 표현한다.
$$F = -kx$$

퍼텐셜 에너지의 기준면

중력 퍼텐셜 에너지는 기준면을 어디로 정하는지에 따라 그 값이 달라지지만, 탄성 퍼텐셜 에너지는 변형되지 않은 원래 길이를 기준으로 한다.

용어 알기 🐱

●탄성(탄알 彈, 성품 性) 변형된 물체가 원래 모양으로 되돌아가려는 성질

B 역학적 에너지 보존

|출·제·단·서| 역학적 에너지 보존 법칙을 이용해 물체의 높이나 속력을 구하는 문제가 시험에 나와!

1. 역학적 에너지 물체의 퍼텐셜 에너지(E_p)와 운동 에너지(E_k)의 합

2. 역학적 에너지 보존 법칙 [개념 POOL] 공기 저항이나 마찰이 없을 때 물체의 역학적 에너지는 일정하게 보존된다.

$$E = E_p + E_k = 일정$$

(1) 중력에 의한 역학적 에너지 보존 공기 저항이 없이 높이 h인 지점에서 가만히 놓은 물체가 중력만 받으며 높이 h_1, h_2인 지점을 통과할 때의 속력을 v_1, v_2라 하면, 일·운동 에너지 정리에 의하여 중력이 물체에 한 일은 물체의 운동 에너지 변화량과 같아야 한다.

중력이 물체에 한 일 ┐   ┌ 물체의 운동 에너지 변화량

$$mg(h_1 - h_2) = \frac{1}{2}mv_2^2 - \frac{1}{2}mv_1^2$$

$$\therefore mgh_1 + \frac{1}{2}mv_1^2 = mgh_2 + \frac{1}{2}mv_2^2$$

h_1에서의 역학적 에너지 ┘   └ h_2에서의 역학적 에너지

⇨ 공기 저항이 없이 중력만 작용하며 낙하하는 물체의 역학적 에너지가 보존된다.

(2) 탄성력에 의한 역학적 에너지 보존 마찰이 없는 수평선에서 용수철에 연결하여 •평형점 O로부터 A만큼 떨어진 지점에서 가만히 놓은 물체가 탄성력만 받으며 x_1, x_2인 두 지점을 통과할 때의 속력을 v_1, v_2라 하면, 일·운동 에너지 정리에 의하여 탄성력이 물체에 한 일은 물체의 운동 에너지 변화량과 같아야 한다.

$$\frac{1}{2}kx_2^2 - \frac{1}{2}kx_1^2 = \frac{1}{2}mv_1^2 - \frac{1}{2}mv_2^2$$

탄성력이 물체에 한 일 ┘   └ 물체의 운동 에너지 변화량

$$\therefore \frac{1}{2}kA^2 = \frac{1}{2}kx_1^2 + \frac{1}{2}mv_1^2 = \frac{1}{2}kx_2^2 + \frac{1}{2}mv_2^2 = \frac{1}{2}mv^2$$

x_1에서의 역학적 에너지 ┘   └ x_2에서의 역학적 에너지

⇨ 마찰이 없는 수평면에서 탄성력만 작용하며 운동하는 물체의 역학적 에너지가 보존된다.

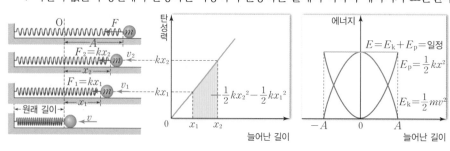

3. 역학적 에너지가 보존되지 않는 경우 [탐구 POOL]

(1) 공기 저항이나 마찰을 받으며 운동하는 물체는 운동하는 동안 역학적 에너지의 일부가 열에너지 등으로 전환되기 때문에 역학적 에너지가 보존되지 않고 감소한다.

(2) 역학적 에너지가 보존되지 않는 예 스카이다이빙, 미끄럼틀 타기 등

높이에 따른 중력에 의한 역학적 에너지

높이	퍼텐셜 에너지	운동 에너지	역학적 에너지
h	mgh (최대)	0 (최소)	
h_1	mgh_1	$\frac{1}{2}mv_1^2$	mgh (일정)
h_2	mgh_2	$\frac{1}{2}mv_2^2$	
0	0 (최소)	$\frac{1}{2}mv^2$ (최대)	

위치에 따른 탄성력에 의한 역학적 에너지

위치	퍼텐셜 에너지	운동 에너지	역학적 에너지
A	$\frac{1}{2}kA^2$ (최대)	0 (최소)	
x_1	$\frac{1}{2}kx_1^2$	$\frac{1}{2}mv_1^2$	$\frac{1}{2}kA^2$ (일정)
x_2	$\frac{1}{2}kx_2^2$	$\frac{1}{2}mv_2^2$	
0	0 (최소)	$\frac{1}{2}mv^2$ (최대)	

🐱 용어 알기

● 평형점(평평할 平, 저울대 衡, 점 點) 용수철에 매달린 물체가 운동할 때, 물체에 작용하는 알짜힘이 0인 지점

역학적 에너지 보존

목표 공기 저항이나 마찰이 없을 때 롤러코스터에서의 역학적 에너지 보존을 이해할 수 있다.

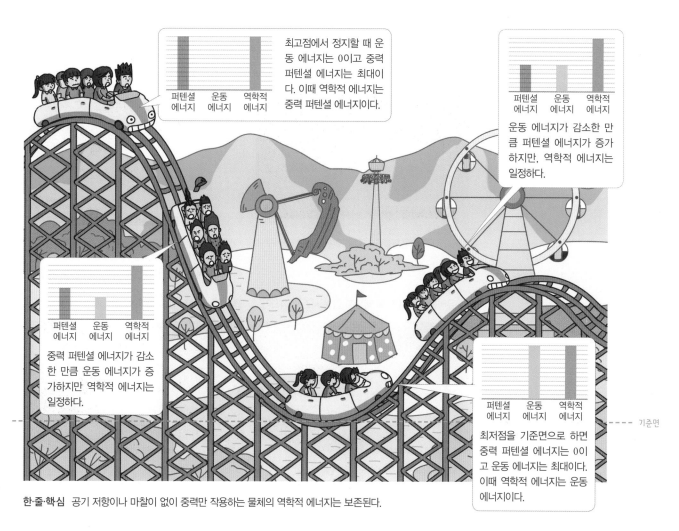

최고점에서 정지할 때 운동 에너지는 0이고 중력 퍼텐셜 에너지는 최대이다. 이때 역학적 에너지는 중력 퍼텐셜 에너지이다.

운동 에너지가 감소한 만큼 퍼텐셜 에너지가 증가하지만, 역학적 에너지는 일정하다.

중력 퍼텐셜 에너지가 감소한 만큼 운동 에너지가 증가하지만 역학적 에너지는 일정하다.

최저점을 기준면으로 하면 중력 퍼텐셜 에너지는 0이고 운동 에너지는 최대이다. 이때 역학적 에너지는 운동 에너지이다.

기준면

한·줄·핵심 공기 저항이나 마찰이 없이 중력만 작용하는 물체의 역학적 에너지는 보존된다.

확인 문제

정답과 해설 20쪽

01 ㉠, ㉡에 들어갈 알맞은 말을 쓰시오.

(㉠) 에너지＝운동 에너지＋(㉡) 에너지

02 그림은 지면으로부터 20 m의 높이의 A점에서 질량이 1 kg인 물체가 낙하하는 모습을 나타낸 것이다. A, B, C, D, 지면 사이의 거리는 각각 5 m 이다.

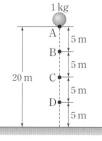

1 kg
A
5 m
B
5 m
20 m
C
5 m
D
5 m

㉠～㉒에 들어갈 알맞은 값을 쓰시오. (단, 중력 가속도는 10 m/s²이고, 중력 퍼텐셜 에너지의 기준면은 지면이다. 공기 저항은 무시한다.)

위치	운동 에너지	중력 퍼텐셜 에너지	역학적 에너지
A	(㉠)J	(㉡)J	(㉒)J
B	(㉢)J	(㉣)J	
C	(㉤)J	(㉥)J	
D	(㉦)J	(㉧)J	

마찰면에 따른 용수철 진자의 역학적 에너지 감소 비교하기

목표 마찰면에 따라 용수철 진자의 역학적 에너지가 어떻게 달라지는지 비교할 수 있다.

유의점
처음 용수철의 늘어난 길이는 과정 ❷, ❸, ❹에서 모두 같게 한다.

과정

❶ 용수철과 나무 도막을 연결하기

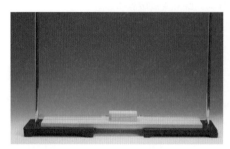

양쪽 스탠드에 용수철을 고정하고 가운데에 나무 도막을 연결한다.

❷ 나무판 위에서 멈출 때까지 걸린 시간 측정하기

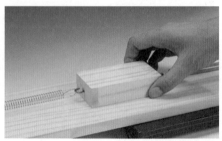

나무 도막을 당겨 용수철을 일정한 길이만큼 늘어나게 하고 가만히 놓아 나무 도막이 멈출 때까지 걸린 시간을 3회 반복하여 측정한다.

❸ 유리판 위에서 멈출 때까지 걸린 시간 측정하기

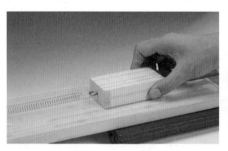

나무판을 유리판으로 바꾸어 과정 ❷를 반복한다.

❹ 사포 위에서 멈출 때까지 걸린 시간 측정하기

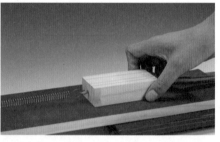

유리판을 사포판으로 바꾸어 과정 ❷를 반복한다.

⚗️ **이런 실험도 있어요!**
나무 도막의 아랫면에 열 감지 필름을 붙여 용수철이 진동하는 동안 발생하는 열을 직접 확인할 수 있다.

결과

바닥면의 종류	멈출 때까지 걸린 시간			평균 시간
	1회	2회	3회	
나무판	7.5초	7.7초	7.3초	7.5초
유리판	8.6초	8.8초	8.7초	8.7초
사포판	5.9초	5.4초	5.6초	5.6초

정리 및 해석

❶ 나무 도막이 멈출 때까지 걸린 평균 시간은 유리판 > 나무판 > 사포판 순이다.

❷ 나무 도막의 역학적 에너지는 바닥면이 거칠수록 더 빨리 감소한다.
　　　　　　　　마찰력이 클수록　　　　열에너지로 전환

한·줄·핵심 물체의 역학적 에너지는 마찰력이 클수록 더 빠르게 열에너지로 전환되며, 마찰이 있는 면에서는 역학적 에너지가 보존되지 않는다.

▶ 확인 문제

정답과 해설 20쪽

01 이 탐구 활동에서 바닥면을 다르게 하는 까닭을 쓰시오.

02 이 탐구 활동에서 나무 도막의 역학적 에너지는 어떤 에너지로 전환되는지 쓰시오.

1. ☐☐☐
일을 할 수 있는 능력

2. ☐☐ 에너지
운동하는 물체가 가지는 에
너지로, 물체의 질량과 속도
의 제곱에 비례한다.

3. 물체에 작용하는 ☐☐
☐이 한 일은 물체의 운동
에너지 변화량과 같다.

4. ☐☐☐ 에너지
기준면으로부터의 위치에 따
라 물체에 잠재된 에너지

5. ☐☐ ☐☐☐ 에너지
용수철과 같은 탄성체가 변
형되었을 때 가지는 에너지

6. ☐☐☐ 에너지
물체의 운동 에너지와 퍼텐
셜 에너지의 합

A 일과 에너지

01 일과 에너지에 대한 설명으로 옳은 것은 ○, 옳지 <u>않은</u> 것은 ×로 표시하시오.

(1) 일과 에너지의 단위는 서로 같다. ( )

(2) 물체의 운동 에너지는 물체의 질량과 속력의 곱에 비례한다. ( )

(3) 알짜힘이 물체에 한 일은 물체의 운동 에너지 변화량과 같다. ( )

(4) 힘이 물체에 한 일은 힘의 크기와 힘의 방향으로 이동한 거리의 곱이다. ( )

02 그림은 마찰이 없는 수평면에 정지해 있던 질량이 2 kg인 물체에 수평 방향으로 10 N의 일정한 힘이 계속 작용하여 물체가 10 m 이동한 것을 나타낸 것이다.

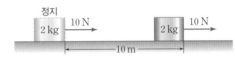

(1) 물체가 10 m 이동하는 동안 알짜힘이 물체에 한 일은 몇 J인지 쓰시오.

(2) 물체가 10 m 이동하였을 때 물체의 운동 에너지는 몇 J인지 쓰시오.

(3) 물체가 10 m 이동하였을 때 물체의 속력은 몇 m/s인지 쓰시오.

03 퍼텐셜 에너지에 대한 설명으로 옳은 것은 ○, 옳지 <u>않은</u> 것은 ×로 표시하시오.

(1) 중력 퍼텐셜 에너지는 기준면에 따라 그 값이 달라진다. ( )

(2) 탄성 퍼텐셜 에너지는 용수철에 연결된 물체의 질량과는 관계없다. ( )

(3) 탄성력은 용수철의 변형된 길이와 관계없이 일정하다. ( )

B 역학적 에너지 보존

04 다음은 역학적 에너지 보존에 대한 설명이다.

> 역학적 에너지는 퍼텐셜 에너지와 (㉠)의 합으로, 공기 저항이나 마찰이 없을 때 물체의 역학적 에너지는 (㉡)된다. 공기 저항이나 마찰을 받으며 운동하는 물체의 역학적 에너지는 (㉢) 등으로 전환되기 때문에 보존되지 않는다.

㉠~㉢ 안에 들어갈 알맞은 말을 쓰시오.

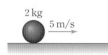

A 일과 에너지

01 질량이 2 kg인 물체가 5 m/s의 속력으로 운동하고 있을 때 물체의 운동 에너지는?

2 kg
5 m/s

① 5 J   ② 10 J   ③ 15 J
④ 25 J   ⑤ 50 J

[02~04] 그림은 정지해 있던 질량이 1 kg인 물체에 줄을 연결하여 연직 위 방향으로 30 N의 일정한 힘으로 10 m 만큼 당기는 것을 나타낸 것이다. (단, 중력 가속도는 10 m/s²이다.)

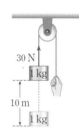

02 줄이 물체를 당기는 힘이 물체에 한 일은?

① 100 J   ② 200 J   ③ 300 J
④ −100 J   ⑤ −200 J

03 중력이 물체에 한 일은?

① 100 J   ② 200 J   ③ 300 J
④ −100 J   ⑤ −200 J

04 물체가 10 m 이동했을 때 물체의 속력은?

① 10 m/s   ② 20 m/s   ③ 30 m/s
④ 40 m/s   ⑤ 50 m/s

05 질량이 1000 kg인 자동차가 30 m/s의 속력으로 운동하다가 장애물을 발견하고 일정하게 감속하여 45 m 이동한 다음 정지하였다.

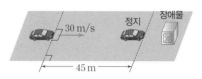

일정하게 감속하는 동안 자동차에 작용한 알짜힘의 크기는?

① 1000 N   ② 2000 N   ③ 5000 N
④ 6000 N   ⑤ 10000 N

06 그림과 같이 지면으로부터 10 m 높이의 옥상에 질량이 5 kg인 물체가 놓여 있다. 지면과 옥상 면을 각각 기준면으로 할 때의 물체의 중력 퍼텐셜 에너지를 옳게 짝 지은 것은? (단, 중력 가속도는 10 m/s²이고, 물체의 크기는 무시한다.)

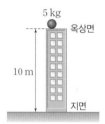

	지면 기준	옥상 면 기준
①	0 J	50 J
②	0 J	500 J
③	50 J	0 J
④	100 J	0 J
⑤	500 J	0 J

단답형

07 용수철을 1 m 당겼을 때 용수철의 탄성 퍼텐셜 에너지의 크기가 E라면, 용수철을 2 m 당겼을 때 용수철의 탄성 퍼텐셜 에너지의 크기는 얼마인지 쓰시오.

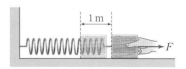

[08~10] 그림 (가)는 길이가 1 m인 용수철이 천장에 매달려 정지해 있는 것을 나타낸 것이다. 그림 (나)처럼 (가)의 용수철에 질량이 1 kg인 물체를 매달았더니 정지한 용수철의 길이가 1.1 m가 되었다. (단, 중력 가속도는 10 m/s²이고, 물체의 크기와 용수철의 질량은 무시한다.)

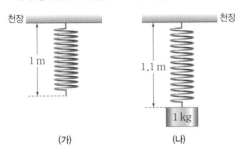

(가)   (나)

08 용수철 상수는?

① 100 N/m   ② 200 N/m   ③ 300 N/m

④ 400 N/m   ⑤ 500 N/m

09 (나)에서 물체의 탄성 퍼텐셜 에너지는?

① 0   ② 0.5 J   ③ 1 J

④ −0.5 J   ⑤ −1 J

10 (나)에서 천장을 기준면으로 할 때 물체의 중력 퍼텐셜 에너지와 탄성 퍼텐셜 에너지의 합은?

① 0   ② 10.5 J   ③ 11 J

④ −10.5 J   ⑤ −11 J

B 역학적 에너지 보존

11 지면에서 연직 위 방향으로 20 m/s의 속력으로 물체를 던질 때 물체가 도달할 수 있는 최고점의 높이 h는? (단, 중력 가속도는 10 m/s²이고, 물체의 크기와 공기 저항은 무시한다.)

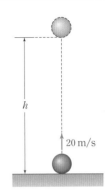

① 5 m   ② 10 m

③ 15 m   ④ 20 m

⑤ 25 m

12 마찰이 없는 수평면에서 용수철 상수가 100 N/m인 용수철에 연결된 질량이 4 kg인 물체가 진폭이 일정한 진동 운동을 하고 있다. 물체의 최대 속력이 10 m/s일 때, 물체의 진폭은? (단, 공기 저항은 무시한다.)

① 1 m   ② 2 m   ③ 3 m

④ 4 m   ⑤ 5 m

13 역학적 에너지에 대한 설명으로 옳은 것만을 〈보기〉에서 있는 대로 고른 것은?

보기
ㄱ. 퍼텐셜 에너지와 운동 에너지의 합이다.
ㄴ. 공기 저항을 받으며 낙하하는 물체의 역학적 에너지는 보존된다.
ㄷ. 공기 저항이나 마찰에 의해 열에너지로 전환될 수 있다.

① ㄱ   ② ㄱ, ㄴ   ③ ㄱ, ㄷ

④ ㄴ, ㄷ   ⑤ ㄱ, ㄴ, ㄷ

01 그림은 사과가 아래로 떨어지고 있는 모습을 나타낸 것이다.

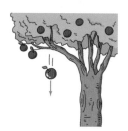

사과가 떨어지는 동안에 대한 설명으로 옳은 것만을 〈보기〉에서 있는 대로 고른 것은? (단, 공기 저항은 무시한다.)

보기
ㄱ. 사과에 작용하는 알짜힘은 0이다.
ㄴ. 사과의 운동 에너지는 증가한다.
ㄷ. 중력이 사과에 하는 일과 사과의 운동 에너지 변화량은 같다.

① ㄱ   ② ㄷ   ③ ㄱ, ㄴ
④ ㄴ, ㄷ   ⑤ ㄱ, ㄴ, ㄷ

02 그림은 각자 자신이 물체에 한 일에 대해 철수, 영희, 민수가 대화하는 모습을 나타낸 것이다.

물체에 한 일의 크기가 큰 사람부터 작은 사람 순으로 옳게 나타낸 것은?

① 철수 – 영희 – 민수   ② 철수 – 민수 – 영희
③ 영희 – 철수 – 민수   ④ 영희 – 민수 – 철수
⑤ 민수 – 영희 – 철수

03 그림과 같이 출발선에 정지해 있던 질량이 m, $2m$인 물체 A, B에 각각 크기가 F_A, F_B인 수평 방향의 힘을 도착선에 도달할 때까지 계속 작용하였더니 A와 B가 수평면에서 등가속도 직선 운동을 하며 도착선에 같은 속력으로 도달하였다.

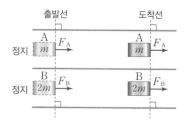

이에 대한 설명으로 옳은 것만을 〈보기〉에서 있는 대로 고른 것은? (단, A와 B의 크기, 공기 저항 및 모든 마찰은 무시한다.)

보기
ㄱ. $F_A < F_B$이다.
ㄴ. 도착선에서 A와 B의 운동 에너지는 같다.
ㄷ. 출발선에서 도착선까지 A와 B에 작용하는 알짜힘이 각각 A와 B에 한 일은 같다.

① ㄱ   ② ㄱ, ㄴ   ③ ㄱ, ㄷ
④ ㄴ, ㄷ   ⑤ ㄱ, ㄴ, ㄷ

04 그림은 지면으로부터 높이 h인 지점에서 동일한 물체를 같은 속력으로 각각 A, B, C 방향으로 던지는 것을 나타낸 것이다.

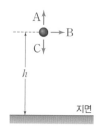

지면에 도달할 때의 물체의 속력을 각각 v_A, v_B, v_C라 할 때, 그 크기를 옳게 비교한 것은? (단, 물체의 크기, 공기 저항 및 모든 마찰은 무시한다.)

① $v_A = v_B = v_C$ ② $v_A > v_B > v_C$
③ $v_B > v_C > v_A$ ④ $v_C > v_A > v_B$
⑤ $v_C > v_B > v_A$

출제예감

05 그림 (가)는 수평면에서 한쪽 끝이 고정된 용수철을 x만큼 압축하여 질량이 m인 물체를 오른쪽 방향으로 쏘았더니 물체가 빗면 위의 수평면으로부터 높이 h만큼 올라간 것을 나타낸 것이다. 그림 (나)는 (가)에서 물체의 질량을 $2m$, 용수철의 압축된 길이를 $2x$로 바꿨을 때 물체가 빗면 위의 수평면으로부터 높이 h'만큼 올라간 것을 나타낸 것이다.

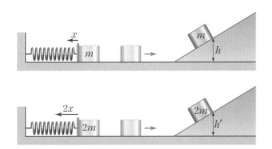

h'은? (단, 물체의 크기, 공기 저항 및 모든 마찰은 무시한다.)

① $\dfrac{h}{4}$ ② $\dfrac{h}{2}$ ③ h

④ $2h$ ⑤ $4h$

06 그림은 운동하던 물체가 일정한 크기의 마찰력을 받으면서 정지하는 모습을 나타낸 것이다.

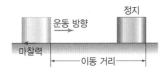

이에 대한 설명으로 옳은 것만을 〈보기〉에서 있는 대로 고른 것은? (단, 공기 저항은 무시한다.)

보기
ㄱ. 물체의 운동 에너지는 증가하였다.
ㄴ. 물체의 역학적 에너지가 열에너지로 전환된다.
ㄷ. 바닥면의 마찰력이 더 커지면 정지할 때까지 물체의 이동 거리가 줄어든다.

① ㄴ ② ㄷ ③ ㄱ, ㄴ
④ ㄴ, ㄷ ⑤ ㄱ, ㄴ, ㄷ

07 그림은 수평면의 마찰이 없는 부분에서 등속도로 운동하던 물체가 크기가 F로 일정한 마찰력이 작용하는 부분에서 s만큼 미끄러진 후 정지한 모습을 나타낸 것이다.

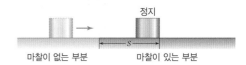

마찰이 없는 부분에서 물체의 운동 에너지를 쓰시오.

서술형

08 그림 (가)는 지면으로부터 높이 h인 아래로 오목한 곡선 레일 위에서 물체를 가만히 놓았더니 물체가 지면으로부터 높이 h'인 최고점까지 도달하는 모습을 나타낸 것이고, 그림 (나)는 일부가 잘려 나간 곡선 레일에서 (가)에서와 같이 지면으로부터 높이 h인 레일 위에서 물체를 가만히 놓았을 때, 물체가 지면으로부터 높이 h''인 최고점을 지나는 모습을 나타낸 것이다. (단, 공기 저항과 모든 마찰은 무시한다.)

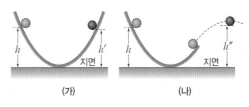

(1) h와 h'의 크기를 역학적 에너지 보존을 이용해 비교하시오.

(2) h와 h''의 크기를 역학적 에너지 보존을 이용해 비교하시오.

02 ~ 열역학 제1법칙

열역학 제0법칙

두 물체 A와 B가 물체 C와 열평형 상태에 있으면 A와 B도 서로 열평형 상태이다. 이때 세 물체 A, B, C는 온도가 같다. 열역학 제0법칙은 온도를 정의하는 데 사용된다.

❶ 내부 에너지

내부 에너지는 어떤 계의 질량 중심에 대해 정지한 관찰자가 측정한 계가 가지는 전체 에너지로, 물질을 구성하는 분자들이 가진 에너지의 총합을 의미한다.

❷ 이상 기체

구성 분자가 모두 동일하며, 구성 분자의 크기와 분자 사이의 상호 작용이 없는 이상적인 기체이다. 실제의 기체는 충분히 낮은 압력과 높은 온도에서 이상 기체와 유사한 성질을 나타낸다.

❸ 절대 온도(T)

영하 273.15 ℃를 기준으로 하여 섭씨온도와 같은 간격으로 눈금을 붙인 온도로, 단위는 K(켈빈)을 사용한다.

$$T(\text{K})=t(℃)+273.15$$

🐱 용어 알기

● 실린더(cylinder) 증기 기관이나 내연 기관 따위에서 피스톤이 왕복 운동을 하는 속이 빈 원통 모양의 장치
● 피스톤(Piston) 실린더 안에서 왕복 운동을 하는 원통이나 원판 모양으로 된 부품

A 내부 에너지와 열역학 제1법칙

| 출·제·단·서 | 기체가 하는 일, 내부 에너지 변화, 받은 열 사이의 관계를 묻는 문제가 시험에 나와!

1. 온도와 열

(1) **온도** 물체의 차갑고 뜨거운 정도를 정해진 기준에 따라 수치로 나타낸 것으로, 물체를 이루는 분자들의 운동이 활발한 정도를 나타낸다.

(2) **열** 온도가 다른 두 물체를 접촉할 때 높은 온도의 물체에서 낮은 온도의 물체로 전달되는 에너지

(3) **열평형 상태** 온도가 다른 두 물체를 접촉할 때 높은 온도의 물체에서 낮은 온도의 물체로 열이 이동하여 두 물체의 온도가 같아진 상태

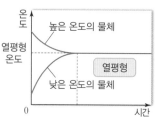

2. 내부 에너지(U)❶ 기체 분자의 운동 에너지와 기체 분자 사이의 상호 작용에 의한 퍼텐셜 에너지의 합

(1) **이상 기체❷의 내부 에너지** 이상 기체는 구성 분자 사이의 상호 작용이 없으므로, 이상 기체의 내부 에너지는 기체 분자의 운동 에너지의 총합이다.

(2) 이상 기체의 평균 운동 에너지 $\overline{E}_\text{k}$는 절대 온도 T❸에 비례하므로, 이상 기체의 내부 에너지 U는 기체의 분자 수 N과 절대 온도 T에 비례한다.

$$U \propto N\overline{E}_\text{k} \Rightarrow U \propto NT$$

(암기TIP) 기체의 부피 증가: 외부에 일을 한다.
기체의 부피 감소: 외부로부터 일을 받는다.

3. 기체가 하는 일(W) 단면적이 A인 ●실린더 내부의 기체가 일정한 압력 P를 유지하면서 팽창하여 ●피스톤을 Δx만큼 밀었다면, 기체가 피스톤에 한 일 W는 다음과 같다.

$$W=F \times \Delta x=\underbrace{(PA)}_{\text{기체가 피스톤에 작용하는 힘}} \times \Delta x=P \times \underbrace{(A\Delta x)}_{\text{피스톤의 이동 거리}}=P\Delta V \text{ [단위: J(줄)]}$$

(1) 기체의 부피 변화와 기체가 하는 일 사이의 관계

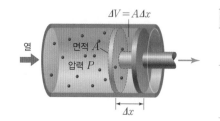

부피 변화	일의 부호와 의미
부피 팽창 ($\Delta V > 0$)	$W > 0$ (기체가 외부에 일을 한다.)
부피 감소 ($\Delta V < 0$)	$W < 0$ (기체가 외부로부터 일을 받는다.)

(2) 압력^④−부피 그래프 압력−부피 그래프에서 그래프의 아랫부분의 넓이는 <u>기체가 하는 일</u>을 의미한다.

압력(N/m^2)×부피(m^3)의 단위는 $N \cdot m$, 즉 J로 일의 단위와 같다.

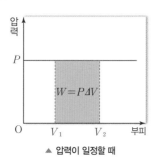 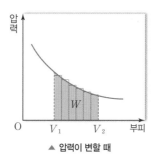

부피가 V_1에서 V_2로 증가할 때 기체가 외부에 해 준 일은 그래프 아래의 넓이와 같다.

▲ 압력이 일정할 때　　▲ 압력이 변할 때

빈출 자료 순환 과정 동안 기체가 하는 일

기체가 팽창과 압축을 반복하는 순환 과정에서 기체가 한 일은 압력−부피 그래프에서 그래프로 둘러싸인 부분의 넓이와 같다.

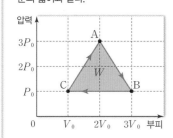

과정	기체가 한 일(W)
A → B	$2P_0V_0$
B → C	$-2P_0V_0$
C → A	$2P_0V_0$
A → B → C → A	$2P_0V_0 + (-2P_0V_0) + 2P_0V_0 = 2P_0V_0$

---

4. °열역학 제1법칙

기체가 외부에 일을 하기 위해서는 열을 흡수하거나 내부 에너지가 감소해야만 한다.

(1) 외부에서 기체에 가한 열 Q는 기체의 내부 에너지 변화량 ΔU과 기체가 외부에 한 일 W의 합과 같다.

$$Q = \Delta U + W = \underline{\Delta U} + \underline{P \Delta V}$$

기체의 내부 에너지가 변화량 ┘　└ 기체가 외부에 한 일

(2) 열역학 제1법칙은 열에너지와 역학적 에너지를 포함한 에너지 보존 법칙의 다른 표현이다. ⇨ 하나의 계^⑤에 들어가거나 나온 열이 일과 내부 에너지로 전환되어 전체 에너지의 양은 보존된다.

빈출 계산연습 이상 기체의 내부 에너지 변화량 계산하기

그림과 같이 피스톤의 단면적이 $0.2 \ m^2$인 실린더에 들어 있는 기체에 8000 J의 열을 가하였더니 기체가 1기압을 유지하며 부피가 팽창하여 피스톤이 서서히 0.3 m 밀려났다. 피스톤이 밀려나는 동안 기체의 내부 에너지 변화량을 구하시오. (단, 1기압은 $10^5 \ N/m^2$이고, 피스톤과 실린더 사이의 마찰은 무시한다.)

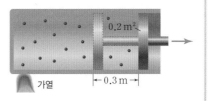

0.2 m² / 가열 / 0.3 m

1단계　기체가 외부에 한 일 $W = P\Delta V$를 구한다.
　　　⇨ $W = P\Delta V = 10^5 \ N/m^2 \times 0.2 \ m^2 \times 0.3 \ m = 6000 \ J$

2단계　열역학 제1법칙 $Q = \Delta U + W$를 적용한다.
　　　⇨ $8000 \ J = \Delta U + 6000 \ J$

3단계　내부 에너지 변화량 ΔU를 구한다.
　　　⇨ $\Delta U = 8000 \ J - 6000 \ J = 2000 \ J$

|출·제·단·서|　열역학 과정에서 열, 내부 에너지 변화, 한 일의 상관 관계를 묻는 문제가 시험에 나와!

1. 열역학 과정 　개념POOL　 실린더 내부의 기체가 외부와 상호 작용 하면서 한 상태에서 다른 상태로 변하는 과정

⇨ 열역학 과정에는 등압, 등적, 등온, 단열 과정이 있으며, 열역학 과정에서는 열역학 제1법칙이 적용된다.

(1) 등압 과정　압력이 일정하게 유지되며 온도와 부피가 변하는 과정

① 기체의 압력이 일정한 가운데 실린더 내부의 기체에 열을 가하면 온도가 증가하고 부피가 증가한다.

⇨ 온도가 변하므로 내부 에너지의 변화가 생기고, 부피가 변하므로 일의 변화가 생긴다.

② 열역학 제1법칙에 의해 기체가 흡수한 열 Q는 기체의 내부 에너지 증가량 ΔU와 기체가 외부에 한 일 W의 합과 같다.

$$Q = \Delta U + W = \Delta U + P\Delta V$$

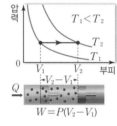

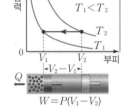

▲ 등압 팽창 과정　　$W = P(V_2 - V_1)$

▲ 등압 수축 과정　　$W = P(V_1 - V_2)$

구분	Q	ΔU	W	의미
기체의 부피가 증가함 (등압 팽창)	+	+	+	• 기체가 흡수한 열은 기체의 내부 에너지 증가량과 기체가 외부에 한 일의 합과 같다. • 기체의 온도가 올라간다.
기체의 부피가 감소함 (등압 수축)	−	−	−	• 기체가 방출한 열은 기체의 내부 에너지 감소량과 기체가 외부로부터 받은 일의 합과 같다. • 기체의 온도가 내려간다.

(2) 등적 과정　기체의 부피가 일정하게 유지되며 온도와 압력이 변하는 과정

① 실린더 내부의 부피가 일정할 때 열을 가하면 기체의 온도와 압력이 증가한다.

⇨ 부피의 변화가 없으므로 기체가 외부에 한 일 $W = 0$이다.

② 열역학 제1법칙에 의해 기체가 흡수한 열 Q는 기체의 내부 에너지 증가량 ΔU와 같다.

$$Q = \Delta U + W = \Delta U + 0$$
$$\therefore Q = \Delta U$$

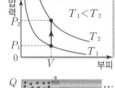

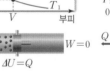

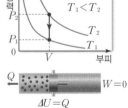

▲ 등적 가열 과정　　$\Delta U = Q$　　$W = 0$

▲ 등적 감열 과정　　$\Delta U = Q$　　$W = 0$

구분	Q	ΔU	W	의미
기체가 열을 흡수함 (등적 가열)	+	+	0	• 기체가 흡수한 열은 기체의 내부 에너지 증가량과 같다. • 기체의 온도와 압력이 모두 올라간다.
기체가 열을 방출함 (등적 감열)	−	−	0	• 기체가 방출한 열량은 기체의 내부 에너지 감소량과 같다. • 기체의 온도와 압력이 모두 내려간다.

(3) 등온 과정 기체의 온도가 일정하게 유지되며 압력과 부피가 변하는 과정

① 온도 변화가 없기 때문에 기체의 내부 에너지 변화 $\Delta U = 0$이다.

② 열역학 제1법칙에 의해 기체가 흡수한 열 Q는 외부에 한 일 W와 같다.

$$Q = \Delta U + W = 0 + W$$
$$\therefore Q = W$$

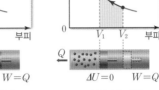

▲ 등온 팽창 과정 ▲ 등온 수축 과정

구분	Q	ΔU	W	의미
기체의 부피가 증가함 (등온 팽창)	+	0	+	• 기체가 흡수한 열은 기체가 외부에 한 일과 같다. • 기체의 압력이 내려간다.
기체의 부피가 감소함 (등온 수축)	−	0	−	• 기체가 방출한 열은 기체가 외부로부터 받은 일과 같다. • 기체의 압력이 올라간다.

등온 과정에서는 기체의 압력이 변하기 때문에 기체가 외부에 하는 일은 $P\Delta V$가 아니다. 등온 과정에서 기체가 외부에 한 일을 정량적으로 묻는 문제는 출제되지 않고, 부피 변화를 통해 외부에 일을 하는지 외부로부터 일을 받는지 등을 묻는 문제가 출제된다.

(4) 단열 과정 외부와 열 교환 없이 온도, 압력, 부피가 모두 변하는 과정

① 실린더 내부가 단열되어 있기 때문에 $Q = 0$이다.

② 열역학 제1법칙에 의해 기체가 외부에 한 일 W는 기체의 내부 에너지 감소량 $-\Delta U$와 같다.

$$Q = 0 = \Delta U + W$$
$$\therefore W = -\Delta U$$

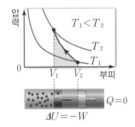

▲ 단열 팽창 과정 ▲ 단열 수축 과정

구분	Q	ΔU	W	의미
기체의 부피가 증가함 (단열 팽창)	0	−	+	• 기체가 외부에 한 일은 기체의 내부 에너지 감소량과 같다. • 기체의 온도가 내려간다.
기체의 부피가 감소함 (단열 수축)	0	+	−	• 기체가 외부에서 받은 일은 기체의 내부 에너지 증가량과 같다. • 기체의 온도가 올라간다.

빈출 자료 스털링 기관[6]의 작동 원리

❶ A → B: 기체에 열이 공급되어 온도가 높아진다. (등적 가열, $P\Delta V = 0$, $Q = \Delta U > 0$)

❷ B → C: 온도가 일정한 상태에서 기체가 팽창하면서 외부에 일을 한다. (등온 팽창, $\Delta T = 0$, $Q = P\Delta V > 0$)

❸ C → D: 기체가 일을 하고 남은 열을 방출하여 온도가 낮아진다. (등적 냉각, $P\Delta V = 0$, $Q = \Delta U < 0$)

❹ D → A: 온도가 일정한 상태에서 기체가 압축하면서 외부로부터 일을 받는다. (등온 압축, $\Delta U = 0$, $Q = P\Delta V < 0$)

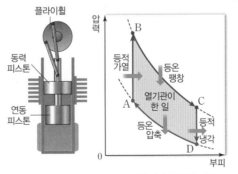

▲ 스털링 기관 ▲ 스털링 기관의 열역학 과정

열역학 과정

목표 열역학 과정에서 열, 내부 에너지, 기체가 한 일 사이의 관계를 알 수 있다.

1 열역학 과정의 그래프

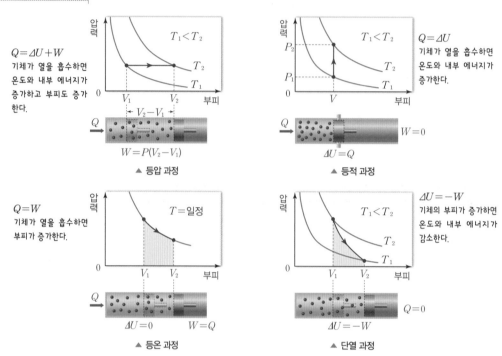

$Q=\Delta U+W$
기체가 열을 흡수하면 온도와 내부 에너지가 증가하고 부피도 증가한다.

$W=P(V_2-V_1)$

▲ 등압 과정

$Q=\Delta U$
기체가 열을 흡수하면 온도와 내부 에너지가 증가한다.

$W=0$

$\Delta U=Q$

▲ 등적 과정

$Q=W$
기체가 열을 흡수하면 부피가 증가한다.

$\Delta U=0$ $W=Q$

▲ 등온 과정

$\Delta U=-W$
기체의 부피가 증가하면 온도와 내부 에너지가 감소한다.

$\Delta U=-W$ $Q=0$

▲ 단열 과정

2 열역학 과정에서의 열, 내부 에너지 변화량, 일 사이의 상관 관계

부호	Q	ΔU	W
+	외부에서 물체에 가해 준 열	내부 에너지 증가량(온도 상승)	물체가 외부에 해 준 일(부피 증가)
−	물체에서 외부로 방출하는 열	내부 에너지 감소량(온도 하강)	물체가 외부로부터 받는 일(부피 감소)

한·줄·핵심 에너지 보존 법칙인 열역학 제1법칙 $Q=\Delta U+W$에 의해 열역학 과정에서 열, 내부 에너지, 기체가 한 일 사이의 관계를 알 수 있다.

확인 문제

정답과 해설 22쪽

01 다음은 기체의 열역학 과정을 나타낸 것이다. ㉠~㉣에 들어갈 알맞은 말을 쓰시오.

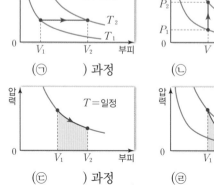

(㉠   ) 과정

(㉡   ) 과정

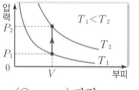
(㉢   ) 과정

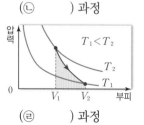
(㉣   ) 과정

02 열역학 과정에 대한 설명으로 옳은 것은 ○, 옳지 않은 것은 ×로 표시하시오.

(1) 기체의 내부 에너지는 온도에 비례한다. (   )

(2) 열역학 제1법칙은 에너지 보존 법칙의 또 다른 표현이다. (   )

(3) 기체의 부피가 증가하면 기체는 외부로부터 일을 받는다. (   )

(4) 등온 과정에서 기체가 열을 흡수하면 기체의 부피는 감소한다. (   )

(5) 등적 과정에서 기체는 외부에 일을 하지 않는다. (   )

콕콕! 개념 확인하기

정답과 해설 22쪽

✔ 잠깐 확인!

1.☐
온도가 다른 두 물체를 접촉할 때 높은 온도의 물체에서 낮은 온도의 물체로 전달되는 에너지

2.☐☐ 에너지
기체 분자의 운동 에너지와 기체 분자 사이의 상호 작용에 의한 퍼텐셜 에너지의 합

3. 기체가 흡수한 열은 내부 에너지 변화량과 기체가 외부에 하는 ☐의 합과 같다.

4.☐☐☐ 과정
실린더 내부의 기체가 외부와 상호 작용하면서 한 상태에서 다른 상태로 변하는 과정

5.☐☐ ☐☐
분자의 크기에 비해 분자 간 평균 거리가 매우 커서 기체들 사이의 인력이 무시되는 기체

6.☐☐ 과정
열역학 과정 중에서 기체가 외부와 열의 출입이 없이 온도, 압력, 부피 등이 변하는 과정

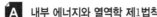

A 내부 에너지와 열역학 제1법칙

01 이상 기체에 대한 설명으로 옳은 것은 ○, 옳지 않은 것은 ×로 표시하시오.

(1) 이상 기체의 평균 운동 에너지는 절대 온도에 비례한다. ( )

(2) 기체의 압력이 일정할 때 기체의 부피는 절대 온도에 비례한다. ( )

(3) 기체의 부피가 일정하게 유지되며 압력이 증가할 때 기체는 외부에 일을 한다.
( )

(4) 기체가 외부와 열 출입이 없을 때 기체가 외부에 일을 하면 기체의 내부 에너지는 증가한다. ( )

02 이상 기체의 압력을 P_0로 유지하면서 부피가 V_0에서 $3V_0$로 증가할 때 이상 기체가 외부에 한 일을 쓰시오.

B 열역학 과정

03 지표면의 공기가 상승해 구름이 생성되는 원리와 가장 관계가 깊은 열역학 과정을 쓰시오.

04 다음은 기체가 하는 일에 대한 설명이다.

> 기체가 외부에 일을 할 수 있는 경우는 등압 과정에서 기체가 외부로부터 열을 (㉠)하거나 단열 과정에서 기체의 내부 에너지가 (㉡)하여 기체의 부피가 (㉢)하는 경우이다.

㉠~㉢에 들어갈 알맞은 말을 쓰시오.

05 열역학 과정의 특징과 해당 열역학 과정을 옳게 연결하시오.

(1) 기체가 흡수한 열은 기체가 외부에 한 일과 같다. •　　　　　• ㉠ 단열 압축

(2) 기체가 외부로부터 받은 일은 기체의 내부 에너지 증가량과 같다. •　　　　　• ㉡ 등적 가열

(3) 기체가 흡수한 열은 기체의 내부 에너지 증가량과 같다. •　　　　　• ㉢ 등온 팽창

탄탄! 내신 다지기

A 내부 에너지와 열역학 제1법칙

01 그림과 같이 밀폐되어 있고 부피가 일정한 용기에 들어 있는 이상 기체에 열을 가하였을 때, 이상 기체의 물리량 중 증가하는 물리량이 <u>아닌</u> 것은?

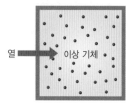

① 밀도
② 압력
③ 평균 속력
④ 내부 에너지
⑤ 평균 운동 에너지

02 그림은 단열된 실린더와 피스톤 안에 들어 있는 이상 기체의 압력을 일정하게 유지하며 가열하고 있는 모습을 나타낸 것이다.
이 기체에 대한 설명으로 옳은 것은?

① 외부에 일을 한다.
② 내부 에너지는 일정하다.
③ 평균 운동 에너지는 감소한다.
④ 부피는 일정하다.
⑤ 공급한 열은 모두 기체 분자의 운동 에너지로 전환된다.

03 열역학 제1법칙에 대한 설명으로 옳은 것만을 〈보기〉에서 있는 대로 고른 것은?

보기
ㄱ. 에너지 보존 법칙의 다른 표현이다.
ㄴ. 반응의 방향성에 대한 법칙이다.
ㄷ. 기체가 흡수한 열은 기체의 내부 에너지 변화량과 기체가 외부에 한 일의 합과 같다.

① ㄱ   ② ㄴ   ③ ㄷ
④ ㄱ, ㄷ   ⑤ ㄱ, ㄴ, ㄷ

04 그림은 단열된 실린더에 들어 있는 온도, 부피, 압력이 같은 이상 기체 A, B에 동일한 열량 Q를 가하는 모습을 나타낸 것이다. A가 들어 있는 실린더와 피스톤은 마찰이 없고, B가 들어 있는 피스톤은 실린더에 고정되어 있다.

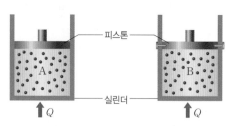

Q를 가한 후 물리량이 A가 B보다 더 큰 것은?

① 압력
② 내부 에너지
③ Q를 가하는 동안 피스톤에 한 일
④ 평균 운동 에너지
⑤ 피스톤에 가하는 평균 힘

05 그림은 단열된 실린더와 피스톤 안에 들어 있는 이상 기체를 압축하는 모습을 나타낸 것이다.
이 기체에 대한 설명으로 옳은 것은?

① 외부에 일을 한다.
② 내부 에너지는 일정하다.
③ 평균 운동 에너지는 증가한다.
④ 압력은 일정하다.
⑤ 온도는 감소한다.

단답형
06 어떤 기체에 500 J의 열을 가했더니 기체가 외부에 200 J의 일을 하였다. 기체의 내부 에너지 증가량은 몇 J인지 쓰시오. (단, 모든 마찰은 무시한다.)

정답과 해설 22쪽

B 열역학 과정

07 그림은 일정량의 이상 기체가 A → B → C → D → A 과정을 따라 변할 때 압력과 부피를 나타낸 것으로, A → B 과정과 C → D 과정은 등압 과정, B → C 과정과 D → A 과정은 단열 과정이다.

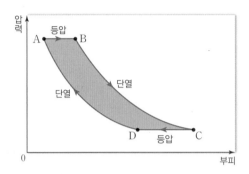

이 기체에 대한 설명으로 옳지 <u>않은</u> 것은?

① A → B 과정에서 외부에 일을 한다.
② B → C 과정에서 내부 에너지가 증가한다.
③ C → D 과정에서 평균 운동 에너지는 감소한다.
④ D → A 과정에서 온도는 증가한다.
⑤ C → D 과정에서 외부로 열을 방출한다.

08 그림 (가)는 주사기 안에 기체를 넣고 고무마개로 입구를 막은 다음 빠르게 기체를 압축시키는 모습을 나타낸 것이다. 그림 (나)는 플라스크 안에 기체를 넣고 입구를 막은 다음 물에 넣고 서서히 가열하는 모습을 나타낸 것이다.

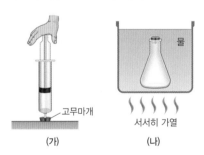

이에 대한 설명으로 옳은 것만을 〈보기〉에서 있는 대로 고른 것은?

> 보기
> ㄱ. (가)에서 기체는 외부로부터 일을 받는다.
> ㄴ. (나)에서 기체의 압력은 증가한다.
> ㄷ. (가)에서 기체의 온도는 하강한다.

① ㄱ   ② ㄷ   ③ ㄱ, ㄴ
④ ㄴ, ㄷ   ⑤ ㄱ, ㄴ, ㄷ

09 그림은 일정량의 이상 기체의 상태가 A → B → C로 변할 때 압력과 부피를 나타낸 것이다.

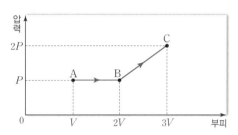

이에 대한 설명으로 옳은 것만을 〈보기〉에서 있는 대로 고른 것은?

> 보기
> ㄱ. A → B 과정에서 기체는 열을 흡수한다.
> ㄴ. B → C 과정에서 기체가 외부에 한 일은 $\frac{3}{2}PV$이다.
> ㄷ. 기체의 내부 에너지는 C에서가 A에서보다 크다.

① ㄱ   ② ㄴ   ③ ㄱ, ㄷ
④ ㄴ, ㄷ   ⑤ ㄱ, ㄴ, ㄷ

단답형
10 그림은 일정량의 이상 기체가 A → B, A → C 과정으로 각각 변할 때 압력과 부피를 나타낸 것이다.

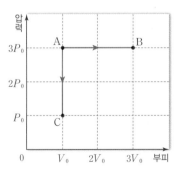

기체가 A → B, A → C로 각각 변할 때 기체가 외부에 한 일을 쓰시오.

(1) A → B로 변할 때 기체가 외부에 한 일: (   )

(2) A → C로 변할 때 기체가 외부에 한 일: (   )

01 그림은 이상 기체 A, B가 각각 단열된 피스톤으로 나뉘어 있는 단열된 실린더 안에 들어 있는 것을 나타낸 것이다. A에만 열을 가했더니 피스톤이 B 쪽으로 이동하다가 정지하였다.

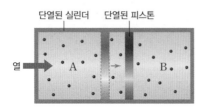

이에 대한 설명으로 옳은 것만을 〈보기〉에서 있는 대로 고른 것은? (단, 실린더와 피스톤 사이의 마찰은 무시한다.)

보기
ㄱ. A의 압력은 증가한다.
ㄴ. B는 외부로부터 일을 받는다.
ㄷ. B의 내부 에너지 증가량은 A가 외부에 한 일과 같다.

① ㄱ ② ㄷ ③ ㄱ, ㄴ
④ ㄴ, ㄷ ⑤ ㄱ, ㄴ, ㄷ

02 그림은 같은 양의 동일한 이상 기체의 상태에 따른 변화 과정을 나타낸 것으로 과정 A~D는 등압, 등적, 단열 과정 중 하나이다.

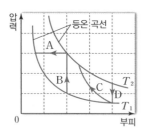

이에 대한 설명으로 옳은 것만을 〈보기〉에서 있는 대로 고른 것은?

보기
ㄱ. A에서 기체가 외부로부터 받은 일은 기체의 내부 에너지 변화량과 같다.
ㄴ. B와 C에서 기체의 내부 에너지 변화량은 같다.
ㄷ. D에서 기체는 외부로 열을 방출한다.

① ㄱ ② ㄱ, ㄴ ③ ㄱ, ㄷ
④ ㄴ, ㄷ ⑤ ㄱ, ㄴ, ㄷ

출제예감
03 그림 (가)는 일정량의 이상 기체가 들어 있는 밀폐된 실린더에서 추가 놓인 피스톤이 정지해 있는 모습을 나타낸 것이고, 그림 (나)는 (가)의 피스톤이 서서히 내려와 정지한 모습을 나타낸 것이다.

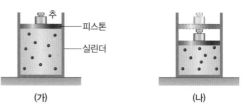

이에 대한 설명으로 옳은 것만을 〈보기〉에서 있는 대로 고른 것은? (단, 피스톤과 실린더 사이의 마찰은 무시한다.)

보기
ㄱ. 기체의 내부 에너지는 (가)가 (나)보다 크다.
ㄴ. (가) → (나) 과정에서 기체는 외부에 일을 한다.
ㄷ. (가) → (나) 과정에서 기체가 방출한 열은 기체의 내부 에너지 감소량과 같다.

① ㄱ ② ㄷ ③ ㄱ, ㄴ
④ ㄴ, ㄷ ⑤ ㄱ, ㄴ, ㄷ

04 그림은 일정량의 이상 기체가 A → B → C → A로 순환할 때 압력과 절대 온도를 나타낸 것이다.

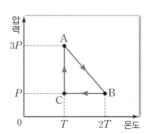

이에 대한 설명으로 옳은 것만을 〈보기〉에서 있는 대로 고른 것은?

보기
ㄱ. A → B 과정에서 기체의 부피는 증가한다.
ㄴ. B → C 과정에서 기체는 외부에 열을 방출한다.
ㄷ. C → A 과정에서 기체가 외부로부터 받은 일은 0이다.

① ㄱ ② ㄱ, ㄴ ③ ㄱ, ㄷ
④ ㄴ, ㄷ ⑤ ㄱ, ㄴ, ㄷ

05 그림 (가)는 밀폐된 실린더에 압력과 부피가 각각 P, V 인 일정량의 이상 기체가 들어 있는 상태로 단면적이 S인 피스톤이 정지해 있는 모습을 나타낸 것이다. 그림 (나)는 (가)의 상태에서 피스톤 위에 모래를 조금씩 부어 기체의 부피가 $0.5V$가 되었을 때, 피스톤이 정지해 있는 모습을 나타낸 것으로 피스톤 위 모래의 질량은 m이다. (가)에서 (나)로 변하는 동안 기체의 온도는 일정하였다.

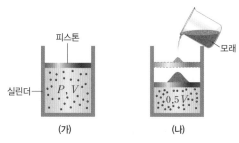

이에 대한 설명으로 옳은 것만을 〈보기〉에서 있는 대로 고른 것은? (단, 중력 가속도는 g이고 대기압은 일정하며, 피스톤과 실린더 사이의 마찰은 무시한다.)

> 보기
> ㄱ. (가) → (나) 과정에서 기체가 방출한 열량은 기체가 외부로부터 받은 일과 같다.
> ㄴ. (나)에서 기체의 압력은 $2P$이다.
> ㄷ. $P = \dfrac{mg}{S}$이다.

① ㄴ   ② ㄷ   ③ ㄱ, ㄴ
④ ㄴ, ㄷ   ⑤ ㄱ, ㄴ, ㄷ

출제예감

06 그림은 핀으로 고정된 단열된 칸막이에 의해 두 부분으로 나누어진 단열된 실린더에 이상 기체 A, B가 각각 들어 있는 것을 나타낸 것이다. 핀을 제거하였더니 칸막이가 오른쪽으로 천천히 이동한 후 정지하였다.

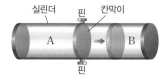

칸막이가 이동하는 동안에 대한 설명으로 옳은 것만을 〈보기〉에서 있는 대로 고른 것은? (단, 칸막이와 실린더 사이의 마찰과 칸막이의 질량은 무시한다.)

> 보기
> ㄱ. A의 압력은 증가한다.
> ㄴ. A의 내부 에너지는 감소한다.
> ㄷ. B의 내부 에너지 증가량은 A가 B에 한 일과 같다.

① ㄱ   ② ㄴ   ③ ㄷ   ④ ㄱ, ㄴ   ⑤ ㄴ, ㄷ

07 그림은 일정량의 이상 기체가 A → B → C → A로 순환할 때 압력과 부피를 나타낸 것이다.

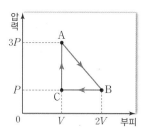

한 번의 순환 과정 동안 기체가 한 일을 쓰시오.

서술형

08 그림은 이상 기체의 상태가 A → B, A → C 과정으로 각각 변할 때의 압력과 부피를 나타낸 것이다. A → B 과정은 등온 과정, A → C 과정은 단열 과정이다.

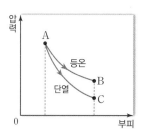

(1) A → B 과정과 A → C 과정에서 기체가 외부에 한 일의 크기를 비교하고 그 까닭을 서술하시오.

(2) A → B 과정에서 기체가 흡수한 열과 A → C 과정에서 기체의 내부 에너지 감소량의 크기를 비교하고 그 까닭을 서술하시오.

03 ~ 열역학 제2법칙

핵심 키워드로 흐름잡기

A 가역/비가역 과정, 열역학 제2법칙

B 열기관, 열효율

❶ 진공 중에서 진자 운동

마찰과 공기 저항이 없을 때 진자는 계속하여 진동하며 원래 상태로 돌아가므로 가역 과정으로 볼 수 있다.

❷ 확률과 열역학 제2법칙

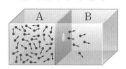

칸막이를 설치한 밀폐된 상자의 A에 N개의 기체 분자를 채운 후 칸막이에 구멍을 내면

· 하나의 기체 분자가 한쪽 부분에 존재할 확률이 $\frac{1}{2}$이므로, N개의 기체 분자가 한쪽 부분에만 존재할 확률은 $\left(\frac{1}{2}\right)^N$이다.

· N이 매우 크면 한쪽 부분에만 존재할 확률이 0에 가까워지므로, 기체 분자는 고르게 분포하게 된다.

❸ 엔트로피

무질서한 정도를 나타내는 열역학적 용어이다. 확률이 높은 상태가 낮은 상태에 비해 엔트로피가 크다고 할 수 있으며, 자연 현상은 확률이 높아지는 상태, 즉 엔트로피가 증가하는 방향으로 진행한다.

🐱 **용어 알기**

· 가역(허락할 可, 거스를 逆) 물질의 상태가 한 번 바뀐 다음 다시 원래 상태로 돌아갈 수 있는 것

· 고립계(외로울 孤, 설 立, 이어질 系) 외부와 열, 일, 물질을 주고받지 않는 계

A 열역학 제2법칙

| **출·제·단·서** | 가역/비가역 과정을 구분하거나, 열역학 제2법칙의 다양한 표현들을 물어 보는 문제가 시험에 나와!

1. °가역 과정과 비가역 과정

(1) **가역 과정** 주변을 변화시키지 않고 원래 상태로 돌아갈 수 있는 과정
  예 공기 저항이나 마찰이 없는 진자 운동❶

(2) **비가역 과정** 주변의 변화 없이는 스스로 원래 상태로 돌아갈 수 없는 과정
  예 불 피울 때 생긴 연기가 주변으로 퍼지는 현상, 열평형 현상

> **빈출 자료** 공기 중에서 진동하는 진자의 에너지 변화
>
>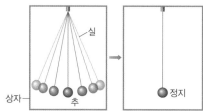
>
> 외부와 단열되어 있는 밀폐된 상자 안에서 진동하는 진자는 충분한 시간이 지난 후 정지한다.
>
> ❶ 진자가 상자 안의 기체 분자와 충돌하여 진자의 역학적 에너지가 공기 분자의 운동 에너지로 전환된다.
> 진자의 역학적 에너지 → 기체 분자의 역학적 에너지
>
> ❷ 공기 분자는 무질서한 방향으로 운동하므로, 공기 분자가 추에 충돌하여 정지해 있는 추가 다시 진동하는 현상은 일어나지 않는다.
> 에너지 보존 법칙에는 위배 되지 않지만 정지한 추가 다시 진동하는 현상은 일어나지 않는다. → 비가역 과정

2. 열역학 제2법칙 자연 현상의 비가역적인 방향성을 설명하는 법칙

(1) 자연에서 일어나는 대부분의 현상은 비가역 과정으로, 열역학 제1법칙(에너지 보존 법칙)에 위배되지 않더라도 외부의 변화 없이는 가역 과정이 일어나지 않는다는 것을 의미한다.

(2) **열역학 제2법칙의 다양한 표현들**

  ① 열은 항상 고온에서 저온으로 이동한다.

  ② 일은 모두 열로 바꿀 수 있지만, 열은 모두 일로 바꿀 수 없다.

  ③ 고립계에서 자발적으로 일어나는 자연 현상은 항상 확률이 높은 방향❷으로 진행된다.

  ④ 고립계에서 자발적으로 일어나는 자연 현상은 항상 엔트로피❸가 증가하는 방향으로 진행된다.

  ⑤ 열효율이 100 %인 열기관은 만들 수 없다.

B 열기관과 열효율

| **출·제·단·서** | 열기관의 열효율을 계산하거나, 열기관의 순환 과정 그래프를 해석하는 문제가 시험에 나와!

1. 열기관 열원으로부터 흡수하는 열에너지를 역학적인 일로 전환하는 장치 ⇨ 열기관은 열역학 과정을 반복하는 순환 과정으로 작동한다.

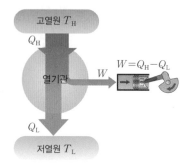

· 고온의 열원으로부터 흡수하는 열 Q_H, 저온의 열원으로 방출하는 열 Q_L, 열기관이 하는 일을 W라 하면 다음과 같은 관계가 성립한다.

$$Q_H = Q_L + W$$

2. 열기관의 열효율(e) 고열원으로부터 흡수하는 열(Q_H)에 대하여 열기관이 하는 일(W)의 비율

$$e = \frac{W}{Q_H} = \frac{Q_H - Q_L}{Q_H} = 1 - \frac{Q_L}{Q_H}$$

열효율의 표시
열효율은 100을 곱하여 %(퍼센트)로 나타낼 수 있다.
$$e(\%) = \frac{W}{Q_H} \times 100$$

빈출 계산연습 열효율 계산하기

어떤 열기관이 고열원에서 1600 J의 열을 흡수하여 일을 한 후 저열원으로 1200 J의 열을 방출한다면, 이 열기관의 열효율은 얼마인가?

1단계   열기관이 고열원에서 흡수한 열량(Q_H)과 저열원으로 방출하는 열량(Q_L)의 차이에서 열기관이 한 일(W)을 구한다.

⇨ 1600 J − 1200 J = 400 J

2단계   열기관이 한 일(W)을 열기관이 고열원에서 흡수한 열량(Q_H)으로 나누어 열효율(e)을 구한다.

⇨ $e = \dfrac{W}{Q_H} = \dfrac{400\ J}{1600\ J} = \dfrac{1}{4} = 0.25$

3단계   열효율(e)은 백분율로 나타낼 수 있다.

⇨ $0.25 \times 100 = 25(\%)$

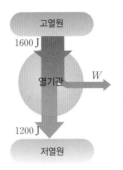

---

3. 카르노 기관[❸] 등온 과정과 단열 과정만으로 이루어진 열효율이 가장 높은 이상적인 열기관

(1) **카르노 기관의 열효율** 카르노 기관의 열효율 $e_{카}$는 고열원의 온도를 T_H, 저열원의 온도를 T_L라 할 때 다음과 같이 나타낸다.

$$e_{카} = 1 - \frac{Q_L}{Q_H} = 1 - \frac{T_L}{T_H}$$

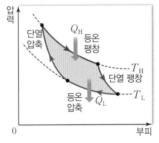

▲ 카르노 기관의 압력 – 부피 그래프

❸ 카르노 기관
프랑스의 공학자 카르노가 고안해 낸 최대 열효율을 갖는 이상적인 열기관으로, 순환의 모든 과정이 가역 과정으로 이루어져 있다.

(2) 같은 온도에서 작동하는 실제 열기관에서는 항상 마찰이나 외부로의 열손실이 생기므로, 실제 열기관의 열효율은 카르노 기관의 열효율보다 열효율이 작다.

(3) **열효율과 열역학 제2법칙** [개념 POOL] 열기관 중 열효율이 가장 높은 카르노 기관의 열효율이 1이 되기 위해서는 고열원의 절대 온도인 T_H의 온도가 무한대로 상승하거나 저온부의 절대 온도인 T_L의 온도가 0 K에 가까워져야 한다. 그러나 고온부와 저온부의 온도가 그렇게 될 수 없으므로 카르노 기관의 열효율은 1보다 작다.

⇨ 열효율이 100 %인 열기관은 만들 수 없다. (열역학 제2법칙)

4. ⁕영구 기관 스스로 영원히 운동하며 일을 하는 가상의 기관

(1) **제1종 영구 기관** 에너지를 공급하지 않아도 지속적으로 작동하여 외부에 일을 할 수 있는 기관이다. 열역학 제1법칙에 의하면 외부 에너지 공급 없이 새로운 에너지를 생성할 수 없기 때문에, 이는 열역학 제1법칙을 ⁕위배한다.

(2) **제2종 영구 기관** 고온의 열원으로부터 공급받은 열을 모두 일로 바꿀 수 있는 기관이다. 즉, 열효율이 100 %인 열기관이다. 열역학 제1법칙은 만족하지만, 열역학 제2법칙에 위배된다.

용어 알기

●영구(길 永, 오랠 久) 어떤 상태가 시간상으로 무한히 이어짐
●위배(어길 違, 등 背) 법칙, 명령, 약속 따위를 지키지 않고 어김

열효율과 열역학 제2법칙

목표 열효율이 100 %가 될 수 없는 까닭을 열역학 제2법칙으로 이해할 수 있다.

1 열기관에서의 최대 열효율

일상에서 쉽게 볼 수 있는 열기관에는 자동차 기관이 있다. 자동차 기관의 종류에는 디젤 기관, 가솔린 기관 등이 있는데, 이 열기관의 최대 열효율은 카르노 기관으로 가정하여 알 수 있다. 즉, 각각의 열기관의 최대 열효율은 고열원과 저열원의 온도 차에 따라 다르다. 그러므로 열기관의 최대 열효율을 높이기 위해서는 고열원의 온도와 저열원의 온도 차를 크게 해야 한다.

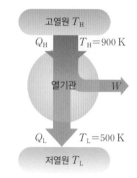

▲ 디젤 기관에서의 에너지 흐름

$$e_{카} = 1 - \frac{T_L}{T_H} = 1 - \frac{500}{900} \simeq 0.44$$

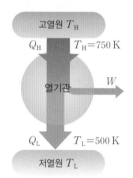

▲ 가솔린 기관에서의 에너지 흐름

$$e_{카} = 1 - \frac{T_L}{T_H} = 1 - \frac{500}{750} \simeq 0.33$$

2 열효율의 한계와 열역학 제2법칙

만약 열기관이 저열원으로 방출하는 열이 0이라면 공급한 열을 모두 일로 전환할 수 있어 열효율이 100 %가 될 수 있다. 하지만 열역학 제2법칙에 의해 열이 더 낮은 온도의 계로 저절로 흘러가는 것을 막을 수 없으므로, 열효율이 100 %인 열기관을 제작하는 것은 불가능하다.

▲ 이상적인 열기관에서의 에너지 흐름

한·줄·핵심 열역학 제2법칙에 의해 열기관의 열효율은 100 %가 될 수 없다.

정답과 해설 **25**쪽

확인 문제

01 ㉠~㉢에 들어갈 알맞은 말을 쓰시오.

> 열역학 제2법칙에 의해 (㉠)열원에서 열기관에 공급한 열 중에 일부는 항상 (㉡)열원으로 빠져나가므로, 열기관의 열효율은 항상 100 %보다 (㉢).

02 열기관의 열효율에 대한 설명으로 옳은 것은 ○, 옳지 않은 것은 ✕로 표시하시오.

(1) 열기관의 최대 열효율을 높이기 위해서는 고열원의 온도와 저열원의 온도차를 작게 해야 한다. (　　)

(2) 열기관의 열효율은 100 %가 될 수 없다. (　　)

(3) 열은 모두 일로 전환할 수 있다. (　　)

✔ 잠깐 확인!

1. ⬜⬜ 과정
주변을 변화시키지 않고 원래 상태로 되돌아갈 수 있는 과정

2. 열역학 제⬜법칙
자연현상의 비가역적 방향성을 설명하는 법칙

3. 일은 모두 ⬜로 바꿀 수 있지만, ⬜은 모두 일로 바꿀 수 없다.

4. ⬜⬜⬜ 상태
온도가 다른 물체를 접촉시켰을 때 시간이 흘러 온도가 같아지는 상태

5. ⬜⬜⬜ 기관
열효율이 가장 높은 이상적인 열기관

6. ⬜⬜ 기관
외부로부터 에너지를 공급받지 않아도 지속적으로 일을 할 수 있는 기관

A 열역학 제2법칙

01 다음 자연 현상을 가역 과정과 비가역 과정으로 분류하시오.

> ㄱ. 진공 중에서 진자가 일정한 진폭으로 진동한다.
> ㄴ. 부엌의 음식 냄새가 온 집안으로 퍼진다.
> ㄷ. 높이 h에서 가만히 떨어뜨린 공이 다시 최고점 h만큼 튀어 오른다.
> ㄹ. 일정한 속력으로 달리던 자동차가 브레이크를 잡아 멈춘다.

(1) 가역 과정(   )
(2) 비가역 과정(   )

02 열역학 제2법칙에 대한 설명으로 옳은 것은 ○, 옳지 <u>않은</u> 것은 ×로 표시하시오.

(1) 열은 항상 고온에서 저온으로 이동한다. (   )
(2) 고립계에서 자발적으로 일어나는 자연 현상은 항상 엔트로피가 증가하는 방향으로 진행된다. (   )
(3) 고립계에서 자발적으로 일어나는 자연 현상은 항상 확률이 낮은 방향으로 진행된다. (   )
(4) 열효율이 100 %가 넘는 기관은 만들 수 없지만, 열효율이 100 %인 열기관은 만들 수 있다. (   )

03 다음의 (   ) 안에 공통으로 들어갈 알맞은 말을 쓰시오.

> 무질서한 정도를 나타내는 열역학적 용어로, 확률이 높은 상태가 낮은 상태에 비해 (   )가 크다. 고립계에서 자발적으로 일어나는 자연 현상은 확률이 높아지는 상태, 즉 (   )가 증가하는 방향으로 진행한다.

B 열기관과 열효율

04 한 순환 과정에서 어떤 열기관이 500 J의 열을 공급 받아 100 J의 일을 하였다. 이 열기관의 열효율은 몇 %인지 쓰시오.

05 고열원의 온도가 T_H, 저열원의 온도가 T_L인 카르노 기관의 열효율은 얼마인지 쓰시오.

탄탄! 내신 다지기

A 열역학 제2법칙

01 다음 자연 현상 중 가역 과정만을 〈보기〉에서 있는 대로 고른 것은?

> **보기**
> ㄱ. 진공에서 진자가 진동 운동을 한다.
> ㄴ. 뜨거운 물체와 차가운 물체를 접촉시켰더니 열평형 상태에 도달하였다.
> ㄷ. 풍선이 터져 풍선 안에 있던 헬륨 기체가 사방으로 퍼졌다.

① ㄱ   ② ㄴ   ③ ㄷ
④ ㄱ, ㄷ   ⑤ ㄱ, ㄴ, ㄷ

단답형

02 ㉠, ㉡에 들어갈 알맞은 말을 쓰시오.

> 주변을 변화시키지 않고 처음의 원래 상태로 되돌아갈 수 있는 과정을 (㉠)과정이라고 하고, 다시 원래 상태로 되돌아가기 위해서는 주변으로부터 에너지를 흡수하는 등의 주변을 변화시킬 수밖에 없는 과정을 (㉡)과정이라고 한다.

03 열역학 제2법칙에 대한 설명으로 옳지 <u>않은</u> 것만을 〈보기〉에서 있는 대로 고른 것은?

> **보기**
> ㄱ. 에너지 보존 법칙의 다른 표현이다.
> ㄴ. 일은 열로 모두 바꿀 수 없지만, 열은 일로 모두 바꿀 수 있다.
> ㄷ. 열효율이 100 %인 열기관이 존재한다.

① ㄱ   ② ㄴ   ③ ㄷ
④ ㄱ, ㄷ   ⑤ ㄱ, ㄴ, ㄷ

04 그림은 단열되고 밀폐된 상자 안에서 진동 운동 하던 추가 공기와의 충돌에 의해 정지한 모습을 나타낸 것이다.

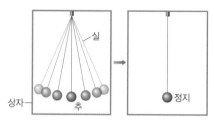

이에 대한 설명으로 옳지 <u>않은</u> 것은?

① 비가역 과정이다.
② 상자 안의 전체 에너지는 보존된다.
③ 상자 안 기체의 내부 에너지는 증가한다.
④ 상자 안 물체의 전체 엔트로피가 증가하는 과정이다.
⑤ 정지해 있는 추가 공기와의 충돌에 의해 스스로 다시 진동하는 과정도 일어날 수 있다.

05 그림은 (가)는 밀폐된 상자 안에서 어떤 기체가 상자의 왼쪽에만 모여 있는 모습을, (나)는 (가)와 동일한 상자 안에서 기체가 상자의 전체에 골고루 퍼져 있는 모습을 나타낸 것이다.

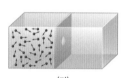 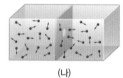

(가)   (나)

이에 대한 설명으로 옳은 것만을 〈보기〉에서 있는 대로 고른 것은?

> **보기**
> ㄱ. 엔트로피는 (나)에서가 (가)에서보다 크다.
> ㄴ. 기체가 (가)와 같이 분포할 확률이 (나)와 같이 분포할 확률보다 크다.
> ㄷ. (나)에서 (가)로 변하는 과정보다 (가)에서 (나)로 변하는 과정이 일어나기 쉽다.

① ㄱ   ② ㄴ   ③ ㄷ
④ ㄱ, ㄷ   ⑤ ㄱ, ㄴ, ㄷ

06 그림은 물에 잉크를 떨어뜨렸을 때 잉크가 퍼지고 있는 모습을 나타낸 것이다.

이 잉크가 퍼지는 현상에 대한 설명으로 옳은 것만을 〈보기〉에서 있는 대로 고른 것은?

보기
ㄱ. 엔트로피가 증가하고 있다.
ㄴ. 가역 과정이다.
ㄷ. 에너지 보존 법칙에 위배된다.

① ㄱ   ② ㄴ   ③ ㄷ
④ ㄱ, ㄷ   ⑤ ㄱ, ㄴ, ㄷ

B 열기관과 열효율

07 그림은 고온의 열원으로부터 Q_H의 열을 흡수하여 외부에 W의 일을 하고, 저온의 열원으로 Q_L의 열을 방출하는 열기관의 에너지 흐름을 나타낸 것이다.

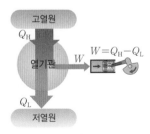

이에 대한 설명으로 옳은 것만을 〈보기〉에서 있는 대로 고른 것은?

보기
ㄱ. 열효율은 $\dfrac{Q_L}{Q_H}$이다.
ㄴ. $Q_H = Q_L$일 때, 열효율은 최대이다.
ㄷ. $Q_L = 0$인 열기관은 만들 수 없다.

① ㄱ   ② ㄴ   ③ ㄷ
④ ㄱ, ㄷ   ⑤ ㄱ, ㄴ, ㄷ

08 카르노 기관에 대한 설명으로 옳은 것만을 〈보기〉에서 있는 대로 고른 것은?

보기
ㄱ. 열효율이 100 %인 이상적인 열기관이다.
ㄴ. 한 번 순환하는 동안 2번의 등온 과정과 2번의 등적 과정을 거친다.
ㄷ. 저열원의 온도가 낮을수록 열효율은 높다.

① ㄱ   ② ㄴ   ③ ㄷ
④ ㄴ, ㄷ   ⑤ ㄱ, ㄴ, ㄷ

09 그림은 카르노 기관에서 일정량의 이상 기체가 A → B → C → D → A를 따라 변할 때 압력과 부피를 나타낸 것이다.
이에 대한 설명으로 옳은 것만을 〈보기〉에서 있는 대로 고른 것은?

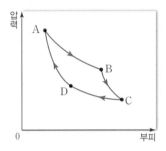

보기
ㄱ. a와 b에서 기체의 내부 에너지는 같다.
ㄴ. b → c과정에서 기체는 열을 흡수한다.
ㄷ. d → a과정에서 기체가 외부로부터 받은 일은 내부 에너지 증가량과 같다.

① ㄱ   ② ㄴ   ③ ㄱ, ㄷ
④ ㄴ, ㄷ   ⑤ ㄱ, ㄴ, ㄷ

단답형
10 다음은 열기관 A, B가 고열원으로터 공급 받은 열 Q_1과 저열원으로 방출한 열 Q_2를 각각 나타낸 것이다.

열기관	Q_1	Q_2
A	200 J	120 J
B	300 J	180 J

A, B의 열효율을 각각 e_A, e_B라 할 때, $e_A : e_B$를 쓰시오.

01 그림은 손에서 얼음이 녹는 것을 나타낸 것이다.

이에 대한 설명으로 옳은 것만을 〈보기〉에서 있는 대로 고른 것은?

> 보기
> ㄱ. 열은 손에서 얼음으로 이동한다.
> ㄴ. 얼음이 녹는 과정에서 엔트로피는 증가한다.
> ㄷ. 가역 과정이다.

① ㄱ   ② ㄱ, ㄴ   ③ ㄱ, ㄷ
④ ㄴ, ㄷ   ⑤ ㄱ, ㄴ, ㄷ

02 그림 (가)는 한쪽은 이상 기체로 채우고 다른 한쪽은 진공인 단열된 용기의 통로가 막혀 있는 모습을 나타낸 것이고, (나)는 (가)의 통로를 열었을 때 이상 기체가 양쪽으로 골고루 퍼진 모습을 나타낸 것이다.

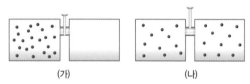

(가)   (나)

이에 대한 설명으로 옳은 것만을 〈보기〉에서 있는 대로 고른 것은?

> 보기
> ㄱ. 기체의 압력은 (가)에서가 (나)에서보다 높다.
> ㄴ. 엔트로피는 (나)에서가 (가)에서보다 크다.
> ㄷ. (가) → (나) 과정은 비가역 과정이다.

① ㄱ   ② ㄱ, ㄴ   ③ ㄱ, ㄷ
④ ㄴ, ㄷ   ⑤ ㄱ, ㄴ, ㄷ

03 그림은 카르노 기관에서 일정량의 이상 기체가 A → B → C → D → A를 따라 변할 때 압력과 부피를 나타낸 것이다. 고열원의 온도는 T_H, 저열원의 온도는 T_L 이다.

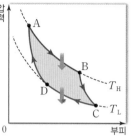

이에 대한 설명으로 옳은 것만을 〈보기〉에서 있는 대로 고른 것은?

> 보기
> ㄱ. 열효율은 $1 - \dfrac{T_L}{T_H}$ 이다.
> ㄴ. 한 번 순환하는 동안 기체의 엔트로피는 증가한다.
> ㄷ. A → B 과정에서 흡수한 열량과 C → D 과정에서 방출한 열량은 같다.

① ㄱ   ② ㄴ   ③ ㄱ, ㄷ
④ ㄴ, ㄷ   ⑤ ㄱ, ㄴ, ㄷ

출제예감

04 그림 (가)는 단열되고 밀폐된 상자 안에서 진동 운동 하고 있는 추의 모습을, (나)는 (가) 이후 공기와의 마찰에 의해 추가 정지한 모습을 나타낸 것이다.

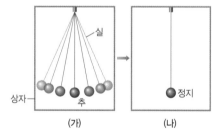

(가)   (나)

물리량이 (나)에서가 (가)에서보다 더 큰 물리량만을 〈보기〉에서 있는 대로 고른 것은?

> 보기
> ㄱ. 상자 속 공기 분자의 역학적 에너지
> ㄴ. 추의 역학적 에너지
> ㄷ. 상자 내부의 전체 에너지

① ㄱ   ② ㄱ, ㄴ   ③ ㄱ, ㄷ
④ ㄴ, ㄷ   ⑤ ㄱ, ㄴ, ㄷ

05 그림은 빗면 위에 물체를 가만히 놓았더니 물체가 빗면을 미끄러져 내려와 수평면에서 정지한 모습을 나타낸 것이다. 물체가 미끄러져 내려오는 동안 바닥과의 마찰에 의해 열이 발생하였다.

빗면   정지

이에 대한 설명으로 옳은 것만을 〈보기〉에서 있는 대로 고른 것은?

보기
ㄱ. 물체의 역학적 에너지가 열에너지로 전환되었다.
ㄴ. 열은 모두 일로 전환될 수 있다.
ㄷ. 물체가 미끄러져 내려와 정지하는 과정은 가역 과정이다.

① ㄱ ② ㄷ ③ ㄱ, ㄴ
④ ㄴ, ㄷ ⑤ ㄱ, ㄴ, ㄷ

출제예감
06 그림 (가)는 카르노 기관이 온도가 T_1인 고열원으로부터 Q_1의 열을 흡수하여 W의 일을 하고 온도가 T_2인 저열원으로 Q_2의 열을 방출하는 것을 모식적으로 나타낸 것이고, 그림 (나)는 (가)의 카르노 기관의 작동 물질인 이상 기체의 상태 변화를 압력과 부피의 그래프로 나타낸 것이다. A → B 과정, C → D 과정은 등온 과정이고, B → C 과정, D → A 과정은 단열 과정이다.

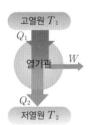
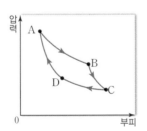

고열원 T_1 압력
Q_1
열기관 W
Q_2
저열원 T_2 부피

이에 대한 설명으로 옳은 것만을 〈보기〉에서 있는 대로 고른 것은?

보기
ㄱ. A → B 과정에서 기체의 온도는 T_1이다.
ㄴ. A → B → C 과정에서 기체가 한 일은 W이다.
ㄷ. 열효율은 $1 - \dfrac{T_2}{T_1}$이다.

① ㄱ ② ㄴ ③ ㄱ, ㄷ
④ ㄴ, ㄷ ⑤ ㄱ, ㄴ, ㄷ

07 다음은 열의 이동에 대한 설명이다.

열은 고온의 물체에서 저온의 물체로 이동한다. 이 과정에서 두 물체의 전체 엔트로피는 (㉠)하고 두 물체가 (㉡)상태에 도달하여 온도가 같아지면 더 이상 엔트로피의 변화가 없다.

㉠, ㉡에 들어갈 알맞은 말을 쓰시오.

서술형
08 맑은 물에 잉크를 떨어뜨리면 잉크가 퍼져 물 전체가 물들어 버린다. 하지만 한 번 퍼진 잉크가 다시 모여 물이 맑아지는 일은 일어나지 않는다. 그 까닭을 열역학 법칙과 관련지어 서술하시오.

서술형
09 카르노 기관의 열효율이 100 %가 될 수 없는 까닭을 서술하시오.

열기관의 열효율과 열역학 과정

◢ **대표 유형**

$$\frac{W}{Q_1}=0.2$$

그림 (가)는 열효율이 0.2인 열기관이 고열원에서 Q_1의 열을 흡수하여 W의 일을 하고 저열원으로 Q_2의 열을 방출하는 것을 모식적으로 나타낸 것이다. 그림 (나)는 (가)의 열기관의 작동 과정의 일부에 대한 기체의 상태 변화를 압력과 부피의 그래프로 나타낸 것이다. A → B 과정은 등적 과정이고, B → C 과정은 단열 과정이다.

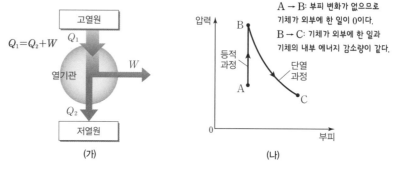

A → B: 부피 변화가 없으므로 기체가 외부에 한 일이 0이다.
B → C: 기체가 외부에 한 일과 기체의 내부 에너지 감소량이 같다.

$Q_1=Q_2+W$
(가)

(나)

이에 대한 설명으로 옳은 것만을 〈보기〉에서 있는 대로 고른 것은?

〈보기〉
㉠ $Q_2=4W$이다.
→ 열효율$=\dfrac{W}{Q_1}=0.2$이므로 $Q_1=5W$, $Q_1=Q_2+W$

㉡ A → B 과정에서 기체는 열을 흡수한다. → 내부 에너지 증가량=
└ 부피는 그대로이고 압력이 증가하므로 온도와 내부 에너지 증가 기체가 흡수한 열(등적 과정)

㉢ B → C 과정에서 기체가 한 일은 B → C 과정에서 기체의 내부 에너지 감소량과 같다. → $Q=\Delta U+W$에서
└ 단열 팽창 하므로 기체의 온도와 내부 에너지 감소
단열 과정이므로 $W=-\Delta U$

① ㄱ   ② ㄴ   ③ ㄱ, ㄷ   ④ ㄴ, ㄷ   ⑤ ㄱ, ㄴ, ㄷ ✓

◢ **개념 이해 · 적용하기**

열효율의 정의를 이용해 Q_1과 W의 관계를 구한다.	그래프로부터 A → B 과정에서 기체의 온도가 증가함을 파악한다.	그래프로부터 B → C 과정에서 기체가 외부에 일을 함을 파악한다.	A → B 과정에서 기체는 열을 흡수하고, B → C 과정에서 기체의 내부 에너지는 감소한다.

추가 선택지

· A → B 과정에서 기체는 외부에 일을 한다. (×)
⋯ 부피 변화가 없으므로 기체는 외부에 일을 하지 않는다.

· B와 C에서 기체의 온도는 같다. (×)
⋯ B → C 과정은 단열 팽창 과정이므로 기체의 온도는 내려간다.

01 그림 (가)는 빗면에서 질량 2 kg인 물체를 가만히 놓았을 때 물체가 운동하는 것을 나타낸 것이고, 그림 (나)는 물체를 놓은 순간부터 물체의 속도를 시간에 따라 나타낸 것이다.

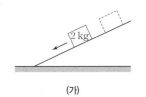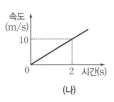

(가)   (나)

0초부터 2초까지의 물체의 운동에 대한 설명으로 옳은 것만을 〈보기〉에서 있는 대로 고른 것은? (단, 모든 마찰과 공기 저항은 무시한다.)

보기
ㄱ. 빗면이 물체를 떠받치는 힘이 한 일은 0이다.
ㄴ. 물체의 역학적 에너지는 보존된다.
ㄷ. 중력이 물체에 한 일은 100 J이다.

① ㄴ   ② ㄷ   ③ ㄱ, ㄴ
④ ㄱ, ㄷ   ⑤ ㄱ, ㄴ, ㄷ

02 그림은 높은 곳에서 가만히 놓은 종이 비행기의 운동 경로를 나타낸 것이다.
종이 비행기가 낙하하는 동안, 이 종이 비행기에 대한 설명으로 옳은 것만을 〈보기〉에서 있는 대로 고른 것은?

보기
ㄱ. 역학적 에너지는 보존된다.
ㄴ. 중력이 일을 한다.
ㄷ. 중력 퍼텐셜 에너지는 감소한다.

① ㄱ   ② ㄴ   ③ ㄱ, ㄷ
④ ㄴ, ㄷ   ⑤ ㄱ, ㄴ, ㄷ

03 그림은 질량이 각각 m, $2m$인 물체 A, B를 실로 연결한 후 가만히 놓았을 때 A, B가 s만큼 이동한 순간의 모습을 나타낸 것이다.
이에 대한 설명으로 옳은 것만을 〈보기〉에서 있는 대로 고른 것은? (단, 모든 마찰, 공기 저항 및 실의 질량은 무시하고 중력 가속도는 g이다.)

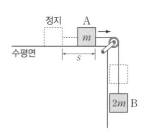

보기
ㄱ. s만큼 이동하는 동안 B의 역학적 에너지 감소량은 A의 역학적 에너지 증가량과 같다.
ㄴ. s만큼 이동하는 동안 중력이 B에 한 일은 A의 운동 에너지 증가량과 같다.
ㄷ. A의 속력은 $2\sqrt{\dfrac{gs}{3}}$이다.

① ㄱ   ② ㄴ   ③ ㄱ, ㄷ
④ ㄴ, ㄷ   ⑤ ㄱ, ㄴ, ㄷ

수능 기출

04 그림과 같이 질량이 같은 물체 A와 B가 각각 마찰이 없고 도중에 꺾인 경사면을 따라 내려온다. A, B는 각각 동일 수평면으로부터 높이 h인 지점을 동시에 통과하고 같은 거리만큼 이동하여 동시에 수평면에 도달한다. 이때 $\theta_1 < 180° < \theta_2$이다.

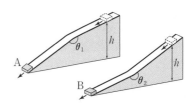

물체가 높이 h인 지점을 지나는 순간부터 수평면에 도달할 때까지, 물체의 운동에 대한 설명으로 옳은 것만을 〈보기〉에서 있는 대로 고른 것은? (단, 수평면에서 중력에 의한 퍼텐셜 에너지는 0이며, 물체는 경사면을 벗어나지 않고, 물체의 크기와 공기 저항은 무시한다.)

보기
ㄱ. 중력이 한 일은 A와 B가 서로 같다.
ㄴ. 운동 에너지 변화량은 A와 B가 서로 같다.
ㄷ. 역학적 에너지는 A와 B가 서로 같다.

① ㄱ   ② ㄷ   ③ ㄱ, ㄴ
④ ㄴ, ㄷ   ⑤ ㄱ, ㄴ, ㄷ

05 그림 (가)는 질량이 m인 물체가 속력 v로 수평면에서 수평면에 놓여 있는 용수철 상수가 k인 용수철을 향해 등속도 운동하고 있는 모습을 나타낸 것이고, 그림 (나)는 물체가 용수철과 충돌한 후 용수철이 x만큼 압축되었을 때 물체가 정지한 모습을 나타낸 것이다.

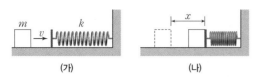

(가)   (나)

이에 대한 설명으로 옳은 것만을 〈보기〉에서 있는 대로 고른 것은? (단, 모든 마찰, 공기 저항 및 용수철의 질량은 무시하고, 물체는 일직선상에서 운동한다.)

〈보기〉
ㄱ. 용수철이 압축되는 동안 물체에 작용하는 탄성력은 물체에 음(−)의 일을 한다.
ㄴ. (가)에서 물체의 운동 에너지는 (나)에서 물체의 탄성 퍼텐셜 에너지와 같다.
ㄷ. $x = \sqrt{\dfrac{m}{k}} v$이다.

① ㄱ   ② ㄷ   ③ ㄱ, ㄴ
④ ㄴ, ㄷ   ⑤ ㄱ, ㄴ, ㄷ

06 그림 (가)는 용수철에 질량이 m인 물체를 연결해 평형점 O로부터 A만큼 당겨 잡고 있는 것을, (나)는 같은 용수철에 질량 $2m$인 물체를 연결해 평형점 O로부터 A만큼 압축시켜 잡고 있는 것을 나타낸 것이다. 물체를 가만히 놓았더니 물체가 수평면 위에서 진폭이 일정한 진동 운동을 각각 하였다.

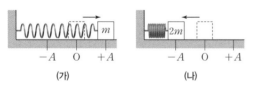

(가)   (나)

진동하는 동안 두 물체의 물리량이 같은 것만을 〈보기〉에서 있는 대로 고른 것은? (단, 모든 마찰, 공기 저항 및 용수철의 질량은 무시한다.)

〈보기〉
ㄱ. 역학적 에너지
ㄴ. 최대 탄성 퍼텐셜 에너지
ㄷ. O에서의 속력

① ㄱ   ② ㄷ   ③ ㄱ, ㄴ
④ ㄴ, ㄷ   ⑤ ㄱ, ㄴ, ㄷ

수능 기출

07 그림과 같이 물체 A에 수평 방향으로 10 N의 힘 F가 작용하여 물체 A, B가 정지해 있다. 이 상태에서 F의 크기를 30 N으로 하여 실을 당기다가 놓는다. A의 처음 위치 p와 실을 놓는 순간의 위치 q 사이의 거리는 0.4 m이다. A가 p에서 q까지 운동하는 동안 B의 중력 퍼텐셜 에너지 증가량은 B의 운동 에너지 증가량의 2배이다.

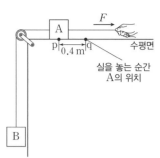

A가 p를 다시 지나는 순간, A의 운동 에너지는? (단, 중력 가속도는 10 m/s^{2}이고, 실의 질량, 물체의 크기, 모든 마찰과 공기 저항은 무시한다.)

① 4 J   ② 5 J   ③ 6 J
④ 8 J   ⑤ 9 J

08 그림 (가)는 일정량의 이상 기체가 밀폐된 실린더 내부에 들어 있는 모습을 나타낸 것이고, (나)는 (가)의 피스톤에 모래를 조금씩 부었을 때 피스톤이 서서히 아래로 내려가 정지한 모습을 나타낸 것이다.

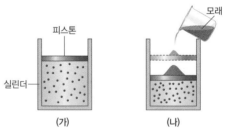

(가)   (나)

(가) → (나) 과정에서 기체의 온도가 일정하게 유지될 때, 이에 대한 설명으로 옳은 것만을 〈보기〉에서 있는 대로 고른 것은? (단, 피스톤의 마찰은 무시한다.)

〈보기〉
ㄱ. 기체의 내부 에너지는 (나)가 (가)보다 크다.
ㄴ. 기체의 압력은 (가)에서가 (나)에서보다 크다.
ㄷ. (가) → (나) 과정에서 기체는 외부로 열을 방출한다.

① ㄱ   ② ㄴ   ③ ㄷ
④ ㄱ, ㄷ   ⑤ ㄱ, ㄴ, ㄷ

09 그림 (가)는 이상 기체 A가 들어 있는 실린더에서 피스톤이 정지해 있는 모습을, (나)는 (가)의 A에 열량 Q를 가하여 피스톤이 이동해 정지한 모습을, (다)는 (나)의 A에 일 W를 하여 피스톤을 이동시킨 후 고정한 모습을 나타낸 것이다. A의 압력은 (가) → (나) 과정에서 일정하고, A의 부피는 (가)와 (다)에서 같다.

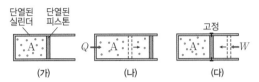

이에 대한 설명으로 옳은 것만을 〈보기〉에서 있는 대로 고른 것은?

보기
ㄱ. A의 온도는 (가)에서가 (다)에서보다 낮다.
ㄴ. (나) → (다) 과정에서 A의 압력은 일정하다.
ㄷ. (가) → (나) 과정에서 A가 한 일은 (나) → (다) 과정에서 A의 내부 에너지 변화량과 같다.

① ㄱ ② ㄴ ③ ㄱ, ㄷ
④ ㄴ, ㄷ ⑤ ㄱ, ㄴ, ㄷ

10 그림은 일정량의 단원자 분자 이상 기체의 상태가 A → B → C → A를 따라 변할 때 압력과 부피의 관계를 나타낸 것으로, B → C 과정은 단열 과정이다.

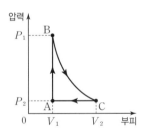

이에 대한 설명으로 옳은 것만을 〈보기〉에서 있는 대로 고른 것은?

보기
ㄱ. A → B 과정에서 기체의 내부 에너지는 증가한다.
ㄴ. $P_1V_1=P_2V_2$이다.
ㄷ. C → A 과정에서 기체가 외부로부터 받은 일은 $P_2(V_2-V_1)$이다.

① ㄱ ② ㄴ ③ ㄱ, ㄷ
④ ㄴ, ㄷ ⑤ ㄱ, ㄴ, ㄷ

11 그림 (가)는 카르노 열기관이 온도가 400 K인 열원으로부터 Q_1의 열을 흡수하여 W의 일을 하고 온도가 300 K인 열원으로 Q_2의 열을 방출하는 것을 모식적으로 나타낸 것이다. 그림 (나)는 (가)의 카르노 기관의 내부에 있는 이상 기체의 순환 과정을 압력과 부피로 나타낸 것으로 그래프 내부 면적은 A이다.

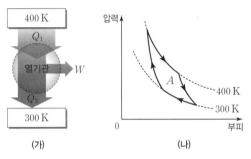

이에 대한 설명으로 옳은 것만을 〈보기〉에서 있는 대로 고른 것은?

보기
ㄱ. 이 기관의 열효율은 75 %이다.
ㄴ. $Q_1=Q_2+W$이다.
ㄷ. 한 번의 순환 과정에서 기체가 외부에 한 일은 A이다.

① ㄱ ② ㄴ ③ ㄱ, ㄴ
④ ㄱ, ㄷ ⑤ ㄴ, ㄷ

12 그림 (가)는 이상 기체가 들어 있는 용기 A와 진공 상태인 용기 B가 연결되어 밸브가 닫혀 있는 것을 나타낸 것이다. 그림 (나)는 밸브를 열어 기체가 고르게 분포된 것을 나타낸 것이다.

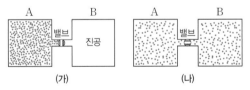

이에 대한 설명으로 옳은 것만을 〈보기〉에서 있는 대로 고른 것은? (단, A, B는 단열되어 있다.)

보기
ㄱ. 엔트로피는 (나)에서가 (가)에서보다 크다.
ㄴ. (나) → (가) 과정도 자발적으로 일어날 수 있다.
ㄷ. A 내부의 압력은 (가)에서가 (나)에서보다 크다.

① ㄱ ② ㄴ ③ ㄱ, ㄷ
④ ㄴ, ㄷ ⑤ ㄱ, ㄴ, ㄷ

정답과 해설 27쪽

13 그림은 온도가 T_1인 열원에서 10 kJ의 열을 흡수하여 W의 일을 하고 온도가 T_2인 열원으로 6 kJ의 열을 방출하는 열기관을 모식적으로 나타낸 것이다.

이에 대한 설명으로 옳은 것만을 〈보기〉에서 있는 대로 고른 것은?

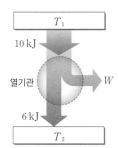

보기
ㄱ. $T_1 > T_2$이다.
ㄴ. W=4 kJ이다.
ㄷ. 열기관의 열효율은 0.6이다.

① ㄱ　　　　② ㄷ　　　　③ ㄱ, ㄴ
④ ㄴ, ㄷ　　　⑤ ㄱ, ㄴ, ㄷ

14 그림은 핀으로 고정된 칸막이에 의해 두 부분으로 나누어진 실린더에 이상 기체 A, B가 각각 들어 있는 것을 나타낸 것이다. 핀을 제거하였더니 칸막이는 A의 부피가 증가하는 방향으로 서서히 움직인 후 정지하였다. 칸막이와 실린더를 통한 열과 기체의 이동은 없다.

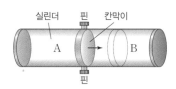

칸막이가 움직이는 동안, 이에 대한 설명으로 옳은 것만을 〈보기〉에서 있는 대로 고른 것은? (단, 칸막이의 마찰은 무시한다.)

보기
ㄱ. A의 온도는 감소한다.
ㄴ. B의 압력은 증가한다.
ㄷ. A의 내부 에너지 감소량은 B의 내부 에너지 증가량과 같다.

① ㄱ　　　　② ㄴ　　　　③ ㄱ, ㄷ
④ ㄴ, ㄷ　　　⑤ ㄱ, ㄴ, ㄷ

15 그림 (가)는 단열된 실린더에 일정량의 이상 기체가 들어 있고, 모래가 올려진 단열된 피스톤이 정지해 있는 모습을 나타낸 것이다. 그림 (나)는 (가)에서 피스톤 위 모래의 양을 조절하거나 기체에 열을 가하여 기체의 상태를 A → B → C를 따라 변화시킬 때, 실린더 내부의 압력과 부피를 나타낸 것이다. A → B 과정은 단열 과정이고, B → C 과정은 등압 과정이다.

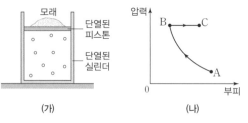

(가)　　　　　　　(나)

이에 대한 설명으로 옳은 것만을 〈보기〉에서 있는 대로 고른 것은? (단, 대기압은 일정하고, 실린더와 피스톤 사이의 마찰은 무시한다.)

보기
ㄱ. A → B 과정에서 기체의 온도는 변하지 않는다.
ㄴ. B → C 과정에서 모래의 양을 감소시킨다.
ㄷ. B → C 과정에서 기체는 열을 흡수한다.

① ㄱ　　　　② ㄷ　　　　③ ㄱ, ㄴ
④ ㄴ, ㄷ　　　⑤ ㄱ, ㄴ, ㄷ

16 그림은 일정량의 단원자 분자 이상 기체의 상태가 A → B → C → D → A를 따라 변화할 때 압력과 절대 온도의 관계를 나타낸 것이다. A → B, C → D는 등온 과정이고, B → C는 등압 과정, D → A는 정적 과정이다.

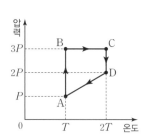

이에 대한 설명으로 옳은 것만을 〈보기〉에서 있는 대로 고른 것은?

보기
ㄱ. A → B 과정에서 기체의 부피는 감소한다.
ㄴ. B → C 과정에서 기체는 외부에 일을 한다.
ㄷ. D → A 과정에서 기체가 외부로 방출한 열은 기체의 내부 에너지 감소량과 같다.

① ㄱ　　　　② ㄴ　　　　③ ㄱ, ㄷ
④ ㄴ, ㄷ　　　⑤ ㄱ, ㄴ, ㄷ

3 시공간의 이해

📄 **배울 내용** 살펴보기

01 특수 상대성 이론

A 특수 상대성 이론의 기본 원리

B 특수 상대성 이론에서 나타나는 현상

아인슈타인은 물체의 속력이 매우 빨라지면 물체의 운동을 다르게 설명해야 한다는 특수 상대성 이론을 주장했어. 특수 상대성의 기본 가정에는 상대성 원리, 광속 불변 원리가 있고, 특수 상대성 이론에 의해 동시성의 상대성, 시간 지연, 길이 수축과 같은 현상이 일어나.

02 질량과 에너지

A 질량 에너지 동등성

B 핵융합과 핵분열

아인슈타인의 특수 상대성 이론에 따르면 질량이 에너지로 전환될 수 있고, 반대로 에너지가 질량으로 전환될 수 있어. 핵융합과 핵분열 같은 핵반응에서는 질량 결손에 의해 질량이 에너지로 전환되어 방출돼.

01 ⌁ 특수 상대성 이론

A 특수 상대성 이론의 기본 원리

|출·제·단·서| 특수 상대성 이론의 기본 가정을 이해하고 있는지 평가하는 문제가 시험에 나와!

1. 상대 속도 운동하는 관찰자에 대한 물체의 속도

> A에 대한 B의 상대 속도(v_{AB})=B의 속도(v_B)−A의 속도(v_A)

- 직선 도로 위에서 같은 방향으로 달리는 자동차 A, B의 속도를 각각 v_A, v_B라고 하면 A에 대한 B의 상대 속도는 $v_{AB}=v_B-v_A$가 된다.

2. 특수 상대성 이론❶의 기본 가정 [개념 POOL] (암기TIP) 특수 상대성 이론의 두 기본 가정: 상대성 원리, 광속 불변 원리

(1) ●상대성 원리 모든 관성 좌표계❷에서 물리 법칙은 동일하게 성립한다.
  ① 관성 좌표계의 두 관찰자가 측정하는 물리량은 다를 수 있지만, 그 물리량 사이의 관계 (물리 법칙)는 모두 같다.
  ② 일정한 속도로 운동하는 트럭 위에서 공을 연직 방향으로 던져 올렸다가 받으면 지면에 정지해 있는 관찰자에게는 물체가 포물선 운동을 하는 것으로 관찰된다. 두 관찰자가 보는 공의 운동 경로는 서로 다르지만, 공의 운동을 설명하는 데는 둘 다 $F=ma$라는 뉴턴 운동 법칙을 적용할 수 있다.

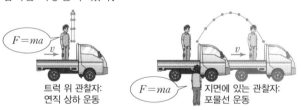

트럭 위 관찰자: 연직 상하 운동

지면에 있는 관찰자: 포물선 운동

(2) 광속 불변 원리 모든 관성 좌표계에서 진공 중에서의 빛의 속력(c)은 광원이나 관찰자의 속도에 관계없이 일정하다.

[빈출 자료] 마이컬슨·몰리 실험 장치

19세기 과학자들은 빛이 에테르라는 물질을 통하여 전달된다고 생각하였다. 마이컬슨과 몰리는 빛이 에테르를 ●매질로 하여 전파된다는 가설을 검증하기 위해 실험을 진행하였다.
❶ 실험 장치: 광원에서 방출한 빛의 절반은 ●반거울에 반사되어 거울 A로 갔다가 반거울을 투과하여 빛 검출기로 향하며, 나머지 반은 반거울을 투과하여 거울 B로 갔다가 반거울에서 반사되어 빛 검출기로 향한다.
❷ 실험 예측: 두 빛의 경로가 다르기 때문에 에테르 흐름이 빛의 속도에 영향을 주어 검출기에 도달하는 시간 차이가 생길 것이다.
❸ 실험 결과: 빛의 속력의 차이가 없었으므로, 에테르는 존재하지 않으며 빛은 매질을 필요로 하지 않는다는 것이 증명되었다.

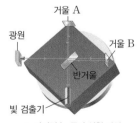

▲ 마이컬슨·몰리 실험 장치

핵심 키워드로 흐름잡기

A 상대성 원리, 광속 불변 원리
B 동시성의 상대성, 시간 지연, 길이 수축

❶ 특수 상대성 이론
관성 좌표계에서 관찰자의 상대 속도에 따라 시간, 길이 등과 같은 물리량이 어떻게 달라지는지 설명하는 이론이다.

❷ 관성 좌표계(관성계)
정지해 있거나 등속도 운동을 하는 관찰자를 기준으로 한 좌표계로, 관성 법칙이 성립하는 좌표계를 뜻한다. 한 관성 좌표계에 대해 일정한 속도로 움직이는 좌표계 또한 관성 좌표계이다.

❓ 광속 불변 원리는 증명되었을까?
유럽 원자핵 공동 연구소(CERN)에서 $0.9998c$의 속력으로 운동하는 파이온(가속기 내에서 입자들이 충돌할 때 생성되는 불안정한 입자)에서 방출된 빛의 속력 모두 c로 측정되었다. 지금까지 진공에서의 빛의 속력은 모두 c로 측정되고 있다.

🐱 용어 알기

- ●상대성(서로 相, 대할 對, 성품 性) 사물이 그 자체로서 독립하여 존재하지 아니하고, 다른 사물과 의존적인 관계를 가지는 성질
- ●매질(매개할 媒, 바탕 質) 어떤 파동 또는 물리적 작용을 한 곳에서 다른 곳으로 옮겨 주는 매개물
- ●반(반 半)거울 빛의 일부는 반사시키고 일부는 투과시키는 거울

B 특수 상대성 이론에서 나타나는 현상[3]

|출·제·단·서| 동시성의 상대성, 시간 지연, 길이 수축에 대해 묻는 문제가 시험에 나와!

1. 동시성의 상대성

(1) 한 관찰자에게 동시에 일어난 두 *사건이 다른 관찰자에게는 동시가 아닌 것으로 관측될 수 있다. 즉, 동시성이란 관찰자의 운동 상태에 따라 상대적이다. ⇨ 동시성의 상대성

(2) 정지해 있는 관찰자에 대해 광속에 가까운 일정한 속도로 운동하는 우주선 안에서 광원으로부터 같은 거리에 있는 광검출기 A, B에 빛이 도달하는 사건을 관찰하는 경우

우주선 안의 관찰자	우주선 밖의 정지해 있는 관찰자
(B ... A)	(B ... A) 원래 광원의 위치 / 현재 광원의 위치
• 빛이 두 검출기 A, B에 동시에 도달한다. ⇨ 빛이 검출기 A, B에 도달하는 두 사건이 동시에 일어난다.	• 빛이 이동하는 동안 우주선이 광속에 가까운 속력으로 오른쪽으로 이동하므로 빛이 B에 먼저 도달하고 A에 나중에 도달한다. ⇨ 빛이 검출기 B에 도달하는 사건이 먼저 일어난다.

다른 장소에서 일어난 사건 사이에는 동시성의 상대성이 있지만, 같은 장소에서 일어난 사건 사이에는 동시성의 상대성이 없다.

2. 시간 지연 [개념 POOL]

(1) 정지해 있는 관찰자가 빠르게 운동하는 관찰자의 시간을 측정하면 상대편의 시간이 느리게 가는 것으로 관측된다. ⇨ 시간의 상대성

(2) 지면의 관찰자에 대해 광속에 가까운 일정한 속도 v로 운동하는 우주선 안에서 빛시계[4]를 이용하여 시간을 측정하는 경우

우주선 안의 관찰자	우주선 밖의 정지해 있는 관찰자
(L)	(L', L, v) ... 지면
• 빛이 수직 위아래로 왕복하는 것으로 보인다. • 빛이 두 거울 사이를 왕복하는 거리는 $2L$이고, 왕복하는 데 걸리는 시간은 $\Delta t_{고유} = \dfrac{2L}{c}$ 이다. 이때 $\Delta t_{고유}$는 고유 시간 이다. [5]	• 빛이 비스듬한 방향으로 운동하는 것으로 보인다. • 빛이 두 거울 사이를 왕복하는 거리는 $2L'$이고, 왕복하는 데 걸리는 시간은 $\Delta t = \dfrac{2L'}{c}$이다.

• $2L' > 2L$이므로 $\Delta t > \Delta t_{고유}$이다. 즉, 우주선 밖의 정지해 있는 관찰자가 측정한 시간 Δt는 $\Delta t_{고유}$보다 길게 관측된다. ⇨ 우주선 밖의 정지해 있는 관찰자는 우주선 안에 있는 관찰자의 시간이 자신의 시간보다 느리게 가는 것으로 관찰한다.

빛이 발사된 후 되돌아오는 두 사건은 우주선 관찰자에 대해서는 같은 장소에서 일어나지만 지면 관찰자에 대해서는 다른 장소이다. 즉, 두 사건의 시간 간격은 우주선 안의 관찰자가 측정한 것이 고유 시간이다.

---

[3] 특수 상대성 이론에서 나타나는 현상

물체나 관찰자가 광속에 가까운 빠른 속도로 운동할 때만 특수 상대성 이론에 의한 여러 현상들이 인지할 수준으로 관찰된다. 일상생활의 자동차나 비행기의 빠르기로는 시간 지연이나 길이 수축 등을 경험하기 힘들다.

[4] 빛 시계

거울을 양쪽에 설치하여 빛이 왕복하도록 설계한 시계로, 빛이 한 번 왕복하는 데 걸린 시간을 단위로 하여 시간을 측정한다.

거울 / 거울

[5] 고유 시간($\Delta t_{고유}$)

같은 장소에서 일어난 두 사건 사이의 시간 간격을 그 장소에 대해 정지해 있는 관찰자가 측정한 것. 고유 시간은 다른 관성 좌표계에 있는 관찰자가 측정하는 시간보다 항상 짧다.

용어 알기 🐱

● 사건(일 事, 구별할 件) 특정한 시각에 어떤 위치에서 일어나는 일

3. 길이 수축 개념 POOL

(1) 한 관성 좌표계의 관찰자가 운동하는 물체를 보면 그 길이가 수축되어 보인다.

    ⇨ 길이의 상대성

(2) 지구와 행성에 대해 광속에 가까운 일정한 속도 v로 운동하는 우주선 안에서 지구와 행성 사이의 거리를 측정한 경우

❻ 고유 길이
측정하는 대상이나 물체에 대해 정지한 관찰자가 측정한 길이. 고유 길이는 다른 관성 좌표계에서 측정한 길이보다 항상 길다.

우주선 안의 관찰자	지구의 정지해 있는 관찰자
*우주선 안의 관찰자는 지구와 행성이 왼쪽으로 속력 v로 등속도 운동하는 것으로 관찰한다. 이때 측정한 행성과 지구 사이의 거리는 L이다. *지구와 행성이 차례로 스쳐 지나가는 데 걸리는 시간은 $\Delta t_{고유} = \dfrac{L}{v}$이고, 이 시간이 고유 시간이다.	*지구와 행성에 대해 정지해 있는 관찰자가 측정한 지구에서 행성까지의 거리는 $L_{고유}$이고, 이 길이가 고유 길이❻이다. *우주선이 지구에서 행성까지 가는 데 걸리는 시간은 $\Delta t = \dfrac{L_{고유}}{v}$이다.

• 시간 지연에 의해 $\Delta t > \Delta t_{고유}$이므로 $L < L_{고유}$이다. 즉, 우주선 안의 관찰자가 측정한 지구와 행성 사이의 거리 L은 지구의 정지해 있는 관찰자가 측정한 거리 $L_{고유}$보다 작다.

(3) 길이 수축은 <u>운동 방향과 나란한 방향의 길이</u>에서만 일어나며, 물체의 속력이 빠를수록 크게 일어난다.
    └ 운동 방향과 수직인 방향의 길이는 수축되지 않는다.

4. 특수 상대성 이론의 증거   지표면에서 뮤온 입자가 발견되는 현상

> **빈출 자료**   *뮤온 입자가 지표면에서 관측되는 까닭

뮤온은 우주에서 날아오는 우주선❼이 대기권의 공기 분자와 충돌할 때 생기는 입자로, 10 km 이상의 대기권 상층에서 생긴다. 뮤온의 고유 수명을 고려하면 뮤온이 최대로 진행할 수 있는 거리는 700 m에도 못 미치지만, 4700 m가 넘는 상공에서 발생한 뮤온이 지표면에서 관측된다. 이러한 현상은 특수 상대성 이론으로 그 까닭을 설명할 수 있다.

❶ **지상의 정지해 있는 관찰자가 볼때 (지표면의 좌표계):** 빠르게 움직이는 뮤온의 시간이 천천히 흐르므로 뮤온의 수명도 시간 지연에 의해 고유 수명보다 길어진다. ⇨ 뮤온이 지표면에 도달할 수 있다.

❷ **뮤온과 함께 운동하는 관찰자가 볼때 (뮤온의 좌표계):** 지구가 뮤온에게 가까워지고 있으므로 뮤온과 지구 사이의 거리가 길이 수축에 의해 짧아진다. ⇨ 뮤온이 지표면에 도달할 수 있다.

❼ 우주선(cosmic ray)
우주에서 지구로 쏟아져 내리는 매우 높은 에너지의 입자들과 복사선의 총칭. 우주선이 대기와 충돌할 때 뮤온이 생성된다.

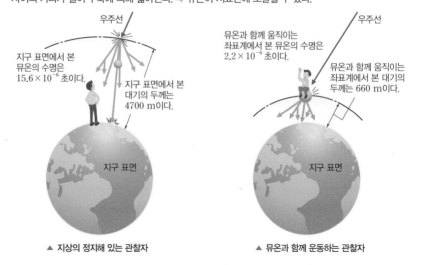

▲ 지상의 정지해 있는 관찰자   ▲ 뮤온과 함께 운동하는 관찰자

🐱 **용어 알기**

•뮤온(muon) 경입자족 중 하나로 π중간자 및 K중간자가 붕괴할 때 생기는 불안정한 입자이다. 수명이 약 100만 분의 2초이며, 전자 또는 양전자와 중성미자로 붕괴된다.

특수 상대성 이론의 기본 가정

목표 특수 상대성 이론의 2가지 기본 가정인 상대성 원리와 광속 불변 원리를 이해할 수 있다.

1 상대성 원리

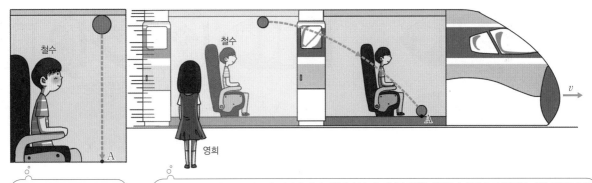

기차의 천장에서 가만히 놓은 공이 낙하하여 연직 아래 지점인 바닥의 A지점에 도착해. 따라서 난 정지 상태이고 영희는 등속도로 움직이고 있는 상태야.

공이 기차와 같이 움직이고 있기 때문에 공은 수평 방향의 속력 v로 던져진 물체로 생각할 수 있어. 공이 운동하는 동안 기차도 공의 수평 방향의 속력과 같은 속력 v로 움직이기 때문에 공이 바닥의 A점에 도착해. 즉 기차와 철수는 등속도로 움직이고 있는 상태야.

철수와 영희가 서로 자신은 정지해 있고 상대방이 운동하고 있다고 하는 주장은 모두 옳다.
정지 상태와 등속도 운동 상태를 어떠한 물리 법칙으로도 구분할 수 없기 때문이다.

2 광속 불변 원리

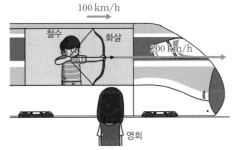

▲ 기차 안의 철수가 화살을 쏠 때

기차 내부 철수가 측정한 화살의 속력: 200 km/h
기차 외부 영희가 측정한 화살의 속력: 100+200=300 km/h

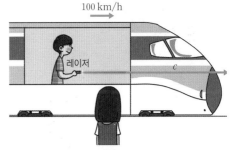

▲ 기차 안의 철수가 레이저 빛을 쏠 때

기차 내부 철수가 측정한 레이저 빛의 속력: c
기차 외부 영희가 측정한 레이저 빛의 속력: c

상대 속도에 대한 고전적인 식에 따르면 기차 외부의 영희가 측정하는 빛의 속력은 화살의 예처럼 기차의 속력과 빛의 속력을 더한 값이 되어야 한다. 하지만 광속 불변 원리에 의해 철수와 영희가 관측한 빛의 속력은 모두 c로 같다.

한·줄·핵심 모든 관성 좌표계에서 물리 법칙은 동일하게 성립하고, 진공 중에서 빛의 속력은 관찰자와 광원의 속력과 관계없이 항상 c로 같다.

확인 문제

정답과 해설 30쪽

01 ㉠, ㉡에 들어갈 알맞은 말을 쓰시오.

> 모든 (㉠) 좌표계에서 물리 법칙이 동일하게 성립하기 때문에 (㉠) 좌표계에 있는 관찰자는 자신이 정지 상태인지 (㉡) 운동 상태인지 구분할 수 없다.

02 철수와 영희가 탄 우주선이 정지한 민수에 대해 각각 일정한 속도 $0.6c$, $0.8c$로 같은 방향으로 일직선상에서 운동하고 있다. 이때 민수가 진행 방향을 향해 레이저 빛을 발사하였다.

(1) 철수가 측정한 레이저 빛의 속력은?
(2) 영희가 측정한 레이저 빛의 속력은?

시간 지연과 길이 수축

목표 특수 상대성 이론에 의해 나타나는 시간 지연과 길이 수축을 이해할 수 있다.

1 시간 지연

우주선 안의 관찰자의 입장	우주선 밖의 관찰자의 입장
1. 빛시계의 빛이 수직 위아래로 운동한다. 2. 빛이 한 번 왕복하는 데 걸린 시간은 1초이다.	1. 빛시계의 빛이 비스듬한 방향으로 진행한다. 2. 빛이 한 번 왕복하는 데 걸린 시간은 2초이다.

우주선 밖의 관찰자가 볼 때, 빠르게 움직이는 우주선의 시간이 느리게 가는 것으로 관찰된다.

2 길이 수축

우주선이 정지해 있을 때	우주선이 빠르게 움직일 때
1. 우주선 안의 관찰자: 우주선의 자가 5 m로 보인다. 2. 우주선 밖의 관찰자: 우주선의 자가 5 m로 보인다.	1. 우주선 안의 관찰자: 우주선의 자가 여전히 5 m로 보인다. 2. 우주선 밖의 관찰자: 우주선의 자가 3 m로 줄어들어 보인다.

우주선 밖의 관찰자가 볼 때, 빠르게 움직이는 우주선의 길이가 수축하는 것으로 관찰된다.

한·줄·핵심 상대 속도가 있는 두 관성 좌표계의 관찰자들은 서로 상대방의 좌표계에서 시간 지연과 길이 수축이 나타나는 것을 관찰할 수 있다.

확인 문제

정답과 해설 30쪽

01 ㉠, ㉡에 들어갈 알맞은 말을 쓰시오.

정지해 있는 관찰자가 빠르게 운동하는 관찰자의 시간을 측정하면 상대편의 시간이 느리게 가는 것으로 관찰되는데, 이것을 (㉠)이라고 한다. 또한 한 관성 좌표계의 관찰자가 상대 운동 하는 물체를 보면 그 길이가 수축되어 보이는데, 이것을 (㉡)라고 한다.

02 시간 지연과 길이 수축에 대한 설명으로 옳은 것은 ○, 옳지 않은 것은 ×로 표시하시오.

(1) 정지해 있는 관찰자가 볼 때 광속에 가까운 속도로 날아가는 우주선의 시계가 빠르게 가는 것으로 보인다. ( )

(2) 정지해 있는 관찰자가 광속에 가까운 속도로 날아가는 우주선을 보면 원래의 고유 길이보다 짧게 보인다. ( )

102

✔ 잠깐 확인!

1. ☐☐ 좌표계
정지해 있거나 등속도 운동하는 관찰자를 기준으로 한 좌표계

2. ☐☐☐☐ 원리
광원이나 관찰자의 운동 상태에 관계없이 진공에서 빛의 속력은 항상 일정하다.

3. 정지해 있는 관찰자는 자신에 대해 빠르게 운동하는 상대방의 시간이 ☐☐☐ 가는 것으로 관측한다.

4. ☐☐☐☐
같은 장소에서 일어난 사건의 시간 간격을 그 장소에 대해 정지한 관찰자가 측정한 것

5. ☐☐☐☐
빠르게 운동하는 물체의 길이가 운동 방향에 대해 수축되어 보이는 현상

6. 길이 수축은 운동 방향과 ☐☐☐ 방향에 대해 일어난다.

7. ☐☐☐☐
물체에 대해 정지한 관측자가 측정한 물체의 길이

A 특수 상대성 이론의 기본 원리

01 특수 상대성 이론의 기본 원리에 대한 설명으로 옳은 것은 ○, 옳지 않은 것은 ×로 표시하시오.

(1) 모든 관성 좌표계에서 물리 법칙은 동일하게 성립한다. ( )

(2) 빠르게 운동하는 우주선에서 방출된 빛이 정지한 우주선에서 방출된 빛보다 더 빠르다. ( )

(3) 관찰자의 운동 상태에 따라서 진공에서 빛의 속력은 다르게 측정된다. ( )

02 관찰자에 따라 동시성의 상대성이 나타나는 현상은 특수 상대성 이론의 2가지 기본 가정으로 설명할 수 있다. 이 2가지 기본 가정를 쓰시오.

B 특수 상대성 이론에서 나타나는 현상

03 다음은 광속에 가까운 일정한 속도로 운동하는 자동차가 정지한 관찰자에게 어떻게 보일지에 대해 학생 A, B, C가 이야기 하는 것을 나타낸 것이다.

> A: 자동차의 길이가 길이 수축에 의해 줄어들어 보일거야.
> B: 자동차의 높이도 길이 수축에 의해 줄어들어 보일거야.
> C: 자동차의 폭도 길이 수축에 의해 줄어들어 보일거야.

옳게 말한 학생을 있는 대로 고르시오.

04 특수 상대성 이론에 의해 나타나는 현상에 대한 설명으로 옳은 것은 ○, 옳지 않은 것은 ×로 표시하시오.

(1) 다른 관성 좌표계의 관찰자들은 서로 상대방의 시계가 느리게 가는 것으로 관측한다. ( )

(2) 물체의 고유 길이는 다른 관성 좌표계에서 측정한 물체의 길이보다 더 길다. ( )

(3) 어떤 관찰자에게 동시에 일어난 두 사건은 다른 관찰자에게도 반드시 동시에 일어난 것으로 관측된다. ( )

A 특수 상대성 이론의 기본 원리

01 철수와 영희가 같은 방향으로 각각 5 m/s, 7 m/s의 속력으로 운동하고 있을 때, 철수에 대한 영희의 상대 속도의 크기는?

① 1 m/s ② 2 m/s ③ 5 m/s
④ 7 m/s ⑤ 12 m/s

02 그림은 B에 대해 일정한 속도 v로 운동하는 버스의 내부에 있는 A를 나타낸 것이다.

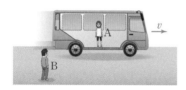

이에 대한 설명으로 옳지 <u>않은</u> 것을 있는 대로 고르시오.

① A가 측정한 B의 속력은 v이다.
② 관성의 법칙은 B의 좌표계에서는 성립하지만 A의 좌표계에서는 성립하지 않는다.
③ 정지한 광원에서 나온 빛의 속력은 어느 관성 좌표계에서나 동일하다.
④ A는 자신이 등속도 운동을 하는지 정지해 있는지 물리 법칙의 차이에 의해 구별할 수 있다.
⑤ A가 운동 방향으로 발사한 빛의 속력은 A와 B가 측정하였을 때 서로 같다.

단답형

03 특수 상대성 이론의 기본 가정 2가지를 쓰시오.

단답형

04 우주선 외부의 관찰자에 대해 일정한 속도 v로 운동하고 있는 우주선 내부에서 우주선의 운동 방향과 같은 방향으로 빛을 발사하였다. 우주선 내부의 관찰자가 측정한 빛의 속력이 c일 때, 우주선 외부의 관찰자가 측정한 빛의 속력은?

05 그림 (가)는 지면에 대해 정지해 있는 버스의 내부의 점 p에서 물체를 가만히 떨어뜨렸을 때, 버스의 바닥의 점 q로 물체가 낙하하는 것을 나타낸 것이다. 그림 (나)는 지면에 대해 속력 v로 오른쪽으로 등속도 운동 하는 버스의 내부의 p점에 물체가 매달려 있는 것을 나타낸 것이다.

(가)   (나)

이에 대한 설명으로 옳은 것만을 〈보기〉에서 있는 대로 고른 것은?

> **보기**
> ㄱ. (가)와 (나)는 동일한 좌표계이다.
> ㄴ. (가)와 (나)에서 물리 법칙은 동일하게 성립한다.
> ㄷ. (나)에서 물체를 가만히 낙하시키면 q점보다 왼쪽에 있는 기차 위의 바닥에 떨어진다.

① ㄱ ② ㄴ ③ ㄱ, ㄷ
④ ㄴ, ㄷ ⑤ ㄱ, ㄴ, ㄷ

B 특수 상대성 이론에서 나타나는 현상

06 특수 상대성 이론에서 나타나는 현상에 대한 설명으로 옳은 것만을 〈보기〉에서 있는 대로 고른 것은?

> **보기**
> ㄱ. 어떤 관찰자에게 동시에 일어난 사건은 다른 관찰자에게는 동시에 일어나지 않을 수 있다.
> ㄴ. 빠르게 움직이는 물체의 운동 방향의 길이가 늘어나 보인다.
> ㄷ. 정지한 A에 대해 광속에 가까운 등속도로 B가 운동할 때, B는 A의 시간이 느리게 가는 것으로 관측한다.

① ㄱ ② ㄴ ③ ㄱ, ㄷ
④ ㄴ, ㄷ ⑤ ㄱ, ㄴ, ㄷ

07 그림은 고유 길이가 L_0인 우주선 A, B가 정지해 있는 철수에 대해 각각 일정한 속도 $0.8c$, $0.6c$로 같은 직선 상에서 운동하고 있는 것을 나타낸 것이다.

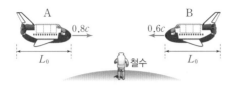

철수가 측정한 A, B의 길이를 각각 L_A, L_B라 할 때, L_0, L_A, L_B의 크기를 옳게 비교한 것은? (단, c는 빛의 속력이다.)

① $L_0 = L_A = L_B$
② $L_0 < L_A < L_B$
③ $L_B < L_A < L_0$
④ $L_A < L_B < L_0$
⑤ $L_0 < L_B < L_A$

08 그림은 정지해 있는 영희에 대해 일정한 속도 $0.8c$로 운동하고 있는 우주선 안의 철수, 전구, 광검출기 A, B를 나타낸 것이다. 전구에서 발생한 빛은 철수가 측정하였을 때 A, B에 동시에 도달하였다.

영희가 측정할 때에 대한 설명으로 옳은 것은? (단, c는 빛의 속력이고 A, 전구, B를 잇는 직선은 우주선의 운동 방향과 나란하다.)

① 전구에서 B를 향하는 빛의 속력은 c보다 크다.
② A에서 B까지의 거리는 철수가 측정할 때보다 길다.
③ 전구에서 발생한 빛은 B보다 A에 먼저 도달한다.
④ 전구에서 A까지의 거리와 전구에서 B까지의 거리는 다르다.
⑤ 철수의 시계가 자신의 시계보다 더 빠르게 간다.

09 그림은 수평면에 정지해 있는 우주선 A에 대해 우주선 B가 일정한 속도 $0.9c$로 운동하고 있는 것을 나타낸 것이다. 두 우주선의 고유 길이는 L_0으로 같다.

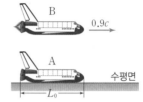

이에 대한 설명으로 옳은 것만을 〈보기〉에서 있는 대로 고른 것은?

보기
> ㄱ. A에서 측정한 B의 길이는 L_0보다 짧다.
> ㄴ. B에서 측정할 때 A와 B의 길이는 같다.
> ㄷ. B에서 측정할 때 B의 시간이 A의 시간보다 느리게 간다.

① ㄱ
② ㄴ
③ ㄷ
④ ㄱ, ㄴ
⑤ ㄴ, ㄷ

10 그림과 같이 점 P에서 생성된 뮤온이 지면에 정지해 있는 영희에 대하여 일정한 속도 $0.9c$로 지면을 향하여 운동한다. 영희가 측정하였을 때 P에서 지면까지 거리는 L, 뮤온의 수명은 T이다.
뮤온과 같은 속도로 운동하는 좌표계에서 관측하였을 때에 대한 설명으로 옳은 것만을 〈보기〉에서 있는 대로 고른 것은?

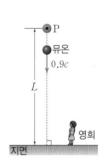

보기
> ㄱ. P에서 지면까지의 거리는 L보다 짧다.
> ㄴ. 뮤온의 수명은 T보다 짧다.
> ㄷ. 영희의 시계가 뮤온의 시계보다 느리게 간다.

① ㄱ
② ㄱ, ㄴ
③ ㄱ, ㄷ
④ ㄴ, ㄷ
⑤ ㄱ, ㄴ, ㄷ

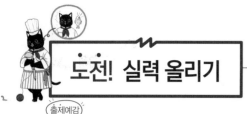

출제예감

01 그림은 철수가 탄 우주선이 영희에 대해 일정한 속도 $0.9c$로 운동하는 모습을 나타낸 것이다. 광원 P에서 발생한 빛은 철수가 측정하였을 때 점 A, B에 동시에 도달하였다.

영희가 측정할 때에 대한 설명으로 옳은 것만을 〈보기〉에서 있는 대로 고른 것은? (단, c는 빛의 속력이고, A, P, B를 잇는 직선은 우주선의 운동 방향과 나란하다.)

> 보기
> ㄱ. P에서 B를 향하는 빛의 속력이 P에서 A를 향하는 빛의 속력보다 크다.
> ㄴ. P에서 발생한 빛은 B보다 A에 먼저 도달한다.
> ㄷ. P에서 A까지의 거리와 P에서 B까지의 거리는 같다.

① ㄱ   ② ㄷ   ③ ㄱ, ㄴ
④ ㄴ, ㄷ   ⑤ ㄱ, ㄴ, ㄷ

출제예감

02 그림은 철수가 탄 우주선이 영희에 대해 일정한 속도 $0.5c$로 운동하는 모습을 나타낸 것이다. 철수가 측정하였을 때 광원 A, B에서 점 P까지의 거리는 같고, A, B에서 발생한 빛은 P에 동시에 도달하였다.

영희가 측정할 때, 이에 대한 설명으로 옳은 것만을 〈보기〉에서 있는 대로 고른 것은? (단, c는 빛의 속력이고, A, P, B를 잇는 직선은 우주선의 운동 방향과 나란하다.)

> 보기
> ㄱ. P에서 A까지의 거리와 P에서 B까지의 거리는 같다.
> ㄴ. 철수의 시간이 자신의 시간보다 느리게 간다.
> ㄷ. 빛은 A에서가 B에서보다 먼저 발생하였다.

① ㄱ   ② ㄷ   ③ ㄱ, ㄴ
④ ㄴ, ㄷ   ⑤ ㄱ, ㄴ, ㄷ

03 그림과 같이 정지해 있는 민수에 대해 고유 길이가 같은 철수와 영희가 탄 우주선이 행성 P를 지나 행성 Q를 향해 각각 일정한 속도 $0.8c$, $0.9c$로 서로 나란하게 직선 운동을 하고 있다. P, Q는 민수에 대해 정지해 있다.

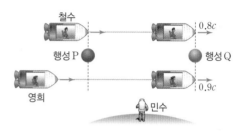

이에 대한 설명으로 옳은 것만을 〈보기〉에서 있는 대로 고른 것은? (단, c는 빛의 속력이다.)

> 보기
> ㄱ. 철수가 측정할 때 민수의 시간이 영희의 시간보다 느리게 간다.
> ㄴ. 철수와 영희가 측정한 P와 Q 사이의 거리는 서로 같다.
> ㄷ. 민수가 측정할 때, 철수가 탄 우주선의 길이가 영희가 탄 우주선의 길이보다 길다.

① ㄱ   ② ㄴ   ③ ㄱ, ㄷ
④ ㄴ, ㄷ   ⑤ ㄱ, ㄴ, ㄷ

04 그림과 같이 철수가 탄 우주선이 영희에 대해 일정한 속도 $0.8c$로 직선 운동 하고 있다. 우주선 바닥의 점 O에서 출발한 빛이 우주선 내부의 점 P에 도달한다. O와 P를 잇는 직선과 우주선의 운동 방향은 수직이다.

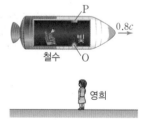

철수와 영희가 측정한 물리량이 서로 같은 것만을 〈보기〉에서 있는 대로 고른 것은? (단, c는 빛의 속력이다.)

> 보기
> ㄱ. O에서 P까지의 거리
> ㄴ. O에서 출발한 빛이 P에 도달하는 동안 이동한 거리
> ㄷ. O에서 P를 향하는 빛의 속력

① ㄱ   ② ㄱ, ㄴ   ③ ㄱ, ㄷ
④ ㄴ, ㄷ   ⑤ ㄱ, ㄴ, ㄷ

출제예감

05 그림은 정지해 있는 민수에 대해 철수와 영희가 탄 우주선 A, B가 각각 일정한 속도 $0.6c$, $0.8c$로 같은 방향으로 직선 운동을 하는 모습을 나타낸 것이다. 민수가 측정한 두 우주선의 길이는 L로 같다.

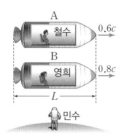

이에 대한 설명으로 옳은 것만을 〈보기〉에서 있는 대로 고른 것은? (단, c는 빛의 속력이다.)

보기
ㄱ. B의 고유 길이가 A의 고유 길이보다 길다.
ㄴ. 철수가 측정한 B의 길이는 L보다 길다.
ㄷ. 철수가 측정할 때, 영희의 시간이 민수의 시간보다 느리게 간다.

① ㄱ   ② ㄱ, ㄴ   ③ ㄱ, ㄷ
④ ㄴ, ㄷ   ⑤ ㄱ, ㄴ, ㄷ

출제예감

06 그림은 철수에 대해 일정한 속도 $0.9c$로 운동하는 우주선 안의 영희, 광원, 광검출기 A, B를 나타낸 것이다. 우주선의 운동 방향은 광원과 A를 잇는 직선과 나란하고, 광원과 B를 잇는 직선과는 수직이다. 영희가 측정하였을 때 광원에서 발생한 빛은 A와 B에 동시에 도달하였고, 광원과 B 사이의 거리는 L이다.

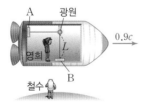

철수가 측정한 광원과 A 사이의 거리를 L_A, 광원과 B 사이의 거리를 L_B라 할 때, L, L_A, L_B의 크기를 옳게 비교한 것은? (단, c는 빛의 속력이다.)

① $L=L_A=L_B$ ② $L<L_A<L_B$
③ $L_B<L_A=L$ ④ $L_A<L_B=L$
⑤ $L<L_B<L_A$

07 다음은 특수 상대성 이론에 대한 설명이다.

> 특수 상대성 이론은 모든 (㉠) 좌표계에서 물리 법칙은 동일하게 성립한다는 상대성 원리와 진공에서 빛의 속력은 관찰자나 광원의 운동 상태와 관계없이 항상 일정하다는 (㉡) 원리를 기본 가정으로 하는 이론이다.

㉠, ㉡ 안에 들어갈 알맞은 말을 쓰시오.

서술형

08 우주선(cosmic ray)이 지구 대기와 만나 생기는 뮤온은 매우 빠른 속력에도 불구하고 짧은 고유 수명 때문에 고전적으로는 지표면에 도달하지 못할 것으로 예측되었지만 실제로는 지표면까지 도달한다. 그 까닭을 특수 상대성 이론을 이용해 뮤온의 좌표계와 지표면의 좌표계를 기준으로 각각 서술하시오.

서술형

09 그림과 같이 정지해 있는 영희에 대해 철수가 탄 우주선이 일정한 속도 $0.8c$로 행성 A에서 행성 B로 운동하고 있다.

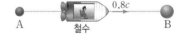

철수와 영희가 각각 측정한 우주선이 A에서 B까지 이동하는 데 걸리는 시간과 A와 B 사이의 거리를 고유 시간과 고유 거리를 이용해 비교하시오.

02 ～ 질량과 에너지

A 질량 에너지 동등성

|출·제·단·서| 질량이 에너지와 본질적으로 같다는 질량 에너지 동등성에 관한 문제가 시험에 나와!

핵심 키워드로 흐름잡기

A 질량 에너지 동등성, 질량 결손
B 핵융합, 핵분열

1. 질량 증가 특수 상대성 이론에서 나타나는 현상으로, 물체의 속력이 증가할수록 물체의 질량❶은 증가하며, 물체의 속력이 빛의 속력에 가까워지면 물체의 질량은 급격하게 증가한다.

⇨ 에너지가 질량으로 전환된다.

특수 상대성 이론에서는 같은 물체라도 관찰자에 따라서 물체의 속력(상대 속도)이 다르므로, 관찰자에 따라 질량도 다르게 측정된다.

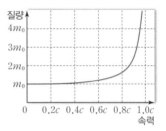

▲ 상대론적 질량 – 속력 그래프

❶ **상대론적 질량**

한 관성 좌표계(관찰자)에 대하여 속도 v로 운동하는 물체의 상대론적 질량(m)은 다음과 같이 나타낼 수 있다. (단, m_0은 정지 질량)

$$m = \frac{m_0}{\sqrt{1 - \dfrac{v^2}{c^2}}}$$

2. 질량 에너지 °동등성(질량 에너지 등가 원리) 질량이 에너지로 전환될 수 있고, 에너지가 질량으로 전환될 수 있다. 즉, 본질적으로 질량과 에너지는 같다. 질량 m에 해당하는 에너지 E는 다음과 같다.

$$E = mc^2 \ (c\text{는 빛의 속력})$$

(1) 정지 질량(m_0) 관찰자와 물체 사이의 상대 속도가 0일 때 측정한 물체의 질량
(2) 정지 에너지❷ 정지한 물체가 가지는 에너지 ⇨ $E = m_0 c^2$ (m_0는 정지 질량)
(3) 질량 °결손 핵융합이나 핵분열 과정에서 반응 후의 질량이 반응 전의 질량보다 작아지는 질량 결손이 생기는데, 이때 감소한 질량이 에너지로 전환되어 방출된다. 질량 결손이 클수록 더 많은 에너지가 방출된다.

알기TIP ▶ 반응 물질의 질량의 총합 > 생성 물질의 질량의 총합

$$\underset{\text{전환된 에너지}}{\Delta E} = \underset{\text{감소한 질량}}{\Delta m c^2}$$

❷ **정지 에너지의 크기**

가장 가벼운 동전의 질량은 약 1 g이다. 이 동전의 질량을 모두 에너지로 전환한다면 약 9×10^{13} J의 에너지를 얻을 수 있는데, 이는 10000가구가 1년 동안 소비하는 전기 에너지보다 많은 양이다.

원자핵의 표기

원소 기호, 원자 번호, 질량수로 표기한다.

질량수 → ^A_ZX ← 원소 기호
원자 번호 →

· 질량수 = 양성자수 + 중성자수
 ⇨ $A = Z + N$
· 원자 번호 = 양성자수

빈출 계산연습 질량 결손 계산하기

1. 4개의 수소 원자핵(^1_1H)이 융합하여 1개의 헬륨 원자핵(^4_2He)이 생성될 때 방출되는 에너지를 구하시오. (단, ^1_1H의 질량은 1.007825u, ^4_2He의 질량은 4.002603u이고, 1u = 1.66×10^{-27} kg이다.)

<u>1단계</u> 질량 결손된 양을 구한다.

⇨ $\Delta m = 4 \times 1.007825u - 4.002603u = 0.28697u$

= $0.28697 \times 1.66 \times 10^{-27}$ kg ≒ 4.76×10^{-29} kg

<u>2단계</u> $\Delta E = \Delta m c^2$으로부터 방출되는 에너지를 계산한다.

⇨ 빛의 속력 $c = 3 \times 10^8$ m/s를 적용하면

$\Delta E = \Delta m c^2 = (4.76 \times 10^{-29}$ kg$) \times (3 \times 10^8$ m/s$)^2 ≒ 4.29 \times 10^{-12}$ J

2. 태양에서 1초당 방출되는 에너지는 약 4×10^{26} J이다. 1초당 감소하는 태양의 질량을 구하시오.

⇨ $\Delta E = \Delta m c^2$으로부터 4×10^{26}J $= \Delta m \times (3 \times 10^8$ m/s$)^2$, 따라서 $\Delta m ≒ 4 \times 10^9$ kg이므로 태양에서는 1초당 약 400만 톤의 질량이 감소하여 에너지로 전환되고 있다.

용어 알기

● **동등성**(같을 同, 등급 等, 성질 性) 가치, 등급 따위가 서로 같은 성질
● **결손**(모자랄 缺, 잃을 損) 어느 부분이 없거나 잘못되어서 불완전함

B 핵융합과 핵분열

|출·제·단·서| 핵분열과 핵융합 과정에서 질량 결손에 의해 에너지가 방출되는 과정이 시험에 나와!

1. 핵융합 [개념 POOL] 초고온 상태에서 질량이 작은 *원자핵들이 융합하여 질량이 큰 원자핵으로 변하는 반응으로, 질량 결손에 의해 많은 에너지가 방출된다.

(1) 태양에서의 핵융합 태양 중심부에서 수소 원자핵끼리 핵융합하여 중수소 원자핵이 되고, 중수소 원자핵끼리 핵융합하여 헬륨 원자핵이 된다.

$$4{}^1_1\text{H} \rightarrow {}^4_2\text{He} + 2e^+ + \underline{26\ \text{MeV}}$$

양전자┘　└ 질량 결손에 의해 방출되는 에너지

양전자(e^+)는 전하량, 질량 등 입자로서의 속성은 전자와 같지만, 양의 전하를 가지는 입자이다.

(2) 인공 핵융합❸ 초고온 상태의 핵융합로에서 중수소 원자핵과 삼중수소 원자핵을 충돌시키면 핵융합하여 헬륨 원자핵이 되는 반응이 가능하다.

$$\,{}^2_1\text{H} + {}^3_1\text{H} \rightarrow {}^4_2\text{He} + {}^1_0\text{n} + \underline{17.6\ \text{MeV}}$$

└ 질량 결손에 의해 방출되는 에너지

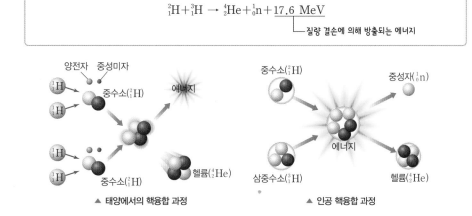

▲ 태양에서의 핵융합 과정　　　　▲ 인공 핵융합 과정

2. 핵분열 [개념 POOL] 질량이 큰 원자핵이 질량이 작은 원자핵으로 나누어지는 반응으로, 핵융합과 마찬가지로 질량 결손에 의해 많은 에너지가 방출된다.

• **우라늄의 핵분열:** 우라늄 원자핵(${}^{235}_{92}\text{U}$)이 중성자(저속 중성자) 1개를 흡수하면 2개의 원자핵으로 *분열하면서 2개~3개의 중성자(고속 중성자)를 방출한다. 방출된 중성자는 다른 우라늄 원자핵에 흡수되어 연쇄적으로 핵분열이 일어난다.

$$\,{}^{235}_{92}\text{U} + {}^1_0\text{n} \rightarrow {}^{92}_{36}\text{Kr} + {}^{141}_{56}\text{Ba} + 3{}^1_0\text{n} + \underline{200\ \text{MeV}}$$

└ 질량 결손에 의해 방출되는 에너지

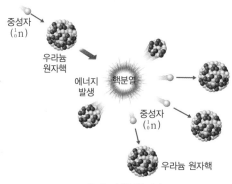

▲ 우라늄의 핵분열 과정

---

❸ 핵융합 발전

원료로 이용되는 중수소, 삼중수소 등이 바다에 많이 매장되어 있으며 발전 과정에서 탄소 가스를 배출하지 않고 방사성 폐기물도 거의 배출하지 않는 각광받는 미래 기술이다.

동위 원소

원자 번호(양성자 수)는 같으나 중성자수가 달라 질량수(양성자 수＋중성자 수)가 다른 원소이다.
⑩ 수소(${}^1_1\text{H}$) − 중수소(${}^2_1\text{H}$) − 삼중수소(${}^3_1\text{H}$)

eV(전자볼트)

에너지의 크기를 나타내는 단위 중 하나이다. 정지한 전자 1개를 1 V의 전위차로 가속시켰을 때 전자가 갖게 되는 운동 에너지가 1 eV이다.

$$1\ \text{MeV} = 1.6 \times 10^{-13}\ \text{J}$$

└ 10^6을 나타내는 보조 단위

핵반응식

원자핵이 다른 원자핵이나 핵입자와 부딪혀 다른 종류의 원자핵으로 바뀌는 과정을 식으로 나타낸 것이다. 핵반응식에서 반응 전후 전체 질량수와 전체 전하량은 보존되지만, 전체 질량은 보존되지 않는다.

❓ 왜 수소는 핵융합을 하고 우라늄은 핵분열을 할까?

핵자당 평균 질량이 가장 작은 원자핵은 철 원자핵(${}^{56}_{27}\text{Fe}$)이다. 철보다 질량수가 큰 원자핵은 핵분열을, 철보다 질량수가 작은 원자핵은 핵융합을 통해 보다 안정된 원자핵이 된다. 따라서 수소는 핵융합을, 우라늄은 핵분열을 한다.

용어 알기 🐱

• **융합**(화합할 融, 합할 合) 다른 종류의 것이 서로 구별이 없게 하나로 합하여짐
• **분열**(나눌 分, 찢을 裂) 찢어져 나뉨

핵융합과 핵분열

목표 핵융합 과정과 핵분열 과정을 이해할 수 있다.

1 핵융합 과정과 핵분열 과정의 비교

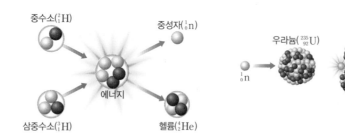

	핵융합 과정	핵분열 과정
핵반응식	$_1^2H + _1^3H \rightarrow _2^4He + _0^1n + 17.6\,MeV$	$_{92}^{235}U + _0^1n \rightarrow _{56}^{141}Ba + _{36}^{92}Kr + 3_0^1n + 200\,MeV$
질량수 보존	$2+3=4+1$	$235+1=141+92+(3\times1)$
전하량 보존	$1+1=2+0$	$92+0=56+36+(3\times0)$
질량 결손	중수소 원자핵의 질량+삼중수소 원자핵의 질량＞헬륨 원자핵의 질량+중성자의 질량	우라늄 원자핵의 질량+중성자의 질량＞바륨 원자핵의 질량+크립톤 원자핵의 질량+3개의 중성자의 질량

2 핵반응 전후의 질량 변화

핵융합 반응과 핵분열 반응 모두 핵반응 전후 질량 결손이 생기고, 이 질량 결손이 에너지로 전환되어 방출된다.

한·줄·핵심 핵융합과 핵분열 과정에서는 질량 결손에 의해 에너지가 발생한다.

확인 문제

정답과 해설 32쪽

01 ㉠~㉢에 들어갈 알맞은 말을 쓰시오.

> (㉠)이란 초고온 상태에서 질량이 작은 원자핵들이 융합하여 질량이 큰 원자핵으로 변하는 반응이고, (㉡)이란 질량이 큰 원자핵이 질량이 작은 원자핵으로 나누어지는 반응이다. 두 반응에서 모두 반응 후의 질량이 반응 전의 질량보다 작아지는 (㉢)에 의해 많은 양의 에너지가 방출된다.

02 핵반응에 대한 설명으로 옳은 것은 ○, 옳지 않은 것은 ×로 표시하시오.

(1) 태양에서는 핵분열이 일어난다. ( )

(2) 핵분열 과정에서 반응 물질의 질량의 총합은 생성 물질의 질량의 총합보다 작다. ( )

(3) 핵반응 과정에서 질량수는 보존된다. ( )

(4) 핵반응 과정에서 나오는 에너지는 질량 결손에 의한 것이다. ( )

콕콕! 개념 확인하기

정답과 해설 32쪽

✔ 잠깐 확인!

1. 물체의 속력이 증가할수록 질량은 증가하며, 물체의 속력이 ☐의 속력에 가까워지면 질량은 급격하게 증가한다.

2. 질량 에너지 ☐☐☐
질량이 에너지로 전환될 수 있고, 에너지가 질량으로 전환될 수 있다.

3. ☐☐ ☐☐☐
관찰자에 대해 정지한 물체가 가지는 에너지

4. ☐☐☐
초고온 상태에서 질량이 작은 원자핵들이 융합하여 질량이 큰 원자핵으로 변하는 반응

5. ☐☐☐
질량이 큰 원자핵이 질량이 작은 원자핵으로 나누어지는 반응

6. 핵융합 반응과 핵분열 반응은 모두 핵반응 전후 ☐☐☐☐이 생긴다.

A 질량 에너지 동등성

01 질량과 에너지에 대한 설명으로 옳은 것은 ○, 옳지 않은 것은 ×로 표시하시오.

(1) 물체의 속력이 증가하면 물체의 질량도 증가한다. ( )

(2) 질량은 에너지로 전환될 수 있다. ( )

(3) 에너지는 질량으로 전환될 수 있다. ( )

(4) 정지해 있는 물체는 에너지를 가지고 있지 않다. ( )

02 정지했을 때의 질량이 m_0인 물체의 정지 에너지는 얼마인지 쓰시오.

B 핵융합과 핵분열

03 핵반응에 대한 설명으로 옳은 것은 ○, 옳지 않은 것은 ×로 표시하시오.

(1) 핵융합 반응 후 총질량은 커진다. ( )

(2) 우라늄이 핵분열할 때 방출되는 입자는 양성자이다. ( )

(3) 태양 에너지의 근원은 핵융합 반응에서 일어나는 질량 결손에 의한 것이다.
( )

04 다음은 핵분열에 대한 설명이다.

> 질량이 큰 원자핵이 질량이 작은 원자핵으로 나누어지는 반응으로, 핵반응 후 생성 물질의 총질량이 핵반응 전의 반응 물질의 총 질량보다 작아지는 ( )에 의해 많은 양의 에너지가 방출된다.

( ) 안에 들어갈 알맞은 말을 쓰시오.

05 원료로 이용되는 중수소, 삼중수소 등이 바다에 많은 양이 매장되어 있어 자원 고갈의 염려가 없으며, 발전 과정에서 탄소 가스를 배출하지 않고 방사성 폐기물도 거의 배출하지 않아 각광받는 발전 방식은 무엇인지 쓰시오.

A 질량 에너지 동등성

01 질량과 에너지에 대한 설명으로 옳은 것만을 〈보기〉에서 있는 대로 고른 것은?

> 보기
> ㄱ. 에너지는 질량으로 전환될 수 있지만, 질량은 에너지로 전환될 수 없다.
> ㄴ. 정지 상태에 있는 물체의 정지 에너지는 0이다.
> ㄷ. 질량 m에 해당하는 에너지의 양은 mc^2이다.

① ㄱ   ② ㄷ   ③ ㄱ, ㄴ
④ ㄴ, ㄷ   ⑤ ㄱ, ㄴ, ㄷ

02 상대론적 질량에 대한 설명으로 옳은 것만을 〈보기〉에서 있는 대로 고른 것은?

> 보기
> ㄱ. 물체의 속력이 증가하면 물체의 질량은 증가한다.
> ㄴ. 관찰자의 속력에 따라 물체의 질량은 다르게 측정될 수 있다.
> ㄷ. 주변의 빠르게 움직이는 자동차나 비행기 등에서 쉽게 질량 증가 현상을 관찰할 수 있다.

① ㄱ   ② ㄷ   ③ ㄱ, ㄴ
④ ㄴ, ㄷ   ⑤ ㄱ, ㄴ, ㄷ

03 정지 상태일 때의 질량이 m_0인 물체가 $0.8c$의 속력으로 운동할 때에 대한 설명으로 옳은 것만을 〈보기〉에서 있는 대로 고른 것은?

> 보기
> ㄱ. 정지 에너지는 m_0c^2이다.
> ㄴ. 질량 m_0보다 커진다.
> ㄷ. 물체를 정지시키기 위해서는 m_0c^2의 일을 해 주어야 한다.

① ㄱ   ② ㄷ   ③ ㄱ, ㄴ
④ ㄴ, ㄷ   ⑤ ㄱ, ㄴ, ㄷ

B 핵융합과 핵분열

04 다음은 중수소와 삼중수소의 핵융합 반응식이다.

$$^2_1H + ^3_1H \rightarrow ^4_2He + \boxed{(가)} + 에너지$$

이에 대한 설명으로 옳은 것만을 〈보기〉에서 있는 대로 고른 것은?

> 보기
> ㄱ. (가)는 양성자이다.
> ㄴ. (가)의 질량수는 1이다.
> ㄷ. 헬륨 원자핵과 (가)의 질량의 합이 중수소 원자핵과 삼중수소 원자핵의 질량의 합보다 크다.

① ㄱ   ② ㄴ   ③ ㄱ, ㄴ
④ ㄱ, ㄷ   ⑤ ㄴ, ㄷ

05 다음은 우라늄의 핵반응식을 나타낸 것이다.

$$^{235}_{92}U + ^1_0n \rightarrow ^{141}_{56}Ba + ^{92}_{36}Kr + 3^1_0n + 200 \text{ MeV}$$

이에 대한 설명으로 옳은 것만을 〈보기〉에서 있는 대로 고른 것은?

> 보기
> ㄱ. 핵분열 반응이다.
> ㄴ. 핵반응 전과 후에 질량수가 보존된다.
> ㄷ. 핵반응 과정에서 질량 결손이 일어난다.

① ㄱ   ② ㄷ   ③ ㄱ, ㄴ
④ ㄴ, ㄷ   ⑤ ㄱ, ㄴ, ㄷ

단답형

06 다음은 동위 원소에 대한 설명이다.

> 동위 원소란 중수소 원자핵과 삼중수소 원자핵처럼 (㉠)의 수가 같아 원자 번호는 같으나 (㉡)의 수가 달라 질량수가 다른 원소들을 말한다.

㉠, ㉡ 안에 들어갈 알맞은 말을 쓰시오.

07 다음은 태양의 중심부에서 일어나고 있는 핵반응을 간단히 나타낸 식이다.

$$4{}_{1}^{1}H \rightarrow {}_{2}^{4}He + (가) + 26\ MeV$$

이에 대한 설명으로 옳은 것만을 〈보기〉에서 있는 대로 고른 것은?

보기
ㄱ. 핵분열 반응이다.
ㄴ. (가)는 중성자이다.
ㄷ. 헬륨 원자핵(${}_{2}^{4}He$) 1개의 질량이 수소 원자핵(${}_{1}^{1}He$) 4개의 질량의 합보다 작다.

① ㄱ   ② ㄷ   ③ ㄱ, ㄴ
④ ㄴ, ㄷ   ⑤ ㄱ, ㄴ, ㄷ

09 다음은 핵반응에 대한 설명이다.

핵자당 평균 질량이 가장 작은 원자핵은 (　　)원자핵이다. (　　)보다 질량수가 큰 원자핵은 핵분열을, (　　)보다 질량수가 작은 원자핵은 핵융합을 통하여 보다 안정된 원자핵이 된다.

(　　) 안에 공통으로 들어갈 알맞은 말을 쓰시오.

10 표는 양성자와 중성자의 질량을 원자질량단위(u)로 나타낸 것이다.

입자	질량(u)
양성자	1.0073
중성자	1.0087

이에 대한 설명으로 옳은 것만을 〈보기〉에서 있는 대로 고른 것은?

보기
ㄱ. 양성자의 질량이 중성자보다 크다.
ㄴ. ${}_{1}^{2}H$ 원자핵에는 1개의 양성자가 있다.
ㄷ. ${}_{1}^{2}H$ 원자핵 1개의 질량은 2.0160u보다 작다.

① ㄱ   ② ㄱ, ㄴ   ③ ㄱ, ㄷ
④ ㄴ, ㄷ   ⑤ ㄱ, ㄴ, ㄷ

08 다음은 우라늄의 핵분열 반응을 간략하게 나타낸 것이다.

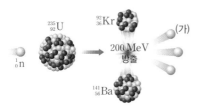

이에 대한 설명으로 옳은 것만을 〈보기〉에서 있는 대로 고른 것은?

보기
ㄱ. (가)는 중성자이다.
ㄴ. 핵반응 후 질량의 합이 반응 전보다 줄어든다.
ㄷ. 200 MeV의 에너지는 질량 결손에 의한 것이다.

① ㄱ   ② ㄷ   ③ ㄱ, ㄴ
④ ㄴ, ㄷ   ⑤ ㄱ, ㄴ, ㄷ

11 (가)는 우라늄 원자핵의 핵반응식을, (나)는 중수소와 삼중수소의 핵반응식을 나타낸 것이다.

(가): ${}_{92}^{235}U + {}_{0}^{1}n \rightarrow {}_{56}^{141}Ba + {}_{36}^{92}Kr + 3{}_{0}^{1}n + 200\ MeV$
(나): ${}_{1}^{2}H + {}_{1}^{3}H \rightarrow {}_{2}^{4}He + {}_{0}^{1}n + 17.6\ MeV$

이에 대한 설명으로 옳은 것만을 〈보기〉에서 있는 대로 고른 것은?

보기
ㄱ. (가)는 핵분열 반응이다.
ㄴ. 핵반응 전후에 전하량이 보존된다.
ㄷ. 핵반응 과정에서 질량 결손은 (가)에서가 (나)에서보다 더 크다.

① ㄱ   ② ㄷ   ③ ㄱ, ㄴ
④ ㄴ, ㄷ   ⑤ ㄱ, ㄴ, ㄷ

도전! 실력 올리기

01 그림은 철수에 대해 영희가 탄 우주선이 일정한 속도 $0.8c$로 운동하고 있는 것을 나타낸 것이다. 우주선 안에는 영희가 측정했을 때 질량 m_0인 물체가 정지해 있다.

이에 대한 설명으로 옳은 것만을 〈보기〉에서 있는 대로 고른 것은?

보기
ㄱ. 영희가 측정한 물체의 정지 질량은 m_0보다 작다.
ㄴ. 철수가 측정한 물체의 질량은 m_0보다 크다.
ㄷ. 물체가 가지는 에너지는 철수가 측정할 때가 영희가 측정할 때보다 크다.

① ㄱ   ② ㄷ   ③ ㄱ, ㄴ
④ ㄴ, ㄷ   ⑤ ㄱ, ㄴ, ㄷ

02 그림은 수소 핵융합 반응을 모식적으로 나타낸 것으로, 중수소 원자핵과 삼중수소 원자핵이 충돌하여 헬륨 원자핵과 입자 A가 방출되었다.

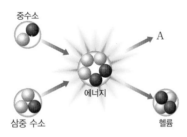

이에 대한 설명으로 옳은 것만을 〈보기〉에서 있는 대로 고른 것은?

보기
ㄱ. A는 전자이다.
ㄴ. 삼중수소 원자핵에 들어 있는 양성자 수는 2개이다.
ㄷ. 반응 물질의 질량의 총합이 생성 물질의 질량의 총합보다 더 크다.

① ㄱ   ② ㄷ   ③ ㄱ, ㄴ
④ ㄴ, ㄷ   ⑤ ㄱ, ㄴ, ㄷ

03 다음은 세 가지 핵변환 반응식을 나타낸 것이다.

- $^{4}_{2}\text{He} + ^{14}_{7}\text{N} \rightarrow ^{17}_{8}\text{O} + ^{1}_{1}\text{H}$
- $\boxed{(가)} + ^{199}_{80}\text{Ag} \rightarrow ^{197}_{79}\text{Au} + ^{4}_{2}\text{He}$
- $\boxed{(나)} + ^{59}_{27}\text{Co} \rightarrow ^{60}_{27}\text{Co}$

이에 대한 설명으로 옳은 것만을 〈보기〉에서 있는 대로 고른 것은?

보기
ㄱ. 핵변환 과정에서 질량은 보존된다.
ㄴ. (가)는 중수소 원자핵($^{2}_{1}\text{H}$)이다.
ㄷ. (나)는 전자이다.

① ㄱ   ② ㄴ   ③ ㄱ, ㄷ
④ ㄴ, ㄷ   ⑤ ㄱ, ㄴ, ㄷ

출제예감
04 그림은 원자로에서 일어나는 핵반응을 모식적으로 나타낸 것이고, 표는 우라늄(U), 바륨(Ba), 크립톤(Kr)의 양성자 수와 질량수를 나타낸 것이다.

	양성자수	질량수
우라늄(U)	92	235
바륨(Ba)	56	141
크립톤(Kr)	36	92

이에 대한 설명으로 옳은 것만을 〈보기〉에서 있는 대로 고른 것은?

보기
ㄱ. ㉠은 중성자이다.
ㄴ. 크립톤의 중성자 수는 56개이다.
ㄷ. 핵반응에서 방출된 에너지는 질량 결손에 의한 것이다.

① ㄱ   ② ㄱ, ㄴ   ③ ㄱ, ㄷ
④ ㄴ, ㄷ   ⑤ ㄱ, ㄴ, ㄷ

05 다음은 원자핵 A, B, C의 핵반응식이고, 그림은 원자핵 A, B, C의 양성자수와 중성자수를 나타낸 것이다.

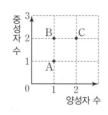

$$A+B \rightarrow C+ \boxed{(가)} + 에너지$$

이에 대한 설명으로 옳은 것만을 〈보기〉에서 있는 대로 고른 것은?

보기
ㄱ. 현재 원자력 발전에 이용되는 핵반응이다.
ㄴ. A와 B는 동위 원소 관계이다.
ㄷ. (가)와 양성자는 서로 끌어당기는 전기력이 작용한다.

① ㄱ   ② ㄴ   ③ ㄱ, ㄷ
④ ㄴ, ㄷ   ⑤ ㄱ, ㄴ, ㄷ

06 다음은 원자핵 X를 생성하며 에너지를 방출하는 두 가지 핵반응식이다. 표는 (가), (나)와 관련된 원자핵의 질량을 나타낸 것이다.

(가): $^{2}_{1}H + ^{2}_{1}H \rightarrow \boxed{X} + 24 \text{ MeV}$
(나): $^{226}_{88}Ra$
$\rightarrow ^{222}_{86}Rn + \boxed{X} + 5 \text{ MeV}$

원자핵	질량
$^{2}_{1}H$	M_1
$^{226}_{88}Ra$	M_2
$^{222}_{86}Rn$	M_3

이에 대한 설명으로 옳은 것만을 〈보기〉에서 있는 대로 고른 것은?

보기
ㄱ. X는 헬륨 원자핵($^{4}_{2}He$)이다.
ㄴ. 라듐(Ra)과 라돈(Rn)은 동위 원소 관계이다.
ㄷ. $2M_1 > M_2 - M_3$이다.

① ㄱ   ② ㄴ   ③ ㄱ, ㄷ
④ ㄴ, ㄷ   ⑤ ㄱ, ㄴ, ㄷ

07 다음은 핵융합에 대한 설명이다.

태양의 중심부에서는 (㉠) 원자핵이 헬륨 원자핵으로 융합하는 과정이 일어나며, 핵융합로에서는 (㉡)원자핵과 삼중수소 원자핵이 융합해 헬륨 원자핵과 중성자가 만들어진다.

㉠, ㉡에 들어갈 알맞은 말을 쓰시오.

서술형

08 핵융합이나 핵분열 과정에서 반응 전의 질량의 총합과 반응 후의 질량의 총합을 비교하고, 변화된 질량은 무엇으로 전환되었는지 서술하시오.

서술형

09 다음은 양성자(수소 원자핵)와 입자 A가 반응하여 중수소 원자핵을 생성하며 에너지를 방출하는 핵반응식을 나타낸 것이다.

$$^{1}_{1}H + \boxed{A} \rightarrow ^{2}_{1}H + 2.2 \text{ MeV}$$

(1) 입자 A가 무엇인지 쓰고, 그 까닭을 서술하시오.

(2) 수소 원자핵과 입자 A의 질량의 합과 중수소 원자핵의 질량의 크기를 비교하고, 그 까닭을 서술하시오.

특수 상대성 이론

▌**대표 유형**

그림은 철수가 탄 우주선이 정지해 있는 영희에 대해 구간 A에서 0.6c의 속력으로 등속도 운동을 한 후, 속력이 변하여 다시 구간 B에서 등속도 운동을 하는 모습을 나타낸 것이다. 영희가 측정할 때, 철수의 시간은 A에서가 B에서보다 느리게 가고 우주선의 길이는 A, B에서 각각 L_1, L_2이다. └──A에서의 철수의 속력이 B에서의 철수의 속력보다 빠르다.

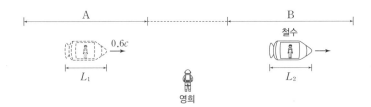

이에 대한 설명으로 옳은 것만을 〈보기〉에서 있는 대로 고른 것은?

보기

✗ 영희가 측정할 때, B에서 우주선의 속력은 0.6c보다 크다.
　→ 영희가 측정할 때 철수의 시간이 A에서가 B에서보다 더 느리게 가므로, 철수의 속력은 A에서가 B에서보다 빠르다.

ㄴ. $L_1 < L_2$이다.
　→ 속력이 A에서가 B에서보다 빠르므로 길이 수축이 A에서가 B에서보다 더 크다.

✗ 철수가 측정할 때, 영희의 시간은 A에서 측정할 때가 B에서 측정할 때보다 빠르게 간다. ─ 철수가 A에서 측정한 영희의 속력이 B에서 측정한 영희의 속력보다 더 빠르다.
　영희의 시간은 철수가 A에서 측정할 때가 B에서 측정할 때보다 느리게 간다.

✓① ㄴ　　　② ㄷ　　　③ ㄱ, ㄴ　　　④ ㄱ, ㄷ　　　⑤ ㄴ, ㄷ

✎ 이것이 함정
━━
시간 지연이 A에서가 B에
서보다 더 크다는 것을 이용
하여 철수의 속력이 A에서
더 빠르다는 것을 파악해야
한다.

◁ **개념 이해·적용하기** ▷

| 영희가 측정한 철수의 시간 지연이 A에서가 B에서보다 크다. | ≫ | A에서의 철수의 속력이 B에서의 철수의 속력보다 빠르다. | ≫ | 길이 수축은 A에서가 B에서보다 더 크게 나타나므로, 우주선의 길이는 A에서 더 짧게 측정된다. | ≫ | 상대성 원리에 의해 철수가 A에서 측정하는 영희의 속력이 B에서 측정할 때보다 빠르다. |

・철수가 측정할 때, 우주선의 길이는 L_1보다 크다.　(○)
⋯→ 철수가 측정한 우주선의 길이가 우주선의 고유 길이이고, 이는 길이 수축이 일어난 L_1보다 크다.

・철수는 영희의 시계가 자신의 시계보다 더 빠르게 가는 것으로 측정한다.　(✕)
⋯→ 철수가 측정할 때, 영희가 빠르게 움직이는 것처럼 보이므로 영희의 시계가 자신의 시계보다 더 느리게 가는 것으로 관측한다.

실전! 수능 도전하기

정답과 해설 35쪽

01 그림은 정지해 있는 관찰자 A에 대해 양성자가 일정한 속도 $0.9c$로 점 p를 지나 점 q를 통과하는 모습을 나타낸 것이다. A가 측정한 p와 q 사이의 거리는 L이고, 양성자와 같은 속도로 움직이는 우주선에 탄 관찰자 B가 측정한 p에서 q까지 이동하는 데 걸린 시간은 T이다.

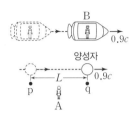

이에 대한 설명으로 옳은 것만을 〈보기〉에서 있는 대로 고른 것은? (단, c는 빛의 속력이다.)

보기
ㄱ. $L > 0.9cT$이다.
ㄴ. A가 측정한 p에서 q까지 양성자가 이동하는 데 걸린 시간은 T보다 작다.
ㄷ. B가 측정한 양성자의 정지 에너지는 0이다.

① ㄱ   ② ㄴ   ③ ㄱ, ㄴ
④ ㄱ, ㄷ   ⑤ ㄴ, ㄷ

02 그림과 같이 점 O에는 광원이, 점 P, Q, R에는 거울이 있다. 광원과 거울에 대해 정지해 있는 영희가 측정한 O에서 각 거울까지의 거리는 L로 같다. 철수는 영희에 대해 일정한 속도 $0.9c$로 P, O, R를 잇는 직선과 나란하게 운동하는 우주선에 타고 있다.

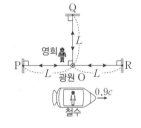

철수가 측정할 때, 이에 대한 설명으로 옳은 것만을 〈보기〉에서 있는 대로 고른 것은? (단, c는 빛의 속력이다.)

보기
ㄱ. O와 P 사이의 거리와 O와 R 사이의 거리는 같다.
ㄴ. O에서 발생한 빛은 P와 R에 동시에 도달한다.
ㄷ. 빛이 O에서 Q 사이를 왕복하는 데 걸리는 시간은 $\dfrac{2L}{c}$보다 크다.

① ㄱ   ② ㄴ   ③ ㄱ, ㄴ
④ ㄴ, ㄷ   ⑤ ㄱ, ㄴ, ㄷ

03 그림과 같이 영희와 민수가 탄 우주선이 철수에 대하여 각각 $0.9c$의 일정한 속도로 운동한다. 철수에 대해 물체는 정지해 있다.
물체의 고유 길이가 L일 때, 이에 대한 설명으로 옳은 것만을 〈보기〉에서 있는 대로 고른 것은? (단, c는 빛의 속력이다.)

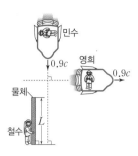

보기
ㄱ. 철수가 측정한 물체의 길이는 L이다.
ㄴ. 민수가 측정한 물체의 길이가 영희가 측정한 물체의 길이보다 짧다.
ㄷ. 철수가 측정할 때, 민수의 시계가 영희의 시계보다 느리게 간다.

① ㄱ   ② ㄷ   ③ ㄱ, ㄴ
④ ㄴ, ㄷ   ⑤ ㄱ, ㄴ, ㄷ

04 그림과 같이 지표면에 정지해 있는 관찰자가 측정할 때, 지표면으로부터 높이 h인 곳에서 뮤온 A, B가 생성되어 각각 연직 방향의 일정한 속도 $0.88c$, $0.99c$로 지표면을 향해 움직인다. A, B 중 하나는 지표면에 도달하는 순간 붕괴하고, 다른 하나는 지표면에 도달하기 전에 붕괴한다. 정지 상태의 뮤온이 생성된 순간부터 붕괴하는 순간까지 걸리는 시간은 t_0이다.

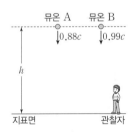

이에 대한 설명으로 옳은 것만을 〈보기〉에서 있는 대로 고른 것은? (단, c는 빛의 속력이다.)

보기
ㄱ. 관찰자가 측정할 때 A가 생성된 순간부터 붕괴하는 순간까지 걸리는 시간은 t_0이다.
ㄴ. 지표면에 도달하는 순간 붕괴하는 뮤온은 B이다.
ㄷ. 관찰자가 측정할 때 h는 $0.99ct_0$이다.

① ㄱ   ② ㄴ   ③ ㄱ, ㄷ
④ ㄴ, ㄷ   ⑤ ㄱ, ㄴ, ㄷ

05 그림은 플랫폼에 서 있는 영희에 대해 $0.9c$의 일정한 속도로 운동하는 기차 안에서 철수가 전등을 잡고 서 있는 것을 나타낸 것이다. 영희가 측정할 때, 전등에서 발생한 빛은 검출기 A, B에 동시에 도달하였고 A와 B 사이의 거리는 L, 철수가 플랫폼의 P, Q 지점을 지나가는 데 걸리는 시간은 T이다.

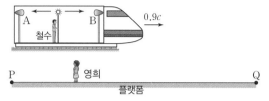

철수가 측정할 때, 이에 대한 설명으로 옳은 것만을 〈보기〉에서 있는 대로 고른 것은? (단, c는 빛의 속력이다.)

보기
ㄱ. 전등과 A 사이의 거리와 전등과 B 사이의 거리는 같다.
ㄴ. A와 B 사이의 거리는 L보다 길다.
ㄷ. 기차가 플랫폼의 P, Q 지점을 지나가는 데 걸리는 시간은 T보다 작다.

① ㄱ   ② ㄷ   ③ ㄱ, ㄴ
④ ㄴ, ㄷ   ⑤ ㄱ, ㄴ, ㄷ

06 그림은 정지해 있는 철수에 대해 영희가 탄 우주선과 뮤온이 수평면과 나란하게 일정한 속력 $0.9c$로 운동하고 있는 어느 순간의 모습을 나타낸 것이다. 빛은 우주선과 반대 방향으로 진행하고 있다.
철수가 측정했을 때가 영희가 측정했을 때보다 더 큰 물리량만을 〈보기〉에서 있는 대로 고른 것은? (단, c는 빛의 속력이고, 중력에 의한 효과는 무시한다.)

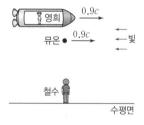

보기
ㄱ. 빛의 속력
ㄴ. 우주선의 길이
ㄷ. 뮤온의 수명

① ㄱ   ② ㄷ   ③ ㄱ, ㄴ
④ ㄴ, ㄷ   ⑤ ㄱ, ㄴ, ㄷ

07 다음 A와 B는 태양과 원자력 발전소에서 일어나는 핵반응을 순서 없이 나타낸 것이다.

A: $^1_1H + ^2_1H \rightarrow ^3_2He + \gamma + $ 약 5.5 MeV

B: $^{235}_{92}U + $ (가)
$\rightarrow ^{141}_{56}Ba + ^{92}_{36}Kr + 3$ (가) $+$ 약 200 MeV

이에 대한 설명으로 옳은 것만을 〈보기〉에서 있는 대로 고른 것은?

보기
ㄱ. A에서는 질량 결손이 일어나지 않는다.
ㄴ. B는 원자력 발전소에서 일어나는 반응이다.
ㄷ. (가)의 질량수는 2이다.

① ㄴ   ② ㄷ   ③ ㄱ, ㄴ
④ ㄱ, ㄷ   ⑤ ㄴ, ㄷ

08 그림은 핵융합과 핵분열 반응을 모식적으로 나타낸 것이다.

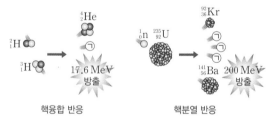

이에 대한 설명으로 옳은 것만을 〈보기〉에서 있는 대로 고른 것은?

보기
ㄱ. 핵자당 방출되는 에너지는 핵융합 반응에서가 핵분열 반응에서보다 크다.
ㄴ. ㉠의 질량수는 1이다.
ㄷ. 핵분열 반응에서는 질량 결손이 일어나지만 핵융합 반응에서는 질량 결손이 일어나지 않는다.

① ㄱ   ② ㄷ   ③ ㄱ, ㄴ
④ ㄴ, ㄷ   ⑤ ㄱ, ㄴ, ㄷ

09 다음 (가)와 (나)는 헬륨 원자핵($_2^4$He)을 생성하며 에너지를 방출하는 두 가지 핵반응식이다. X는 어떤 원자핵이며, Y는 어떤 핵자이다. 표는 원자 번호와 질량수에 따른 원자핵의 질량을 나타낸 것이다.

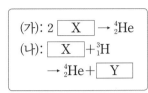

(가): 2 | X | $\rightarrow {}_2^4$He

(나): | X | $+ {}_1^3$H $\rightarrow {}_2^4$He $+$ | Y |

원자 번호	질량수	원자핵의 질량
1	1	M_1
	2	M_2
	3	M_3
2	3	M_4
	4	M_5

이에 대한 설명으로 옳은 것만을 〈보기〉에서 있는 대로 고른 것은?

보기
ㄱ. X는 $_1^2$H 원자핵이다.
ㄴ. $2M_2 = M_5$이다.
ㄷ. Y의 질량은 M_2보다 크다.

① ㄱ   ② ㄴ   ③ ㄱ, ㄷ
④ ㄴ, ㄷ   ⑤ ㄱ, ㄴ, ㄷ

10 다음은 원자핵이 방사선 α, β, γ를 방출하는 과정을 핵반응식으로 나타낸 것이다.

$$_{92}^{238}\text{U} \rightarrow {}_{90}^{234}\text{Th} + \alpha$$
$$_{5}^{12}\text{B} \rightarrow {}_{6}^{12}\text{C} + \beta$$
$$_{6}^{12}\text{C} \rightarrow {}_{6}^{12}\text{C} + \gamma$$

이에 대한 설명으로 옳은 것만을 〈보기〉에서 있는 대로 고른 것은?

보기
ㄱ. α는 질량수가 4이다.
ㄴ. 양성자와 β의 전하량의 크기는 같다.
ㄷ. γ의 질량수는 중성자와 같다.

① ㄱ   ② ㄷ   ③ ㄱ, ㄴ
④ ㄴ, ㄷ   ⑤ ㄱ, ㄴ, ㄷ

11 다음은 핵반응에 대한 내용이다.

에너지를 생성하는 핵반응에는 질량수가 큰 원자핵이 두 개의 새로운 원자핵으로 쪼개지는 | A | 과/와 질량수가 작은 원자핵이 융합하여 질량수가 큰 원자핵으로 되는 | B | 이/가 있다. 원자로에서는 우라늄의 핵반응 과정에서 방출되는 고속 | C | 을/를 느리게 하여 우라늄에 잘 흡수될 수 있도록 감속재를 사용하고, 핵반응에 기여하는 | C | 의 수를 줄여 연쇄 반응이 급격히 진행되는 것을 막기 위해 제어봉(흡수재)을 사용한다.

이에 대한 설명으로 옳은 것만을 〈보기〉에서 있는 대로 고른 것은?

보기
ㄱ. A는 핵분열이다.
ㄴ. B에서 핵의 질량의 합은 반응 후가 반응 전보다 크다.
ㄷ. C는 중성자이다.

① ㄱ   ② ㄴ   ③ ㄱ, ㄴ
④ ㄱ, ㄷ   ⑤ ㄴ, ㄷ

12 그림 (가)와 (나)는 핵융합 반응과 핵분열 반응의 예를 순서 없이 나타낸 것이다.

$_1^2$H $_1^3$H $_2^4$He   중성자 $_{92}^{235}$U   중성자 $_{56}^{141}$Ba $_{36}^{92}$Kr   중성자

(가)   (나)

이에 대한 설명으로 옳은 것만을 〈보기〉에서 있는 대로 고른 것은?

보기
ㄱ. (나)는 핵분열 반응이다.
ㄴ. (가)에서 핵반응 전후 질량의 합은 보존된다.
ㄷ. 원자력 발전에 이용되는 핵반응은 (가)이다.

① ㄱ   ② ㄴ   ③ ㄱ, ㄷ
④ ㄴ, ㄷ   ⑤ ㄱ, ㄴ, ㄷ

1 힘과 운동

01 여러 가지 운동

1. 운동의 표현

이동 거리	물체가 이동한 경로의 전체 길이
변위	물체의 처음 위치에서 나중 위치까지의 변화량
속력	단위 시간 동안의 이동 거리
속도	단위 시간 동안의 변위
가속도	단위 시간 동안의 속도 변화량 $가속도 = \dfrac{나중\ 속도 - 처음\ 속도}{시간}$

2. 여러 가지 운동

등속 직선 운동	속력과 운동 방향이 일정한 운동 $이동\ 거리 = 속력 \times 시간,\ s = vt \Rightarrow v = \dfrac{s}{t} = 일정$
등가속도 직선 운동	가속도의 크기와 방향이 일정한 직선 운동 $v = v_0 + at,\ s = v_0 t + \dfrac{1}{2}at^2,\ 2as = v^2 - v_0{}^2$

02 뉴턴 운동 제1, 2법칙

1. 뉴턴 운동 제1법칙(관성 법칙)

뉴턴 운동 제1법칙	물체에 작용하는 알짜힘이 0이면 정지해 있던 물체는 계속 정지해 있고, 운동하던 물체는 등속 직선 운동을 한다.
관성	물체가 원래의 운동 상태를 유지하려는 성질로, 질량이 클수록 크다.

2. 뉴턴 운동 제2법칙(가속도 법칙)

뉴턴 운동 제2법칙	물체의 가속도는 알짜힘에 비례하고, 질량에 반비례한다. $가속도 = \dfrac{알짜힘}{질량},\ a = \dfrac{F}{m} \Rightarrow F = ma$

03 뉴턴 운동 제3법칙

1. 뉴턴 운동 제3법칙(작용 반작용 법칙)

뉴턴 운동 제3법칙	한 물체가 다른 물체에 힘을 작용하면 힘을 받은 물체도 힘을 작용한다.
작용 반작용과 힘의 평형	공통점: 두 힘의 크기가 같고 방향이 반대이며, 같은 작용선상에 있다.
	차이점: 작용 반작용 관계의 힘은 작용점이 상대 물체에 있고, 힘의 평형 관계의 힘은 두 힘의 작용점이 한 물체에 있다.

04 운동량 보존 법칙

1. 운동량

운동량	운동하는 물체의 운동 효과를 나타내는 양으로, 운동량의 방향은 속도의 방향과 같다. $운동량 = 질량 \times 속도,\ p = mv$

2. 운동량 보존 법칙

운동량 보존 법칙	물체 사이의 상호 작용(충돌, 융합, 분열)과정에서 외력이 작용하지 않으면 상호 작용 전과 후의 운동량의 합은 일정하게 보존된다. $m_1 v_1 + m_2 v_2 = m_1 v'_1 + m_2 v'_2$

05 충격량

1. 충격량

충격량	물체가 받은 충격의 정도를 나타내는 양으로, 충격량의 방향은 힘의 방향과 같다. $충격량 = 힘 \times 시간,\ I = F \Delta t$
힘-시간 그래프	힘과 시간축이 이루는 넓이는 충격량을 나타낸다. 넓이=충격량 $Ft=I$

2. 충격량과 운동량의 관계

충격량과 운동량의 관계	물체가 받은 충격량은 물체의 운동량의 변화량과 같다. $충격량 = 운동량의\ 변화량,\ F \Delta t = mv_2 - mv_1 = \Delta p$

3. 충격량과 충격력의 관계

충격력	물체가 충격을 받은 시간 동안 물체에 작용하는 평균적인 힘 $F = \dfrac{\Delta p}{\Delta t} = \dfrac{m\Delta v}{\Delta t} = \dfrac{mv_2 - mv_1}{\Delta t}$ $충격력 = \dfrac{충격량}{시간} = \dfrac{운동의\ 변화량}{시간}$
충격력이 일정할때	힘이 작용하는 시간이 길수록 운동량의 변화량이 커진다. Δt 증가, F 일정 $\Rightarrow I = F \Delta t$ 증가
운동량의 변화량(충격량)이 일정할 때	힘을 작용하는 시간이 길수록 물체에 작용하는 힘의 크기가 감소한다. $I = F \Delta t = 일정,\ \Delta t$ 증가 $\Rightarrow F$ 감소

2 에너지와 열

01 역학적 에너지 보존

1. 일과 운동 에너지

① **일**: 힘이 작용하여 물체가 힘의 방향으로 이동할 때 힘이 물체에 일을 하였다고 한다. ⇨ $W=Fs$

② **운동 에너지**: 운동하는 물체가 가지는 에너지

⇨ $E_k=\dfrac{1}{2}mv^2$

③ **일−운동 에너지 정리**: 알짜힘이 한 일(W)은 운동 에너지 변화량($\varDelta E_k$)과 같다.

2. 퍼텐셜 에너지

중력 퍼텐셜 에너지	중력이 작용하는 공간에서 물체가 기준면으로부터의 높이에 따라 가지는 에너지 ⇨ $E_P=mgh$
탄성 퍼텐셜 에너지	탄성체가 변형될 때 가지는 에너지 ⇨ $E_P=\dfrac{1}{2}kx^2$

3. 역학적 에너지 보존
공기 저항이나 마찰이 없을 때 물체의 역학적 에너지(운동 에너지+퍼텐셜 에너지)는 일정하다.

02 열역학 제1법칙

1. 내부 에너지
이상 기체의 경우 내부 에너지(U)는 기체 분자의 운동 에너지의 총합으로, 기체의 분자수(N)와 절대 온도(T)에 비례한다. ⇨ $U\propto NT$

2. 기체가 하는 일
기체가 일정한 압력 P를 유지하며 부피 변화 $\varDelta V$만큼 팽창할 때 기체가 외부에 한 일 ⇨ $W=P\varDelta V$

3. 열역학 제1법칙
열에너지와 역학적 에너지를 포함한 에너지 보존 법칙으로, 기체에 가한 열은 기체의 내부 에너지 변화량과 기체가 한 일의 합과 같다. ⇨ $Q=\varDelta U+W$

4. 열역학 과정
기체가 외부와 상호 작용하면서 한 상태에서 다른 상태로 변하는 과정으로, 열역학 제1법칙이 적용된다.
⇨ 등압 과정, 등적 과정, 등온 과정, 단열 과정

02 열역학 제2법칙

1. 열역학 제2법칙
자연 현상의 비가역적인 방향성을 설명하는 법칙

2. 열기관과 열효율

① **열기관**: 열에너지를 역학적인 일로 전환하는 장치

② **열기관의 열효율**: 고열원으로부터 흡수한 열과 열기관이 하는 일의 비율 ⇨ $e=\dfrac{W}{Q_H}=\dfrac{Q_H-Q_L}{Q_H}=1-\dfrac{Q_L}{Q_H}$

3. 열효율과 열역학 제2법칙
고열원의 절대 온도가 무한대로 상승하거나 저열원의 절대 온도가 0이 될 수 없으므로 열효율이 100 %인 열기관은 만들 수 없다.

3 시공간의 이해

01 특수 상대성 이론

1. 특수 상대성 이론의 기본 원리

① **상대성 원리**: 모든 관성 좌표계에서 물리 법칙은 동일하게 성립한다.

② **광속 불변 원리**: 모든 관성 좌표계에서 진공 중에서 빛의 속력(c)은 관찰자나 광원의 속도에 관계없이 항상 같다.

2. 특수 상대성 이론에서 나타나는 현상

① **동시성의 상대성**: 한 관찰자에게 동시에 일어난 두 사건이 다른 관찰자에게는 동시에 일어난 사건이 아닐 수 있다.

② **시간 지연**: 정지한 관찰자가 빠르게 운동하는 관찰자의 시간을 측정하면 시간이 느리게 가는 것으로 관찰한다.

③ **길이 수축**: 정지한 관찰자가 빠르게 운동하는 물체를 보면 그 길이가 수축되어 보인다. 길이 수축은 운동 방향과 나란한 방향의 길이에서만 일어나며, 운동 방향과 수직인 방향의 길이는 수축되지 않는다.

④ **특수 상대성 이론의 증거**: 지표면에서 뮤온 입자가 발견되는 현상

02 질량과 에너지

1. 질량 에너지 동등성

① **질량 증가**: 물체의 속력이 증가할수록 질량은 커지며, 물체의 속력이 빛의 속력에 가까워지면 질량은 급격하게 증가한다.

② **질량 에너지 동등성**: 질량이 에너지로 전환될 수 있고 에너지가 질량으로 전환될 수 있다. 질량 m에 해당하는 에너지 E는 다음과 같다.

$$E=mc^2$$

③ **질량 결손**: 핵반응 후의 질량이 반응 전의 질량보다 작아지는 질량 결손이 생기는데, 이때 감소한 질량이 에너지로 전환되어 방출된다.

$$\varDelta E=\varDelta mc^2$$

2. 핵융합과 핵분열

① **핵융합**: 질량이 작은 원자핵들이 융합하여 질량이 큰 원자핵으로 변하는 반응

예 태양에서의 핵융합, 인공 핵융합

② **핵분열**: 질량이 큰 원자핵이 질량이 작은 원자핵으로 나누어지는 반응

예 우라늄의 핵분열

01 그림은 등산객이 지점 O에서 정상 P까지 올라갈 때의 이동 경로를 나타낸 것이다.

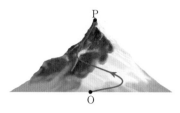

O에서 P까지 등산객의 운동에 대한 설명으로 옳은 것만을 〈보기〉에서 있는 대로 고른 것은?

> 보기
> ㄱ. 이동 거리는 변위의 크기보다 크다.
> ㄴ. 평균 속력과 평균 속도의 크기는 같다.
> ㄷ. 등속도 운동이다.

① ㄱ   ② ㄴ   ③ ㄱ, ㄴ

④ ㄴ, ㄷ   ⑤ ㄱ, ㄴ, ㄷ

02 그림은 자동차 A가 속력 10 m/s로 기준선을 지나는 순간 기준선에 정지해 있던 자동차 B가 출발하는 모습을 나타낸 것이다. A, B는 직선 도로와 나란하게 운동하며, A는 등속도 운동하고, B는 등가속도 운동하여 동시에 도착선에 도달한다. 기준선과 도착선 사이의 거리는 100 m이다.

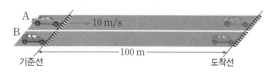

B의 가속도의 크기는? (단, A, B의 크기는 무시한다.)

① 1 m/s²   ② 2 m/s²   ③ 3 m/s²

④ 4 m/s²   ⑤ 5 m/s²

03 그림은 직선 운동 하는 자동차의 속도를 시간에 따라 나타낸 것이다.

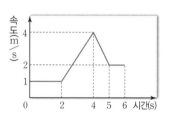

자동차의 운동에 대한 설명으로 옳은 것만을 〈보기〉에서 있는 대로 고른 것은?

> 보기
> ㄱ. 3초일 때 가속도의 크기는 2 m/s²이다.
> ㄴ. 3초일 때 자동차의 운동 방향과 자동차에 작용하는 알짜힘의 방향은 같다.
> ㄷ. 0부터 6초까지 평균 속도의 크기는 2 m/s이다.

① ㄱ   ② ㄷ   ③ ㄱ, ㄴ

④ ㄱ, ㄷ   ⑤ ㄴ, ㄷ

04 그래프는 직선 운동 하는 물체의 가속도를 시간에 따라 나타낸 것이다. 0초일 때 물체의 속력은 4 m/s이다.

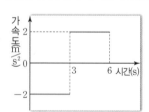

물체의 운동에 대한 설명으로 옳은 것만을 〈보기〉에서 있는 대로 고른 것은?

> 보기
> ㄱ. 운동 방향은 1초일 때와 5초일 때가 같다.
> ㄴ. 6초일 때 속도의 크기는 4 m/s이다.
> ㄷ. 0초부터 6초까지 이동 거리는 6 m이다.

① ㄱ   ② ㄷ   ③ ㄱ, ㄴ

④ ㄴ, ㄷ   ⑤ ㄱ, ㄴ, ㄷ

05 그림은 질량이 각각 2 kg, 1 kg인 물체 A, B가 실 p로 연결되어 천장에 매달린 채 정지해 있는 모습을 나타낸 것이다. 이에 대한 설명으로 옳은 것만을 〈보기〉에서 있는 대로 고른 것은? (단, 중력 가속도는 10 m/s² 이고, p의 질량은 무시한다.)

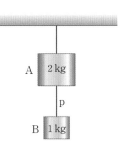

보기
ㄱ. A에 작용하는 중력의 크기는 20 N이다.
ㄴ. p가 B를 당기는 힘의 크기는 B에 작용하는 중력의 크기보다 크다.
ㄷ. p가 A를 당기는 힘의 크기는 10 N이다.

① ㄱ   ② ㄷ   ③ ㄱ, ㄴ
④ ㄱ, ㄷ   ⑤ ㄱ, ㄴ, ㄷ

고난도
06 그림 (가)는 질량이 m인 물체 A가 물체 B와 실 p로 연결되어 가속도의 크기가 $\frac{1}{2}g$인 등가속도 운동을 하는 모습을 나타낸 것이다. 그림 (나)는 지면에 가만히 정지해 있는 B와 연결된 A가 정지해 있는 모습을 나타낸 것이다.

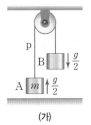 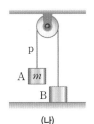

     (가)   (나)

이에 대한 설명으로 옳은 것만을 〈보기〉에서 있는 대로 고른 것은? (단, 중력 가속도는 g이고, p의 질량은 무시한다.)

보기
ㄱ. B의 질량은 $2m$이다.
ㄴ. p가 A를 당기는 힘의 크기는 (가)에서가 (나)에서의 $\frac{3}{2}$배이다.
ㄷ. (나)에서 B가 지면을 누르는 힘의 크기는 $2mg$이다.

① ㄱ   ② ㄴ   ③ ㄷ
④ ㄱ, ㄴ   ⑤ ㄴ, ㄷ

07 그림 (가)와 같이 마찰이 없는 수평면 위에서 물체 A가 정지해 있는 물체 B를 향해 운동하다가 정면으로 충돌하였다. 그림 (나)는 A와 B의 위치를 시간에 따라 나타낸 것이다.

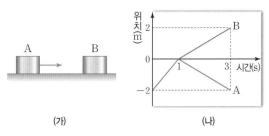

     (가)   (나)

이에 대한 설명으로 옳은 것만을 〈보기〉에서 있는 대로 고른 것은? (단, A, B의 크기는 무시한다.)

보기
ㄱ. 충돌 과정에서 A가 받은 충격량의 크기는 충돌 후 B의 운동량의 크기와 같다.
ㄴ. 충돌 후 속력은 A와 B가 같다.
ㄷ. 질량은 B가 A의 3배이다.

① ㄱ   ② ㄷ   ③ ㄱ, ㄴ
④ ㄴ, ㄷ   ⑤ ㄱ, ㄴ, ㄷ

08 그림은 지면에 가만히 정지해 있던 질량 1 kg인 물체를 실로 연결하여 도르래에 걸친 후 연직 위 방향으로 20 N의 일정한 힘을 주며 10 m만큼 끌어 올린 모습을 나타낸 것이다. 이에 대한 설명으로 옳은 것만을 〈보기〉에서 있는 대로 고른 것은? (단, 중력 가속도는 10 m/s²이고 공기 저항은 무시한다.)

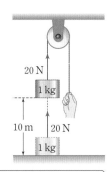

보기
ㄱ. 운동하는 동안 물체의 가속도 크기는 10 m/s²이다.
ㄴ. 10 m 이동하는 동안 중력이 물체에 한 일은 −100 J이다.
ㄷ. 10 m 이동했을 때 물체의 속력은 10 m/s이다.

① ㄱ   ② ㄴ   ③ ㄱ, ㄴ
④ ㄱ, ㄷ   ⑤ ㄱ, ㄴ, ㄷ

09 그림과 같이 수평면에서 질량이 2 kg인 물체를 한쪽 끝이 고정된 용수철 상수가 100 N/m인 용수철의 다른 쪽 끝에 접촉시켜 놓고 1 m 압축시킨 후 놓았더니 용수철과 물체가 분리되어 물체가 빗면 위의 수평면으로부터 높이 h인 지점에서 속력이 0이 되었다.

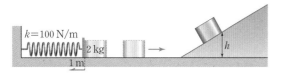

h는? (단, 중력 가속도는 10 m/s^{2}이고, 용수철의 질량, 모든 마찰 및 공기 저항은 무시한다.)

① 1 m   ② 1.5 m   ③ 2 m

④ 2.5 m   ⑤ 3 m

10 그림은 밀폐되어 있고 부피가 일정한 용기에 들어 있는 이상 기체에 열을 가하는 모습을 나타낸 것이다.

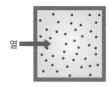

기체의 물리량이 증가하는 것만을 〈보기〉에서 있는 대로 고른 것은?

보기
　ㄱ. 내부 에너지
　ㄴ. 기체의 압력
　ㄷ. 기체가 외부에 하는 일

① ㄱ   ② ㄴ   ③ ㄱ, ㄴ

④ ㄱ, ㄷ   ⑤ ㄱ, ㄴ, ㄷ

11 그림은 단원자 분자 이상 기체의 상태가 A → B → C → A를 따라 변할 때 압력과 부피를 나타낸 것이다.

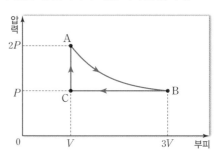

이에 대한 설명으로 옳은 것만을 〈보기〉에서 있는 대로 고른 것은?

보기
　ㄱ. A → B 과정에서 온도는 일정하게 유지된다.
　ㄴ. B → C 과정에서 내부 에너지는 감소한다.
　ㄷ. C → A 과정은 단열 과정이다.

① ㄱ   ② ㄴ   ③ ㄱ, ㄴ

④ ㄴ, ㄷ   ⑤ ㄱ, ㄴ, ㄷ

12 그림은 영희가 탄 우주선이 철수에 대해 0.8c의 일정한 속도로 운동하고 있는 모습을 나타낸 것으로 우주선 내부에는 정지 질량이 m_0인 물체가 영희에 대해 정지해 있다.

이에 대한 설명으로 옳은 것만을 〈보기〉에서 있는 대로 고른 것은?

보기
　ㄱ. 철수가 측정할 때 영희의 시간이 자신의 시간보다 느리게 간다.
　ㄴ. 영희가 측정할 때 철수의 시간이 자신의 시간보다 느리게 간다.
　ㄷ. 철수가 측정할 때 물체의 질량은 m_0보다 크다.

① ㄱ   ② ㄷ   ③ ㄱ, ㄴ

④ ㄴ, ㄷ   ⑤ ㄱ, ㄴ, ㄷ

서술형
13 그림은 가속도와 질량의 관계를 알아보기 위한 실험 장치를 나타낸 것이다. 표는 수레에 작용한 힘은 일정하게 유지하고, 수레의 질량을 변화시켰을 때 0.1초 간격으로 수레의 속력을 나타낸 것이다.

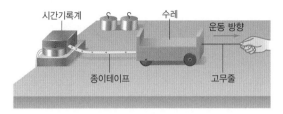

실험	수레의 질량 (kg)	속력(cm/s)					
		0.1초	0.2초	0.3초	0.4초	0.5초	0.6초
A	2	1.0	4.0	6.0	9.0	12.0	15.0
B	3	0.2	1.7	3.2	4.7	6.2	7.7
C	4	0.2	1.2	2.2	3.2	4.2	5.2

(1) A, B, C의 가속도의 크기를 각각 쓰시오.

(2) 위의 실험 결과를 다음 용어를 포함하여 설명하시오.

> 힘, 질량, 가속도

14 그림은 자동차 충돌 실험의 한 장면을 나타낸 것이다.

자동차 충돌 사고 때 에어백의 역할을 충격력과 관련지어 서술하시오.

15 특수 상대성 이론의 기본 가정인 상대성 원리와 광속 불변의 원리에 대하여 간단하게 서술하시오.

16 다음은 태양의 중심부에서 일어나고 있는 핵반응식을 나타낸 것이다.

$$4{}^{1}_{1}\mathrm{H} \rightarrow {}^{4}_{2}\mathrm{He} + \boxed{\text{(가)}} + 26\ \mathrm{MeV}$$

(1) (가)가 무엇인지 쓰시오.

(2) 헬륨 원자핵(${}^{4}_{2}\mathrm{He}$)과 (가)의 질량의 합과 4개의 수소 원자핵(${}^{1}_{1}\mathrm{H}$)의 질량의 합의 크기를 비교하고, 그 까닭을 서술하시오.

17 그림은 물에 잉크를 떨어뜨렸을 때 물속에 잉크가 골고루 퍼지는 모습을 나타낸 것이다.

물속에 퍼졌던 잉크가 다시 한곳으로 스스로 모이는 현상이 일어나지 않는 까닭을 서술하시오.

II

물질과 전자기장

나의 학습 계획표

중단원	소단원	계획일	실천일	성취도
1 물질의 구조와 전기적 성질	01. 원자와 전기력	/	/	○△×
	02. 선 스펙트럼과 보어의 원자 모형	/	/	○△×
	수능POOL+실전! 수능 도전하기	/	/	○△×
	03. 에너지띠와 전기 전도성	/	/	○△×
	04. 반도체와 다이오드	/	/	○△×
	수능POOL+실전! 수능 도전하기	/	/	○△×
2 물질의 자성과 전자기 유도	01. 전류에 의한 자기장	/	/	○△×
	02. 물질의 자성	/	/	○△×
	03. 전자기 유도	/	/	○△×
	수능POOL+실전! 수능 도전하기	/	/	○△×
	대단원 정리 +문제	/	/	○△×

스스로 계획하고 실천하면
실력이 올라간다~옹!

01 ∿ 원자와 전기력

핵심 키워드로 흐름잡기

A 원자, 전자, 원자핵
B 마찰 전기, 전기력, 쿨롱 법칙

❶ **전하**
모든 전기 현상의 원인이 되는 물리적 특성을 전하라고 한다. 전하는 (+)전하, (−)전하의 두 종류가 있으며, 전하의 본질은 전자와 양성자이다.

❷ **전자의 전하량**
전자의 전하량은 $e = 1.6 \times 10^{-19}$ C이며, 이를 기본 전하량이라고 한다.
원자 내에 있는 양성자 수와 전자 수는 같고, 양성자 1개의 전하량과 전자 1개의 전하량이 같으므로 원자 전체는 전기적으로 중성이다.

❓ **자기장을 걸어 주었을 때의 결과로부터 음극선이 전하를 띠고 있음을 어떻게 알 수 있을까?**
자기장에서 운동하는 전하는 힘을 받는다. 음극선이 자기장에서 힘을 받아 휘어지는 것으로부터 음극선이 전하를 띠고 있음을 알 수 있다.

❸ **알파(α) 입자**
질량수가 4인 헬륨 원자핵($^4_2$He)으로, +2e의 전하량을 띠고 있으며, 전자보다 약 7300배 무겁다.

🐱 **용어 알기**
●산란(흩어질 散, 어지러울 亂) 빛이나 입자가 다른 작은 입자 등과 충돌하여 운동 방향을 바꾸고 흩어지는 현상

A 원자

|출·제·단·서| 음극선의 성질을 이용한 전자의 발견 과정과 알파(α) 입자 산란 실험을 이용한 원자핵의 발견 과정을 묻는 문제가 시험에 나와!

1. 원자 원자핵과 전자로 이루어져 있다. ┌ 양성자와 중성자로 되어 있다.

암기TiP 음극선 → 전자의 발견, 알파(α) 입자 산란 실험 → 원자핵의 발견

2. 전자와 원자핵의 발견

(1) 전자의 발견

① **음극선의 발견**: 1897년 톰슨은 진공 상태의 기체 방전관에 높은 전압을 걸어 주면 (−)극에서 (+)극 쪽으로 밝은 선이 나온다는 것을 발견하였다. 이 선은 (−)극에서 발생하므로 음극선이라고 하였다.

② **음극선 실험**: 톰슨은 음극선에 대한 몇 가지 실험 결과를 통해 음극선이 (−)전하❶를 띠는 질량을 가진 입자임을 알아냈는데, 이 입자가 모든 물질의 공통적인 입자인 전자❷이다.

③ **톰슨의 원자 모형**: 1904년 톰슨은 원자 안에 (+)전하가 골고루 퍼져 있고, 전자들이 푸딩의 건포도처럼 듬성듬성 박혀 있다는 원자 모형을 제안하였다. ┐
(+)전하의 총량과 전자에 의한 (−)전하의 총량은 같으므로 원자 자체는 전기적으로 중성이다.

▲ 톰슨의 원자 모형

빈출 자료 **음극선 실험과 음극선의 성질**

❶ 두 개의 전극을 넣은 유리관을 진공 상태에 가깝게 만들고 두 전극 사이에 높은 전압을 걸어 주면 유리관 속의 (−)극에서 (+)극 쪽으로 빛이 나오는데, 이를 음극선이라고 한다.

❷ 음극선이 진행하는 경로에 전기장을 걸어 주었을 때, 자기장을 걸어 주었을 때, 바람개비를 놓았을 때 다음과 같은 현상이 나타난다.

전기장을 걸어 주었을 때	자기장을 걸어 주었을 때	바람개비를 놓았을 때
음극선은 전기장의 영향을 받아 (+)극판 쪽으로 휘어진다.	음극선은 자기장의 영향을 받아 위쪽으로 휘어진다.	음극선이 지나가는 길에 바람개비를 놓으면 바람개비가 회전한다.

❸ 전기장과 자기장을 걸어 주었을 때의 결과로부터 음극선은 (−)전하를 띠는 것을 알 수 있다.

❹ 바람개비를 놓았을 때의 결과로부터 음극선은 질량을 가진 입자로 이루어져 있음을 알 수 있다.

(2) 원자핵의 발견

① **원자핵의 발견**: 1910년 러더퍼드는 알파(α) 입자❸ ●산란 실험을 통해 원자의 중심에 밀도가 매우 크고 (+)전하를 띠는 입자가 존재함을 알아냈는데, 이 입자가 원자핵이다.

② **알파(α) 입자 산란 실험**: 러더퍼드는 금박에 방사성 원소인 라듐에서 나오는 알파(α) 입자를 충돌시킨 후 입자의 진로를 관찰하였다.

알파(α) 입자 산란 실험과 원자핵의 발견

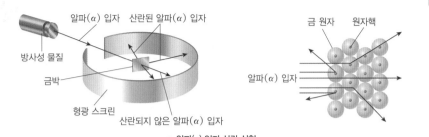

▲ 알파(α) 입자 산란 실험

❶ 대부분의 알파(α) 입자는 금박을 통과하여 직진한다. ⇨ 원자의 대부분은 빈 공간이다.

❷ 소수의 알파(α) 입자가 큰 각도로 휘거나 튕겨 나온다. ⇨ 원자의 중심에는 (+)전하를 띠는 매우 작고 무거운 입자가 존재한다.

③ **러더퍼드의 원자 모형**: 러더퍼드는 원자의 중심에 (+)전하를 띠고 크기는 매우 작으나 원자 질량의 대부분을 차지하는 무거운 원자핵이 있으며, 그 주위를 (−)전하를 띠는 가벼운 전자가 돌고 있다는 원자 모형을 제안하였다.

▲ 러더퍼드의 원자 모형

Ⓑ 마찰 전기와 전기력 [개념 POOL]

|출·제·단·서| 전기력의 크기를 비교하거나 전기력을 합성하는 문제가 시험에 나와!

1. 마찰 전기 서로 다른 두 물체를 마찰시킬 때 마찰에 의해 발생하는 전기

(1) **발생 원인** 마찰 과정에서 전자가 한 물체에서 다른 물체로 이동하기 때문에 발생한다.

(2) **마찰 전기에 의한 °대전** 전자를 잃은 물체는 (+)전하를 띠고, 전자를 얻은 물체는 (−)전하를 띤다.❹

2. 전기력 전하를 띤 물체들 사이에 작용하는 힘

(1) **전기력의 종류** 같은 종류의 전하를 띤 °대전체 사이에는 척력(서로 미는 힘)이 작용하고, 다른 종류의 전하를 띤 대전체 사이에는 인력(서로 끌어당기는 힘)이 작용한다.

각 물체에 작용하는 전기력은 작용 반작용에 의해 서로 크기가 같고 방향이 반대이다.

▲ 전하 사이에 작용하는 전기력

(2) **전기력의 크기(쿨롱 법칙)**❺ 두 전하 사이에 작용하는 전기력의 크기 F는 두 전하의 전하량❻ q_1, q_2의 곱에 비례하고, 두 전하 사이의 거리 r의 제곱에 반비례한다. (물질이 가지고 있는 전하의 양)

$$F = k\frac{q_1 q_2}{r^2} \quad (\text{진공 중에서 비례 상수 } k = 9.0 \times 10^9 \, \text{N·m}^2/\text{C}^2)$$

(3) **원자핵과 전자 사이의 전기력**

① **원자의 구조**: 원자의 중심에는 (+)전하를 띠는 무거운 원자핵이 있고, 그 주위를 (−)전하를 띠는 전자들이 돌고 있다.

② **원자핵과 전자 사이의 전기력**: (+)전하를 띠는 원자핵과 (−)전하를 띠는 전자 사이에 서로 끌어당기는 전기력이 작용하므로 전자가 원자핵 주위를 벗어나지 않고 원자에 속박되어 있다.

③ **원자의 안정성**: 태양계의 행성과 같이 전자가 원자핵 주위를 돌고 있기 때문에 전자가 원자핵에 끌려가지 않고 원자가 안정성을 가진다.

태양계의 행성들은 태양의 중력에 의해 태양 주위를 공전한다.

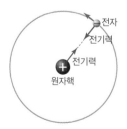

▲ 원자핵과 전자 사이의 전기력

❓ **원자 질량의 대부분이 원자핵에 밀집되어 있다는 것을 어떻게 알았을까?**

알파(α) 입자 산란 실험에 사용된 금박이 매우 얇은데도 질량이 큰 알파(α) 입자가 튕겨 나왔다. 러더퍼드는 이것을 보고 '포탄을 종이에 발사했는데 되튕겨 나온 것과 같다.'라고 표현하였다. 이로부터 원자 질량의 대부분이 원자 중심의 원자핵에 밀집되어 있음을 알게 되었다.

❹ **대전열**

여러 종류의 물체를 서로 마찰할 때 (+)전하와 (−)전하를 띠는 물체를 순서대로 나열한 것을 대전열이라고 한다. 다음은 여러 가지 물체의 대전열을 나타낸 것이다.

> (+)털가죽 − 유리 − 명주 − 나무 − 고무 − 에보나이트(−)

왼쪽에 있는 물체는 상대적으로 전자를 잃기 쉬워 (+)전하로 대전되고, 오른쪽에 있는 물체는 상대적으로 전자를 얻기 쉬워 (−)전하로 대전된다.

❺ **쿨롱의 전기력 측정 실험**

1785년 프랑스의 물리학자 쿨롱은 비틀림 저울에서 두 금속구 A, B 사이의 전기력에 의해 저울 축이 비틀린 각도를 측정하여 전기력의 크기를 구하였다.

❻ **전하량의 단위**

전하량의 단위는 C(쿨롱)을 사용한다. 1 C은 1 A의 전류가 1초 동안 흐를 때의 전하량이다.

❓ **서로 다른 전하량을 가진 두 물체를 접촉했다가 떼면 어떻게 될까?**

전하량이 Q_A인 물체와 Q_B인 물체를 접촉했다가 떼면 두 물체는 서로 전하를 $\dfrac{Q_A + Q_B}{2}$만큼 동일하게 나누어 갖는다.

용어 알기 🐱

● 대전(띠 帶, 전기 電) 전자의 이동으로 물체가 전기를 띠는 현상
● 대전체(띠 帶, 전기 電, 몸 體) 전하를 띤 물체

원자핵과 전자 사이의 전기력과 마찰 전기 발생 원리

목표 전자가 원자핵 주위를 벗어나지 않고 도는 까닭과 마찰 전기의 발생 원리를 알 수 있다.

1 원자핵과 전자 사이의 전기력

모든 물질은 원자로 구성되어 있다. 그림과 같이 원자의 중심에는 (+)전하를 띠는 무거운 원자핵이 있고, 그 주위를 (−)전하를 띠는 전자가 돌고 있다. 이때 원자 내에 있는 원자핵의 (+)전하량과 원자핵 주위를 도는 전자의 (−)전하량의 총합이 같기 때문에 물질은 전기적으로 중성이 되어 전기를 띠지 않는다. 원자핵은 (+)전하를 띠고, 전자는 (−)전하를 띠고 있어서 원자핵과 전자 사이에는 서로 끌어당기는 전기력이 작용하여 전자가 원자핵 주위를 벗어나지 않고 돌 수 있다. 지우개가 실이 당기는 힘 때문에 원운동하는 것처럼 전자는 전기력에 의해 원자핵 주위를 원운동한다.

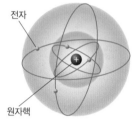
▲ 원자의 구조

▲ 실에 매달려 원운동하는 지우개

▲ 원자핵과 전자 사이의 전기력

2 마찰 전기 발생 원리

털가죽과 유리 막대를 마찰시키면 털가죽은 (+)전하로 대전되고, 유리 막대는 (−)전하로 대전된다. 이때 원자핵이 전자를 구속하는 힘이 약한 털가죽은 쉽게 전자를 잃어 (+)전하로 대전되고, 원자핵이 전자를 구속하는 힘이 큰 유리 막대는 털가죽으로부터 전자를 끌어당겨 (−)전하로 대전된다. 원자핵이 전자를 구속하는 힘은 마찰하는 두 물체에 따라 상대적이므로 물체를 마찰할 때 같은 물체라도 마찰하는 물체에 따라 (+)전하로 대전될 수도 있고, (−)전하로 대전될 수도 있다.

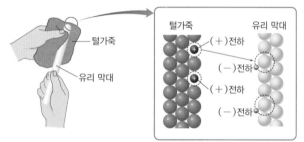
▲ 마찰 전기의 발생

한·줄·핵심 전자는 전기력에 의해 원자핵 주위를 원운동한다. 마찰 전기는 서로 다른 두 물체를 마찰할 때 한 물체에서 다른 물체로 전자가 이동하기 때문에 발생한다.

확인 문제

정답과 해설 **39쪽**

01 전자가 원자핵 주위를 벗어나지 않고 돌 수 있게 하는 힘은 무엇인지 쓰시오.

02 털가죽에 마찰시킨 두 유리 막대가 있다. 유리 막대 하나를 천장에 매달아 놓고 다른 유리 막대를 가까이 가져갔다. 이에 대한 설명으로 옳은 것은 ○, 옳지 <u>않은</u> 것은 ×로 표시하시오.

(1) 유리 막대와 털가죽이 띤 전하는 다른 종류이다.
(   )

(2) 두 유리 막대 사이에는 척력이 작용한다. (   )

(3) (+)전하가 유리 막대에서 털가죽으로 이동하여 유리 막대는 (−)전하로 대전된다. (   )

03 서로 다른 물체 A∼C 중 두 물체를 마찰시키고 각각의 물체가 띠는 전하의 종류를 조사하였더니 다음 표와 같았다.

마찰시킨 물체	(+)전하를 띤 물체	(−)전하를 띤 물체
A와 C	A	C
B와 C	C	B

(   ) 안에 들어갈 알맞은 말을 쓰시오.

(1) A와 C를 마찰시키면 (   )가 A에서 C로 이동한다.

(2) A와 B를 마찰시키면 (㉠)는 (+)전하를 띠고, (㉡)는 (−)전하를 띤다.

✔ 잠깐 확인!

1. 원자의 구조
원자는 ☐☐☐과 ☐☐
로 이루어져 있다.

2. 톰슨은 ☐☐☐이 (−)전
하를 띠는 질량을 가진 입자
임을 알아냈다.

3. 러더퍼드는 알파(α) 입자
산란 실험으로 원자의 중심
에 있는 (+)전하를 띤 ☐
☐☐을 발견하였다.

4. 마찰 전기는 서로 다른 두
물체를 마찰할 때 ☐☐가
한 물체에서 다른 물체로 이
동하기 때문에 발생한다.

5. ☐☐
모든 전기 현상의 원인이 되
는 물리적 특성이며, ☐☐
☐의 단위는 C(쿨롬)이다.

6. ☐☐ 법칙
두 전하 사이에 작용하는 전
기력의 크기는 두 전하의 전
하량의 곱에 비례하고, 두 전
하 사이의 거리의 제곱에 반
비례한다.

7. ☐☐
같은 종류의 전하를 띠는 대전
체 사이에 작용하는 서로 밀어
내는 힘

A 원자

01 음극선에 대한 설명으로 옳은 것은 ○, 옳지 <u>않은</u> 것은 ×로 표시하시오.

(1) 음극선관의 내부에서 음극선은 (+)극에서 (−)극을 향한다.　　　　（　　　）

(2) 음극선은 전기장과 자기장의 영향을 받지 않는다.　　　　（　　　）

(3) 음극선은 특정한 금속에만 들어 있다.　　　　（　　　）

(4) 음극선은 질량을 가지고 있다.　　　　（　　　）

02 다음은 러더퍼드 알파(α) 입자 산란 실험의 일부를 나타낸 것이다.

> 알파(α) 입자는 전자보다 질량이 매우 크므로 전자들은 알파(α) 입자의 진행 경로
> 에 큰 영향을 주지 못한다. 그런데 매우 적은 수이기는 하지만 90° 이상의 큰 각으
> 로 산란되는 알파(α) 입자가 발견되었다. 러더퍼드는 이 현상이 나타나는 것은 원
> 자 질량의 대부분을 차지하며, (　　) 전하를 띤 부피가 매우 작은 <u>입자</u>가 존재하기
> 때문이라고 생각하였다.

(　　) 안에 들어갈 알맞은 말과 밑줄 친 입자의 이름을 쓰시오.

B 마찰 전기와 전기력

03 마찰 전기와 전기력에 대한 설명으로 옳은 것은 ○, 옳지 <u>않은</u> 것은 ×로 표시하시오.

(1) 마찰 전기는 마찰 과정에서 전자가 한 물체에서 다른 물체로 이동하기 때문에 발
생한다.　　　　（　　　）

(2) 마찰 과정에서 전자를 잃은 물체는 (−)전하를 띠고, 전자를 얻은 물체는 (+)전
하를 띤다.　　　　（　　　）

(3) 같은 종류의 전하를 띤 대전체 사이에는 인력이 작용한다.　　　　（　　　）

(4) 전자가 원자핵 주위를 벗어나지 않고 원자에 속박되어 있는 것은 전기력 때문이다.
　　　　（　　　）

04 다음은 전기력에 대한 설명이다.

> 쿨롱은 비틀림 저울을 통해 두 전하 사이에 작용하는 전기력의 크기는 두 전하의
> (　㉠　)의 곱에 비례하고, 두 전하 사이의 (　㉡　)에 반비례함을 증명하였다. 따
> 라서 전하량이 +Q인 원자핵이 거리 a만큼 떨어진 전자에 작용하는 전기력의 크기
> 가 F이면 거리가 $2a$만큼 떨어진 전자에 작용하는 전기력의 크기는 (　㉢　)이다.

㉠~㉢에 들어갈 알맞은 말을 쓰시오.

A 원자

01 원자의 구조에 대한 설명으로 옳지 **않은** 것은?

① 전자를 잃은 원자는 (−)전하를 띤다.

② 원자는 원자핵과 전자로 이루어져 있다.

③ 원자핵은 원자 질량의 대부분을 차지하며, (+)전하를 띤다.

④ 원자핵과 전자 사이에는 서로 끌어당기는 전기력이 작용한다.

⑤ 원자에 비해 원자핵의 크기는 매우 작고, 원자의 내부는 대부분 빈 공간이다.

02 그림과 같이 장치하고 진공관의 양쪽에 높은 전압을 걸어 주었더니 (−)극에서 음극선이 방출되었다.
이 음극선의 본질은 무엇인가?

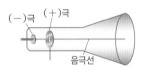

① X선   ② 전자   ③ 양성자

④ 감마(γ)선   ⑤ 알파(α) 입자

03 다음은 음극선의 성질을 알아보기 위한 여러 가지 실험의 결과이다.

> (가) 외부에서 전기장을 걸어 주면 음극선의 진행 경로가 휜다.
> (나) 음극선의 진행 경로에 놓인 바람개비가 회전한다.
> (다) 외부에서 자기장을 걸어 주면 음극선의 진행 경로가 휜다.

실험 결과와 관련된 설명으로 옳은 것만을 〈보기〉에서 있는 대로 고른 것은?

> 보기
> ㄱ. (가)에서 음극선은 (+)극판 쪽으로 휘어진다.
> ㄴ. (나)에서 음극선은 질량이 있는 입자의 흐름이라는 것을 알 수 있다.
> ㄷ. (다)에서 음극선의 진행 경로를 통해 음극선이 (−)전하를 띠고 있다는 것을 알 수 있다.

① ㄱ   ② ㄱ, ㄴ   ③ ㄱ, ㄷ

④ ㄴ, ㄷ   ⑤ ㄱ, ㄴ, ㄷ

04 그림은 원자의 구조를 알아내기 위한 실험을 나타낸 것이다.

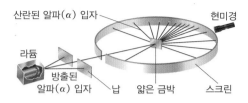

이 실험을 통해 발견된 입자는 무엇인지 쓰시오.

05 다음은 러더퍼드의 원자 모형에 대한 설명이다.

> 원자의 중심에 (+)전하를 띠는 무거운 원자핵이 있고, 그 주위를 (−)전하를 띠는 전자가 돌고 있다.

이에 대한 설명으로 옳은 것만을 〈보기〉에서 있는 대로 고른 것은?

> 보기
> ㄱ. 알파(α) 입자 산란 실험을 통해 제안되었다.
> ㄴ. 원자핵의 크기는 원자의 크기에 비해 매우 작다.
> ㄷ. 전자의 질량은 매우 작고, 원자핵이 원자 질량의 대부분을 차지한다.

① ㄴ   ② ㄷ   ③ ㄱ, ㄴ

④ ㄱ, ㄷ   ⑤ ㄱ, ㄴ, ㄷ

B 마찰 전기와 전기력

06 마찰 전기에 대한 설명으로 옳은 것만을 〈보기〉에서 있는 대로 고른 것은? (단, 털가죽이 유리 막대보다 전자를 잃기 쉽다.)

> 보기
> ㄱ. 마찰 전기는 서로 다른 두 물체를 마찰시킬 때 마찰에 의해 발생하는 전기이다.
> ㄴ. 마찰 전기에 의해 어떤 물체가 대전될 때 한 물체에서 다른 물체로 원자핵이 이동한다.
> ㄷ. 털가죽과 유리 막대를 마찰시키면 털가죽은 (+)전하로 대전되고, 유리 막대는 (−)전하로 대전된다.

① ㄴ   ② ㄷ   ③ ㄱ, ㄴ

④ ㄱ, ㄷ   ⑤ ㄱ, ㄴ, ㄷ

07 그림은 고정된 점전하 A가 점전하 B에 왼쪽 방향으로 크기가 F인 전기력을 작용하는 모습을 나타낸 것이다. 전하량의 크기는 A가 B의 2배이다.

이에 대한 설명으로 옳은 것만을 〈보기〉에서 있는 대로 고른 것은?

> 보기
> ㄱ. A와 B의 전하의 종류는 다르다.
> ㄴ. A와 B에 작용하는 전기력의 방향은 서로 반대이다.
> ㄷ. A에 작용하는 전기력의 크기는 $2F$이다.

① ㄱ ② ㄱ, ㄴ ③ ㄱ, ㄷ
④ ㄴ, ㄷ ⑤ ㄱ, ㄴ, ㄷ

단답형

08 표는 전하 A, B의 각각의 전하량과 A와 B 사이의 거리, A와 B 사이에 작용하는 전기력의 크기를 나타낸 것이다.

A의 전하량	B의 전하량	거리	전기력의 크기
1 C	2 C	d	F
2 C	(㉠)C	d	$2F$
1 C	4 C	(㉡)	F

㉠과 ㉡에 들어갈 알맞은 말을 쓰시오.

단답형

09 그림과 같이 일직선 위에 전하량이 각각 $-4Q$, $+Q$, $+q$인 점전하 A, B, C가 고정되어 있다. A와 B 사이의 거리는 d이고, B와 C 사이의 거리는 r일 때 C에 작용하는 전기력이 0이 되었다.

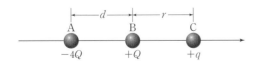

d는 얼마인지 쓰시오.

10 그림은 원점 O로부터 같은 거리만큼 떨어져 x축 위에 고정되어 있는 두 점전하 A, B를 나타낸 것이다. A는 (+)전하이고, O에 +1 C의 전하를 고정시켜 놓았을 때 A와 B에 의한 전기력의 방향은 $-x$ 방향이다.

이에 대한 설명으로 옳은 것만을 〈보기〉에서 있는 대로 고른 것은?

> 보기
> ㄱ. B는 (+)전하이다.
> ㄴ. 전하량은 A가 B보다 크다.
> ㄷ. A와 O 사이에 +1 C의 전하가 받는 전기력이 0인 지점이 있다.

① ㄱ ② ㄱ, ㄴ ③ ㄱ, ㄷ
④ ㄴ, ㄷ ⑤ ㄱ, ㄴ, ㄷ

11 그림은 양성자 1개와 전자 1개로 이루어진 수소 원자를 나타낸 것이다.

이에 대한 설명으로 옳은 것만을 〈보기〉에서 있는 대로 고른 것은?

> 보기
> ㄱ. 양성자와 전자 사이에는 서로 밀어내는 전기력이 작용한다.
> ㄴ. 양성자와 전자 사이에 작용하는 전기력의 크기는 쿨롱 법칙으로 계산할 수 있다.
> ㄷ. 양성자와 전자 사이의 거리가 멀어지면 전기력의 크기는 커진다.

① ㄱ ② ㄴ ③ ㄷ
④ ㄱ, ㄴ ⑤ ㄱ, ㄷ

01 다음은 어떤 원자 모형에 대한 설명이다.

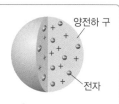

> 1904년에 전자들의 전하량과 같은 양의 (+)전하가 균일하게 분포되어 있는 구 속에 ㉠ 전자들이 띄엄띄엄 박혀 있는 원자 모형을 제시하였다.
>
> 양전하 구
> 전자

이에 대한 설명으로 옳은 것만을 〈보기〉에서 있는 대로 고른 것은?

보기
ㄱ. 톰슨의 원자 모형에 대한 설명이다.
ㄴ. 원자가 전기적으로 중성임을 설명할 수 있다.
ㄷ. ㉠은 음극선 실험을 통해 밝혀진 입자이다.

① ㄱ   ② ㄱ, ㄴ   ③ ㄱ, ㄷ
④ ㄴ, ㄷ   ⑤ ㄱ, ㄴ, ㄷ

02 표는 진공 방전관을 사용하여 얻은 음극선의 실험 결과를 정리한 것이다.

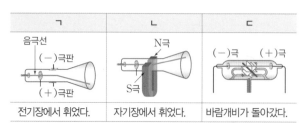

ㄱ	ㄴ	ㄷ
음극선 (−)극판 (+)극판 전기장에서 휘었다.	N극 S극 자기장에서 휘었다.	(−)극 (+)극 바람개비가 돌아갔다.

음극선이 (−)전하를 띠고, 질량이 있는 입자라는 것을 보여 주는 실험 결과를 모두 고른 것은?

① ㄱ   ② ㄱ, ㄴ   ③ ㄱ, ㄷ
④ ㄴ, ㄷ   ⑤ ㄱ, ㄴ, ㄷ

03 그림은 알파(α) 입자 산란 실험에서 금박에 입사된 알파(α) 입자들이 산란되는 것을 모식적으로 나타낸 것이다.

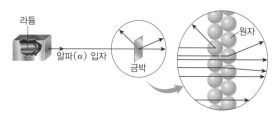

라듐
알파(α) 입자
금박
원자

이에 대한 설명으로 옳은 것만을 〈보기〉에서 있는 대로 고른 것은?

보기
ㄱ. 알파(α) 입자는 (+)전하를 띠고 있다.
ㄴ. 원자 질량의 대부분은 전자의 질량이다.
ㄷ. 원자의 중심에는 (+)전하를 띤 원자핵이 존재한다.

① ㄱ   ② ㄴ   ③ ㄱ, ㄷ
④ ㄴ, ㄷ   ⑤ ㄱ, ㄴ, ㄷ

출제예감

04 그림과 같이 점전하 A~D가 정사각형의 꼭짓점에 고정되어 있다. A에 작용하는 전기력은 0이고, A와 C의 전하량은 +Q이다.

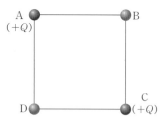

A (+Q)   B

D   C (+Q)

이에 대한 설명으로 옳은 것만을 〈보기〉에서 있는 대로 고른 것은?

보기
ㄱ. B는 (−)전하이다.
ㄴ. C에 작용하는 전기력은 0이다.
ㄷ. B가 A에 작용하는 전기력의 크기는 C가 A에 작용하는 전기력의 크기보다 크다.

① ㄱ   ② ㄱ, ㄴ   ③ ㄱ, ㄷ
④ ㄴ, ㄷ   ⑤ ㄱ, ㄴ, ㄷ

05 그림과 같이 전하량이 각각 $+Q, +2Q, +2Q$인 점전하 A, B, C가 원점 O에서 같은 거리 d만큼 떨어져서 x축, y축 위에 고정되어 있다. B와 C 사이에 작용하는 전기력의 크기는 F이다.

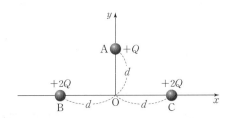

O에 $+Q$의 점전하를 고정시켰을 때, 이 전하에 작용하는 전기력의 방향과 크기로 옳은 것은?

	전기력의 방향	전기력의 크기
①	$+y$ 방향	F
②	$+y$ 방향	$2F$
③	$-y$ 방향	$\dfrac{F}{2}$
④	$-y$ 방향	F
⑤	$-y$ 방향	$2F$

06 그림은 점전하 A, B가 각각 $x=0$, $x=3d$인 지점에 고정되어 있는 모습을 나타낸 것이다. 표는 전하량이 $+q$인 입자 C의 위치에 따라 C에 작용하는 전기력의 방향과 크기를 나타낸 것이다.

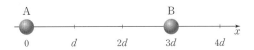

C의 위치	전기력의 방향	전기력의 크기
$x=d$	없음	0
$x=2d$	(㉠)	F
$x=4d$	$-x$ 방향	(㉡)

이에 대한 설명으로 옳은 것만을 〈보기〉에서 있는 대로 고른 것은?

> 보기
> ㄱ. A는 (+)전하이다.
> ㄴ. ㉠은 $+x$ 방향이다.
> ㄷ. ㉡은 $\dfrac{13}{12}F$이다.

① ㄱ   ② ㄷ   ③ ㄱ, ㄴ

④ ㄴ, ㄷ   ⑤ ㄱ, ㄴ, ㄷ

07 그림은 러더퍼드의 알파(α) 입자 A, B, C가 금 원자에 입사되어 서로 다른 경로로 산란되는 모습을 나타낸 것이다.

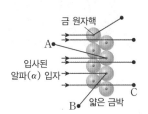

(1) 톰슨의 원자 모형에 의해 러더퍼드가 예상한 경로를 쓰고, 그 까닭을 서술하시오.

(2) A와 같은 경로로 진행하는 알파(α) 입자가 많지 않은 까닭을 서술하시오.

08 그림과 같이 전하량이 $+q, -q, +4q$인 입자 A, B, C가 x축 위에 고정되어 있다.

B에 작용하는 전기력의 합력을 쓰시오.

09 그림 (가)는 전하량이 각각 $+4Q, -2Q$인 도체구 A와 B가 $4d$만큼 떨어진 지점에 고정되어 있는 모습을, (나)는 (가)의 A와 B를 접촉시킨 후 $2d$만큼 떨어진 지점에 고정시킨 모습을 나타낸 것이다. (가)에서 A에는 $+x$ 방향으로 크기가 F인 전기력이 작용한다.

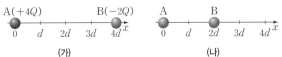

(나)에서 B에 작용하는 전기력의 방향과 크기를 풀이 과정과 함께 서술하시오.

02 ~ 선 스펙트럼과 보어의 원자 모형

A 연속 스펙트럼, 선 스펙트럼
B 양자 조건, 진동수 조건, 전자의 전이
C 수소 원자의 선 스펙트럼

A 스펙트럼

|출·제·단·서| 기체의 방출 스펙트럼과 흡수 스펙트럼이 생기는 원리와 특징을 묻는 문제가 시험에 나와!

1. 스펙트럼 빛이 프리즘이나 분광기를 통과할 때 파장에 따라 나누어진 빛의 띠
빛의 파장에 따라 굴절되는 정도가 다르기 때문에 나타나는 현상이다.

(1) 연속 스펙트럼 햇빛이나 *백열등의 빛을 분광기로 관찰할 때 여러 가지 파장의 빛이 연속
적으로 나타나는 스펙트럼

여러 파장의 빛이 섞여 있다.

암기TIP 연속 스펙트럼 → 햇빛, 백열등, 선 스펙트럼 → 기체

① 빛의 파장은 보라색에서 빨간색으로
갈수록 길어진다.
② 빛의 파장이 길수록 빛의 에너지❶는
작아진다.

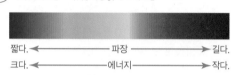

짧다. ◄─────── 파장 ───────► 길다.
크다. ◄─────── 에너지 ──────► 작다.
▲ 연속 스펙트럼에서 빛의 파장과 에너지

(2) 선 스펙트럼 띄엄띄엄한 선으로 나타나
는 스펙트럼 ─ 기체의 종류에 따라 빛의 파장이 다르기
때문에 선의 위치가 다르다.

① 기체의 종류에 따라 밝은 선의 위치와
개수, 모양이 모두 다르다.
② 원소마다 독특한 선 스펙트럼이 나타
나므로 선 스펙트럼을 분석하면 성분
원소의 종류를 정확하게 알아낼 수
있다.

수소

수은

네온

▲ 여러 가지 기체의 선 스펙트럼

❶ 에너지와 진동수
전자기파(빛)는 진동수가 클수록
높은 에너지를 갖는다. 가시광선
영역의 스펙트럼에서는 파장이
긴 빨간색에 가까울수록 진동수
가 작고 낮은 에너지를 가지며, 파
장이 짧은 보라색에 가까울수록
진동수가 크고 높은 에너지를 갖
는다.

양자수라고 하며,
p.137에서 배운다.
❷ 들뜬상태
원자 내 전자가 바닥상태보다 높은
에너지 준위를 갖는 상태, 즉 $n \geq 2$
인 궤도에 있을 때의 상태이다.

❸ 바닥상태
원자 내 전자가 가장 낮은 에너지
준위를 갖는 상태, 즉 $n=1$인 궤
도에 있을 때의 상태이다.

❹ 에너지 준위
전자 등이 취할 수 있는 에너지의
값이 띄엄띄엄 분포하고 있는 상
태 또는 그 에너지 값

❺ 광자
빛을 입자로 보는 광양자설에서
말하는 빛의 기본 알갱이 ─
빛의 입자설과 광양자설은 p.262에서
배운다.

2. 기체의 스펙트럼 탐구POOL 암기TIP 방출 스펙트럼 → 밝은 선, 흡수 스펙트럼 → 검은 선

(1) 방출 스펙트럼 고온의 기체에서 직접 방출되는 고유한 파장의 빛에 의해 검은 바탕에 밝
은 선의 형태로 나타나는 스펙트럼 → 기체가 모든 파장의 빛을 방출하는 것이 아니라 특정 파장의 빛만 방출하기 때문
에 선 스펙트럼이 나타난다.

① 높은 전압이 걸린 기체 방전관 내부의 고온의 기체를 분광기나 프리즘으로 관찰하면 검
은 바탕에 몇 개의 밝은 선이 나타나는 방출 스펙트럼이 생긴다.
② 밝은 선이 나타나는 까닭: 원자 내의 전자가 들뜬상태❷에서 바닥상태❸로 *전이하면서 두
궤도의 에너지 준위❹ 차이에 해당하는 파장의 빛을 방출하는데, 그 파장에 해당하는 부
분이 밝은 선으로 나타난다.

고온의
기체

슬릿   프리즘

방출 스펙트럼

▲ 방출 스펙트럼 장치

용어 알기

● *백색광(흰 白, 색 色, 빛 光)
모든 파장의 빛이 균등하게 혼
합되어 흰색으로 보이는 빛
● 전이(움직일 轉, 옮길 移) 전
자가 서로 다른 에너지 준위
사이에서 이동하는 것

(2) 흡수 스펙트럼 백색광이 저온의 기체 원자를 지날 때 고유한 파장의 빛이 흡수되어 어두
운 선의 형태로 나타나는 스펙트럼

① 백색광을 저온의 기체에 통과시키면 연속 스펙트럼에 검은 선이 나타나는 흡수 스펙트
럼이 생긴다.
② 검은 선이 나타나는 까닭: 기체 원자의 전자가 기체를 통과하는 광자❺들 중에서 높은 궤
도의 에너지 준위로 전이하는 데 필요한 에너지를 가진 광자만 흡수하는데, 그 파장에
해당하는 부분이 검은 선으로 나타난다.

▲ 흡수 스펙트럼 장치

(3) 방출 스펙트럼과 흡수 스펙트럼의 비교 동일한 기체의 방출 스펙트럼과 흡수 스펙트럼에 나타나는 선의 위치는 일치하며, 원자의 종류가 다르면 선의 위치도 다르다.

방출 스펙트럼

흡수 스펙트럼

▲ 같은 기체의 방출 스펙트럼과 흡수 스펙트럼

B 보어의 원자 모형과 에너지 양자화[6]

| 출·제·단·서 | 원자 내의 전자가 특정한 에너지 값만 가질 수 있다는 내용을 묻는 문제가 시험에 나와!

1. 보어의 원자 모형 전자는 원자핵 주위의 특정한 조건을 만족하는 궤도에서만 돌고 있다.

(1) *양자 조건 원자 속의 전자가 불연속적인 에너지를 갖는 특정한 궤도에 있을 때 에너지를 방출하지 않고 안정한 상태로 존재한다.

① **양자수**: 원자 내의 전자는 특정한 에너지 값을 갖는 궤도에서만 회전할 수 있고, 이때 허용되는 궤도의 순서인 정수 n을 궤도의 양자수라고 한다.
┌ 어떤 물리량이 불연속적으로 이루어져 1개, 2개, 3개 등으로 셀 수 있다는 뜻이다.

② **에너지 양자화**: 전자가 돌고 있는 궤도와 가질 수 있는 에너지는 양자수에 따라 결정되며, 불연속적이다.

③ **에너지 *준위**: 원자핵 주위에 존재하는 전자가 갖는 불연속적인 에너지 상태로, 원자핵에서 멀어질수록 에너지 준위가 커진다.

(2) 진동수 조건 전자가 안정한 궤도 사이를 이동할 때 두 궤도의 에너지 차이에 해당하는 에너지를 빛의 형태로 흡수하거나 방출한다. 두 궤도의 에너지 차이가 클수록 흡수 또는 방출하는 광자 1개의 에너지가 크고, 빛의 진동수도 크다.

① **전자의 전이**: 전자가 에너지를 흡수 또는 방출하면서 다른 에너지 준위로 이동하는 것

② **에너지의 흡수와 방출**: 전자가 전이할 때 두 에너지 준위의 차이에 해당하는 빛을 방출하거나 흡수하며, 이때 광자 1개의 에너지는 다음과 같다.

$$E=hf=h\frac{c}{\lambda} \text{[7]} \quad (h: \text{플랑크 상수[8]}, f: \text{빛의 진동수})$$

구분	에너지 흡수	에너지 방출
전자의 전이	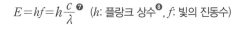 $E=hf$ (흡수)	$E=hf$ (방출)
	전자가 에너지를 흡수하면 낮은 에너지 준위에서 높은 에너지 준위로 이동한다.	전자가 에너지를 방출하고 높은 에너지 준위에서 낮은 에너지 준위로 이동한다.

궤도와 궤도 사이에는 전자가 존재할 수 없다.

전자

원자핵

$n=1$
$n=2$
$n=3$

▲ 양자 조건

[6] 양자화
물리량이 연속적이지 않고 기본 물리량의 정수 배로 띄엄띄엄 나타나는 것. 대표적으로 전하량, 에너지의 양자화 등을 들 수 있다.

❓ 전자가 특정한 궤도에만 존재할 수 있다는 것은 어떤 뜻일까?
전자가 특정한 궤도에만 존재할 수 있고 그 사이에 존재할 수 없는 것은 마치 계단과 계단 사이에 공이 머물러 있을 수 없는 것과 같다.

[7] 광자의 에너지와 파장
진동수를 f, 파장을 λ, 빛의 속력을 c라고 할 때 $c=f\lambda$이므로 $E=hf=h\frac{c}{\lambda}$이다. 따라서 광자의 에너지는 진동수에 비례하고, 파장에 반비례한다.
┐ 파동의 진동수, 파장, 속력의 관계는 p.217에서 배운다.

[8] 플랑크 상수
열복사 현상을 설명하는 이론에서 독일의 플랑크가 도입한 상수로, $h=6.626\times10^{-34} \text{ J·s}$이다.

용어 알기

● 양자(헤아릴 量, 접미사 子) 물리량의 기본이 되는 단위량
● 준위(수준 準, 자리 位) 어떤 물리적 양을 이미 주어진 양의 상대적인 양으로 표시한 값

C | 수소 원자의 스펙트럼

|출·제·단·서| 빛의 파장에 따라 선 스펙트럼이 3가지 계열로 나누어지는 것과 각 계열의 특징을 묻는 문제가 시험에 나와!

1. 수소 원자의 에너지 준위 [개념 POOL]

(1) 수소 원자는 1개의 전자와 1개의 양성자로 이루어져 있으므로 에너지 준위가 비교적 간단하다. 수소 원자에서 전자의 에너지 준위는 불연속적이며, 다음과 같다.

$$E = -\frac{13.6}{n^2} \text{ eV}^{❾} \ (n = 1, 2, 3, \cdots)$$

(2) 양자수가 커질수록 에너지가 커진다.

(3) 양자수가 커질수록 이웃한 에너지 준위의 에너지 차이는 점점 작아지며, $n = \infty$일 때 에너지 준위는 연속적으로 분포한다.

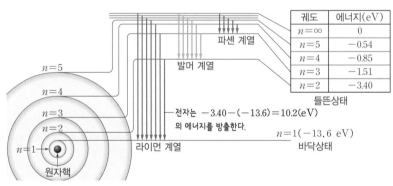

▲ 수소 원자의 에너지 준위

2. 수소 원자의 스펙트럼

(1) **수소 원자의 스펙트럼 계열**❿ 수소 원자의 선 스펙트럼은 빛의 파장에 따라 크게 라이먼 계열, 발머 계열, 파셴 계열로 나누어진다.

계열	라이먼 계열	발머 계열	파셴 계열
전자의 전이	들뜬상태의 전자가 $n=1$인 궤도로 전이할 때 방출	들뜬상태의 전자가 $n=2$인 궤도로 전이할 때 방출	들뜬상태의 전자가 $n=3$인 궤도로 전이할 때 방출
방출되는 빛	자외선	가시광선	적외선
물리량 비교	• 에너지, 진동수: 라이먼 계열 > 발머 계열 > 파셴 계열 • 파장: 라이먼 계열 < 발머 계열 < 파셴 계열		

발머 계열의 빛은 가시광선이야!

▲ 수소 원자의 에너지 준위와 스펙트럼 계열

(2) **발머 계열의 선 스펙트럼**

① 발머 계열은 수소 원자 내 들뜬상태의 전자가 $n=2$인 궤도로 전이할 때 방출하는 빛의 스펙트럼이다.

② 파장이 가장 짧은 빛은 $n=\infty$인 궤도에서 $n=2$인 궤도로 전이할 때 방출되고, 파장이 가장 긴 빛은 $n=3$인 궤도에서 $n=2$인 궤도로 전이할 때 방출된다.

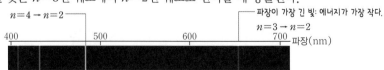

③ 원자 안에서 전자는 불연속적인 허용된 에너지 준위 사이에서만 전이하므로 원자에서 방출되는 빛은 선 스펙트럼으로 나타난다.

---

❾ eV(전자볼트)

전하량이 1.6×10^{-19} C인 전자가 전압이 1 V인 전극 사이에서 가속될 때 얻는 운동 에너지가 1 eV이다. 즉, 1 eV는 1.6×10^{-19} J과 같다.

❿ 수소 원자의 스펙트럼 계열

$n=4$인 궤도로 전이할 때 방출되는 빛의 스펙트럼을 브래킷 계열, $n=5$인 궤도로 전이할 때 방출되는 빛의 스펙트럼을 푼트 계열이라고 한다.

🐱 용어 알기

• 계열(묶을 系, 벌일 列) 서로 관련이 있거나 유사한 점이 있어서 한 갈래로 이어지는 계통이나 조직

개념을 알기
쉽게 풀어주는
**개념
POOL**

수소 원자의 불연속적인 에너지 준위 이해하기

목표 수소 원자의 불연속적인 에너지 준위를 이해할 수 있다.

1 보어의 수소 원자 모형 분석하기

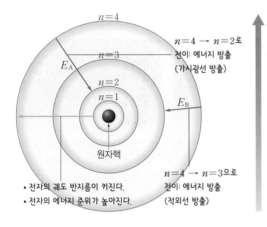

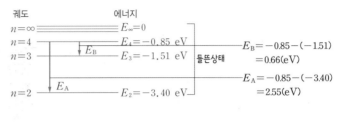

❶ 원자핵과 전자 사이에는 전기력이 작용한다.

  ⇨ $n=1$인 궤도에서 전자의 궤도 반지름이 가장 작으므로 전기력의 크기가 가장 크다.

❷ 수소 원자 내 전자의 에너지 준위는 $E_n = -\dfrac{13.6}{n^2}$ eV이다.

  ⇨ 양자수가 클수록 전자의 에너지 준위가 높다.

> 양자수 n이 커질수록 에너지 준위도 높아져.

❸ 전자가 에너지 준위가 높은 곳에서 낮은 곳으로 전이하면 빛을 방출하고, 에너지 준위가 낮은 곳에서 높은 곳으로 전이하면 빛을 흡수한다.

❹ 전자가 양자수 m인 궤도에서 n인 궤도로 전이할 때 방출하거나 흡수하는 광자 1개의 에너지는 $E_{광자} = |E_m - E_n| = hf = h\dfrac{c}{\lambda}$이다.

  ⇨ $m<n$일 때 광자를 흡수하며, $m=2$일 때 광자의 에너지가 가장 크다(파장이 짧다).

  ⇨ $m>n$일 때 광자를 방출하며, $m=\infty$일 때 광자의 에너지가 가장 크다(파장이 짧다).

한·줄·핵심 양자수가 클수록 전자의 에너지 준위가 높고, 광자 1개의 에너지가 클수록 빛의 진동수는 크고 파장은 짧다.

▷ **확인 문제**

정답과 해설 42쪽

01 표는 전자가 전이할 때 방출하는 광자 1개의 에너지와 진동수, 파장을 비교한 것이다.

구분	$n=($ ㉠ $)$인 궤도에서 $n=2$인 궤도로 전이할 때	크기 비교	$n=4$인 궤도에서 $n=3$인 궤도로 전이할 때
광자 1개의 에너지	2.55 eV	(㉢)	(㉡) eV
진동수	f_A	(㉣)	f_B
파장	λ_A	(㉤)	λ_B

위의 그림을 보고 다음 물음에 답하시오.

(1) ㉠, ㉡에 들어갈 알맞은 숫자를 쓰시오.

(2) ㉢~㉤에 알맞은 부등호를 쓰시오.

02 수소 원자의 에너지 준위에 대한 설명으로 옳은 것은 ○, 옳지 않은 것은 ×로 표시하시오.

(1) $n=1$인 궤도에서 전자의 궤도 반지름이 가장 작으므로 전기력의 크기가 가장 크다. (   )

(2) 양자수가 클수록 전자의 에너지 준위가 높다. (   )

(3) 전자가 에너지 준위가 높은 곳에서 낮은 곳으로 전이하면 빛을 방출한다. (   )

(4) 광자 1개의 에너지가 클수록 방출되는 빛의 파장이 크다. (   )

탐구를 알기 쉽게 풀어주는 **탐구 POOL**

여러 가지 전등의 선 스펙트럼 관찰하기

목표 선 스펙트럼을 관찰하고 선 스펙트럼이 나타나는 까닭을 가설로 세울 수 있다.

유의점

분광기에 다른 빛이 들어가면 전등의 스펙트럼을 관찰하기 어려우므로 가급적 어두운 곳에서 관찰한다.

과정

❶ 백열등의 스펙트럼 관찰하기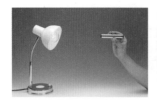

백열등의 빛을 간이 분광기를 이용하여 관찰한다.

❷ 수소 방전관의 스펙트럼 관찰하기

수소 방전관의 빛을 간이 분광기를 이용하여 관찰한다.

❸ 여러 가지 기체 방전관의 스펙트럼 관찰하기

기체 방전관의 종류를 바꾸어 가며 방전관의 빛을 간이 분광기를 이용하여 관찰한다.

기체 방전관

수소, 네온, 아르곤 등의 기체를 저압으로 봉입한 용기 내에서 기체 방전을 일으키는 전자관의 한 종류

> 햇빛이나 백열등에서 나오는 빛은 연속 스펙트럼으로 나타나고, 기체 방전관에서 나오는 빛은 선 스펙트럼으로 나타나지.

🧪 이런 실험도 있어요!
분광 필름을 이용하면 분광기를 직접 만들어서 사용할 수도 있다.

결과

❶ 백열등 빛의 스펙트럼은 무지개처럼 연속적으로 보이는 연속 스펙트럼이다.

❷ 기체 방전관에서 나오는 빛의 스펙트럼은 밝은 선이 띄엄띄엄 나타나는 선 스펙트럼이다. 이때 기체의 종류에 따라 보이는 빛의 색은 다르다.

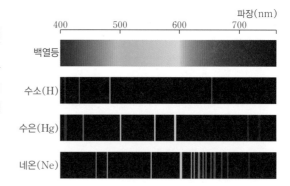

정리 및 해석

❶ 기체 방전관의 스펙트럼은 선 스펙트럼만 나타나므로 전자가 가질 수 있는 에너지가 양자화되어 있다는 것을 알 수 있다.

❷ 기체 방전관에 들어 있는 기체의 종류가 다르면 전자 궤도의 에너지 준위 분포가 다르므로 선 스펙트럼에서 선의 위치가 다르다.

한·줄·핵심 기체의 종류에 따라 에너지 준위의 분포가 다르므로 선 스펙트럼에서 선의 위치가 다르다.

확인 문제

정답과 해설 42쪽

01 빛의 스펙트럼에 대한 설명으로 옳은 것은 ◯, 옳지 않은 것은 ✕로 표시하시오.

(1) 백열등 빛의 스펙트럼은 연속 스펙트럼이다.
(   )

(2) 고온의 기체가 방출하는 빛의 스펙트럼은 선 스펙트럼이다. (   )

(3) 기체 내 전자의 에너지 준위는 연속적이다.
(   )

02 다음은 어떤 기체 원자에서 방출되는 빛의 스펙트럼이다.

> 띄엄띄엄한 선으로 나타나는 스펙트럼을 (㉠) 스펙트럼이라고 하며, 이러한 스펙트럼이 나타나는 것은 원자의 에너지 준위가 (㉡)되어 있기 때문이다.

㉠, ㉡에 들어갈 알맞은 말을 쓰시오.

◀ 140 ▶

A 스펙트럼

01 스펙트럼의 모양과 스펙트럼의 종류를 옳게 연결하시오.

(1) •

(2) •

(3) •

• ㉠ 연속 스펙트럼

• ㉡ 흡수 스펙트럼

• ㉢ 방출 스펙트럼

B 보어의 원자 모형과 에너지 양자화

02 보어의 원자 모형에 대한 설명으로 옳은 것은 ○, 옳지 <u>않은</u> 것은 ×로 표시하시오.

(1) 전자는 에너지 준위 사이를 이동할 수 있다. ( )

(2) 각 궤도의 중간 부분에도 전자가 존재할 수 있다. ( )

(3) 전자가 가지는 에너지는 양자화되어 있어 불연속적이다. ( )

(4) 전자는 특정한 에너지 값을 가진 궤도에서만 원운동을 한다. ( )

(5) 전자가 전이할 때 두 궤도의 에너지 준위의 차이에 해당하는 에너지를 방출하거나 흡수한다. ( )

C 수소 원자의 스펙트럼

03 다음은 수소 원자의 에너지 준위에 대한 설명이다.

> 수소 원자 내의 전자는 $n=1$인 에너지 준위에 있을 때 에너지가 가장 낮은 상태로 가장 안정하므로, 이 상태를 (㉠)상태라고 한다. (㉠)상태에 있는 전자가 에너지를 (㉡)하면 에너지 준위가 높은 곳으로 이동하는데, 이것을 전이한다고 하며, 이 상태를 (㉢)상태라고 한다. (㉢)상태에 있는 전자는 불안정하므로 에너지를 (㉣)하고 다시 에너지 준위가 낮은 곳으로 전이한다.

㉠~㉣에 들어갈 알맞은 말을 쓰시오.

04 그림은 수소 원자 내의 전자가 전이하는 모습을 나타낸 것이다. 이때 방출하는 스펙트럼 A, B, C의 계열을 쓰시오.

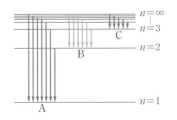

A 스펙트럼

01 스펙트럼에 대한 설명으로 옳지 <u>않은</u> 것은?

① 빛이 프리즘이나 분광기를 통과할 때 파장에 따라 나누어진 빛의 띠를 스펙트럼이라고 한다.

② 햇빛이나 백열등의 빛을 분광기로 관찰하면 연속 스펙트럼이 나타난다.

③ 스펙트럼에서 빛의 파장은 보라색에서 빨간색으로 갈수록 길어진다.

④ 선 스펙트럼은 기체의 종류에 따라 선의 위치, 개수, 모양이 모두 다르다.

⑤ 동일한 기체라도 방출 스펙트럼과 흡수 스펙트럼의 선의 위치는 다르다.

02 그림 (가)는 기체 A, B, C가 각각 들어 있는 방전관에서 방출된 빛의 스펙트럼을 나타낸 것이다. 그림 (나)는 백열등 앞에 어떤 기체가 들어 있는 용기를 놓고, 통과한 빛의 스펙트럼을 나타낸 것이다.

용기 안에 들어 있는 기체의 종류를 모두 고른 것은?

① B   ② A, B   ③ A, C
④ B, C   ⑤ A, B, C

_{단답형}
03 다음은 스펙트럼에 대한 설명이다.

> 햇빛을 프리즘에 통과시키면 모든 파장의 가시광선을 포함하는 (㉠) 스펙트럼이 나타나고, 네온 전등에서 방출되는 빛을 프리즘에 통과시키면 (㉡) 스펙트럼이 나타난다.

㉠, ㉡에 들어갈 알맞은 말을 쓰시오.

04 그림 (가), (나)는 기체 방전관에 높은 전압을 걸어 줄 때 방출되는 빛과 백열등에서 나오는 빛의 스펙트럼을 순서 없이 나타낸 것이다.

이에 대한 설명으로 옳은 것만을 〈보기〉에서 있는 대로 고른 것은?

> _{보기}
> ㄱ. (가)는 백열등에서 나오는 빛의 스펙트럼이다.
> ㄴ. (나)는 선 스펙트럼이다.
> ㄷ. (나)는 전자의 에너지 준위가 연속적인 상태에서 나타난다.

① ㄱ   ② ㄱ, ㄴ   ③ ㄱ, ㄷ
④ ㄴ, ㄷ   ⑤ ㄱ, ㄴ, ㄷ

_{단답형}
05 그림은 햇빛을 프리즘에 통과시켰을 때 나타난 스펙트럼의 모습이다.

짧다. ◄———— (㉠) ————► 길다.
크다. ◄———— (㉡) ————► 작다.

㉠, ㉡에 들어갈 알맞은 물리량을 쓰시오.

B 보어의 원자 모형과 에너지 양자화

06 보어의 원자 모형에 대한 설명으로 옳지 <u>않은</u> 것은?

① 전자가 가지는 에너지는 불연속적이다.

② 전자가 양자수 $n=1$인 에너지 준위에 있을 때를 바닥상태라고 한다.

③ 전자가 전이할 때 흡수하거나 방출하는 에너지는 파장에 비례한다.

④ 전자가 가지는 에너지는 바닥상태일 때 가장 작고, 양자수 n이 커질수록 커진다.

⑤ 전자의 에너지는 양자화되어 있어 원자의 스펙트럼은 선 스펙트럼으로 나타난다.

07 그림 (가), (나)는 보어의 원자 모형에 따라 수소 원자의 전자가 양자수 $n=1$, $n=2$인 상태에 있는 모습을 나타낸 것이다.

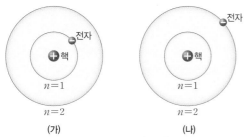

이에 대한 설명으로 옳은 것만을 〈보기〉에서 있는 대로 고른 것은?

보기
- ㄱ. (가)에서 전자는 가장 안정한 상태이다.
- ㄴ. 전자가 (가)에서 (나)로 전이할 때 빛을 방출한다.
- ㄷ. 전자의 에너지 준위는 (가)에서가 (나)에서보다 크다.

① ㄱ   ② ㄱ, ㄴ   ③ ㄱ, ㄷ
④ ㄴ, ㄷ   ⑤ ㄱ, ㄴ, ㄷ

C 수소 원자의 스펙트럼

08 그림은 수소 원자의 전자가 양자수 $n=2$인 궤도로 전이하면서 방출하는 빛의 스펙트럼의 일부를 나타낸 것이다. a는 진동수가 가장 작은 빛이다.

진동수 증가

이에 대한 설명으로 옳지 않은 것은?

① b는 눈으로 볼 수 없다.
② 발머 계열의 스펙트럼이다.
③ 광자 1개의 에너지는 b가 a보다 크다.
④ 수소 원자의 에너지 준위는 양자화되어 있다.
⑤ a는 양자수 $n=3$인 궤도에서 $n=2$인 궤도로 전이할 때 방출하는 빛이다.

---

09 그림은 보어의 수소 원자 모형에서 전자가 전이하는 과정 a, b, c를 나타낸 것이다. 양자수 $n=1$, 2, 3에서 에너지 준위는 각각 $-13.6\ \mathrm{eV}$, $-3.40\ \mathrm{eV}$, $-1.51\ \mathrm{eV}$이다.

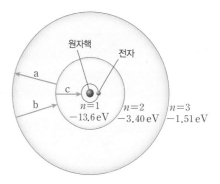

이에 대한 설명으로 옳지 않은 것은?

① a일 때 흡수하는 빛은 자외선 영역이다.
② b일 때 방출하는 빛은 발머 계열이다.
③ c일 때 방출하는 빛의 에너지는 10.2 eV이다.
④ 전자는 $n=1$인 궤도에서 가장 안정하다.
⑤ 원자핵과 전자 사이에 작용하는 쿨롱 힘의 크기는 $n=1$인 궤도에서 가장 크다.

단답형

10 다음은 수소 원자의 스펙트럼 계열과 스펙트럼 영역에 대한 설명이다.

수소 원자의 스펙트럼은 빛의 파장에 따라 나눌 수 있다. 들뜬상태의 전자가 $n=1$인 궤도로 전이할 때 방출되는 (㉠) 계열과 $n=2$인 궤도로 전이할 때 방출되는 발머 계열, $n=3$인 궤도로 전이할 때 방출되는 파셴 계열 등이 있다. (㉠) 계열의 스펙트럼은 (㉡) 영역의 빛을 방출한다.

㉠, ㉡에 들어갈 알맞은 말을 쓰시오.

01 그림 (가)는 백열등에서 나오는 빛이 온도가 낮은 수소 기체를 통과한 후의 스펙트럼을, (나)는 태양 빛의 스펙트럼을 나타낸 것이다.

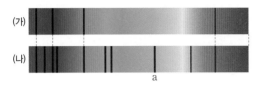

이에 대한 설명으로 옳은 것만을 〈보기〉에서 있는 대로 고른 것은?

보기
ㄱ. (가)는 흡수 스펙트럼이다.
ㄴ. 태양의 성분에는 수소가 있음을 알 수 있다.
ㄷ. 파장이 a인 광자 1개의 에너지와 같은 에너지 준위 차이가 수소 기체에 있다.

① ㄱ   ② ㄷ   ③ ㄱ, ㄴ
④ ㄴ, ㄷ   ⑤ ㄱ, ㄴ, ㄷ

02 그림 (가)는 백색광을 저온의 기체 A에 통과시켰을 때 백색광의 일부가 검은 선으로 나타난 스펙트럼을 나타낸 것이고, (나)는 고온의 기체 B에서 방출되는 빛의 스펙트럼을 나타낸 것이다. (나)의 a와 b는 스펙트럼 선이다.

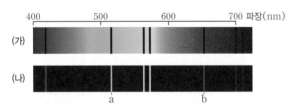

이에 대한 설명으로 옳은 것만을 〈보기〉에서 있는 대로 고른 것은?

보기
ㄱ. A와 B는 같은 종류의 기체이다.
ㄴ. A의 에너지 준위는 연속적이다.
ㄷ. B에서 전이하는 전자의 에너지 준위 차이는 b를 방출한 경우가 a를 방출한 경우보다 크다.

① ㄱ   ② ㄱ, ㄴ   ③ ㄱ, ㄷ
④ ㄴ, ㄷ   ⑤ ㄱ, ㄴ, ㄷ

03 그림 (가)와 (나)는 보어 수소 원자 모형에서 전자가 양자수 $n=3$인 궤도에서 각각 $n=2$, $n=1$인 궤도로 전이하는 모습을 나타낸 것이다. (가)와 (나)에서 방출되는 빛의 진동수는 각각 $f_{(가)}$, $f_{(나)}$이다.

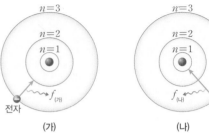

이에 대한 설명으로 옳은 것만을 〈보기〉에서 있는 대로 고른 것은?

보기
ㄱ. $f_{(가)}$가 $f_{(나)}$보다 크다.
ㄴ. 전자의 에너지 준위는 양자화되어 있다.
ㄷ. 전자가 $n=2$인 궤도에서 $n=1$인 궤도로 전이할 때 방출하는 빛의 진동수는 $f_{(나)}-f_{(가)}$이다.

① ㄱ   ② ㄷ   ③ ㄱ, ㄴ
④ ㄴ, ㄷ   ⑤ ㄱ, ㄴ, ㄷ

출제예감
04 그림 (가)는 보어의 수소 원자 모형에서 전자가 양자수가 다른 궤도로 전이하는 과정 a, b를, (나)는 수소 원자 선 스펙트럼의 발머 계열에 해당하는 빛 중 가장 긴 파장과 두 번째로 긴 파장의 빛을 나타낸 것이다.

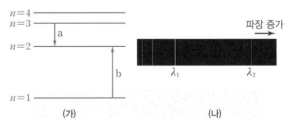

이에 대한 설명으로 옳은 것만을 〈보기〉에서 있는 대로 고른 것은?

보기
ㄱ. a 과정에서 방출하는 빛의 파장은 λ_2이다.
ㄴ. b 과정에서 흡수하는 빛의 파장은 λ_2보다 길다.
ㄷ. 전자가 가지는 에너지는 $n=1$일 때가 가장 작다.

① ㄱ   ② ㄱ, ㄴ   ③ ㄱ, ㄷ
④ ㄴ, ㄷ   ⑤ ㄱ, ㄴ, ㄷ

05 다음은 수소 원자의 에너지 준위에 대한 설명이다.

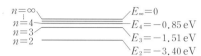

- E_n은 양자수 n에 따른 에너지이다.

$n=\infty$ $E_\infty=0$
$n=4$ $E_4=-0.85\,eV$
$n=3$ $E_3=-1.51\,eV$
$n=2$ $E_2=-3.40\,eV$

$n=1$ $E_1=-13.6\,eV$

- (㉠)은 바닥상태의 에너지이다.
- 전자가 $n=1$인 궤도에서 $n=2$인 궤도로 전이할 때 (㉡)하는 ㉢ 빛의 파장은 $n=3$인 궤도에서 $n=2$인 궤도로 전이할 때 (㉣)하는 빛의 파장 보다 (㉤).

이에 대한 설명으로 옳지 <u>않은</u> 것은?

① ㉠은 E_1이다.
② ㉡은 흡수이다.
③ ㉢이 가지는 에너지는 13.6 eV이다.
④ ㉣은 방출이다.
⑤ ㉤은 짧다이다.

출제예감

06 그림은 수소 원자 스펙트럼의 라이먼 계열과 발머 계열에서 파장이 가장 긴 빛과 두 번째로 긴 빛을 나타낸 것이다. A, B, C, D의 파장은 각각 λ_1, λ_2, λ_3, λ_4이다.

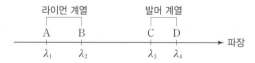

이에 대한 설명으로 옳은 것만을 〈보기〉에서 있는 대로 고른 것은?

보기

ㄱ. 광자 1개의 에너지는 B가 A보다 크다.
ㄴ. λ_3은 전자가 $n=4$인 궤도에서 $n=2$인 궤도로 전이할 때 방출하는 빛의 파장이다.
ㄷ. $\dfrac{1}{\lambda_1}=\dfrac{1}{\lambda_2}+\dfrac{1}{\lambda_4}$이다.

① ㄱ   ② ㄱ, ㄴ   ③ ㄱ, ㄷ
④ ㄴ, ㄷ   ⑤ ㄱ, ㄴ, ㄷ

07 그림과 같이 백열등에서 나온 빛을 프리즘이나 분광기를 통해 관찰할 때 여러 가지 빛이 색의 경계 없이 연속적으로 나타나는 것을 무엇이라고 하는지 쓰시오.

서술형

08 그림은 수소와 헬륨 원자에서 방출되는 가시광선 영역의 선 스펙트럼의 파장의 일부를 나타낸 것이다.

수소

헬륨

수소와 헬륨 원자에서 방출되는 빛이 선 스펙트럼으로 나타나는 까닭과 수소와 헬륨의 선 스펙트럼이 다른 까닭을 서술하시오.

서술형

09 그림은 보어의 수소 원자 모형에서 $n=1$인 궤도에 있던 전자가 에너지 E_a인 빛을 흡수하여 $n=2$인 궤도로 전이한 후, 다시 에너지가 E_b인 빛을 흡수하여 $n=3$인 궤도로 전이하는 과정을 나타낸 것이다. 표는 양자수 n에 따른 에너지 준위 E_n을 나타낸 것이다.

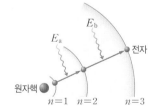

n	E_n(eV)
1	-13.6
2	-3.40
3	-1.51

E_a+E_b를 계산하고 풀이 과정을 서술하시오.

수소 원자 스펙트럼의 이해

출제 의도

(가)와 (나)의 그림을 분석하여 수소 원자 내 전자의 에너지 준위는 불연속적으로 분포하며, 에너지 준위의 차이가 클수록 파장이 짧은 빛을 방출하는 것을 추론하는 문제이다.

이것이 함정

방출되는 빛의 에너지가 클수록 진동수는 크고, 파장이 짧다는 것을 기억해야 한다.

◢ 대표 유형

다음은 수소 원자 스펙트럼에 대한 설명이다.

- 그림 (가)는 양자수 n에 따른 수소 원자에 있는 전자의 에너지 준위 E_n을 나타낸 것이다. 전자의 에너지는 불연속인 값을 갖는다.

- 라이먼 계열과 발머 계열 스펙트럼은 수소 원자에 있는 전자가 각각 $n=1$과 $n=2$인 상태로 전이할 때 방출하는 빛의 스펙트럼이다. 라이먼 계열은 자외선 영역이고, 발머 계열은 가시광선 영역이다.

- 그림 (나)에서 λ_A와 λ_B는 각각 라이먼 계열과 발머 계열 스펙트럼에서 두 번째로 긴 파장을 나타낸다. 라이먼 계열에서 두 번째로 긴 파장은 전자가 $n=3$인 궤도에서 $n=1$인 궤도로 전이할 때 방출하는 빛의 파장이고, 발머 계열에서 두 번째로 긴 파장은 전자가 $n=4$인 궤도에서 $n=2$인 궤도로 전이할 때 방출하는 빛의 파장이다.

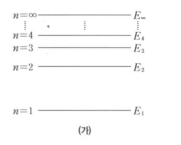

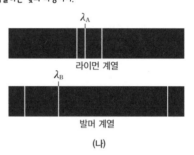

이에 대한 설명으로 옳은 것만을 〈보기〉에서 있는 대로 고른 것은?

보기

✗ ㄱ. λ_A는 λ_B보다 크다. → 라이먼 계열은 자외선 영역이고, 발머 계열은 가시광선 영역이므로 λ_A는 λ_B보다 작다.

ㄴ. 파장이 λ_B인 광자 한 개의 에너지는 E_4-E_2이다. → 광자 1개의 에너지는 전이하는 전자의 두 궤도의 에너지 준위 차이와 같다.

ㄷ. 수소 원자에 있는 전자의 에너지 준위는 불연속적이다.
→ (가)에서 전자의 에너지 준위가 띄엄띄엄 있으므로 전자의 에너지 준위가 불연속적이라는 것을 알 수 있다.

① ㄱ   ② ㄴ   ③ ㄷ   ✔④ ㄴ, ㄷ   ⑤ ㄱ, ㄴ, ㄷ

⌐ 수소 원자의 에너지 준위와 스펙트럼 계열의 파장 이해하기

그림 (가)에서 전자의 에너지 준위가 띄엄띄엄 있으므로 전자의 에너지 준위가 불연속적이라는 것을 알 수 있다.	>>>	λ_A는 전자가 $n=3$인 궤도에서 $n=1$인 궤도로 전이할 때 방출하는 빛의 파장이고, λ_B는 전자가 $n=4$인 궤도에서 $n=2$인 궤도로 전이할 때 방출하는 빛의 파장이라는 것을 이해한다.	>>>	라이먼 계열과 발머 계열에서 방출되는 빛의 파장을 비교한다.

추가 선택지

- E_1은 E_2보다 크다.   (✕)

··→ 수소 원자의 에너지 준위는 양자수가 증가할수록 커지므로 E_1이 E_2보다 작다.

- 수소 원자에서 방출되는 빛의 스펙트럼은 불연속이다.
     (○)

··→ 그림 (나)처럼 수소 원자에서 방출되는 스펙트럼은 불연속적인 선 스펙트럼이다.

실전! 수능 도전하기

정답과 해설 45쪽

01 그림 (가)는 음극선 실험 장치에서 음극선이 휘는 모습을 나타낸 것이고, (나)는 알파(α) 입자 산란 실험 장치에서 알파(α) 입자인 A가 산란되는 모습을 나타낸 것이다.

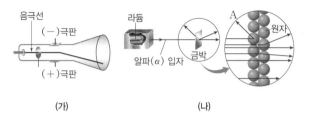

(가)   (나)

이에 대한 설명으로 옳은 것만을 〈보기〉에서 있는 대로 고른 것은?

> 보기
> ㄱ. (가)에서 발견된 입자는 원자 질량의 대부분을 차지한다.
> ㄴ. (가)와 (나)에서 발견된 입자는 모두 (−)전하를 띤다.
> ㄷ. (나)에서 A가 산란되도록 하는 입자는 원자의 중심에 존재한다.

① ㄱ   ② ㄷ   ③ ㄱ, ㄴ   ④ ㄱ, ㄷ   ⑤ ㄴ, ㄷ

02 다음은 원자 모형에 대한 설명이다.

> • 음극선 실험을 통해 전자를 발견한 (㉠)은 (+)전하 덩어리 속에 전자가 띄엄띄엄 박혀 있는 모형을 제시하였다.
> • 알파(α) 입자 산란 실험을 통해 러더퍼드는 원자 질량의 대부분을 차지하는 (㉡)이 원자의 중심에 존재하고, 원자핵 주위를 전자가 돌고 있는 원자 모형을 제시하였다. 그러나 이 모형으로 ㉢수소 원자의 선 스펙트럼을 설명할 수 없었다.

이에 대한 설명으로 옳은 것만을 〈보기〉에서 있는 대로 고른 것은?

> 보기
> ㄱ. ㉠에 들어갈 과학자는 보어이다.
> ㄴ. 알파(α) 입자가 산란되는 까닭은 ㉡ 때문이다.
> ㄷ. ㉢은 수소 원자의 에너지 준위가 연속적이기 때문에 만들어진다.

① ㄱ   ② ㄴ   ③ ㄱ, ㄷ   ④ ㄴ, ㄷ   ⑤ ㄱ, ㄴ, ㄷ

03 그림과 같이 x축 위에서 점전하 A, B가 점 p, q, r와 같은 간격 d만큼씩 떨어져 고정되어 있다. 화살표는 +1 C의 점전하를 p에 놓았을 때와 q로 이동시켜 놓았을 때 A와 B로부터 받는 전기력의 상대적인 크기와 방향을 나타낸 것이다.

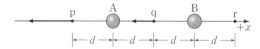

이에 대한 설명으로 옳은 것만을 〈보기〉에서 있는 대로 고른 것은?

> 보기
> ㄱ. A는 (−)전하이다.
> ㄴ. 전하량은 B가 A보다 많다.
> ㄷ. +1 C의 전하를 r에 놓았을 때 A와 B로부터 받는 전기력의 크기는 p에 +1 C의 전하를 놓았을 때 A와 B로부터 받는 전기력의 크기와 같다.

① ㄱ   ② ㄴ   ③ ㄷ
④ ㄱ, ㄴ   ⑤ ㄱ, ㄷ

수능 기출

04 그림과 같이 x축 위에 고정된 세 점전하 A, B, C가 있다. 점 p에서 A와 C에 의한 전기장은 0이다. 점 q에서 A와 B에 의한 전기장은 0이고, B와 C에 의한 전기장의 방향은 $+x$ 방향이다.

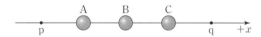

이에 대한 설명으로 옳은 것만을 〈보기〉에서 있는 대로 고른 것은?

> 보기
> ㄱ. A는 (+)전하이다.
> ㄴ. 전하량은 C가 B보다 많다.
> ㄷ. p에서 A, B, C에 의한 전기장의 방향은 $+x$ 방향이다.

① ㄱ   ② ㄴ   ③ ㄱ, ㄷ
④ ㄴ, ㄷ   ⑤ ㄱ, ㄴ, ㄷ

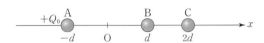

05 그림과 같이 두 점전하 A, B가 원점 O에서 같은 거리 d만큼 떨어져 x축 위에 고정되어 있고, 점전하 C를 $x=2d$에 가만히 놓았더니 정지해 있었다. A의 전하량은 $+Q_0$이다.

A $+Q_0$ 에서 $-d$, O, B에서 d, C에서 $2d$, x축

B의 전하량은?

① $-\frac{1}{2}Q_0$ ② $-\frac{1}{3}Q_0$ ③ $-\frac{1}{9}Q_0$

④ $+\frac{1}{3}Q_0$ ⑤ $+\frac{1}{9}Q_0$

06 그림은 대전된 금속구 A, B를 같은 길이의 실에 매달 았더니 A, B가 천장과 각각 θ_1, θ_2의 각을 이루면서 정지해 있는 모습을 나타낸 것이다. θ_2가 θ_1보다 크다.

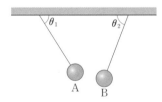

이에 대한 설명으로 옳은 것만을 〈보기〉에서 있는 대로 고른 것은?

보기
ㄱ. A와 B의 전하의 종류는 같다.
ㄴ. A에 작용하는 전기력이 B에 작용하는 전기력보다 작다.
ㄷ. 질량은 A가 B보다 작다.

① ㄱ   ② ㄴ   ③ ㄷ
④ ㄱ, ㄷ   ⑤ ㄴ, ㄷ

07 그림 (가)는 분광기로 수소 기체 방전관에서 나오는 빛, 저온의 기체를 통과한 백열등의 빛, 흰색이 표현된 컬러 LCD 화면에서 나오는 빛, 백열등에서 나오는 빛의 스펙트럼을 관찰하는 모습을 나타낸 것이고, (나)의 A, B, C, D는 (가)의 관찰 결과를 순서 없이 나타낸 것이다. 저온의 기체관에는 한 종류의 기체만 들어 있고, 스펙트럼은 가시광선의 전체 영역을 나타낸다.

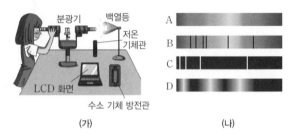

(가)   (나)

이에 대한 설명으로 가장 적절한 것은?

① LCD 화면에서 나오는 빛의 스펙트럼은 A이다.
② 수소 기체 방전관에서 나오는 빛의 스펙트럼은 C이다.
③ 백열등에서 나오는 빛의 스펙트럼은 D이다.
④ 저온 기체관에는 수소 기체가 들어 있다.
⑤ 수소 원자의 에너지 준위는 연속적이다.

08 다음은 보어의 수소 원자 모형에 대한 내용이다.

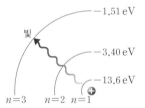

• 그림은 수소 원자의 양자수 $n=1$, 2, 3일 때 전자의 궤도와 각 궤도의 에너지를 나타낸 것이다.
• 수소 원자에 빛을 입사시켰더니 전자가 양자수 $n=($ ㉠ $)$인 궤도에서 12.09 eV의 에너지를 가지고 있는 ㉡ 빛을 흡수하여 양자수 $n=($ ㉢ $)$인 궤도로 전이하였다.

이에 대한 설명으로 옳은 것만을 〈보기〉에서 있는 대로 고른 것은?

보기
ㄱ. ㉠+㉢=4이다.
ㄴ. ㉡은 자외선 영역이다.
ㄷ. $n=2$인 궤도와 $n=3$인 궤도 사이에 전자가 존재할 수 있다.

① ㄱ   ② ㄴ   ③ ㄱ, ㄴ
④ ㄱ, ㄷ   ⑤ ㄴ, ㄷ

09 그림 (가)는 보어의 수소 원자 모형에서 양자수 n에 따른 에너지 준위와 전이 과정의 일부를 나타낸 것이다. 그림 (나)는 (가)에서 나타나는 방출과 흡수 스펙트럼을 파장에 따라 나타낸 것이다. 스펙트럼 선 b는 ㉠에 의해 나타난다.

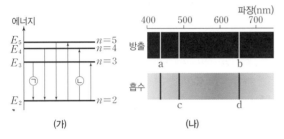

(가) (나)

이에 대한 설명으로 옳은 것만을 〈보기〉에서 있는 대로 고른 것은? (단, h는 플랑크 상수이다.)

보기
ㄱ. 광자 1개의 에너지는 a가 b보다 크다.
ㄴ. c는 ㉡에 의해 나타난 스펙트럼 선이다.
ㄷ. d에서 광자의 진동수는 $\dfrac{E_5 - E_2}{h}$이다.

① ㄱ ② ㄷ ③ ㄱ, ㄴ
④ ㄴ, ㄷ ⑤ ㄱ, ㄴ, ㄷ

10 그림은 수소 원자의 에너지 준위와 선 스펙트럼 계열의 일부를 나타낸 것이다. E_1, E_2, E_3, …은 양자수에 따른 전자의 에너지이다.

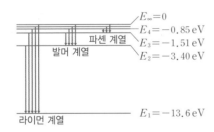

이에 대한 설명으로 옳은 것만을 〈보기〉에서 있는 대로 고른 것은?

보기
ㄱ. 수소 원자는 13.6 eV보다 큰 에너지를 갖는 광자를 방출할 수 있다.
ㄴ. 수소 원자에서 방출되는 빛 중 파장이 가장 짧은 것은 라이먼 계열에 속한다.
ㄷ. 파센 계열의 가장 큰 진동수는 발머 계열의 가장 작은 진동수보다 크다.

① ㄱ ② ㄴ ③ ㄱ, ㄴ
④ ㄱ, ㄷ ⑤ ㄴ, ㄷ

11 그림은 수소 원자의 선 스펙트럼 일부를 진동수에 따라 나타낸 것이다. f_1, f_2는 발머 계열에서 가장 작은 진동수부터 2개를, f_3, f_4는 라이먼 계열에서 가장 작은 진동수부터 2개를 나타낸 것이다.

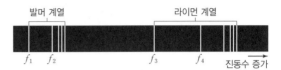

이에 대한 설명으로 옳은 것만을 〈보기〉에서 있는 대로 고른 것은?

보기
ㄱ. $f_1 + f_2 = f_4$이다.
ㄴ. 수소 원자의 에너지 준위는 불연속적이다.
ㄷ. f_4는 전자가 양자수 $n=3$인 궤도에서 $n=1$인 궤도로 전이할 때 방출하는 빛의 진동수이다.

① ㄱ ② ㄷ ③ ㄱ, ㄴ
④ ㄴ, ㄷ ⑤ ㄱ, ㄴ, ㄷ

12 그림 (가)는 보어의 수소 원자 모형에서 전자의 전이 과정 a, b, c를 나타낸 것으로, 방출되는 빛의 파장은 각각 λ_1, λ_2, λ_3이다. 그림 (나)는 보어의 수소 원자의 선 스펙트럼의 일부를 나타낸 것으로, A는 a, b, c에서 방출되는 빛 중 하나이다.

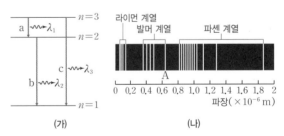

(가) (나)

이에 대한 설명으로 옳은 것만을 〈보기〉에서 있는 대로 고른 것은?

보기
ㄱ. A는 c 과정에서 방출되는 빛이다.
ㄴ. λ_2는 라이먼 계열의 빛의 파장이다.
ㄷ. $\lambda_1 + \lambda_2 = \lambda_3$이다.

① ㄱ ② ㄴ ③ ㄱ, ㄴ
④ ㄱ, ㄷ ⑤ ㄴ, ㄷ

03 ~ 에너지띠와 전기 전도성

핵심 키워드로 흐름잡기

- **A** 기체와 고체의 에너지 준위, 에너지띠
- **B** 원자가 띠, 전도띠, 띠 간격
- **C** 도체, 절연체, 반도체

❶ 기체 원자의 에너지 준위
기체 상태일 때 원자는 서로 멀리 떨어져 있으므로 불연속적인 에너지 준위를 가지며, 불연속적인 에너지 준위가 선으로 존재한다.

❓ 양자 상태란 무엇일까?
원자 수준에서 입자들의 상태와 움직임은 파동 방정식을 풀어서 나타낼 수 있다. 파동 방정식을 만족하는 해는 4개가 존재하고 이들의 조합을 양자 상태라고 한다.

❷ 에너지띠
고체 원자는 에너지 준위가 미세하게 나누어져 거의 연속으로 분포하는 영역이 생겨 연속적인 띠를 이루는데, 이를 에너지띠라고 한다.

🐱 용어 알기

●속박(묶을 束, 얽을 縛) 전자
원자, 분자 내에 속박되어 자유롭게 이동할 수 없는 전자

A 고체 원자의 에너지 준위와 에너지띠

|출·제·단·서| 수많은 원자가 모인 고체에서 전자들의 에너지 준위가 어떻게 형성되는지 묻는 문제가 시험에 나와!

1. 기체와 고체의 에너지 준위

(1) 기체 원자의 에너지 준위❶ (암기TIP) 같은 종류의 기체는 에너지 분포가 동일하다.

① 기체는 원자들 사이의 거리가 멀기 때문에 서로 영향을 주지 않아 같은 종류의 기체 원자는 동일한 에너지 준위 분포를 갖는다.

② 원자핵 주위의 전자는 원자핵과의 전기력에 의해 원자핵 주위를 벗어나지 못하고 회전하는데, 이 상태의 전자를 ●속박 전자라고 한다.

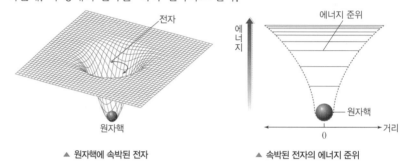

▲ 원자핵에 속박된 전자　　　▲ 속박된 전자의 에너지 준위

(2) 고체 원자의 에너지 준위

① 고체 원자들 사이의 간격이 가깝기 때문에 인접한 원자들이 모두 전자의 궤도에 영향을 주어 전자 궤도들이 겹쳐진다. ⇨ 파울리 배타 원리를 따른다.

② **파울리 배타 원리**: 한 원자 내에서 2개의 전자가 같은 에너지 준위를 가질 수 없다는 것으로, 하나의 전자는 하나의 양자 상태를 갖는다.

2. 고체의 에너지띠❷ (암기TIP) 고체는 연속적인 에너지띠로 존재한다.

> 고체 원자가 n개로 늘어나면 에너지 준위도 n개로 갈라진다.

(1) 고체 원자가 1개이면 기체처럼 에너지 준위가 명확한 선으로 구분되지만, 고체 원자가 2개, 3개로 늘어나면 각각의 에너지 준위들이 미세한 차이를 가지면서 2개, 3개로 갈라진다.

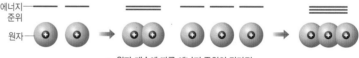

▲ 원자 개수에 따른 에너지 준위의 갈라짐

(2) 실제 고체의 에너지 준위는 수많은 기체 원자들이 가깝게 뭉쳐 있기 때문에 에너지 준위들이 밀집하여 하나의 넓은 띠와 같은 연속적인 에너지띠로 존재한다.

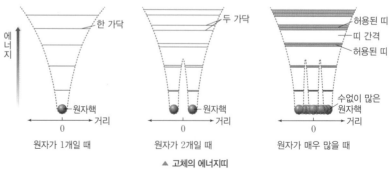

원자가 1개일 때　　　원자가 2개일 때　　　원자가 매우 많을 때

▲ 고체의 에너지띠

❶ 기체는 원자들이 서로 멀리 떨어져 있어서 한 원자가 다른 원자에 영향을 주지 않으므로 에너지 준위가 그림 (가)와 같이 나타난다.

❷ 고체는 원자 사이의 간격이 가깝기 때문에 인접한 원자들이 모두 전자의 궤도에 영향을 준다. 원자들이 서로 가까워지면 원자의 에너지 준위는 서로 겹치지 않도록 미세한 차이를 두면서 분포하게 되고, 에너지 준위는 그림 (나)와 같이 연속적인 띠(에너지띠)를 이루게 된다.

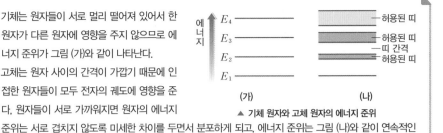

▲ 기체 원자와 고체 원자의 에너지 준위

> 기체 원자의 에너지 준위는 불연속적인 선으로 나타나고, 고체 원자의 에너지 준위는 연속적인 띠로 나타나!

B 허용된 띠와 금지된 띠

|출·제·단·서| 원자가 띠와 전도띠의 특징을 묻는 문제가 시험에 나와!

1. 허용된 띠 전자는 원자 주위에서 양자화된 궤도를 갖는다. 따라서 에너지 준위를 벗어나서는 위치할 수 없다. 고체에서 전자는 에너지띠의 영역에만 존재할 수 있기 때문에 에너지 띠를 허용된 띠라고 한다.

(1) **원자가 띠** 원자가 에너지를 최소로 가지고 있는 절대 온도 0 K❸일 때 원자 내부의 전자는 허용된 띠의 에너지가 가장 낮은 부분부터 채워 나간다. 이때 전자가 존재하는 영역 중에서 에너지 준위가 가장 높은 상태의 에너지띠를 원자가 띠라고 한다.

(2) **전도띠** 원자가 띠 바로 위의 에너지띠로, 전자가 채워져 있지 않다.
└── 원자가 띠보다 에너지가 높다.

❸ 절대 온도 0 K
모든 원자의 에너지가 최소로 되는 온도이다. 전자의 에너지 준위는 원자의 온도가 0 K인 경우를 가정한 것이다.

2. 금지된 띠 인접한 허용된 띠 사이에는 에너지 간격이 있으며, 전자들은 이곳에 존재할 수 없다. 이처럼 전자가 존재할 수 없는 영역을 금지된 띠라고 한다. ┌─ 원자가 띠의 가장 높은 에너지 준위와 전도띠의 가장 낮은 에너지 준위의 에너지 차이이다.

• **띠 간격:** 전자가 존재할 수 없는 영역으로, 원자가 띠와 전도띠 사이의 간격을 말한다.

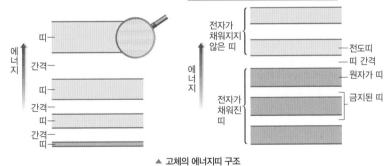

▲ 고체의 에너지띠 구조

3. 자유 전자와 양공 원자가 띠 안의 전자는 에너지를 받으면 전도띠로 쉽게 이동할 수 있으며, 전도띠로 이동한 전자는 움직임이 자유로워 전류를 잘 흐르게 할 수 있다.
└─ 전압을 가했을 때 자유 전자가 한쪽으로 일정한 흐름을 형성하는 것

(1) **자유 전자** 원자가 띠에 있는 전자가 띠 간격보다 더 큰 에너지를 얻어 전도띠로 전이된 전자로, 원자 사이를 자유롭게 옮겨 다닌다. **암기TIP** 자유 전자는 전도띠에 존재한다.

(2) **양공** 전자가 원자가 띠에서 전도띠로 전이될 때 원자가 띠에 생기는 빈 자리로, (+)전하의 성질을 띤다.❹

▲ 자유 전자와 양공

❹ 전류의 흐름과 양공
실제로 전류가 흐를 때 이동하는 것은 전자이지만 전자가 이동하면서 생기는 빈 자리인 양공이 전자의 이동 방향과 반대 방향으로 이동하는 것으로 생각할 수 있다. 전류의 방향은 (+)전하의 이동 방향으로 정의하기 때문에 양공을 전하 운반자로 취급하여 양공의 이동 방향으로 정의하기도 한다.

용어 알기

●전도(옮길 傳, 인도할 導) 열이나 전기 등이 한 곳에서 다른 곳으로 이동하는 것

|출·제·단·서| 에너지띠 구조에 의한 도체, 절연체, 반도체를 구분하는 문제가 시험에 나와!

1. 도체, *절연체, 반도체 [탐구 POOL]

(1) **전기 전도성[5]에 의한 구분** 전기 전도성이 좋은 물질을 도체, 전기 전도성이 좋지 않은 물질을 절연체, 전기 전도성이 도체와 절연체의 중간 정도인 물질을 반도체라고 한다.

(2) **띠 간격에 의한 구분[6]** 고체에 가한 에너지가 원자가 띠에 있는 전자를 띠 간격을 뛰어 넘어 전도띠로 보낼 수 있을 정도로 충분히 크면 전자가 전도띠로 전이한다. 이때 띠 간격이 없거나 좁은 물질을 도체, 띠 간격이 넓은 물질을 절연체, 띠 간격이 도체와 절연체의 중간 정도인 물질을 반도체라고 한다. 띠 간격은 전도 전도성을 결정하는 중요한 요인이다.

2. 도체, 절연체, 반도체의 에너지띠 구조 [개념 POOL]

[암기TiP] 띠 간격이 없으면 ⇨ 도체, 띠 간격이 좁으면 ⇨ 반도체, 띠 간격이 넓으면 ⇨ 절연체

구분	도체	절연체	반도체
정의	전기가 잘 통하는 물질	전기가 잘 통하지 않는 물질	전기가 통하는 정도가 도체와 절연체의 중간인 물질
에너지띠 구조	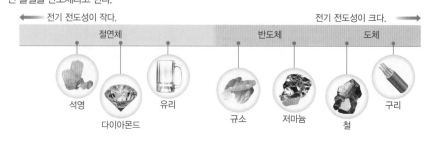		
	원자가 띠에 전자가 일부만 채워져 있다.	띠 간격이 비교적 넓고, 원자가 띠에 전자가 가득 채워져 있다.	띠 간격이 비교적 좁고, 원자가 띠에 전자가 가득 채워져 있다.
띠 간격과 전자의 이동	전도띠와 원자가 띠가 붙어 있거나 겹쳐 있고, 전자가 원자가 띠의 일부만 채워져 있어 원자가 띠의 전자가 전도띠로 쉽게 이동하여 자유 전자가 될 수 있다.	띠 간격이 매우 넓어서 전자가 전도띠로 이동할 수 없기 때문에 전류가 거의 흐르지 않는다.	전도띠와 원자가 띠 사이의 띠 간격이 비교적 좁아서 원자가 띠의 전자가 에너지를 흡수하면 전도띠로 이동하여 자유 전자가 될 수 있다.
전기 전도도[7]	전기 전도도가 크다. ⇨ 전기 저항이 매우 작다. ⇨ 전류가 잘 흐른다.	전기 전도도가 매우 작다. ⇨ 전기 저항이 매우 크다. ⇨ 전류가 잘 흐르지 않는다.	전기 전도도와 전기 저항이 도체와 절연체의 중간이다. ⇨ 경우에 따라 전류가 흐를 수 있다.
예	은, 구리, 알루미늄	나무, 고무, 유리, 다이아몬드, 석영	규소(Si), 저마늄(Ge)

[빈출 자료] **여러 가지 물질의 전기 전도성**

전기 전도성이 큰 물질을 도체, 전기 전도성이 작은 물질을 절연체, 전기 전도성이 도체와 절연체의 중간 정도인 물질을 반도체라고 한다.

◄— 전기 전도성이 작다.   전기 전도성이 크다. —►

절연체	반도체	도체

석영   다이아몬드   유리   규소   저마늄   철   구리

---

[5] 전기 전도성
전기가 통하기 쉬운 정도

[6] 반도체와 절연체의 띠 간격

종류	물질	띠 간격 (eV)
반도체	규소(0 K)	1.17
	규소(300 K)	1.11
	저마늄(0 K)	0.74
	저마늄(300 K)	0.66
절연체	다이아몬드 (300 K)	5.4

└ 절연체의 띠 간격이 반도체의 띠 간격보다 크다.

[?] 온도가 증가하면 고체의 저항은 어떻게 될까?
· 도체: 온도가 올라가면 원자와 자유 전자가 충돌하는 횟수가 증가하여 전기 저항이 커진다.
· 반도체: 온도가 올라가면 전도띠로 전이하는 전자 수가 증가하여 전기 저항이 작아진다.

[7] 전기 전도도
외부 전기장의 작용으로 전자가 자유롭게 이동할 수 있는 정도를 말한다. 전기 전도성을 정량적으로 나타내는 물리량이다.

🐱 **용어 알기**

● 절연(끊을 絶, 인연 緣) 전기 또는 열을 통하지 않도록 하는 것

고체의 에너지띠 구조

목표 에너지띠 구조의 차이에 따라 절연체, 도체, 반도체를 구분할 수 있다.

1 고체의 에너지띠 구조

구분	절연체	도체	반도체
에너지띠 구조	에너지 ↑ 전도띠 띠 간격 전자가 가득 채워져 있다. 원자가 띠	전자가 일부만 채워져 있다. 전도띠 원자가 띠	전도띠 띠 간격 원자가 띠 ─전자가 가득 채워져 있다.
띠 간격과 전자의 이동	절연체는 원자가 띠와 전도띠 사이의 띠 간격이 매우 넓으므로 상온에서 전자가 전도띠로 이동하지 못한다.	도체는 원자가 띠와 전도띠가 붙어 있거나 겹쳐 있어서 원자가 띠와 전도띠 사이에 띠 간격이 없다.	반도체는 띠 간격이 좁아 적당한 에너지(열, 빛, 전기장 등)에 의해 일부의 전자가 전도띠로 이동할 수 있다.

2 전류가 흐르는 원리

고체 내에서 전류가 흐르기 위해서는 원자가 띠의 전자가 전도띠로 이동하여 자유 전자가 되어야 한다. 절연체는 원자가 띠가 전자로 가득 채워져 있어 전자가 옮겨갈 수 있는 빈 에너지 상태가 없다. 따라서 전자가 띠 간격 이상의 에너지를 받아 전도띠로 이동하지 않는 한 전기장이 걸려도 전류가 흐르지 않는다. 도체의 경우 원자가 띠의 일부가 비어 있어 전자의 이동이 자유롭기 때문에 전류가 잘 흐른다.

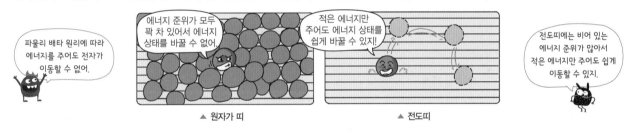

파울리 배타 원리에 따라 에너지를 주어도 전자가 이동할 수 없어.

에너지 준위가 모두 꽉 차 있어서 에너지 상태를 바꿀 수 없어.

적은 에너지만 주어도 에너지 상태를 쉽게 바꿀 수 있지!

전도띠에는 비어 있는 에너지 준위가 많아서 적은 에너지만 주어도 쉽게 이동할 수 있지.

▲ 원자가 띠   ▲ 전도띠

한·줄·핵심 도체는 원자가 띠와 전도띠 사이의 띠 간격이 붙어 있거나 겹쳐 있고, 절연체는 원자가 띠와 전도띠 사이의 띠 간격이 매우 넓다.

확인 문제

정답과 해설 47쪽

01 다음은 어떤 고체의 에너지띠 구조에 대한 설명이다.

> 그림은 전자가 채워진 띠와 비어 있는 띠가 겹쳐진 (㉠)의 에너지띠 구조를 나타낸 것이다. A 부분은 전자가 채워진 것을, B 부분은 전자가 비어 있는 것을 나타낸 것으로, 에너지를 흡수하면 전자가 (㉡)에서 (㉢)로 이동하여 전류가 흐른다.

(1) ㉠~㉢에 들어갈 알맞은 말을 쓰시오.

(2) A와 B의 명칭을 쓰시오.

02 고체 원자의 에너지띠에 대한 설명으로 옳은 것은 ○, 옳지 않은 것은 ×로 표시하시오.

(1) 에너지띠 사이에 전자가 존재한다. ( )

(2) 기체의 에너지 준위는 고체와 같이 연속적인 띠 모양이다. ( )

(3) 고체의 전기 전도도는 에너지띠의 구조에 따라 다르다. ( )

(4) 절연체는 띠 간격이 매우 넓어서 전도띠로 전자의 이동이 거의 불가능하다. ( )

(5) 원자가 띠의 전자가 에너지를 얻어 전도띠로 이동하면 원자가 띠에 (─)전하의 성질을 띠는 양공이 생긴다. ( )

◂ 153 ▸

고체의 전기 전도도 비교하기

목표 여러 종류의 고체 막대의 저항값을 측정하여 전기 전도도를 비교할 수 있다.

과정

멀티테스터

고체 막대

❶ 여러 가지 고체 막대의 양 끝에 멀티테스터의 단자를 대어 저항을 측정한다.

❷ 측정한 저항값과 고체 막대의 단면적, 길이를 이용하여 전기 전도도를 계산한다.

고체 막대의 단면적이 S, 길이가 l, 측정한 저항값이 R이면 비저항(ρ)은 $\rho = R\dfrac{S}{l}(\Omega \cdot m)$이고, 전기 전도도($\sigma$)는 비저항의 역수이므로

$$\sigma = \frac{1}{\rho} = \frac{l}{RS} \text{이다.}$$

유의점

· 고체 막대의 저항을 측정할 때 멀티테스터의 단자가 막대의 양 끝에 최대한 넓게 접촉하도록 갖다 댄다.

· 멀티테스터의 다이얼은 큰 숫자가 쓰인 눈금으로부터 작은 숫자가 쓰인 눈금 쪽으로 옮겨가면서 측정한다.

결과

물질	길이(m)	단면적(m²)	저항(Ω)	전기 전도도(1/Ω·m)
연필심	0.15	10^{-5}	5.2×10^{-1}	2.9×10^{4}
나무 젓가락	0.25	5×10^{-5}	5×10^{2}	10
쇠젓가락	0.25	2×10^{-5}	1.3×10^{-3}	1×10^{7}
구리 막대	0.20	5×10^{-5}	6.8×10^{-5}	5.9×10^{7}

정리 및 해석

❶ 전기 전도도는 구리 막대 > 쇠젓가락 > 연필심 > 나무젓가락 순으로 크다.

❷ 전기 전도도가 작은 나무젓가락은 전류가 잘 흐르지 않고, 전기 전도도가 큰 연필심, 쇠젓가락, 구리 막대는 전류가 잘 흐른다.

❸ 물질마다 원자의 종류, 분자 간 결합 방식, 전자 배치와 에너지 준위가 다르기 때문에 전기 전도도가 다르게 측정된다.

한·줄·핵심 물질의 전기 전도도가 클수록 전류가 잘 흐르는 물질이다.

확인 문제
정답과 해설 47쪽

01 길이가 10 cm이고, 지름이 1 mm인 원통 모양의 고체 막대의 저항값이 1 Ω이라면 전기 전도도는 얼마인지 쓰시오.

02 다음은 물질의 전기 전도도에 대한 설명이다.

> 물질마다 전기 전도도가 다른 것은 물질마다 원자가 띠와 전도띠 사이의 (   )이 다르기 때문이다.

(   ) 안에 들어갈 알맞은 말을 쓰시오.

03 다음은 물질을 전기 전도도에 따라 구분한 것이다.

> 은, 구리, 알루미늄, 철과 같이 전기 전도도가 큰 물질을 (㉠)라 하고, 유리, 고무와 같이 전기 전도도가 작은 물질을 (㉡)라고 한다. 저마늄, 규소 같이 전기 전도도가 (㉠)과 (㉡)의 중간 정도인 물질을 (㉢)라고 한다.

㉠~㉢ 안에 들어갈 알맞은 말을 쓰시오.

콕콕! 개념 확인하기

정답과 해설 48쪽

✔ 잠깐 확인!

1. ☐☐☐☐☐ 원리
한 원자 내에서 2개의 전자가 같은 에너지를 가질 수 없다는 것으로, 하나의 전자는 하나의 양자 상태를 가진다.

2. ☐☐☐☐
전자의 에너지 준위가 매우 가깝게 존재하여 연속적인 것으로 취급할 수 있는 에너지 준위 영역

3. ☐☐☐☐
허용된 띠 중에서 에너지가 가장 높은 상태의 에너지띠로, 전자가 채워져 있다.

4. ☐☐☐
원자가 띠 바로 위에 있는 에너지띠로, 전자가 채워져 있지 않다.

5. ☐☐☐
인접한 허용된 띠 사이의 간격으로, 어떠한 전자도 존재할 수 없는 영역이다.

6. ☐☐
원자가 띠에 있던 전자가 에너지를 받아 전도띠로 이동하면 원자가 띠에 생기는 빈 자리로, (+)전하의 성질을 띤다.

7. ☐☐
원자가 띠에 전자가 일부만 채워져 있고, 원자가 띠와 전도띠가 붙어 있거나 겹쳐 있는 고체

A 고체 원자의 에너지 준위와 에너지띠

01 다음은 고체의 에너지 준위에 대한 설명이다.

> 원자가 많을수록 (㉠) 원리에 의해 에너지 준위는 미세한 차이를 두면서 존재하여 거의 연속적인 띠를 형성한다. 이와 같이 전자의 에너지 준위가 매우 가깝게 존재하여 연속적인 것으로 취급할 수 있는 에너지 준위를 (㉡)라고 한다.

㉠, ㉡에 들어갈 알맞은 말을 쓰시오.

B 허용된 띠와 금지된 띠

02 다음은 고체의 에너지띠에 대한 설명이다.

> 고체 내 전자들이 가질 수 있는 에너지띠를 (㉠)라 하고, 어떤 전자도 존재할 수 없는 영역을 (㉡)이라고 한다. (㉠) 중에서 전자로 채워진 가장 높은 상태의 에너지띠를 (㉢)라 하고, 그 위에 전자가 채워져 있지 않은 에너지띠를 (㉣)라고 한다.

㉠~㉣에 들어갈 알맞은 말을 쓰시오.

03 다음은 고체의 에너지띠 구조에 대한 설명이다.

> 원자가 띠에 있는 A가 띠 간격보다 더 큰 에너지를 얻어 전도띠로 이동하면 원자가 띠에 A의 빈 자리인 B가 생긴다.

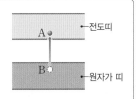

A와 B가 무엇인지 쓰시오.

C 에너지띠 구조에 따른 고체의 전기 전도성

04 그림 (가)~(다)는 도체, 반도체, 절연체의 에너지띠 구조를 순서 없이 나타낸 것이다. 이에 대한 설명으로 옳은 것은 ○, 옳지 않은 것은 ✕로 표시하시오.

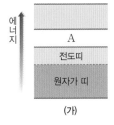
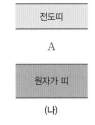

(1) 원자가 띠와 전도띠는 전자가 존재할 수 있는 허용된 띠이다. ( )

(2) 원자가 띠의 전자가 적당한 에너지를 얻으면 A에 전자가 존재할 수 있다. ( )

(3) (가)는 전자가 쉽게 전도띠로 이동한다. ( )

(4) (나)는 규소(Si), 저마늄(Ge)의 에너지띠 구조를 나타낸 것이다. ( )

A 고체 원자의 에너지 준위와 에너지띠

01 그림 (가), (나)는 기체와 고체의 에너지 준위를 순서 없이 나타낸 것이다.

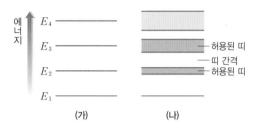

이에 대한 설명으로 옳지 <u>않은</u> 것은?

① (가)에서 E_1은 E_2보다 작다.

② (가)에서는 에너지 준위가 불연속적이다.

③ (나)는 기체 원자의 에너지 준위이다.

④ (나)에서 전자는 허용된 띠에만 존재한다.

⑤ (나)에서 전자들의 에너지 준위가 겹쳐져서 에너지띠를 만든다.

02 다음은 어떤 물질의 에너지 준위에 대한 설명이다.

> 수많은 원자들이 매우 좁은 영역에 모여 있으므로 가까이 있는 원자들끼리 서로 영향을 주고받아 에너지 준위가 미세하게 나누어져 거의 연속적으로 분포하는 영역이 생긴다. 이처럼 에너지 준위가 미세하게 나누어져서 거의 연속적으로 분포하는 영역을 ㉠에너지띠라 하고, 에너지띠와 에너지띠 사이의 영역을 (㉡)이라고 한다.

이에 대한 설명으로 옳은 것만을 〈보기〉에서 있는 대로 고른 것은?

보기

ㄱ. 물질의 상태는 고체이다.

ㄴ. ㉠에는 하나의 전자만 존재할 수 있다.

ㄷ. ㉡은 띠 간격이다.

① ㄱ   ② ㄱ, ㄴ   ③ ㄱ, ㄷ

④ ㄴ, ㄷ   ⑤ ㄱ, ㄴ, ㄷ

B 허용된 띠와 금지된 띠

03 그림은 어떤 고체의 에너지 띠 구조를 나타낸 것이다. A는 원자가 띠와 (가) 사이의 에너지 간격이고, (나)는 원자가 띠보다 에너지가 낮은 에너지띠이다.

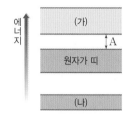

이에 대한 설명으로 옳지 <u>않은</u> 것은?

① (가)는 전도띠이다.

② A가 좁은 고체일수록 전기 전도성이 좋다.

③ (나)에서 전자의 에너지 준위는 미세하게 겹쳐 있다.

④ 원자가 띠의 전자가 에너지를 흡수하면 A에 존재할 수 있다.

⑤ 고체에 전류가 흐를 수 있도록 하는 자유 전자는 (가)에 분포한다.

04 다음은 고체에서 전류가 흐르는 까닭을 설명한 것이다.

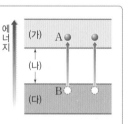

> (다)에 있던 A가 (가)로 이동하면 (다)에는 A의 빈 자리인 B가 생기고, (가)로 이동한 A는 자유롭게 움직이므로 전류가 흐를 수 있다.

이에 대한 설명으로 옳지 <u>않은</u> 것은?

① A는 전자이다.

② B는 (+)전하의 성질을 띤다.

③ (가)는 전도띠이다.

④ (다)는 원자가 띠이다.

⑤ A가 흡수한 에너지는 (나)보다 작다.

05 원자가 띠의 전자가 전도띠로 이동할 때, 자유 전자와 양공이 존재하는 에너지 영역을 옳게 짝 지은 것은?

	자유 전자	양공
①	원자가 띠	전도띠
②	원자가 띠	띠 간격
③	전도띠	띠 간격
④	전도띠	원자가 띠
⑤	띠 간격	띠 간격

C 에너지띠 구조에 따른 고체의 전기 전도성

단답형

06 그림은 저마늄(Ge)의 에너 지띠 구조를 나타낸 것이다. 원자가 띠에 있는 전자가 전도띠로 이동하기 위해 흡수해야 하는 에너지의 최솟값을 쓰시오.

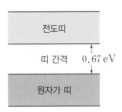

07 그림은 반도체와 절연체의 에너지띠 구조를 순서 없이 나타낸 것이다.

이에 대한 설명으로 옳지 않은 것은?

① 규소(Si)는 (가)에 해당한다.
② (나)의 전도띠에는 전자가 채워져 있다.
③ 전기 전도성은 (가)가 (나)보다 좋다.
④ 띠 간격이 6 eV인 물체는 절연체이다.
⑤ 원자가 띠에 있던 전자가 전도띠로 이동할 때 에너지를 흡수한다.

08 그림은 전자가 가득 채워진 띠와 비어 있는 띠가 겹쳐 있는 물체의 에너지띠 구조를 나타낸 것이다. A 부분은 전자가 채워진 띠이고, B 부분은 전자가 비어 있는 띠이다.
이에 대한 설명으로 옳은 것만을 〈보기〉에서 있는 대로 고른 것은?

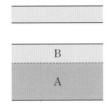

보기
ㄱ. 에너지 준위는 A가 B보다 크다.
ㄴ. 이 물체의 전기 전도성은 반도체보다 좋다.
ㄷ. B에 있는 전자들의 에너지 준위는 모두 같다.

① ㄱ   ② ㄴ   ③ ㄷ
④ ㄴ, ㄷ   ⑤ ㄱ, ㄴ, ㄷ

09 그림은 도체, 반도체, 절연체의 에너지띠 구조를 순서 없이 나타낸 것이다.

(가), (나), (다)에 해당하는 물질을 옳게 짝 지은 것은?

	(가)	(나)	(다)
①	구리	석영	저마늄
②	구리	저마늄	석영
③	석영	구리	저마늄
④	석영	저마늄	구리
⑤	저마늄	구리	석영

10 그림은 절연체의 에너지띠 구조를 나타낸 것이다. A 부분은 전자가 채워진 것을, B 부분은 전자가 비어 있는 것을 나타낸다.
이에 대한 설명으로 옳지 않은 것은?

① B는 전도띠이다.
② 전기 전도성이 반도체보다 나쁘다.
③ 띠 간격에는 전자가 존재할 수 없다.
④ 원자가 띠에는 전자가 가득 차 있다.
⑤ 약간의 에너지만으로도 원자가 띠의 전자가 전도띠로 전이할 수 있다.

단답형

11 다음은 고체의 전기적 성질에 대한 설명이다.

(㉠)는 띠 간격이 넓어 원자가 띠의 (㉡)가 전도띠로 쉽게 갈 수 없기 때문에 전류가 흐르지 못한다. 반면 (㉢)는 띠 간격이 비교적 좁아 원자가 띠에 있는 (㉡)들이 열이나 에너지를 받으면 전도띠로 올라갈 수 있다.

㉠~㉢에 들어갈 알맞은 말을 쓰시오.

도전! 실력 올리기

01 그림 (가), (나)는 원자의 수에 따른 고체의 에너지 준위의 변화를 나타낸 것이다. (나)의 A는 전도띠이다.

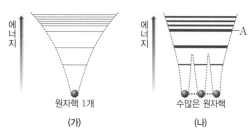

이에 대한 설명으로 옳은 것만을 〈보기〉에서 있는 대로 고른 것은?

> 보기
> ㄱ. (나)에서 A는 전자가 가득 채워진 가장 높은 상태의 에너지띠이다.
> ㄴ. (나)에서 에너지 준위가 증가할수록 에너지띠 사이의 간격이 넓어진다.
> ㄷ. 인접한 원자의 수가 많아지면 원자 내의 전자의 에너지 준위는 (가)에서 (나)처럼 된다.

① ㄱ ② ㄷ ③ ㄱ, ㄴ
④ ㄴ, ㄷ ⑤ ㄱ, ㄴ, ㄷ

02 그림 (가)는 보어의 수소 원자 모형에서 에너지 준위를 양자수에 따라 나타낸 것이고, (나)는 고체의 에너지띠를 나타낸 것이다.

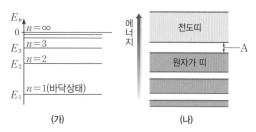

이에 대한 설명으로 옳은 것만을 〈보기〉에서 있는 대로 고른 것은?

> 보기
> ㄱ. (가)에서 전자가 바닥상태에 머물러 있는 동안 일정한 진동수의 전자기파를 방출한다.
> ㄴ. (나)에서 A의 크기에 따라 고체의 전기 전도성이 달라진다.
> ㄷ. (나)의 원자가 띠에서 전도띠로 이동한 전자는 자유 전자가 된다.

① ㄱ ② ㄷ ③ ㄱ, ㄴ
④ ㄴ, ㄷ ⑤ ㄱ, ㄴ, ㄷ

출제예감

03 그림 (가)는 절대 온도 0 K에서 어떤 고체의 에너지띠 구조를 나타낸 것이고, (나)는 상온에서 (가)의 원자가 띠에 있던 입자 A가 전도띠로 이동하여 원자가 띠에 빈 자리 B가 생긴 모습을 나타낸 것이다.

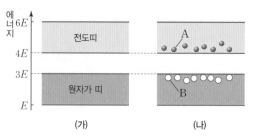

이에 대한 설명으로 옳은 것만을 〈보기〉에서 있는 대로 고른 것은?

> 보기
> ㄱ. (가)에서 원자가 띠의 전자는 여러 원자 사이를 자유롭게 이동한다.
> ㄴ. (나)에서 A가 흡수한 에너지는 $0.5E$이다.
> ㄷ. 전기 전도성은 (나)가 (가)보다 좋다.

① ㄱ ② ㄷ ③ ㄱ, ㄴ
④ ㄴ, ㄷ ⑤ ㄱ, ㄴ, ㄷ

04 그림은 고체 A, B의 에너지띠 구조를 나타낸 것이다. 파란색으로 색칠한 부분은 전자가 채워진 부분이고, A, B는 도체와 반도체 중 하나이다.

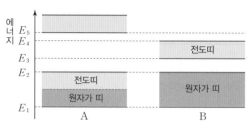

이에 대한 설명으로 옳은 것만을 〈보기〉에서 있는 대로 고른 것은?

> 보기
> ㄱ. 전기 전도성은 A가 B보다 좋다.
> ㄴ. A에는 에너지가 E_3인 전자가 존재한다.
> ㄷ. 원자가 띠에 있는 전자의 에너지는 모두 같다.

① ㄱ ② ㄷ ③ ㄱ, ㄴ
④ ㄴ, ㄷ ⑤ ㄱ, ㄴ, ㄷ

05 그림 (가)는 전선의 구조를 나타낸 것이고, (나)는 전선과 전선 피복의 에너지띠 구조 A, B를 순서 없이 나타낸 것이다. (나)에서 파란색으로 색칠한 부분은 에너지띠에 전자가 채워져 있는 것을 나타낸 것이다.

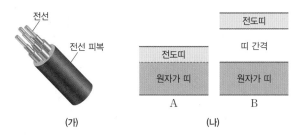

(가)　　　　　　(나)

이에 대한 설명으로 옳은 것만을 〈보기〉에서 있는 대로 고른 것은?

> 보기
> ㄱ. 전선의 에너지띠 구조는 A이다.
> ㄴ. 띠 간격이 넓을수록 전기 전도성이 나빠진다.
> ㄷ. 전선에 전류가 흐를 때 전도띠에 있는 전자의 수는 A가 B보다 많다.

① ㄱ　　　② ㄷ　　　③ ㄱ, ㄴ
④ ㄴ, ㄷ　　　⑤ ㄱ, ㄴ, ㄷ

06 그림 (가)는 도체와 절연체의 에너지띠 구조를 순서 없이 나타낸 것이고, (나)는 두 물체 a와 b에 걸린 전압에 따라 흐르는 전류의 세기를 나타낸 것이다. a와 b는 각각 A 또는 B 중 하나만을 이용하여 만들어진 물체이다.

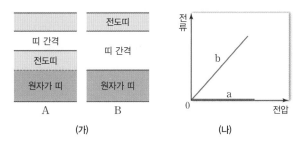

(가)　　　　　　(나)

이에 대한 설명으로 옳은 것만을 〈보기〉에서 있는 대로 고른 것은?

> 보기
> ㄱ. A는 도체이다.
> ㄴ. B는 원자가 띠 일부에만 전자가 채워져 있다.
> ㄷ. b는 A로 만들었다.

① ㄱ　　　② ㄴ　　　③ ㄷ
④ ㄱ, ㄷ　　　⑤ ㄴ, ㄷ

07 다음은 어떤 물질의 에너지띠 구조를 설명한 것이다.

전자가 가득 채워져 있는 원자가 띠와 비어 있는 전도띠 사이의 띠 간격이 좁아서 적당한 에너지를 흡수하면 전자가 전도띠로 올라가 전류를 흐르게 할 수 있다. 이러한 성질을 가진 물질에는 (　　　) 등이 있다.

(　　　) 안에 들어갈 수 있는 물질을 2개만 쓰시오.

08 다음은 고체의 에너지 준위에 대한 설명이다.

> 고체 내부에서 서로 인접한 원자가 n개로 늘어나면 원자 간의 상호 작용에 의해 원자의 에너지 준위도 (　　　)개로 늘어나고, 원자의 수가 무수히 많아지면 원자의 에너지 준위는 연속적인 띠를 이룬다.

(　　　) 안에 들어갈 알맞은 말을 쓰고, 그 까닭을 파울리 배타 원리를 이용하여 서술하시오.

09 그림은 도체와 반도체의 에너지띠 구조를 순서 없이 나타낸 것이다. 파란색으로 색칠한 부분은 전자가 채워져 있는 에너지 준위를 나타낸 것이다.

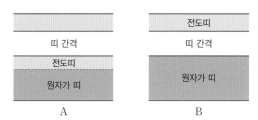

전기 전도성이 좋은 물질을 쓰고, 그 까닭을 띠 간격을 이용하여 서술하시오.

04 ∿ 반도체와 다이오드

핵심 키워드로 흐름잡기

A 순수 반도체, 도핑, n형 반도체, p형 반도체

B 다이오드, 발광 다이오드(LED), 정류 작용

❶ 원자가 전자

원자를 이루고 있는 전자들 가운데 가장 바깥 전자 껍질에 있는 전자로, 원자 사이의 결합이나 반응에 참여하여 원자의 화학적 성질을 결정하는 데 중요한 역할을 하는 전자

❷ 공유 결합

원소들이 결합을 형성할 때 서로 원자가 전자를 내놓아 전자쌍을 만들고, 이 전자쌍을 서로 공유하여 안정된 전자 배치를 이루는 결합

❸ 전하 운반자(나르개)

물질 속에서 전하를 운반하는 입자 또는 가상의 입자이다.

• n형 반도체의 주요 전하 운반자: (−)전하를 띠는 전자

• p형 반도체의 주요 전하 운반자: (+)전하를 띠는 양공

A 반도체

|출·제·단·서| p형 반도체와 n형 반도체가 만들어지는 원리를 묻는 문제가 시험에 나와!

1. 반도체의 종류

(1) 순수 반도체

(알기TiP) 순수 반도체는 원자가 전자가 4개

① 도체와 절연체의 중간 정도의 전기 전도성을 가지고 있는 물질로, 원자가 전자❶가 4개인 규소(Si), 저마늄(Ge)과 같은 반도체이다.

모든 원자가 전자가 공유 결합에 참여하고 있어 전류가 잘 흐르지 않는다.

② 순수한 규소 반도체는 고체 내에서 주위의 규소 원자 4개와 공유 결합❷을 형성한다.

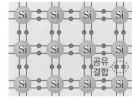
▲ 규소(Si)의 원자 구조

(2) 불순물 반도체 [개념 POOL]

negative의 첫 글자로, 전자를 의미한다.
positive의 첫 글자로, 양공을 의미한다.

① **도핑**: 순수 반도체에 불순물을 첨가하여 반도체의 성질을 바꾸는 기술이다. 도핑으로 만든 반도체를 불순물 반도체라고 하며, n형 반도체와 p형 반도체로 나뉜다.

② **n형 반도체**: 원자가 전자가 4개인 규소(Si)에 원자가 전자가 5개인 비소(As), 인(P), 안티몬(Sb) 등을 첨가하면 5개의 원자가 전자 중 4개는 규소와 결합하고, 남는 전자 1개가 존재한다. 이 전자가 전하 운반자❸가 되어 전류가 흐르게 되는 반도체이다.

• 규소(Si)에 불순물로 인(P)을 첨가하면 전도띠 바로 아래에 남는 전자에 의한 새로운 에너지띠가 만들어져 전자가 작은 에너지로도 전도띠로 쉽게 올라가 전류가 흐를 수 있다.

(알기TiP) n형 반도체는 전자가 전하 운반자

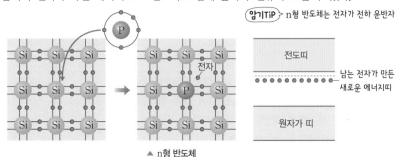
▲ n형 반도체

③ **p형 반도체**: 원자가 전자가 4개인 규소(Si)에 원자가 전자가 3개인 붕소(B), 알루미늄(Al), 인듐(In), 갈륨(Ga) 등을 첨가하면 규소 원자에 비해 전자 1개가 부족하여 전자가 비어 있는 자리인 양공이 생긴다. 이 양공이 전하 운반자가 되어 전류가 흐르게 되는 반도체이다. (알기TiP) p형 반도체는 양공이 전하 운반자

• 규소(Si)에 불순물로 붕소(B)를 첨가하면 원자가 띠 바로 위에 양공에 의한 새로운 에너지띠가 만들어져 원자가 띠의 전자가 작은 에너지로도 양공의 에너지 준위로 쉽게 올라가 전류가 흐를 수 있다.

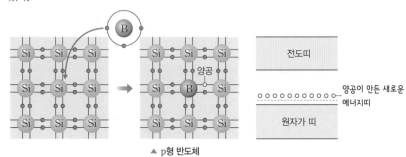
▲ p형 반도체

용어 알기

• 불순물(아닐 不, 순수할 純, 물건 物) 순수한 물질에 섞여 있는 순수하지 않은 물질

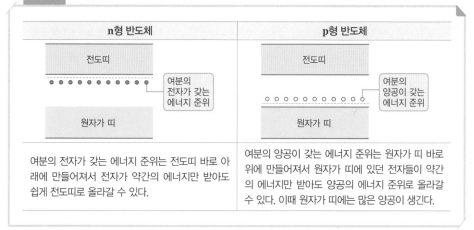

n형 반도체	p형 반도체
전도띠	전도띠
---- 여분의 전자가 갖는 에너지 준위	○○○○○○○○○○○ 여분의 양공이 갖는 에너지 준위
원자가 띠	원자가 띠
여분의 전자가 갖는 에너지 준위는 전도띠 바로 아래에 만들어져서 전자가 약간의 에너지만 받아도 쉽게 전도띠로 올라갈 수 있다.	여분의 양공이 갖는 에너지 준위는 원자가 띠 바로 위에 만들어져서 원자가 띠에 있던 전자들이 약간의 에너지만 받아도 양공의 에너지 준위로 올라갈 수 있다. 이때 원자가 띠에는 많은 양공이 생긴다.

n형 반도체에는 전도띠 아래에 전자에 의한 새로운 에너지띠가 생기고, p형 반도체에는 원자가 띠 위에 양공에 의한 새로운 에너지띠가 생겨.

B 다이오드

|출·제·단·서| p−n 접합 다이오드 원리와 특징을 묻는 문제가 시험에 나와!

1. p−n 접합 다이오드❹ p형 반도체와 n형 반도체를 접합시켜 양 끝에 *전극을 붙인 것

(1) **공핍층** p−n 접합 다이오드의 접합면에서는 전압을 걸지 않아도 n형 반도체의 전자는 p형 반도체 쪽으로, p형 반도체의 양공은 n형 반도체 쪽으로 확산한다. 따라서 접합 부분에서 p형 반도체 쪽에는 음(−)전하 층이 형성되고, n형 반도체 쪽에는 양(+)전하 층이 형성된다. 이렇게 되면 n형 반도체에서 p형 반도체 방향으로 전기장이 생성되어 더 이상 양공이나 전자가 이동할 수 없게 되며, 이 지역을 공핍층이라고 한다.

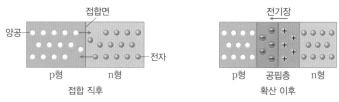

▲ p−n 접합 다이오드의 공핍층

(2) **순방향 전압❺** 다이오드에 순방향 전압이 걸렸을 때에만 전류가 흐른다.
① **연결 방법:** p형 반도체에 전원의 (+)극, n형 반도체에 전원의 (−)극을 연결한다.
② **원리:** p−n 접합면에서 양공이 (−)극 쪽으로, 전자가 (+)극 쪽으로 서로 반대 방향으로 이동하므로 다이오드 양 끝에서 양공과 전자를 계속 공급할 수 있어서 전류가 지속적으로 흐른다.

(3) **역방향 전압❻** 다이오드에 역방향 전압이 걸렸을 때에는 전류가 흐르지 않는다.
① **연결 방법:** p형 반도체에 전원의 (−)극, n형 반도체에 전원의 (+)극을 연결한다.
② **원리:** p형 반도체 쪽에는 전자가 공급되어 양공이 거의 사라지고, 전원의 (−)극 쪽으로 양공이 몰린다. n형 반도체 쪽에는 전자가 전원의 (+)극 쪽으로 몰리므로 접합면에 남는 양공이나 전자가 없어 전자가 이동할 수 없으므로 전류가 흐르지 않는다.

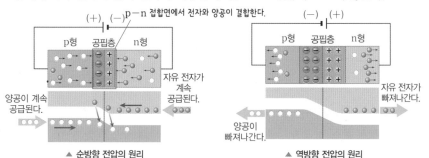

▲ 순방향 전압의 원리   ▲ 역방향 전압의 원리

❹ p−n 접합 다이오드
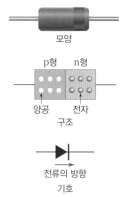
모양

p형 n형

양공 전자
구조

전류의 방향
기호

❺ 순방향 전압과 공핍층
p−n 접합 다이오드에 순방향 전압이 걸리면 p형 반도체의 양공과 n형 반도체의 전자가 접합면 쪽으로 이동하여 공핍층이 점점 얇아진다. 공핍층의 전기장보다 외부 전기장이 커지면 양공과 전자가 p−n 접합면을 통해 서로 반대쪽으로 이동하게 된다.

❻ 역방향 전압과 공핍층
p−n 접합 다이오드에 역방향 전압이 걸리면 p형 반도체의 양공이 (−)극 쪽으로 몰리고, n형 반도체의 전자는 (+)극 쪽으로 몰린다. 이렇게 전자와 양공들이 접합면으로부터 멀어지면서 공핍층의 폭이 더욱 두꺼워지고, 접합면에서 양공과 전자가 이동할 수 없게 된다.

용어 알기 🐱

●전극(번개 電, 다할 極) 전기가 드나드는 곳

❼ 교류와 직류

❼ 교류와 직류

교류는 시간에 따라 세기와 방향이 주기적으로 바뀌는 전류이고, 직류는 세기와 방향이 바뀌지 않는 전류이다.

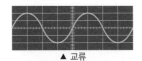

▲ 교류

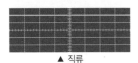

▲ 직류

2. p−n 접합 다이오드의 특징과 이용

(1) 특징 전류를 한쪽 방향으로만 흐르게 하는 ●정류 작용을 한다.

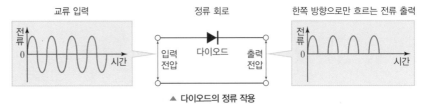

교류 입력   정류 회로   한쪽 방향으로만 흐르는 전류 출력

입력 전압   다이오드   출력 전압

▲ 다이오드의 정류 작용

(2) 이용 가정에서 사용하는 전기 제품은 직류❼를 필요로 하는 경우가 대부분이므로 전기 제품 내부에는 다이오드가 들어 있어 가정에 들어오는 교류를 전자 제품에 맞는 직류로 바꾸어 준다.

㉐ 휴대 전화나 노트북 충전기의 어댑터

빈출 탐구 다이오드의 특성 알아보기

연결 방법에 따라 전류가 흐르거나 흐르지 않는 다이오드의 성질을 알아본다.

과정

① 그림 (가)와 같이 p−n 접합 다이오드를 회로에 연결하고 스위치를 닫아 전구에 불이 켜지는지 확인한다.

② 그림 (나)와 같이 다이오드의 단자를 반대로 연결하고 스위치를 닫아 전구에 불이 켜지는지 확인한다.

(가) 다이오드   (나) 다이오드

결과

• (가)에서는 전구의 불이 켜지지 않고, (나)에서는 전구의 불이 켜진다.

정리

❶ 역방향 전압을 걸어 주었을 때는 회로에 전류가 흐르지 않으므로 전구에 불이 켜지지 않는다.

❷ 순방향 전압을 걸어 주었을 때는 회로에 전류가 흐르므로 전구에 불이 켜진다.

❸ 다이오드는 전구의 연결 방법에 따라 전류가 흐르거나 흐르지 않으므로 전류를 한쪽 방향으로 흐르게 하는 데 이용될 수 있다.

다이오드의 p형 반도체에 전원의 (+)극을, n형 반도체에 전원의 (−)극을 연결할 때 전류가 흐르고, 이것을 순방향 전압이라고 해!

┌ p−n 접합 다이오드의 일종으로, 전류가 흐를 때 빛을 방출한다.

이때 전자는 에너지를 잃고 양공과 결합하며, 전자가 잃는 에너지만큼의 에너지를 갖는 빛을 방출한다.

3. 발광 다이오드(LED) [탐구 POOL] 순방향 전압에 의해 전류가 흐를 때 n형 반도체에서 p형 반도체에 도달한 전자들이 에너지 준위가 낮은 양공의 자리로 이동하면서 띠 간격에 해당하는 만큼의 에너지를 빛으로 방출하는 다이오드

암기TIP 순방향 전압이 걸리면 전도띠의 전자가 원자가 띠의 양공으로 이동

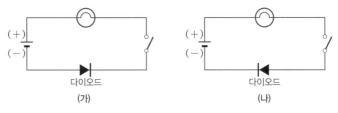

빛   양공이 소멸된다.

양공   전자

▲ 발광 다이오드의 원리

(1) 특징 수명이 길고, 크기가 작으며, 반도체의 재료에 따라 다양한 색깔의 빛을 방출한다.

(2) 이용 각종 영상 표시 장치(주유기, 전자레인지, 전자시계 등), 조명 장치, TV 리모컨과 같은 적외선 발광기에 이용된다.

❓ 발광 다이오드에서 방출되는 빛의 색은 어떻게 달라질까?

순수 반도체의 재료로 규소 대신 갈륨 비소(GaAs) 화합물을 사용하고, 불순물로 인(P)을 섞어 주면 n형 반도체가 된다. 불순물의 함량에 따라 띠 간격이 달라지며, 띠 간격이 발광 다이오드의 발광색을 결정한다.

🐱 용어 알기

●정류(정돈할 整, 흐를 流) 전류를 한 방향으로만 흐르도록 하는 일

불순물 반도체의 전기 전도성

목표 n형 반도체와 p형 반도체의 전기 전도성이 순수 반도체보다 좋은 까닭을 설명할 수 있다.

1 불순물 반도체

❶ **n형 반도체**: 순수 반도체에 원자가 전자가 5개인 인(P), 비소(As), 안티모니(Sb) 등을 첨가한 반도체

❷ **p형 반도체**: 순수 반도체에 원자가 전자가 3개인 붕소(B), 알루미늄(Al), 갈륨(Ga), 인듐(In) 등을 첨가한 반도체

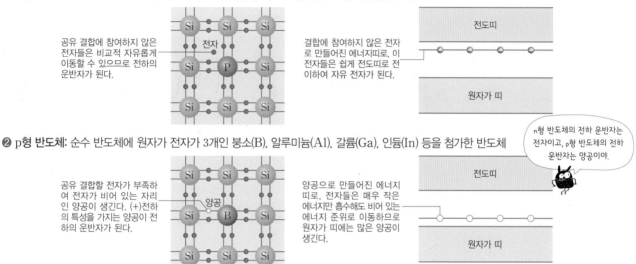

공유 결합에 참여하지 않은 전자들은 비교적 자유롭게 이동할 수 있으므로 전하의 운반자가 된다.

결합에 참여하지 않은 전자로 만들어진 에너지띠로, 이 전자들은 쉽게 전도띠로 전이하여 자유 전자가 된다.

공유 결합할 전자가 부족하여 전자가 비어 있는 자리인 양공이 생긴다. (+)전하의 특성을 가지는 양공이 전하의 운반자가 된다.

양공으로 만들어진 에너지 띠로, 전자들은 매우 작은 에너지만 흡수해도 비어 있는 에너지 준위로 이동하므로 원자가 띠에는 많은 양공이 생긴다.

n형 반도체의 전하 운반자는 전자이고, p형 반도체의 전하 운반자는 양공이야.

2 불순물 반도체의 전기 전도성

❶ n형 반도체는 전도띠 바로 아래에 새로운 에너지 준위가 만들어지고, 여기에 있는 전자들은 매우 쉽게 전도띠로 전이하여 자유 전자가 되므로 n형 반도체의 전기 전도성은 순수 반도체의 전기 전도성보다 좋다.
❷ p형 반도체에는 원자가 띠 바로 위에 새로운 에너지 준위가 만들어지고, 원자가 띠의 전자들은 매우 작은 에너지만 흡수해도 비어 있는 에너지 준위로 이동하게 되므로 원자가 띠에 많은 양공이 생긴다. 양공은 쉽게 이동할 수 있으므로 p형 반도체의 전기 전도성은 순수 반도체의 전기 전도성보다 좋다.

한·줄·핵심 n형 반도체에는 전도띠 바로 아래에 새로운 에너지띠가 만들어지고, p형 반도체에는 원자가 띠 바로 위에 새로운 에너지띠가 만들어지므로 전기 전도성이 순수 반도체보다 좋다.

확인 문제

정답과 해설 51쪽

01 다음은 반도체에 대한 설명이다.

> 순수 반도체에 불순물을 첨가하여 반도체의 전자나 양공의 수를 조절하는 것을 (㉠)이라고 한다. 순수 반도체에 원자가 전자가 3개인 불순물을 첨가하면 (㉡)가 되고, 원자가 전자가 5개인 불순물을 첨가하면 (㉢)가 된다.

(1) ㉠~㉢ 안에 들어갈 알맞은 말을 쓰시오.
(2) ㉡과 ㉢의 전하 운반자(나르개)를 쓰시오.

02 반도체에 대한 설명으로 옳은 것은 ○, 옳지 않은 것은 ×로 표시하시오.

(1) 규소(Si)는 원자가 전자가 4개이다. ( )
(2) 규소(Si)에 인(P)을 첨가하여 n형 반도체를 만든다. ( )
(3) n형 반도체는 전자가 양공보다 많다. ( )
(4) 순수 반도체는 불순물 반도체보다 전기 전도성이 좋다. ( )
(5) 규소(Si)에 붕소(B)를 첨가하면 양공이 감소한다. ( )

발광 다이오드(LED)의 전기적 특성 알아보기

목표 발광 다이오드(LED)의 전기적 특성을 설명할 수 있다.

과정

유의점

과정 ❶에서 발광 다이오드(LED)의 긴 다리가 전지의 (+)극 쪽에, 짧은 다리가 전지의 (−)극 쪽에 오도록 연결한다.

❶ 발광 다이오드(LED)에 불이 켜지는지 관찰하기

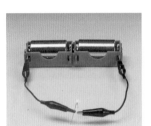

전지의 (+)극에 발광 다이오드(LED)의 긴 다리를, (−)극에 짧은 다리를 연결하고, 발광 다이오드(LED)에 불이 켜지는지 관찰한다.

❷ 발광 다이오드(LED)의 다리를 반대로 연결하고 불이 켜지는지 관찰하기

전지의 (+)극과 (−)극에 발광 다이오드(LED)의 다리를 반대로 연결하고, 발광 다이오드(LED)에 불이 켜지는지 관찰한다.

❸ 발광 다이오드(LED)의 종류를 다르게 하고 관찰하기

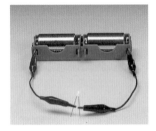

발광 다이오드(LED)의 종류를 바꾸어 연결하고, 발광 다이오드(LED)에 불이 켜지는지 관찰한다.

결과

❶ 과정 ❶에서 발광 다이오드(LED)에 붉은색 불이 켜진다.
❷ 과정 ❷에서 발광 다이오드(LED)에 불이 켜지지 않는다.
❸ 과정 ❸에서 발광 다이오드(LED)에 초록색 불이 켜진다.

정리 및 해석

❶ 발광 다이오드(LED)는 전지의 연결 방향에 따라 불이 켜지기도 하고, 불이 켜지지 않기도 한다.
❷ p형 반도체에 전지의 (+)극, n형 반도체에 전지의 (−)극을 연결하면 전류가 흐르고, p형 반도체에 전지의 (−)극, n형 반도체에 전지의 (−)극을 연결하면 전류가 흐르지 않는다.
❸ 발광 다이오드(LED)의 종류가 달라지면 방출하는 빛의 색도 달라진다.

한·줄·핵심 p형 반도체에 전지의 (+)극, n형 반도체에 전지의 (−)극을 연결하면 전류가 흐르고, p형 반도체에 전지의 (−)극, n형 반도체에 전지의 (−)극을 연결하면 전류가 흐르지 않는다.

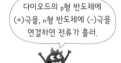

다이오드의 p형 반도체에 (+)극을, n형 반도체에 (−)극을 연결하면 전류가 흐려.

정답과 해설 51쪽

▼ 확인 문제

01 그림은 p−n 접합 다이오드, 스위치, 전구, 전원 장치를 연결한 것이다.

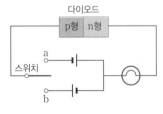

a와 b 중 어느 쪽에 연결했을 때 전구에 불이 켜지는지 쓰시오.

02 발광 다이오드(LED)의 긴 다리와 연결된 반도체의 종류를 쓰시오.

03 붉은색 빛을 방출하는 발광 다이오드(LED)와 초록색 빛을 방출하는 발광 다이오드(LED) 중 원자가 띠와 전도띠 사이의 띠 간격이 더 넓은 것을 쓰시오.

✔ 잠깐 확인!

1. ☐☐
순수 반도체에 불순물을 첨
가하여 전기적 특성을 바꾸
는 것

2. ☐☐
전자가 비어 있는 자리에 생
기는 구멍

3. n형 반도체에 첨가하는 원
소의 원자가 전자는 ☐개, p
형 반도체에 첨가하는 원소
의 원자가 전자는 ☐개이다.

4. n형 반도체의 주요 전하
운반자는 ☐☐이고, p형
반도체의 주요 전하 운반자
는 ☐☐이다.

5. p−n 접합 ☐☐☐☐
는 p형 반도체 쪽에 전원의
(＋)극을 n형 반도체 쪽에
전원의 (−)극을 연결할 때
에만 전류가 흐른다.

6. ☐☐☐☐
전류를 한쪽 방향으로 흐르
게 하는 작용으로, 교류를 직
류로 변환시킨다.

7. ☐☐ 다이오드
순방향 전압을 걸어 줄 때 빛
을 방출하는 반도체 소자

A 반도체

01 순수 반도체에 대한 설명으로 옳은 것은 ○, 옳지 <u>않은</u> 것은 ✕로 표시하시오.

(1) 순수 반도체는 원자가 전자가 4개인 원소로 이루어져 있다. ( )

(2) 순수 반도체를 구성하는 원소들은 서로 전자쌍을 공유하는 공유 결합을 한다. ( )

(3) 순수 반도체에 불순물을 첨가하면 전기 저항이 증가한다. ( )

02 다음은 불순물 반도체에 대한 설명이다.

> 순수 반도체에 불순물을 첨가하면 n형 반도체와 p형 반도체를 만들 수 있다. n형 반도체에서는 (㉠)가 전하를 운반하고, p형 반도체에서는 (㉡)이 전하를 운반한다.

㉠, ㉡에 들어갈 알맞은 말을 쓰시오.

03 반도체의 종류와 그에 대한 설명을 옳게 연결하시오.

(1) 순수 반도체 •   • ㉠ 전자 수 > 양공 수

(2) n형 반도체 •   • ㉡ 전자 수 < 양공 수

(3) p형 반도체 •   • ㉢ 전자 수＝양공 수

B 다이오드

04 그림은 전원 장치에 주요 전하 운반자가 각각 양공과 전자인 불순물 반도체를 접합시킨 다이오드 A, B와 저항 R_A, R_B를 연결한 회로를 나타낸 것이다.

( ) 안에 들어갈 알맞은 말을 고르시오.

(1) p형 반도체에 전원의 (＋, −)극, n형 반도체에 전원의 (＋, −)극을 연결해야 다이오드에 전류가 흐른다.

(2) 스위치를 닫았을 때 A에는 (순방향, 역방향) 전압이 걸린다.

(3) 스위치를 닫았을 때 전류가 흐르는 저항은 (R_A, R_B, 모두)이다.

05 다음은 반도체 소자에 대한 설명이다.

> (㉠)는 한쪽 방향으로는 전류를 흐르게 하지만 반대 방향으로는 전류를 흐르지 못하게 하는 반도체 소자이다. 이처럼 한쪽 방향으로만 전류를 흐르게 하는 작용을 (㉡)이라고 한다.

㉠, ㉡에 들어갈 알맞은 말을 쓰시오.

A 반도체

01 순수 반도체에 대한 설명으로 옳지 <u>않은</u> 것은?

① 4개의 원자가 전자를 갖는다.

② 온도가 높아지면 전기 저항은 커진다.

③ 규소(Si)나 저마늄(Ge)을 주로 사용한다.

④ 반도체 내부의 원자들은 공유 결합을 한다.

⑤ 원자가 띠와 전도띠 사이의 간격은 절연체보다 좁다.

02 다음은 n형 반도체에 대한 설명이다.

> n형 반도체는 순수한 규소(Si)에 원자가 전자가 5개
> 인 (㉠) 등의 원소를 소량 첨가하여 규소 원자와
> 공유 결합을 하게 만든 것이다.

㉠에 들어갈 수 있는 원소들을 〈보기〉에서 있는 대로 고른
것은?

> 보기
> ㄱ. 인(P)   ㄴ. 붕소(B)
> ㄷ. 비소(As)   ㄹ. 알루미늄(Al)

① ㄱ, ㄴ   ② ㄱ, ㄷ   ③ ㄴ, ㄹ

④ ㄷ, ㄹ   ⑤ ㄴ, ㄷ, ㄹ

03 그림은 규소에 불순물 A를 첨
가한 반도체의 원자가 전자의 배열
을 나타낸 것이다.
A에 들어갈 수 있는 원소들을 〈보기〉
에서 있는 대로 고른 것은?

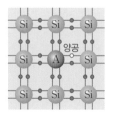

> 보기
> ㄱ. 인(P)   ㄴ. 붕소(B)
> ㄷ. 갈륨(Ga)   ㄹ. 알루미늄(Al)

① ㄱ, ㄴ   ② ㄱ, ㄷ   ③ ㄴ, ㄹ

④ ㄷ, ㄹ   ⑤ ㄴ, ㄷ, ㄹ

단답형

04 그림은 불순물 반도체의 결정 구조를 나타낸 것이다.

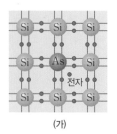 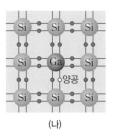

(가)   (나)

(가)와 (나)의 반도체의 종류를 쓰시오.

단답형

05 다음은 반도체의 전기 전도성을 좋게 하는 방법에 대한
설명이다.

> n형 반도체는 순수한 규소(Si)에 원자가 전자가
> (㉠)개인 원소를 소량 첨가하고, p형 반도체는
> 순수한 규소(Si)에 원자가 전자가 (㉡)개인 원소
> 를 소량 첨가하여 반도체의 전기 전도성을 좋게 한다.

㉠, ㉡에 들어갈 알맞은 숫자를 쓰시오.

B 다이오드

06 그림은 규소(Si)에 갈륨(Ga)을 첨가한 반도체 X와 불
순물 a를 첨가한 반도체 Y를 접합한 p−n 접합 다이오드의
원자가 전자의 배열을 나타낸 것이다.

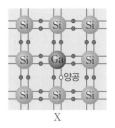 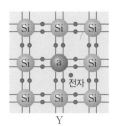

X   Y

이에 대한 설명으로 옳은 것만을 〈보기〉에서 있는 대로 고른
것은?

> 보기
> ㄱ. X는 p형 반도체이다.
> ㄴ. a는 원자가 전자가 5개이다.
> ㄷ. p−n 접합 다이오드에 순방향 전압을 걸어 주면 p
> 형 반도체에 있는 양공은 접합면 쪽으로 이동한다.

① ㄱ   ② ㄱ, ㄴ   ③ ㄱ, ㄷ

④ ㄴ, ㄷ   ⑤ ㄱ, ㄴ, ㄷ

07 그림은 반도체와 다이오드에 대한 내용을 정리한 것이다.

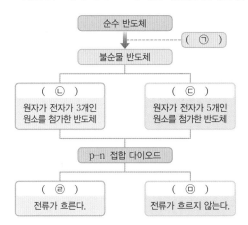

이에 대한 설명으로 옳지 <u>않은</u> 것은?

① ㉠은 도핑이다.

② ㉡은 p형 반도체이다.

③ ㉢의 전하 운반자는 전자이다.

④ ㉣은 순방향이다.

⑤ ㉤일 때 p형 반도체에 전원의 (＋)극이 연결되어 있다.

08 다음은 발광 다이오드(LED)에 대한 설명이다.

> LED는 p형 반도체와 n형 반도체를 접합시켜 만든 것으로, LED에 순방향 전압이 걸리면 LED에서 빛이 나온다. LED는 전도띠의 (㉠)와 원자가 띠의 (㉡)이 결합하면서 ㉢띠 간격에 해당하는 만큼의 에너지를 빛으로 방출한다. 또 LED의 p형 반도체와 n형 반도체를 만드는 재료에 따라 LED에서 방출하는 빛의 색을 다르게 할 수 있다.

이에 대한 설명으로 옳은 것만을 〈보기〉에서 있는 대로 고른 것은?

보기
> ㄱ. p형 반도체에서 주된 전하 운반자는 ㉡이다.
> ㄴ. LED가 빛을 방출하려면 n형 반도체에 전원의 (−)극을 연결해야 한다.
> ㄷ. ㉢은 빨간색 빛이 파란색 빛보다 넓다.

① ㄱ   ② ㄱ, ㄴ   ③ ㄱ, ㄷ

④ ㄴ, ㄷ   ⑤ ㄱ, ㄴ, ㄷ

09 그림은 전원을 연결한 발광 다이오드(LED)가 빛을 방출하는 모습을 나타낸 것이다.

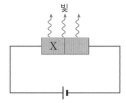

이에 대한 설명으로 옳은 것은?

① X는 p형 반도체이다.

② 다이오드는 직류를 교류로 바꾼다.

③ n형 반도체는 양공이 전하 운반자이다.

④ 전원의 극을 바꾸어 연결해도 빛을 방출한다.

⑤ 전자는 n형 반도체 쪽으로, 양공은 p형 반도체 쪽으로 이동한다.

10 그림은 p형 반도체와 n형 반도체를 접합하여 만든 발광 다이오드(LED)를 직류 전원 장치에 연결했을 때 빨간색 빛이 나오고 있는 것을 나타낸 것이다.

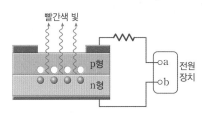

이에 대한 설명으로 옳지 <u>않은</u> 것은?

① 전원 장치의 단자 a는 (＋)극이다.

② p형 반도체에서는 주로 양공이 전류를 흐르게 한다.

③ n형 반도체는 순수 반도체에 원자가 전자가 5개인 원소를 첨가한 것이다.

④ n형 반도체의 전도띠에 있던 전자가 접합면으로 이동한다.

⑤ 띠 간격이 더 넓은 발광 다이오드(LED)를 연결하면 파장이 더 긴 빛이 나온다.

단답형
11 다음은 p−n 접합 다이오드에 대한 설명이다.

> p−n 접합 다이오드는 전류를 한쪽 방향으로만 흐르게 하는 성질이 있으므로 교류를 직류로 바꾸는 ( ) 작용에 이용할 수 있다. 따라서 교류를 직류로 전환하여 충전시키는 휴대용 전자 기기의 충전기에 p−n 접합 다이오드가 사용된다.

( ) 안에 들어갈 알맞은 말을 쓰시오.

도전! 실력 올리기

01 그림은 규소(Si)의 결정 구조를 나타낸 것이다.

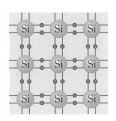

이에 대한 설명으로 옳지 <u>않은</u> 것은?

① 순수 반도체이다.
② 원자가 전자가 4개이다.
③ 규소에 인(P)을 첨가하면 p형 반도체가 된다.
④ 규소에 붕소(B)를 첨가하면 전기 저항이 감소한다.
⑤ 규소 원자들은 전자쌍을 공유하는 공유 결합을 한다.

02 그림은 순수한 규소(Si) 반도체 X와 규소에 인(P)을 첨가한 반도체 Y의 전자 배열을 나타낸 것이다.

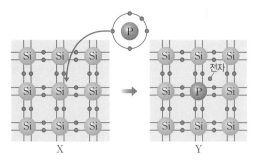

이에 대한 설명으로 옳은 것만을 〈보기〉에서 있는 대로 고른 것은?

<보기>
ㄱ. 인(P)의 원자가 전자는 5개이다.
ㄴ. Y는 n형 반도체이다.
ㄷ. X가 Y보다 전기 전도성이 좋다.

① ㄱ   ② ㄷ   ③ ㄱ, ㄴ
④ ㄴ, ㄷ   ⑤ ㄱ, ㄴ, ㄷ

03 다음은 불순물 반도체 X에 대한 설명이다.

순수 반도체인 규소(Si)에 붕소 (B)를 불순물로 첨가하면 원자가 띠 바로 위에 (㉠)에 의한 새로운 에너지띠가 만들어져서 원자가 띠의 전자가 적은 에너지로도 전도띠로 쉽게 올라가 전류가 흐를 수 있다.

이에 대한 설명으로 옳은 것만을 〈보기〉에서 있는 대로 고른 것은?

<보기>
ㄱ. ㉠은 양공이다.
ㄴ. X는 p형 반도체이다.
ㄷ. 붕소는 규소보다 원자가 전자가 1개 많다.

① ㄱ   ② ㄷ   ③ ㄱ, ㄴ
④ ㄴ, ㄷ   ⑤ ㄱ, ㄴ, ㄷ

04 그림과 같이 p-n 접합 다이오드, 직류 전원, 교류 전원, 스위치, 전구를 이용하여 회로를 구성하였다. 스위치를 a에 연결할 때 전구의 불이 켜졌다.

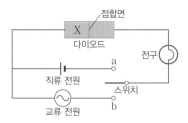

이에 대한 설명으로 옳은 것만을 〈보기〉에서 있는 대로 고른 것은?

<보기>
ㄱ. X는 p형 반도체이다.
ㄴ. 스위치를 a에 연결하면 X 내부의 전자는 접합면 쪽으로 이동한다.
ㄷ. 스위치를 b에 연결하면 전구에서 불이 켜지고 꺼지는 것이 반복된다.

① ㄱ   ② ㄴ   ③ ㄷ
④ ㄱ, ㄷ   ⑤ ㄴ, ㄷ

05 그림은 반도체 A와 B를 접합하여 만든 p−n 접합 다이오드 P와 Q를 전구에 연결하고 스위치를 a에 연결했을 때 전구에서 빛이 방출되는 것을 나타낸 것이다.

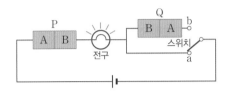

이에 대한 설명으로 옳은 것만을 〈보기〉에서 있는 대로 고른 것은?

보기
ㄱ. A는 전류를 흐르게 하는 전자가 많아지도록 도핑하였다.
ㄴ. B는 n형 반도체이다.
ㄷ. 스위치를 b에 연결하면 전구에서 빛이 방출되지 않는다.

① ㄱ   ② ㄷ   ③ ㄱ, ㄴ
④ ㄴ, ㄷ   ⑤ ㄱ, ㄴ, ㄷ

06 다음은 발광 다이오드(LED)에서 빛이 발생하는 원리를 설명한 것이다.

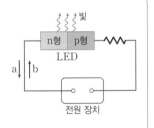

그림과 같은 회로에서 LED에 ㉠순방향 전압이 걸리면 n형 반도체의 전자와 p형 반도체의 양공이 각각 p−n 접합면 쪽으로 이동하여 결합하고, ㉡띠 간격에 해당하는 만큼의 에너지를 빛으로 방출한다. 이때 회로에는 ㉢전류가 흐른다.

이에 대한 설명으로 옳은 것만을 〈보기〉에서 있는 대로 고른 것은?

보기
ㄱ. ㉠이면 n형 반도체에는 전원의 (+)극이, p형 반도체에는 전원의 (−)극이 연결되어 있다.
ㄴ. ㉡이 넓을수록 방출되는 빛의 파장은 길다.
ㄷ. ㉢의 방향은 a이다.

① ㄱ   ② ㄴ   ③ ㄷ
④ ㄱ, ㄷ   ⑤ ㄴ, ㄷ

07 그림 (가), (나)는 상온에서 순수한 규소(Si) 반도체와 순수한 규소에 불순물을 첨가하여 만든 반도체를 나타낸 것이다.

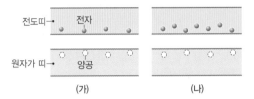

(나)의 반도체의 종류를 쓰고, 그 까닭을 전자와 양공을 이용하여 서술하시오.

08 그림은 전기 소자 A에 입력되는 전류와 출력되는 전류를 시간에 따라 나타낸 것이다.

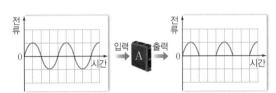

A의 이름을 쓰시오.

09 그림은 p형 반도체와 n형 반도체를 접합하여 만든 발광 다이오드 A, B를 전압이 일정한 전원 장치에 연결하였을 때 A, B에서 각각 빨간색 빛과 파란색 빛이 방출되고 있는 모습을 나타낸 것이다.

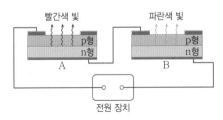

A와 B의 띠 간격을 비교하고, 그 까닭을 서술하시오.

발광 다이오드(LED)의 이해

출제 의도

발광 다이오드에서 p형 반도체에 전원의 (+)극을, n형 반도체에 전원의 (−)극을 연결하였을 때가 순방향 전압이고, 이때 빛이 방출되는 것을 추론하는 문제이다.

그림은 p형, n형 반도체를 접합하여 만든 발광 다이오드를 직류 전원 장치에 연결했을 때, 빨간색 빛이 나오고 있는 것을 모식적으로 나타낸 것이다.

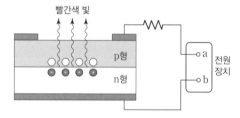

이에 대한 설명으로 옳은 것만을 〈보기〉에서 있는 대로 고른 것은?

보기

ㄱ. 전원 장치의 단자 a는 (+)극이다.

→ LED에서 빛이 방출되고 있으므로 LED에 순방향 전압이 걸려 있다. 순방향 전압은 p형 반도체에 전원의 (+)극을 연결하였을 때이므로 단자 a가 (+)극이라는 것을 알 수 있다.

ㄴ. n형 반도체의 전도띠에 있는 전자가 접합면으로 이동한다.

→ LED에 순방향 전압이 걸렸을 때 n형 반도체의 전도띠에 있는 전자는 접합면으로 이동하고, p형 반도체의 원자가 띠에 있는 양공도 접합면으로 이동하여 접합면에서 전자와 양공이 결합한다.

ㄷ. 띠 간격이 더 넓은 발광 다이오드를 연결하면 파장이 더 긴 빛이 방출된다.

→ 발광 다이오드에서 띠 간격에 해당하는 만큼의 에너지를 빛으로 방출하므로 띠 간격이 더 넓은 발광 다이오드를 연결하면 파장이 더 짧은 빛이 방출된다.

① ㄴ   ② ㄷ   ③ ㄱ, ㄴ   ④ ㄱ, ㄷ   ⑤ ㄱ, ㄴ, ㄷ

✏ 이것이 함정

원자가 띠와 전도띠 사이의 띠 간격이 넓을수록 파장이 짧은 빛이 방출된다는 것과 방출되는 빛이 빨간색, 초록색, 파란색으로 갈수록 파장이 짧아진다는 사실을 기억해야 한다.

발광 다이오드(LED)에서 빛이 방출되는 원리 추론하기

| 그림에서 빛이 방출되므로 LED에 순방향 전압이 걸렸다는 것을 추론할 수 있다. | ⟫⟫ | 발광 다이오드에 순방향 전압이 걸렸다는 것으로부터 p형 반도체에는 전원의 (+)극을, n형 반도체에는 전원의 (−)극을 연결하였다는 것을 알 수 있다. | ⟫⟫ | 발광 다이오드에 전류가 흐를 때 n형 반도체의 전도띠의 전자가 p형 반도체의 원자가 띠의 양공으로 이동하면서 감소하는 에너지만큼 빛을 방출하므로 띠 간격이 넓을수록 파장이 짧은 빛을 방출한다는 것을 추론한다. |

추가 선택지

• 발광 다이오드에서 전류는 p형 반도체에서 n형 반도체로 흐른다.   (○)

⋯⋯ 전류는 전원의 (+)극 → 발광 다이오드 → 전원의 (−)극으로 흐른다. 따라서 발광 다이오드에 흐르는 전류의 방향은 p형 반도체에서 n형 반도체 쪽이다.

• n형 반도체의 전도띠에 있던 전자와 p형 반도체의 원자가 띠에 있던 양공이 결합할 때 에너지를 방출한다.   (○)

⋯⋯ 전자의 전이에 의해 감소하는 에너지만큼 빛을 방출한다.

실전! 수능 도전하기

정답과 해설 54쪽

01 그림은 기체 원자와 고체 원자의 에너지 준위에 대해 세 사람이 대화하는 모습을 나타낸 것이다.

옳게 말한 사람만을 있는 대로 고른 것은?

① 철수   ② 영희   ③ 철수, 민수
④ 영희, 민수   ⑤ 철수, 영희, 민수

02 다음은 고체의 에너지 준위에 대한 설명이다.

> 고체는 수많은 원자들이 매우 좁은 영역에 모여 있으므로 가까이 있는 원자들끼리 서로 영향을 주고받는다. 따라서 ㉠에너지 준위가 미세하게 나누어져 거의 연속적으로 분포하는 영역을 에너지띠라 하고, ㉡원자가 띠와 ㉢전도띠처럼 전자가 존재할 수 있는 에너지띠를 허용된 띠라고 한다.

이에 대한 설명으로 옳은 것만을 〈보기〉에서 있는 대로 고른 것은?

> 보기
> ㄱ. ㉠은 파울리 배타 원리로 설명할 수 있다.
> ㄴ. ㉡은 전자가 채워진 에너지띠 중에서 에너지가 가장 크다.
> ㄷ. ㉡과 ㉢의 에너지 준위의 차이가 클수록 전류가 흐르기 어려운 물질이다.

① ㄱ   ② ㄴ   ③ ㄱ, ㄷ
④ ㄴ, ㄷ   ⑤ ㄱ, ㄴ, ㄷ

03 그림은 고체의 에너지띠 구조를 나타낸 것이고, 표는 절대 온도가 0 K일 때 고체의 띠 간격과 전기적 성질을 나타낸 것이다.

물체	띠 간격(eV)	전기적 성질
A	1.14	반도체
B	0.67	(㉠)
C	(㉡)	절연체

이에 대한 설명으로 옳은 것만을 〈보기〉에서 있는 대로 고른 것은?

> 보기
> ㄱ. A의 원자가 띠에 있는 전자가 전도띠로 이동하기 위해서는 1.14 eV 이상의 에너지를 흡수해야 한다.
> ㄴ. ㉠은 절연체이다.
> ㄷ. ㉡은 0.67 eV보다 작다.

① ㄱ   ② ㄴ   ③ ㄷ
④ ㄱ, ㄴ   ⑤ ㄱ, ㄷ

수능 기출

04 그림은 고체 A, B, C의 에너지띠 구조를 나타낸 것이다. A, B, C는 도체, 반도체, 절연체를 순서 없이 나타낸 것이고, 색칠한 부분은 에너지띠에 전자가 차 있는 것을 나타낸 것이다.

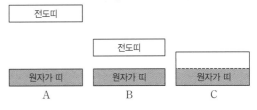

이에 대한 설명으로 옳은 것만을 〈보기〉에서 있는 대로 고른 것은?

> 보기
> ㄱ. A는 절연체이다.
> ㄴ. 상온에서 전기 전도성은 B가 C보다 좋다.
> ㄷ. 온도가 높을수록 B에서 양공 수는 줄어든다.

① ㄱ   ② ㄴ   ③ ㄷ
④ ㄱ, ㄴ   ⑤ ㄱ, ㄷ

05 그림 (가)는 고체의 에너지 준위를 모식적으로 나타낸 것이고, (나)는 고체 A, B의 에너지띠를 나타낸 것이다.

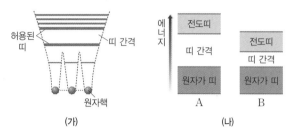

(가)　　　　　　　(나)

이에 대한 설명으로 옳은 것만을 〈보기〉에서 있는 대로 고른 것은?

보기
ㄱ. (가)에서 전자는 허용된 띠의 에너지 준위만 가질 수 있다.
ㄴ. B에서 전자가 원자가 띠에서 전도띠로 전이하면 양공이 생긴다.
ㄷ. 원자가 띠에 있던 전자가 전도띠로 전이할 때 필요한 최소한의 에너지는 A가 B보다 크다.

① ㄱ　　　　　② ㄴ　　　　　③ ㄱ, ㄷ
④ ㄴ, ㄷ　　　　⑤ ㄱ, ㄴ, ㄷ

06 그림 (가)와 같이 회로를 구성하였더니 전구에 불이 켜졌고, 스위치를 닫아도 전구의 밝기에는 변함이 없었다. 그림 (나)는 A와 B의 에너지띠 구조를 순서 없이 나타낸 것으로, A와 B는 도체 또는 절연체 중 하나이다.

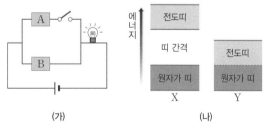

(가)　　　　　　　(나)

이에 대한 설명으로 옳은 것만을 〈보기〉에서 있는 대로 고른 것은?

보기
ㄱ. A의 원자가 띠 일부에만 전자가 채워져 있다.
ㄴ. Y는 B의 에너지띠 구조를 나타낸다.
ㄷ. B와 같은 물질로 규소(Si)가 있다.

① ㄱ　　　　　② ㄴ　　　　　③ ㄱ, ㄴ
④ ㄱ, ㄷ　　　　⑤ ㄴ, ㄷ

07 그림 (가)는 규소(Si) 결정의 에너지띠 구조를, (나)는 규소에 갈륨(Ga)을 첨가한 반도체와 불순물 a를 첨가한 반도체를 접합한 p−n 접합 다이오드의 원자가 전자의 배열을 나타낸 것이다. (가)의 원자가 띠에는 전자가 가득 차 있다.

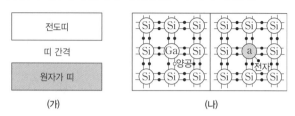

(가)　　　　　　　(나)

이에 대한 설명으로 옳은 것만을 〈보기〉에서 있는 대로 고른 것은?

보기
ㄱ. (가)에서 원자가 띠에 있는 전자의 에너지는 모두 같다.
ㄴ. (나)에서 a의 원자가 전자는 5개이다.
ㄷ. (나)에서 p−n 접합 다이오드에 순방향 전압을 걸면 p형 반도체 있는 양공은 p−n 접합면 쪽으로 이동한다.

① ㄱ　　　　　② ㄴ　　　　　③ ㄱ, ㄷ
④ ㄴ, ㄷ　　　　⑤ ㄱ, ㄴ, ㄷ

08 그림 (가)는 순수한 규소(Si) 반도체 X의 전자 배열을, (나)는 X에 원소 a를 첨가한 불순물 반도체 Y의 에너지띠 구조를 나타낸 것이다.

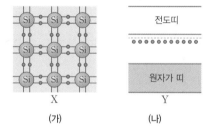

(가)　　　　　　　(나)

이에 대한 설명으로 옳은 것만을 〈보기〉에서 있는 대로 고른 것은?

보기
ㄱ. a는 원자가 전자가 5개이다.
ㄴ. Y는 n형 반도체이다.
ㄷ. X는 Y보다 전기 전도성이 좋다.

① ㄱ　　　　　② ㄴ　　　　　③ ㄱ, ㄴ
④ ㄱ, ㄷ　　　　⑤ ㄴ, ㄷ

---

09 다음은 전기 소자 A에 대한 설명이다.

> (㉠)는 전류를 한 방향으로는 잘 흘려 주지만 다른 한 방향으로는 흘려 주지 못하는 특성을 가진다. 예를 들어 전원의 (−)극을 n형 반도체에, 전원의 (+)극을 p형 반도체에 연결한 경우의 전압을 순방향 전압이라고 하는데, 순방향 전압이 걸리면 ㉡n형 반도체 내의 전자와 p형 반도체 내의 양공은 각각 (−)극과 (+)극의 전기력에 의해 p−n 접합부로 움직여 결합이 형성되어 ㉢전류가 흐르게 된다. 그러나 전원의 극을 반대로 연결하면 전류가 흐르지 않는다.

이에 대한 설명으로 옳은 것만을 〈보기〉에서 있는 대로 고른 것은?

> **보기**
> ㄱ. ㉠은 다이오드이다.
> ㄴ. 전기 전도성은 ㉡이 순수 반도체보다 좋다.
> ㄷ. ㉢의 방향은 n형 반도체 → 접합면 → p형 반도체이다.

① ㄱ ② ㄷ ③ ㄱ, ㄴ
④ ㄴ, ㄷ ⑤ ㄱ, ㄴ, ㄷ

수능 기출

10 그림 (가)는 저마늄(Ge)에 비소(As)를 첨가한 반도체 A와 저마늄(Ge)에 인듐(In)을 첨가한 반도체 B를 나타낸 것이고, (나)는 A와 B를 접합하여 만든 다이오드가 연결된 회로를 나타낸 것이다.

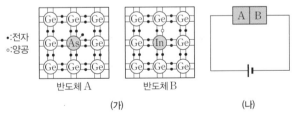

•:전자 ○:양공
반도체 A 반도체 B
(가) (나)

이에 대한 설명으로 옳은 것만을 〈보기〉에서 있는 대로 고른 것은?

> **보기**
> ㄱ. A는 p형 반도체이다.
> ㄴ. B에서는 주로 양공이 전류를 흐르게 한다.
> ㄷ. (나)의 다이오드에는 역방향 전압이 걸린다.

① ㄱ ② ㄴ ③ ㄱ, ㄷ
④ ㄴ, ㄷ ⑤ ㄱ, ㄴ, ㄷ

11 그림 (가)는 반도체 X가 만들어지는 과정을 나타낸 것이고, (나)는 p−n 접합 다이오드와 저항을 이용하여 구성한 회로를 나타낸 것이다.

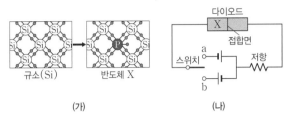

규소(Si) 반도체 X
(가) (나)

이에 대한 설명으로 옳은 것만을 〈보기〉에서 있는 대로 고른 것은?

> **보기**
> ㄱ. X는 p형 반도체이다.
> ㄴ. 스위치를 a에 연결하면 다이오드에 순방향 전압이 걸린다.
> ㄷ. 스위치를 b에 연결하면 X 내부의 전자는 접합면에서 멀어진다.

① ㄱ ② ㄷ ③ ㄱ, ㄴ
④ ㄴ, ㄷ ⑤ ㄱ, ㄴ, ㄷ

12 그림 (가)는 반도체 A와 B를 접합시켜 만든 p−n 접합 다이오드와 저항을 전원에 연결한 회로를 나타낸 것이다. 그림 (나)는 B의 에너지띠 구조를 나타낸 것이다.

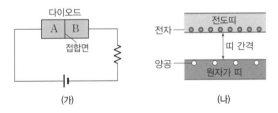

다이오드
접합면
(가) (나)

이에 대한 설명으로 옳은 것만을 〈보기〉에서 있는 대로 고른 것은?

> **보기**
> ㄱ. (가)에서 A에는 원자가 전자가 3개인 원소를 첨가하였다.
> ㄴ. (가)에서 B 내부의 전자는 접합면에서 멀어진다.
> ㄷ. (나)에서 원자가 띠에 있던 전자가 에너지를 방출하며 전도띠로 전이한다.

① ㄱ ② ㄴ ③ ㄱ, ㄴ
④ ㄱ, ㄷ ⑤ ㄴ, ㄷ

정답과 해설 54쪽

13 그림 (가)는 발광 다이오드(LED)를 직류 전원 장치에 연결하였을 때 발광 다이오드에서 빛이 방출되는 모습을, (나)는 반도체 A와 B의 에너지띠 구조를 나타낸 것이다.

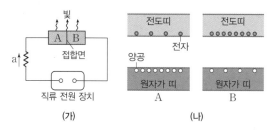

(가)   (나)

이에 대한 설명으로 옳은 것만을 〈보기〉에서 있는 대로 고른 것은?

보기
ㄱ. 저항에는 a 방향으로 전류가 흐른다.
ㄴ. A와 B의 접합면에서 전도띠에 있던 전자와 원자가 띠에 있는 양공이 결합한다.
ㄷ. 전원 장치의 두 단자를 바꾸어 연결해도 LED에서 빛이 방출된다.

① ㄱ   ② ㄷ   ③ ㄱ, ㄴ
④ ㄴ, ㄷ   ⑤ ㄱ, ㄴ, ㄷ

14 그림 (가)는 불순물 반도체 X, Y를 접합하여 만든 발광 다이오드(LED)에서 빛이 방출되는 모습을, (나)는 (가)의 발광 다이오드(LED)의 에너지띠 구조를 모식적으로 나타낸 것이다. 빛은 전도띠 바닥에 있던 전자들이 원자가 띠 상단에 있는 양공과 결합할 때 방출된다.

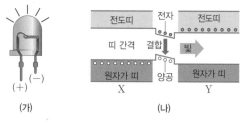

(가)   (나)

이에 대한 설명으로 옳은 것만을 〈보기〉에서 있는 대로 고른 것은?

보기
ㄱ. (가)의 (+)극에는 X가 연결되어 있다.
ㄴ. 원자가 띠 상단에 있는 양공이 전도띠 바닥에 있는 전자보다 에너지 준위가 높다.
ㄷ. 띠 간격이 넓을수록 파장이 긴 빛이 방출된다.

① ㄱ   ② ㄷ   ③ ㄱ, ㄴ
④ ㄴ, ㄷ   ⑤ ㄱ, ㄴ, ㄷ

15 그림 (가)는 발광 다이오드(LED)에서 빨강, 초록, 파랑의 빛이 방출되고 있는 모습을, (나)는 p-n 접합 발광 다이오드(LED)를 전원 장치에 연결하여 빛이 발생할 때 전자와 양공의 이동 방향을 모식적으로 나타낸 것이다.

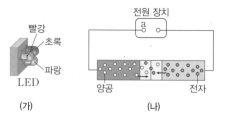

(가)   (나)

이에 대한 설명으로 옳은 것만을 〈보기〉에서 있는 대로 고른 것은?

보기
ㄱ. (나)에서 a는 (+)극이다.
ㄴ. (나)의 LED에 걸린 전압은 순방향 전압이다.
ㄷ. 빨강 LED가 파랑 LED보다 원자가 띠와 전도띠 사이의 띠 간격이 넓다.

① ㄱ   ② ㄴ   ③ ㄱ, ㄴ
④ ㄱ, ㄷ   ⑤ ㄴ, ㄷ

수능 기출

16 그림은 동일한 p-n 접합 발광 다이오드(LED) A, B, C, D에 전지 2개, 저항, 스위치를 연결한 회로를 나타낸 것이다. 스위치를 a에 연결했을 때 A와 D가 켜지고, 스위치를 b에 연결했을 때 B와 C가 켜진다. X와 Y는 각각 p형 반도체와 n형 반도체 중 하나이다.

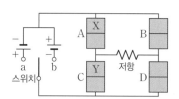

이에 대한 설명으로 옳은 것만을 〈보기〉에서 있는 대로 고른 것은?

보기
ㄱ. X는 n형 반도체이다.
ㄴ. 스위치를 b에 연결했을 때 Y에서는 양공이 전류를 흐르게 한다.
ㄷ. 스위치를 a에 연결했을 때와 b에 연결했을 때 저항에 흐르는 전류의 방향은 서로 반대이다.

① ㄱ   ② ㄷ   ③ ㄱ, ㄴ
④ ㄴ, ㄷ   ⑤ ㄱ, ㄴ, ㄷ

01 ∿ 전류에 의한 자기장

핵심 키워드로 흐름잡기

A 자기력, 자기장
B 직선 전류에 의한 자기장, 원형 전류에 의한 자기장, 솔레노이드에 의한 자기장

❶ **자극**
자성이 강한 자석의 양 끝 부분으로, N극과 S극이 있다.

❓ **자석을 쪼개면 어떻게 될까?**

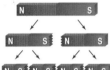

자석을 둘로 쪼개면 한쪽은 N극이 되고, 다른 쪽은 S극이 된다. 자석을 계속 쪼개도 각 조각은 계속해서 자성을 가지므로 자석은 항상 N극과 S극을 갖는다.

두 직선 전류에 의한 자기장의 합성
· 두 자기장의 방향이 같을 때: 합성 자기장의 세기는 두 자기장의 세기의 합이고, 방향은 두 자기장의 방향이다.
· 두 자기장의 방향이 반대일 때: 합성 자기장의 세기는 두 자기장의 세기의 차이고, 방향은 세기가 센 쪽의 방향이다.

🐱 **용어 알기**

· **자성**(자석 磁, 성질 性) 쇳조각을 끌어당기거나 전류에 영향을 미치는 자기적인 성질
· **동심원**(한가지 同, 마음 心, 둥글 圓) 같은 중심을 가지며 반지름이 다른 두 개 이상의 원

A 자기장

|출·제·단·서| 자기력의 종류나 자기장의 방향과 세기를 묻는 문제가 시험에 나와!

1. 자기력

(1) **자석** ˙자성을 가진 물체로, 자석은 항상 N극과 S극❶의 두 극을 갖는다.

(2) **자기력** 자석과 자석 사이 또는 자석과 금속 사이에 작용하는 힘
  ① **척력**: 같은 극끼리 밀어내는 힘
  ② **인력**: 다른 극끼리 끌어당기는 힘

2. 자기장 자석이나 전류에 의해 자기력이 작용하는 공간

(1) **자기장의 방향** 자기장 내의 한 점에 있는 <u>나침반 자침의 N극이 가리키는 방향</u>이 그 위치에서 자기장의 방향이 된다.
 └ 자기력이 작용하는 공간에 자침을 놓으면 자기장의 방향으로 정렬된다.

(2) **자기장의 세기** 자석의 양 끝(자극)에서 가장 세고, 자석에서 멀어질수록 약해진다.

(3) **자기력선** 자석 주위의 자침이 배열한 모습을 따라 자기장의 모양과 방향을 선으로 그린 것
  ① 자기력선은 자석의 N극에서 나와서 S극으로 들어간다.
  ② 자기력선의 간격이 좁을수록 자기장의 세기가 세다.
  ③ 자기력선의 한 점에서 그은 접선의 방향이 그 위치에서 자기장의 방향이다.
  ④ 자기력선은 도중에 갈라지거나 교차하지 않는다.

▲ 자석 주위의 자기장

자기장은 눈에 보이지 않으므로 자기력선이라는 가상의 선으로 나타낼 수 있다.

B 전류에 의한 자기장

|출·제·단·서| 전류에 의한 자기장의 방향과 세기를 묻거나 이용되는 예를 찾는 문제가 시험에 나와!

1. 직선 전류에 의한 자기장 [탐구POOL] 직선 도선을 중심으로 ˙동심원 모양의 자기장이 생긴다.

(1) **자기장의 방향** 오른손의 엄지손가락을 전류의 방향으로 향하게 할 때 나머지 네 손가락이 감아쥐는 방향이 자기장의 방향이다. ⇨ 앙페르 법칙, 오른나사 법칙

(암기TIP) 오른손 엄지손가락 → 전류, 네 손가락 → 자기장

(2) **자기장의 세기** 직선 전류에 의한 자기장의 세기(B)는 도선에 흐르는 전류의 세기(I)에 비례하고, 도선으로부터의 수직 거리(r)에 반비례한다.

$$B \propto \frac{I}{r} \text{ — 직선 도선이 무한히 길 때 성립한다.}$$

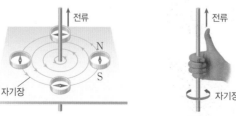

전류의 방향으로 오른나사를 진행시킬 때 나사가 돌아가는 방향으로 자기장이 형성된다.

▲ 직선 전류에 의한 자기장

2. 원형 전류에 의한 자기장 원형 도선은 직선 도선을 둥글게 구부려서 만들므로 원형 전류에 의한 자기장도 직선 전류에 의한 자기장을 구부린 모양으로 생긴다.

(1) 자기장의 방향 오른손의 엄지손가락을 전류의 방향으로 향하게 할 때 나머지 네 손가락이 감아쥐는 방향이 자기장의 방향이다. 오른손 엄지손가락 → 전류, 네 손가락 → 자기장

(2) 자기장의 세기 원형 전류의 중심에서 전류에 의한 자기장의 세기(B)는 도선에 흐르는 전류의 세기(I)에 비례하고, 원형 도선의 반지름(r)에 반비례한다.

$$B \propto \frac{I}{r}$$

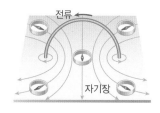
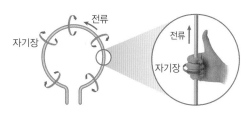

▲ 원형 전류에 의한 자기장

암기TIP> 오른손 네 손가락 → 전류, 엄지손가락 → 자기장

3. °솔레노이드에 의한 자기장 솔레노이드 내부에는 중심축과 나란하고 균일한 자기장이 생기고, 외부에는 막대자석이 만드는 자기장과 비슷한 모양의 자기장이 생긴다.

(1) 자기장의 방향 오른손의 네 손가락을 전류의 방향으로 감아쥘 때 엄지손가락이 가리키는 방향이 솔레노이드 내부에 형성된 자기장의 방향이다. 즉, 솔레노이드를 막대자석이라고 생각하면 엄지손가락이 가리키는 방향이 자석의 N극이 된다. 〔각 원형 도선에 의한 자기장이 서로 더해지므로 솔레노이드 내부에서의 자기장은 강해진다.〕

(2) 자기장의 세기 솔레노이드 내부에서 전류에 의한 자기장의 세기(B)는 솔레노이드의 단위 길이당 도선의 감은 수(n)와 솔레노이드에 흐르는 전류의 세기(I)에 비례한다.

$$B \propto nI$$

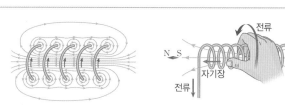

▲ 솔레노이드에 의한 자기장

4. 전류에 의한 자기장의 이용

구분	스피커	전동기	전자석
		세탁기, 진공 청소기, 헤어드라이어 등에 이용한다.	전자석 기중기, 자기 부상 열차, 자기 공명 영상 장치 등에 이용한다.
구조	진동판 / 코일 / 영구 자석	힘 / 자기장 / 전류 / N / S / 정류자 / 브러시 / 전류	철심 / 전류 / 전류
원리	스피커에 음성 정보가 들어 있는 전기 신호가 입력되면 전기 신호에 따라 코일에 흐르는 전류가 변한다. 그러면 코일에 작용하는 자기력❷의 크기와 방향이 바뀌면서 코일에 연결된 진동판이 진동하여 소리가 발생한다.	전기 에너지를 운동 에너지로 전환하는 장치인 전동기는 코일에 전류가 흐르면 자석의 자기장에 의한 자기력을 받아 회전한다. 이때 정류자에 의해 전류의 방향이 조절되므로 코일은 한쪽 방향으로 계속 회전한다.	솔레노이드에 철심을 넣어 전류를 흐르게 하면 철심은 솔레노이드가 만드는 자기장과 같은 방향으로 자기화된다. 이때 철심의 자기장과 솔레노이드의 자기장이 합쳐져 강한 자기장이 만들어진다. 전자석은 전류의 세기와 코일의 감은 수로 자기장의 세기를 조절할 수 있다.

전류에 의한 자기장의 발견
1820년 외르스테드는 실험 강의를 하던 도중 전류가 흐르는 도선 부근에 놓은 나침반 자침이 흔들리는 현상을 발견하고, 이 현상을 계속 연구하여 도선에 흐르는 전류가 자기장을 발생시킨다는 결론을 도출하였다.

솔레노이드에 의한 자기장은 막대자석 주위의 자기장과 비슷한 모양이야!

❷ 코일에 작용하는 자기력
스피커나 전동기의 내부에는 자석과 코일이 들어 있다. 코일에 전류가 흐르면 자석이 만드는 자기장에 의해 자기력이 작용한다. 이것은 자석의 자기장과 전류에 의한 자기장이 서로 상호 작용하여 나타나는 현상이다.

용어 알기

•솔레노이드(solenoid) 긴 원통에 도선을 여러 번 감은 것

직선 전류에 의한 자기장 관찰하기

목표 직선 전류에 의한 자기장의 방향을 알고, 자기장의 세기가 도선에 흐르는 전류의 세기와 도선으로부터의 거리와 관계 있음을 알 수 있다.

유의점

· 도선이 너무 과열되지 않도록 주의한다.
· 도선의 가열을 막기 위해 실험 전 가변 저항기의 단자는 저항이 최대가 되도록 조절한다.

과정

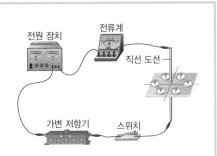

❶ 그림과 같이 장치하고 직선 도선으로부터 같은 거리에 작은 나침반을 여러 개 놓은 후, 스위치를 닫아 직선 도선에 전류가 흐를 때 나침반 자침의 N극이 회전하는 방향을 관찰한다.

❷ 가변 저항기의 저항을 서서히 줄여 전류의 세기를 증가시키면서 나침반 자침의 N극이 회전하는 정도를 관찰한다.

❸ 전류의 세기를 일정하게 하고, 나침반을 직선 도선에서 점점 멀리 하면서 나침반 자침의 N극이 회전하는 정도를 관찰한다.

❹ 전원 장치의 극을 반대로 연결하여 직선 도선에 흐르는 전류의 방향을 바꾸고, 나침반 자침의 N극이 회전하는 방향을 관찰한다.

결과

❶ 과정 ❷에서 전류의 세기를 증가시키면 나침반 자침의 N극이 더 많이 회전한다.

❷ 과정 ❸에서 나침반을 직선 도선에서 멀리 하면 나침반 자침의 N극이 적게 회전한다.

❸ 과정 ❹에서 전원 장치의 극을 반대로 연결하면 나침반 자침의 N극이 반대 방향으로 회전한다.

자기장은 눈에 보이지 않기 때문에 나침반 자침을 이용하여 그 성질을 알아낼 수 있어.

정리 및 해석

❶ 직선 전류에 의한 자기장의 세기는 전류의 세기에 비례하고, 도선으로부터의 거리에 반비례한다.

❷ 직선 도선에 흐르는 전류의 방향을 반대로 하면 자기장의 방향도 반대로 된다.

한·줄·핵심 직선 전류에 의한 자기장의 세기는 전류의 세기에 비례하고, 도선으로부터의 거리에 반비례한다. 또한 전류의 방향을 반대로 하면 자기장의 방향도 반대로 된다.

확인 문제

정답과 해설 56쪽

01 그림은 화살표 방향으로 전류가 흐르는 직선 도선 주위에 나침반을 여러 개 놓은 모습을 나타낸 것이다.

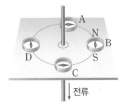

A~D 중 나침반 자침의 방향이 옳은 것을 있는 대로 쓰시오. (단, 지구 자기장은 무시한다.)

02 다음은 직선 도선 주위에 생기는 자기장에 대한 실험 결과를 정리한 것이다.

> 도선에 흐르는 전류의 세기가 셀수록 나침반 자침의 회전 정도가 커지고, 도선으로부터 멀어질수록 나침반 자침의 회전 정도가 작아지는 것으로 보아, 직선 전류에 의한 자기장의 세기는 도선에 흐르는 전류의 세기에 (㉠)하고, 도선으로부터의 거리에 (㉡)한다.

㉠과 ㉡에 들어갈 알맞은 말을 쓰시오.

콕콕!
개념 확인하기

정답과 해설 56쪽

✔ 잠깐 확인!

1. ☐☐
물질이 나타내는 자기적인 성질

2. ☐☐☐
자기력이 작용하는 공간

3. 자기장 내에서 나침반 자침의 ☐극이 가리키는 방향이 그 위치에서 자기장의 방향이 된다.

4. 직선 도선에 전류가 흐르면 오른손의 엄지손가락을 ☐☐의 방향으로 향하게 할 때 나머지 네 손가락이 감아쥐는 방향으로 자기장이 생긴다.

5. 솔레노이드 내부에는 중심축과 나란하고, ☐☐한 자기장이 생긴다.

6. 전동기는 ☐☐ 에너지를 ☐☐ 에너지로 전환시키는 장치이다.

7. ☐☐☐
솔레노이드 내부에 철심을 넣은 것으로, 전류가 흐를 때에만 자석이 된다.

A 자기장

01 자석과 자기장에 대한 설명으로 옳은 것은 ○, 옳지 않은 것은 ×로 표시하시오.

(1) 자석은 N극과 S극을 분리할 수 있다. ( )
(2) 나침반 자침의 N극은 지구의 북극을 가리킨다. ( )
(3) 자석의 N극과 S극 사이에는 서로 끌어당기는 힘이 작용한다. ( )
(4) 자기장의 방향은 나침반 자침의 S극이 가리키는 방향이다. ( )

B 전류에 의한 자기장

02 그림은 직선 전류에 의한 자기장의 방향을 찾는 방법을 나타낸 것이다.

(㉠)의 방향
(㉡)의 방향
(㉢)의 방향
(㉣)의 방향

㉠~㉣에 들어갈 알맞은 말을 쓰시오.

03 그림은 평행하고 무한히 긴 두 직선 도선 P, Q에 세기가 I인 전류가 화살표 방향으로 흐르는 것을 나타낸 것이다. 이에 대한 설명으로 옳은 것은 ○, 옳지 않은 것은 ×로 표시하시오.

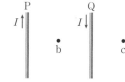

(1) a에서 P에 의한 자기장의 방향은 종이면에 수직으로 들어가는 방향이다.
( )
(2) b에서 자기장은 0이다. ( )
(3) c에서 P에 의한 자기장의 세기는 Q에 의한 자기장의 세기보다 작다. ( )

04 그림과 같이 반지름이 r인 원형 도선에 전류 I가 화살표 방향으로 흐를 때 원형 도선의 중심에서 자기장의 세기가 B였다. 반지름이 2배인 원형 도선에 흐르는 전류의 세기가 2배로 되었다면, 원형 도선의 중심에서 자기장의 세기를 쓰시오.

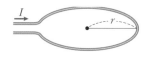

05 그림과 같이 솔레노이드에 화살표 방향으로 전류가 흐르고 있다.
A, B, C, D점에서 자기장의 방향을 쓰시오.

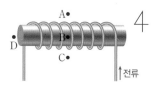

탄탄! 내신 다지기

A 자기장

01 그림과 같이 막대자석을 A, B, C 세 조각으로 쪼개어 xy 평면의 x축에 나란히 고정시켜 놓았다. P, Q, R, S는 동일 직선 위의 네 지점이고, Q에 나침반을 놓았더니 나침반 자침의 N극이 $+x$ 방향을 가리켰다.

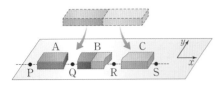

P, R, S에 나침반을 놓았을 때, 나침반 자침의 N극이 가리키는 방향이 $+x$ 방향인 지점을 있는 대로 고른 것은?

① P   ② P, R   ③ P, S
④ R, S   ⑤ P, R, S

B 전류에 의한 자기장

02 그림과 같이 남북 방향으로 놓인 가늘고 무한히 긴 직선 도선 위에 나침반을 올려 놓고 도선에 전류를 흐르게 하였더니 나침반 자침의 N극이 각도 θ만큼 기울어졌다.
이에 대한 설명으로 옳은 것만을 〈보기〉에서 있는 대로 고른 것은?

보기
ㄱ. 전류의 방향은 남 → 북 방향이다.
ㄴ. 전류의 세기를 증가시키면 θ가 커진다.
ㄷ. 전류의 세기만 변화시켜서 나침반 자침의 N극이 북서 방향으로 향하게 할 수 있다.

① ㄱ   ② ㄱ, ㄴ   ③ ㄱ, ㄷ
④ ㄴ, ㄷ   ⑤ ㄱ, ㄴ, ㄷ

단답형
03 그림은 직선 도선의 위와 아래에 나침반을 놓고 전류를 화살표 방향으로 흘려 주는 모습을 나타낸 것이다.

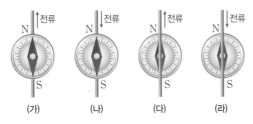

나침반 자침의 N극이 오른쪽으로 회전하는 것을 있는 대로 쓰시오.

단답형
04 일정한 세기의 전류가 흐르는 직선 도선으로부터 수직 거리 r만큼 떨어진 지점에서 자기장의 세기가 B였다. 이 도선으로부터 수직 거리 $2r$만큼 떨어진 지점의 자기장의 세기를 쓰시오.

05 그림과 같이 xy 평면에 무한히 긴 직선 도선이 고정되어 있다. 두 도선에 각각 $-x$ 방향,$+y$ 방향으로 세기가 각각 $2I$, I인 전류가 흐른다. xy 평면 위의 세 점 a, b, c는 두 도선으로부터 같은 거리만큼 떨어져 있다.

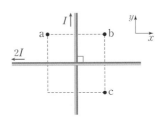

a, b, c에서 두 도선에 흐르는 전류에 의한 자기장의 세기를 각각 B_a, B_b, B_c라고 할 때, B_a, B_b, B_c를 옳게 비교한 것은?

① $B_a > B_b > B_c$ ② $B_a > B_b = B_c$
③ $B_a = B_b > B_c$ ④ $B_b > B_a = B_c$
⑤ $B_b > B_a > B_c$

06 그림 (가), (나)와 같이 종이면에 고정된 반지름이 각각 r, $2r$인 원형 도선에 화살표 방향으로 세기가 I인 전류가 흐르고 있다. P에서 자기장의 세기는 B_0이다.

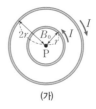 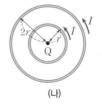

(가)   (나)

Q에서 자기장의 방향과 세기를 옳게 짝 지은 것은?

	자기장의 방향	자기장의 세기
①	종이면에 수직으로 들어가는 방향	$3B_0$
②	종이면에 수직으로 들어가는 방향	$6B_0$
③	종이면에서 수직으로 나오는 방향	$2B_0$
④	종이면에서 수직으로 나오는 방향	$3B_0$
⑤	종이면에서 수직으로 나오는 방향	$6B_0$

07 그림 (가)는 반지름이 r인 원형 도선을 따라 전류 I가 흐르는 원형 도선의 모습을, (나)는 (가)의 원형 도선을 두 바퀴 감았을 때 전류 I가 흐르는 모습을 나타낸 것이다.

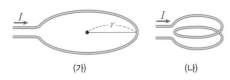

(가)와 (나)에서 원형 도선의 중심에서 자기장의 세기를 각각 $B_{(가)}$, $B_{(나)}$라고 할 때, $B_{(가)}$: $B_{(나)}$를 쓰시오.

08 그림과 같이 솔레노이드를 전지에 연결하고 스위치를 닫아 전류를 흐르게 하였다.

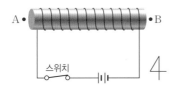

이에 대한 설명으로 옳지 <u>않은</u> 것은?

① 솔레노이드 내부에는 균일한 자기장이 생긴다.
② 솔레노이드 내부에서 자기장의 방향은 B에서 A 방향이다.
③ A에 나침반을 놓으면 나침반 자침의 N극이 동쪽을 가리킨다.
④ 전원의 전압을 증가시키면 솔레노이드 내부의 자기장의 세기도 증가한다.
⑤ B에 막대자석의 N극을 가까이 하면 서로 밀어내는 자기력이 작용한다.

09 그림 (가)는 막대자석을 둘로 쪼갠 것을 나타낸 것이고, (나)는 (가)의 A를 전류 I가 화살표 방향으로 흐르는 솔레노이드의 오른쪽에 고정시켜 놓았더니 A가 오른쪽으로 자기력을 받는 모습을 나타낸 것이다.

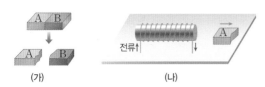

(가)에서 B의 오른쪽의 극을 쓰시오.

10 다음은 스피커에 대한 설명이다.

> 스피커는 전기 신호를 소리로 바꾸어 주는 장치이다. 코일에 소리 정보에 의한 ㉠전류가 흐르면 코일을 통과하는 (㉡)이 주기적으로 변한다. 이때 스피커 뒷부분에 고정되어 있는 도넛 모양의 자석과 코일 사이에 ㉢힘이 작용하여 코일이 앞뒤로 움직이면서 진동한다.

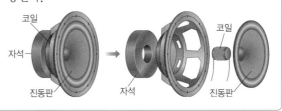

이에 대한 설명으로 옳은 것만을 〈보기〉에서 있는 대로 고른 것은?

> ㄱ. ㉠은 세기와 방향이 일정하다.
> ㄴ. ㉡은 자기장이다.
> ㄷ. ㉢은 서로 당기는 힘만 있다.

① ㄱ 　② ㄴ 　③ ㄷ
④ ㄱ, ㄷ 　⑤ ㄴ, ㄷ

11 그림은 솔레노이드 안에 철심을 넣은 전자석을 나타낸 것이다. 전류를 흘려 주었을 때 나침반 자침의 N극이 시계 방향으로 약간 회전하였다.

이에 대한 설명으로 옳지 <u>않은</u> 것은?

① 전자석은 자석의 세기를 조절할 수 있다.
② 솔레노이드에 흐르는 전류의 방향은 a이다.
③ 철심을 빼면 나침반 자침의 N극은 시계 방향으로 더 많이 회전한다.
④ 코일을 더 많이 감으면 나침반 자침의 N극은 시계 방향으로 더 많이 회전한다.
⑤ 전류의 세기를 증가시키면 나침반 자침의 N극은 시계 방향으로 더 많이 회전한다.

도전! 실력 올리기

01 그림은 xy 평면에 고정된 무한히 긴 직선 도선에 $+y$ 방향으로 전류가 흐르는 모습을 나타낸 것이다. 점 p, q는 도선으로부터 각각 d, $2d$만큼 떨어져 있는 x축 위의 점으로 p에서 자기장의 세기는 B이다.

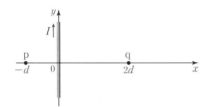

이에 대한 설명으로 옳은 것만을 〈보기〉에서 있는 대로 고른 것은?

> 보기
> ㄱ. p에서 자기장의 방향은 xy 평면에 수직으로 들어가는 방향이다.
> ㄴ. p와 q에서 자기장의 방향은 반대이다.
> ㄷ. 도선에 흐르는 전류의 세기가 2배가 되면 q에서 자기장의 세기는 B가 된다.

① ㄱ   ② ㄱ, ㄴ   ③ ㄱ, ㄷ
④ ㄴ, ㄷ   ⑤ ㄱ, ㄴ, ㄷ

02 그림과 같이 전류가 흐르는 무한히 긴 평행한 직선 도선 A, B가 점 a, b, c와 같은 간격 d만큼씩 떨어져 종이면에 고정되어 있다. A에 전류 I가 화살표 방향으로 흐를 때 b에서 전류에 의한 자기장은 0이다.

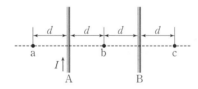

이에 대한 설명으로 옳은 것만을 〈보기〉에서 있는 대로 고른 것은?

> 보기
> ㄱ. A와 B에 흐르는 전류의 방향은 서로 반대이다.
> ㄴ. a에서 자기장의 방향은 종이면에서 수직으로 나오는 방향이다.
> ㄷ. a와 c에서 자기장의 세기는 같다.

① ㄱ   ② ㄱ, ㄴ   ③ ㄱ, ㄷ
④ ㄴ, ㄷ   ⑤ ㄱ, ㄴ, ㄷ

03 그림은 일정한 세기의 전류가 흐르는 무한히 긴 직선 도선 A, B가 각각 x축과 y축에 고정되어 있는 것을 나타낸 것이다. A에 흐르는 전류의 방향은 $+x$ 방향이고, a에서 자기장은 0이다.

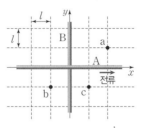

b와 c에서 자기장의 방향과 자기장의 세기의 비 $B_b : B_c$를 옳게 짝 지은 것은?

	자기장의 방향	$B_b : B_c$
①	같은 방향	$1 : 1$
②	같은 방향	$1 : 2$
③	반대 방향	$1 : 1$
④	반대 방향	$1 : 2$
⑤	반대 방향	$1 : 3$

출제예감
04 그림은 종이면에 고정된 반지름이 각각 R, $2R$인 원형 도선 A, B가 동심원을 이루고 있는 모습을 나타낸 것이고, 표는 A, B에 흐르는 전류의 세기와 방향을 나타낸 것이다.

구분	(가)	(나)	(다)
A	$+I$	$+I$	$-2I$
B	$-2I$	$+2I$	$+2I$

(＋는 시계 방향, －는 반시계 방향)

중심점 O에서의 자기장에 대한 설명으로 옳은 것만을 〈보기〉에서 있는 대로 고른 것은? (단, 지구 자기장은 무시한다.)

> 보기
> ㄱ. (가)에서 자기장은 0이다.
> ㄴ. 자기장의 세기는 (나)에서가 (가)에서보다 세다.
> ㄷ. (다)에서 자기장의 방향은 종이면에서 수직으로 나오는 방향이다.

① ㄱ   ② ㄱ, ㄴ   ③ ㄱ, ㄷ
④ ㄴ, ㄷ   ⑤ ㄱ, ㄴ, ㄷ

출제예감

05 그림 (가)는 반지름이 r인 원형 도선을 종이면에 고정시키고 세기가 I인 전류를 흘려 주는 모습을, (나)는 (가)의 원형 도선에 세기가 I인 전류가 흐르는 무한히 긴 직선 도선을 원형 도선에 접하도록 고정시켜 놓은 모습을 나타낸 것이다. 그림 (다)는 (나)에서 직선 도선을 오른쪽 방향으로 거리 r만큼 떨어뜨려 놓은 모습을 나타낸 것이다. (가), (나)에서 원형 도선 중심에서 자기장의 세기는 각각 B_0, $2B_0$이다.

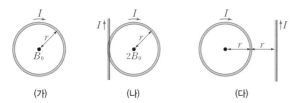

(가)   (나)   (다)

(다)의 원의 중심에서 자기장의 방향과 세기를 옳게 짝 지은 것은?

	자기장의 방향	자기장의 세기
①	종이면에 수직으로 들어가는 방향	$\frac{1}{4}B_0$
②	종이면에 수직으로 들어가는 방향	$\frac{1}{2}B_0$
③	종이면에 수직으로 들어가는 방향	B_0
④	종이면에서 수직으로 나오는 방향	$\frac{1}{2}B_0$
⑤	종이면에서 수직으로 나오는 방향	B_0

출제예감

06 그림과 같이 동일한 원통에 감은 수가 각각 N, $2N$인 두 솔레노이드 A, B를 가까이 놓고, 두 솔레노이드의 중심축을 잇는 직선 위의 가운데 지점에 나침반을 놓았더니 나침반 자침의 N극이 북쪽을 가리켰다. A에는 세기가 I_A인 전류가 화살표 방향으로 흐르고 있고, B에는 세기가 I_B인 전류가 흐르고 있다.

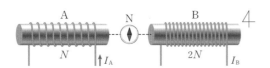

A와 B에 흐르는 전류의 방향과 세기를 옳게 짝 지은 것은?

	전류의 방향	전류의 세기
①	같은 방향	$I_A > I_B$
②	같은 방향	$I_A < I_B$
③	반대 방향	$I_A < I_B$
④	반대 방향	$I_A > I_B$
⑤	반대 방향	$I_A = I_B$

07 그림은 반지름이 같은 두 반원 도선을 가까이 놓고 도선 A에는 $2I$의 전류를, 도선 B에는 I의 전류를 화살표 방향으로 흘려 주는 모습을 나타낸 것이다.

두 반원 도선의 중심 O에서 자기장의 방향을 쓰시오.

서술형

08 그림과 같이 무한히 긴 직선 도선 A, B가 점 a에서 같은 간격 d만큼씩 떨어져서 종이면에 수직으로 고정되어 있다. A에는 세기가 I_A인 전류가 종이면에 수직으로 들어가는 방향으로, B에는 세기가 I_B인 전류가 흐르고 있다. a에서 자기장의 방향은 화살표 방향이다.

B에 흐르는 전류의 방향을 서술하고, I_A, I_B의 크기를 비교하시오.

서술형

09 다음은 전자석에 대한 설명이다.

> 솔레노이드에 철심을 넣어 전류를 흐르게 하면 철심은 솔레노이드가 만드는 자기장과 같은 방향으로 자기화되어 철심의 자기장과 솔레노이드의 자기장이 합쳐져 강한 자기장을 만든다. 전자석은 ㉠자기장의 세기를 조절할 수 있는 장점 때문에 일상생활에서 많이 활용되고 있다.

㉠을 조절할 수 있는 방법을 2가지 이상 서술하시오.

02 ᅀ 물질의 자성

핵심 키워드로 흐름잡기

A 전자의 궤도 운동, 전자의 스핀
B 강자성체, 상자성체, 반자성체
C 자기력의 활용, 정보 저장 및 기록 장치

A 물질의 자성

|출·제·단·서| 자성의 원인이 되는 자기장이 어떻게 형성되는지 묻는 문제가 시험에 나와!

1. 자성

(1) **자성** 물질이 자석에 반응하는 성질 또는 물질이 외부 자기장에 반응하는 성질

(2) **자성의 원인** [개념 POOL] 물질을 구성하는 원자 내 전자의 운동(전자의 *궤도 운동, 전자의 스핀)❶에 의해 자기장이 발생하기 때문이다.

전자의 궤도 운동	전자의 스핀
원자 원자핵 ⊕ 회전 방향 전자 → 전류의 방향 전자의 운동 방향 S N	전자 회전 방향 S N
전자가 원자핵 주위를 도는 궤도 운동을 하면, 전자가 회전하는 방향과 반대 방향으로 전류가 흐르는 것과 같은 효과가 발생하여 자기장이 생긴다.	전자가 자신의 축을 기준으로 회전 운동을 하면, 회전 반대 방향으로 전류가 흐르는 것과 같은 효과가 발생하여 자기장이 생긴다.

(3) **물질의 자성** 대부분의 물질에서 전자들의 궤도 운동과 전자들의 스핀 운동에 의한 자기장은 0이거나 매우 작다. ⇨ 서로 반대 방향으로 궤도 운동을 하는 전자가 짝을 이루거나 서로 반대 방향의 스핀을 갖는 전자들이 짝을 이루어 전자가 만드는 자기장이 서로 상쇄되기 때문이다.

2. 자기화(자화)

(1) **원자 자석**❷ 물질을 이루는 원자 하나하나가 매우 작은 자석의 역할을 하는 것

(2) **자기화** 외부 자기장의 영향으로 원자 자석이 일정한 방향으로 정렬되는 현상 ⇨ 물질마다 자기화의 정도와 방향이 다르기 때문에 자성이 다르게 나타난다.

(3) **자기 구역**❸ 철과 같은 강자성체에서 원자 자석이 서로 무리를 지어 정렬되어 있는 구역 ⇨ 외부 자기장에 의해 자기 구역이 넓어지면서 강하게 자기화된다.

(가) 외부 자기장이 없을 때

▲ 자기 구역

원자들의 자기장의 방향이 불규칙하면 물체 외부에서 볼 때 물체는 자기장을 띠지 않는다.

(나) 약한 외부 자기장을 가할 때

오른쪽 방향의 약한 외부 자기장을 걸어 주면 오른쪽 방향으로 정렬된 자기 구역이 조금 넓어진다.

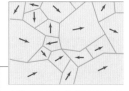

(다) 강한 외부 자기장을 가할 때

오른쪽 방향의 강한 외부 자기장을 걸어 주면 오른쪽 방향으로 정렬된 자기 구역이 훨씬 더 넓어지고, 원자들의 자기장의 방향이 비슷해져 물체는 강한 자기장을 띤다.

---

❶ 전자의 스핀

전자가 가지는 고유한 성질로, 전하를 띤 전자가 자전하기 때문에 나타나는 효과와 유사하지만 실제로 전자가 자전하는 것은 아니다.

❷ 원자 자석

원자는 전자의 궤도 운동과 스핀에 의해 자기장을 형성하므로 물질을 이루는 원자를 작은 자석이라고 생각할 수 있다.

❸ 자기 구역

수백만 개의 원자 자석들이 동일한 방향으로 정렬되어 자석을 형성하는 작은 단위이다. 물체 내에서 자기장의 방향이 동일하며, 모양과 크기가 다양하다. 자기 구역은 강자성체에서만 나타난다.

🐾 용어 알기

•궤도(바퀴 자국 軌, 길 道)
한 물체가 다른 물체의 둘레를 돌면서 그리는 곡선의 길

B 자성체의 종류 물질이 외부 자기장에 반응하는 성질에 따라 강자성체, 반자성체, 상자성체로 구분할 수 있다.

|출·제·단·서| 자성에 따른 물질의 구분과 강자성체, 상자성체, 반자성체의 특징을 묻는 문제가 시험에 나와!

1. 강자성체 탐구POOL 외부 자기장에 의해 원자 자석들이 자기장의 방향으로 강하게 자기화되
는 성질을 강자성이라 하고, 강자성을 띠는 물질을 <u>강자성체</u>라고 한다. ⇨ 강자성체는 자석
을 가까이 하면 잘 끌려온다.
└─ 균일하게 자기화된 자기 구역이 존재한다.

(1) 외부 자기장을 가하기 전 원자 자석들이 무질서하게 *배열되어 자성이 나타나지 않는다.

(2) 외부 자기장을 가했을 때 물질 내 원자 자석들이 외부 자기장의 방향으로 정렬되고 자기
구역이 넓어져 강하게 자기화된다.

(3) 외부 자기장을 제거했을 때 자기화된 상태를 오래 유지한다. ⇨ 자성이 오래 유지된다.

(4) 강자성체의 예 철, 코발트, 니켈

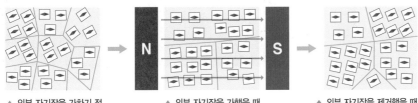

▲ 외부 자기장을 가하기 전 　　　　 ▲ 외부 자기장을 가했을 때 　　　　 ▲ 외부 자기장을 제거했을 때

2. 상자성체 외부 자기장에 의해 원자 자석들이 자기장의 방향으로 약하게 자기화되는 성질
을 상자성이라 하고, 상자성을 띠는 물질을 상자성체라고 한다. ⇨ 상자성체에 자석을 가까
이 하면 약하게 끌려온다.

(1) 외부 자기장을 가하기 전 원자 자석들이 무질서하게 배열되어 자성이 나타나지 않는다.

(2) 외부 자기장을 가했을 때 물질 내 원자 자석들이 외부 자기장의 방향으로 약간 정렬되어
약하게 자기화된다.

(3) 외부 자기장을 제거했을 때 원자 자석들이 다시 무질서하게 흐트러져 자기화된 상태가 곧
바로 사라진다. ⇨ 자성이 곧바로 사라진다.

(4) 상자성체의 예 종이, 알루미늄, 텅스텐, 마그네슘, 액체 산소

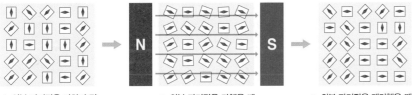

▲ 외부 자기장을 가하기 전 　　　　 ▲ 외부 자기장을 가했을 때 　　　　 ▲ 외부 자기장을 제거했을 때

3. 반자성체 외부 자기장에 의해 물질 내의 원자들이 외부 자기장의 방향과 반대 방향으로
자기화되는 성질을 반자성이라 하고, 반자성을 띠는 물질을 반자성체라고 한다. ⇨ 반자성
체에 자석을 가까이 하면 밀려난다.

(1) 외부 자기장을 가하기 전 원자 자석이 없어서 총 자기장이 0인 상태이다.

(2) 외부 자기장을 가했을 때 외부 자기장에 의해 유도된 원자 자석들이 외부 자기장의 반대
방향으로 자기화된다.
└─ 서로 반대 방향으로 자기장을 만드는
전자들이 완전히 짝을 이루기 때문이다.

(3) 외부 자기장을 제거했을 때 다시 원자 자석이 없는 상태가 되어 자기화된 상태가 사라진다.

(4) 반자성체의 예 구리, 유리, 금, 플라스틱, 수소, 물

▲ 외부 자기장을 가하기 전 　　　　 ▲ 외부 자기장을 가했을 때 　　　　 ▲ 외부 자기장을 제거했을 때

**❓ 자기화된 강자성체는 자성
이 사라지지 않을까?**

자가화된 강자성체를 가열하거나
떨어뜨리면 원자들의 열운동으로
인해 자기 구역이 무질서한 배열
상태로 돌아가 자성을 잃는다.

퀴리 온도

강자성체는 온도가 높아지면 상
자성 상태로 변하는데, 이때의 온
도를 퀴리 온도 또는 퀴리점이라
고 한다.

· 퀴리 온도 이상의 온도에서는
원자 자석이 정렬된 상태로 존
재할 수 없어 강자성을 잃게 된
다. 따라서 자석과 같은 강자성
체를 퀴리 온도 이상으로 가열
하면 자석의 성질을 잃는다.

· 퀴리 온도는 물질마다 다르며,
자석의 재료가 되는 물질을 조
절하면 퀴리 온도를 어느 정도
바꿀 수 있다.

> 자석에 잘 끌려오는
> 물체를 강자성체, 자석에 약하게
> 끌려오는 물체를 상자성체, 자석
> 에 약하게 밀려나는 물체를
> 반자성체라고 해!

용어 알기 🐱

● **자성체**(자석 磁, 성질 性, 몸
體) 자성을 띠는 물질
● **배열**(짝 配 벌일 列) 일정한
차례나 간격에 따라 벌여 놓음

C 자성체의 이용

|출·제·단·서| 우리 주변에서 자성체가 이용되는 예를 묻는 문제가 시험에 나와!

1. 자기력의 활용

(1) **전자석** 솔레노이드 내부에 강자성체인 철심을 넣으면 솔레노이드의 전류가 만드는 자기장 때문에 철심이 자기화되어 철심을 넣기 전보다 훨씬 강한 자기장이 생긴다.

(2) **고무 자석** 분말 형태의 강자성체를 고무와 혼합하여 다양한 모양의 자석을 만들 수 있다.

(3) **초전도체** 특정 온도 이하에서 초전도체가 자석 위에 뜨는 것은 초전도체 내부의 자기장이 완전히 0이 되도록 외부 자기장과 반대 방향으로 자기화되는 반자성 때문이다. 초전도체❹는 자기 부상 열차에 이용한다.

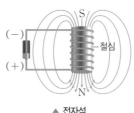
▲ 전자석

▲ 고무 자석

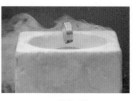
▲ 초전도체

2. 정보 저장 및 기록 장치

(1) **하드디스크** 산화 철과 같은 강자성체로 덮여 있는 얇은 디스크(˙플래터) 위에 ˙헤드를 놓은 구조로, 헤드에 정보를 담은 전류가 흐르면 자기장이 발생한다. 자기 테이프가 헤드를 지나가면 자성 물질이 자기화되어 정보가 저장된다.

강자성체인 산화철로 된 얇은 막으로 덮여 있다.
디스크(플래터)
모터 - 디스크를 회전시킨다.
헤드
디스크
헤드
(플래터)
회전
정보가 저장된 부분
디스크의 자기 배열을 읽거나 재배열하여 정보를 읽고 쓴다.
▲ 하드디스크의 정보 저장 원리

(2) **마그네틱 카드** 강자성체 분말을 얇은 플라스틱 테이프에 입힌 것으로, 코일에 정보를 담은 전류가 흐르면 헤드에 자기장이 발생한다. 자기 테이프가 헤드를 지나가면 자성 물질이 자기화되어 정보가 저장된다.

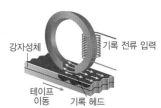

강자성체
기록 전류 입력
테이프 이동
기록 헤드
▲ 마그네틱 카드의 원리

빈출 자료 자성체를 이용한 정보의 저장

하드디스크, 마그네틱 카드 등 정보 저장 및 기록 장치는 강자성체를 자기화시켜 정보를 기록한다.

❶ (가)와 같이 정보가 담긴 전류가 헤드에 감긴 코일에 흐른다.

❷ (나)와 같이 코일에 자기장이 발생하여 철심 끝이 두 자극이 된다.

❸ (다)와 같이 강자성체가 철심의 극과 반대 극으로 자기화된다. ⇨ 자기장의 방향으로 자기화된다.

❹ 자기화되는 방향에 따라 0과 1의 디지털 정보로 저장된다.

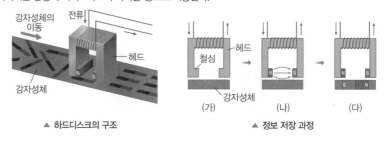

강자성체의 이동
전류
헤드
강자성체
철심
헤드
강자성체
(가)
(나)
(다)
▲ 하드디스크의 구조
▲ 정보 저장 과정

---

❹ 초전도체의 마이스너 효과

특정 온도 이하에서 초전도체에 외부 자기장이 가해지면 초전도체에는 외부 자기장과 반대 방향으로 강한 자기장이 만들어져서 자기장을 밀어내는 반자성이 강하게 나타나는데, 이러한 성질을 마이스너 효과라고 한다.

액체 자석

액체 자석은 강자성체 분말을 매우 작게 만들어 액체 속에 넣고 서로 뒤엉키지 않도록 처리하여 만든다.

액체 자석을 넣은 페인트를 칠하고 자기장을 걸어 색깔이 변하도록 하기도 하고, 액체 자석을 넣은 잉크를 사용하여 찍은 지폐를 자기장을 이용하여 분류하거나 위조 여부를 알아내는 데 이용하기도 한다. 또한 의료 기술로 활용하기 위한 연구도 진행되고 있다.

플래시 메모리

디지털카메라 등에 이용되는 플래시 메모리는 자기장을 제거해도 오랫동안 자성을 유지하는 강자성체를 정보 저장 물질로 사용한다.

🐱 용어 알기

• 플래터(Platter) 하드디스크에서 정보가 저장되는 부분으로, 금속 재질의 원판에 강자성체로 된 얇은 막이 입혀져 있다.

• 헤드(Head) 하드디스크의 플래터가 회전할 때 정보를 저장하거나 읽는 부분으로, 코일이 감겨 있다.

자성의 원인

목표 물체가 자성을 띠는 원인을 알 수 있다.

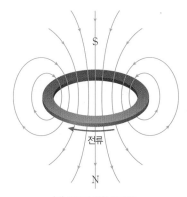

(가) 전류에 의한 자기장

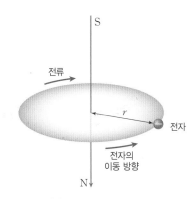

(나) 전자의 궤도 운동

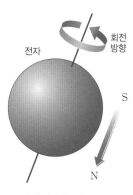

(다) 전자의 스핀

오른손의 네 손가락을 전류의 방향으로 감아쥘 때 엄지손가락이 가리키는 방향이 자기장의 방향이므로 원형 고리의 중심에는 아래 방향으로 자기장이 생긴다.

전자가 원자핵 둘레를 반시계 방향으로 회전하면 전류가 시계 방향으로 흐르는 효과가 나타난다. 오른손의 네 손가락을 전류의 방향으로 감아쥘 때 엄지손가락이 가리키는 방향이 자기장의 방향이므로 아래 방향으로 자기장이 생긴다.

전자의 스핀 방향이 반시계 방향일 때 전류가 시계 방향으로 흐르는 효과가 나타난다. 오른손의 네 손가락을 전류의 방향으로 감아쥘 때 엄지손가락이 가리키는 방향이 자기장의 방향이므로 아래 방향으로 자기장이 생긴다.

한·줄·핵심 전류가 흐르는 도선 주위에 자기장이 생기고, 전자의 궤도 운동과 전자의 스핀에 의해 전류가 흐르는 것과 같은 효과가 발생하여 자기장이 생긴다. 이처럼 자기장이 생기면 물체가 자성을 띠게 된다.

확인 문제

정답과 해설 59쪽

01 다음은 물체가 자성을 띠는 원인에 대한 설명이다.

> 그림 (가)와 같이 원자핵 주위의 원 궤도를 따라 반시계 방향으로 회전하는 전자에 의해 원 궤도를 따라 (㉠) 방향으로 전류가 흐르는 효과가 나타나 (㉡) 방향으로 자기장이 형성된다. 그림 (나)와 같이 전자의 (㉢) 방향이 반시계 방향이면 전류의 방향은 (㉣) 방향이 되어 (㉤) 방향으로 자기장이 형성된다.

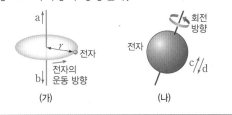

(가) (나)

㉠~㉤에 들어갈 알맞은 말을 쓰시오.

02 그림은 전자가 일정한 궤도로 원운동하는 모습을 나타낸 것이다.

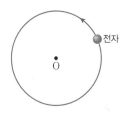

전자의 궤도 운동에 의한 전류와 자기장에 대한 설명으로 옳은 것은 ○, 옳지 않은 것은 ×로 표시하시오.

(1) 전자의 궤도 운동에 의한 전류의 방향은 반시계 방향이다. ( )

(2) 원의 중심 O에서 자기장의 방향은 종이면에 수직으로 들어가는 방향이다. ( )

자석에 반응하는 물질 비교하기

목표　여러 가지 물질이 자석에 반응하는 성질을 알 수 있다.

과정

❶ 막대의 한쪽 끝에 자석 가져가 보기

유리 막대　　구리 막대　　막대 자석

여러 가지 막대를 각각 유리 막대 위에 중심을 맞추어 올려놓고 자석을 한쪽 끝에 가까이 가져가 본다.

❷ 자석에 끌려오는 막대에 자석의 N극 접촉하기

과정 ❶에서 자석에 끌려오는 막대의 한쪽 끝에 자석의 N극을 접촉한다.

❸ 자석에 접촉한 막대를 클립에 가까이 해 보기

과정 ❷의 막대를 잠시 후에 떼어 낸 다음, 클립에 가까이 가져간다.

결과

❶ 막대의 한쪽 끝에 자석을 가져가면 철 막대는 <u>강하게 끌려오고</u>, 알루미늄 막대는 <u>약하게 끌려오며</u>, 구리 막대와
　　　　　　　　　　　　　　　　　　　강자성체　　　　　　　　　　　　　　　　상자성체
유리 막대는 <u>약하게 밀려난다</u>.
　　　　　반자성체
❷ 철 막대에는 클립이 달라붙지만 알루미늄 막대, 구리 막대, 유리 막대에는 클립이 달라붙지 않는다.

정리 및 해석

❶ 강자성체는 자석에 강하게 끌리고, 자석을 접촉시켰다 떼어 낸 후에도 자성이 남아 있는 물질이다. (예) 철 막대)
❷ 상자성체는 자석에 약하게 끌리고, 자석을 접촉시켰다 떼어 낸 후에 자성이 남아 있지 않은 물질이다. (예) 알루미늄 막대)
❸ 반자성체는 자석에 약하게 밀리고, 자석을 접촉시켰다 떼어 낸 후에 자성이 남아 있지 않은 물질이다. (예) 구리 막대, 유리 막대)

한·줄·핵심　물질이 자석에 반응하는 성질에 따라 강자성체, 상자성체, 반자성체로 구분할 수 있다.

◀ **확인 문제**　　　　　　　　　　　　　　　　　　　　　　　　　　　　　　　　　　　　　　정답과 해설 59쪽

01 다음은 자성체에 대한 설명이다.

> 물질이 자석에 반응하는 성질을 자성이라 하고, 자성을 가진 물체를 자성체라고 한다. 물질을 자석에 가까이 했을 때 잘 달라붙으면 (㉠), 약하게 달라붙으면 (㉡), 약하게 밀려나면 (㉢)이라고 한다.

㉠~㉢에 들어갈 알맞은 말을 쓰시오.

02 자성체와 그 성질을 나타내는 물질을 옳게 연결하시오.

(1) 강자성체　•　　　　•　㉠ 구리, 유리, 금

(2) 상자성체　•　　　　•　㉡ 철, 코발트

(3) 반자성체　•　　　　•　㉢ 알루미늄, 텅스텐

03 ( ) 안에 들어갈 알맞은 말을 고르시오.

(1) 상자성체에 외부 자기장을 가하면 물질 내 원자 자석들이 외부 자기장의 방향으로 (강하게, 약하게) 자기화된다.

(2) 강자성체에 외부 자기장을 가했다가 제거하면 자성이 (오래 유지된다, 곧바로 사라진다).

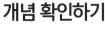

✔ 잠깐 확인!
1. 자성이 나타나는 원인은 물질을 구성하는 원자 내 ☐ ☐ 의 운동 때문이다.

2. ☐☐☐ 외부 자기장의 방향으로 원자 자석들이 일정한 방향으로 정렬되는 현상

3. ☐☐ 물질이 외부 자기장에 반응하는 성질로, 강자성, 상자성, ☐☐☐ 이 있다.

4. ☐☐☐☐ 외부 자기장을 가할 때 외부 자기장의 방향으로 강하게 자기화되는 물질

5. ☐☐☐☐ 외부 자기장을 가할 때 외부 자기장의 방향으로 약하게 자기화되는 물질

6. ☐☐☐☐ 외부 자기장을 가할 때 외부 자기장과 반대 방향으로 자기화되는 물질

7. 자석 위에 초전도체를 올려놓았을 때 초전도체가 뜨는 현상은 ☐☐☐ 에 의해 나타난다.

8. 하드디스크 ☐☐☐☐ 로 덮여 있는 얇은 디스크(플래터)위에 헤드를 놓은 구조로 되어 있다.

A 자성의 원인

01 다음은 자성의 원인에 대한 설명이다.

> 물질이 자성을 나타내는 것은 물질을 구성하는 원자 내 (㉠)의 궤도 운동과 (㉡)으로 인해 (㉢)이 발생하기 때문이다.

㉠~㉢에 들어갈 알맞은 말을 쓰시오.

B 자성체의 종류

02 자성체와 자기화에 대한 설명으로 옳은 것은 ○, 옳지 않은 것은 ×로 표시하시오.

(1) 강자성체에 외부 자기장을 가하면 외부 자기장과 같은 방향으로 원자 자석들이 배열된다. ( )

(2) 자기화된 상자성체는 외부 자기장을 제거해도 자기화된 상태를 오래 유지한다. ( )

(3) 상자성체는 강자성체에 비해 원자 자석들이 외부 자기장의 방향으로 약하게 배열된다. ( )

(4) 반자성체에는 원자 내 전자 중 짝을 이루지 못한 전자가 매우 많다. ( )

03 다음은 어떤 물질에 가해진 외부 자기장을 제거했을 때의 모습을 나타낸 것이다.

외부 자기장을 제거했을 때			
자성체	(㉠)	(㉡)	(㉢)

㉠~㉢에 들어갈 알맞은 말을 쓰시오.

C 자성체의 이용

04 그림은 자석 위에 초전도체를 올려놓았을 때 초전도체가 떠 있는 모습을 나타낸 것이다. 이 현상에 대한 설명으로 옳은 것은 ○, 옳지 않은 것은 ×로 표시하시오.

(1) 마이스너 효과라고 한다. ( )

(2) 강자성에 의해 나타나는 현상이다. ( )

(3) 초전도체와 같은 자성을 가진 물질은 철, 종이이다. ( )

탄탄! 내신 다지기

A 자성의 원인

01 그림 (가)는 전자의 궤도 운동에 의한 자기장을, (나)는 전자의 스핀에 의한 자기장을 나타낸 것이다. A와 B는 N극과 S극 중 하나이다.

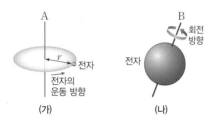

(가)   (나)

이에 대한 설명으로 옳은 것만을 〈보기〉에서 있는 대로 고른 것은?

보기
ㄱ. (가)와 (나)로 인해 물질에 자성이 나타난다.
ㄴ. A는 N극이다.
ㄷ. A와 B는 같은 극이다.

① ㄱ   ② ㄱ, ㄴ   ③ ㄱ, ㄷ
④ ㄴ, ㄷ   ⑤ ㄱ, ㄴ, ㄷ

B 자성체의 종류

02 그림은 물질에 외부 자기장을 가했을 때와 외부 자기장을 제거했을 때 물질 내 원자 자석의 배열을 모식적으로 나타낸 것이다.

외부 자기장을 가했을 때	외부 자기장을 제거했을 때	물질의 자성
N ───→ S	(그림)	(㉠)
N ───→ S	(그림)	(㉡)
N ───→ S	(그림)	(㉢)

㉠~㉢에 들어갈 말을 옳게 짝 지은 것은?

	㉠	㉡	㉢
①	강자성	상자성	반자성
②	강자성	반자성	상자성
③	상자성	강자성	반자성
④	상자성	반자성	강자성
⑤	반자성	강자성	상자성

03 물질의 자성에 대한 설명으로 옳지 <u>않은</u> 것은?

① 물질이 자석에 반응하는 성질이다.
② 물질을 구성하는 원자 내 전자의 운동 때문에 자성이 나타난다.
③ 상자성체에 외부 자기장을 가했다가 제거하면 자성이 없어진다.
④ 반자성체는 외부 자기장을 가하면 외부 자기장과 반대 방향으로 자기화되는 물질이다.
⑤ 강자성체는 원자 내에서 전자의 회전 방향과 스핀 방향이 반대인 전자들이 대부분 짝을 이루고 있는 물체이다.

04 다음은 어떤 자성체에 대한 설명이다.

외부 자기장을 가할 때 원자 자석들이 외부 자기장의 방향으로 약하게 자기화되는 성질을 가진 물체로, 외부 자기장을 제거하면 자성이 곧바로 사라진다.

이러한 성질을 가진 물질로 옳은 것은?

① 철   ② 종이   ③ 유리
④ 구리   ⑤ 코발트

<단답형>

05 그림은 자성체 A, B, C를 일정한 기준으로 분류한 것을 나타낸 것이다.

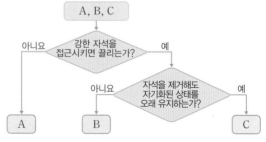

A, B, C에 해당하는 물질을 〈보기〉에서 찾아 쓰시오.

보기
구리, 철, 종이, 니켈, 알루미늄, 유리

단답형

06 다음은 어떤 자성체에 대한 설명이다.

(㉠)에 외부 자기장을 가하면 (㉡)이 넓어지면서 외부 자기장의 방향으로 강하게 자기화되고, 외부 자기장을 제거해도 자기화된 상태가 오래 유지된다.

㉠과 ㉡에 들어갈 알맞은 말을 쓰시오.

07 그림은 자기화되지 않은 물체 주변에 자석을 가까이 했을 때 물체가 자석에 의해 밀려 올라가는 것을 나타낸 것이다.

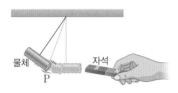

이에 대한 설명으로 옳은 것만을 〈보기〉에서 있는 대로 고른 것은?

보기
ㄱ. 물체는 반자성체이다.
ㄴ. 물체의 P 부분은 S극으로 자기화되어 있다.
ㄷ. 자석의 극을 반대로 하면 물체는 자석에 달라붙는다.

① ㄱ ② ㄱ, ㄴ ③ ㄱ, ㄷ
④ ㄴ, ㄷ ⑤ ㄱ, ㄴ, ㄷ

08 그림 (가)와 같이 자기화되어 있지 않은 물체 A를 솔레노이드에 넣고 전류를 흘려 주었다. 그림 (나)는 (가)의 A를 그대로 꺼내 p 부분을 자기화되어 있지 않은 물체 B 근처에 놓았더니 B가 A로부터 밀려나는 모습을 나타낸 것이다. B의 오른쪽은 S극으로 자기화되었다.

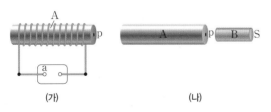

(가)   (나)

이에 대한 설명으로 옳은 것만을 〈보기〉에서 있는 대로 고른 것은?

보기
ㄱ. a는 (−)극이다.
ㄴ. A는 강자성체이다.
ㄷ. B는 구리와 같은 자기적 성질을 가진다.

① ㄱ ② ㄱ, ㄴ ③ ㄱ, ㄷ
④ ㄴ, ㄷ ⑤ ㄱ, ㄴ, ㄷ

C 자성체의 이용

09 다음은 자기력을 이용한 물체 A에 대한 설명이다.

A가 자석 위에 뜨는 것은 A 내부의 자기장이 완전히 0이 되도록 외부 자기장과 (㉠) 방향으로 자기화되려는 성질 때문이다.

이에 대한 설명으로 옳은 것만을 〈보기〉에서 있는 대로 고른 것은?

보기
ㄱ. A는 초전도체이다.
ㄴ. ㉠에 들어갈 말은 '같은'이다.
ㄷ. 하드디스크의 정보 저장 물질은 A와 동일한 자기적 성질을 갖는다.

① ㄱ ② ㄱ, ㄴ ③ ㄱ, ㄷ
④ ㄴ, ㄷ ⑤ ㄱ, ㄴ, ㄷ

10 그림은 마그네틱선에 정보를 저장하기 위해 마그네틱선이 코일이 감긴 철심 주변을 지나는 순간 코일에 화살표 방향으로 전류를 흐르게 하는 모습을 나타낸 것이다. A 부분은 철심 부분이다.

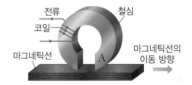

이에 대한 설명으로 옳은 것만을 〈보기〉에서 있는 대로 고른 것은?

보기
ㄱ. 철심의 A는 N극이다.
ㄴ. 마그네틱선은 강자성체이다.
ㄷ. 코일에 흐르는 전류의 방향을 바꾸면 마그네틱선의 자기화 방향이 바뀐다.

① ㄱ ② ㄱ, ㄴ ③ ㄱ, ㄷ
④ ㄴ, ㄷ ⑤ ㄱ, ㄴ, ㄷ

도전! 실력 올리기

01 다음은 물질을 구성하는 각각의 원자들이 자성을 나타내는 것을 설명한 것이다.

> (가) 그림과 같이 원 궤도를 따라 원자핵 주위를 반시계 방향으로 회전하는 전자에 의해 전류가 흐르는 것과 같은 효과가 나타난다.
>
>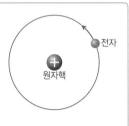
>
> (나) 전자의 (㉠)은 전자의 고유한 물리량으로, 이에 의해서도 원자의 자성이 나타난다.

이에 대한 설명으로 옳은 것만을 〈보기〉에서 있는 대로 고른 것은?

> 보기
> ㄱ. (가)의 원자핵이 있는 곳에서 종이면에 수직으로 들어가는 방향의 자기장이 생긴다.
> ㄴ. ㉠은 스핀이다.
> ㄷ. 원자 내에서 전자의 회전 방향이 반대인 전자들이 모두 짝을 이루기 때문에 자성이 나타난다.

① ㄱ   ② ㄱ, ㄴ   ③ ㄱ, ㄷ
④ ㄴ, ㄷ   ⑤ ㄱ, ㄴ, ㄷ

02 다음은 물질의 자성에 대해 철수, 영희, 민수가 나눈 대화를 나타낸 것이다.

> 철수: 전자의 궤도 운동과 스핀 때문에 자성이 나타나.
> 영희: 스핀이 서로 반대인 전자들이 짝을 이루면 자성은 더 강해져.
> 민수: 반자성은 원자가 만드는 자기장의 방향이 외부 자기장의 방향으로 정렬될 때 나타나.

옳게 말한 사람만을 있는 대로 고른 것은?

① 철수   ② 철수, 영희   ③ 철수, 민수
④ 영희, 민수   ⑤ 철수, 영희, 민수

출제예감

03 그림 (가)는 자기화되지 않은 물체 A를 균일한 자기장 영역 P에 고정시켜 놓았더니 왼쪽이 S극, 오른쪽이 N극으로 자기화된 모습을 나타낸 것이다. 그림 (나)는 (가)에서 자기장을 제거하고 자기화되지 않은 B를 고정시켜 놓은 모습을 나타낸 것이다. 이때 A와 B 사이에는 서로 당기는 자기력이 작용한다.

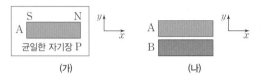

이에 대한 설명으로 옳은 것만을 〈보기〉에서 있는 대로 고른 것은?

> 보기
> ㄱ. A는 강자성체이다.
> ㄴ. P의 방향은 $+x$ 방향이다.
> ㄷ. B를 구성하는 원자 내에서 전자의 회전 방향과 스핀 방향이 반대인 전자들이 모두 짝을 이루고 있다.

① ㄱ   ② ㄱ, ㄴ   ③ ㄱ, ㄷ
④ ㄴ, ㄷ   ⑤ ㄱ, ㄴ, ㄷ

출제예감

04 그림은 솔레노이드에 전원 장치와 스위치, 저항을 연결하고 자기화되지 않은 물체를 수레에 고정하여 솔레노이드 근처에 놓은 후 스위치를 닫았더니 수레가 솔레노이드로부터 멀어지는 가속도 운동을 하는 것을 나타낸 것이다. 수레는 물체와 자성이 같은 물질로 만들어져 있다.

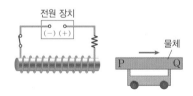

이에 대한 설명으로 옳은 것만을 〈보기〉에서 있는 대로 고른 것은? (단, 모든 공기 저항과 마찰은 무시한다.)

> 보기
> ㄱ. 물체는 반자성체이다.
> ㄴ. 물체 내에서 자기장의 방향은 Q에서 P 방향이다.
> ㄷ. 스위치를 열어도 수레는 가속도 운동을 한다.

① ㄱ   ② ㄱ, ㄴ   ③ ㄱ, ㄷ
④ ㄴ, ㄷ   ⑤ ㄱ, ㄴ, ㄷ

출제예감

05 그림 (가)는 물체 A, B, C를 차례로 연직 방향의 강한 외부 자기장이 있는 영역에 넣어 자기화시키는 모습을 나타낸 것이다. 그림 (나)는 (가)를 거친 A와 B, B와 C, A와 C를 가까이 해 보는 모습을 나타낸 것이다. 이때 A와 B 사이에는 서로 당기는 힘이, B와 C 사이에는 서로 밀어내는 힘이 작용하였고, A와 C 사이에는 힘이 작용하지 않았다.

이에 대한 설명으로 옳은 것만을 〈보기〉에서 있는 대로 고른 것은?

보기
ㄱ. 철, 코발트, 니켈은 A에 해당한다.
ㄴ. (가)에서 C는 외부 자기장의 반대 방향으로 자기화된다.
ㄷ. (나)에서 A는 강하게 자기화되어 있다.

① ㄱ　　② ㄴ　　③ ㄱ, ㄷ
④ ㄴ, ㄷ　　⑤ ㄱ, ㄴ, ㄷ

07 그림은 어떤 물체가 자석 위에 떠 있는 모습을 나타낸 것이다.
이 물체의 자성을 쓰시오.

서술형

08 다음은 물질의 자성을 알아보는 실험 과정의 일부이다.

[탐구 과정]
그림과 같이 물질(철판, 니켈판, 알루미늄판, 구리판, 종이, 유리판)을 실에 묶어 고정시키고, 네오디뮴 자석을 가까이 가져갔을 때 네오디뮴 자석에 달라붙는 물질과 ㉠밀려나는 물질을 구분한다.

㉠에 해당하는 물질을 2가지만 쓰고, 물질이 네오디뮴 자석에 밀려나는 까닭을 서술하시오.

출제예감

06 그림은 하드디스크 표면에 정보를 저장하는 모습을 나타낸 것이다.

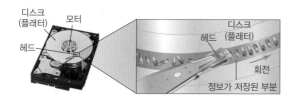

이에 대한 설명으로 옳은 것만을 〈보기〉에서 있는 대로 고른 것은?

보기
ㄱ. 디스크(플래터)에는 강자성체가 입혀져 있다.
ㄴ. 하드디스크에 연결된 전원을 끄면 저장된 정보가 사라진다.
ㄷ. 헤드에 발생한 자기장을 이용하여 정보를 저장한다.

① ㄱ　　② ㄱ, ㄴ　　③ ㄱ, ㄷ
④ ㄴ, ㄷ　　⑤ ㄱ, ㄴ, ㄷ

서술형

09 그림은 하드디스크의 구조를 나타낸 것이다.

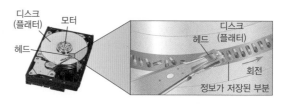

플래터에 입혀진 정보 저장 물질의 자성을 쓰고, 디스크(플래터)에 정보가 저장되는 까닭을 코일과 자성을 이용하여 서술하시오.

❶ **자기 선속**
닫힌 회로를 통과하는 자기장의 양을 뜻하는 것으로, 자기장에 수직인 단면을 지나는 자기력선의 총 개수를 말하며, 자기력선의 다발을 의미한다. 단위는 Wb(웨버)를 사용한다.

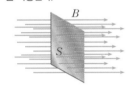

A 전자기 유도

|출·제·단·서| 전자기 유도에서 유도 전류의 방향과 세기를 묻는 문제가 시험에 나와!

1. 전자기 유도 [탐구 POOL]

(1) **전자기 °유도** 코일을 통과하는 자기 선속❶이 시간에 따라 변할 때 코일에 전류가 흐르는 현상

(2) **유도 전류** 전자기 유도에 의해 코일에 발생하는 전류

2. 렌츠 법칙 [개념 POOL]

(1) **렌츠 법칙** 유도 전류의 방향은 코일을 통과하는 자기 선속의 변화를 방해하는 방향이다.

(2) **유도 전류의 방향 찾기**

① **코일에 생기는 유도 전류의 방향**

코일에 자석의 N극을 가까이 할 때	코일에서 자석의 N극을 멀리 할 때
코일을 통과하는 자기 선속 증가 ⇨ 자기 선속의 증가를 방해하도록 코일 위쪽에 N극이 유도 ⇨ 유도 전류의 방향: B → ⓖ → A 방향	코일을 통과하는 자기 선속 감소 ⇨ 자기 선속의 감소를 방해하도록 코일 위쪽에 S극이 유도 ⇨ 유도 전류의 방향: A → ⓖ → B 방향
코일에 자석의 S극을 가까이 할 때	코일에서 자석의 S극을 멀리 할 때
코일을 통과하는 자기 선속 증가 ⇨ 자기 선속의 증가를 방해하도록 코일 위쪽에 S극이 유도 ⇨ 유도 전류의 방향: A → ⓖ → B 방향	코일을 통과하는 자기 선속 감소 ⇨ 자기 선속의 감소를 방해하도록 코일 위쪽에 N극이 유도 ⇨ 유도 전류의 방향: B → ⓖ → A 방향

② **원형 도선에 생기는 유도 전류의 방향**

원형 도선에 자석의 N극을 가까이 할 때	원형 도선에서 자석의 N극을 멀리 할 때
아래 방향의 자기 선속 증가 ⇨ 아래 방향의 자기 선속이 감소하도록 유도 전류 발생 ⇨ 유도 전류의 방향: 반시계 방향	아래 방향의 자기 선속 감소 ⇨ 아래 방향의 자기 선속이 증가하도록 유도 전류 발생 ⇨ 유도 전류의 방향: 시계 방향
원형 도선에 자석의 S극을 가까이 할 때	원형 도선에서 자석의 S극을 멀리 할 때
위 방향의 자기 선속 증가 ⇨ 위 방향의 자기 선속이 감소하도록 유도 전류 발생 ⇨ 유도 전류의 방향: 시계 방향	위 방향의 자기 선속 감소 ⇨ 위 방향의 자기 선속이 증가하도록 유도 전류 발생 ⇨ 유도 전류의 방향: 반시계 방향

❓ **자기 선속은 어떤 경우에 변할까?**
전원 장치가 연결되어 있지 않은 코일에 자석을 넣었다 빼거나 코일을 자석에 가까이 하였다 멀리 하면 자기 선속이 변한다. 즉, 자석과 코일 중 어느 하나가 나머지에 대해 상대적으로 움직이면 자기 선속이 변하고, 코일의 양 끝에 전위차가 발생하여 전류가 흐른다.

🐱 **용어 알기**
●유도(꾀낼 誘, 인도할 導) 물체가 전기나 자기를 띠는 것

③ ㄷ자형 도선에 생기는 유도 전류의 방향

(×: 수직으로 들어가는 방향)

구분	구리 막대가 오른쪽으로 움직일 때	구리 막대가 왼쪽으로 움직일 때
면적 변화	 넓어진다.	 좁아진다.
유도 전류	종이면에 수직으로 들어가는 자기 선속 증가 ⇨ 유도 전류에 의한 자기 선속은 종이면에서 수직으로 나오는 방향 ⇨ 유도 전류의 방향: 반시계 방향	종이면에 수직으로 들어가는 자기 선속 감소 ⇨ 유도 전류에 의한 자기 선속은 종이면에 수직으로 들어가는 방향 ⇨ 유도 전류의 방향: 시계 방향

유도 전류는 자기 선속의 변화를 방해하는 방향으로 흘러!

3. 패러데이 법칙

(1) 유도 °기전력   전자기 유도에 의해 코일 양단에 발생하는 기전력❷(전압)

(2) 패러데이 법칙(전자기 유도 법칙)   유도 기전력의 크기(V)는 코일을 통과하는 자기 선속의 시간적 변화율 $\frac{\Delta\Phi}{\Delta t}$에 비례하고, 코일의 감은 수 N에 비례한다.

> (−)부호는 유도 기전력의 방향이 자기 선속의 변화를 방해하는 방향임을 뜻한다. $V = -N\frac{\Delta\Phi}{\Delta t}$ [단위: V(볼트)]

(3) 유도 전류의 세기   코일에 자석을 가까이 할 때 강한 자석을 사용하거나, 자석을 빠르게 움직이거나, 코일의 감은 수가 많을수록 자기 선속의 변화율이 커져서 유도 기전력의 크기가 커지고, 유도 전류의 세기도 세진다.

❷ 기전력
도체 내부에 전위차를 만들고, 그 사이의 전기장에 의해 전하를 이동시켜 전류를 흐르게 하는 원인이다. 단위는 전압과 같은 V(볼트)를 사용한다.

빈출 탐구 구리관 속을 통과하는 자석

구리관과 아크릴관에서 자석이 떨어질 때 생기는 현상을 관찰할 수 있다.

과정
① 그림 (가)와 같이 속이 빈 구리관에 쇠구슬을 떨어뜨리고 낙하 시간을 측정한다.
② 그림 (나)와 같이 같은 구리관에 고리형 네오디뮴 자석을 떨어뜨리고 낙하 시간을 측정한다.
③ 그림 (다)와 같이 길이가 같은 아크릴관으로 바꾸어 과정 ①, ②를 반복한다.

(가)   (나)   구리관 ── 아크릴관

결과
❶ 구리관에서 자석의 낙하 시간이 쇠구슬의 낙하 시간보다 길다.
❷ 구리관에서 자석의 낙하 시간이 아크릴관에서 자석의 낙하 시간보다 길다.
❸ 아크릴관에서 쇠구슬과 자석의 낙하 시간은 같다.
❹ 구리관과 아크릴관에서 쇠구슬의 낙하 시간은 같다.

정리
❶ 구리관에 자석을 떨어뜨리면 자석의 운동을 방해하는 방향으로 구리관에 유도 전류가 생긴다.
❷ 구리관에 쇠구슬을 떨어뜨릴 때, 아크릴관에 쇠구슬과 자석을 떨어뜨릴 때 모두 유도 전류가 생기지 않는다.

용어 알기 🐱

● 기전력(일어날 起, 번개 電, 힘 力) 두 점 사이에 전위차를 발생시켜 전류를 흐르게 하는 힘

B 전자기 유도의 이용

|출·제·단·서| 일상생활에서 전자기 유도를 이용하는 예와 그 원리를 묻는 문제가 시험에 나와!

1. 전자기 유도의 이용

발전기	금속 탐지기	발광 킥보드
자석 사이에서 코일을 회전시키면 코일을 지나는 자기 선속이 시간에 따라 주기적으로 변하면서 코일에 유도 전류가 흐른다.	내부 코일에 의한 자기장을 금속에 가까이 하면 금속에 유도 전류가 흐른다. 이 유도 전류가 변화하는 자기장을 만들어 수신 코일에 유도 전류가 흐르고 경보음이 울린다.	코일을 감은 철심이 바퀴 축에 고정된 영구 자석 주위를 회전하면 코일을 통과하는 자기장이 변하면서 유도 전류가 흐른다. 이 유도 전류에 의해 발광 다이오드에 불이 들어온다.
휴대 전화의 무선 충전	**교통카드**	**전기 기타**
충전 패드 위에 휴대 전화를 올려놓고 충전 패드의 1차 코일에 전원을 연결하면 휴대 전화 속의 2차 코일에 연결된 휴대 전화의 배터리가 충전된다.	교통카드를 카드 단말기에 접근시키면 코일을 통과하는 자기 선속이 변하면서 코일에 유도 전류가 흐른다. 이 유도 전류에 의해 교통카드의 코일과 연결되어 있는 IC 회로가 작동하여 카드 정보를 송신한다.	기타 줄 아래의 영구 자석에 의해 자기화된 기타 줄이 진동하면 코일을 통과하는 자기 선속이 변하기 때문에 코일에 유도 전류가 흘러 전기 신호가 발생한다. 이 전기 신호를 °증폭하면 스피커에서 소리가 발생한다.
마이크	**비파괴 검사 장비**	**놀이 기구의 제동 장치**
소리 때문에 진동판이 진동하면 진동판에 부착된 코일이 진동하게 되어 코일을 지나는 자기 선속이 변하면서 유도 전류가 흐른다. 이러한 원리로 마이크는 소리를 전기 신호로 바꾸게 된다.	발신 코일이 만드는 자기장 속으로 금속 물질이 들어오면 금속에 미세 전류가 유도되고, 이 미세 전류가 다시 자기장을 발생시켜서 수신 코일에 전류가 흐르게 된다. 이와 같은 원리로 건물 내벽에 사용된 철근의 위치나 간격을 알아낼 수 있다.	놀이 기구(자이로드롭)가 기둥의 하단부를 지날 때 금속판에 맴돌이 전류❸가 형성되어 탑승 의자의 낙하 운동을 방해하므로 결국 운동 에너지를 잃고 멈추게 된다.

❸ 맴돌이 전류
도체판 주위의 자기장이 변할 때에 금속판에 유도되는 소용돌이 모양의 전류

🐱 용어 알기

°증폭(더할 增, 폭 幅) 전압, 전류의 진폭을 늘려 감도를 좋게 하는 일

유도 전류의 방향

목표 자석의 운동 방향에 따른 코일에 흐르는 유도 전류의 방향을 알 수 있다.

1 자석의 운동과 유도 전류의 방향

구분	N극을 가까이 할 때	N극을 멀리 할 때	S극을 가까이 할 때	S극을 멀리 할 때
운동 모습				
코일 위쪽의 자극	N극	S극	S극	N극
유도 전류의 방향	B → Ⓖ → A 방향	A → Ⓖ → B 방향	A → Ⓖ → B 방향	B → Ⓖ → A 방향
자석과 코일 사이에 작용하는 힘	척력	인력	척력	인력

2 유도 전류의 방향 찾기

(1) 코일에 흐르는 유도 전류에 의한 자기장의 방향은 코일을 통과하는 자기 선속의 변화를 방해하는 방향으로 흐른다.

(2) 오른손의 엄지손가락을 유도 자기장의 방향으로 향하게 하면 네 손가락이 감아쥐는 방향이 유도 전류의 방향이다.

한·줄·핵심 자석이 코일에 접근하면 자석과 코일 사이에는 척력이, 자석이 코일에서 멀어지면 자석과 코일 사이에는 인력이 작용하도록 코일에 유도 전류가 흐른다.

확인 문제

정답과 해설 62쪽

01 그림은 자석의 운동에 따른 유도 전류의 방향을 찾는 과정을 나타낸 것이다.

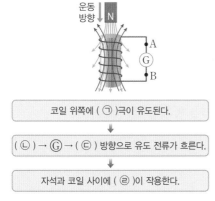

코일 위쪽에 (㉠)극이 유도된다.

↓

(㉡) → Ⓖ → (㉢) 방향으로 유도 전류가 흐른다.

↓

자석과 코일 사이에 (㉣)이 작용한다.

㉠~㉣에 들어갈 알맞은 말을 쓰시오.

02 그림은 유도 전류의 방향을 보고 자석의 운동 방향을 찾는 과정을 나타낸 것이다.

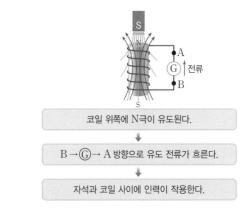

코일 위쪽에 N극이 유도된다.

↓

B → Ⓖ → A 방향으로 유도 전류가 흐른다.

↓

자석과 코일 사이에 인력이 작용한다.

자석의 운동 방향을 쓰시오.

전자기 유도 현상 관찰하기

목표   전지가 연결되어 있지 않은 코일에 전류가 흐르는 까닭을 알 수 있다.

과정

유의점

· 검류계를 영점 조정한 후 사용한다.

· 변인 통제에 유의한다.

❶ N극을 가까이 하거나 멀리 하면서 검류계 관찰하기

코일과 검류계를 집게 달린 도선으로 연결하고, 막대자석을 코일에 가까이 하거나 멀리 하면서 검류계 바늘의 움직임을 관찰한다.

❷ 막대자석을 빠르게 움직이거나 느리게 움직이면서 검류계 관찰하기

막대자석을 빠르게 움직이거나 느리게 움직이면서 검류계 바늘의 움직임을 관찰한다.

❸ 막대자석 2개를 겹쳐 가까이 하거나 멀리 하면서 검류계 관찰하기

막대자석 2개를 같은 극끼리 겹쳐 코일에 가까이 하거나 멀리 하면서 검류계 바늘의 움직임을 관찰한다.

결과

❶ 막대자석을 가까이 하거나 멀리 할 때 검류계 바늘이 움직이며, 가까이 할 때와 멀리 할 때 반대 방향으로 움직인다.

❷ 막대자석의 움직임이 빠를수록 검류계 바늘이 많이 움직인다.

❸ 막대자석이 2개일 때 검류계 바늘이 많이 움직인다.

코일을 통과하는 자기 선속이 변할 때 코일에 전류가 흐르는데, 이것을 전자기 유도라고 해!

정리 및 해석

❶ 유도 전류가 만드는 자기장의 방향이 코일을 통과하는 자기 선속의 변화를 방해하는 방향이므로 막대자석을 가까이 할 때는 유도 전류가 자기 선속이 증가하는 것을 방해하는 방향으로 흐르고, 막대자석을 멀리 할 때는 유도 전류가 자기 선속이 감소하는 것을 방해하는 방향으로 흐른다.

❷ 자석의 속력이 빠를수록, 자석이 강할수록 유도 전류의 세기는 증가한다.

한·줄·핵심   자석이 코일에 접근할 때와 멀어질 때 코일에 흐르는 유도 전류의 방향은 반대이고, 자석이 움직이는 속력이 빠를수록, 자석이 강할수록 유도 전류의 세기가 증가한다.

◀ 확인 문제

정답과 해설 62쪽

01 그림은 검류계를 집게 달린 도선으로 연결한 후, 막대자석의 N극과 S극을 코일 근처에서 움직이는 모습을 나타낸 것이다. 표는 검류계 바늘의 움직임을 관찰한 결과를 정리한 것이다.

자석	검류계 바늘
코일에 N극을 가까이 할 때	오른쪽으로 움직인다.
코일에서 N극을 멀리 할 때	(㉠)으로 움직인다.
코일에 S극을 가까이 할 때	(㉡)으로 움직인다.
코일에서 S극을 멀리 할 때	(㉢)으로 움직인다.

㉠~㉢에 들어갈 알맞은 말을 쓰시오.

02 그림과 같이 코일 주위에서 자석이 운동할 때 코일에 흐르는 전류의 방향을 찾아 옳게 연결하시오.

(1) N극을 가까이 할 때 ·

(2) N극을 멀리 할 때 ·

(3) S극을 가까이 할 때 ·

(4) S극을 멀리 할 때 ·

· ㉠ a 방향

· ㉡ b 방향

정답과 해설 62쪽

✔ 잠깐 확인!

1. ☐☐☐ ☐☐
코일 근처에서 자석을 움직이거나 자석 근처에서 코일을 움직일 때 코일에 전류가 흐르는 현상

2. 전자기 유도에 의해 코일에는 ☐☐ ☐☐가 흐른다.

3. ☐☐ 법칙
유도 전류는 코일을 통과하는 자기 선속의 변화를 방해하는 방향으로 흐른다.

4. ☐☐☐☐ 법칙
유도 전류의 세기는 코일을 통과하는 자기 선속의 시간적 변화율에 비례하고, 코일의 감은 수에 비례한다.

5. ☐☐☐
자석 사이에 코일을 넣고 회전시켜 전류를 발생하는 장치

6. 금속 탐지기
내부 코일에 의한 자기장을 금속에 가까이 하면 금속에 유도 전류가 흐른다. 이 유도 전류가 변화하는 ☐☐☐을 만들어 수신 코일에 유도 전류가 흐르고, 경보음이 울린다.

A 전자기 유도

01 다음은 어떤 현상에 대한 설명이다.

> 코일과 자석의 상대적 운동에 의해 코일 내부를 통과하는 자기 선속이 변할 때 코일에 전류가 흐르는 현상을 (   )라고 한다.

(   ) 안에 들어갈 알맞은 말을 쓰시오.

02 다음은 렌츠 법칙에 대한 설명이다.

> • 그림 (가)와 같이 원형 도선에 N극을 가까이 하면 아래 방향의 자기 선속이 증가하는데, 이를 방해하기 위해 코일의 위쪽이 (㉠)극, 아래쪽이 (㉡)극이 되도록 (㉢) 방향으로 유도 전류가 흐른다.
> • 그림 (나)와 같이 원형 도선에서 N극을 멀리 하면 아래 방향의 자기 선속이 감소하는데, 이를 방해하기 위해 코일의 위쪽이 (㉣)극, 아래쪽이 (㉤)극이 되도록 (㉥) 방향으로 유도 전류가 흐른다.

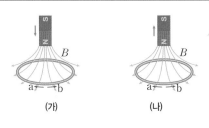

㉠~㉥에 들어갈 알맞은 말을 쓰시오.

03 그림과 같이 코일 근처에서 막대자석을 움직이며 검류계 눈금을 관찰하였다. 이에 대한 설명으로 옳은 것은 ○, 옳지 않은 것은 ×로 표시하시오.

(1) 자석을 고정시키고 코일을 움직이면 검류계의 바늘이 움직이지 않는다. (   )

(2) 코일에 자석을 가까이 할 때와 멀리 할 때 검류계 바늘이 같은 방향으로 움직인다.
(   )

(3) 코일 안에 자석이 정지해 있을 때 검류계의 바늘은 움직이지 않는다. (   )

(4) 강한 자석을 움직이면 검류계 바늘의 움직이는 폭이 커진다. (   )

(5) 코일의 감은 수를 많게 한 후 자석을 움직이면 검류계 바늘의 움직이는 폭이 작아진다.
(   )

B 전자기 유도의 이용

04 다음은 발전기에 대한 설명이다.

> 발전기는 (㉠)를 이용하여 전기 에너지를 생산하는 장치로, 바깥쪽에 고정되어 있는 (㉡)과 안쪽에서 축을 따라 회전하는 코일로 구성되어 있다.

㉠, ㉡에 들어갈 알맞은 말을 쓰시오.

A 전자기 유도

01 전자기 유도에 대한 설명으로 옳지 <u>않은</u> 것은?

① 코일을 지나는 자기 선속이 변할 때 코일에 전류가 흐르는 현상이다.

② 코일 주위에서 자석이 움직이지 않으면 유도 전류가 흐르지 않는다.

③ 자석을 코일에 가까이 할 때와 멀리 할 때 유도 전류의 방향은 같다.

④ 자석을 빠르게 움직일수록 유도 전류의 세기는 세진다.

⑤ 코일의 감은 수가 많을수록 유도 전류의 세기는 세진다.

02 그림은 검류계에 코일을 연결한 후 코일에 막대자석의 N극을 가까이 하는 순간 코일에 연결된 검류계의 바늘이 왼쪽으로 움직이는 모습을 나타낸 것이다.

검류계의 바늘이 오른쪽으로 움직이게 하는 방법으로 옳은 것만을 〈보기〉에서 있는 대로 고른 것은?

> 보기
> ㄱ. 코일에서 막대자석의 N극을 멀리 한다.
> ㄴ. 코일에서 막대자석의 S극을 가까이 한다.
> ㄷ. 코일에서 막대자석의 S극을 멀리 한다.

① ㄱ   ② ㄱ, ㄴ   ③ ㄱ, ㄷ
④ ㄴ, ㄷ   ⑤ ㄱ, ㄴ, ㄷ

단답형

03 다음은 전자기 유도에 대한 설명이다.

검류계가 연결된 코일에 자석의 N극을 가까이 하면 코일에는 (㉠) →ⓖ→(㉡) 방향으로 유도 전류가 흐르고, 코일로부터 자석이 받는 자기력의 방향은 자석의 운동 방향과 (㉢) 방향이다.

㉠~㉢에 들어갈 알맞은 말을 쓰시오.

04 그림 (가)는 수평면에 놓인 코일에 검류계를 연결한 상태에서 막대자석을 연직 방향으로 움직이는 것을 나타낸 것이고, (나)는 막대자석의 N극과 코일 사이의 거리 d를 시간에 따라 나타낸 것이다.

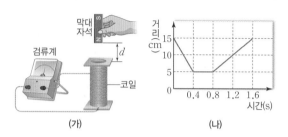

(가)   (나)

이에 대한 설명으로 옳은 것만을 〈보기〉에서 있는 대로 고른 것은?

> 보기
> ㄱ. 0.2초일 때 막대자석이 코일로부터 받는 자기력의 방향은 운동 방향과 같다.
> ㄴ. 0.6초일 때 코일에는 일정한 세기의 전류가 흐른다.
> ㄷ. 코일에 흐르는 유도 전류의 세기는 0.2초일 때가 1.2초일 때보다 세다.

① ㄱ   ② ㄴ   ③ ㄷ
④ ㄴ, ㄷ   ⑤ ㄱ, ㄴ, ㄷ

05 그림은 동일한 두 자석이 바닥으로부터 같은 높이에서 길이가 같은 플라스틱관과 구리관을 각각 통과하도록 떨어뜨리는 것을 나타낸 것이다.

이에 대한 설명으로 옳지 <u>않은</u> 것은? (단, 모든 마찰과 공기 저항은 무시한다.)

(가)   (나)

① (가)에서 자석은 등가속도 직선 운동을 한다.

② (나)의 구리관에는 유도 전류가 흐른다.

③ (나)에서 자석이 구리관으로부터 받는 자기력의 방향은 변한다.

④ (나)에서 자석은 구리관으로부터 운동 반대 방향으로 힘을 받는다.

⑤ 자석이 바닥에 도달하는 데 걸리는 시간은 (나)에서가 (가)에서보다 크다.

06 그림과 같이 종이면에 수직으로 들어가는 균일한 자기장 안에 저항이 연결된 ㄷ자 모양의 도선을 놓은 후, 그 위에서 직선 도선을 일정한 속력 v로 당겼다.

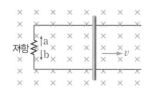

저항에 걸린 전압의 크기와 전류의 방향을 옳게 짝 지은 것은?

	전압의 크기	전류의 방향
①	일정하다.	a
②	일정하다.	b
③	증가한다.	a
④	증가한다.	b
⑤	감소한다.	b

B 전자기 유도의 이용

07 다음은 태블릿 컴퓨터에 대한 설명이다.

자기장이 형성되어 있는 태블릿 컴퓨터의 표면에서 전자 펜을 움직이면 전자 펜의 코일에 흐르는 유도 전류에 의한 자기장이 태블릿 컴퓨터에 전기 신호를 유도하여 전자 펜의 움직임을 인식한다.

태블릿 컴퓨터와 같은 원리로 작동되는 것이 <u>아닌</u> 것은?

① 변압기　　② 스피커　　③ 교류 발전기
④ 금속 탐지기　　⑤ 신용카드 단말기

단답형
08 다음은 전기 기타의 원리를 설명한 것이다.

그림과 같이 기타 줄의 P점이 코일에 가까워지면 코일을 통과하는 자기 선속이 (㉠)하여 코일에는 (㉡) 방향으로 전류가 흐른다.

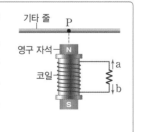

㉠, ㉡에 들어갈 알맞은 말을 쓰시오.

09 다음은 발광 킥보드에 불이 들어오는 원리에 대한 설명이다.

바퀴가 회전하면서 코일을 감은 철심이 킥보드 바퀴축에 고정된 자석 주위를 회전하면 코일을 통과하는 (㉠)의 변화에 의해 ㉡ 전류가 생기고 발광 다이오드에 불이 들어온다.

이에 대한 설명으로 옳은 것만을 〈보기〉에서 있는 대로 고른 것은?

보기
ㄱ. ㉠은 자기장이다.
ㄴ. ㉡의 세기는 시간에 따라 변하지 않는다.
ㄷ. 발광 킥보드에 불이 들어오는 원리는 전자기 유도로 설명할 수 있다.

① ㄱ　　② ㄱ, ㄴ　　③ ㄱ, ㄷ
④ ㄴ, ㄷ　　⑤ ㄱ, ㄴ, ㄷ

10 그림은 코일, 영구 자석, 진동판으로 이루어진 다이나믹 마이크의 구조를 나타낸 것이다.

이에 대한 설명으로 옳은 것만을 〈보기〉에서 있는 대로 고른 것은?

보기
ㄱ. 마이크는 전자기 유도에 의해 소리 신호가 전기 신호로 변환된다.
ㄴ. 진동판이 진동하면 코일에는 세기와 방향이 변하는 전류가 흐른다.
ㄷ. 소리가 클수록 코일에 흐르는 전류의 세기는 세다.

① ㄱ　　② ㄱ, ㄴ　　③ ㄱ, ㄷ
④ ㄴ, ㄷ　　⑤ ㄱ, ㄴ, ㄷ

01 다음은 전자기 유도 현상의 실험 과정의 일부이다.

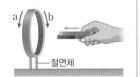

(가) 지면에 고정된 금속 고리에 막대자석의 N극을 가까이 한다.

(나) N극을 (가)보다 빠르게 가까이 한다.

(다) N극을 금속 고리에 넣고 정지시킨다.

이에 대한 설명으로 옳은 것만을 〈보기〉에서 있는 대로 고른 것은?

보기
ㄱ. (가)에서 금속 고리에 흐르는 전류의 방향은 a 방향이다.
ㄴ. 금속 고리에 흐르는 유도 전류의 세기는 (나)에서가 (가)에서보다 크다.
ㄷ. (다)에서 금속 고리에는 전류가 흐르지 않는다.

① ㄱ ② ㄱ, ㄴ ③ ㄱ, ㄷ
④ ㄴ, ㄷ ⑤ ㄱ, ㄴ, ㄷ

02 그림은 xy 평면에 수직인 방향으로 세기가 B_0인 균일한 자기장이 형성된 영역 Ⅰ과 xy 평면에 수직인 방향으로 균일한 자기장이 형성된 영역 Ⅱ에서 동일한 사각형 도선 a와 b가 운동하고 있는 어느 순간의 모습을 나타낸 것이다. a는 $+x$ 방향으로 속력 v로, b는 $-x$ 방향으로 속력 $2v$로 운동하고 있고, a와 b에는 시계 방향으로 같은 세기의 전류가 흐르고 있다.

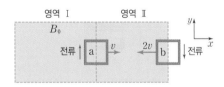

Ⅰ에서 자기장의 방향과 Ⅱ에서 자기장의 세기를 옳게 짝 지은 것은?

	Ⅰ에서 자기장의 방향	Ⅱ에서 자기장의 세기
①	xy 평면에 들어가는 방향	$\frac{1}{2}B_0$
②	xy 평면에 들어가는 방향	B_0
③	xy 평면에 들어가는 방향	$2B_0$
④	xy 평면에서 나오는 방향	$\frac{1}{2}B_0$
⑤	xy 평면에서 나오는 방향	B_0

03 그림은 일정한 세기의 전류가 위쪽으로 흐르는 직선 도선 옆에 원형 도선 P를 놓고 일정한 속도로 오른쪽으로 이동시키는 모습을 나타낸 것이다.

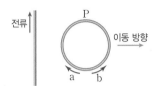

P에 유도되는 기전력의 크기와 전류의 방향을 옳게 짝 지은 것은? (단, 직선 도선과 원형 도선은 같은 수평면 위에 놓여 있다.)

	기전력의 크기	전류의 방향
①	감소한다.	a
②	감소한다.	b
③	증가한다.	a
④	증가한다.	b
⑤	일정하다.	b

04 그림은 모양과 길이가 같은 플라스틱관과 구리관을 연직으로 세우고, 자석 A 또는 B를 관의 입구에 가만히 놓는 모습을 나타낸 것이다. 표는 자석이 관의 입구에서 관의 끝을 통과할 때까지 걸린 시간을 자석과 관의 종류에 따라 나타낸 것이다. A와 B의 질량은 같다.

자석	플라스틱관	구리관
A	1초	2초
B	(㉠)	3초

이에 대한 설명으로 옳은 것만을 〈보기〉에서 있는 대로 고른 것은? (단, 마찰이나 공기 저항은 무시한다.)

보기
ㄱ. ㉠은 1초보다 크다.
ㄴ. A는 B보다 세기가 약한 자석이다.
ㄷ. 구리관에서 자석이 낙하하는 동안 자석의 역학적 에너지는 보존된다.

① ㄱ ② ㄴ ③ ㄱ, ㄷ
④ ㄴ, ㄷ ⑤ ㄱ, ㄴ, ㄷ

05 그림 (가)와 같이 $+y$ 방향의 균일한 자기장 영역에 물체 A와 B를 넣어 자기화시킨다. 그림 (나)와 같이 (가)의 A를 경사면 위의 점 p에 가만히 놓았더니 A가 고정된 원형 도선을 지나 점 r를 속력 v로 통과한다. A가 원형 도선으로부터 각각 d_1, d_2만큼 떨어진 점 q, r를 지날 때 원형 도선에는 같은 세기의 유도 전류가 흐르고, A와 B는 강자성체와 반자성체 중 하나이다.

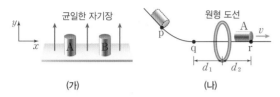

(가)   (나)

이에 대한 설명으로 옳지 <u>않은</u> 것은? (단, 자석의 크기는 무시한다.)

① (가)에서 B는 $-y$ 방향으로 자기화된다.

② (나)에서 A가 q를 지날 때 원형 도선과 A 사이에는 척력이 작용한다.

③ (나)에서 A가 원형 도선으로부터 받는 힘의 방향은 q와 r에서 같다.

④ (나)에서 $d_1 > d_2$이다.

⑤ B를 (나)의 p에 가만히 놓을 때 r에서 B의 속력은 v보다 작다.

06 그림은 충전 패드 위에 휴대 전화를 올려놓고 충전 패드의 1차 코일에 전원을 연결하여 휴대 전화 속의 2차 코일에 연결된 휴대 전화의 배터리를 충전하는 모습을 나타낸 것이다.

이에 대한 설명으로 옳은 것만을 〈보기〉에서 있는 대로 고른 것은?

ㄱ. 1차 코일에 흐르는 전류에 의한 자기장의 세기는 일정하다.
ㄴ. 2차 코일에는 유도 기전력이 발생한다.
ㄷ. 휴대 전화의 배터리 충전은 전자기 유도를 이용한다.

① ㄱ   ② ㄱ, ㄴ   ③ ㄱ, ㄷ

④ ㄴ, ㄷ   ⑤ ㄱ, ㄴ, ㄷ

07 그림과 같이 자석을 운동시켰더니 코일에는 A→ⓖ→ B 방향으로 전류가 흘렀다.

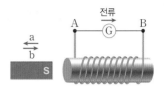

자석의 운동 방향을 쓰고, 그 까닭을 서술하시오.

_____

_____

08 다음은 직선 전류 주변의 원형 도선에 유도되는 전류에 대한 설명이다.

전류가 $+x$ 방향으로 흐르는 긴 직선 도선과 원형 도선을 수평면에 고정시켜 놓고, 직선 도선에 흐르는 전류의 세기를 (㉠)시키면 원형 도선에는 시계 방향으로 유도 전류가 흐른다.

(   ) 안에 들어갈 알맞은 말을 쓰고, 그 까닭을 서술하시오.

_____

_____

09 그림은 정사각형 도선이 일정한 속력 v로 균일한 자기장 영역으로 들어가는 모습을 나타낸 것이다.

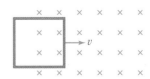

도선이 자기장 영역으로 완전히 들어갈 때까지 도선에 흐르는 유도 전류의 방향을 쓰시오. (단, ×는 종이면에 수직으로 들어가는 방향의 자기장을 나타낸다.)

강자성체와 전자기 유도

출제 의도

강자성체의 특성과 유도 전류의 방향을 이용하여 강자성체의 자기화된 방향을 추론할 수 있는지를 평가하는 문항이다.

대표 유형

그림 (가)와 같이 자기화되어 있지 않은 철(Fe)로 된 막대를 솔레노이드에 넣고 전류를 흘려 주었다. 그림 (나)는 (가)에서 막대를 꺼내 P가 위쪽으로 가도록 하여 원형 도선을 향해 접근 시켰더니 도선에 반시계 방향으로 유도 전류가 흐르는 것을 나타낸 것이다.

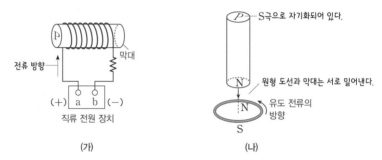

(가)   (나)

이에 대한 설명으로 옳은 것만을 〈보기〉에서 있는 대로 고른 것은?

보기

ㄱ. 막대는 강자성체이다.
→ 솔레노이드 내에서 막대를 꺼내도 막대는 자기화된 상태를 유지하므로 (나)에서 원형 도선에 유도 전류가 흐르는 것이다. 따라서 막대는 강자성체이다.

✗ ㄴ. (나)에서 막대의 P쪽이 N극이다.
→ 원형 도선에 반시계 방향으로 유도 전류가 흐르므로 원형 도선의 위쪽에는 N극, 아래쪽에는 S극이 유도된다. 막대가 접근할 때 원형 도선의 위쪽이 N극이 되었으므로 막대의 아래쪽이 N극이고, P쪽은 S극이다.

✗ ㄷ. (가)에서 전원 장치의 단자 a는 (−)극이다.
→ (가)에서 강자성체인 막대의 P쪽이 S극으로 자기화되기 위해서는 솔레노이드 내부의 자기장의 방향이 오른쪽 방향이어야 하므로 전원 장치의 단자 a는 (+)극이다.

① ㄱ   ② ㄷ   ③ ㄱ, ㄴ   ④ ㄱ, ㄷ   ⑤ ㄴ, ㄷ

유도 전류의 방향에서 강자성체의 자극 추론하기

(가)의 막대를 꺼내 원형 도선을 향해 접근시킬 때 원형 도선에 전류가 흘렀으므로 막대는 외부 자기장을 제거해도 자성이 오래 유지되는 강자성체라는 것을 알 수 있다.

>>>

(나)에서 원형 도선에 전류가 반시계 방향으로 흐르므로 원형 도선의 위쪽이 N극, 아래쪽이 S극임을 알 수 있다. 따라서 막대가 접근할 때 막대의 아래쪽이 N극이고, P쪽이 S극이라는 것을 알 수 있다.

>>>

막대의 P쪽이 S극이므로 (가)에서 왼쪽이 S극, 오른쪽이 N극이 되도록 전류가 흘러야 한다. 즉, 솔레노이드 내부의 자기장의 방향이 오른쪽이 되어야 하므로 전원 장치의 단자 a가 (+)극이라는 것을 알 수 있다.

추가 선택지

• (가)에서 솔레노이드 내부의 자기장의 방향은 오른쪽 방향이다.   (○)
⋯› (가)에서 P가 S극, 오른쪽이 N극이므로 솔레노이드 내부의 자기장의 방향은 S극에서 N극 방향인 오른쪽 방향이다.

• (나)에서 막대와 원형 도선 사이에는 서로 밀어내는 힘이 작용한다.   (○)
⋯› 강자성체를 원형 도선에 가까이 하면 서로 밀어내는 힘이 작용하고, 멀리 하면 서로 당기는 힘이 작용한다.

정답과 해설 65쪽

01 그림은 직선 도선으로부터 같은 거리만큼 떨어진 지점에 나침반 P와 Q를 놓고 전류를 흘렸을 때의 모습을 나타낸 것이다. P의 자침은 각 θ만큼 회전하였고, Q의 자침은 변화가 없었다.

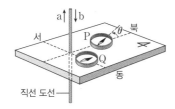

이에 대한 설명으로 옳은 것만을 〈보기〉에서 있는 대로 고른 것은?

보기
ㄱ. 도선에 흐르는 전류의 방향은 a 방향이다.
ㄴ. Q가 놓여 있는 지점에서 전류에 의한 자기장의 방향은 북쪽이다.
ㄷ. P가 놓여 있는 지점에서 자기장의 세기는 Q가 놓여 있는 지점에서 자기장의 세기보다 크다.

① ㄱ   ② ㄴ   ③ ㄷ
④ ㄱ, ㄴ   ⑤ ㄱ, ㄷ

03 그림 (가)는 종이면에 놓여 있는 반지름이 a인 원형 도선 A에 세기가 I인 전류가 화살표 방향으로 흐르는 것을, (나)는 중심이 같고 반지름이 각각 a, $2a$인 원형 도선 A, B에 전류가 흐르는 것을 나타낸 것이다. (가)와 (나)의 P, Q에서 자기장의 세기는 B_0으로 같다.

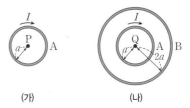

(나)에 대한 설명으로 옳은 것만을 〈보기〉에서 있는 대로 고른 것은?

보기
ㄱ. B에 흐르는 전류의 세기는 $2I$이다.
ㄴ. Q에서 자기장의 방향은 종이면에서 수직으로 나오는 방향이다.
ㄷ. B에 흐르는 전류의 방향을 반대로 하면 Q에서 자기장의 세기는 $2B_0$이 된다.

① ㄱ   ② ㄴ   ③ ㄷ
④ ㄱ, ㄴ   ⑤ ㄱ, ㄷ

수능 기출
02 그림과 같이 전류가 흐르는 무한히 가늘고 긴 평행한 직선 도선 P, Q가 점 a, b, c와 같은 간격 d만큼 떨어져 종이면에 고정되어 있다. c에서 전류에 의한 자기장은 0이다.

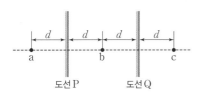

이에 대한 설명으로 옳은 것만을 〈보기〉에서 있는 대로 고른 것은?

보기
ㄱ. 전류의 방향은 P와 Q에서 서로 반대 방향이다.
ㄴ. 전류의 세기는 P에서가 Q에서보다 크다.
ㄷ. 전류에 의한 자기장의 세기는 a에서가 b에서보다 크다.

① ㄱ   ② ㄷ   ③ ㄱ, ㄴ
④ ㄴ, ㄷ   ⑤ ㄱ, ㄴ, ㄷ

04 그림은 플라스틱 원통에 도선을 감아서 만든 솔레노이드 A, B를 나타낸 것이다. 솔레노이드의 길이는 L로 같고, 도선을 감은 수는 각각 $2N$, N이다. A와 B에는 세기가 I, $2I$인 전류가 화살표 방향으로 흐른다.

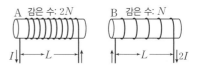

이에 대한 설명으로 옳은 것만을 〈보기〉에서 있는 대로 고른 것은?

보기
ㄱ. A 내부에서 자기장의 방향은 오른쪽 방향이다.
ㄴ. 솔레노이드 내부의 자기장의 세기는 A가 B의 2배이다.
ㄷ. A와 B 사이에는 척력이 작용한다.

① ㄱ   ② ㄴ   ③ ㄷ
④ ㄱ, ㄴ   ⑤ ㄱ, ㄷ

05 그림과 같이 막대자석과 솔레노이드를 놓고 A지점에 나침반을 놓았더니 나침반 자침의 N극이 북쪽을 가리켰다. A와 B는 중심축에 있는 지점이다.

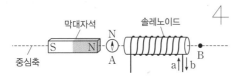

이에 대한 설명으로 옳은 것만을 〈보기〉에서 있는 대로 고른 것은?

보기
ㄱ. 솔레노이드에 흐르는 전류의 방향은 a 방향이다.
ㄴ. 솔레노이드 내부의 자기장의 방향은 A→B 방향이다.
ㄷ. 솔레노이드에 흐르는 전류의 세기를 감소시키면 나침반 자침의 N극은 시계 방향으로 회전한다.

① ㄱ   ② ㄷ   ③ ㄱ, ㄴ
④ ㄱ, ㄷ   ⑤ ㄴ, ㄷ

06 다음은 물질 A, B의 자성을 알아보는 실험이다.

[과정]
(가) 자기화되어 있지 않은 A, B에 자석을 가까이 가져간다.
(나) A, B에서 자석을 동시에 치운 후, A, B를 자기화되어 있지 않은 철 클립에 동시에 갖다 대어 들어 올린다.
[결과]
· (가)의 결과: A는 자석에 밀리고, B는 자석에 붙는다.
· (나)의 결과: (㉠)에는 클립이 붙지 않고, (㉡)에는 클립이 붙는다.

이에 대한 설명으로 옳은 것만을 〈보기〉에서 있는 대로 고른 것은?

보기
ㄱ. A는 반자성체이다.
ㄴ. ㉠은 A이고, ㉡은 B이다.
ㄷ. B의 원자 내에서 전자의 회전 방향과 스핀 방향이 반대인 전자들이 모두 짝을 이루고 있다.

① ㄴ   ② ㄷ   ③ ㄱ, ㄴ
④ ㄱ, ㄷ   ⑤ ㄴ, ㄷ

수능 기출

07 그림과 같이 아크릴관에 자석을 고정하여 전자저울 위에 놓고 무게를 측정한 후, 물체 A와 B를 각각 자석으로부터 같은 높이에 위치시켜 저울 측정값을 읽고 표로 나타내었다. A와 B는 상자성 물체와 반자성 물체 중 하나이다.

물체	저울 측정값(N)
없음	1.000
A	1.001
B	0.998

이에 대한 설명으로 옳은 것만을 〈보기〉에서 있는 대로 고른 것은?

보기
ㄱ. A는 반자성 물체이다.
ㄴ. B는 자석에 가까운 아랫면이 N극으로 자기화된다.
ㄷ. 자석이 A에 작용하는 힘의 크기는 자석이 B에 작용하는 힘의 크기보다 작다.

① ㄱ   ② ㄴ   ③ ㄱ, ㄷ
④ ㄴ, ㄷ   ⑤ ㄱ, ㄴ, ㄷ

08 그림 (가), (나)는 수평면 위에 놓인 동일한 솔레노이드 위에 강자성체 A, 반자성체 B가 각각 실에 연결되어 천장에 매달려 정지해 있는 모습을 나타낸 것이다. 솔레노이드에는 일정한 전류가 흐르고 있고, A와 B의 질량은 같다.

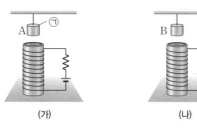

(가)   (나)

이에 대한 설명으로 옳은 것만을 〈보기〉에서 있는 대로 고른 것은?

보기
ㄱ. (가)에서 A의 ㉠은 N극으로 자기화된다.
ㄴ. (가)에서 솔레노이드 내부의 자기장의 방향은 아래 방향이다.
ㄷ. 실이 천장을 당기는 힘의 크기는 (가)에서가 (나)에서보다 크다.

① ㄱ   ② ㄴ   ③ ㄱ, ㄷ
④ ㄴ, ㄷ   ⑤ ㄱ, ㄴ, ㄷ

09 그림 (가)는 막대 P에 붙어 있는 자석을 수평면에 놓인 원형 도선에 가까이 하는 것을, (나)는 (가)에서 자석을 떼어내고 막대 P를 원형 도선에서 멀리 하였더니 시계 방향으로 유도 전류가 흐르는 모습을 나타낸 것이다.

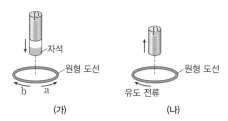

(가)   (나)

이에 대한 설명으로 옳은 것만을 〈보기〉에서 있는 대로 고른 것은?

<보기>
ㄱ. P는 강자성체이다.
ㄴ. (가)에서 원형 도선에 흐르는 전류의 방향은 a 방향이다.
ㄷ. (나)에서 P의 위쪽은 N극이다.

① ㄱ   ② ㄷ   ③ ㄱ, ㄴ
④ ㄴ, ㄷ   ⑤ ㄱ, ㄴ, ㄷ

수능 기출

10 그림 (가)는 사각형 금속 고리가 균일한 자기장 영역 I, II, III을 향해 $+x$ 방향으로 운동하는 것을 나타낸 것이고, (나)는 금속 고리가 등속도로 I, II, III을 완전히 통과할 때까지 금속 고리에 유도되는 전류를 금속 고리의 위치에 따라 나타낸 것이다. I에서 자기장의 세기는 B이고, 금속 고리에 시계 방향으로 흐르는 유도 전류를 양(+)으로 표시한다.

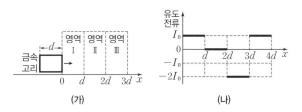

(가)   (나)

영역 I, II, III에서 자기장의 세기와 방향으로 가장 적절한 것은? (단, ⊙는 종이면에서 수직으로 나오는 방향을, ×는 종이면에 수직으로 들어가는 방향을 의미한다.)

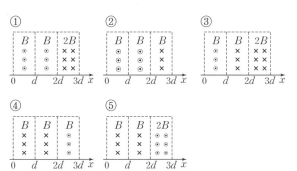

11 그림 (가)는 사각형 금속 고리가 종이면에 수직인 균일한 자기장 영역 I과 II를 일정한 속도로 통과하는 모습을 나타낸 것이다. I에서 자기장의 방향은 종이면에 수직으로 들어가는 방향이고, 세기는 B_0이다. 그림 (나)는 금속 고리가 I로 들어가는 순간부터 금속 고리에 흐르는 전류의 세기를 시간에 따라 나타낸 것이다.

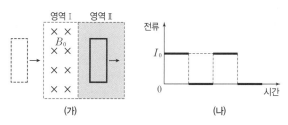

(가)   (나)

II에서 자기장의 방향과 세기를 옳게 짝 지은 것은?

	자기장의 방향	자기장의 세기
①	종이면에 수직으로 들어가는 방향	$\frac{1}{2}B_0$
②	종이면에 수직으로 들어가는 방향	B_0
③	종이면에 수직으로 들어가는 방향	$2B_0$
④	종이면에서 수직으로 나오는 방향	B_0
⑤	종이면에서 수직으로 나오는 방향	$2B_0$

12 그림 (가)는 xy 평면에 놓인 한 변의 길이가 a인 동일한 두 정사각형 금속 고리 P와 Q, 균일한 자기장 영역 I과 II를 나타낸 것이다. 자기장의 방향은 xy 평면에 수직이고, 점 p, q는 각각 P, Q의 한 변의 중앙에 고정된 점이다. 그림 (나)는 P가 $+x$ 방향으로 일정한 속력 v로 자기장 영역을 통과할 때, P에 흐르는 전류를 p의 위치에 따라 나타낸 것이다.

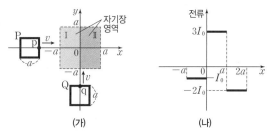

(가)   (나)

Q가 y축을 따라 일정한 속력 v로 자기장 영역을 통과할 때, 금속 고리에 흐르는 전류의 세기의 최댓값은? (단, 금속 고리는 회전하거나 변형되지 않는다.)

① $\frac{1}{4}I_0$ ② $\frac{1}{2}I_0$ ③ I_0

④ $2I_0$ ⑤ $3I_0$

1 물질의 구조와 전기적 성질

01 원자와 전기력

1. 원자

① **음극선의 발견:** 톰슨은 기체 방전관에 높은 전압을 걸어 주면 (−)극에서 (＋)극 쪽으로 음극선이 나오는 것을 발견하였다. 음극선은 질량을 가지며, (−)전하를 띤 입자의 흐름으로, 이 입자를 전자라고 한다.

② **원자핵의 발견:** 러더퍼드는 알파(α) 입자 산란 실험을 통해 원자의 중심에 밀도가 매우 크고 (＋)전하를 띠는 입자가 존재함을 알아냈고, 이 입자가 원자핵이다.

2. 전기력: 전기를 띤 물체 사이에 작용하는 힘

① **마찰 전기:** 서로 다른 두 종류의 물체를 마찰할 때 발생하는 전기

② **전기력의 종류:** 같은 종류의 전하 사이에는 척력이, 다른 종류의 전하 사이에는 인력이 작용한다.

③ **전기력의 크기(쿨롱 법칙):** 두 전하 사이에 작용하는 전기력의 크기 F는 두 전하의 전하량 q_1, q_2의 곱에 비례하고, 두 전하 사이의 거리 r의 제곱에 반비례한다.

$$F=k\frac{q_1 q_2}{r^2}$$

(진공 중에서 비례 상수 $k=9.0\times10^9$ N·m²/C²)

3. 원자핵과 전자 사이의 전기력: (＋)전하를 띠는 원자핵과 (−)전하를 띠는 전자 사이에 서로 끌어당기는 전기력이 작용하므로 전자가 원자핵 주위를 벗어나지 않고 원운동을 한다.

02 선 스펙트럼과 보어의 원자 모형

1. 스펙트럼: 빛이 프리즘이나 분광기를 통과할 때 파장에 따라 나누어진 빛의 띠로, 연속 스펙트럼과 선스펙트럼이 있다.

2. 기체의 스펙트럼

① **방출 스펙트럼:** 고온의 기체에서 직접 방출되는 고유한 파장의 빛에 의해 밝은 선의 형태로 나타나는 스펙트럼

② **흡수 스펙트럼:** 백색광이 저온의 기체 원자를 지날 때 고유한 파장의 빛이 흡수되어 어두운 선의 형태로 나타나는 스펙트럼

3. 에너지의 양자화

① **양자 조건:** 원자 속의 전자가 불연속적인 에너지를 갖는 특정한 궤도에 있을 때 에너지를 방출하지 않고 안정한 상태로 존재한다.

② **진동수 조건:** 전자가 안정한 궤도 사이를 이동할 때 두 궤도의 에너지 차이에 해당하는 에너지를 빛의 형태로 흡수하거나 방출한다.

4. 수소 원자의 스펙트럼

계열	라이먼 계열	발머 계열	파센 계열
전자의 전이	들뜬상태의 전자가 $n=1$인 궤도로 전이할 때 방출	들뜬상태의 전자가 $n=2$인 궤도로 전이할 때 방출	들뜬상태의 전자가 $n=3$인 궤도로 전이할 때 방출
방출되는 빛	자외선	가시광선	적외선

03 에너지띠와 전기 전도성

1. 고체의 에너지띠: 전자의 에너지 준위가 매우 가깝게 존재하여 연속적인 것으로 취급할 수 있는 에너지 준위 영역

① **원자가 띠:** 전자가 존재하는 영역 중에서 에너지 준위가 가장 높은 상태의 에너지띠

② **전도띠:** 원자가 띠 바로 위의 에너지띠

③ **띠 간격:** 전자가 존재할 수 없는 영역으로, 원자가 띠와 전도띠 사이의 간격이다.

2. 도체, 절연체, 반도체: 전자가 전도띠로 이동할 때 필요한 에너지, 즉 띠 간격에 따라 물질을 도체, 절연체, 반도체로 구분한다.

▲ 도체　　　▲ 절연체　　　▲ 반도체

04 반도체와 다이오드

1. 반도체의 종류

① **순수 반도체:** 전류가 흐르는 정도가 도체와 절연체의 중간 정도인 물질

② **n형 반도체:** 원자가 전자가 4개인 규소(Si)에 원자가 전자가 5개인 비소(As), 인(P) 등을 첨가한 반도체로, 외부에서 에너지를 공급하면 남는 전자가 이동하여 전류가 흐른다.

③ **p형 반도체:** 원자가 전자가 4개인 규소(Si)에 원자가 전자가 3개인 붕소(B), 알루미늄(Al), 인듐(In), 갈륨(Ga) 등을 첨가한 반도체로, 외부에서 에너지를 공급하면 양공이 전자와 반대 방향으로 이동하여 전류가 흐른다.

2. 반도체의 이용

① **p-n 접합 다이오드:** p형 반도체와 n형 반도체를 접합시켜 양끝에 전극을 붙인 것으로, 순방향 전압이 걸렸을 때 p형 반도체에서 n형 반도체 쪽으로 전류가 흐른다.

② **발광 다이오드(LED):** 순방향 전압에 의해 전류가 흐를 때 띠 간격에 해당하는 만큼의 에너지가 빛으로 방출된다.

2 물질의 자성과 전자기 유도

01 전류에 의한 자기장

1. 자기장: 자석이나 전류에 의해 자기력이 작용하는 공간
  ① **자기장의 방향:** 나침반 자침의 N극이 가리키는 방향
  ② **자기장의 세기:** 자석의 양 끝이 가장 세고, 자석에서 멀어질수록 약해진다.

2. 전류에 의한 자기장

구분	직선 전류 주위의 자기장	원형 전류 주위의 자기장	솔레노이드 주위의 자기장
방향	↑전류 N S 자기장	자기장 전류 전류↓ ↑전류	전류 N S 자기장 전류 전류
세기	전류의 세기에 비례하고, 직선 도선으로부터의 수직 거리에 반비례한다.	원형 도선의 중심에서 자기장의 세기는 전류의 세기에 비례하고, 원형 도선의 반지름에 반비례한다.	솔레노이드 내부에서 자기장의 세기는 전류의 세기와 단위길이당 도선의 감은 수에 비례한다.

3. 전류에 의한 자기장의 이용: 스피커, 전동기, 전자석 등

02 물질의 자성

1. 자성의 원인: 물질을 구성하는 원자 내의 전자의 궤도 운동과 스핀에 의해 자기장이 발생하기 때문이다.

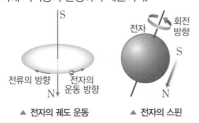

▲ 전자의 궤도 운동　　▲ 전자의 스핀

2. 자성체의 종류
  ① **강자성체:** 외부 자기장에 의해 원자 자석들이 자기장의 방향으로 강하게 자기화되는 성질을 강자성이라 하고, 강자성을 띠는 물질을 강자성체라고 한다.
    • 외부 자기장을 제거해도 자기화된 상태를 오래 유지한다.
    • 자석을 가까이 하면 잘 끌려온다.
      예 철, 코발트, 니켈

▲ 강자성체

  ② **상자성체:** 외부 자기장에 의해 원자 자석들이 자기장의 방향으로 약하게 자기화되는 성질을 상자성이라 하고, 상자성을 띠는 물질을 상자성체라고 한다.
    • 외부 자기장을 제거하면 자기화된 상태가 곧바로 사라진다.
    • 자석을 가까이 하면 약하게 끌려온다.
      예 종이, 알루미늄, 텅스텐, 마그네슘, 액체 산소

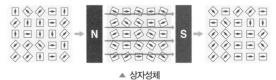

▲ 상자성체

  ③ **반자성체:** 외부 자기장에 의해 물질 내의 원자들이 외부 자기장의 방향과 반대 방향으로 자기화되는 성질을 반자성이라 하고, 반자성을 띠는 물질을 반자성체라고 한다.
    • 외부 자기장을 제거하면 자기화된 상태가 사라진다.
    • 자석을 가까이 하면 밀려난다.
      예 구리, 유리, 금, 플라스틱, 수소

▲ 반자성체

3. 자성체의 이용
  ① **자기력의 이용:** 전자석, 고무 자석, 초전도체 등
  ② **정보 저장 및 기록 장치:** 하드디스크, 마그네틱 카드 등

03 전자기 유도

1. 전자기 유도: 코일을 통과하는 자기 선속이 변할 때 코일에 전류가 흐르는 현상
  ① **렌츠 법칙:** 유도 전류의 방향은 코일을 통과하는 자기 선속의 변화를 방해하는 방향이다.

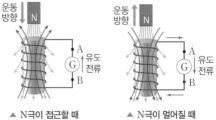

▲ N극이 접근할 때　　▲ N극이 멀어질 때

  ② **패러데이 법칙:** 유도 기전력의 크기는 코일을 통과하는 자기 선속의 시간적 변화율에 비례하고, 코일의 감은 수에 비례한다.

2. 전자기 유도의 이용: 발전기, 금속 탐지기, 발광 킥보드, 마이크, 교통카드, 전기 기타 등

01 그림 (가), (나)는 원자를 구성하는 입자를 발견한 두 실험을 나타낸 것이다.

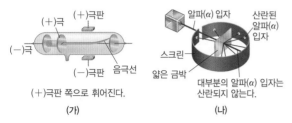

(+)극판 쪽으로 휘어진다.
(가)

대부분의 알파(α) 입자는 산란되지 않는다.
(나)

이에 대한 설명으로 옳은 것만을 〈보기〉에서 있는 대로 고른 것은?

보기
ㄱ. (가)에서 발견된 입자의 질량이 (나)에서 발견된 입자의 질량보다 크다.
ㄴ. (나)의 실험을 통해 전자가 원자핵 주변을 공전하는 원자 모형이 탄생하였다.
ㄷ. (가)와 (나)에서 발견한 입자 사이에는 서로 끌어당기는 전기력이 작용한다.

① ㄱ ② ㄷ ③ ㄱ, ㄴ
④ ㄴ, ㄷ ⑤ ㄱ, ㄴ, ㄷ

고난도
02 그림 (가)는 전하량이 각각 $-Q$, $+2Q$인 두 점전하 A, B가 일직선 위에 고정되어 있는 모습을 나타낸 것이다. 그림 (나)는 A와 B의 중간 지점에 전하량이 $+Q$인 점전하 C를 고정시킨 모습을 나타낸 것이다. (가)에서 B에 작용하는 전기력의 크기는 F이다.

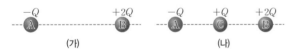

(가)   (나)

(나)에서 B에 작용하는 전기력의 방향과 크기를 옳게 짝 지은 것은?

	전기력의 방향	전기력의 크기
①	왼쪽	F
②	왼쪽	$3F$
③	오른쪽	$2F$
④	오른쪽	F
⑤	오른쪽	$3F$

03 그림 (가)는 백색광을 저온의 기체 A에 통과시켰을 때 백색광의 일부가 검은 선으로 나타난 스펙트럼을 나타낸 것이고, (나)는 가열된 기체 B에서 방출되는 빛의 스펙트럼을 나타낸 것이다. (나)의 a와 b는 스펙트럼 선이다.

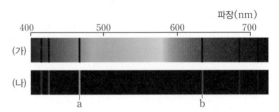

이에 대한 설명으로 옳은 것만을 〈보기〉에서 있는 대로 고른 것은?

보기
ㄱ. A와 B는 서로 다른 종류의 기체이다.
ㄴ. 원자는 특정한 파장의 빛을 방출하거나 흡수한다.
ㄷ. 광자 1개의 에너지는 b가 a보다 크다.

① ㄱ ② ㄴ ③ ㄱ, ㄷ
④ ㄴ, ㄷ ⑤ ㄱ, ㄴ, ㄷ

고난도
04 그림은 수소 원자 선 스펙트럼의 일부를 진동수에 따라 나타낸 것으로, f_1, f_2는 발머 계열에서 가장 작은 진동수부터 2개를, f_3, f_4는 라이먼 계열에서 가장 작은 진동수부터 2개를 나타낸 것이다.

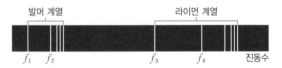

이에 대한 설명으로 옳은 것만을 〈보기〉에서 있는 대로 고른 것은?

보기
ㄱ. 광자 1개의 에너지는 f_1일 때가 f_2일 때보다 크다.
ㄴ. f_2는 전자가 $n=4$인 궤도에서 $n=2$인 궤도로 전이할 때 방출하는 빛의 진동수이다.
ㄷ. $f_1+f_3=f_4$이다.

① ㄱ ② ㄷ ③ ㄱ, ㄴ
④ ㄴ, ㄷ ⑤ ㄱ, ㄴ, ㄷ

05 다음은 어떤 고체의 에너지띠 구조에 대한 설명이다.

원자가 띠에 있는 전자가 에너지를 흡수하여 전도띠로 전이하고, 원자가 띠에는 전자가 부족하여 (＋)성질을 띠는 (㉠)이 생긴다.

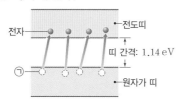

이에 대한 설명으로 옳은 것만을 〈보기〉에서 있는 대로 고른 것은?

보기
ㄱ. n형 반도체는 ㉠이 많아지도록 도핑한다.
ㄴ. 원자가 띠에 있는 전자의 에너지 준위는 모두 같다.
ㄷ. 전자가 원자가 띠에서 전도띠로 전이하는 데 필요한 최소한의 에너지는 1.14 eV이다.

① ㄱ   ② ㄷ   ③ ㄱ, ㄴ
④ ㄴ, ㄷ   ⑤ ㄱ, ㄴ, ㄷ

06 그림은 고체 A와 B의 에너지띠 구조를 모식적으로 나타낸 것이다. A와 B는 각각 도체와 반도체 중 하나이고, 파란색 부분은 전자가 차 있는 에너지 준위를 나타낸 것이다.

이에 대한 설명으로 옳은 것만을 〈보기〉에서 있는 대로 고른 것은?

보기
ㄱ. 전기 전도성은 A가 B보다 좋다.
ㄴ. 규소(Si)와 저마늄(Ge)은 B에 해당한다.
ㄷ. 온도가 높을수록 B에서 양공의 수는 늘어난다.

① ㄱ   ② ㄴ   ③ ㄱ, ㄷ
④ ㄴ, ㄷ   ⑤ ㄱ, ㄴ, ㄷ

07 그림은 상온에서 순수 반도체와 불순물 반도체 A, B를 나타낸 것이다.

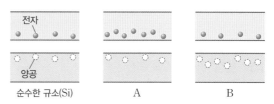

이에 대한 설명으로 옳은 것만을 〈보기〉에서 있는 대로 고른 것은?

보기
ㄱ. A는 p형 반도체이다.
ㄴ. B에서는 주로 양공이 전류를 흐르게 한다.
ㄷ. 순수 반도체는 B보다 전기 전도성이 좋다.

① ㄱ   ② ㄴ   ③ ㄱ, ㄷ
④ ㄴ, ㄷ   ⑤ ㄱ, ㄴ, ㄷ

08 그림 (가)는 직류 전원, 교류 전원, p—n 접합 다이오드, 저항, 스위치 S를 연결한 회로를 나타낸 것이다. A와 B는 p형 반도체와 n형 반도체를 순서 없이 나타낸 것이다. 그림 (나)는 (가)의 A를 구성하는 원소의 전자 배열을 나타낸 것이다.

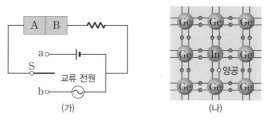

이에 대한 설명으로 옳은 것만을 〈보기〉에서 있는 대로 고른 것은?

보기
ㄱ. A는 p형 반도체이다.
ㄴ. S를 a에 연결하면 p형 반도체의 양공이 p—n 접합면으로 이동한다.
ㄷ. S를 b에 연결하면 정류 작용을 한다.

① ㄱ   ② ㄴ   ③ ㄱ, ㄷ
④ ㄴ, ㄷ   ⑤ ㄱ, ㄴ, ㄷ

09 그림과 같이 무한히 긴 직선 도선 A, B, C가 xy 평면에 수직으로 고정되어 있다. A, B, C에는 xy 평면에 수직으로 들어가는 방향으로 세기가 I인 전류가 흐르고 있고, 원점 O에서 A에 의한 자기장의 세기는 B_0이다.

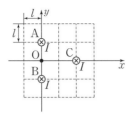

O에서 자기장의 방향과 세기를 옳게 짝 지은 것은?

	자기장의 방향	자기장의 세기
①	$+x$ 방향	B_0
②	$+y$ 방향	$\frac{1}{2}B_0$
③	$+y$ 방향	B_0
④	$-y$ 방향	$\frac{1}{2}B_0$
⑤	$-y$ 방향	B_0

10 그림 (가)는 균일한 자기장이 형성된 영역에 놓인 강자성체와 반자성체를 나타낸 것이다. 그림 (나)와 (다)는 (가)에서 자기장을 제거한 후 강자성체와 반자성체에 나침반을 가까이 가져가는 모습을 나타낸 것이다.

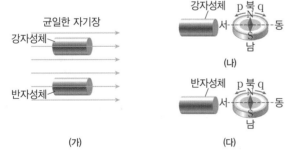

이에 대한 설명으로 옳은 것만을 〈보기〉에서 있는 대로 고른 것은?

보기
ㄱ. (가)에서 자기화된 방향은 강자성체와 반자성체가 반대이다.
ㄴ. (나)에서 나침반 자침의 회전 방향은 p 방향이다.
ㄷ. (다)에서 나침반 자침의 회전 방향은 q 방향이다.

① ㄱ   ② ㄴ   ③ ㄱ, ㄷ
④ ㄴ, ㄷ   ⑤ ㄱ, ㄴ, ㄷ

11 그림은 고정된 코일, 반도체 A와 B를 접합하여 만든 다이오드, 전구를 이용하여 구성한 회로를 나타낸 것이다. 코일 위에 정지해 있던 자석이 P점을 지날 때 전구에 불이 들어왔다. A와 B는 p형 또는 n형 반도체 중 하나이다.

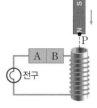

이에 대한 설명으로 옳은 것만을 〈보기〉에서 있는 대로 고른 것은?

보기
ㄱ. A는 p형 반도체이다.
ㄴ. 코일에 흐르는 유도 전류에 의한 코일 내부의 자기장의 방향은 자석의 운동 방향과 같은 방향이다.
ㄷ. 자석의 극을 반대로 바꾸어 같은 방향으로 운동시키면 P점을 지날 때 전구에 불이 들어오지 않는다.

① ㄱ   ② ㄷ   ③ ㄱ, ㄴ
④ ㄴ, ㄷ   ⑤ ㄱ, ㄴ, ㄷ

12 다음은 전기 기타의 원리를 설명한 것이다.

그림과 같이 코일 내부의 영구 자석이 만드는 자기장에 의해 금속으로 만든 기타 줄이 자기화되어 N극과 S극이 생긴다. 기타 줄이 진동하면 코일 내부의 자기장이 변하여 코일에 ㉠유도 전류가 흐른다.

이에 대한 설명으로 옳은 것만을 〈보기〉에서 있는 대로 고른 것은?

보기
ㄱ. ㉠은 세기와 방향이 일정하다.
ㄴ. 기타 줄이 코일에 접근하는 동안 a 방향으로 유도 전류가 흐른다.
ㄷ. 전기 기타의 원리로 하드디스크에 정보를 저장하는 과정을 설명할 수 있다.

① ㄱ   ② ㄴ   ③ ㄱ, ㄷ
④ ㄴ, ㄷ   ⑤ ㄱ, ㄴ, ㄷ

서술형
13 그림 (가), (나)는 저온의 수소 기체를 통과한 백열등의 스펙트럼과 가열된 수소 기체에서 방출되는 스펙트럼을 순서 없이 나타낸 것이다.

(1) 저온의 수소 기체를 통과한 스펙트럼을 쓰시오.

(2) (가)와 (나)에서 검은 선과 밝은 선의 위치가 일치하는 까닭을 서술하시오.

서술형
14 다음은 발광 다이오드(LED)의 원리에 대한 설명이다.

• 불순물을 첨가한 반도체 A와 B를 접합하여 만든다.
• 그림과 같이 LED에 순방향 전압을 걸어 주면 p―n 접합부에서 ㉠전자가 전이하면서 빛을 방출한다.

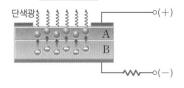

(1) A의 반도체 종류를 쓰시오.

(2) ㉠을 이용하여 LED에서 빛을 방출하는 까닭을 서술하시오.

서술형
15 그림은 고체 A와 B의 온도에 따른 저항의 변화를 나타낸 것이다. A와 B는 도체와 반도체 중 하나이다.

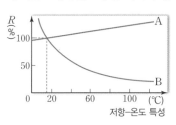
저항-온도 특성

(1) 반도체에 해당하는 고체를 쓰시오.

(2) 온도가 올라가면 B의 저항이 감소하는 까닭을 서술하시오.

서술형
16 그림은 종이면에 고정된 일정한 세기의 전류가 흐르는 무한히 긴 직선 도선 옆에 원형 도선을 놓고 일정한 속도로 이동시키는 모습을 나타낸 것이다.

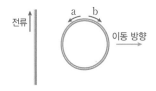

(1) 원형 도선에 흐르는 전류의 방향을 쓰시오.

(2) 원형 도선에 흐르는 전류의 세기에 대해 서술하시오.

III

파동과 정보통신

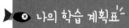

스스로 계획하고 실천하면
실력이 올라간다~옹!

1 파동의 성질과 활용

 배울 내용 살펴보기

01 ∿ 파동의 속력과 굴절

❶ **파동이 진행할 때 전달되는 물리량**
매질은 제자리에서 진동할 뿐 파동과 함께 이동하지 않고 에너지만 전달된다.

❷ **매질의 필요 유무에 따른 파동의 분류**
· 매질을 통해 전파되는 파동: 물결파, 음파, 지진파 등
· 매질 없이 전파되는 파동: 전자기파

어느 한 지점에서 파동의 진행 방향은 파면에 수직인 방향이다.

❸ **위상**
매질의 위치와 운동 상태를 위상이라고 하며, 같은 시각에 위치와 운동 상태가 같으면 위상이 같다. 한 파동에 있는 마루와 마루는 위상이 서로 같고, 마루와 골은 위상이 서로 반대이다.

❓ **종파에서는 파장을 어떻게 알 수 있을까?**
이웃한 밀한 지점 사이의 거리, 또는 이웃한 소한 지점 사이의 거리가 종파의 파장이다.

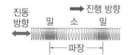

🐱 **용어 알기**
·**파면(물결 波, 표면 面)** 물결의 표면, 위상이 같은 점들이 이루는 면이나 선

A 파동과 파동의 표시

|출·제·단·서| 파동이 진행할 때 매질의 운동을 예측하거나, 파장, 주기, 진동수의 개념과 이들 사이의 관계를 묻는 문제, 파동의 종류를 묻는 문제가 시험에 나와!

1. 파동 한 곳(파원)에서 생긴 진동이 물질이나 공간으로 퍼져 나가는 현상

(1) 파원과 매질 파동이 처음 발생하는 곳을 파원, 파동을 전달하는 물질을 매질이라고 한다. ❶

(2) 파동의 분류❷

① **횡파와 종파**: 매질의 진동 방향과 파동의 진행 방향 사이의 관계에 따른 분류

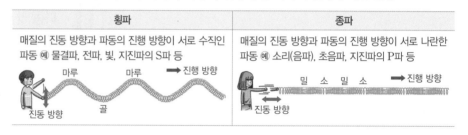

횡파	종파
매질의 진동 방향과 파동의 진행 방향이 서로 수직인 파동 ⑩ 물결파, 전파, 빛, 지진파의 S파 등	매질의 진동 방향과 파동의 진행 방향이 서로 나란한 파동 ⑩ 소리(음파), 초음파, 지진파의 P파 등

② **평면파와 구면파**: 파면의 모양에 따른 분류

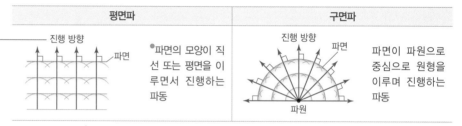

평면파	구면파
·파면의 모양이 직선 또는 평면을 이루면서 진행하는 파동	파면이 파원으로 중심으로 원형을 이루며 진행하는 파동

2. 파동의 표시

횡파에서 산 모양이 마루, 골짜기 부분은 골이다.

(1) 마루와 골 진동 중심으로부터 횡파의 가장 높은 곳을 마루, 가장 낮은 곳을 골이라고 한다.

(2) 진폭(A) 매질의 각 부분들의 진동 중심으로부터 최대 변위의 크기 횡파에서는 진동 중심으로부터 마루 또는 골까지의 수직 거리이다.

(3) 파장(λ) 위상❸이 같은 인접한 두 지점 사이의 거리로, 횡파에서는 이웃한 마루와 마루, 또는 이웃한 골과 골 사이의 거리이다. 매질이 한 번 진동하는 동안 파동이 진행한 거리로, 파동은 한 주기 동안 한 파장만큼 이동한다.

(4) 주기(T) 매질의 한 점이 한 번 진동하는 데 걸린 시간[단위: s(초)]

(5) 진동수(f) 매질의 한 점이 1초 동안 진동하는 횟수[단위: Hz(헤르츠)]

> 진동수와 주기는 역수 관계이다. 진동수$=\dfrac{1}{주기}$, $f=\dfrac{1}{T}$

3. 파동을 나타내는 그래프

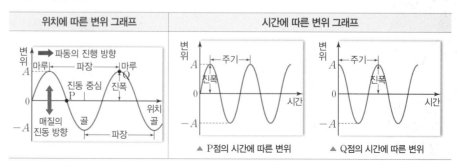

위치에 따른 변위 그래프	시간에 따른 변위 그래프
	▲ P점의 시간에 따른 변위 ▲ Q점의 시간에 따른 변위

B 파동의 속력

|출·제·단·서| 파동의 진동수, 파장, 속력 사이의 관계와 파동의 속력을 계산하는 문제가 시험에 나와!

1. 파동의 속력 파동이 단위 시간 동안 이동한 거리이다. 파동은 한 주기 동안 한 파장만큼 진행하므로 파동의 속력은 다음과 같다.

$$파동의 속력 = \frac{파장}{주기} = 진동수 \times 파장$$

$$v = \frac{\lambda}{T} = f\lambda$$

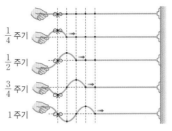
▲ 파동의 진행에 따른 매질의 진동

(1) **줄에서의 파동의 속력❹** 줄을 따라 진행하는 파동의 속력은 느슨한 줄에서보다 팽팽한 줄에서 더 빠르다.

(2) **소리(음파)의 속력** 매질의 상태 및 온도에 영향을 받는다.
① **매질에 따른 소리의 속력❺**: 고체 > 액체 > 기체 순으로 빠르다.
② **기체에서 소리의 속력**: 기체의 온도가 높을수록 기체 분자의 운동이 활발하므로 진동을 통해 전달되는 소리의 속력이 빠르다.

(3) **물결파의 속력** 물결파는 물의 깊이가 깊을수록 빠르다. 해저 지진으로 발생한 지진 해일이 육지 쪽으로 진행하면 °수심이 얕아지므로 속력은 느려지고, 파장은 짧아진다.

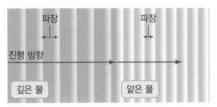

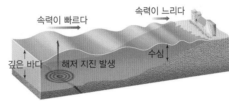

❹ 굵은 줄과 가는 줄에서 파동의 속력

같은 재질로 만든 굵기가 다른 줄을 연결하여 흔들면 굵은 줄보다 가는 줄에서 파장이 더 길다. 이는 굵은 줄보다 가는 줄에서 속력이 더 빠르기 때문이다.

❺ 매질에 따른 소리의 속력

매질	속력(m/s)
공기(0 ℃)	331.5
공기(25 ℃)	346.3
물(25 ℃)	1497
구리(25 ℃)	3750

빈출 탐구 매질에 따른 파동의 속력 비교하기

매질에 따라 진행하는 파동의 속력을 비교하여 파동의 속력에 영향을 주는 요인을 설명할 수 있다.

과정
① 가늘고 긴 용수철을 양쪽에서 잡아당긴 후 2 Hz, 3 Hz, 4 Hz의 진동수로 용수철을 흔들고, 파동이 진행하는 모습을 촬영한다. ┌용수철이 팽팽해진다.
② 용수철을 양쪽에서 잡아당기는 힘을 크게 하여 과정 ①을 반복한다.
③ 가늘고 긴 용수철을 굵고 긴 용수철로 바꾸어 과정 ①을 반복한다.
④ 같은 재질로 만든 굵은 줄과 가는 줄을 연결하여 굵은 줄을 흔들어 파동의 모양을 관찰한다.

결과

진동수	가는 용수철(당긴 힘이 작을 때)		가는 용수철(당긴 힘이 클 때)		굵은 용수철(당긴 힘이 작을 때)	
	파장(cm)	속력(cm/s)	파장(cm)	속력(cm/s)	파장(cm)	속력(cm/s)
2 Hz	30	60	40	80	15	30
3 Hz	20	60	26.6	약 80	10	30
4 Hz	15	60	20	80	7.5	30

정리
❶ 파동이 전파될 때 용수철의 한 부분은 파동과 함께 진행하지 않고 제자리에서 진동한다.
❷ 당긴 힘이 일정할 때 동일한 용수철에서는 파동의 속력이 일정하므로 파동의 진동수가 크면 파장이 짧다. 즉, 동일한 용수철에서 파동의 진동수와 파장은 서로 반비례한다.
❸ 파동의 속력은 팽팽하게 당긴 용수철에서가 느슨하게 당긴 용수철에서보다 빠르다.
❹ 같은 재질의 줄에서 파동의 파장은 가는 줄에서가 굵은 줄에서보다 길다. 이는 파동의 속력은 가는 줄에서가 굵은 줄에서보다 빠르기 때문이다.

❓ 매질에 따라 파동의 속력이 달라지는 까닭은?

일반적으로 매질이 없어도 전파되는 전자기파를 제외한 파동의 속력은 매질을 구성하는 원자나 분자 사이의 결합력이 강하거나 질량이 작을수록 빨라진다.

용어 알기

●수심(물 水, 깊을 深) 강이나 바다, 호수 등과 같은 물의 깊이

진행 방향 / 법선 / 포장 도로 / 바퀴 속력 빠름. / 입사각 / 매질 경계 / 바퀴 속력 느림. / 잔디밭 / 굴절각

장난감 자동차를 포장도로에서 잔디밭을 향해 비스듬히 굴러 가게 하면 포장도로에 있는 바퀴의 속력은 변하지 않지만 잔디밭으로 먼저 들어간 바퀴의 속력은 느려진다. 따라서 좌우 바퀴의 속력에 차이가 생기고 그 결과 장난감 자동차의 진행 방향이 바뀐다.

❼ 절대 굴절률

빛이 진공에서 어떤 물질로 입사하여 굴절할 때의 굴절률이다.

$$n = \frac{c}{v}$$

n: 물질의 절대 굴절률
c: 진공에서 빛의 속력
v: 물질에서 빛의 속력

❽ 소리의 굴절

낮에는 지면의 공기가 위쪽보다 더 따뜻하므로 지면 근처에서 소리의 속력이 빨라 소리가 위쪽으로 굴절한다. 또, 밤에는 이와 반대로 지면의 공기가 위쪽보다 더 차가워서 소리가 아래쪽으로 굴절한다.

🐱 용어 알기

● 굴절(굽을 屈, 꺾일 折) 파동의 진행 방향이 굽거나 꺾이는 현상

C 파동의 굴절

|출·제·단·서| 굴절 법칙과 굴절될 때 물리량 사이의 관계, 일상생활에서의 굴절 현상을 설명하는 문제가 시험에 나와!

1. 파동의 굴절 [탐구 POOL]

(1) 파동의 ●굴절 파동이 한 매질에서 다른 매질로 비스듬히 진행할 때 파동의 속력이 달라져 진행 방향이 꺾이는 현상 파동의 굴절이 발생하면 반사 현상도 동시에 발생한다.

① 입사각과 굴절각: 입사파와 굴절파의 진행 방향이 경계면의 법선과 이루는 각을 각각 입사각(i), 굴절각(r)이라고 한다.

법선 / 파장(λ_1) / 깊은 곳 얕은 곳 / 매질 1 파동의 속력 v_1 / i / 파장(λ_2) / 매질 2 파동의 속력 v_2 / r

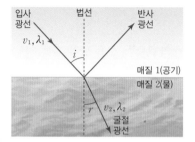

입사 광선 / 법선 / 반사 광선 / v_1, λ_1 / i / 매질 1(공기) / 매질 2(물) / r / v_2, λ_2 / 굴절 광선

② 파동이 전파될 때 매질이 달라지면 파동의 속력도 달라진다. 이때 파동의 진동수(f)는 일정하고 파동의 속력(v)과 파장(λ)은 서로 비례한다. 따라서 파장이 긴 매질에서 파동의 속력이 크다. ⇨ $v_1 : v_2 = f\lambda_1 : f\lambda_2 = \lambda_1 : \lambda_2$

(2) 굴절 법칙 [개념 POOL] 파동이 매질 1에서 매질 2로 입사하여 굴절할 때 입사각 i와 굴절각 r의 사인(sin)값의 비는 항상 일정하다. 매질 1과 2에서 파동의 속력 v_1, v_2와 파장 λ_1, λ_2의 비도 일정하다.

$$\frac{\sin i}{\sin r} = \frac{v_1}{v_2} = \frac{\lambda_1}{\lambda_2} = \text{일정}$$

(3) 굴절률 사인값의 일정한 비를 매질 1에 대한 매질 2의 상대 굴절률(n_{12})이라고 하고, 빛에 대한 굴절 법칙으로 절대 굴절률❼의 개념을 도입할 수 있다. $v_1 = \frac{c}{n_1}$, $v_2 = \frac{c}{n_2}$ 를 굴절 법칙에 적용하면 $\frac{v_1}{v_2} = \frac{c/n_1}{c/n_2} = \frac{n_2}{n_1} = n_{12}$이 된다.

$$\frac{\sin i}{\sin r} = \frac{v_1}{v_2} = \frac{\lambda_1}{\lambda_2} = n_{12} = \frac{n_2}{n_1} \ (n_1, n_2: \text{매질 1, 2의 절대 굴절률})$$

2. 파동의 굴절이 일어나는 사례❽

빛을 보는 관찰자는 굴절되어 들어온 빛을 직선으로 연장한 위치에 물체가 있다고 생각한다.

물속에서 꺾여 보이는 물체	관찰자 / 물 / 상	물속의 연필 끝에서 나온 빛이 물과 공기의 경계면에서 굴절되어 관찰자의 눈으로 들어온다. 따라서 관찰자에게는 물속의 연필이 꺾인 것처럼 보인다.
신기루	찬 공기 / 찬 공기 / 뜨거운 공기 / 뜨거운 공기 / 뜨거운 지면 / 물처럼 보임	공기에서 빛의 속력은 공기의 밀도가 작을수록 빠르다. 낮에 사막에서 지면 가까운 곳의 공기는 온도가 높아 밀도가 작고, 위쪽의 공기는 상대적으로 온도가 낮아 밀도가 크다. 따라서 빛의 속력이 지면에서는 빠르고 상공에서는 느리므로 하늘에서부터 지면에 비스듬히 입사한 빛의 진행 방향이 위쪽으로 굴절된다. 이에 따라 눈에 보이는 하늘을 바닥에 고여 있는 물처럼 착각하는 신기루 현상이 나타난다.
렌즈		가운데가 가장자리보다 두꺼운 모양의 볼록 렌즈는 빛을 모으는 역할을 하고, 가운데가 가장자리보다 얇은 모양의 오목 렌즈는 빛을 퍼트리는 역할을 한다.

굴절 법칙

개념을 알기 쉽게 풀어주는 개념 POOL

목표 굴절 법칙을 이해하고 각 물리량 사이의 관계를 설명할 수 있다.

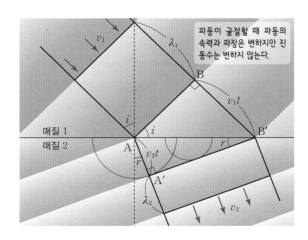

파동이 굴절할 때 파동의 속력과 파장은 변하지만 진동수는 변하지 않는다.

매질 1에서 진행하던 같은 파면상의 $\overline{AB}$가 있다. 시간 t 동안 A는 매질 2에서 A′까지 이동하고 B는 매질 1에서 B′까지 이동하여 파면 $\overline{A'B'}$이 된다. 매질 1과 2에서 파동의 속력을 각각 v_1, v_2라고 하면

① $\overline{BB'}=v_1t$이고, △ABB′에서 $\overline{BB'}=\overline{AB'}\sin i$이다.

② $\overline{AA'}=v_2t$이고, △AA′B′에서 $\overline{AA'}=\overline{AB'}\sin r$이다.

③ 매질 1, 2에서 진동수는 같으므로 $v_1=f\lambda_1$, $v_2=f\lambda_2$이다.

④ ①, ②, ③을 정리하면 $\dfrac{\overline{BB'}}{\overline{AA'}}=\dfrac{v_1t}{v_2t}=\dfrac{f\lambda_1 t}{f\lambda_2 t}=\dfrac{\overline{AB'}\sin i}{\overline{AB'}\sin r}$이 되어 $\dfrac{v_1}{v_2}=\dfrac{\lambda_1}{\lambda_2}=\dfrac{\sin i}{\sin r}$이다.

매질 1, 2에서 파동의 진행 방향과 법선이 이루는 각을 θ_1, θ_2라고 하면 굴절 법칙은 $n_{12}=\dfrac{n_2}{n_1}=\dfrac{v_1}{v_2}=\dfrac{\lambda_1}{\lambda_2}=\dfrac{\sin\theta_1}{\sin\theta_2}$로 정리할 수 있다. 즉, 절대 굴절률 n은 $n\propto\dfrac{1}{v}\propto\dfrac{1}{\lambda}\propto\dfrac{1}{\sin\theta}$이다.

> 매질의 절대 굴절률은 매질에서 파동의 속력, 파동의 파장, 파동의 진행 방향과 법선이 이루는 각에 대한 sin값에 각각 반비례한다는 것을 알아둬!

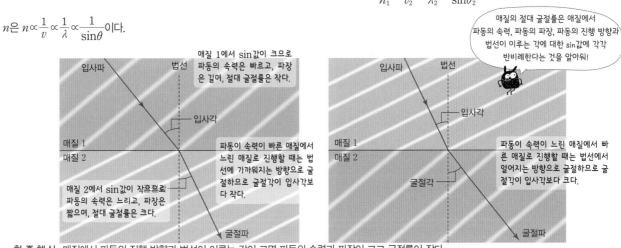

매질 1에서 sin값이 크므로 파동의 속력은 빠르고, 파장은 길며, 절대 굴절률은 작다.

매질 2에서 sin값이 작으므로 파동의 속력은 느리고, 파장은 짧으며, 절대 굴절률은 크다.

파동이 속력이 빠른 매질에서 느린 매질로 진행할 때는 법선에 가까워지는 방향으로 굴절하므로 굴절각이 입사각보다 작다.

파동이 속력이 느린 매질에서 빠른 매질로 진행할 때는 법선에서 멀어지는 방향으로 굴절하므로 굴절각이 입사각보다 크다.

한·줄·핵심 매질에서 파동의 진행 방향과 법선이 이루는 각이 크면 파동의 속력과 파장이 크고 굴절률이 작다.

확인 문제

정답과 해설 70쪽

01 그림 (가)는 진동수가 일정한 파동이 매질 1에서 매질 2로 진행하는 모습을, (나)는 점 P에서 매질의 변위를 시간에 따라 나타낸 것이다.

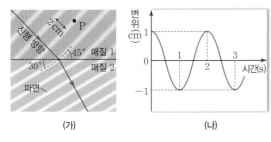

(가)

(나)

(1) 입사각과 굴절각은 각각 몇 °인지 쓰시오.

(2) 매질 2에서 파동의 주기는 몇 초인지 쓰시오.

(3) 매질 1에서 파동의 속력은 몇 cm/s인지 쓰시오.

02 1번에 대한 설명으로 옳은 것은 ○, 옳지 않은 것은 ×로 표시하시오.

(1) 파장은 매질 1에서가 2에서보다 길다. (　　　)

(2) 입사각에 대한 sin값은 굴절각에 대한 sin값보다 크다. (　　　)

(3) 매질의 절대 굴절률은 1에서가 2에서보다 크다. (　　　)

(4) 매질 1에 대한 매질 2의 상대 굴절률은 1보다 크다. (　　　)

(5) 파동의 진행 방향이 반대로 바뀌면 굴절파가 생기지 않는다. (　　　)

탐구를 알기 쉽게 풀어주는
탐구 POOL

물결파의 굴절 관찰하기

목표 물결파 투영 장치를 이용하여 물의 깊이에 따른 물결파의 굴절 현상을 설명할 수 있다.

유의점

· 유리판 위의 물의 깊이는 가능한 얕게 한다.
· 전기 장치가 물에 닿지 않도록 주의한다.

과정

❶ 물결파 투영 장치 설치하기

나무 막대

물결파 투영 장치를 수평으로 하여 약 1 cm 깊이로 물을 넣은 후 물의 깊이가 일정하도록 수면이 정지할 때까지 기다린다.

❷ 물결파의 투과 현상 관찰하기

유리판

5∼8 mm 정도의 두께가 일정한 유리판을 나무 막대와 나란하도록 물에 넣고 나무 막대를 진동시킨 후 물결파의 파면을 관찰한다.

❸ 물결파의 굴절 현상 관찰하기

유리판을 나무 막대에 비스듬하게 넣고 물결파를 발생시킨 후 물결파의 파면을 관찰한다.

물결파의 단면

유리판

유리판이 있는 얕은 곳은 파장이 짧고, 유리판이 없는 깊은 곳은 파장이 길다.

⚗️ 이런 실험도 있어요!

빛에 대한 물의 굴절률

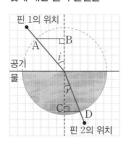

물을 넣은 반원통을 통하여 볼 때 핀 1, 중심선, 핀 2가 일직선상에서 보이도록 핀 1과 2를 수직으로 꽂아 위치를 표시한 후 공기에 대한 물의 굴절률 n을 알아보면 $n=\dfrac{\sin i}{\sin r}=\dfrac{\overline{\text{AB}}}{\overline{\text{CD}}}$로 항상 일정하다.

결과

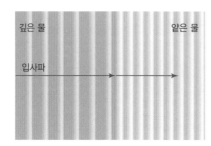

과정 ❷

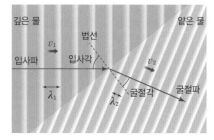

과정 ❸

❶ 밝은 파면은 마루, 어두운 파면은 골을 나타낸다.
❷ 이웃한 밝은 파면 사이의 거리는 이웃한 두 마루 사이의 거리이므로 물결파의 파장을 의미한다.
❸ 물결파가 깊은 곳에서 얕은 곳으로 진행할 때 파면과 파면 사이의 거리는 짧아지고 물결파의 속력은 느려진다.
❹ 과정 ❸에서 유리판이 있는 경계면에서 물결파의 진행 방향이 바뀐다.

정리 및 해석 ┌ 파장이 길고, 속력이 빠르고, 굴절률은 작다.
❶ 물결파가 깊은 곳에서 얕은 곳으로 진행할 때 속력은 감소한다. 이때 속력의 변화는 파장의 변화로 알 수 있다.
❷ 물의 깊이에 따라 물결파의 속력이 달라지기 때문에 물의 깊이가 달라지는 경계면을 비스듬히 통과하면 굴절 현상이 일어난다. └ 파장이 짧고, 속력이 느리고, 굴절률은 크다.

한·줄·핵심 물결파가 진행하는 동안 물의 깊이가 달라지면 물결파의 속력이 달라져 굴절한다. 물결파는 얕은 곳에서 파장과 속력이 작고, 깊은 곳에서 파장과 속력이 크다.

확인 문제 정답과 해설 70쪽

01 이 탐구에서 깊은 곳과 얕은 곳에서 물결파의 진동수를 비교하시오.

02 이 탐구 과정 ❸에서 물결파의 굴절 현상이 일어나는 까닭을 서술하시오.

✔ 잠깐 확인!

1. ☐☐
한 곳에 생긴 진동이 물질이나 공간으로 퍼져 나가는 현상

2. 파동의 진행 방향과 매질의 진동 방향이 수직인 파동은 ☐☐이고, 나란한 파동은 ☐☐이다.

3.
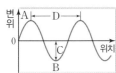
A: ☐☐   B: ☐
C: ☐   D: ☐

4.
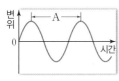
A: ☐☐ $\frac{1}{A}$: ☐☐☐

5. 파동의 속력=$\frac{☐☐}{주기}$= 파장×☐☐☐

6. 파동이 매질 1에서 매질 2로 입사하여 굴절할 때 입사각 i와 굴절각 r의 ☐☐값의 비는 항상 일정하다.

7. 매질에서 파동의 진행 방향과 법선이 이루는 각이 크면 파동의 속력과 파장이 ☐고 굴절률이 ☐다.

A 파동과 파동의 표시

01 파동에 대한 설명으로 옳은 것은 ○, 옳지 않은 것은 ✕로 표시하시오.

(1) 물결파와 빛은 횡파이다. ( )

(2) 파동이 진행할 때 매질과 에너지는 파동의 진행 방향으로 함께 이동한다. ( )

(3) 횡파에서 이웃한 마루와 골 사이의 거리를 파장이라고 한다. ( )

(4) 동일한 용수철에서는 파동의 주기가 짧을수록 밀한 곳에서 이웃한 밀한 곳까지의 거리가 작아진다. ( )

02 다음에서 설명하는 물리량은 무엇인지 쓰시오.

> 매질의 위치와 운동 상태를 나타내는 물리량이다. 같은 시각에 위치와 운동 상태가 같으면 이것이 같다고 한다. 한 파동에 있는 마루와 마루는 이것이 서로 같고, 마루와 골은 이것이 서로 반대이다.

B 파동의 속력

03 팽팽한 용수철의 한쪽 끝을 1.5초 주기로 계속 흔들어 종파를 발생시켰다. 이 파동의 이웃한 소한 지점 사이의 거리가 30 cm라고 할 때, 파동의 속력은 몇 m/s인지 쓰시오.

04 다음은 소리와 물결파의 속력에 대한 설명이다.

> • 소리의 속력은 물에서가 공기에서보다 ㉠ (느리고 / 빠르고), 낮에 소리의 속력은 지면에서 먼 곳이 지면에서 가까운 곳에서보다 ㉡ (느리다 / 빠르다).
> • 물의 깊이가 얕아지면 물결파의 속력은 ㉢ (느려진다 / 빨라진다).

㉠~㉢에 들어갈 알맞은 말을 고르시오.

C 파동의 굴절

05 그림은 물결파가 A → B → C로 진행하는 모습을 나타낸 것이다. 다음 질문에 대한 답을 A~C 중에서 쓰시오.

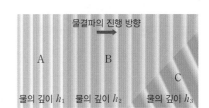

(1) 물결파의 파장이 가장 긴 곳:

(2) 물결파의 속력이 가장 빠른 곳:

(3) 물결파의 주기가 가장 긴 곳:

(4) 물결파의 진동수가 가장 큰 곳:

(5) 물의 깊이가 가장 깊은 곳:

A 파동과 파동의 표시

01 그림은 O점에서 발생한 파동이 성질이 일정한 매질에서 퍼져 나가는 모습을 파면으로 나타낸 것이다. 화살표는 파동의 진행 방향을 나타낸다.

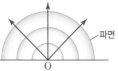

이 파동에 대한 설명으로 옳은 것은?

① 파동의 진행 방향은 파면과 수직이다.
② 파동이 진행해도 진폭은 변하지 않는다.
③ 매질은 파동의 진행 방향으로 이동한다.
④ 이웃한 두 파면 사이의 거리는 반파장이다.
⑤ 파동이 진행할수록 파면과 파면 사이의 거리는 멀어진다.

단답형

02 그림은 두 파동 A, B가 용수철을 따라 진행하는 모습을 비교하여 나타낸 것이다. A, B의 진동수는 같다.

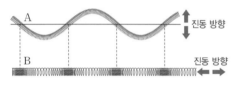

이에 대한 설명으로 옳은 것만을 〈보기〉에서 있는 대로 골라서 쓰시오.

보기
ㄱ. A는 횡파이고, B는 종파이다.
ㄴ. A와 B의 파장은 같다.
ㄷ. A는 지진파의 P파, B는 지진파의 S파에 해당한다.

단답형

03 그림은 xy평면에서 용수철을 진동시켜 x축 방향으로 진행하는 파동을 발생시킬 때, 용수철에 있는 한 점의 x축 방향의 변위, y축 방향의 변위를 각각 시간 t에 따라 나타낸 것이다. 이 파동의 파장은 0.2 m이다.

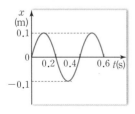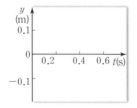

이 파동의 진동수를 구하고, 횡파인지 종파인지 쓰시오.

B 파동의 속력

단답형

04 그림은 주기가 0.2초인 어떤 횡파의 모습을 나타낸 것이다.

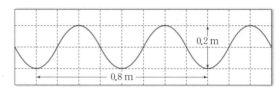

이 파동의 속력은 몇 m/s인지 쓰시오.

05 그림 (가)는 연속적으로 발생하는 파동이 왼쪽으로 진행할 때 어느 순간의 모습을, (나)는 (가)의 순간으로부터 0.5초 후 파동의 모습을 나타낸 것이다.

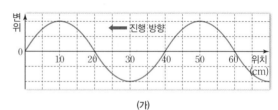
(가)

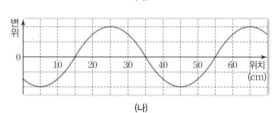
(나)

이 파동의 주기와 속력을 옳게 짝 지은 것은?

	주기(s)	속력(m/s)		주기(s)	속력(m/s)
①	0.2	0.1	②	0.4	0.25
③	0.4	0.5	④	0.8	0.25
⑤	0.8	0.5			

단답형

06 그림은 위아래로 진동하는 진동체에 의해 만들어져 화살표 방향으로 진행하는 파동의 어느 순간 모습을 나타낸 것이다. 줄에서 파동의 진행 속력은 일정하다.

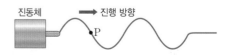

진동수만 증가시킬 때 크기가 작아지는 물리량 2가지를 쓰시오.

07 그림은 줄 A와 B를 1초 동안 각각 2회씩, 8회씩 흔들었을 때 두 파동이 각각 A와 B를 따라 이동하는 어느 순간의 모습을 나타낸 것이다.

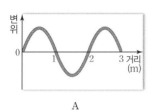
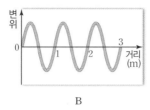

이에 대한 설명으로 옳은 것만을 〈보기〉에서 있는 대로 고른 것은? (단, A와 B의 굵기는 서로 다르다.)

보기
ㄱ. 진동수는 B에서가 A에서의 4배이다.
ㄴ. 파장은 A에서가 B에서의 2배이다.
ㄷ. 줄은 A가 B보다 가늘다.

① ㄱ
② ㄷ
③ ㄱ, ㄴ
④ ㄴ, ㄷ
⑤ ㄱ, ㄴ, ㄷ

C 파동의 굴절

08 그림 (가)는 일정한 주기로 물결파를 발생시키는 장치를 나타낸 것이고, (나)는 A영역에서 발생한 물결파가 B영역으로 진행할 때의 파면을 나타낸 것이다.

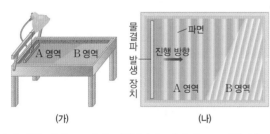

(가) (나)

이에 대한 설명으로 옳은 것은? (단, 반사파는 무시한다.)

① 파장은 A보다 B에서 길다.
② 진동수는 B보다 A에서 크다.
③ 물의 깊이는 A보다 B에서 깊다.
④ 파동의 속력은 B보다 A에서 빠르다.
⑤ A와 B의 경계에서 파동의 진행 방향은 바뀌지 않는다.

단답형
09 그림과 같이 파동이 매질 1에서 매질 2로 진행하였다.
매질 1, 2의 굴절률의 비 $n_1 : n_2$와 파동의 속력의 비 $v_1 : v_2$를 쓰시오.

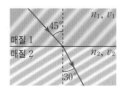

10 그림은 유리에서 파장이 λ인 레이저 빛이 법선과 30°의 각으로 O점을 향해 입사할 때 진행 경로를 나타낸 것이다.

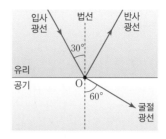

이에 대한 설명으로 옳지 않은 것은? (단, 공기에서 빛의 굴절률은 1이다.)

① 반사각은 30°이다.
② 유리에 대한 공기의 굴절률은 $\sqrt{3}$이다.
③ 공기에서의 단색광의 파장은 $\sqrt{3}\lambda$이다.
④ 단색광의 진동수는 유리와 공기에서가 같다.
⑤ 빛의 속력은 입사 광선이 굴절 광선보다 작다.

11 그림 (가)는 뜨거운 사막에서 바위의 상이 보이는 신기루를, (나)는 북극해에서 차가운 해수면에서 빙산의 상이 보이는 신기루를 나타낸 것이다.

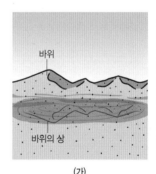

(가) (나)

이에 대한 설명으로 옳은 것만을 〈보기〉에서 있는 대로 고른 것은?

보기
ㄱ. 두 경우 모두 빛이 굴절되어 생긴 현상이다.
ㄴ. (가)는 지표면에 찬 공기층, 지표 상공에 뜨거운 공기층이 형성되어 있다.
ㄷ. 맑은 날 밤 지표면에서 먼 곳의 소리가 잘 들리는 것은 소리가 (나)와 같은 경로로 진행하기 때문이다.

① ㄱ
② ㄷ
③ ㄱ, ㄴ
④ ㄱ, ㄷ
⑤ ㄴ, ㄷ

도전! 실력 올리기

01 그림 (가)는 진행하는 두 파동 A, B의 어느 한 순간의 모습을, (나)는 A, B가 형성된 각 매질의 어느 한 점의 변위를 시간에 따라 나타낸 것이다.

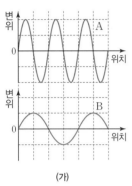
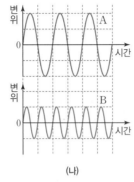

(가)   (나)

A, B에 대한 설명으로 옳은 것만을 〈보기〉에서 있는 대로 고른 것은?

보기
ㄱ. 파장은 B가 A의 2배이다.
ㄴ. 진동수는 A가 B의 2배이다.
ㄷ. 한 주기 동안 매질의 한 점의 평균 속력은 A와 B가 같다.

① ㄱ   ② ㄴ   ③ ㄱ, ㄴ
④ ㄱ, ㄷ   ⑤ ㄴ, ㄷ

02 그림 (가)는 y축과 나란하게 진동하는 횡파의 어느 한 순간 매질의 변위 y를 위치 x에 따라 나타낸 것이고, (나)는 이 순간부터 매질의 한 점 P의 y축 방향 속도를 시간에 따라 나타낸 것이다.

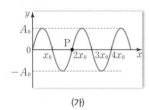
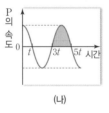

(가)   (나)

이에 대한 설명으로 옳은 것만을 〈보기〉에서 있는 대로 고른 것은?

보기
ㄱ. 파동의 진행 방향은 $+x$방향이다.
ㄴ. 파동의 전파 속력은 $\dfrac{x_0}{t}$이다.
ㄷ. (나)에서 빗금 친 부분의 면적은 $2A_0$이다.

① ㄱ   ② ㄴ   ③ ㄷ
④ ㄱ, ㄴ   ⑤ ㄱ, ㄷ

03 그림은 물결파 발생 장치에서 일정한 주기의 물결파가 발생하여 진행하다가 두께가 일정한 유리판 위를 진행할 때 굴절하는 모습을 나타낸 것이다.

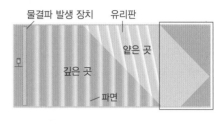

물결파 발생 장치   유리판
얕은 곳
깊은 곳
파면

☐ 부분에 나타나는 파면의 모습으로 가장 적절한 것은? (단, 반사파의 영향은 무시한다.)

①   ②   ③

④   ⑤

04 그림은 단색광이 반원통 속에 담겨 있는 물을 통해 공기로 진행하는 모습을 나타낸 것이다. 이때 입사각은 i, 굴절각은 r이다. 물에 대한 공기의 굴절률에 대한 설명으로 옳은 것만을 〈보기〉에서 있는 대로 고른 것은?

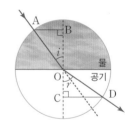

보기
ㄱ. 1보다 크다.
ㄴ. $\dfrac{\sin i}{\sin r}$이다.
ㄷ. $\dfrac{\overline{CD}}{\overline{AB}}$이다.

① ㄱ   ② ㄴ   ③ ㄱ, ㄷ
④ ㄴ, ㄷ   ⑤ ㄱ, ㄴ, ㄷ

05 그림은 사람이 물속에 허리 아래쪽으로 잠겨 있는 모습을 나타낸 것이다.

이에 대한 설명으로 옳은 것만을 〈보기〉에서 있는 대로 고른 것은?

> 보기
> ㄱ. 물속의 다리가 짧아 보이는 까닭을 빛의 굴절 현상으로 설명할 수 있다.
> ㄴ. 발바닥이 있는 곳의 깊이가 실제보다 깊어 보인다.
> ㄷ. 빛은 공기보다 물속에서 속력이 느리다.

① ㄴ ② ㄷ ③ ㄱ, ㄴ
④ ㄱ, ㄷ ⑤ ㄱ, ㄴ, ㄷ

출제예감
06 그림 (가)와 (나)는 동일한 진동수의 빛이 각각 물체 A와 C 속에 있는 굴절률이 n인 물체 B를 지나는 모습을 나타낸 것이다.

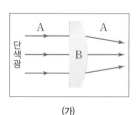 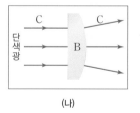

(가) (나)

이에 대한 설명으로 옳은 것만을 〈보기〉에서 있는 대로 고른 것은?

> 보기
> ㄱ. 굴절률은 A가 C보다 크다.
> ㄴ. 단색광의 속력은 A에서가 B에서보다 빠르다.
> ㄷ. 단색광의 진동수는 A에서가 C에서보다 크다.

① ㄴ ② ㄷ ③ ㄱ, ㄴ
④ ㄱ, ㄷ ⑤ ㄱ, ㄴ, ㄷ

서술형
07 그림은 음료수가 들어있는 유리병을 글리세린 속에 넣었을 때의 모습을 나타낸 것이다. 글리세린을 통해 본 음료수의 양은 음료수의 실제 양과 같다. 글리세린에 음료수병을 넣었을 때 음료수의 실제 양을 볼 수 있는 까닭을 서술하시오.

음료수가 들어있는 유리병
글리세린

서술형
08 다음은 소리의 굴절에 대한 실험이다.

[실험 과정]
1. 일정한 진동수의 소리가 발생하는 스피커를 설치하여 작동시킨다.
2. 스피커에서 나온 소리를 들어본다.
3. 스피커 앞에 이산화 탄소를 넣은 풍선을 두고 소리를 들어본다.
4. 이산화 탄소를 넣은 풍선의 위치에 헬륨 기체를 넣은 풍선을 두고 같은 위치에서 소리를 들어본다.

스피커 풍선 사람

[실험 결과]

구분	이산화 탄소 풍선	헬륨 풍선
소리의 크기	커진다.	작아진다.
소리의 높낮이	변화없다.	변화없다.

실험 결과가 이와 같이 나타난 까닭을 소리의 크기, 소리의 높낮이로 구분하여 서술하시오.

02 ~ 전반사와 광통신

A 전반사

|출·제·단·서| 전반사의 조건 2가지와 두 매질의 굴절률과 임계각에 따른 전반사 현상의 유무를 묻는 문제가 시험에 나와!

입사파의 진행 방향, 반사파의 진행 방향, 법선은 같은 평면에 있다.

❶ 빛의 반사

빛도 파동의 한 종류이므로 반사 법칙이 성립한다. 또, 굴절 현상이 일어나면 반사 현상도 일어난다.

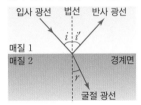

1. 파동의 반사❶ 파동이 한 매질에서 다른 매질로 진행할 때, 경계면에서 원래 매질 안으로 되돌아오는 현상

(1) **반사 법칙** 파동이 반사할 때 입사각과 반사각은 항상 같다. 입사각이 증가하면 반사각도 증가한다.

(2) **반사의 특성** 파동이 반사할 때 입사파와 반사파는 같은 매질에서 진행하므로 속력, 파장, 진동수는 변하지 않는다.

2. 전반사 탐구POOL 굴절각이 입사각보다 클 때, 입사각을 점점 증가시키면 일정 각도 이상에서 빛이 굴절하지 못하고 모두 반사하는 현상이 일어난다. 이를 전반사라고 한다.

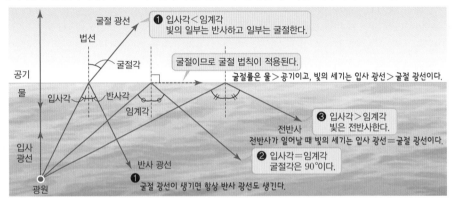

❶ 입사각 < 임계각
빛의 일부는 반사하고 일부는 굴절한다.

굴절이므로 굴절 법칙이 적용된다.
굴절률은 물 > 공기이고, 빛의 세기는 입사 광선 > 굴절 광선이다.

❸ 입사각 > 임계각
빛은 전반사한다.
전반사가 일어날 때 빛의 세기는 입사 광선 = 굴절 광선이다.

❷ 입사각 = 임계각
굴절각은 90°이다.

❶ 굴절 광선이 생기면 항상 반사 광선도 생긴다.

❷ 직각 프리즘

공기에 대한 프리즘의 임계각은 약 41.8°이다. 따라서 45°의 꼭지각을 가진 프리즘에 빛을 수직으로 입사시키면 빛의 방향을 90° 또는 180° 만큼 바꿀 수 있다.

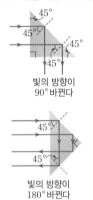

빛의 방향이
90° 바뀐다

빛의 방향이
180° 바뀐다

(1) **임계각과 굴절 법칙** 빛이 굴절률이 큰 매질(물)에서 <u>작은 매질(공기)</u>로 진행할 때, 입사각이 임계각(i_c)과 같으면 굴절각은 90°이다. 굴절 법칙을 적용하면 $\dfrac{\sin i_c}{\sin 90°} = \dfrac{n_{공기}}{n_물}$이고,

└ 굴절각이 90°일 때의 입사각 ┘

$n_{공기} = 1$이라면 $\sin i_c = \dfrac{1}{n_물}$이다. ┈ 임계각의 사인값과 굴절률은 반비례한다. 즉, 굴절률이 클수록 임계각이 작다.

(2) **전반사 조건**

- 굴절률이 큰 매질(밀한 매질)에서 작은 매질(소한 매질)로 진행해야 한다.
- 입사각이 임계각보다 커야 한다.

2가지 조건을 모두 만족해야 전반사 현상이 발생한다. 만약 1가지 조건만 만족하면 전반사 현상이 발생하지 않는다.

3. 생활 속의 전반사 현상의 이용

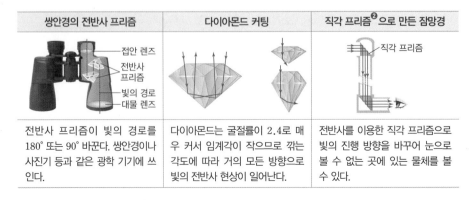

쌍안경의 전반사 프리즘	다이아몬드 커팅	직각 프리즘❷으로 만든 잠망경
전반사 프리즘이 빛의 경로를 180° 또는 90° 바꾼다. 쌍안경이나 사진기 등과 같은 광학 기기에 쓰인다.	다이아몬드는 굴절률이 2.4로 매우 커서 임계각이 작으므로 깎는 각도에 따라 거의 모든 방향으로 빛의 전반사 현상이 일어난다.	전반사를 이용한 직각 프리즘으로 빛의 진행 방향을 바꾸어 눈으로 볼 수 없는 곳에 있는 물체를 볼 수 있다.

🐈 용어 알기

- 전반사(전부 全, 되돌릴 反, 쏘다 射) 전부 반사되는 현상
- 임계각(도달할 臨, 한계 界, 각도 角) 굴절이 일어날 수 있는 입사각의 한계값

B 광섬유와 광통신

|출·제·단·서| 광섬유의 구조, 코어와 클래딩의 굴절률, 광통신 과정에서의 에너지 전환 과정, 광통신과 전기 통신을 비교하여 광통신의 장단점을 물어보는 문제가 시험에 나와!

1. 광섬유 빛을 전송할 수 있는 섬유 모양의 관

(1) **광섬유의 구조** 굴절률이 큰 중앙의 코어 부분을 굴절률이 작은 클래딩이 감싸고 있는 구조이고, 그 주위를 보호하는 부분이 있다. ❸

(2) **광섬유 내에서의 빛의 진행** 광섬유 내부의 코어로 입사한 빛은 코어와 클래딩의 경계면에서 전반사하면서 클래딩으로 빠져나오지 못하고 코어 내에서만 진행한다.

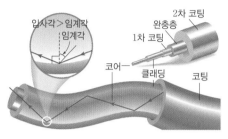

▲ 광섬유의 구조와 빛의 진행   ▲ 광케이블

2. 광통신 음성, 영상 등의 정보를 담은 전기 신호를 빛 신호로 변환시킨 후, 광섬유를 통해 정보를 주고받는 통신 방식

(1) **광통신 과정**❹

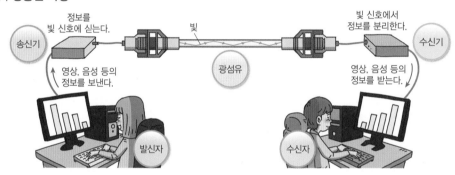

(2) **광통신의 장단점**

전기 통신은 전류의 열작용에 의해 에너지 손실이 발생하기 때문에 전기 신호를 멀리 보낼수록 신호의 세기가 약해진다.

장점	• 에너지 손실이 적어 먼 거리를 보내더라도 전류에 비해 강도가 크게 떨어지지 않는다. 즉, 장거리 통신에 활용된다. • 전기 통신이나 전파 통신에 비해 도청이 어려워 통신의 비밀이 보장된다. • 기상 영향 및 전자기파의 간섭을 받지 않아 안전하게 정보를 보낼 수 있고 잡음이 없다. • 한 개의 선을 통해서도 많은 정보를 보낼 수 있다.
단점	• 화재와 충격에 약하고 광섬유가 끊어졌을 때 연결하기 어렵다. • 광섬유의 연결 부위에 작은 먼지나 틈만 생겨도 통신이 불가능해질 수 있다. • 전기 통신❺에 비해 설치 및 관리 비용이 많이 든다.

3. 광섬유의 이용

광섬유	내시경	자연 채광
빛의 손실이 거의 없어 예술품이나 장식품을 만들 수 있다.	쉽게 휘어지도록 가늘게 만든 광섬유 다발을 소형 카메라에 연결하여 인체 내부 장기를 촬영한다.	집광기로 모은 태양 빛을 광케이블을 이용해 지하로 전달하여 지하를 밝게 한다.

---

❸ **코어와 클래딩**
• 코어(core): 광섬유의 중심에 있는 원통 모양의 투명한 유리
• 클래딩(cladding): 코어를 감싸고 있는 원통 모양의 투명한 유리

❹ **광통신 과정**
음성·영상 정보 → 전기 신호를 빛 신호로 변환 → 광섬유를 통해 전달 → 광 검출기가 빛 신호를 전기 신호로 변환 → 음성·영상 정보 재현

클래딩의 굴절률 / 코어의 굴절률 이 작을수록 코어와 클래딩의 경계면에서 임계각은 어떻게 될까?
코어와 클래딩 사이의 임계각을 i_c라고 하면 $\sin i_c = \dfrac{n_{클래딩}}{n_{코어}}$ 이다. 따라서 **클래딩의 굴절률 / 코어의 굴절률** 이 작을수록 코어에서 클래딩으로 진행하는 빛의 임계각이 작아진다. 임계각이 작아지면 전반사가 일어날 수 있는 입사각의 범위가 넓어지므로 전반사가 잘 된다고 볼 수 있다.

❺ **도선을 이용한 전기 통신의 장단점**
• 장점: 구조가 간단하고, 값이 싸며, 수리가 쉽다.
• 단점: 잡음이 발생할 수 있고, 대용량 정보 전송에 한계가 있으며, 도청이 가능하다.

용어 알기 🐱

● 광섬유(빛 光 가늘 纖, 벼리 維) 빛을 전달하기 위해 만든 섬유 모양의 전선

빛의 전반사 관찰하기

목표 파동이 두 매질의 경계면에서 모두 반사되는 조건 2가지를 설명할 수 있다.

유의점

· 레이저 빛을 사용하므로 보안경을 착용하고, 눈에 레이저 빛을 비추지 않는다.

· 어두운 곳에서 실험하면 레이저 빛을 잘 볼 수 있다.

과정

❶ 전반사 실험 장치의 물통에 물을 반원 부분까지 채워 넣는다.

❷ 레이저 빛을 반원 통의 평평한 면에서 원의 중심을 향하게 한 뒤 입사각을 0°에서부터 점점 크게 하며 입사 광선과 굴절 광선을 그린다.

❸ 레이저 빛을 물이 담긴 아래쪽에서 원의 중심을 향하게 한 뒤 입사각을 0°에서부터 점점 크게 하며 입사 광선과 굴절 광선을 그린다.

❹ 반원통 안의 매질을 바꿔 가며 각각 레이저 빛의 입사각을 점점 크게 하면서 굴절 광선이 사라지는 순간 입사각(임계각)을 측정하고, 입사하는 매질에 대한 굴절하는 매질의 상대 굴절률을 계산한다.

레이저 포인터
각도기 판
법선
반원 통
레이저 포인터

⚠ **이런 실험도 있어요!**

사라진 그림 나타내기

· 투명한 플라스틱 컵 A와 B의 옆면에 서로 다른 그림을 그린다.

· 송곳을 이용하여 B의 위쪽에 작은 구멍을 뚫고, 안쪽에 A를 겹친다.

· 손가락으로 구멍을 막고 물이 담긴 수조 속에 컵을 넣어 관찰하고, 손가락을 떼어 구멍에 물이 들어가게 한 후 관찰한다.

⇨ 손가락으로 구멍이 막을 때는 B의 그림만 보이지만 손가락을 떼면 A와 B의 그림이 모두 보인다.

임계각의 크기와 전반사가 일어나기 쉬운 정도

임계각이 작으면 전반사가 일어나는 구간이 넓어진다. 임계각이 작기 위해서는 입사 광선의 매질에 대한 굴절 광선의 매질의 상대 굴절률이 작아야 한다.

결과

과정 ❷의 결과	과정 ❸의 결과

과정 ❹의 결과: 공기, 물, 콩기름의 굴절률이 각각 1.00, 1.33, 1.47일 때 아래와 같다.

빛이 진행하는 매질	임계각	입사하는 매질에 대한 굴절하는 매질의 상대 굴절률
물에서 공기로 입사할 때	48.5°	$\dfrac{1}{1.33}$
콩기름에서 공기로 입사할 때	43°	$\dfrac{1}{1.47}$

❶ 과정 ❷에서는 항상 입사각이 굴절각보다 크고, 굴절 광선과 반사 광선을 함께 관찰할 수 있다. ⇨ 입사각과 반사각은 항상 같으므로 입사각이 커지면 반사각도 커진다. 또한, 입사각이 커지면 굴절각도 커진다.

❷ 과정 ❸에서는 항상 입사각이 굴절각보다 작고, 입사각이 특정각보다 작을 때에는 굴절 광선과 반사 광선을 모두 관찰할 수 있으나 입사각을 계속 증가시키다 보면 어느 순간 반사 광선만 관찰된다. ⇨ 빛의 전반사가 일어났으므로 전반사 조건을 알 수 있다. 빛이 굴절률이 큰 매질에서 작은 매질로 입사할 때 입사각이 특정각(임계각)보다 크면 전반사가 일어난다. _{입사각이 커짐에 따라 굴절 광선은 약해지고 반사 광선은 점점 강해진다. 입사각을 점점 크게 하여 입사각이 임계각보다 커지는 순간 입사 광선은 100 % 반사한다.}

❸ 과정 ❹에서는 입사하는 매질에 대한 굴절하는 매질의 상대 굴절률이 클수록 임계각이 크다.

정리 및 해석

┌─ 전반사 조건 1   ┌─ 전반사 조건 2

빛은 <u>굴절률이 큰 매질에서 굴절률이 작은 매질로 진행할 때</u> <u>입사각이 임계각보다 크면</u> 전반사한다.

한·줄·핵심 전반사는 굴절률이 큰 매질에서 굴절률이 작은 매질로 진행할 때, 입사각이 임계각보다 클 때 일어난다.

확인 문제   정답과 해설 74쪽

01 빛이 매질 1에서 공기로 진행할 때 전반사를 일으킬 입사각의 범위를 넓게 하려면 임계각의 크기는 어떻게 되어야 하는가? 또, 매질 1의 굴절률은 어떻게 되어야 하는지 쓰시오.

02 '이런 실험도 있어요'에서 손가락으로 구멍을 막고 있을 때 B의 그림만 보이는 까닭은 빛의 어떤 성질 때문인지 쓰시오.

A 전반사

01 전반사에 대한 설명으로 옳은 것은 ○, 옳지 <u>않은</u> 것은 ×로 표시하시오.

(1) 빛이 전반사할 때 빛의 속력이 변한다. ( )

(2) 빛이 전반사할 때 빛이 진행하는 매질은 주변의 매질보다 굴절률이 크다. ( )

(3) 빛이 밀한 매질에서 소한 매질로 진행할 때 항상 전반사 현상이 나타난다.

( )

02 빛이 굴절률이 n인 매질에서 굴절률이 1인 매질로 진행하고 있다. 임계각을 i_c라고 할 때 $\sin i_c$를 쓰시오. (단, $n > 1$이다.)

03 그림은 직각 전반사 프리즘을 이용하여 빛의 진행 방향을 90° 만큼 바꾸는 모습을 나타낸 것이다. 이 프리즘을 사용하여 광선의 진행 경로를 다음과 같이 바꾸기 위한 프리즘의 최소 개수를 쓰시오.

직각 전반사 프리즘

(1)

(2)

(3)

B 광섬유와 광통신

04 광통신의 장점으로 옳은 것은 ○, 옳지 <u>않은</u> 것은 ×로 표시하시오.

(1) 값이 싸며, 수리가 쉽다. ( )

(2) 한 개의 선을 통해서도 많은 정보를 보낼 수 있다. ( )

(3) 도청이 어려워 통신의 비밀이 보장된다. ( )

05 다음은 광통신의 과정을 나열한 것이다.

발신자 → 송신기 → 광섬유 → 수신기 → 수신자

(1) 빛 신호를 전기 신호로 바꾸는 과정이 이루어지는 곳은 어디인지 쓰시오.

(2) 전반사 현상을 이용하여 신호를 전달하는 곳은 어디인지 쓰시오.

A 전반사

01 그림은 물질 B에서 A로 60°로 입사시킨 레이저 빛이 진행하는 경로를 나타낸 것이다.

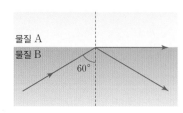

물질 A
물질 B
60°

전반사를 일으킬 수 <u>없는</u> 경우는?

① 입사각을 60°보다 크게 한다.
② B를 굴절률이 더 큰 물질로 바꾼다.
③ B에 대한 A의 굴절률을 작게 한다.
④ A를 굴절률이 더 작은 물질로 바꾼다.
⑤ 입사각이 60°가 되도록 빛을 A에서 B로 입사시킨다.

02 그림은 매질 Ⅰ에서 Ⅱ로 입사시킨 단색광이 진행하는 경로를 나타낸 것이다. Ⅱ와 Ⅲ의 경계면에서 전반사가 일어났고, i는 r보다 크다.

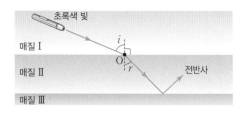

초록색 빛
매질 Ⅰ
매질 Ⅱ
매질 Ⅲ
전반사

이에 대한 설명으로 옳은 것만을 〈보기〉에서 있는 대로 고른 것은?

보기
ㄱ. Ⅰ과 Ⅱ에서 빛의 진동수는 같다.
ㄴ. 세 매질 중에서 굴절률은 Ⅱ가 가장 크다.
ㄷ. i가 커지면 O에서 전반사가 일어날 수 있다.

① ㄱ   ② ㄴ   ③ ㄱ, ㄴ
④ ㄱ, ㄷ   ⑤ ㄴ, ㄷ

03 그림은 빛이 공기 중에서 직각 프리즘의 한 면에 수직으로 입사한 후 P와 Q에서 반사되어 프리즘 내부를 진행하는 경로의 일부를 나타낸 것이다. P, Q에서 반사각은 각각 θ_1, θ_2이고, θ_2는 이 빛이 프리즘에서 공기로 진행할 때의 임계각과 같다. 공기에 대한 프리즘의 굴절률은? (단, 공기의 굴절률은 1이다.)

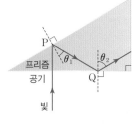

P
프리즘 θ_1
공기 θ_2
Q
빛

① $\dfrac{1}{\sin 2\theta_1}$ ② $\dfrac{1}{\sin\theta_1}$ ③ $\sin\theta_2$

④ $\sin 2\theta_1$ ⑤ $\dfrac{\sin\theta_2}{\sin\theta_1}$

04 그림은 물이 담긴 플라스틱 컵의 옆면에 구멍을 뚫어 물줄기가 나오게 한 후, 구멍 뚫린 반대편에서 물줄기 안으로 입사된 레이저 빛이 전반사하는 모습을 나타낸 것이다.

이에 대한 설명으로 옳은 것만을 〈보기〉에서 있는 대로 고른 것은?

보기
ㄱ. 굴절률은 물이 공기보다 작다.
ㄴ. 빛이 물에서 공기로 진행할 때 입사각은 임계각보다 작다.
ㄷ. 전반사는 광섬유를 이용한 광통신에 활용된다.

① ㄱ   ② ㄷ   ③ ㄱ, ㄴ
④ ㄱ, ㄷ   ⑤ ㄴ, ㄷ

서술형
05 그림과 같이 P점에서 O점을 향해 단색광을 입사각 45°로 입사시켰다.

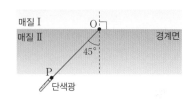

매질 Ⅰ   O
매질 Ⅱ   경계면
45°
P
단색광

이 경우 전반사가 일어날 수 있는 조건 2가지를 서술하시오.

06 그림은 잠망경에서 사용하는 직각 프리즘을 각각 A와 B 부분에 놓고 물체를 관찰하는 모습을 나타낸 것이다. A와 B 부분에 놓일 프리즘의 단면으로 옳은 것은?

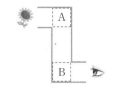

07 그림은 반원통 물통에 서로 다른 종류의 액체 A, B, C를 채우고, 동일한 단색광을 입사각이 60°로 비추었을 때 진행하는 경로를 나타낸 것이다. C에서 단색광은 C와 공기의 경계면에서 전반사한다.

이에 대한 설명으로 옳은 것만을 〈보기〉에서 있는 대로 고른 것은? (단, 공기의 굴절률은 1이다.)

<보기>
ㄱ. A의 임계각은 60°보다 크다.
ㄴ. C의 굴절률은 A보다 크다.
ㄷ. B의 굴절률은 $\frac{2}{\sqrt{3}}$이다.

① ㄱ　　　　② ㄴ　　　　③ ㄱ, ㄷ
④ ㄴ, ㄷ　　　⑤ ㄱ, ㄴ, ㄷ

단답형
08 그림과 같이 반원형 물통에 액체를 채우고, 액체에서 공기로, 공기에서 액체로 동일한 입사각 45°로 레이저 빛을 비추었다.

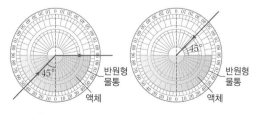

공기에서 액체로 진행하는 빛의 굴절각의 sin값을 쓰시오. (단, 공기의 굴절률은 1이다.)

B 광섬유와 광통신

09 그림은 광섬유 내에서 레이저 빛이 진행하는 모습을 나타낸 것이다. 빛은 코어와 클래딩의 경계면에서 전반사한다.

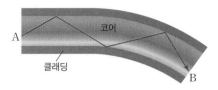

이에 대한 설명으로 옳은 것만을 〈보기〉에서 있는 대로 고른 것은?

<보기>
ㄱ. 굴절률은 코어가 클래딩보다 크다.
ㄴ. A와 B의 빛의 세기는 같다.
ㄷ. 클래딩에서 코어로 단색광을 입사시키면 입사각에 관계없이 전반사가 일어나지 않는다.

① ㄴ　　　　② ㄷ　　　　③ ㄱ, ㄴ
④ ㄱ, ㄷ　　　⑤ ㄱ, ㄴ, ㄷ

10 그림 (가)는 매질 A와 B의 경계면에 각 θ로 입사한 빛이 전반사되는 모습을, (나)는 A와 B로 만든 광섬유의 구조를 나타낸 것이다.

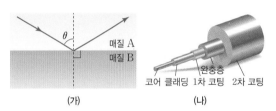

이에 대한 설명으로 옳은 것은?

① 굴절률은 A가 B보다 작다.
② (가)에서 임계각은 θ보다 크다.
③ 광통신은 설치 및 관리 비용이 적게 든다.
④ 광통신은 전기 통신에 비해 도청이 어렵다.
⑤ 광섬유에 작은 틈이 생겨도 통신이 잘 된다.

단답형
11 다음은 광통신 과정에 대한 설명이다.

송신기에서 음성이나 영상 등의 (㉠) 신호를 (㉡) 신호로 변환한다. 변환된 빛은 광섬유를 통해서 전달되고 수신기에서 (㉠) 신호를 받아 원하는 정보를 분리해 낸다.

㉠, ㉡에 들어갈 알맞은 말을 쓰시오.

01 그림은 공기에서 물체 A로 입사한 단색광이 점 p와 q를 지나 물체 B에 입사한 후 점 r에 도달하는 것을 나타낸 것이다.

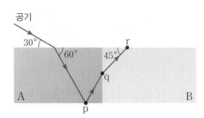

이에 대한 설명으로 옳은 것만을 〈보기〉에서 있는 대로 고른 것은? (단, 공기의 굴절률은 1이고, 공기에서 빛의 속력은 c이다.)

> 보기
> ㄱ. A에서 단색광의 속력은 $\frac{c}{\sqrt{3}}$이다.
> ㄴ. B의 굴절률은 $\frac{\sqrt{6}}{2}$이다.
> ㄷ. r에서 전반사가 일어난다.

① ㄱ   ② ㄷ   ③ ㄱ, ㄴ
④ ㄱ, ㄷ   ⑤ ㄴ, ㄷ

출제예감

02 그림 (가)는 반원형 물체의 P점에 파장이 λ인 단색광을 공기 중에서 입사각 60°로 비출 때 빛의 진행 경로를 나타낸 것이다. 그림 (나)는 물체를 거꾸로 하여 P점에 동일한 단색광을 입사각 45°로 비추는 것을 나타낸 것이다.

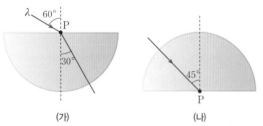

(가)   (나)

이에 대한 설명으로 옳은 것만을 〈보기〉에서 있는 대로 고른 것은? (단, 공기의 굴절률은 1이다.)

> 보기
> ㄱ. 물체의 굴절률은 $\sqrt{3}$이다.
> ㄴ. 물체 내에서 단색광의 파장은 $\sqrt{3}\lambda$이다.
> ㄷ. (나)의 P점에서 전반사가 일어난다.

① ㄱ   ② ㄴ   ③ ㄱ, ㄴ
④ ㄱ, ㄷ   ⑤ ㄴ, ㄷ

출제예감

03 표는 여러 가지 물질의 굴절률을 나타낸 것이다.

물질	공기	물	유리	다이아몬드
굴절률	1.00	1.33	1.5	2.4

빛의 전반사가 일어나는 입사각의 범위가 가장 큰 경우는?

① 공기에서 물로 진행할 때
② 물에서 공기로 진행할 때
③ 유리에서 물로 진행할 때
④ 다이아몬드에서 유리로 진행할 때
⑤ 다이아몬드에서 공기로 진행할 때

04 그림과 같이 빛이 매질 A, B의 경계면에 입사각 i로 입사하여 전반사하였다.
이에 대한 설명으로 옳은 것만을 〈보기〉에서 있는 대로 고른 것은?

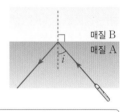

> 보기
> ㄱ. i는 임계각보다 크다.
> ㄴ. 굴절률은 A가 B보다 크다.
> ㄷ. A와 B의 위치만 서로 바꾸면 경계면에서 전반사한다.

① ㄱ   ② ㄴ   ③ ㄱ, ㄴ
④ ㄱ, ㄷ   ⑤ ㄴ, ㄷ

05 그림은 $-y$방향으로 진행하는 레이저 빛이 직각 삼각형 프리즘을 진행하는 모습을 나타낸 것이다. 레이저 빛은 직각 삼각형 프리즘과 정삼각형 프리즘을 각각 지나 공기 중으로 나온다. 두 프리즘의 임계각은 모두 42°이다.

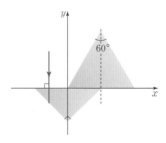

프리즘에서 처음 빠져나오는 레이저 빛이 x축과 이루는 각은? (단, 레이저 빛은 xy평면에서 진행한다.)

① 0°   ② 30°   ③ 45°
④ 60°   ⑤ 90°

06 그림 (가)는 공기 중에서 진행하던 레이저 빛이 입사각 i로 입사하여 매질 A, B를 차례로 통과한 후 굴절각 r로 다시 공기로 나오는 경로를 나타낸 것이다. x는 나란한 두 법선 사이의 거리이다. 그림 (나)는 A, B로 만든 광섬유에서 (가)의 단색광이 전반사하며 진행하는 모습을 나타낸 것이다.

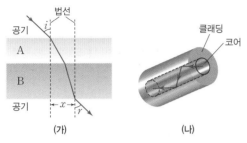

(가)   (나)

이에 대한 설명으로 옳은 것만을 〈보기〉에서 있는 대로 고른 것은?

보기
ㄱ. (가)에서 i와 r는 같다.
ㄴ. (가)에서 A의 두께를 두껍게 하고 B의 두께를 얇게 하면 x가 커진다.
ㄷ. (나)에서 코어는 A로 만든다.

① ㄴ   ② ㄷ   ③ ㄱ, ㄴ
④ ㄱ, ㄷ   ⑤ ㄱ, ㄴ, ㄷ

07 그림은 단색광이 매질 1과 코어의 경계면에 입사각 i_0으로 입사하여 2번 굴절한 후 클래딩을 지나는 모습을 나타낸 것이다.

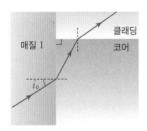

이에 대한 설명으로 옳은 것만을 〈보기〉에서 있는 대로 고른 것은?

보기
ㄱ. 단색광의 속력은 매질 1에서가 코어에서보다 크다.
ㄴ. 굴절률은 매질 1이 클래딩보다 크다.
ㄷ. 코어와 클래딩의 경계면에서 전반사가 일어나려면 단색광의 입사각을 i_0보다 크게 해야 한다.

① ㄱ   ② ㄴ   ③ ㄷ
④ ㄱ, ㄷ   ⑤ ㄴ, ㄷ

08 다음은 내리는 비의 양에 따라 와이퍼의 속력을 자동으로 조절하는 기술에 대한 설명이다.

맑은 날에 발광 다이오드(LED)에서 나온 빛은 유리창에서 (㉠)되어 모두 광센서로 들어가지만, 유리창에 빗방울이 닿으면 일부 빛이 빗방울을 통해 외부로 (㉡)되어 나가기 때문에 광센서에 도달하는 빛의 양이 줄어들게 된다. 이로부터 비의 양을 판단해 와이퍼의 속력을 조절한다.

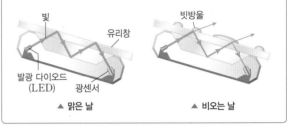

▲ 맑은 날   ▲ 비오는 날

㉠, ㉡에 들어갈 알맞은 말을 쓰시오.

09 그림 (가)는 다이아몬드를 위에서 본 모습이고, (나)는 다이아몬드에 빛이 진행하는 경로를 나타낸 것이다.

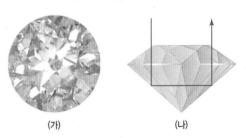

(가)   (나)

다이아몬드는 빛에 대한 굴절률이 가장 커서 어느 방향에서 보아도 반짝여 보이는데, 그 까닭을 서술하시오.

구형 매질에서 빛의 굴절 알기

📕 대표 유형

그림 (가)와 같이 단색광 A가 매질 I에서 구형의 매질 II로 입사해 다시 I로 나온다. 그림 (나)는 (가)에서 I, II를 서로 바꾸었을 때, A가 II에서 I로 입사하는 것을 나타낸 것이다. (가), (나)에서 A가 각각 II, I로 입사할 때 입사각은 θ로 같다.

구형의 매질에서 빛의 진행 경로와 두 법선이 이루는 삼각형은 두 변의 길이가 구의 반지름인 이등변 삼각형이다. 따라서 II에서 I로 진행할 때 굴절각도 θ이다. 또 $\theta < r$이다.

(나)에서는 (가)와 반대로 II에서 I로 진행하므로 $\theta > r'$이다. 하지만 (가)에서처럼 구형의 매질에서 빛의 진행 경로와 두 법선이 이루는 삼각형은 두 변의 길이가 구의 반지름인 이등변 삼각형이므로 II에서 I로 진행할 때 굴절각도 θ이다.

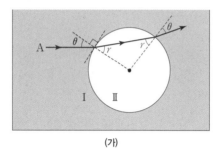

(가)

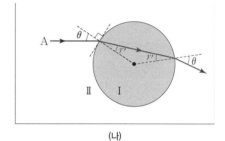

(나)

이에 대한 설명으로 옳은 것만을 ⟨보기⟩에서 있는 대로 고른 것은?

> 보기
> ㄱ. A의 속력은 I에서가 II에서보다 작다.
> (가)에서 굴절각이 입사각보다 크므로 굴절률은 I이 II보다 크다. 따라서 A의 속력은 I에서가 II에서보다 작다.
>
> ✗ ㄴ. A의 파장은 I에서가 II에서보다 길다.
> 파장은 속력이 빠를수록 길어진다. 따라서 A의 파장은 I에서가 II에서보다 짧다.
>
> ㄷ. A가 구형의 매질에서 나올 때 굴절각은 (가)에서와 (나)에서가 같다.
> 구에 들어온 빛이 구에서 나갈 때의 입사각은 들어올 때의 굴절각과 같다. 따라서 구에서 나갈 때의 굴절각은 입사각과 같다. (가)와 (나)에서 입사각이 θ로 같으므로 A가 구에서 나올 때의 굴절각도 θ로 같다.

① ㄱ   ② ㄴ   ❸ ㄱ, ㄷ   ④ ㄴ, ㄷ   ⑤ ㄱ, ㄴ, ㄷ

⌐ 그림에서 굴절 특성 비교하기

| (가)에서 단색광이 II에서 I로 진행할 때 법선을 구의 중심을 지나도록 그린다. | ⋙ | 이등변 삼각형은 두 변의 길이가 같고 두 내각이 서로 같음을 통해 단색광이 II에서 I로 진행할 때 굴절각이 θ임을 안다. | ⋙ | (나)에서 단색광이 I에서 진행하는 경로를 그리고 I에서 II로 진행할 때 법선을 구의 중심을 지나도록 그린다. | ⋙ | (나)에서도 이등변 삼각형을 통해 단색광이 I에서 II로 진행할 때 굴절각이 θ임을 안다. |

추가 선택지

· A의 주기는 I에서가 II에서보다 작다.   (×)

⋯→ 빛이 두 매질의 경계에서 굴절하더라도 두 매질에서의 빛의 주기와 진동수는 항상 같다.

· 매질의 굴절률은 I이 II보다 크다.   (○)

⋯→ I에서 II로 진행할 때 굴절각이 입사각보다 크므로 굴절률은 I이 II보다 크다.

· (가)의 I에서 II로 단색광이 진행할 때 굴절각의 sin값에 대한 입사각의 sin값의 비와 (나)의 I에서 II로 단색광이 진행할 때 굴절각의 sin값에 대한 입사각의 sin값의 비는 같다.   (○)

⋯→ (가)와 (나)에서 I에 대한 II의 굴절률은 같으므로 굴절각의 sin값에 대한 입사각의 sin값의 비도 같다.

실전! 수능 도전하기

수능 기출

01 그림 (가)는 진행하는 두 파동 A와 B의 어느 한 점의 변위를 시간에 따라 나타낸 것이고, (나)는 어느 순간에 A와 B 중 하나의 변위를 위치에 따라 나타낸 것이다. 진행 속력은 A가 B의 2배이다.

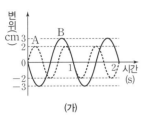 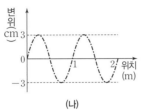

이에 대한 설명으로 옳은 것만을 〈보기〉에서 있는 대로 고른 것은?

보기
ㄱ. 진동수는 A가 B의 2배이다.
ㄴ. B의 파장은 1 m이다.
ㄷ. A의 진행 속력은 2 m/s이다.

① ㄱ   ② ㄴ   ③ ㄱ, ㄷ

④ ㄴ, ㄷ   ⑤ ㄱ, ㄴ, ㄷ

02 그림은 수평면에 놓인 용수철을 0.5초의 일정한 주기로 진동시켜 파동을 발생시켰을 때 오른쪽으로 진행하는 파동의 어느 순간의 모습의 일부를 나타낸 것이다. 용수철의 진동 방향과 파동의 진행 방향은 나란하다.

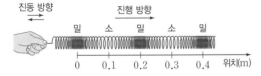

이 파동에 대한 설명으로 옳은 것만을 〈보기〉에서 있는 대로 고른 것은?

보기
ㄱ. 매질의 진동 방향과 파동의 진행 방향에 따른 파동의 종류는 음파와 같다.
ㄴ. 파장은 0.1 m이다.
ㄷ. 진행 속력은 0.2 m/s 이다.

① ㄱ   ② ㄴ   ③ ㄱ, ㄷ

④ ㄴ, ㄷ   ⑤ ㄱ, ㄴ, ㄷ

03 그림 (가)는 매질 I에서 진행하는 파동 A의 파면을, (나)는 A가 매질 I, II의 경계면에서 반사된 파동 B와 경계면을 투과한 파동 C의 파면을 모식적으로 나타낸 것이다. λ_1, λ_2는 각각 B, C에서 이웃한 파면 사이의 거리이다.

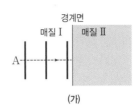 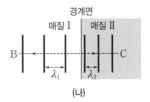

이에 대한 설명으로 옳은 것만을 〈보기〉에서 있는 대로 고른 것은?

보기
ㄱ. A의 파장은 λ_1이다.
ㄴ. I에 대한 II의 굴절률은 $\dfrac{\lambda_2}{\lambda_1}$이다.
ㄷ. 진동수는 B가 C보다 작다.

① ㄱ   ② ㄷ   ③ ㄱ, ㄴ

④ ㄴ, ㄷ   ⑤ ㄱ, ㄴ, ㄷ

04 그림은 깊은 물에서 얕은 물로 진행하는 물결파의 파면을 나타낸 것이다.

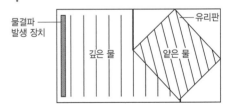

이에 대한 설명으로 옳은 것은?

① 굴절각이 입사각보다 크다.
② 얕은 물에서 물결파의 주기는 길어진다.
③ 입사각을 증가시키면 상대 굴절률은 증가한다.
④ 물결파의 속력은 얕은 물에서가 깊은 물에서보다 빠르다.
⑤ 깊은 물에 대한 얕은 물의 상대 굴절률은 1보다 크다.

05 그림 (가), (나)와 같이 진동수가 같은 단색광이 동일한 프리즘에 수직으로 입사한 후 각각 경계면에서 매질 A와 B로 진행하고 있다.

 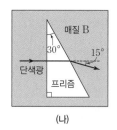

(가)   (나)

이에 대한 설명으로 옳은 것만을 〈보기〉에서 있는 대로 고른 것은?

보기
ㄱ. (가)에서 단색광의 속력은 프리즘에서가 A에서보다 작다.
ㄴ. (나)에서 단색광의 파장은 B에서가 프리즘에서의 $\sqrt{2}$배이다.
ㄷ. A에 대한 B의 굴절률은 $\sqrt{\dfrac{3}{2}}$이다.

① ㄱ   ② ㄴ   ③ ㄱ, ㄷ
④ ㄴ, ㄷ   ⑤ ㄱ, ㄴ, ㄷ

06 그림 (가)는 원형 물통에 물을 반만 채우고 단색광 A, B를 물통의 중심을 향해 입사시키는 모습을, (나)는 (가)에서 A, B의 진행 경로를 나타낸 것이다. 물통의 중심 O에서 A는 전반사하고, B는 일부만 반사하고 일부는 굴절한다.

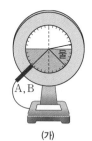 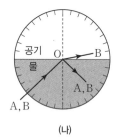

(가)   (나)

이에 대한 설명으로 옳은 것만을 〈보기〉에서 있는 대로 고른 것은?

보기
ㄱ. O에서 B의 입사각은 굴절각보다 작다.
ㄴ. B의 진동수는 공기 중보다 물속에서 작다.
ㄷ. 공기와 물의 경계면에서 임계각은 A가 B보다 크다.

① ㄱ   ② ㄷ   ③ ㄱ, ㄴ
④ ㄱ, ㄷ   ⑤ ㄴ, ㄷ

07 그림은 물이 담겨 있는 컵 속에 빨대가 꺾여 보이는 것을 나타낸 것이다. 빨대가 꺾여 보이도록 하는 원리에 의해 설명할 수 있는 현상만을 〈보기〉에서 있는 대로 고른 것은?

보기
ㄱ. 더운 날씨에 사막에 나타나는 신기루
ㄴ. 비온 뒤에 나타나는 무지개
ㄷ. 거울에 비치는 사람의 모습

① ㄱ   ② ㄴ   ③ ㄷ
④ ㄱ, ㄴ   ⑤ ㄴ, ㄷ

08 그림 (가)는 단색광을 내는 점광원이 수평면에 놓인 지름 2 cm, 높이 1 cm인 투명한 플라스틱 원기둥의 아랫면 중앙에 고정되어 있는 것을 나타낸 것이다. 플라스틱 원기둥 옆면에서 단색광은 반사되거나 투과되지 않으며, 단색광이 플라스틱에서 공기로 입사할 때 임계각은 40°이다. 그림 (나)는 (가)에서 점광원을 지나는 연직 단면을 나타낸 것이다. 점광원과 스크린 상의 점 P를 잇는 직선과 연직선 사이의 각도는 60°이다.

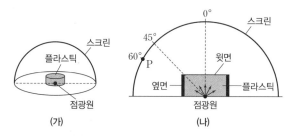

(가)   (나)

이에 대한 설명으로 옳은 것만을 〈보기〉에서 있는 대로 고른 것은? (단, 수평면으로부터 P의 높이는 1 cm보다 크고, 공기의 굴절률은 1이다.)

보기
ㄱ. 플라스틱의 굴절률은 $\dfrac{1}{\sin 40°}$이다.
ㄴ. 점광원에서 연직선에 대해 42°의 각을 이루며 나온 광선은 스크린에 도달할 수 없다.
ㄷ. P에 도달하는 단색광은 없다.

① ㄴ   ② ㄷ   ③ ㄱ, ㄴ
④ ㄱ, ㄷ   ⑤ ㄱ, ㄴ, ㄷ

09 그림 (가)와 같이 단색광이 물질 A와 B의 경계면에 입사한 후 일부는 굴절하여 B로 진행하고, 일부는 반사하여 물질 C를 향해 진행하다 A와 C의 경계면에서 전반사하였다. 그림 (나)는 A, B로 만든 광섬유에서 (가)의 단색광이 전반사하며 진행하는 모습을 나타낸 것이다.

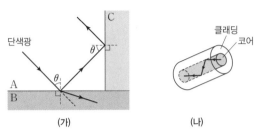

(가)   (나)

이에 대한 설명으로 옳은 것만을 〈보기〉에서 있는 대로 고른 것은?

보기
ㄱ. A와 C 사이의 임계각은 θ보다 크다.
ㄴ. 굴절률은 B가 C보다 크다.
ㄷ. (나)에서 코어는 B로 만들어졌다.

① ㄱ   ② ㄴ   ③ ㄱ, ㄷ
④ ㄴ, ㄷ   ⑤ ㄱ, ㄴ, ㄷ

10 그림은 광섬유에서 단색광이 공기와 코어의 경계면에서 각 i로 입사하여 코어 내에서 전반사하며 진행하는 것을 나타낸 것이다. 코어와 클래딩의 굴절률은 각각 n_1, n_2이며, 코어와 클래딩 사이에서 전반사가 일어나는 i의 최댓값은 i_m이다.

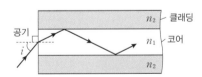

이에 대한 설명으로 옳은 것만을 〈보기〉에서 있는 대로 고른 것은?

보기
ㄱ. $n_1 > n_2$이다.
ㄴ. 단색광의 속력은 공기에서가 코어에서보다 크다.
ㄷ. n_2를 작게 하면 i_m은 작아진다.

① ㄱ   ② ㄷ   ③ ㄱ, ㄴ
④ ㄴ, ㄷ   ⑤ ㄱ, ㄴ, ㄷ

11 그림은 광통신 과정을 간략히 나타낸 것이다.

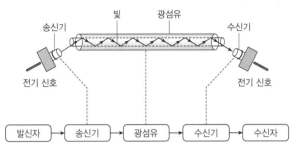

이에 대한 설명으로 옳은 것만을 〈보기〉에서 있는 대로 고른 것은?

보기
ㄱ. 송신기는 전기 에너지를 빛에너지로 전환한다.
ㄴ. 수신기는 빛 신호를 전기 신호로 바꾼다.
ㄷ. 에너지 손실이 적어 먼 거리를 보내더라도 전기 통신에 비해 강도가 크게 떨어지지 않는다.

① ㄴ   ② ㄷ   ③ ㄱ, ㄴ
④ ㄱ, ㄷ   ⑤ ㄱ, ㄴ, ㄷ

수능 기출

12 그림은 철수가 컴퓨터를 이용하여 스피커를 통해 인터넷 방송을 듣는 모습을 나타낸 것이다. 컴퓨터는 무선 공유기와 광섬유를 통해 인터넷 방송국에 연결되어 있다.

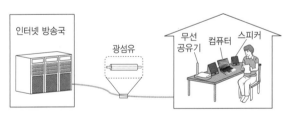

이에 대한 설명으로 옳은 것만을 〈보기〉에서 있는 대로 고른 것은?

보기
ㄱ. 스피커는 전기 신호를 소리로 전환한다.
ㄴ. 광섬유는 빛의 전반사 현상을 이용하여 신호를 전달한다.
ㄷ. 컴퓨터와 무선 공유기 사이의 통신에는 초음파가 이용된다.

① ㄴ   ② ㄷ   ③ ㄱ, ㄴ
④ ㄱ, ㄷ   ⑤ ㄱ, ㄴ, ㄷ

03 ᜵ 전자기파의 분류와 이용

핵심 키워드로 흐름잡기

A 전자기파, 전자기파의 속력

B 감마(γ)선, X선, 자외선, 가시광선, 적외선, 마이크로파, 라디오파

❶ 전기장과 자기장의 세기

전기장이 최대일 때 자기장도 최대이며, 전기장이 0일 때 자기장도 0이다.

❷ 전자기파의 속력

전자기파는 진공에서 빛의 속력으로 속력이 가장 빠르고, 진공이 아닌 매질을 통과할 때는 진공에 비해 속력이 느려진다. 이때 진동수는 변하지 않고 파장이 속력에 비례하여 감소한다.

❓ 전자기파는 파장에 따라 정확하게 구분할 수 있을까?

전자기파는 파장에 따라 정확하게 그 종류를 구분할 수 없다. 전자기파 스펙트럼에서 전자기파의 그룹은 겹치기도 한다. 예를 들어 진동수가 3×10^{17} Hz인 전자기파는 자외선 또는 X선이 될 수 있다.

🐱 용어 알기

●자외선(자줏빛 紫, 바깥 外, 실 線) 자주색 바깥의 빛

●가시광선(옳을 可, 볼 視 빛 光, 실 線) 눈에 보이는 빛

●적외선(붉을 赤, 바깥 外, 실 線) 붉은 색 바깥의 빛

A 전자기파의 성질

|출·제·단·서| 전자기파가 진행할 때 진행 방향과 전기장, 자기장이 이루는 각이나 속력, 파장, 진동수의 관계를 묻는 문제가 시험에 나와!

1. 전자기파 전기장과 자기장이 각각 시간에 따라 세기가 변하면서 공간으로 퍼져 나가는 파동❶

전자기파는 전하를 띤 입자의 진동으로 발생한다.

전기장의 진동 방향 / 마루 / 파장(λ) / 마루 / 전기장과 자기장의 진동면은 직각을 이룬다. / 자기장의 진동면 / 전기장의 진동면

자기장의 진동 방향 / 전자기파의 진행 방향

[전기장] 양(+)전하 또는 음(−)전하 주위에 전기력이 작용하는 공간

[자기장] 자석 주위에 자기력이 작용하는 공간

2. 전자기파의 성질

(1) **전자기파의 진행** 전기장과 자기장이 서로 수직을 이루며 전기장과 자기장의 방향에 대해 수직인 방향으로 진행한다. 전자기파는 횡파이며, 에너지를 전달한다.

(2) **전자기파의 매질** 전기장과 자기장이 서로 유도하며 진행하므로 매질이 없는 공간에서도 진행한다.

(3) **전자기파의 속력❷** 진공 중에서의 속력은 파장에 관계없이 약 3×10^8 m/s(광속)로 일정하고, 진행하는 매질의 굴절률에 반비례한다. 전자기파의 속력이 일정할 때 진동수와 파장은 서로 반비례한다.

$$\text{속력} = \text{진동수} \times \text{파장}, \ c = f\lambda$$

(4) **전자기파의 에너지** 전자기파의 진동수가 클수록 에너지가 크다.

B 전자기파의 분류와 이용

|출·제·단·서| 전자기파를 파장별로 분류하고, 각 전자기파의 이용 사례가 시험에 나와!

1. 전자기파의 분류 전자기파는 진공에서의 파장(또는 진동수)에 따라 성질이 다르다. 파장이 짧은 영역부터 감마(γ)선, X선, 자외선, 가시광선, 적외선, 마이크로파, 라디오파로 구분한다. └─ 마이크로파와 라디오파를 합쳐 전파라고도 한다.

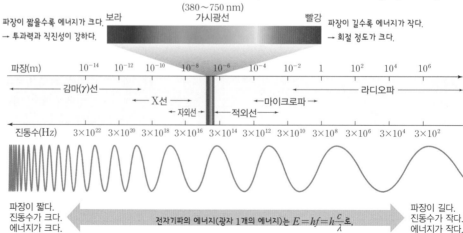

파장이 짧을수록 에너지가 크다. → 투과력과 직진성이 강하다.

보라 (380~750 nm) 가시광선 빨강

파장이 길수록 에너지가 작다. → 회절 정도가 크다.

파장(m): 10^{-14} 10^{-12} 10^{-10} 10^{-8} 10^{-6} 10^{-4} 10^{-2} 1 10^2 10^4 10^6

감마(γ)선 / X선 / 자외선 / 적외선 / 마이크로파 / 라디오파

진동수(Hz): 3×10^{22} 3×10^{20} 3×10^{18} 3×10^{16} 3×10^{14} 3×10^{12} 3×10^{10} 3×10^8 3×10^6 3×10^4 3×10^2

파장이 짧다. 진동수가 크다. 에너지가 크다.

전자기파의 에너지(광자 1개의 에너지)는 $E = hf = h\dfrac{c}{\lambda}$로, 진동수가 클수록, 즉 파장이 짧을수록 에너지가 크다.

파장이 길다. 진동수가 작다. 에너지가 작다.

2. 전자기파의 이용❸ 개념 POOL   전자기파는 파장에 따라서 다른 특성을 가지므로 이용 분야가 다르다.

종류	특성	이용
감마(γ)선	• 원자핵이 붕괴할 때 발생하는 가장 짧은 파장의 빛이다. • 에너지가 커서 투과력이 매우 강하다.	방사선 치료, 비파괴 검사 등
X선	• 사람의 몸이나 건물 벽을 투과할 정도로 투과력이 강해 인체나 물질 내부를 관찰할 수 있다.	X선 사진, CT 사진, 수하물 검사, 건물 비파괴 검사 등
자외선❹	• 화학 작용이 강하고, 피부 속에서 비타민 D를 합성한다. 살균 작용을 하며 피부를 그을리게 한다. • 형광 물질을 자극하여 가시광선을 방출한다.	• 살균 및 소독기, 위조지폐 감별기 등
가시광선	• 사람이 눈으로 인식할 수 있는 전자기파이다. • 사람 눈에 파장에 따라 다른 색으로 보인다.	조명이나 디스플레이 등
적외선	• 강한 열작용을 하여 열선으로도 불린다.	적외선 온도계, 적외선 열화상 카메라, 광통신, 리모컨 등
마이크로파	• 직진성이 강해 위성 통신에 사용된다. • 물을 진동시켜 열을 발생시킨다.	레이더, 휴대 전화의 데이터 통신, 전자레인지 등
라디오파	• 파장이 커서 회절❺이 잘 일어나 장애물이 있어도 정보를 잘 전달할 수 있다. • 전리층에서 반사할 수 있다.	TV, 라디오 등

빈출 탐구 전자기파의 이용과 특성 알아보기

일상생활에서 전자기파가 쓰이는 예를 알아보고, 각 전자기파의 특성을 알 수 있다.

탐구 Ⅰ

과정
리모컨으로 TV를 켜서 리모컨이 정상적으로 작동하는지 확인한 후, 리모컨을 눌렀을 때 발신 부위를 눈과 디지털카메라로 관찰한다.

결과
눈으로 관찰할 때는 빛이 보이지 않았으나 디지털카메라로 관찰하면 빛이 관찰된다.

정리
리모컨에서 방출되는 빛은 가시광선이 아니라 적외선이다.

디지털카메라는 사람의 눈으로 볼 수 없는 적외선의 일부분까지 감지한다.

탐구 Ⅱ

과정
표는 일상생활에서 전자기파를 이용하는 장치들을 사용하는 전자기파의 종류에 따라 분류한 것이다. 이 장치에 사용하는 전자기파의 종류와 특성을 조사하여 결과를 기록한다.

(가)	열 치료기, 귀 온도계, 열화상 카메라
(나)	칫솔 살균기, 식기 소독기
(다)	전구, 레이저 포인터, 텔레비전
(라)	블루투스 이어폰, 와이파이 공유기, 무선 카드 결제기

결과

구분	(가)	(나)	(다)	(라)
전자기파의 종류	적외선	자외선	가시광선	마이크로파
전자기파의 특성	강한 열작용을 하여 열선으로도 불린다.	살균 작용을 하며 피부를 태운다.	사람이 눈으로 인식할 수 있는 전자기파이다.	직진성이 강해 정보를 주고받을 때 사용된다.

---

❸ 전자기파의 이용
전자기파는 파장이 짧을수록 직진성이 강하며, 파장이 길수록 매질 속에서 멀리 전파된다. 따라서 이러한 특성을 이용하여 전자기파를 이용한다.

❹ 자외선 관찰하기
주위를 어둡게 하고 자외선 등을 켜고 지폐, 형광펜으로 그린 그림, 형광 물질이 들어 있는 광물 등에 비추면 형광 물질은 자외선을 흡수한 후 가시광선을 방출한다.

❺ 회절
파동이 장애물을 만났을 때 모서리에서 휘어져 장애물 뒤쪽으로 퍼져 나가거나 틈을 통과하여 양쪽으로 퍼져 나가는 현상이다. 파장이 길수록, 틈이 좁을수록 회절이 잘 발생한다.

용어 알기

● 살균(죽일 殺, 세균 菌) 세균 따위의 미생물을 죽임.

전자기파의 이용

목표 전자기파의 종류에 따른 파장을 비교하고 이용 사례를 말할 수 있다.

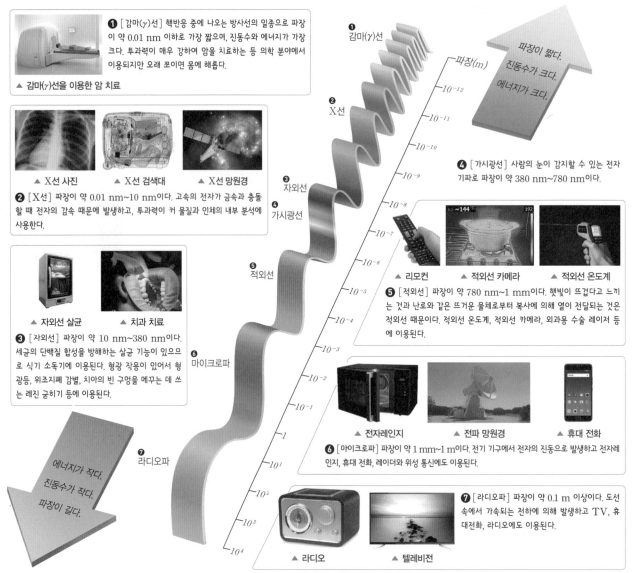

❶ [감마(γ)선] 핵반응 중에 나오는 방사선의 일종으로 파장이 약 0.01 nm 이하로 가장 짧으며, 진동수와 에너지가 가장 크다. 투과력이 매우 강하여 암을 치료하는 등 의학 분야에서 이용되지만 오래 쪼이면 몸에 해롭다.

▲ 감마(γ)선을 이용한 암 치료

❷ [X선] 파장이 약 0.01 nm~10 nm이다. 고속의 전자가 금속과 충돌할 때 전자의 감속 때문에 발생하고, 투과력이 커 물질과 인체의 내부 분석에 사용한다.

▲ X선 사진   ▲ X선 검색대   ▲ X선 망원경

❸ [자외선] 파장이 약 10 nm~380 nm이다. 세균의 단백질 합성을 방해하는 살균 기능이 있으므로 식기 소독기에 이용된다. 형광 작용이 있어서 형광등, 위조지폐 감별, 치아의 빈 구멍을 메꾸는 데 쓰는 레진 굳히기 등에 이용된다.

▲ 자외선 살균   ▲ 치과 치료

❹ [가시광선] 사람의 눈이 감지할 수 있는 전자기파로 파장이 약 380 nm~780 nm이다.

❺ [적외선] 파장이 약 780 nm~1 mm이다. 햇빛이 뜨겁다고 느끼는 것과 난로와 같은 뜨거운 물체로부터 복사에 의해 열이 전달되는 것은 적외선 때문이다. 적외선 온도계, 적외선 카메라, 외과용 수술 레이저 등에 이용된다.

▲ 리모컨   ▲ 적외선 카메라   ▲ 적외선 온도계

❻ [마이크로파] 파장이 약 1 mm~1 m이다. 전기 기구에서 전자의 진동으로 발생하고 전자레인지, 휴대 전화, 레이더와 위성 통신에도 이용된다.

▲ 전자레인지   ▲ 전파 망원경   ▲ 휴대 전화

❼ [라디오파] 파장이 약 0.1 m 이상이다. 도선 속에서 가속되는 전하에 의해 발생하고 TV, 휴대전화, 라디오에도 이용된다.

▲ 라디오   ▲ 텔레비전

파장이 짧다. 진동수가 크다. 에너지가 크다.

에너지가 작다. 진동수가 작다. 파장이 길다.

한·줄·핵심 전자기파를 파장이 긴 순서대로 나열하면 라디오파, 마이크로파, 적외선, 가시광선, 자외선, X선, 감마(γ)선 순이고, 진동수가 큰 순서대로 나열하면 파장이 긴 순서의 역순이다.

확인 문제

정답과 해설 **79**쪽

01 그림은 전자기파를 파장에 따라 나타낸 것이다.

A~C에 해당하는 전자기파의 명칭을 각각 쓰시오.

02 전자기파에 대한 설명으로 옳은 것은 ○, 옳지 <u>않은</u> 것은 ×로 표시하시오.

(1) X선은 위성통신에 이용한다. (   )

(2) 자외선은 전파보다 진동수가 크다. (   )

(3) 매질이 직접 이동하여 에너지를 전달한다. (   )

(4) 전기장과 자기장이 나란하게 진동하면서 전자기파가 진행한다. (   )

콕콕! 개념 확인하기

정답과 해설 79쪽

✔ 잠깐 확인!

1. ☐☐☐☐
전기장과 자기장이 각각 시간에 따라 세기가 변하면서 공간으로 퍼져 나가는 파동

2. 전자기파는 전기장이 최대일 때 ☐☐☐도 최대이다. 또한, 전기장이 0일 때 ☐☐☐도 0이다.

3. 전자기파는 ☐☐이 없어도 전달되며, 동일한 매질 안에서 ☐☐은 일정하다.

4. 전자기파의 속력은 진공에서 빛의 속력으로 속력이 가장 ☐☐고, 진공이 아닌 매질을 통과할 때는 진공에서에 비해 속력이 ☐☐진다.

5. X선보다 파장이 짧은 전자기파는 ☐☐☐이다.

6. 형광 물질에 ☐☐☐을 비추면 이를 흡수하여 ☐☐☐☐을 방출하므로 위조지폐 감별기에 사용된다.

7. 마이크로파는 적외선보다 파장이 ☐고, 진동수가 ☐다.

A 전자기파의 성질

01 전자기파에 대한 설명으로 옳은 것은 ○, 옳지 않은 것은 ×로 표시하시오.

(1) 전기장과 자기장이 각각 시간에 따라 세기가 변하면서 공간으로 퍼져 나가는 파동을 전자기파라고 한다. ( )

(2) 전자기파는 종파이며, 에너지를 전달한다. ( )

(3) 전자기파는 매질이 없는 공간에서는 진행하지 못한다. ( )

(4) 전자기파의 진동수가 클수록 에너지가 크다. ( )

02 진공에서 전자기파의 속력은 몇 m/s인지 쓰시오.

03 다음에 주어진 전자기파를 파장이 긴 순서대로 나열하시오.

> 적외선, 라디오파, X선, 마이크로파, 자외선, 가시광선, 감마(γ)선

B 전자기파의 분류와 이용

04 다음의 전자기파와 그 이용 분야를 옳게 연결하시오.

(1) 감마(γ)선 •   • ㉠ 살균 소독기

(2) 라디오파 •   • ㉡ 방사선 치료, 비파괴 검사

(3) 자외선 •   • ㉢ 리모컨

(4) 가시광선 •   • ㉣ 조명이나 디스플레이

(5) 적외선 •   • ㉤ TV, 휴대 전화

05 다음에서 설명하는 전자기파의 종류를 쓰시오.

> • 파장이 약 1 mm~1 m이다.
> • 직진성이 강해 위성 통신에 사용된다.
> • 휴대 전화, 전자레인지 등에 사용된다.

A 전자기파의 성질

01 전자기파에 대한 설명으로 옳은 것만을 〈보기〉에서 있는 대로 고른 것은?

보기
ㄱ. 전자기파는 전기장과 자기장이 서로 진동하여 진행하는 파동이다.
ㄴ. 전기장의 진동 방향과 전자기파의 진행 방향이 서로 나란하다.
ㄷ. 에너지를 전달할 수 있다.

① ㄱ　　　　② ㄴ　　　　③ ㄷ
④ ㄱ, ㄷ　　　⑤ ㄴ, ㄷ

02 그림은 진공 중에서 전기장과 자기장이 진동하며 $+z$ 방향으로 진행하는 전자기파를 나타낸 것이다. p와 q는 전기장의 세기가 최대인 지점이고, p와 q 사이의 거리는 a이다.

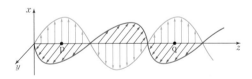

이에 대한 설명으로 옳은 것만을 〈보기〉에서 있는 대로 고른 것은? (단, 빛의 속력은 c이다.)

보기
ㄱ. 자기장의 진동 방향은 전자기파의 진행 방향과 수직이다.
ㄴ. 전자기파의 파장은 a이다.
ㄷ. 전자기파의 진동수는 $\dfrac{c}{a}$이다.

① ㄱ　　　　② ㄴ　　　　③ ㄷ
④ ㄱ, ㄷ　　　⑤ ㄱ, ㄴ, ㄷ

03 다음은 지학이가 어떤 파동에 대해 조사한 내용의 일부이다.

- (가) 는 시간에 따라 변하는 전기장과 자기장이 서로 유도되는 횡파이다.
- (가) 의 (나) 은 진공에서 항상 일정한 값을 가지며, 진공에서 물속으로 진행할 때 (나) 이 작아진다.

(가)와 (나)에 들어갈 말을 옳게 짝 지은 것은?

	(가)	(나)
①	음파	진동수
②	초음파	속력
③	초음파	진동수
④	전자기파	속력
⑤	전자기파	진동수

단답형
04 진공에서 파장이 각각 λ, 2λ인 전자기파 A, B의 진동수를 각각 f_A, f_B라고 할 때 f_A, f_B를 각각 쓰시오. (단, 진공에서 빛의 속력은 c이다.)

B 전자기파의 분류와 이용

05 그림은 전자기파 A에 대해 설명하는 모습을 나타낸 것이다.

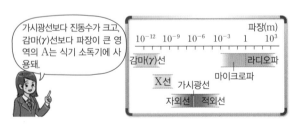

가시광선보다 진동수가 크고, 감마(γ)선보다 파장이 큰 영역의 A는 식기 소독기에 사용돼.

A로 옳은 것은?

① X선　　　② 자외선　　　③ 적외선
④ 라디오파　　　⑤ 마이크로파

06 그림은 전자기파를 진동수에 따라 분류한 것을 나타낸 것이다.

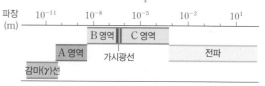

이에 대한 설명으로 옳은 것만을 〈보기〉에서 있는 대로 고른 것은? (단, 빛의 속력은 c이다.)

보기
ㄱ. 전자기파의 진행 방향은 전기장과 자기장의 진동 방향에 모두 나란하다.
ㄴ. A 영역의 전자기파의 파장은 B 영역의 전자기파의 파장보다 짧다.
ㄷ. 의료 장비에 사용되는 X선은 C 영역에 속한다.

① ㄱ   ② ㄷ   ③ ㄱ, ㄴ
④ ㄴ, ㄷ   ⑤ ㄱ, ㄴ, ㄷ

07 다음은 파동 A~C가 일상생활에 이용되는 예이다.

식기를 소독하는 데 사용하는 A   공항 수하물 내부를 검색하는 B   신체의 온도를 측정하는 C

A~C를 진동수가 큰 순서대로 옳게 나열한 것은?

① A−B−C   ② A−C−B   ③ B−A−C
④ B−C−A   ⑤ C−A−B

단답형
08 다음은 전자기파의 종류에 따른 이용을 나타낸 것이다. (가)~(다)에 해당하는 전자기파의 종류를 쓰시오.

종류	(가)	(나)	(다)
이용	텔레비전과 같은 디스플레이나 조명에 쓰인다.	온도를 재거나 열을 발생시켜 치료하는 용도로 사용된다.	살균 작용을 하므로, 식기 소독기나 칫솔 살균에 쓰인다.

09 다음은 전자기파에 대해 조사한 내용이다.

파장에 따른 전자기파의 분류는 다음과 같다.

[전자기파 P의 이용]
고속의 전자를 텅스텐과 같은 금속에 충돌시킬 때 갑자기 감소하는 전자가 발생시키는 전자기파로, 투과력이 강해 물질의 내부 구조를 조사하거나 인체의 결핵 검사에 이용하거나 뼈의 영상을 얻는 등의 의료 진단에 이용된다.

이에 대한 설명으로 옳은 것만을 〈보기〉에서 있는 대로 고른 것은?

보기
ㄱ. P는 A 영역의 전자기파이다.
ㄴ. 진동수는 B 영역의 전자기파가 전파보다 크다.
ㄷ. 열화상 카메라에 이용되는 것은 C 영역의 전자기파이다.

① ㄱ   ② ㄴ   ③ ㄱ, ㄷ
④ ㄴ, ㄷ   ⑤ ㄱ, ㄴ, ㄷ

10 그림은 음식을 가열할 때 이용되는 마이크로파에 대해 세 사람 A, B, C가 대화하는 것을 나타낸 것이다.

옳게 말한 사람만을 있는 대로 고른 것은?

① A   ② B   ③ A, B
④ A, C   ⑤ B, C

01 그림은 어느 순간에 진공 중에서 진행하는 전자기파의 전기장 E와 자기장 B를 나타낸 것이다. E는 xz평면과 나란하다.

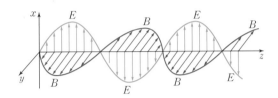

이에 대한 설명으로 옳은 것만을 〈보기〉에서 있는 대로 고른 것은?

보기
- ㄱ. B는 yz평면과 나란하다.
- ㄴ. 이 전자기파의 진행 방향은 z축과 나란하다.
- ㄷ. 이 전자기파가 공기 중에서 물로 진행하면 $+x$방향의 이웃한 E의 최대값 사이의 거리가 짧아진다.

① ㄱ   ② ㄷ   ③ ㄱ, ㄴ
④ ㄴ, ㄷ   ⑤ ㄱ, ㄴ, ㄷ

02 그림 (가)는 전자기파가 공간에서 전파되는 모습을 모식적으로 나타낸 것이다. 그림 (나)는 그림 (가)의 P점에서 시간 0부터 $2t_0$까지 시간에 따른 전기장을 나타낸 것이다.

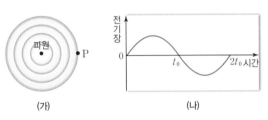

(가)   (나)

P점에서 0부터 $2t_0$까지 시간에 따른 자기장을 가장 적절하게 나타낸 그래프는?

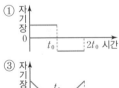
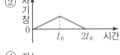
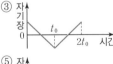
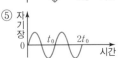
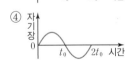

03 그림은 자외선, 마이크로파, 감마(γ)선을 특성에 따라 분류하는 과정을 나타낸 것이다. A, B, C는 각각 자외선, 마이크로파, 감마(γ)선 중 하나이다.

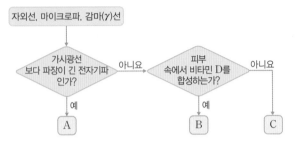

이에 대한 설명으로 옳은 것만을 〈보기〉에서 있는 대로 고른 것은?

보기
- ㄱ. A는 사람의 뼈 사진 촬영에 사용된다.
- ㄴ. B는 치과 치료에서 치아 레진을 굳히는 데 사용된다.
- ㄷ. C는 감마(γ)선이다.

① ㄱ   ② ㄴ   ③ ㄱ, ㄴ
④ ㄱ, ㄷ   ⑤ ㄴ, ㄷ

출제예감
04 그림은 전자기파 A, B, C를 이용하는 상황을 설명한 것이다.

| 음식을 데우는 데 이용되는 A | 휴대 전화와 무선 스피커 사이에서 송수신하는 B | 의료 기구를 소독하는 C |

이에 대한 설명으로 옳은 것만을 〈보기〉에서 있는 대로 고른 것은?

보기
- ㄱ. A는 C보다 진동수가 크다.
- ㄴ. B는 전리층에서 반사된다.
- ㄷ. C를 형광 물질에 비추면 가시광선이 방출된다.

① ㄱ   ② ㄴ   ③ ㄱ, ㄴ
④ ㄱ, ㄷ   ⑤ ㄴ, ㄷ

출제예감

05 그림은 파장에 따라 전자기파를 분류한 것과 전자기파 (가)와 (나)가 이용되는 예들을 나타낸 것이다.

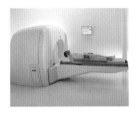

▲ 암 치료용 의료 기기에서 사용되는 (가)   ▲ 수하물 검사에 사용되는 (나)

이에 대한 설명으로 옳은 것만을 〈보기〉에서 있는 대로 고른 것은?

> 보기
> ㄱ. (가)는 A 영역에 해당한다.
> ㄴ. B 영역의 전자기파의 진동수는 C 영역의 전자기파의 진동수보다 작다.
> ㄷ. (나)는 투과력이 D 영역의 전자기파보다 크므로 X선에 해당한다.

① ㄴ   ② ㄷ   ③ ㄱ, ㄴ
④ ㄱ, ㄷ   ⑤ ㄱ, ㄴ, ㄷ

출제예감

06 그림은 전자기파를 파장에 따라 분류한 것을 보고 A, B, C가 대화하는 모습을 나타낸 것이다.

광섬유는 적외선의 전반사 현상을 이용해.

파장이 30 m인 라디오파의 진동수는 3×10^7 Hz이야.

a는 뼈 사진 촬영이나 공항에서 수하물 검사에 사용돼.

옳게 말한 사람만을 있는 대로 고른 것은? (단, 전자기파의 속력은 3×10^8 m/s이다.)

① A   ② B   ③ A, C
④ B, C   ⑤ A, B, C

07 다음은 어떤 전자기파의 특성을 나타낸 것이다.

> • 항암 치료에 이용한다.
> • 파장이 가장 짧고, 진동수가 크다.
> • 전자기파 중 투과력이 가장 강하다.
> • 원자핵이 방사성 붕괴를 하는 과정에서 발생한다.

이 전자기파의 종류는 무엇인지 쓰시오.

서술형

08 그림은 리모컨을 눌렀을 때 발신 부위를 눈과 디지털카메라로 관찰하는 모습을 나타낸 것이다.

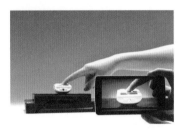

눈으로 관찰할 때와 디지털카메라로 관찰했을 때 나타나는 결과와 그 까닭을 서술하시오.

서술형

09 그림은 방범용 CCTV를 나타낸 것이다. 이 방범용 CCTV는 낮에는 컬러로 녹화되고 밤에는 흑백으로 녹화된다.
밤에 녹화를 위해 사용하는 전자기파의 종류를 쓰고, 밤에 컬러로 녹화할 수 <u>없는</u> 까닭을 서술하시오.

04 ∿ 파동의 간섭과 이용

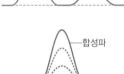

핵심 키워드로 흐름잡기

- **A** 중첩, 독립성
- **B** 보강 간섭, 상쇄 간섭, 경로차
- **C** 소음 제거 장치, 지폐 위조 방지 기술

❶ 중첩

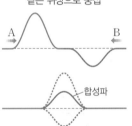

같은 위상으로 중첩

반대 위상으로 중첩
합성파

❷ 간섭 조건
두 파원의 위상이 반대이면(한 파원이 마루일 때 다른 파원은 골을 발생시킬 때) 간섭 조건이 서로 바뀐다.

❸ 경로차(Δ)
두 파동이 한 지점에서 만날 때까지 거쳐 간 진행 거리 차이를 경로차라고 한다. $|\overline{S_1P} - \overline{S_2P}|$는 파원 S_1에서 P까지 거리와 파원 S_2에서 P까지 거리의 차이고, $|\overline{S_1Q} - \overline{S_2Q}|$는 파원 S_1에서 Q까지 거리와 파원 S_2에서 Q까지 거리의 차이다.

🐱 용어 알기
- ●중첩(무거울 重, 겹칠 疊) 거듭 겹쳐짐
- ●간섭(간섭할 干, 건널 涉) 간섭하여 영향을 주다.

A 파동의 중첩과 독립성

|출·제·단·서| 파동의 중첩과 독립성에 대한 개념이나 계산 문제가 시험에 나와!

1. 파동의 ●중첩 한 매질에서 진행하는 두 파동 A, B가 만나서 겹쳐질 때 매질 각 부분의 변위는 각 파동이 단독으로 진행할 때의 변위를 합한 것과 같다.❶

(1) **합성파** 중첩한 결과 만들어지는 파동

(2) **중첩 원리** 최대 변위가 각각 y_1, y_2인 두 파동 A, B가 중첩되었을 때 합성파의 최대 변위는 $y = y_1 + y_2$이다. 위상이 같은 두 파동이 만나면 합성파의 진폭은 두 파동의 진폭의 합과 같고, 위상이 반대인 두 파동이 만나면 합성파의 진폭은 두 파동의 진폭의 차와 같다.

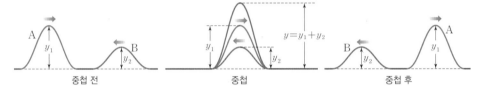

중첩 전 | 중첩 | 중첩 후

2. 파동의 독립성 두 파동 A, B가 중첩 후 중첩되기 전의 파형을 그대로 유지하면서 진행하는 현상 변위가 y_1, y_2인 파동이 서로 반대 방향으로 진행하다가 만나면, 중첩되어 변위가 $y_1 + y_2$가 되었다가 서로를 지나친 후 다시 원래의 변위인 y_1, y_2로 돌아온다.

B 파동의 간섭

|출·제·단·서| 보강 간섭과 상쇄 간섭의 개념과 보강 간섭과 상쇄 간섭이 일어나는 조건 및 지점을 찾는 문제가 시험에 나와!

1. 파동의 ●간섭 파동이 중첩되어 진폭이 변하는 현상

구분	보강 간섭	상쇄 간섭
정의	각 파동의 마루(골)와 마루(골)가 중첩되어 합성파의 진폭이 커지는 현상	각 파동의 마루와 골이 중첩되어 합성파의 진폭이 작아지는 현상
모습	파동 1 / 파동 2 / 파동 1 + 파동 2 — 진폭과 진동수가 같은 두 파동이 보강 간섭 하면 합성파의 진폭은 원래 파동의 2배가 된다.	파동 1 / 파동 2 / 파동 1 + 파동 2 — 진폭과 진동수가 같은 두 파동이 상쇄 간섭 하면 합성파의 진폭은 0이 된다.

2. 파동의 간섭 조건 탐구POOL 두 파원에서 진동수가 동일한 파동이 같은 위상으로 발생할 때 파원으로부터의 경로차에 따라 보강 간섭 또는 상쇄 간섭이 일어난다.❷

(1) **보강 간섭이 일어나는 곳** 두 파원으로부터의 경로차가 반파장의 짝수 배인 곳

(2) **상쇄 간섭이 일어나는 곳** 두 파원으로부터의 경로차가 반파장의 홀수 배인 곳

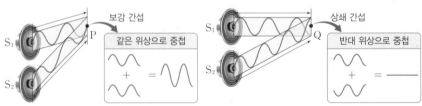

보강 간섭 / 같은 위상으로 중첩
S_1 / S_2 / P
$+$ $=$

상쇄 간섭 / 반대 위상으로 중첩
S_1 / S_2 / Q
$+$ $=$

점 P에서 보강 간섭이 일어날 때: $Δ(경로차) = |\overline{S_1P} - \overline{S_2P}| = 2m\dfrac{\lambda}{2} = m\lambda \ (m = 0, 1, 2, \cdots)$❸
　　　　　　　　　　　　　└─ 반파장의 짝수 배 또는 파장의 정수 배

점 Q에서 상쇄 간섭이 일어날 때: $Δ(경로차) = |\overline{S_1Q} - \overline{S_2Q}| = (2m+1)\dfrac{\lambda}{2} \ (m = 0, 1, 2, \cdots)$
　　　　　　　　　　　　　└─ 반파장의 홀수 배

구분	밝기가 크게 변하는 지점	밝기가 일정한 지점
모습		
수면의 진동	활발하게 진동한다.	진동하지 않는다.
수면의 높이	최대 최소를 반복한다.	높이가 일정하다.
간섭의 종류	보강 간섭	상쇄 간섭
밝기	밝기가 계속 변한다.	밝기가 변하지 않는다.
위치	두 파원으로부터의 ●경로차가 반파장의 짝수 배인 곳	두 파원으로부터의 경로차가 반파장의 홀수 배인 곳

❹ 마디선
마루와 골이 중첩되어 진동이 없는 곳인 마디를 연결한 선으로, 같은 마디선의 지점들은 두 파원으로부터 떨어진 거리의 차이가 같다.

3. 이중 슬릿에서의 빛의 간섭[5] 이중 슬릿을 통과한 두 빛은 보강 간섭과 상쇄 간섭을 번갈아 하기 때문에 스크린에 밝은 무늬와 어두운 무늬가 번갈아 나타난다.

(1) **보강 간섭이 일어나는 곳** 두 슬릿을 통과한 빛이 같은 위상으로 만나 보강 간섭이 일어나면 밝은 무늬가 보인다. ➡ 경로차가 반파장의 짝수 배인 곳

(2) **상쇄 간섭이 일어나는 곳** 두 슬릿을 통과한 빛이 반대 위상으로 만나 상쇄 간섭이 일어나면 어두운 무늬가 보인다. ➡ 경로차가 반파장의 홀수 배인 곳

이중 슬릿은 소리의 간섭 실험에서 두 스피커와 동일한 역할을 한다. 빛의 파장이 짧을수록, 이중 슬릿 사이의 거리가 멀수록 간섭 무늬 사이의 간격이 작아진다.

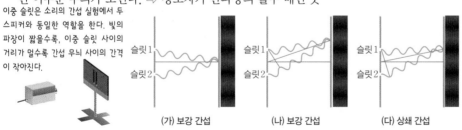

(가) 보강 간섭　(나) 보강 간섭　(다) 상쇄 간섭

❺ 파동의 간섭
진동수가 같은 빛이 보강 간섭 하는 지점은 진폭이 커져서 밝게 보이며 상쇄 간섭 하는 지점은 진폭이 작아져서 어둡게 보인다. 또한, 소리가 보강 간섭 하면 진폭이 커져서 소리의 세기가 증가하며 상쇄 간섭 하면 진폭이 작아져서 소리의 세기가 감소한다.

4. 얇은 막에서의 빛의 간섭 막의 윗면에서 반사한 빛과 아랫면에서 반사한 빛이 막 두께와 보는 각도에 따라 간섭을 일으킨다. 막에서 색이 나타나는 부분은 각각의 색의 빛이 보강 간섭된 것이며, 검은 부분은 모든 색의 빛이 상쇄 간섭된 것이다.

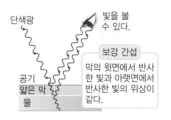

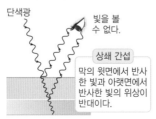

용어 알기

●경로차(도로 經, 길 路, 차이 差) 서로 다른 두 통로를 통과하여 생기는 거리의 차

C 간섭의 이용 [개념 POOL]

|출·제·단·서| 소리와 빛의 간섭에서 강조되는 파동은 보강 간섭을, 강조되지 않는 파동은 상쇄 간섭을 일으키는 것을 알고 있는지를 물어보는 문제가 시험에 나와!

❻ 충격파 쇄석술

신장에 결석이 생기면 초음파 발생기에서 발생한 초음파가 결석이 있는 위치에서 보강 간섭 하여 결석을 깨뜨린다.

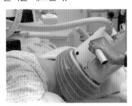

❼ 정상파

파장이 같은 두 파동이 특정한 조건 하에서 서로 반대 방향으로 진행하여 중첩되어 어느 방향으로도 진행하지 않고 제자리에서 진동만 하는 것처럼 보이는 파동을 정상파라고 한다. 이때 항상 보강 간섭하여 진폭이 최대인 지점을 배라 하고, 항상 상쇄 간섭 하여 진폭이 0인 지점을 마디라고 한다.

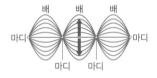

❽ 홀로그램

복사나 위조를 방지하기 위해 신용카드나 지폐, 인증서에 붙인 홀로그램 이미지나 홀로그램 스티커는 빛을 비추는 각도에 따라 색과 문양이 달라지는데, 이런 홀로그램도 빛의 간섭 현상을 이용한 것이다.

1. 소리의 간섭의 이용❻

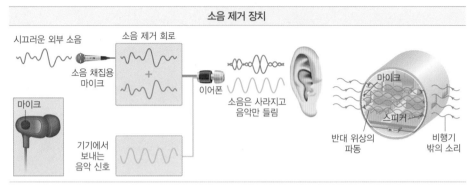

소음 제거 장치

시끄러운 외부 소음 / 소음 채집용 마이크 / 마이크 / 기기에서 보내는 음악 신호 / 소음 제거 회로 / 이어폰 / 소음은 사라지고 음악만 들림 / 반대 위상의 파동 / 마이크 / 스피커 / 비행기 밖의 소리

- 시끄러운 외부 소음을 소음 채집용 마이크로 받아 소음 제거 회로에서 마이크로 감지한 소음과 위상이 반대인 소리를 발생시켜 이어폰에서 소리를 발생시키면 외부 소음과 이어폰에서 발생한 소리가 상쇄 간섭을 일으켜 소음은 사라지고 음악 소리만 들린다.
- 조종사용 헤드셋이나 음악 감상용 헤드폰, 휴대 전화, 자동차, 비행기 등에 사용된다.

자동차 배기관	관악기와 현악기
$l_1 - l_2 = \dfrac{\lambda}{2}$	마디 / 배 / $\dfrac{\lambda}{2}$ / 배 / 마디 / $\dfrac{\lambda}{2}$
엔진에서 발생하는 배기음의 통로를 두 개로 나누어 한 통로를 다른 통로보다 반 파장 만큼 길게 하면 이 두 통로를 통과한 소리가 합쳐질 때 상쇄 간섭이 일어나 소음이 감소한다.	관악기의 관이나 현악기의 줄에서는 경계면에서 파동이 반사하여 관 내부나 줄에 정상파❼가 만들어져 소리가 크게 난다.

관악기: 관의 길이가 짧을수록 공기 기둥이 짧아져 파장이 짧고 진동수가 커서 높은 소리가 난다.
현악기: 줄의 길이가 짧을수록 파장이 짧고 진동수가 커서 높은 소리가 난다.

2. 빛의 간섭의 이용❽

지폐 위조 방지 기술	DVD에 기록된 정보와 정보 읽기
잉크 / 종이 / 잉크 / 종이 / 잉크 / 종이 / 잉크 / 종이 / 10000 / 10000 — 노란색 영역의 파장 — 초록색 영역의 파장 — 백색광	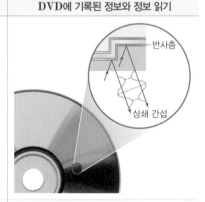 반사층 / 상쇄 간섭
색 변환 잉크로 그려진 '10000'이라는 숫자는 보는 각도에 따라 색깔이 달라진다. 이것은 숫자를 보는 각도에 따라서 보강 간섭 되는 빛의 파장이 달라지기 때문이다.	레이저 빛을 DVD에 비추면 돌기의 가장자리에서는 반사된 두 빛이 상쇄 간섭 하며, 이를 통해 알게 된 돌기의 분포를 이용해서 기록된 정보를 읽는다.

간섭의 이용

목표 간섭 현상을 이용하는 예를 알아본다.

1 소음 제거 헤드폰

소음 제거 헤드폰에서는 귀 주위를 덮개로 덮어 일차적으로 소음을 제거하고, 덮개 안의 외부 소음을 마이크로 감지한 뒤, 이 소음과 위상이 반대인 소리를 발생시켜 상쇄 간섭으로 제거한다.

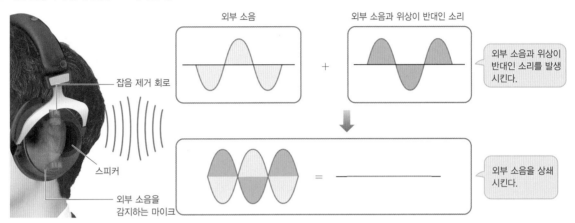

2 무반사 코팅 렌즈

렌즈 위에 코팅을 하면 외부에서 눈으로 들어오는 빛이 코팅면 위쪽과 아래쪽 경계면에서 반사된다. 코팅 물질의 종류 및 두께를 조절하면 반사된 두 빛이 반대 위상으로 만나게 되어 상쇄 간섭을 일으켜 반사되지 않는 것으로 보이게 한다.

▲ 무반사 코팅을 하지 않은 렌즈는 외부의 빛이 반사되어 보인다.

▲ 무반사 코팅을 한 렌즈는 눈이 선명하게 보인다.

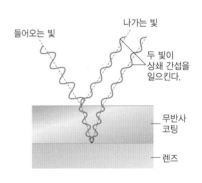

한·줄·핵심 한 파동을 제거하기 위해서는 위상이 반대이고 파장과 진동수가 같은 파동을 중첩시킨다.

확인 문제

정답과 해설 82쪽

01 그림은 파동이 간섭하는 2가지 경우를 나타낸 것이다.

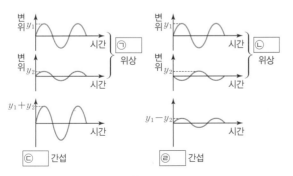

㉠~㉣에 들어갈 알맞은 말을 쓰시오.

02 중첩과 간섭에 대한 설명으로 옳은 것은 ○, 옳지 않은 것은 ×로 표시하시오.

(1) 두 파동이 보강 간섭을 하면 합성파의 진폭이 커진다. ( )

(2) 진폭과 파장이 같은 두 파동이 상쇄 간섭을 하면 합성파의 진폭은 0이다. ( )

(3) 진폭과 진동수가 동일한 두 파동이 서로 반대 방향으로 진행하다가 중첩된 후 두 파동의 모습은 중첩되기 전과 달라진다. ( )

스피커를 이용하여 소리의 간섭 확인하기

목표 두 개의 스피커에서 발생한 소리가 중첩되어 보강 간섭과 상쇄 간섭이 나타나는 원리를 이해한다.

과정

유의점

경로차가 같은 지점을 연결할 때는 경로차가 같은 지점 사이의 거리가 가장 가까운 지점끼리 연결한다.

❶ 책상 위에 함수 발생기가 연결된 스피커 2개를 1 m 간격으로 놓고, 스피커 중앙에서 1.5 m 떨어진 지점에서 두 스피커를 연결한 선과 나란하게 색 테이프를 붙인다.

❷ 함수 발생기를 작동시켜 680 Hz의 일정한 진동수의 소리를 발생시킨다.

❸ 선을 따라 이동하면서 스피커의 소리가 크게 들리는 곳과 작게 들리는 곳을 바닥에 표시한다.

❹ 진동수를 1360 Hz, 2040 Hz로 각각 바꾼 후 과정 ❸을 반복한다.

❺ 두 스피커 사이의 거리를 작게 하여 과정 ❸을 반복한다.

소리의 속력을 340 m/s라고 할 때, 진동수가 680 Hz인 소리의 파장은 $\frac{340 \text{ m/s}}{680 \text{ Hz}} = 0.5 \text{ m}$이다.

결과

❶ 소리가 크게 들리는 지점과 작게 들리는 지점이 반복적으로 나타난다.

❷ 진동수가 큰 소리일수록, 즉 파장이 짧은 소리일수록 소리가 크게 들리는 지점과 작게 들리는 지점 사이의 거리가 작아진다.

❸ 두 스피커 사이의 거리가 작아지면 소리가 크게 들리는 지점과 작게 들리는 지점 사이의 거리가 커진다.

정리 및 해석

파장과 진동수에 따른 상쇄 간섭 위치

· 파장이 짧으면 중앙에서 가까운 지점에서 상쇄 간섭이 일어나고, 파장이 길면 중앙에서 멀리 떨어진 지점에서 상쇄 간섭이 일어난다.

· 소리의 속력이 일정하면 파장은 진동수에 반비례하므로 진동수가 클수록 중앙에 가까운 지점에서 상쇄 간섭이 일어난다.

구분	보강 간섭		상쇄 간섭	
모습	중앙	두 스피커로부터 같은 거리만큼 떨어진 중앙 지점에서는 양쪽에서 오는 파동이 항상 같은 위상으로 만나게 된다.	중앙	중앙 지점에서 조금씩 이동을 하면 두 스피커로부터 거리의 차가 점점 더 커지게 된다.
	두 스피커에서 나오는 소리가 같은 위상으로 만나는 지점에서는 보강 간섭이 일어나 소리가 커지게 된다.		두 스피커에서 나오는 소리가 반대 위상으로 만나는 지점에서는 상쇄 간섭이 일어나 소리가 작아지게 된다.	

❶ 두 스피커에서 나오는 소리가 보강 간섭(마루와 마루, 골과 골이 만날 때)을 일으키는 곳에서는 소리가 크게 들린다. ⇨ 경로차가 반파장의 짝수 배가 되는 곳

❷ 두 스피커에서 나오는 소리가 상쇄 간섭(마루와 골이 만날 때)을 일으키는 곳에서는 소리가 작게 들린다. ⇨ 경로차가 반파장의 홀수 배가 되는 곳

❸ 소리의 파장이 짧으면 중앙에 가까운 지점에서 상쇄 간섭이 일어나고, 파장이 길면 중앙에 멀리 떨어진 지점에서 상쇄 간섭이 일어난다. ⇨ 소리의 속력이 일정하면 파장은 진동수에 반비례하므로, 진동수가 클수록 중앙에 가까운 지점에서 상쇄 간섭이 일어나고, 소리가 크게 들리는 지점과 작게 들리는 지점 사이의 거리가 작아진다.

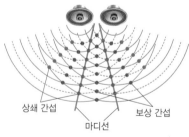

상쇄 간섭 / 마디선 / 보강 간섭

한·줄·핵심 소리가 크게 들리는 지점에서는 보강 간섭, 소리가 작게 들리는 지점에서는 상쇄 간섭이 일어난다.

확인 문제

정답과 해설 82쪽

01 두 파동의 마루와 마루가 중첩될 때 두 파동의 위상차는 어떻게 되는지 쓰시오.

02 두 파동이 각각 마루와 골로 만났을 때 이 지점에서는 어떤 간섭 현상이 일어나는지 쓰시오.

콕콕! 개념 확인하기

정답과 해설 82쪽

✔ 잠깐 확인!

1. ⬜⬜ 원리
두 파동이 만나 겹쳐질 때 합성파의 변위는 각 파동의 변위의 합과 같다.

2. 파동의 ⬜⬜⬜
중첩된 후 각각의 파동이 중첩되기 전의 파형을 그대로 유지하는 현상

3. 두 파동의 마루와 마루 또는 골과 골이 중첩하면 ⬜⬜ 간섭이 일어나 중첩되기 전보다 진폭이 커진다.

4. 두 점파원에서 같은 위상으로 파동이 발생할 때 경로차가 반파장의 ⬜⬜ 배인 곳에서는 보강 간섭을 하고, 반파장의 ⬜⬜ 배인 곳에서는 상쇄 간섭을 한다.

5. 얇은 막에 의한 빛의 ⬜⬜
기름 막이나 비눗방울 막 위에 알록달록한 무늬가 생기는 현상

6. 물결파 발생 장치에서 파장이 2 cm인 동일한 파동이 같은 위상으로 발생할 때 두 파원으로부터의 경로차가 5 cm인 곳에서는 ⬜⬜ 간섭이 일어나고, 경로차가 8 cm인 곳에서는 ⬜⬜ 간섭이 일어난다.

A   파동의 중첩과 독립성

01 파동의 중첩과 간섭에 대한 설명으로 옳은 것은 ○, 옳지 않은 것은 ×로 표시하시오.

(1) 둘 이상의 파동이 겹쳐지면 중첩 현상이 나타난다. ( )

(2) 두 파동의 중첩이 끝난 후 두 파동은 중첩 전 진폭, 파장, 진동수를 그대로 유지한다. ( )

(3) 음파는 상쇄 간섭만, 빛은 보강 간섭만 나타난다. ( )

(4) 진폭이 각각 2 cm, 3 cm인 두 파동이 만나 상쇄 간섭 하였을 때 진폭은 5 cm이다. ( )

02 그림은 두 물결파가 중첩되는 모습을 스크린에 나타낸 것이다. 마루와 마루, 골과 골, 마루와 골이 각각 중첩되는 경우 중 밝기가 가장 어두운 경우를 쓰시오.

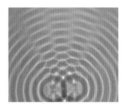

B   파동의 간섭

03 다음은 두 물결파의 간섭 현상에 대한 설명이다.

> 발생한 물결파가 상쇄 간섭을 일으키는 점은 선 모양으로 나타나는데, 이를 ( )이라고 한다.

( ) 안에 들어갈 알맞은 말을 쓰시오.

04 두 스피커에서 일정한 진동수와 진폭의 소리가 동시에 발생하고 있고, 그 앞에서 사람이 소음 측정기를 들고 스피커 주변을 이동하면서 소리의 세기를 측정하였더니 소리의 크기가 증가하다 감소하는 것이 반복되었다. 소리의 세기가 변하는 현상을 설명할 수 있는 파동의 성질은 무엇인지 쓰시오.

C   간섭의 이용

05 〈보기〉는 간섭 현상을 이용한 사례들이다.

보기

ㄱ. 무반사 코팅 렌즈   ㄴ. 홀로그램에 나타난 빛   ㄷ. 자동차 배기관   ㄹ. 비눗방울에 보이는 빛   ㅁ. 소음 제거 헤드폰

상쇄 간섭만을 이용하는 경우를 있는 대로 골라 쓰시오.

◄ 251 ►

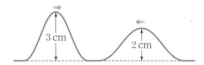

A 파동의 중첩과 독립성

01 그림과 같이 두 파동이 양쪽으로 마주 보고 진행하고 있다.

두 파동이 중첩되었을 때 합성파의 최대 변위의 크기는?

① 2 cm ② 3 cm ③ 4 cm

④ 5 cm ⑤ 6 cm

02 그림은 수평면에서 영희와 철수가 용수철의 양 끝을 각각 잡고 용수철을 서로 반대 방향으로 흔들어 진폭이 각각 20 cm, 30 cm인 펄스를 보내는 모습을 나타낸 것이다.

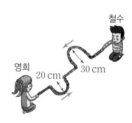

이 두 펄스가 중첩한 후 멀어질 때의 모습으로 가장 적절한 것은? (단, 용수철과 수평면 사이의 마찰은 무시한다.)

①
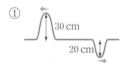
②

③
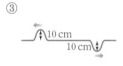
④
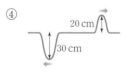
⑤
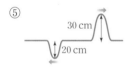

단답형
03 두 파동 A, B가 서로 반대 방향으로 진행하여 중첩된 후 서로를 지나쳐 중첩되기 전의 파형을 그대로 유지하면서 진행하는 것을 무엇이라고 하는지 쓰시오.

B 파동의 간섭

04 그림은 물결파 투영 장치의 두 점파원 S₁, S₂에서 진동수, 진폭이 같은 물결파를 같은 위상으로 발생시켰을 때 어느 순간 스크린에 투영된 모습을 모식적으로 나타낸 것이다. 실선과 점선은 각각 물결파의 마루와 골을 나타낸다.

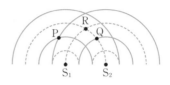

이에 대한 설명으로 옳은 것만을 〈보기〉에서 있는 대로 고른 것은?

보기
ㄱ. P에서는 보강 간섭이 일어난다.
ㄴ. Q에서 수면의 높이가 가장 낮다.
ㄷ. 밝기는 P에서가 R에서보다 더 밝다.

① ㄱ ② ㄴ ③ ㄱ, ㄷ

④ ㄴ, ㄷ ⑤ ㄱ, ㄴ, ㄷ

05 그림은 방음이 잘 된 실내에 설치된 두 스피커에서 일정한 진동수와 진폭의 소리가 동시에 발생하고 있고, 그 앞에서 철수가 소음 측정기를 들고 화살표 방향으로 (가)에서 (나)까지 이동하면서 소리의 크기를 측정하는 모습을 나타낸 것이다.

이에 대한 설명으로 옳은 것만을 〈보기〉에서 있는 대로 고른 것은?

보기
ㄱ. 소리의 크기가 증가하다가 감소하는 것이 반복된다.
ㄴ. 소음 측정기에 측정되는 소리의 진동수가 변한다.
ㄷ. 소리의 크기가 0인 지점은 보강 간섭이 발생하였다.

① ㄱ ② ㄷ ③ ㄱ, ㄴ

④ ㄴ, ㄷ ⑤ ㄱ, ㄴ, ㄷ

06 그림의 두 점 P와 Q에서 각각 동일한 진폭과 진동수로 발생한 두 음파가 점 P에 도달한다. R는 P와 Q의 수직 이등분선상에 있으며, 두 파동의 진폭은 A이다. 이에 대한 설명으로 옳은 것만을 〈보기〉에서 있는 대로 고른 것은?

> **보기**
> ㄱ. R는 P와 Q로부터 경로차가 0이다.
> ㄴ. R에서 합성파의 진폭은 2A이다.
> ㄷ. P와 Q를 잇는 직선 사이에서는 소리의 세기가 항상 일정하게 측정된다.

① ㄱ ② ㄴ ③ ㄷ
④ ㄱ, ㄴ ⑤ ㄱ, ㄷ

07 그림과 같이 두 스피커 A와 B를 설치하고 동일한 진폭과 진동수의 소리를 계속 발생시키고, 두 스피커와 나란한 선 PT를 따라 이동하면서 소리를 들으니 소리의 크기가 계속 변하였다. R, T점에서 소리의 세기가 최대였고 Q, S점에서는 소리의 세기가 최소였다. 이에 대한 설명으로 옳은 것만을 〈보기〉에서 있는 대로 고른 것은?

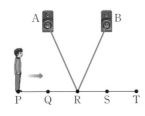

> **보기**
> ㄱ. 두 스피커에서 Q까지 경로차는 한 파장이다.
> ㄴ. R에서 두 스피커에서 발생한 소리는 보강 간섭을 한다.
> ㄷ. T에서 두 스피커에서 발생한 소리는 서로 반대 위상으로 중첩된다.

① ㄱ ② ㄴ ③ ㄱ, ㄴ
④ ㄱ, ㄷ ⑤ ㄴ, ㄷ

단답형

08 진동수, 세기, 위상 같은 소리가 발생하는 두 스피커 주변에서 보강 간섭이 일어날 수 있는 경로차의 조건을 쓰시오.

C 간섭의 이용

09 그림은 냉장고와 같은 가전 제품의 소음을 줄이는 방법 중 하나를 나타낸 것이다.

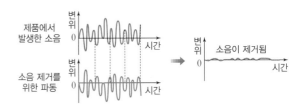

위와 같은 방법에서 이용하는 파동의 성질로 설명할 수 있는 현상은?

① 빛이 거울에 반사된다.
② 수영장 물의 깊이는 실제보다 더 얕게 보였다.
③ 공사장 소음이 낮에는 밤보다 멀리 전달되지 않았다.
④ 세로 방향으로 긴 스피커에서 나오는 소리가 위아래 방향으로 잘 퍼지지 않았다.
⑤ 동일한 소리가 나오는 두 스피커 주위에 소리가 잘 들리지 않는 지점이 있었다.

단답형

10 그림과 같이 이중 슬릿에 파장이 일정한 레이저 빛을 비추었더니 스크린에 밝고 어두운 무늬가 나타났다.

스크린에 밝고 어두운 무늬가 나타나는 현상을 설명할 수 있는 원리를 쓰시오.

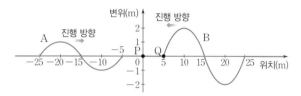

도전! 실력 올리기

01 그림은 속력이 5 m/s인 파동 A, B가 점 P를 향하여 접근하는 어느 한 순간의 모습을 나타낸 것이다. A와 B의 진폭은 각각 1 m, 2 m이다.

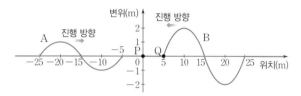

이 순간부터 두 파동이 지나는 두 점 P, Q의 변위에 대한 설명으로 옳은 것만을 〈보기〉에서 있는 대로 고른 것은?

보기
ㄱ. 2초가 지난 순간 P의 변위는 1 m이다.
ㄴ. 3초가 지난 순간 Q의 변위는 1 m이다.
ㄷ. 파동의 진동수는 B가 A보다 크다.

① ㄱ   ② ㄷ   ③ ㄱ, ㄴ
④ ㄴ, ㄷ   ⑤ ㄱ, ㄴ, ㄷ

02 그림과 같이 두 스피커 S_1, S_2에서 동일한 위상으로 진동수가 500 Hz인 음파가 발생하고 있다. 철수는 두 스피커 사이의 직선과 나란한 점선을 따라 이동하면서 소리가 보강 간섭되는 지점들 (A_1, A_2)과 상쇄 간섭되는 지점들 (B_1, B_2)을 찾아 두 스피커로부터의 거리를 측정하였다. A_1은 두 스피커로부터의 거리가 같은 점이다.

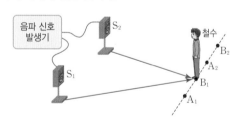

이에 대한 설명으로 옳은 것만을 〈보기〉에서 있는 대로 고른 것은? (단, 공기 중에서 음파의 속력은 340 m/s이고, 두 스피커 사이의 거리에 비해 두 스피커로부터 철수가 측정한 지점들까지의 거리는 충분히 멀다.)

보기
ㄱ. 음파의 파장은 0.34 m이다.
ㄴ. S_1, S_2에서 B_1까지 경로차는 0.34 m이다.
ㄷ. 두 스피커 사이의 거리를 더 가깝게 하면 A_1과 B_1 사이의 간격이 더 커진다.

① ㄱ   ② ㄴ   ③ ㄱ, ㄴ
④ ㄱ, ㄷ   ⑤ ㄴ, ㄷ

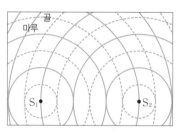

03 그림은 수면 상의 두 점파원 S_1, S_2를 같은 위상으로 진동시켜 얻은 물결파의 어느 순간의 모습을 모식적으로 나타낸 것이다. 실선과 점선은 각각 물결파의 마루와 골의 위치를 나타낸 것이다.

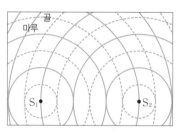

S_1, S_2를 잇는 직선상에서 상쇄 간섭을 일으키는 점의 개수는?

① 3개   ② 4개   ③ 5개
④ 6개   ⑤ 7개

04 그림은 단색광이 이중 슬릿을 통과하여 스크린에 간섭 무늬가 생기는 것을 나타낸 것이다. s는 이중 슬릿의 A, B를 통과한 단색광이 스크린 상의 임의의 점 P에서 만났을 때의 경로차이다.

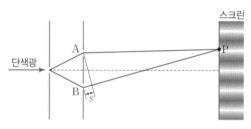

단색광의 파형과 경로차를 모식적으로 나타낼 때, A, B를 통과한 단색광이 스크린에서 만나 보강 간섭을 일으키는 경우만을 〈보기〉에서 있는 대로 고른 것은?

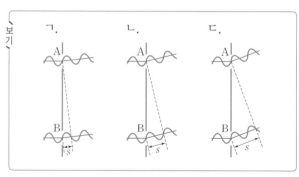

① ㄱ   ② ㄴ   ③ ㄱ, ㄷ
④ ㄴ, ㄷ   ⑤ ㄱ, ㄴ, ㄷ

05 그림은 한 쪽 끝이 고정된 줄을 잡고 위아래로 흔들었더니 발생한 정상파의 모습을 나타낸 것이다.

정상파가 만들어지는 원리로 설명할 수 있는 현상만을 〈보기〉에서 있는 대로 고른 것은?

보기

ㄱ. 기타 소리

ㄴ. 담장 너머로 들려오는 소리

ㄷ. 리코더 소리

① ㄴ   ② ㄷ   ③ ㄱ, ㄴ

④ ㄱ, ㄷ   ⑤ ㄱ, ㄴ, ㄷ

출제예감

06 그림 (가)는 얇은 기름막에 의해 여러 가지 색의 빛이 보이는 것을, (나)는 홀로그램을 나타낸 것이다.

(가)   (나)

이에 대한 설명으로 옳은 것만을 〈보기〉에서 있는 대로 고른 것은?

보기

ㄱ. 기름 막의 윗면과 아랫면에서 반사된 빛이 보강 간섭 하면 빛을 볼 수 있다.

ㄴ. 기름 막에서 여러 색이 보이는 것은 기름 막의 두께가 다르기 때문이다.

ㄷ. 홀로그램 이미지나 스티커에서 빛을 비추는 각도에 따라 서로 다른 색이 보이는 것은 빛의 간섭 때문이다.

① ㄱ   ② ㄷ   ③ ㄱ, ㄴ

④ ㄴ, ㄷ   ⑤ ㄱ, ㄴ, ㄷ

07 그림과 같이 두 스피커 A, B를 마주보게 설치하고, 각각 진동수가 500 Hz인 음파를 발생시켰다. 두 스피커를 연결하는 직선상에 있던 연수가 B를 향하여 걸어가며 소리의 세기를 측정하였더니, 소리의 세기가 커지고 작아지기를 반복했다.

소리의 세기가 커지다가 작아지는 지점과, 그 다음 커지다가 작아지는 지점 사이의 거리는 몇 m인지 쓰시오. (단, 공기 중에서 소리의 속력은 340 m/s이며, 반사파는 무시하고 소음 측정기와 두 스피커는 일직선상에 있다.)

서술형

08 그림은 물 위에서 조금 떨어진 두 지점을 동일한 주기로 반복해서 두드려 주었을 때 두 지점 사이에 밝기가 변하지 않는 마디선이 생기는 것을 나타낸 것이다. 마디선이 나타나는 까닭을 서술하시오.

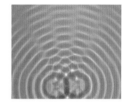

_____

_____

서술형

09 그림과 같은 무반사 코팅 렌즈에서 이용하는 물리 현상을 서술하시오.

_____

소리의 중첩에 관한 탐구

◢ 대표 유형

다음은 철수가 수행한 소리의 중첩에 대한 실험이다.

[실험 과정]
(가) 그림과 같이 동일한 스피커 A와 B를 나란히 놓고 A를 ㉠ 방법으로 신호 발생기에 연결한다.
(나) B를 ㉠ 또는 ㉡ 중 하나의 방법으로 신호 발생기에 연결한다.
(다) 스피커로부터 1 m 떨어진 위치에서 마이크와 소리 분석기를 이용하여 소리의 파형을 측정한다.
(라) B를 (나)에서와 다른 방법으로 신호 발생기에 연결한다.
(마) 과정 (다)를 반복한다.

⊕와 ⊖가 연결되고 ⊕와 ⊖가 연결되어 있으므로 A와 B에서 발생하는 소리는 위상이 서로 반대이다.

⊕와 ⊕가 연결되고 ⊖와 ⊖가 연결되어 있으므로 A와 B에서 발생하는 소리는 위상이 같다.

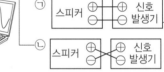

스피커 단자와 신호 발생기 단자 사이의 연결 방법

[실험 결과]
· (다)의 결과

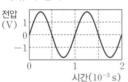

보강 간섭: (나)에서 B를 ㉠ 방법으로 연결
주기 = $\frac{1}{1000}$초

· (마)의 결과

상쇄 간섭: (라)에서 B를 ㉡ 방법으로 연결

이에 대한 설명으로 옳은 것만을 〈보기〉에서 있는 대로 고른 것은? (단, 소리의 속력은 340 m/s이다.)

(다)에서 측정한 소리의 세기가 (라)에서 측정한 소리의 세기보다 매우 크므로 A와 B에서 발생한 소리가 보강 간섭을 일으켜야 한다. 따라서 (나)에서 B의 연결 방법은 A의 연결 방법과 같은 ㉠이고, (라)에서 B의 연결 방법은 ㉡이다.

보기
✗ (라)에서 B의 연결 방법은 ㉠이다.

㉡ (마)의 결과는 소음 제거 장치에 응용된다.
　(마)의 결과 소리의 세기가 상쇄 간섭을 일으켜 매우 작아졌으므로, (라)의 방법은 소음 제거 장치에 응용된다.

✗ 소리의 파장은 17 cm이다. 파동의 속력은 진동수와 파장의 곱이고($v=f\lambda$), 주기가 10^{-3}초이므로 진동수는 1000 Hz이다. 따라서 소리의 파장은 $\frac{340 \text{ m/s}}{1000 \text{ Hz}}=0.34 \text{ m}=34 \text{ cm}$이다.

① ㄱ　　　　✔ ㄴ　　　　③ ㄱ, ㄷ　　　　④ ㄴ, ㄷ　　　　⑤ ㄱ, ㄴ, ㄷ

◣ 그림에서 간섭의 종류 찾기 ◤

| ㉠을 보면 두 스피커에서 발생한 소리의 위상은 같다. | ⟫⟫⟫ | ㉡을 보면 두 스피커에서 발생한 소리의 위상은 서로 반대이다. | ⟫⟫⟫ | (다)의 결과에서 보강 간섭이 일어남을 알고, 소리의 주기는 $\frac{1}{1000}$초임을 안다. | ⟫⟫⟫ | (마)의 결과에서 상쇄 간섭이 일어남을 안다. |

01 그림은 진공 중에서 전기장과 자기장이 진동하며 $+z$ 방향으로 진행하는 전자기파를 모식적으로 나타낸 것이다.

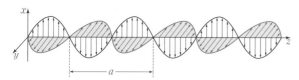

이에 대한 설명으로 옳은 것만을 〈보기〉에서 있는 대로 고른 것은?

보기
ㄱ. 한 지점에서 전기장의 세기가 최대일 때 자기장의 세기가 최대이다.
ㄴ. 전자기파의 파장은 a이다.
ㄷ. 전자기파의 속력은 물속에서가 진공 중에서보다 느리다.

① ㄱ   ② ㄴ   ③ ㄱ, ㄷ
④ ㄴ, ㄷ   ⑤ ㄱ, ㄴ, ㄷ

02 그림은 전자기파를 진동수에 따라 분류한 것이다.

진동수 (Hz)	3×10^6	3×10^9	3×10^{12}	3×10^{15}	3×10^{18}	3×10^{21}

A 영역 B 영역 C 영역
적외선 자외선 감마(γ)선
가시광선

전자기파에 대한 설명으로 옳은 것만을 〈보기〉에서 있는 대로 고른 것은? (단, 빛의 속력은 c이다.)

보기
ㄱ. A 영역의 전자기파의 파장은 B 영역의 전자기파의 파장보다 짧다.
ㄴ. B 영역에 속하는 f_0의 진동수로 송출되는 FM 방송 전파의 파장은 $\dfrac{c}{f_0}$이다.
ㄷ. 의료 장비에 사용되는 X선은 C 영역에 속한다.

① ㄱ   ② ㄷ   ③ ㄱ, ㄴ
④ ㄴ, ㄷ   ⑤ ㄱ, ㄴ, ㄷ

03 그림은 와이파이(Wi-Fi) 무선 공유기와 휴대 전화를 보면서 학생 A, B, C가 대화하는 모습을 나타낸 것이다.

A: 무선 공유기와 휴대 전화 사이에 사용하는 전자기파는 적외선보다 진동수가 커.
B: 전자기파는 전기장과 자기장이 진동하면서 전파돼.
C: 전자기파는 매질이 없을 때는 전파가 안 돼.

안테나
무선 공유기

제시한 내용이 옳은 학생만을 있는 대로 고른 것은?

① B   ② C   ③ A, B
④ A, C   ⑤ A, B, C

수능 기출
04 그림은 일상생활에서 활용되는 전자기파를 나타낸 것이다.

A. 라디오에 수신되는 라디오파   B. TV 화면에서 나오는 가시광선   C. 암 치료용 의료기기에서 사용되는 감마(γ)선

A, B, C에 해당하는 전자기파의 파장을 각각 λ_A, λ_B, λ_C라고 할 때, 파장을 옳게 비교한 것은?

① $\lambda_A < \lambda_C < \lambda_B$ ② $\lambda_B < \lambda_A < \lambda_C$
③ $\lambda_B < \lambda_C < \lambda_A$ ④ $\lambda_C < \lambda_A < \lambda_B$
⑤ $\lambda_C < \lambda_B < \lambda_A$

수능 기출
05 그림은 학생이 전자레인지에 음식을 넣는 모습을 나타낸 것이다. 전자레인지에 사용되는 마이크로파에 대한 설명으로 옳은 것만을 〈보기〉에서 있는 대로 고른 것은?

보기
ㄱ. 진동수는 가시광선보다 작다.
ㄴ. 진공에서의 파장은 X선보다 작다.
ㄷ. 진공에서의 속력은 자외선보다 크다.

① ㄱ   ② ㄴ   ③ ㄱ, ㄷ
④ ㄴ, ㄷ   ⑤ ㄱ, ㄴ, ㄷ

06 그림은 파장과 진폭이 같은 두 물결파가 x축을 따라 서로 반대 방향으로 진행하는 어느 순간의 모습을 나타낸 것이다. 두 물결파의 진행 속력은 모두 10 cm/s이다.

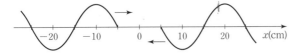

이 순간부터 1초 동안 x축상의 위치가 -10 cm인 곳과 10 cm인 곳 사이에서 나타나는 수면의 모습으로 옳은 것만을 〈보기〉에서 있는 대로 고른 것은?

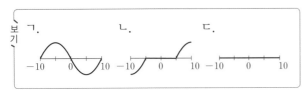

① ㄱ ② ㄷ ③ ㄱ, ㄴ

④ ㄴ, ㄷ ⑤ ㄱ, ㄴ, ㄷ

07 그림은 길이가 L인 현에서 주기가 T인 동일한 두 파동이 서로 반대 방향으로 진행하면서 중첩되어 정상파를 만드는 모습을 나타낸 것이다. 왼쪽으로 진행하는 파동은 점선, 오른쪽으로 진행하는 파동은 가는 실선, 정상파는 굵은 실선으로 각각 나타내었다. (가)는 시간 $t=0$일 때 파동의 모습이다. (나), (다), (라)는 시간 $t=\dfrac{T}{8}$부터 $t=\dfrac{3T}{8}$까지 파동의 모습을 $\dfrac{T}{8}$ 간격으로 순서 없이 나타낸 것이다.

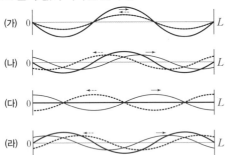

파동의 모습을 시간 순서대로 옳게 짝 지은 것은?

	$t=\dfrac{T}{8}$	$t=\dfrac{2T}{8}$	$t=\dfrac{3T}{8}$
①	(나)	(다)	(라)
②	(나)	(라)	(다)
③	(다)	(라)	(나)
④	(라)	(나)	(다)
⑤	(라)	(다)	(나)

08 그림 (가)는 간격이 3 cm인 두 점파원 S_1, S_2에서 진동수와 진폭이 같은 물결파를 같은 위상으로 발생시켰을 때의 모습을 모식적으로 나타낸 것이다. 마루는 실선, 골은 점선이다.

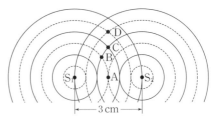

이에 대한 설명으로 옳은 것만을 〈보기〉에서 있는 대로 고른 것은? (단, 점 A~D는 S_1, S_2로부터 각각 일정한 거리에 있다.)

ㄱ. B는 시간이 지나도 수면의 높이가 변하지 않는다.
ㄴ. A에서는 상쇄 간섭이 일어나고, B에서는 보강 간섭이 일어난다.
ㄷ. C에 도달하는 두 파동의 경로차는 D에서보다 작다.

① ㄱ ② ㄴ ③ ㄱ, ㄴ

④ ㄱ, ㄷ ⑤ ㄴ, ㄷ

09 다음은 소리의 간섭 현상을 확인하기 위한 실험 과정이다.

(가) 그림과 같이 사이의 거리가 d이고 수평면에 고정된 두 스피커 S_1, S_2에서 세기가 같고 파장이 λ인 소리가 같은 위상으로 발생하도록 한다.

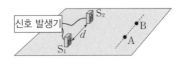

(나) 점선을 따라 이동하면서 보강 간섭이 일어나는 점 A와 상쇄 간섭이 일어나는 점 B를 찾고, A와 B 사이의 거리를 측정한다.
(다) S_1, S_2로부터 각 점까지의 경로차를 구한다.
(라) d만을 변화시키면서 과정 (나)를 반복한다.

이 실험에 대한 설명으로 옳은 것만을 〈보기〉에서 있는 대로 고른 것은? (단, 스피커의 크기는 무시한다.)

ㄱ. A에서는 B에서보다 소리가 크게 들린다.
ㄴ. S_1, S_2로부터 B까지의 경로차는 λ의 정수 배이다.
ㄷ. d만을 감소시키면 A와 B 사이의 거리는 증가한다.

① ㄱ ② ㄴ ③ ㄱ, ㄷ

④ ㄴ, ㄷ ⑤ ㄱ, ㄴ, ㄷ

10 그림은 두 스피커에서 위상, 진폭, 파장이 모두 같은 소리를 동시에 발생시키고 있는 모습을 나타낸 것이다.

두 스피커에서 발생한 소리가 서로 상쇄 간섭을 일으키거나 보강 간섭을 일으키는 지점을 알아내기 위하여 조사해야 할 물리량만을 〈보기〉에서 있는 대로 고른 것은?

보기
ㄱ. 스피커에서 발생하는 소리의 파장
ㄴ. 스피커에서 발생하는 소리의 전파 속력
ㄷ. 각 스피커로부터 좌석까지의 거리

① ㄱ ② ㄴ ③ ㄱ, ㄷ
④ ㄴ, ㄷ ⑤ ㄱ, ㄴ, ㄷ

11 그림 (가)는 특정한 진동수의 초음파를 발생시켜 해저에서 초음파가 반사되어 되돌아오는 현상을 이용하여 해저 지형을 조사하는 모습을, (나)는 소음을 제거하는 헤드폰의 원리를 간단히 나타낸 것이다.

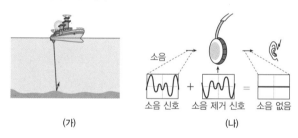

이에 대한 설명으로 옳은 것만을 〈보기〉에서 있는 대로 고른 것은?

보기
ㄱ. (가)에서 해저에 입사된 초음파와 반사된 초음파의 진동수는 같다.
ㄴ. (가)의 초음파 속력은 공기 중에서가 바닷물 속에서보다 크다.
ㄷ. (나)는 파동의 보강 간섭 현상을 이용한다.

① ㄱ ② ㄴ ③ ㄷ
④ ㄱ, ㄴ ⑤ ㄱ, ㄷ

12 그림 (가)는 길이가 각각 30 cm, 20 cm인 줄에서 발생한 정상파 A, B의 모습을, (나)는 소리 분석기로 측정한 소리의 파형을 나타낸 것이다.

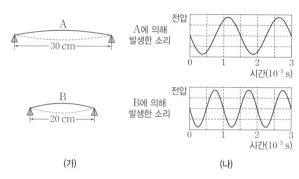

이에 대한 설명으로 옳은 것만을 〈보기〉에서 있는 대로 고른 것은?

보기
ㄱ. A의 파장은 30 cm이다.
ㄴ. B의 진동수는 1000 Hz이다.
ㄷ. B가 A보다 높은 소리를 발생시킨다.

① ㄱ ② ㄷ ③ ㄱ, ㄴ
④ ㄴ, ㄷ ⑤ ㄱ, ㄴ, ㄷ

13 그림 (가)는 두 음원 S_1, S_2에서 파장과 세기가 같은 소리를 같은 위상으로 발생시키고, 소음 측정 장치로 소음의 크기를 측정하는 모습을 나타낸 것이다. 소음 측정 장치는 S_1과 S_2의 가운데 점인 O를 기준으로 원운동을 한다. 그림 (나)는 소음 측정 장치로 측정한 소음의 크기를 회전각 θ에 따라 나타낸 것이다.

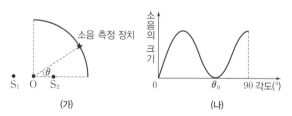

이에 대한 설명으로 옳은 것만을 〈보기〉에서 있는 대로 고른 것은? (단, 거리에 따른 소리의 세기의 감소는 무시한다.)

보기
ㄱ. S_1과 S_2 사이의 거리는 파장의 정수 배이다.
ㄴ. $\theta=\theta_0$인 지점은 S_1과 S_2로부터의 경로차가 파장의 $\frac{1}{2}$인 지점이다.
ㄷ. S_1과 S_2 사이를 지나는 마디선은 2개이다.

① ㄴ ② ㄷ ③ ㄱ, ㄴ
④ ㄱ, ㄷ ⑤ ㄴ, ㄷ

14 그림 (가)는 파장이 λ_1, λ_2인 레이저 빛으로 이중 슬릿 간섭 실험을 하는 것을 나타낸 것으로 $\lambda_1 > \lambda_2$이다. 그림 (나)는 실험에 사용한 이중 슬릿 A, B를 나타낸 것이다.

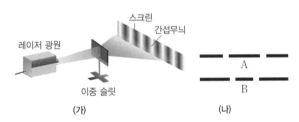

레이저 광원

스크린
간섭무늬

이중 슬릿

(가)

A

B

(나)

간섭무늬의 간격이 최대일 때와 최소일 때 레이저 빛과 이중 슬릿을 옳게 짝 지은 것은?

	최대	최대		최대	최대
①	λ_1, A	λ_2, B	②	λ_1, B	λ_2, A
③	λ_1, B	λ_2, B	④	λ_2, A	λ_1, B
⑤	λ_2, B	λ_1, A			

수능 기출

15 다음은 빛의 간섭 실험이다.

[실험 과정]

(가) 이중 슬릿과 스크린 사이의 거리를 고정시킨다.

레이저   이중 슬릿   스크린

(나) 파장 λ_1인 레이저와 슬릿 간격이 다른 이중 슬릿 P, Q를 사용하여 스크린에 생긴 간섭무늬를 관찰한다.

(다) 이중 슬릿 P와, 파장이 각각 λ_1, λ_2인 레이저를 사용하여 스크린에 생긴 간섭무늬를 관찰한다.

[실험 결과]

(나)의 간섭무늬

이중 슬릿 P

이중 슬릿 Q

1 cm

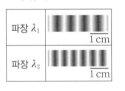

(다)의 간섭무늬

파장 λ_1

파장 λ_2

1 cm

이에 대한 설명으로 옳은 것만을 〈보기〉에서 있는 대로 고른 것은?

보기

ㄱ. 스크린에 생긴 간섭무늬의 밝은 부분은 빛의 보강 간섭에 의해 생긴다.

ㄴ. 슬릿 간격은 P가 Q보다 넓다.

ㄷ. $\lambda_1 > \lambda_2$이다.

① ㄴ   ② ㄷ   ③ ㄱ, ㄴ

④ ㄱ, ㄷ   ⑤ ㄱ, ㄴ, ㄷ

16 그림은 마이크로파 발생기로부터 방출된 입사파가 금속판에 충돌한 후 반사되어 되돌아오는 것을 나타낸 것이다. 이때 입사파와 반사파가 정상파를 형성하였다. 마이크로파가 이동하는 R점과 T점 사이의 직선 경로를 따라 검출기를 이동시켰더니 R, S점, T에서 마이크로파 검출기의 반응이 최대가 되었다. R과 S, S와 T 사이의 거리는 d이다.

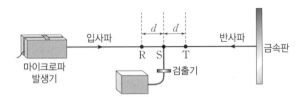

마이크로파 발생기

입사파

d d

R   S   T

반사파

금속판

검출기

이에 대한 설명으로 옳은 것만을 〈보기〉에서 있는 대로 고른 것은? (단, 공기 중에서 마이크로파의 속력은 일정하다.)

보기

ㄱ. R에서 입사파와 반사파의 위상은 반대이다.

ㄴ. 마이크로파의 파장은 $2d$이다.

ㄷ. R과 T 사이에 있는 정상파의 마디는 3개이다.

① ㄴ   ② ㄷ   ③ ㄱ, ㄴ

④ ㄱ, ㄷ   ⑤ ㄱ, ㄴ, ㄷ

17 그림 (가)는 공기 중에서 단일 슬릿과 이중 슬릿을 통과한 단색광이 스크린에 간섭무늬를 만드는 것을 나타낸 것이다. 그림 (나)는 이 실험 장치를 물속에 넣고 실험하는 것을 나타낸 것으로 (가)와 (나)에서 이중 슬릿에서 스크린까지의 거리는 같다.

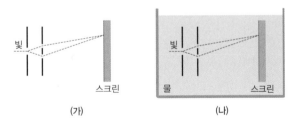

빛

스크린

(가)

빛

물

스크린

(나)

이에 대한 설명으로 옳은 것만을 〈보기〉에서 있는 대로 고른 것은?

보기

ㄱ. 단색광의 진동수는 (가)에서와 (나)에서가 같다.

ㄴ. 단색광의 파장은 (가)에서가 (나)에서보다 크다.

ㄷ. 간섭무늬 사이의 간격은 (가)에서가 (나)에서보다 크다.

① ㄴ   ② ㄷ   ③ ㄱ, ㄴ

④ ㄱ, ㄷ   ⑤ ㄱ, ㄴ, ㄷ

2 빛과 물질의 이중성

 배울 내용 살펴보기

빛의 본질이 입자라는 입자설과 파동이라는 파동설이 있는데 그 중 입자설에 따른 입자성으로 광전 효과를 설명할 수 있어. 빛의 입자성은 CCD에도 이용돼.

드브로이가 물질파를 발견함으로써 물질도 빛처럼 이중성을 갖고 있음이 알려졌어. 물질의 파동성은 전자 현미경에 이용돼.

01 ᄂᆞ 빛의 이중성과 CCD

핵심 키워드로 흐름잡기

A 입자설, 파동설, 광전 효과, 한계 진동수, 빛의 이중성

B 광 다이오드, 전하 결합 소자(CCD)

❶ 빛이 입자인 경우와 파동인 경우

입자는 장애물을 통과하지 못한다.

▲ 빛이 입자인 경우

파동은 장애물의 뒤쪽까지 회절한다.

▲ 빛이 파동의 경우

❷ 일함수(W)

금속에서 광전자 1개를 튀어 나오게 하기 위해 필요한 최소한의 에너지를 일함수라고 하며 $W=hf_0$로 주어진다. 금속마다 일함수의 크기가 다르다.

$1\,\text{eV}=1.60\times10^{-19}\,\text{J}$

금속	$W(\text{eV})$	f_0 ($\times10^{14}$ Hz)
구리	4.7	11.3
아연	4.3	10.4
나트륨	2.3	5.6
세슘	1.9	4.6

▲ 여러 가지 금속의 일함수와 문턱 진동수

🐈 용어 알기

●광전 효과(빛 光, 전기 電, 나타날 效, 결과 果) 금속에 빛을 비출 때 전자가 방출되는 현상

A 광전 효과와 빛의 이중성

|출·제·단·서| 광전 효과의 원리를 묻고 광전 효과 실험 결과에 대한 해석을 묻는 문제가 시험에 나와!

1. 빛의 입자설과 파동설❶ 빛의 본질이 입자라는 입자설과 파동이라는 파동설이 있다.

	입자설		파동설
뉴턴	빛은 작고 가벼운 입자(미립자)로 구성되어 있으며, 직진성을 갖고 있고, 반사 현상이 생긴다.	하위헌스	빛은 물결파처럼 파면의 각 점에서 발생된 파동이 모여 다음 파면을 만들면서 진행하는 파동이다.
아인슈타인	빛은 광자라고 하는 입자의 흐름이며 빛을 쪼여 주면 광자와 전자의 충돌에 의해 전자가 튀어 나온다.	영	간섭무늬는 빛의 파동성에 따른 중첩 현상의 결과이다.
콤프턴	금속에 X선을 쪼여 주면 전자가 방출되면서 산란된 X선의 파장이 길어지는 콤프턴 산란은 입자설로 설명 가능하다.	맥스웰	전자기파의 진행 속력이 광속이므로 빛은 전자기파의 일종이다.

2. ●광전 효과 [탐구 POOL] 금속 표면에 특정 진동수 이상의 진동수를 가진 빛을 비출 때 금속에서 전자가 튀어 나오는 현상

(1) **광전자** 광전 효과에 의해 금속 표면에서 튀어 나온 전자

(2) **문턱 진동수(f_0, 한계 진동수)** 특정 금속에서 광전자를 방출시킬 수 있는 빛의 최소 진동수

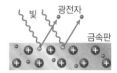

▲ 광전 효과

(3) **파동설에 의한 광전 효과 예상과 광전 효과 실험 결과**
파동설로 광전 효과를 해석하려고 했으나 실제 실험 결과와 모순이 발생하여 새로운 이론이 필요하게 되었다.

파동설에 의한 광전 효과 예상	실제 광전 효과 실험 결과
빛에너지는 빛의 세기에 의해 결정되므로, 빛의 세기만 충분히 세다면 빛의 진동수가 작아도 금속으로부터 전자를 쉽게 방출시킬 수 있어야 한다.	금속 표면에 쪼여 주는 빛의 진동수가 문턱 진동수보다 작으면 아무리 센 빛을 쪼여 주어도 광전자가 방출되지 않는다.
빛의 세기가 약하면 전자를 방출시키기 위해 필요한 에너지가 모여야 하므로 시간이 걸린다.	금속판에 쪼여 주는 빛의 진동수가 문턱 진동수보다 크면 빛의 세기가 약해도 광전자가 즉시 방출된다.
빛의 세기가 셀수록 에너지가 크므로 방출되는 광전자의 최대 운동 에너지도 커져야 한다.	금속판에서 방출되는 광전자의 최대 운동 에너지는 빛의 세기와 관계없고 진동수가 클수록 크며, 단위 시간당 방출되는 광전자의 수는 빛의 세기에 비례한다.

(4) **광양자설** 아인슈타인은 빛이 진동수에 비례하는 에너지를 갖는 광자라는 입자의 흐름이라는 광양자설을 통해 광전 효과를 해석하였다.

(5) **에너지 보존 법칙** 광자 1개의 에너지($E=hf$)는 전자를 금속 표면에서 떼어 내는 에너지(W)❷로 사용되고, 나머지는 광전자의 운동 에너지(E_k)로 전환된다. $E=hf=h\dfrac{c}{\lambda}$

$$hf=W+E_k,\ E_k=hf-W=h(f-f_0)\ (h: \text{플랑크 상수}, 6.63\times10^{-34}\,\text{J}\cdot\text{s})$$

(6) **광전류의 세기** 빛의 세기가 세면 광자 수가 많아 더 많은 전자와 충돌하고 광전자가 더 많이 방출되어 광전류의 세기가 증가한다.

3. 빛의 이중성 광전 효과 실험은 입자성으로 설명 가능하지만 간섭 현상은 파동성으로만 설명 가능하다. 따라서 빛은 파동과 입자의 성질을 함께 가지고 있다.

간섭 현상에서 빛은 파동성을 나타내고, 광전 효과의 경우 빛은 입자성을 나타내지만, 어떤 상황에서 파동성과 입자성을 동시에 관찰할 수는 없다.

B 광 다이오드와 CCD

|출·제·단·서| 광 다이오드의 작동 원리와 전하 결합 소자에서 영상 정보가 저장되는 과정과 원리가 시험에 나와!

1. 광 다이오드❸ p형 반도체와 n형 반도체를 접합시켜 만든 광전 소자

(1) **원리** 빛을 비추면 광전 효과에 의해 전류와 전압이 발생한다.

(2) **활용** 태양 전지❹, 광센서 등

(3) **광 다이오드에서의 전류와 전압 발생 과정**

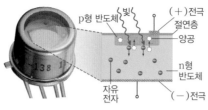
▲ 광 다이오드

광 다이오드의 접합면에 빛(광자)이 도달한다.	⇒ 광자 1개의 에너지가 반도체의 띠 간격보다 크면 원자가 띠의 전자가 빛을 흡수하여 전도띠로 들뜨면서 양공과 전자가 생성된다.	⇒ 접합면 부근에서 전기장이 n형 반도체에서 p형 반도체 방향으로 형성되면 전자는 n형 반도체 쪽으로 움직이고 양공은 p형 반도체 쪽으로 움직여서 전류와 전압이 발생한다.

2. ❊전하 결합 소자(CCD) 아주 작은 화소인 p형과 n형 반도체로 구성된 수백만 개의 광 다이오드가 규칙적으로 배열된 반도체 소자

> 영상을 표현하는 최소 단위를 화소라고 한다.
> 같은 면적에 화소 수가 많을수록 영상을 더 세밀하고 선명하게 표현할 수 있다.

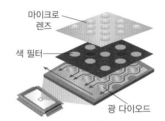
▲ CCD의 구조

(1) **구조** 2차원 격자 배열 속에 내장된 수백만 개의 광 다이오드와 빛을 모으는 마이크로 렌즈, 빛을 RGB 색상으로 분리하는 색 필터로 이루어져 있다.

(2) **원리** 렌즈와 색 필터를 통해 들어온 광자들이 CCD의 광 다이오드에 들어오면 광전 효과에 의해 빛을 전기 신호로 변환한다.
> CCD는 빛의 입자성을 이용한 것이다.

빛이 CCD에 도달	⇒ 양공−전자 쌍 생성	⇒ 광전자가 양(+)극 아래에 저장	⇒ 전하량 측정으로 빛의 세기 측정

> 빛의 세기가 셀수록 전자가 많이 발생한다.

(3) **색 필터** CCD의 광 다이오드는 빛의 세기만을 측정하므로 색을 구분하기 위해 CCD 위에 색 필터를 배열한다. RGB(빨강, 초록, 파랑)의 색 필터를 통과한 광 다이오드에서 각각의 색에 의한 빛이 전기 신호로 바뀐다.

(4) **CCD에서 전자의 이동** 각 화소에 저장된 광전자의 전하량을 측정하기 위해 광전자를 인접한 화소로 전달하여 측정 장치까지 순차적으로 이동시킨다.❺

❶ (+)전압이 걸린 전극 A 아래에 광전자가 저장된다.
❷ 전극 B에 같은 (+)전압이 걸리며, 전극 A, B아래에 광전자가 고루 퍼진다.
❸ 전극 A의 전압을 0으로 만들면 광전자가 전극 B 아래에 모인다.
▲ CCD에서 전자의 이동

(5) **영상 정보의 저장** 빛 신호가 변환된 전기 신호는 아날로그 신호이므로 디지털 신호로 변환된 후, CPU의 영상 처리 프로그램에서 처리되어 메모리 카드에 파일의 형태로 저장되거나 LCD 화면으로 보낸다.

▲ 영상 정보의 저장

(6) **CCD의 활용** 디지털 카메라, CCTV, 내시경 카메라, 우주 천체 망원경, 스캐너 등

---

❸ 광 다이오드
광자 1개의 에너지가 반도체의 띠 간격보다 크면 원자가 띠의 전자가 전도띠로 전이하면서 전자−양공 쌍이 생성된다. 양공과 전자는 각각 p형 반도체와 n형 반도체로 이동하면서 외부 회로에 전류를 흐르게 한다.

▲ 반도체에서 전자의 전이

❹ 태양 전지
빛에너지로 전기 에너지를 얻기 위한 목적으로 큰 면적으로 제작되는 광 다이오드의 일종이다.

▲ 태양 전지

❓ CCD를 활용하면 어떤 장점이 있을까?
CCD는 일반 필름보다 감도가 약 100배 이상 높기 때문에 CCD를 활용한 카메라는 어두운 장소에서도 잘 찍을 수 있고, 가시광선뿐만 아니라 적외선도 감지할 수 있다.

❺ CCD에서 전하량 측정 장치까지 전하의 이동

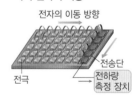
▲ CCD에서 전자의 이동

각 화소에 저장된 전자는 수평 방향으로 전극을 따라 이동한 후 수직 방향으로 전송단을 따라 전하량 측정 장치로 이동한다.

탐구를 알기 쉽게 풀어주는 탐구 POOL

광전 효과 관찰하기

목표 금속 표면에 진동수가 다른 빛을 비출 때 나타나는 현상을 설명할 수 있다.

과정

유의점

자외선등을 눈에 직접 비추지 않도록 주의한다.

🧪 **이런 실험도 있어요!**

지폐에 자외선등을 비추어 형광 무늬가 나타나는지 관찰하는 실험을 진행할 수도 있다.

지폐에 자외선등을 비추면 형광 물질의 전자가 빛을 흡수하여 들뜬상태가 되었다가 아주 짧은 시간 후에 바닥상태로 돌아오면서 고유한 색깔의 빛을 방출한다.

❶ 검전기 대전시키기

털가죽에 문지른 에보나이트 막대는 음(-)전하로 대전돼!

에보나이트 막대

아연판

금속박

털가죽

잘 닦은 아연판을 검전기 위에 올려놓고 털가죽에 마찰시킨 에보나이트 막대를 이용하여 대전시킨다.

검전기 전체가 음(-)전하로 대전되어 금속박이 벌어져!

❷ 형광등 비추기

형광등

검전기 위의 아연판에 형광등을 비추고 금속박의 변화를 관찰한다. 빛의 세기를 세게 하여 실험을 반복한다.

❸ 자외선등 비추기

자외선등

검전기 위의 아연판에 자외선등을 비추고 금속박의 변화를 관찰한다. 빛의 세기를 세게 하여 실험을 반복한다.

결과

물질	약한 빛을 비출 때		센 빛을 비출 때	
	형광등	자외선등	형광등	자외선등
금속박	벌어져 있다	천천히 오므라든다.	벌어져 있다	빨리 오므라든다.

정리 및 해석

❶ 빛의 진동수에 따른 광전 효과 유무 아연판의 한계 진동수는 약 10.4×10^{14} Hz이고, 가시광선의 진동수는 약 $3.9 \sim 7.9 \times 10^{14}$ Hz 이기 때문에 가시광선을 비출 때는 광전 효과가 일어나지 않는다.
  • 가시광선보다 자외선이 파장이 짧고 진동수가 큰 빛으로, 진동수가 큰 빛이 광전 효과를 일으킨다.

❷ 빛의 세기에 따른 광전 효과 유무
  • 세기가 약하더라도 특정 진동수 이상의 진동수를 가진 빛은 광전 효과를 일으킨다.
  • 광전 효과를 일으키는 빛은 빛의 세기가 셀수록 단위 시간 동안에 방출되는 전자 수가 많다.

한·줄·핵심 광전 효과는 빛의 진동수와 관계있고, 센 빛을 비추면 광전자가 약한 빛을 비출 때보다 더 많이 방출된다.

확인 문제

정답과 해설 **87**쪽

01 ㉠, ㉡에 알맞은 부등호를 넣어 크기를 옳게 비교하고, ㉢, ㉣에 들어갈 알맞은 말을 쓰시오.

hf ㉠ W hf ㉡ W

세기가 ㉢ 빛   세기가 ㉣ 빛

02 다음 설명 중 옳은 것은 ○, 옳지 <u>않은</u> 것은 ×로 표시하시오.

(1) 광자의 에너지가 일함수보다 크면 전자가 금속을 탈출하지 못한다. (　　)

(2) 빛의 진동수가 문턱 진동수보다 작더라도 빛의 세기가 세면 광전자가 방출된다. (　　)

콕콕! 개념 확인하기

정답과 해설 87쪽

✔ 잠깐 확인!

1. 뉴턴은 빛이 입자라는 ☐☐☐을 주장했으며, 하위헌스는 빛이 파동이라는 ☐☐☐을 주장했다.

2. 빛의 간섭과 회절은 빛의 ☐☐☐의 증거이다.

3. ☐☐ ☐☐는 금속에 진동수가 큰 빛을 쪼여 줄 때 금속 표면에서 전자가 방출되는 현상으로, 빛의 ☐☐의 증거가 된다.

4. 아인슈타인은 '빛은 ☐☐☐에 비례하는 에너지를 갖는 입자인 광자들의 흐름이다.'라는 ☐☐☐☐을 도입하여 광전 효과를 설명하였다.

5. ☐ ☐☐☐☐ p형 반도체와 n형 반도체를 접합시켜 만든 광전 소자의 한 종류로, 빛을 비추면 광전 효과에 의해 전류와 전압이 발생한다.

6. 전하 결합 소자(CCD)
☐☐ ☐☐를 이용하여 영상 정보를 기록하는 장치

A 광전 효과와 빛의 이중성

01 빛에 관한 이론에 대한 설명으로 옳은 것은 ○, 옳지 <u>않은</u> 것은 ×로 표시하시오.

(1) 뉴턴은 파동설을 주장했다. ( )

(2) 빛의 간섭은 빛의 파동성에 따른 현상이다. ( )

(3) 아인슈타인은 빛이 광자라는 입자의 흐름이라고 주장했다. ( )

(4) 맥스웰이 주장한 전자기파의 진행은 빛의 입자성으로 설명할 수 있다. ( )

02 다음은 광전 효과에 대한 설명이다.

> 광전 효과 발생 여부는 빛의 (㉠)에 따라 결정되며, 방출되는 광전자의 수는 빛의 (㉡)에 비례한다.

㉠, ㉡ 안에 알맞은 말을 쓰시오.

03 음(−)전하로 대전된 검전기 위에 아연판을 놓고 아연판에 자외선을 비추면 벌어져 있던 검전기의 금속박이 오므라든다. 금속박이 오므라들 때 아연판에서 공기 중으로 방출되는 입자의 종류를 쓰시오.

B 광 다이오드와 CCD

04 광 다이오드와 CCD에 대한 설명으로 옳은 것은 ○, 옳지 <u>않은</u> 것은 ×로 표시하시오.

(1) 광 다이오드의 기본 원리는 광전 효과이다. ( )

(2) 광 다이오드에 빛을 비추면 전자−양성자 쌍이 생성된다. ( )

(3) CCD가 색을 표현하기 위해서는 색 필터가 반드시 필요하다. ( )

05 다음은 CCD에 대한 설명이다.

> CCD는 (㉠) 신호를 (㉡) 신호로 바꾸는 역할을 하는데, 이는 우리 눈의 망막과 같은 역할이다. CCD는 빛의 (㉢)을 이용한 것으로 CCD에 빛이 닿으면 광전 효과 때문에 각 화소에서 전자가 발생하는데, 빛의 세기가 (㉣)수록 전자가 많이 발생한다.

㉠~㉣ 안에 알맞은 말을 쓰시오.

06 전하 결합 소자(CCD)에서 발생한 전기 신호의 종류가 아날로그 신호인지 디지털 신호인지 쓰시오.

A 광전 효과와 빛의 이중성

01 빛의 입자설과 파동설에 대한 설명으로 옳지 <u>않은</u> 것은?

① 입자설은 빛의 본질이 입자라는 주장이다.

② 뉴턴은 빛이 작고 가벼운 입자(미립자)로 구성되어 있다고 주장했다.

③ 파동설을 주장한 사람은 하위헌스, 영, 맥스웰 등이다.

④ 콤프턴 산란은 빛의 파동설로 설명이 가능하다.

⑤ 전자기파의 진행 속력이 광속이라는 데서 빛이 전자 기파임을 알 수 있다.

02 다음은 광전 효과에 대해 학생 철수, 영희 민수가 대화 하는 것을 나타낸 것이다.

제시한 내용이 옳은 학생만을 있는 대로 고른 것은?

① 철수 　　　② 영희 　　　③ 민수

④ 철수, 민수 　　⑤ 영희, 민수

단답형

03 특정 금속에서 광전 효과에 의해 광전자를 방출시킬 수 있는 최소 진동수를 무엇이라고 하는지 쓰시오.

04 그림 (가), (나)는 동일한 금속판에 진동수 $2f$, $3f$인 단색 광을 각각 비추었을 때 광전자가 방출되는 것을 모식적으로 나타낸 것이다. 방출되는 광전자의 최대 운동 에너지는 (나)에 서가 (가)에서의 4배이다.

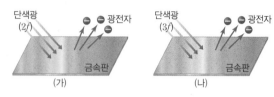

이 금속판의 문턱(한계)진동수는?

① $\frac{1}{2}f$ 　② f 　③ $\frac{3}{2}f$ 　④ $\frac{5}{3}f$ 　⑤ $2f$

05 그림 (가), (나)는 대전되지 않은 검전기 위에 놓인 대전 되지 않은 금속판 A에 단색광 a, b를 각각 비추었더니 (가)의 금속박은 변화가 없었고, (나)의 금속박은 벌어진 것을 나타낸 것이다.

이에 대한 설명으로 옳은 것만을 〈보기〉에서 있는 대로 고른 것은?

보기
ㄱ. 빛의 진동수는 b가 a보다 크다.

ㄴ. (가)에서 a의 세기를 증가시켜도 금속박이 벌어지 지 않는다.

ㄷ. (나)에서 금속박은 양(+)전하로 대전되어 있다.

① ㄱ 　　　② ㄷ 　　　③ ㄱ, ㄴ

④ ㄴ, ㄷ 　　⑤ ㄱ, ㄴ, ㄷ

B 광 다이오드와 CCD

단답형

06 그림은 p형 반도체와 n형 반도체를 접합시켜 만든 광전 소자로, 이 소자에 빛을 비추면 광전 효과에 의해 전류와 전압이 발생한다.
이 소자의 이름을 쓰시오.

07 그림은 디지털 카메라 등에 사용되는 CCD를 이용해 신호 변환 장치로 신호를 보내는 과정을 나타낸 것이다.

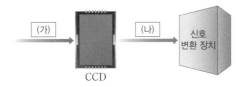

(가), (나)에 들어갈 신호의 종류를 옳게 짝 지은 것은?

	(가)	(나)		(가)	(나)
①	빛	소리	②	빛	전기
③	전기	빛	④	소리	전기
⑤	전기	소리			

08 그림은 CCD의 구조를 나타낸 것이다.
이에 대한 설명으로 옳은 것만을 〈보기〉에서 있는 대로 고른 것은?

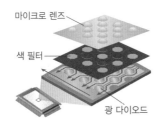

보기
ㄱ. 색 필터는 광전 효과를 이용해서 빛에너지를 전기에너지로 바꾼다.
ㄴ. 각 화소에 저장된 광전자를 인접한 화소로 전달하여 측정 장치까지 순차적으로 이동시킨다.
ㄷ. CCD는 일반 필름보다 감도가 높다.

① ㄴ　　　　② ㄷ　　　　③ ㄱ, ㄴ
④ ㄱ, ㄷ　　　⑤ ㄴ, ㄷ

09 그림 (가)는 CCD가 포함된 캡슐(알약)형 내시경의 모습을 나타낸 것이고, (나)는 반도체 A, B를 접합해 만든 CCD의 광 다이오드에서 양공과 전자가 이동하여 전류가 흐르는 모습을 나타낸 것이다.

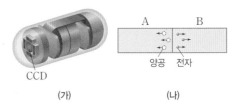

이에 대한 설명으로 옳은 것만을 〈보기〉에서 있는 대로 고른 것은?

보기
ㄱ. A는 p형 반도체이다.
ㄴ. CCD에 빛을 비추면 A와 B의 경계면에서 전자−양공 쌍이 생성된다.
ㄷ. CCD의 원리는 빛의 파동성으로 설명할 수 있다.

① ㄱ　　　　② ㄷ　　　　③ ㄱ, ㄴ
④ ㄴ, ㄷ　　　⑤ ㄱ, ㄴ, ㄷ

10 그림은 CCD를 이용해 영상 정보를 저장하는 디지털 카메라를 나타낸 것이다.
이와 같이 CCD를 이용한 장치만을 〈보기〉에서 있는 대로 고른 것은?

보기

ㄱ. 대형 전광판	ㄴ. 스캐너	ㄷ. 우주 천체 망원경

① ㄴ　　　　② ㄷ　　　　③ ㄱ, ㄴ
④ ㄱ, ㄷ　　　⑤ ㄴ, ㄷ

도전! 실력 올리기

01 그림 (가)~(다)는 금속판이 각각 P, Q이고 금속박이 닫혀 있으며, 대전되지 않은 검전기에 단색광 A와 B를 비추었더니 (가)와 (다)의 검전기의 금속박은 아무 변화가 없었고, (나)의 검전기의 금속박은 벌어진 것을 나타낸 것이다.

이에 대한 설명으로 옳은 것만을 〈보기〉에서 있는 대로 고른 것은?

> **보기**
> ㄱ. 빛의 파장은 A가 B보다 길다.
> ㄴ. 금속의 일함수는 Q가 P보다 크다.
> ㄷ. (가)에서 B보다 진동수가 큰 빛을 P에 비추면 금속박은 벌어진다.

① ㄱ   ② ㄷ   ③ ㄱ, ㄴ
④ ㄴ, ㄷ   ⑤ ㄱ, ㄴ, ㄷ

02 다음은 도난 경보기의 작동 원리이다.

> 자외선을 광전관에 비추면 전자가 튀어나와 솔레노이드에 전류가 흘러 솔레노이드는 전자석이 된다. 이 전자석은 스위치가 연결된 금속막대를 당기므로 평소에는 전원이 차단되어 부저가 울리지 않지만, 자외선이 차단되면 스위치가 닫혀 부저가 울리게 된다.
>
>

이에 대한 설명으로 옳은 것만을 〈보기〉에서 있는 대로 고른 것은?

> **보기**
> ㄱ. 자외선의 세기가 증가하면 전자석에 의한 자기력의 크기도 커진다.
> ㄴ. 자외선 광자 한 개의 에너지는 광전관 내 금속의 일함수보다 크다.
> ㄷ. X선을 광전관에 비추어도 부저가 울리지 않는다.

① ㄱ   ② ㄷ   ③ ㄱ, ㄴ
④ ㄴ, ㄷ   ⑤ ㄱ, ㄴ, ㄷ

03 그림 (가)는 단색광 A, B, C의 세기와 파장을, (나)는 A, B, C를 광전관의 금속판에 비추는 모습을 나타낸 것이다. B를 비추었을 때는 금속판에서 광전자가 방출되었으나 C를 비추었을 때는 광전자가 방출되지 않았다.

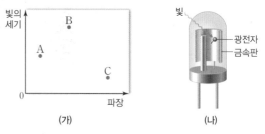

이에 대한 설명으로 옳은 것만을 〈보기〉에서 있는 대로 고른 것은?

> **보기**
> ㄱ. 빛의 진동수는 A가 B보다 작다.
> ㄴ. C의 세기를 증가시키면 광전자의 최대 운동 에너지가 증가한다.
> ㄷ. A와 B를 동시에 비추면 B만 비추었을 때보다 광전관에 흐르는 전류의 세기가 세다.

① ㄴ   ② ㄷ   ③ ㄱ, ㄴ
④ ㄱ, ㄷ   ⑤ ㄴ, ㄷ

04 그림은 CCD에서 전자가 순차적으로 전하량 측정 장치까지 이동하는 모습을 나타낸 것이다. 이에 대한 설명으로 옳은 것만을 〈보기〉에서 있는 대로 고른 것은?

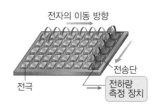

> **보기**
> ㄱ. 각 전극에 걸린 전압을 조정하여 광전자를 이동시킨다.
> ㄴ. 전송단이 아닌 열에서도 수직 방향으로 이동이 가능하다.
> ㄷ. 전하량 측정 장치에서는 축적된 전하량의 세기를 측정하여 CCD에 입사한 빛의 세기를 측정한다.

① ㄱ   ② ㄴ   ③ ㄱ, ㄴ
④ ㄱ, ㄷ   ⑤ ㄴ, ㄷ

05 다음은 디지털 카메라가 영상 정보를 저장하는 원리이다.

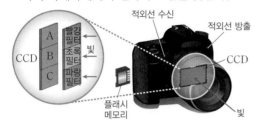

(가) 카메라에서 방출된 적외선이 물체에 반사된 후 다시 카메라에서 수신하여 초점을 맞춘다.

(나) 광센서 A, B, C는 각각 빨강, 초록, 파랑 필터를 투과한 빛을 CCD에서 전기 신호로 전환시킨다.

(다) 전기 신호로 전환된 영상 정보는 디지털 신호로 바꾼 후 플래시 메모리에 저장된다.

이에 대한 설명으로 옳은 것만을 〈보기〉에서 있는 대로 고른 것은?

> ㄱ. 광자 1개의 에너지는 적외선이 파랑 빛보다 크다.
> ㄴ. (나)에서 빛을 전기 신호로 바꾸는 것은 광전 효과로 설명할 수 있다.
> ㄷ. 플래시 메모리는 정보 저장 물질로 강자성체를 이용한다.

① ㄱ   ② ㄷ   ③ ㄱ, ㄴ
④ ㄴ, ㄷ   ⑤ ㄱ, ㄴ, ㄷ

06 그림은 디지털 카메라 안의 반도체 A와 B로 구성된 전하 결합 소자(CCD)의 원리를 간략하게 나타낸 것으로, 기판까지 도달한 빛이 반도체에서 전자와 양공의 쌍을 형성하는 것을 나타낸 것이다. 이에 대한 설명으로 옳은 것만을 〈보기〉에서 있는 대로 고른 것은?

> ㄱ. A는 p형 반도체이다.
> ㄴ. CCD에서 측정되는 전자의 수는 쪼여지는 빛의 세기에 비례한다.
> ㄷ. 금속 전극은 전자를 모으는 역할을 한다.

① ㄴ   ② ㄷ   ③ ㄱ, ㄷ
④ ㄴ, ㄷ   ⑤ ㄱ, ㄴ, ㄷ

07 그림은 검류계가 연결된 광 다이오드에 단색광 A, B를 각각 비추는 모습을 나타낸 것이다. 표는 A, B를 비추었을 때 검류계에 흐르는 전류를 나타낸 것이다. 광 다이오드의 원자가 띠와 전도띠 사이의 띠틈은 E_0이다.

단색광	전류
A	흐름
B	흐르지 않음

A, B의 광자 1개의 에너지를 각각 E_A, E_B라 할 때, E_A, E_B, E_0의 대소 관계를 옳게 비교하여 쓰시오.

08 그림 (가)는 문턱 진동수가 f_0인 금속판 표면에 빛을 비추어 광전자를 방출시키는 것을 나타낸 것이다. 그림 (나)와 같이 금속판 표면에 비추는 빛의 진동수와 세기를 시간에 따라 동시에 변화시켰다.

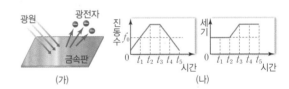

방출되는 광전자 1개의 최대 운동 에너지 E를 시간에 따라 나타낸 그래프를 그리시오.

09 광전 효과에 의하면 금속판에 쪼여 주는 빛의 진동수가 한계 진동수보다 크면 빛의 세기가 약해도 광전자가 즉시 방출된다. 이 내용을 파동설로 설명할 수 없는 까닭을 서술하시오.

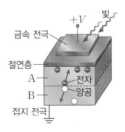

02 ~ 물질의 이중성과 전자 현미경

A 물질파의 확인과 물질의 이중성

|출·제·단·서| 물질파 파장의 식을 통해 파장과 운동량의 관계를 묻거나 물질파 확인 실험과 물질의 이중성을 묻는 문제가 시험에 나와!

1. 드브로이의 물질파
드브로이가 처음으로 물질의 파동성을 주장하였으므로 그의 이름을 따서 물질파를 드브로이파라고도 한다.

(1) **물질파(드브로이파)** 입자인 물질이 파동성을 나타낼 때 물질의 파동

(2) **물질파의 파장(드브로이 파장)** 질량이 m인 입자가 속력 v로 운동할 때 입자의 물질파 파장 λ는 다음과 같다. 물질파 파장은 질량과 속도의 곱인 운동량의 크기에 반비례한다.

$$\lambda = \frac{h}{p} = \frac{h}{mv} \quad (h: \text{플랑크 상수}, \ h = 6.63 \times 10^{-34} \ \text{J·s})$$

전자의 운동 에너지를 E라고 하면 $E = \frac{1}{2}mv^2 = \frac{(mv)^2}{2m}$이고 $mv = \sqrt{2mE}$이므로 $\lambda = \frac{h}{mv} = \frac{h}{\sqrt{2mE}}$이다.

2. 물질파의 확인

전자빔과 X선 회절[1]	전자빔의 간섭
▲ 전자빔 회절 무늬　　▲ X선 회절 무늬 전자빔을 금속박에 입사시켰을 때 회절 무늬와 X선의 회절 무늬가 닮았다. ➡ 전자가 파동의 성질을 가짐을 증명(물질파의 존재 확인)	 레이저 빛과 전자빔 모두 이중 슬릿을 통과할 때 간섭을 일으켜 간섭무늬를 나타낸다. 이를 통해 전자가 빛과 같이 파동성을 나타냄을 알 수 있다.

데이비슨-거머 실험	
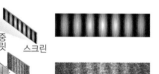 	전자빔을 쏘고 검출기의 각도를 변화시키면서 니켈 표면에서 튀어 나온 전자의 수를 관찰하였다. 54 V의 전압으로 가속했을 때, 입사하는 방향과 50°의 각도를 이루는 곳에서 튀어 나온 전자의 수가 가장 많았다. 이러한 실험 결과는 전자의 물질파가 반사되어 나올 때 특정한 각도에서 보강 간섭 하기 때문에 나타난다.

전자를 가속시킬 때 가속 전압이 높을수록 전자의 속력이 빨라져 전자의 운동량은 커지고 물질파 파장은 짧아진다.

3. 물질의 이중성[2]
빛이 파동성과 입자성을 동시에 가지듯 물질도 입자성과 파동성을 동시에 갖는 것을 물질의 이중성이라고 한다. 일상생활에서는 플랑크 상수 h가 물질의 질량에 비해 매우 작기 때문에 물질파 파장이 짧아 파동성을 관찰하기 어렵다.

야구공의 물질파	전자의 물질파
파동성을 관측하기 어렵다 	파동성을 관측하기 쉽다 
질량 140 g인 야구공이 40 m/s의 속력으로 움직일 때 야구공의 물질파 파장 $= \frac{6.63 \times 10^{-34}}{0.14 \times 40} \simeq 1.18 \times 10^{-34}$ m이고, 이 값은 매우 작기 때문에 측정하기 어렵다.	질량 9×10^{-31} kg인 전자가 6×10^6 m/s의 속력으로 움직일 때 전자의 물질파 파장 $= \frac{6.63 \times 10^{-34}}{9 \times 10^{-31} \times 6 \times 10^6} \simeq 1.23 \times 10^{-10}$ m이고, 이 값은 야구공의 물질파 파장에 비해 길기 때문에 측정할 수 있다.

❶ X선, 전자빔의 회절

알루미늄 박막에 X선과 전자빔을 쪼여 주면 사진 건판에 회절 무늬가 생긴다. 회절은 틈이 좁을수록, 파장이 길수록 잘 일어나고, 회절이 잘 일어날수록 회절 무늬 사이의 간격이 넓어진다.

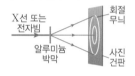

X선 또는 전자빔 / 알루미늄 박막 / 회절 무늬 / 사진 건판

❷ 물질의 이중성

빛의 이중성과 마찬가지로 입자도 한 가지 현상에서 입자성과 파동성을 동시에 관찰할 수는 없다.

❓ 전자의 입자성은 어떻게 확인할까?

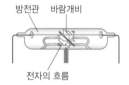

방전관 / 바람개비 / 전자의 흐름

전자가 정지해 있던 바람개비와 충돌하면 전자의 운동량이 바람개비에 전달되기 때문에 바람개비가 회전한다. 이로부터 전자는 질량을 가진 입자라는 것을 알 수 있다.

🐱 용어 알기

●회절(돌 回, 꺾을 折) 파동이 장애물이나 틈을 지난 다음 장애물 뒤로 꺾여서 퍼져 나가는 현상

B 분해능과 전자 현미경

|출·제·단·서| 분해능의 개념과 파장에 따른 분해능 비교를 묻거나 전자 현미경이 광학 현미경보다 배율이 높은 이유, 광학 현미경, TEM, SEM의 특성을 비교하는 문제가 시험에 나와!

1. 분해능❸ 서로 가까이 있는 두 점을 구분하여 볼 수 있는 능력으로, 렌즈의 크기가 같을 때 빛의 파장이 짧을수록 분해능이 우수하다.❹

두 광원으로부터 회절된
빛에 의한 각 점의 밝기

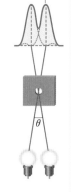

① 인접한 두 광원에서 오는 빛이 한 슬릿을 통과하면서 각각 회절하여 스크린에 상을 맺을 때, 파장이 짧을수록 회절 무늬가 겹치지 않아 두 점의 상을 잘 구별할 수 있고, 이런 경우에 분해능이 좋다고 한다.

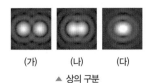

▲ 상의 구분

(가): 두 점의 상은 구분 가능
(나): 두 점의 상이 구분될 수 있는 최소의 조건
(다): 두 점의 상은 구분 불가능

▲ 빨간 빛과 파란 빛의 분해능

빨간 빛은 두 점을 구분할 수 없지만 파란 빛은 구분 가능하다. 파란 빛은 빨간 빛보다 파장이 짧기 때문에 분해능이 더 좋다.

② **광학 현미경의 분해능**: 빛(가시광선)의 회절 현상 때문에 $0.2 \ \mu m$ 정도가 분해능의 한계이다. 이보다 작은 크기의 바이러스와 같은 미생물을 관찰할 수 없다.

2. 전자 현미경 개념 POOL 가시광선 대신 전자의 물질파를 이용한 현미경

(1) 분해능과 배율 전자의 물질파 파장이 가시광선의 수천분의 1 정도로 짧고, 전자의 속력을 빠르게 하면 물질파 파장이 더 짧아지기 때문에 분해능이 매우 우수하다. 배율도 10만 배 정도로 광학 현미경의 최대 배율보다 크다.

(2) 전자 현미경의 활용 가시광선으로 볼 수 없는 바이러스 생명체, 고분자의 표면 원자 배치 등을 촬영할 수 있다.

3. 광학 현미경과 전자 현미경의 비교 투과 전자 현미경의 분해능은 약 0.05 nm, 주사 전자 현미경의 분해능은 약 0.7 nm 정도이다.

종류	광학 현미경	투과 전자 현미경(TEM)	주사 전자 현미경(SEM)
모식도	눈, 접안 렌즈, 대물렌즈, 시료, 집광렌즈, 가시광선, 광원	전자총, 자기렌즈, 시료, 대물렌즈, 전자빔, 투사렌즈, 형광 스크린	전자총, 전자빔, 자기렌즈, 주사용 코일, 화면, 대물렌즈, 시료, 증폭기, 전자 검출기, 2차 전자
특징	유리로 된 렌즈로 빛을 굴절시켜 상을 맺게 하여 물체를 관찰한다. 가시광선의 파장보다 크기가 작은 물체는 관찰할 수 없다.	전자빔을 얇은 시료에 투과시킨 후❻, 형광 스크린에 형성된 시료의 2차원 단면 구조의 상을 관찰한다.	가속된 전자빔을 시료 표면에 쪼일 때 튀어 나온 전자를 검출하여 시료의 입체상을 관찰한다.
분해능	빛의 파장보다 물체가 작으면 회절 현상 때문에 상이 흐려진다.	분해능이 좋아 세포의 내부 구조를 관찰하는 데 주로 사용된다.	분해능이 투과 전자 현미경보다는 다소 떨어지지만 입체 영상을 볼 수 있다.

❸ **분해능**
광학 기기의 성능을 나타내 주는 지표로 분해능의 값이 작을수록 미세한 물체까지 선명하게 볼 수 있다. 광학 현미경의 분해능은 가시광선 파장의 절반 정도인 2×10^{-7} m이므로 이보다 작은 크기인 바이러스는 관찰할 수 없다.

❹ **빛의 파장과 시료의 크기**
빛의 파장이 시료의 크기보다 길면 빛이 시료를 통과할 때 회절 현상으로 인해 분해능이 나빠진다. 이에 따라 시료의 윤곽이 흐릿해지고 물체를 자세히 관찰하기 어렵다.

❺ **자기렌즈**
코일로 만든 원통형 전자석으로 전자가 자기장에 의해 힘을 받아 경로가 휘어지는 성질을 활용한다. 자기렌즈를 지나면서 전자빔이 한 점에 모인다.

자기렌즈 —
단일 전자의 나선형 궤도
전자빔에서 전자의 경로

❻ **투과의 조건**
전자가 시료를 투과하는 동안 속력이 느려져 드브로이 파장이 커지면 분해능이 떨어지므로 시료를 가능한 한 얇게 만들어야 한다.

용어 알기 🐱

● 투과 전자 현미경(TEM)
Transmission Electron Microscope
● 주사 전자 현미경(SEM)
Scanning Electron Microscope

전자 현미경의 구조와 상

목표 투과 전자 현미경과 주사 전자 현미경의 구조를 이해하고 촬영 과정과 특성을 말할 수 있다.

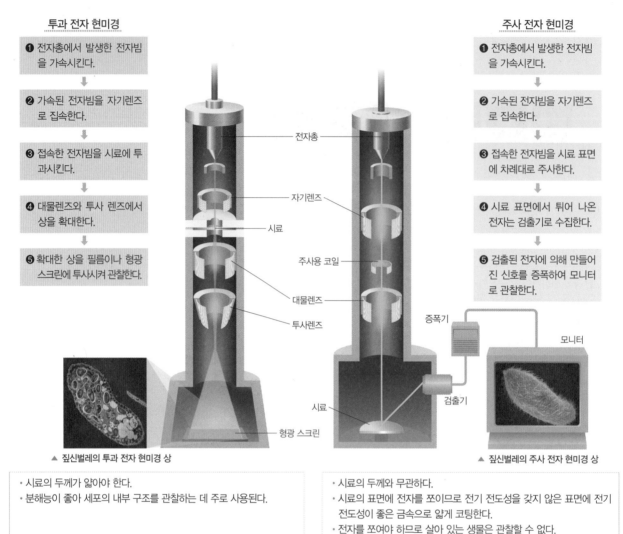

투과 전자 현미경

❶ 전자총에서 발생한 전자빔을 가속시킨다.

❷ 가속된 전자빔을 자기렌즈로 집속한다.

❸ 집속한 전자빔을 시료에 투과시킨다.

❹ 대물렌즈와 투사 렌즈에서 상을 확대한다.

❺ 확대한 상을 필름이나 형광 스크린에 투사시켜 관찰한다.

주사 전자 현미경

❶ 전자총에서 발생한 전자빔을 가속시킨다.

❷ 가속된 전자빔을 자기렌즈로 집속한다.

❸ 집속한 전자빔을 시료 표면에 차례대로 주사한다.

❹ 시료 표면에서 튀어 나온 전자는 검출기로 수집한다.

❺ 검출된 전자에 의해 만들어진 신호를 증폭하여 모니터로 관찰한다.

전자총 / 자기렌즈 / 시료 / 주사용 코일 / 대물렌즈 / 투사렌즈 / 형광 스크린 / 증폭기 / 모니터 / 검출기 / 시료

▲ 짚신벌레의 투과 전자 현미경 상

▲ 짚신벌레의 주사 전자 현미경 상

- 시료의 두께가 얇아야 한다.
- 분해능이 좋아 세포의 내부 구조를 관찰하는 데 주로 사용된다.

- 시료의 두께와 무관하다.
- 시료의 표면에 전자를 쪼이므로 전기 전도성을 갖지 않은 표면에 전기 전도성이 좋은 금속으로 얇게 코팅한다.
- 전자를 쪼여야 하므로 살아 있는 생물은 관찰할 수 없다.

한·줄·핵심 투과 전자 현미경은 시료의 두께가 얇아야 분해능이 좋아지고, 주사 전자 현미경은 두께와 무관하지만 시료 표면의 전기 전도성이 좋아야 한다.

확인 문제

정답과 해설 90쪽

[01~02] 그림은 전자 현미경 (가), (나)의 구조이다.

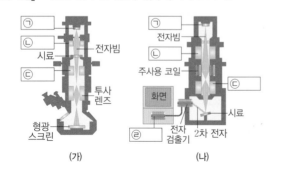

(가)

(나)

01 ㉠~㉢에 들어갈 말로 알맞은 것을 쓰시오.

02 다음 설명 중 옳은 것은 ○, 옳지 않은 것은 ✕로 표시하시오.

(1) (가)는 주사 전자 현미경의 구조이다.　　　(　　)

(2) ㉡은 전자가 통과할 때 전자석의 역할을 한다.　(　　)

(3) (가)의 시료는 두께가 얇아야 한다.　　　(　　)

(4) (나)는 3차원 영상을 볼 수 있다.　　　(　　)

(5) (나)의 시료 표면은 전기 전도성이 좋아야 선명한 상을 얻을 수 있다.　　　(　　)

(6) 분해능은 (나)가 (가)보다 좋다.　　　(　　)

✔ 잠깐 확인!

1. ☐☐☐
운동하는 물질 입자의 파동으로 드브로이파라고도 한다.

2. 물질파 파장은 물질의 ☐과 ☐☐을 곱한 운동량의 크기에 반비례한다.

3. 물질의 ☐☐☐
물질 입자도 빛과 마찬가지로 파동성과 입자성을 모두 가지고 있다.

4. 전자 현미경은 전자의 ☐☐성을 이용한다.

5. ☐☐☐
서로 가까이 있는 두 점을 구분하여 볼 수 있는 능력이다.

6. ☐☐☐☐
전자 현미경에서 전자빔을 한 점에 모아 주는 장치

7. 전자의 물질파 파장이 가시광선보다 ☐기 때문에 광학 현미경으로 관찰할 수 없는 물체도 관찰할 수 있다.

8. ☐☐ 전자 현미경
모양과 크기가 같은 염색체 쌍 시료의 3차원적 구조를 볼 수 있다.

A 물질파의 확인과 물질의 이중성

01 물질파에 대한 설명으로 옳은 것은 ○, 옳지 <u>않은</u> 것은 ×로 표시하시오.

(1) 전자와 양성자가 같은 속력으로 움직일 때 물질파의 파장은 전자가 길다.

(   )

(2) 빛의 파장이 길수록 빛의 회절 현상이 잘 일어난다.   (   )

(3) 질량이 m이고, 속력이 v인 전자의 물질파 파장은 $\frac{mv}{h}$이다.   (   )

(4) 전자가 정지해 있던 바람개비와 충돌하여 바람개비를 회전시키는 것은 전자의 파동성 때문이다.   (   )

02 전자빔을 금속박에 입사시켰을 때의 회절 무늬는 X선의 회절 무늬와 비슷하다. 이것은 전자의 어떤 성질 때문인지 쓰시오.

03 그림 (가)와 (나)는 전자가 파동 또는 입자로 행동할 때 스크린에 나타난 무늬를 나타낸 것이다.
(가)와 (나) 중 어느 쪽이 전자가 파동의 성질을 나타낸 것인지 쓰시오.

(가)   (나)

B 분해능과 전자 현미경

04 현미경에 대한 설명으로 옳은 것은 ○, 옳지 않은 것은 ×로 표시하시오.

(1) 광학 현미경의 분해능으로 바이러스를 촬영할 수 있다.   (   )
(2) 투과 전자 현미경으로 세포의 내부 구조를 관찰할 수 있다.   (   )
(3) 렌즈의 크기가 같을 때 빛의 파장이 길수록 분해능이 우수하다.   (   )
(4) 주사 전자 현미경은 광학 현미경보다 분해능이 우수하다.   (   )

05 다음은 전자의 물질파에 대한 설명이다.

> 전자총에서 전자를 가속시킬 때 가속 전압을 높이면 전자의 속력이 ㉠ (느려져서, 빨라져서) 전자의 운동량의 크기가 ㉡ (작아지고, 커지고) 전자의 물질파 파장은 ㉢ (짧아진다, 길어진다).

㉠~㉢에 들어갈 말로 알맞은 것을 고르시오.

06 전자빔을 얇은 시료에 투과시킨 후, 형광 스크린에 형성된 시료의 2차원적 단면 구조의 상을 관찰하는 현미경은 어떤 현미경인지 쓰시오.

01 다음은 물질파에 대해 철수, 영희, 민수가 대화하는 것을 나타낸 것이다.

제시한 내용이 옳은 학생만을 있는 대로 고른 것은?

① 철수   ② 영희   ③ 민수

④ 철수, 민수   ⑤ 영희, 민수

02 표는 입자 A, B의 속도와 물질파의 파장을 나타낸 것이다.
A, B의 질량을 각각 m_A, m_B라 할 때, $m_A : m_B$는?

	속도	물질파 파장
A	v	λ
B	$2v$	2λ

① 1 : 1   ② 1 : 2   ③ 1 : 4

④ 2 : 1   ⑤ 4 : 1

03 그림은 가속 장치에서 나온 입자가 진공 상자 안에서 운동하는 모습을, 표는 진공 상자 안에서 운동하는 입자 A, B의 질량과 운동 에너지를 나타낸 것이다.

입자	질량	운동 에너지
A	m_0	E_0
B	$2m_0$	$2E_0$

A, B의 물질파 파장의 비 $\lambda_A : \lambda_B$는?

① 1 : 1   ② 1 : 2   ③ 1 : 4

④ 2 : 1   ⑤ 4 : 1

04 그림 (가)와 (나)는 X선과 전자빔을 금속박에 입사시켰을 때 얻은 회절 무늬를 순서 없이 나타낸 것이다.

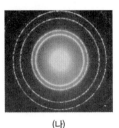

(가)   (나)

이에 대한 설명으로 옳은 것만을 〈보기〉에서 있는 대로 고른 것은?

보기
ㄱ. (나)의 무늬는 전자의 회절 무늬이다.
ㄴ. (나)의 무늬는 전자가 파동성을 갖기 때문에 나타난다.
ㄷ. 전자의 속력이 커지면 전자의 물질파 파장이 길어진다.

① ㄱ   ② ㄷ   ③ ㄱ, ㄴ

④ ㄱ, ㄷ   ⑤ ㄴ, ㄷ

05 그림과 같이 질량이 $2m$, m인 물체 A, B를 높이가 각각 H, $2H$인 곳에서 가만히 놓았다.
지면에서 도달하기 직전 A, B의 물질파 파장을 λ_A, λ_B라 할 때 $\lambda_A : \lambda_B$는? (단, 공기 저항과 물체의 크기는 무시한다.)

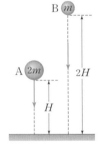

① 1 : 1   ② 1 : $\sqrt{2}$

③ 1 : 2   ④ $\sqrt{2}$: 1   ⑤ 2 : 1

단답형

06 질량이 100 g인 물체가 20 m/s의 속력으로 이동할 때 이 물체의 드브로이 파장이 얼마인지 쓰시오. (단, 플랑크 상수는 6.63×10^{-34} J·s이다.)

정답과 해설 90쪽

B 분해능과 전자 현미경

07 그림은 광학 현미경으로 인접한 두 물체를 볼 때, 빨간색과 파란색으로 관찰한 모습을 나타낸 것이다.

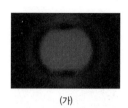
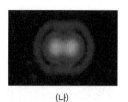

(가)   (나)

두 점의 상이 구분되지 <u>않은</u> 까닭과 관계있는 빛의 성질과, (가)와 (나)에서 분해능이 좋은 것을 옳게 짝 지은 것은?

	빛의 성질	분해능이 좋은 것
①	빛의 반사	(가)
②	빛의 반사	(나)
③	빛의 굴절	(가)
④	빛의 회절	(가)
⑤	빛의 회절	(나)

단답형

08 그림은 주사 전자 현미경의 구조를 개략적으로 나타낸 것이다.
가속된 전자빔을 전자가 자기장에 의해 힘을 받는 성질을 이용하여 한 점에 모아 주는 장치의 이름을 쓰시오.

- 전자빔
- 자기렌즈
- 전자 검출기
- 시료

09 그림 (가)는 태양 전지를 이용한 가로등으로 해가 지면 자동으로 켜지고 해가 뜨면 자동으로 꺼진다. 그림 (나)는 크기가 매우 작아 광학 현미경으로 관찰할 수 없는 탄저균을 전자 현미경으로 찍은 것이다.

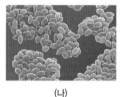

(가)   (나)

태양 전지와 전자 현미경의 원리에 이용된 성질로 옳게 짝 지은 것은?

	(가)	(나)
①	빛의 이중성	전자의 이중성
②	빛의 입자성	전자의 입자성
③	빛의 입자성	전자의 파동성
④	빛의 파동성	전자의 입자성
⑤	빛의 파동성	전자의 파동성

10 그림은 전자 현미경의 구조를 개략적으로 나타낸 것으로 자기렌즈에서 코일이 렌즈의 역할을 하여 물체의 상을 얻는다.
전자 현미경에 대한 설명으로 옳지 <u>않</u>은 것은?

- 전자총
- 자기렌즈
- 시료
- 대물렌즈
- 전자빔
- 투사렌즈
- 형광스크린

① 물질의 파동성을 이용하여 상을 얻는다.
② 전자가 물체를 통과하면서 회절한다.
③ 전자의 속력이 빠를수록 물질파 파장은 짧아진다.
④ 전자의 속력이 빠를수록 더 작은 물체까지 볼 수 있다.
⑤ 전압이 낮을수록 더 작은 물체까지 볼 수 있다.

11 그림 (가)는 광학 현미경으로 본 모기의 모습을, (나)는 전자 현미경으로 본 모기의 눈을 나타낸 것이다.

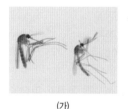

(가)   (나)

이에 대한 설명으로 옳은 것만을 〈보기〉에서 있는 대로 고른 것은?

보기
ㄱ. (나)는 전자의 파동성을 이용한다.
ㄴ. 전자 현미경에서 전자의 운동량의 크기를 더 작게 하면 분해능이 커진다.
ㄷ. 전자 현미경은 광학 현미경보다 더 높은 배율로 볼 수 있다.

① ㄱ   ② ㄷ   ③ ㄱ, ㄷ
④ ㄴ, ㄷ   ⑤ ㄱ, ㄴ, ㄷ

단답형

12 다음은 투과 전자 현미경과 주사 전자 현미경에 대한 설명이다.

투과 전자 현미경은 시료의 두께가 (㉠)야 분해능이 좋고 주사 전자 현미경은 시료 표면의 (㉡)이 좋아야 분해능이 좋다.

( ) 안에 알맞은 말을 쓰시오.

도전! 실력 올리기

01 그림은 질량이 다른 입자 A, B의 물질파 파장을 입자의 속력에 따라 나타낸 것이다. A가 B보다 크기가 작은 물리량만을 〈보기〉에서 있는 대로 고른 것은?

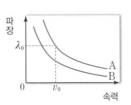

보기
ㄱ. 입자의 속력이 v_0일 때, 질량
ㄴ. 물질파의 파장이 λ_0일 때, 운동량의 크기
ㄷ. 물질파의 파장이 λ_0일 때, 운동 에너지

① ㄱ   ② ㄷ   ③ ㄱ, ㄴ
④ ㄱ, ㄷ   ⑤ ㄱ, ㄴ, ㄷ

02 표는 일함수가 W_0인 금속판에 단색광을 비추었을 때, 단색광에 따른 광자 한 개의 에너지를 나타낸 것이다. A와 B를 비출 때 금속에서 최대 운동 에너지를 갖고 튀어 나온 광전자의 물질파 파장을 각각 λ_A, λ_B라고 할 때 $\lambda_A : \lambda_B$는 얼마인가?

단색광	광자 한 개의 에너지
A	$2W_0$
B	$5W_0$

① 1 : 1   ② 1 : 2   ③ 2 : 1   ④ 4 : 1   ⑤ 3 : 2

03 그림 (가)는 질량이 m으로 같은 입자 A, B가 서로 마주 볼 때 A는 λ의 물질파 파장을 가지는 속력으로, B는 v의 속력으로 운동하는 모습을 나타낸 것이다. 그림 (나)는 A, B가 충돌한 후 A가 v의 속력으로 B와 반대 방향으로 운동하는 모습을 나타낸 것이다.

$\frac{h}{\lambda} = mv$이면, 충돌 후 A와 B의 운동 에너지의 합은? (단, 공기 저항과 모든 마찰은 무시한다.)

① $\frac{h^2}{4m\lambda^2}$ ② $\frac{h^2}{3m\lambda^2}$ ③ $\frac{h^2}{2m\lambda^2}$

④ $\frac{h^2}{m\lambda^2}$ ⑤ $\frac{2h^2}{m\lambda^2}$

04 그림 (가)와 (나)는 각각 파장이 λ인 X선과, X선의 파장과 같은 길이의 드브로이 파장을 갖는 전자빔을 금속박에 입사시켰을 때 얻은 회절 무늬를 나타낸 것이다. 두 사진에서 회절 무늬 사이의 간격은 같다.

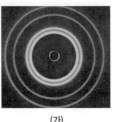 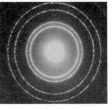

(가)   (나)

이에 대한 설명으로 옳은 것만을 〈보기〉에서 있는 대로 고른 것은?

보기
ㄱ. 전자의 운동량은 $\frac{h}{\lambda}$이다.
ㄴ. 이 실험의 결과로 광전 효과를 설명할 수 있다.
ㄷ. 전자의 속력이 빠를수록 회절 무늬 사이의 간격이 넓어진다.

① ㄱ   ② ㄷ   ③ ㄱ, ㄴ
④ ㄴ, ㄷ   ⑤ ㄱ, ㄴ, ㄷ

05 그림 (가)는 니켈 결정 표면에서 전자빔의 산란 실험을 나타낸 것이고, 그림 (나)는 가속 전압이 54 V일 때, 검출기의 각도 ϕ에 따라 산란된 전자빔의 세기를 나타낸 것이다.

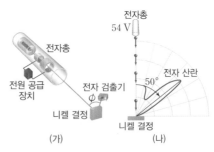

(가)   (나)

이에 대한 설명으로 옳은 것만을 〈보기〉에서 있는 대로 고른 것은?

보기
ㄱ. 물질의 파동성을 입증하는 실험이다.
ㄴ. 반사되어 나온 전자의 수는 각도에 따라 달라진다.
ㄷ. 이러한 실험 결과가 나타나는 까닭은 물질파가 특정한 각도에서 보강 간섭 하기 때문이다.

① ㄱ   ② ㄷ   ③ ㄱ, ㄴ
④ ㄴ, ㄷ   ⑤ ㄱ, ㄴ, ㄷ

06 다음은 광학 현미경과 전자 현미경의 특징이다.

> • 광학 현미경은 가시광선의 회절 때문에 대략 가시광선 파장 정도 크기의 물체까지만 관찰할 수 있다.
> • 전자 현미경은 전자의 속력을 조절해서 광학 현미경으로 관찰하는 것에 비해 약 $\frac{1}{1000}$배 정도 작은 물체까지 관찰할 수 있다.

이에 대해 옳게 말한 사람만을 〈보기〉에서 있는 대로 고른 것은?

> 보기
> A: 전자도 파동성을 가지고 있어.
> B: 전자의 속력이 빠를수록 더 작은 물체까지 관찰할 수 있어.
> C: 전자 현미경에서 전자의 물질파는 가시광선보다 회절이 잘 돼.

① B   ② C   ③ A, B
④ A, C   ⑤ A, B, C

07 그림 (가)~(다)는 광학 현미경과 전자 현미경을 순서 없이 나타낸 것이다.

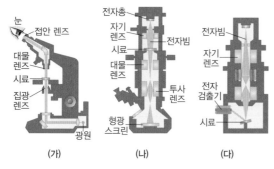

(가)   (나)   (다)

적외선보다 파장이 짧은 빛의 굴절 현상으로 표면 구조를 관찰하는 현미경, 최대 배율이 가장 큰 현미경, 물질의 파동성을 이용하여 시료의 입체적인 상을 확인할 수 있는 현미경을 순서대로 나타낸 것은?

① (가), (나), (다)   ② (가), (다), (나)
③ (나), (가), (다)   ④ (나), (다), (가)
⑤ (다), (나), (가)

08 다음은 두 전자 현미경에 대한 설명이다.

> (㉠): 전자총에서 방출된 전자가 자기렌즈에 의해 집속되어 시료를 통과한 전자가 형광 물질이 발라진 스크린에 부딪혀 빛을 내면 이를 눈으로 관찰하거나 사진을 찍는다.
> (㉡): 가속된 전자가 시료 표면에 부딪히면 시료에서 2차 전자가 방출되고 2차 전자를 검출기로 검출하여 얻은 신호를 증폭하여 영상을 촬영한다.

㉠과 ㉡에 해당하는 현미경을 쓰시오.

09 그림은 전자총에서 방출되는 전자들이 이중 슬릿을 통과한 뒤 스크린에 도달하여 만든 무늬이다.

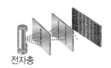
전자총

전자가 스크린에 이러한 무늬를 나타내는 까닭을 서술하시오.

10 일상생활에서 사람이 물질파를 관찰할 수 없는 까닭을 서술하시오.

빛의 진동수와 금속의 문턱 진동수

출제 의도

광전자의 방출 유무를 통해 단색광의 진동수와 금속의 문턱 진동수를 비교하고, 단색광의 진동수로부터 단색광의 색 정보를 얻을 수 있다.

◢ **대표 유형**

단색광의 진동수가 금속의 문턱 진동수보다 크면 광전 효과가 발생하여 광전자가 튀어 나온다. 문턱 진동수보다 작으면 광전 효과가 발생하지 않아 광전자도 방출되지 않는다.

그림은 두 광전관의 금속판 P, Q에 빛의 삼원색에 해당하는 단색광 A, B, C를 하나씩 비추는 모습을 나타낸 것이다. 표는 A, B, C를 하나씩 비추었을 때 P, Q에서의 광전자 방출 여부를 나타낸 것이다.

A의 진동수는 P의 한계 진동수보다 작고, Q의 문턱 진동수보다 크다. 따라서 금속의 일함수는 P가 Q보다 크다.

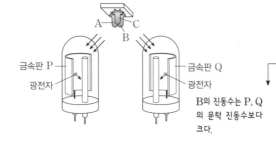

금속판 P
광전자

금속판 Q
광전자

B의 진동수는 P, Q의 문턱 진동수보다 크다.

단색광	광전자 방출 여부	
	P	Q
A	×	○
B	○	○
C	×	×

C의 진동수는 P, Q의 문턱 진동수보다 작다. 단색광의 진동수는 B가 가장 크고 C가 가장 작으므로 C는 빨간색 빛, A는 초록색 빛, B는 파란색 빛이다.

이에 대한 설명으로 옳은 것만을 〈보기〉에서 있는 대로 고른 것은?

보기

ㄱ. 진동수는 A가 C보다 크다.

ㄴ. A의 세기를 증가시키면 P에서도 광전자가 방출된다.
A의 세기가 세더라도 진동수가 P의 한계 진동수보다 작기 때문에 광전자가 방출되지 않는다.

ㄷ. 흰 종이 위에 B와 C를 같은 세기로 함께 비추면 노란색으로 보인다.
파란색 빛 빨간색 빛   자홍색

① ㄱ   ② ㄴ   ③ ㄱ, ㄷ   ④ ㄴ, ㄷ   ⑤ ㄱ, ㄴ, ㄷ

✎ 이것이 함정

파란색 빛과 빨간색 빛을 합성하면 자홍색으로 보인다. 노란색 빛은 빨간색 빛과 초록색 빛을 합성했을 때 나타난다.

◢ **표를 해석하여 A, B, C의 진동수 추론하기**

두 금속 모두에서 광전 효과를 일으키는 B의 진동수가 가장 크다.	두 금속 모두에서 광전 효과를 일으키지 못하는 C의 진동수가 가장 작다.	Q에서는 광전 효과를 일으키지만 P에서는 일으키지 못하는 A의 진동수는 Q의 문턱 진동수보다 크고, P의 문턱 진동수보다 작다.	빛의 진동수와 금속의 문턱 진동수의 대소 관계는 B>P>A>Q>C 이다.

추가 선택지

• A의 세기를 증가시키면 A의 광자 수도 증가한다. (○)

⋯ 빛의 세기와 광자 수는 비례한다. 따라서 단색광의 세기가 커지는 것은 단색광의 광자 수가 많아지는 것을 의미한다.

• B보다 진동수가 큰 빛을 P에 비추면 광전자가 발생하지 않는다. (×)

⋯ B를 P에 비출 때 광전자가 발생하였으므로 B보다 진동수가 큰 빛을 P에 비추어도 광전자가 발생한다.

• 빛을 비출 때 광전자가 발생하는 것은 빛의 파동성으로 설명할 수 있다. (×)

⋯ 광전 효과는 빛의 입자성을 나타낸다.

• A와 B를 각각 Q에 비출 때 광전자의 최대 운동 에너지는 B를 비출 때가 A를 비출 때보다 크다. (○)

⋯ 광자 한 개의 에너지는 B가 A보다 크므로 A와 B를 동일한 금속에 비출 때 방출하는 광전자의 최대 운동 에너지는 A보다 B를 비출 때가 크다.

실전! 수능 도전하기

정답과 해설 **92쪽**

수능 기출

01 그림 (가)는 금속판 P에 빛을 비추었을 때 광전자가 방출되는 모습을 나타낸 것이고, (나)는 (가)에서 방출되는 광전자의 최대 운동 에너지를 빛의 진동수에 따라 나타낸 것이다. 진동수가 f이고 세기가 I인 빛을 비추었을 때, 방출되는 광전자의 최대 운동 에너지는 E이다.

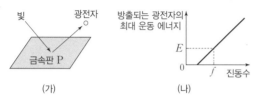

(가)   (나)

이에 대한 설명으로 옳은 것만을 〈보기〉에서 있는 대로 고른 것은?

> ㄱ. 진동수가 f이고 세기가 $2I$인 빛을 P에 비추면, 방출되는 광전자의 최대 운동 에너지는 E이다.
> ㄴ. 진동수가 $2f$이고 세기가 I인 빛을 P에 비추면, 방출되는 광전자의 최대 운동 에너지는 E보다 크다.
> ㄷ. 빛의 입자성을 보여주는 현상이다.

① ㄱ   ② ㄴ   ③ ㄱ, ㄷ
④ ㄴ, ㄷ   ⑤ ㄱ, ㄴ, ㄷ

02 그림 (가)는 광전 효과 실험 장치를 나타낸 것이다. 그림 (나)는 금속판에 파장이 같은 단색광 P와 Q를 각각 비추어 광전자가 방출될 때 전원 장치의 전압에 따른 광전류의 세기를 나타낸 것이다.

   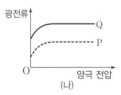

(가)   (나)

이에 대한 설명으로 옳은 것만을 〈보기〉에서 있는 대로 고른 것은?

> ㄱ. P의 진동수는 금속판의 문턱 진동수보다 크다.
> ㄴ. 빛의 세기는 P가 Q보다 크다.
> ㄷ. P를 금속판에 비출 때 빛을 비추는 시간을 길게 하면 Q와 같은 그래프를 얻을 수 있다.

① ㄱ   ② ㄷ   ③ ㄱ, ㄴ
④ ㄴ, ㄷ   ⑤ ㄱ, ㄴ, ㄷ

03 그림은 광전 효과를 이용하여 빛을 검출하는 광전관을 나타낸 것이다. 금속판에 단색광 A를 비추었을 때에는 광전자가 방출되었고, 단색광 B를 비추었을 때에는 광전자가 방출되지 않았다.

이에 대한 설명으로 옳은 것만을 〈보기〉에서 있는 대로 고른 것은?

> ㄱ. 진동수는 A가 B보다 작다.
> ㄴ. A의 진동수가 클수록 방출되는 광전자의 최대 운동 에너지가 크다.
> ㄷ. B의 세기를 세게 하면 광전자가 방출된다.

① ㄱ   ② ㄴ   ③ ㄱ, ㄴ
④ ㄱ, ㄷ   ⑤ ㄴ, ㄷ

수능 기출

04 다음은 빛의 진동수와 세기에 따른 광전 효과를 확인하는 실험 과정과 결과이다.

> **[실험 과정]**
> (가) 검전기 위에 아연판을 놓고 (−)전하로 대전시켜 금속박이 벌어지도록 한다.
> (나) 아연판에 네온등을 비춘다.
> (다) 아연판에 네온등 대신 자외선등을 비춘다.
> (라) 자외선등을 아연판에 더 가까이 비춘다.
>
> **[실험 결과]**
> (나)에서는 금속박이 오므라들지 않는다.
> (다)에서는 금속박이 서서히 오므라든다.
> (라)에서는 (다)에서보다 금속박이 더 빨리 오므라든다.

이에 대한 설명으로 옳은 것만을 〈보기〉에서 있는 대로 고른 것은?

> ㄱ. (다)에서 자외선등으로 바꾸어 주는 것은 아연판에 비추는 빛의 진동수를 바꾸기 위해서이다.
> ㄴ. 금속박이 오므라드는 것은 아연판에서 광전자가 방출되기 때문이다.
> ㄷ. 자외선등을 가까이 비추어 빛의 세기를 크게 하면 단위 시간당 방출되는 광전자의 수가 증가한다.

① ㄴ   ② ㄷ   ③ ㄱ, ㄴ
④ ㄱ, ㄷ   ⑤ ㄱ, ㄴ, ㄷ

05 그림은 전하 결합 소자(CCD)를 이용한 디지털카메라의 구조를 나타낸 것이다.

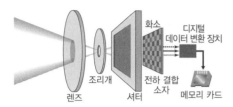

이에 대한 설명으로 옳은 것만을 〈보기〉에서 있는 대로 고른 것은?

보기
ㄱ. 전하 결합 소자에는 수많은 광 다이오드가 배열되어 있다.
ㄴ. 단위 면적당 화소 수가 많을수록 세밀한 상을 얻을 수 있다.
ㄷ. 전하 결합 소자에서 전기 신호를 만드는 광전자의 수는 입사하는 빛의 세기가 셀수록 많아진다.

① ㄱ   ② ㄴ   ③ ㄱ, ㄷ
④ ㄴ, ㄷ   ⑤ ㄱ, ㄴ, ㄷ

06 그림은 진공으로 된 장치 안에서 정지 상태에 있던 입자에 힘이 작용하여 입자가 직선 운동 하는 모습을 나타낸 것이다. 그래프는 입자에 작용하는 힘을 이동 거리에 따라 나타낸 것이다.

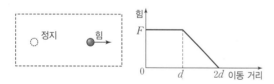

이동 거리가 d, $2d$일 때, 입자의 물질파 파장을 각각 λ_1, λ_2라고 하면, $\lambda_1 : \lambda_2$는?

① $\sqrt{2} : \sqrt{3}$ ② $2 : 3$ ③ $\sqrt{3} : \sqrt{2}$
④ $3 : 2$ ⑤ $3 : 2\sqrt{3}$

07 그림은 입자가 연직 아래로 운동하는 것을 나타낸 것이다. A, B를 지날 때 입자의 물질파 파장은 각각 $2\lambda_0$, λ_0이다. 입자가 A와 B를 지날 때 속력을 각각 v_A, v_B라고 하고 운동 에너지를 각각 E_A, E_B라고 하면, $\dfrac{v_B}{v_A} : \dfrac{E_B}{E_A}$는?

① $1:1$ ② $1:2$ ③ $1:3$ ④ $2:1$ ⑤ $3:1$

08 그림은 진공에서 금속판 A에 진동수 f인 빛을 비출 때, 광전자가 방출되어 금속판 B를 향하여 운동하는 것을 나타낸 것이다. A는 전원 장치의 양(+)극에, B는 전원 장치의 음(−)극에 연결되어 있다.

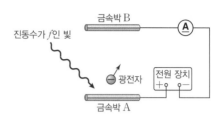

이에 대한 설명으로 옳은 것만을 〈보기〉에서 있는 대로 고른 것은? (단, 플랑크 상수는 h이다.)

보기
ㄱ. 금속판 A의 일함수는 hf보다 크다.
ㄴ. f를 더 크게 하면 A에 나오는 광전자의 물질파 파장은 더 짧아진다.
ㄷ. 광전자의 물질파 파장은 광전자가 A에서 B로 가면서 점점 짧아진다.

① ㄱ   ② ㄴ   ③ ㄱ, ㄴ
④ ㄱ, ㄷ   ⑤ ㄴ, ㄷ

09 그림 (가)는 음극판의 전자가 전압 V에 의해 정지 상태로부터 가속되어 양극판의 틈을 통해 방출되는 모습을, (나)는 (가)에서 방출된 전자들을 금속박에 입사시켰을 때 생기는 회절 무늬를 나타낸 것이다.

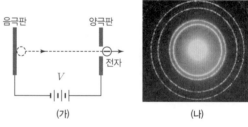

(가)   (나)

V만을 증가시킬 때, (가), (나)에서 더 커지는 물리량만을 〈보기〉에서 있는 대로 고른 것은?

보기
ㄱ. 양극판의 틈을 통과하는 순간 전자의 운동량
ㄴ. 양극판의 틈을 통과하는 순간 전자의 드브로이 파장
ㄷ. 전자가 나타내는 회절 무늬 사이의 간격

① ㄱ   ② ㄷ   ③ ㄱ, ㄴ
④ ㄱ, ㄷ   ⑤ ㄴ, ㄷ

10 다음은 철수가 데이비슨·거머 실험에 대해 정리한 내용이다.

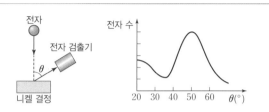

- 데이비슨과 거머는 니켈 결정에 54 V의 전압으로 가속된 전자선을 입사시켰더니 50°의 각으로 산란된 전자가 많은 것을 발견하였다.
- 이들은 X선이 결정면에서 반사하여 회절하는 것과 같이 전자도 회절한다고 생각하였다.
- 이들은 전자의 드브로이 파장을 구한 후 50°의 각으로 산란된 전자가 (가) 조건을 만족하는 것을 확인하여 드브로이의 (나) 이론을 검증하였다.

(가)와 (나)에 들어갈 것으로 옳은 것은?

	(가)	(나)		(가)	(나)
①	상쇄 간섭	정상파	②	상쇄 간섭	물질파
③	보강 간섭	정상파	④	보강 간섭	물질파
⑤	보강 간섭	전자기파			

11 그림은 철수, 민수, 영희가 물질파에 대해 대화하는 것을 나타낸 것이다.

옳게 말한 사람만을 있는 대로 고른 것은?

① 철수 ② 민수 ③ 철수, 영희
④ 영희, 민수 ⑤ 철수, 영희, 민수

12 그림 (가), (나)는 투과 전자 현미경(TEM)과 주사 전자 현미경(SEM)으로 관찰한 상의 모습을 순서 없이 나타낸 것이다.

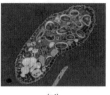
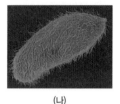

(가)   (나)

(가)의 상을 만드는 현미경과 (나)의 상을 만드는 현미경에 대한 설명으로 옳은 것만을 〈보기〉에서 있는 대로 고른 것은?

보기
ㄱ. (가) 현미경은 시료의 두께가 얇아야 한다.
ㄴ. 분해능은 (가)보다 (나) 현미경이 더 좋다.
ㄷ. (나) 현미경은 살아 있는 시료는 관찰할 수 없다.

① ㄱ ② ㄴ ③ ㄷ
④ ㄱ, ㄷ ⑤ ㄴ, ㄷ

13 다음은 전자의 파동성을 이용하여 미세 물체를 관찰하는 전자 현미경의 사진과 이에 관한 설명이다.

- 수십 kV의 전압으로 가속된 전자를 이용하는 전자 현미경은 광학 현미경보다 높은 분해능의 상을 얻는다.
- 서로 가까이 붙어 있는 두 점을 구분해 낼 수 있는 능력을 나타내는 분해능은 현미경에서 사용하는 빛이나 물질파의 파장이 짧을수록 증가한다.
- 가속된 전자의 운동 에너지는 E_k이다.

전자 현미경에 대한 설명으로 옳은 것만을 〈보기〉에서 있는 대로 고른 것은? (단, m은 전자의 질량, h는 플랑크 상수이다.)

보기
ㄱ. 전자의 드브로이 파장은 가시광선의 파장보다 짧다.
ㄴ. 분해능을 증가시키기 위해서는 전자의 속력을 감소시켜야 한다.
ㄷ. 전자의 드브로이 파장은 $\dfrac{h}{\sqrt{2mE_k}}$이다.

① ㄴ ② ㄷ ③ ㄱ, ㄴ
④ ㄱ, ㄷ ⑤ ㄴ, ㄷ

1 파동의 성질과 활용

01 파동의 속력과 굴절

1. 파동

① 파동의 정의와 종류

파동	진동이 물질이나 공간으로 퍼져 나가는 현상 ⇨ 매질은 제자리에서 진동만 하고 에너지만 전달된다.
횡파	매질의 진동 방향과 파동의 진행 방향이 서로 수직인 파동
종파	매질의 진동 방향과 파동의 진행 방향이 서로 나란한 파동

② 파동의 표시

물리량	• 마루와 골: 파동의 가장 높은 곳이 마루, 가장 낮은 곳이 골 • 진폭(A): 진동의 중심에서 마루 또는 골까지의 거리 • 파장(λ): 이웃한 마루와 마루 또는 골과 골 사이의 거리 • 주기(T): 매질의 각 점이 1회 진동하는 데 걸리는 시간 ⇨ $T=\dfrac{1}{f}$ • 진동수(f): 매질의 각 점이 1초 동안 진동하는 횟수 ⇨ $f=\dfrac{1}{T}$
파동의 그래프	

2. 파동의 속력

① 파동의 속력 : $v=f\lambda=\dfrac{\lambda}{T}$

② 줄에서의 속력: 팽팽한 줄>느슨한 줄

③ 소리의 속력: 고체>액체>기체, 기체에서는 온도가 높을수록 빠르다.

④ 물결파의 속력: 깊은 곳>얕은 곳

3. 파동의 굴절 : 파동이 서로 다른 매질을 진행할 때 파동의 속력이 달라져서 진행 방향이 꺾이는 현상

굴절 법칙	파동이 굴절할 때 입사각과 굴절각의 sin값의 비는 항상 일정하다. $\dfrac{\sin i}{\sin r}=\dfrac{v_1}{v_2}=\dfrac{\lambda_1}{\lambda_2}=n_{12}$
현상과 이용	물속에서 꺾여 보이는 물체, 신기루, 렌즈

02 전반사와 광통신

1. 전반사

① 전반사: 빛이 서로 다른 매질의 경계면을 통과할 때 모두 반사하는 현상

② 임계각(i_c): 굴절각이 90°일 때의 입사각

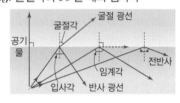

③ 전반사의 조건: 굴절률이 큰 매질(밀한 매질)에서 작은 매질(소한 매질)로 진행해야 한다. 입사각이 임계각보다 커야 한다.

2. 생활 속 전반사 현상의 이용: 전반사 프리즘, 다이아몬드 커팅, 광섬유, 내시경

3. 광섬유: 전반사를 이용한 빛 전송관으로 광섬유의 코어로 입사한 빛은 굴절률이 큰 코어와 굴절률이 작은 클래딩의 경계면에서 전반사하면서 클래딩으로 빠져나오지 못하고 진행한다.

03 전자기파의 분류와 이용

1. 전자기파: 변하는 전기장과 자기장이 서로를 유도하면서 진행하는 파동으로 매질이 없어도 전파된다.

2. 전자기파의 분류와 이용

종류	특징	이용
감마(γ)선	파장이 가장 짧고 에너지가 커서 투과력이 매우 강하다.	암 치료, 비파괴 검사 등
X선	투과력이 강해 인체나 물질 내부를 관찰할 수 있다.	X선 사진, CT 사진, 수하물 검사 등
자외선	살균 작용을 하며 피부를 태우고 형광 물질을 자극하여 가시광선을 방출한다.	식기 소독기, 위조지폐 감별 기 등
가시광선	사람이 눈으로 인식할 수 있는 전자기파이다.	조명이나 디스플레이 등
적외선	강한 열작용을 하여 열선으로도 불린다.	적외선 온도계와 카메라, 리모컨 등
마이크로파	직진성이 강해 위성 통신에 사용되고, 물을 진동시켜 열을 발생시킨다.	레이더, 휴대 전화, 전자레인지 등
라디오파	파장이 길어 회절이 잘 일어나 장애물이 있어도 정보를 잘 전달하고 전리층에서 반사할 수 있다.	TV, 라디오 등

2 빛과 물질의 이중성

04 파동의 간섭과 이용

1. 파동의 중첩과 간섭

① **중첩 원리:** 두 파동이 만나 겹쳐질 때 합성파의 변위는 파동이 단독으로 진행할 때 변위의 합과 같다.

② **간섭:** 파동이 중첩되어 진폭이 변하는 현상

보강 간섭	상쇄 간섭
각 파동의 마루와 마루(골과 골)가 중첩되어 합성파의 진폭이 커지는 현상	각 파동의 마루와 골이 중첩되어 합성파의 진폭이 작아지는 현상

2. 간섭 현상

종류	간섭 현상
물결파	마루(파란 실선)와 마루 또는 골(파란 점선)과 골이 만나면 보강 간섭 함 마루와 골이 만나면 상쇄 간섭 함
소리	
이중 슬릿	(가) 보강 간섭 (나) 상쇄 간섭
빛	

3. 간섭의 이용: 소음 제거 장치, 자동차 배기관, 관악기와 현악기, 지폐 위조 방지 기술, DVD에 기록된 정보와 정보 읽기 등

01 빛의 이중성과 CCD

1. 광전 효과: 금속 표면에 특정 진동수 이상의 진동수의 빛을 비출 때 금속에서 전자가 튀어 나오는 현상

① **광전자:** 광전 효과에 의해 금속 표면에서 튀어 나온 전자이다.

② **문턱 진동수:** 특정 금속에서 광전자를 방출시킬 수 있는 최소 진동수

③ **광양자설:** 빛은 진동수에 비례하는 에너지를 갖는 광자(광양자)라고 하는 입자들의 흐름이다.

④ **에너지 보존 법칙:** $hf = W + E_k$

⑤ **광전류의 세기** 빛의 세기가 셀수록 광전류의 세기도 세다.

2. 빛의 이중성: 빛은 파동의 성질과 입자의 성질을 함께 가지고 있다.

3. 전하 결합 소자(CCD): 아주 작은 화소인 p형 반도체와 n형 반도체로 구성된 수백만 개의 광 다이오드가 규칙적으로 배열된 반도체 소자이다.

02 물질의 이중성과 전자 현미경

1. 드브로이의 물질파: 입자인 물질이 파동성을 나타낼 때 물질의 파동을 말한다.

① **물질파 파장(드브로이 파장):** 질량이 m인 입자가 속력 v로 운동할 때 입자의 물질파 파장 λ는 다음과 같다.

$$\lambda = \frac{h}{mv}$$

② **전자의 파동성 확인:** 전자선을 금속박에 입사시켰을 때 회절 무늬와 X선의 회절 무늬가 닮았다. ⇨ 전자가 파동의 성질을 가짐(물질파의 존재 확인)

③ **물질의 이중성:** 물질도 입자성과 파동성을 동시에 가진다.

2. 전자 현미경: 전자의 물질파를 이용한 현미경

① **분해능:** 서로 가까이 있는 두 점을 구분하여 볼 수 있는 능력으로 파장이 짧을수록 분해능이 우수하다.

② **자기렌즈:** 코일로 만든 원통형의 전자석으로, 전자가 자기장에 의해 진행 경로가 휘어지는 성질을 이용하여 전자선을 굴절시킨다.

③ **전자 현미경**

투과 전자 현미경(TEM)	주사 전자 현미경(SEM)
전자선을 얇게 만든 시료에 투과시켜 시료의 단면 구조의 상을 관찰한다.	전자선을 시료에 쪼여 튀어 나온 전자를 검출해 시료의 입체 상을 관찰한다.

01 그림 (가)는 진동하는 두 줄 A, B의 어느 순간의 모습을 나타낸 것이고, 그림 (나)는 각 줄에서 어느 한 점의 변위를 시간에 따라 나타낸 것이다.

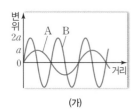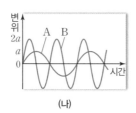

(가)   (나)

이에 대한 설명으로 옳은 것을 〈보기〉에서 있는 대로 고른 것은?

보기
ㄱ. A와 B의 파장은 같다.
ㄴ. 진동수는 B가 A의 2배이다.
ㄷ. 전파 속력은 B가 A의 2배이다.

① ㄱ   ② ㄴ   ③ ㄱ, ㄷ
④ ㄴ, ㄷ   ⑤ ㄱ, ㄴ, ㄷ

02 그림은 물결파가 영역 Ⅰ과 영역 Ⅱ의 경계면에 비스듬히 입사할 때 굴절하는 모습을 모식적으로 나타낸 것이다. Ⅰ과 Ⅱ에서 파동의 진행 속력은 각각 v_1, v_2이다.

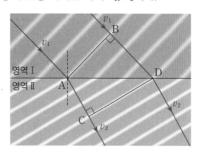

이에 대한 설명으로 옳은 것을 〈보기〉에서 있는 대로 고른 것은?

보기
ㄱ. 물의 깊이는 Ⅰ에서가 Ⅱ에서보다 깊다.
ㄴ. 진동수는 Ⅰ에서가 Ⅱ에서보다 크다.
ㄷ. 파장은 Ⅱ에서가 Ⅰ에서보다 짧다.

① ㄴ   ② ㄷ   ③ ㄱ, ㄴ
④ ㄱ, ㄷ   ⑤ ㄱ, ㄴ, ㄷ

03 그림 (가), (나)는 공기에서 단색광을 반원 모양의 물체 A, B에 비출 때 진행 경로를 나타낸 것이다. 그림 (다)는 A와 B를 접촉시켜 놓고 A에서 B로 입사각 45°로 단색광을 입사시킬 때, 굴절각 r로 굴절하는 것을 나타낸 것이다.

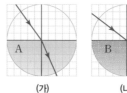

(가)   (나)   (다)

$\sin r$는? (단, 공기에서 빛의 굴절률은 1이다.)

① $\dfrac{1}{\sqrt{2}}$　② $\sqrt{2}$　③ $\dfrac{4\sqrt{2}}{9}$　④ $\dfrac{8\sqrt{2}}{9}$　⑤ $\dfrac{9\sqrt{2}}{16}$

04 그림과 같이 굴절률이 n인 프리즘에 입사한 빛이 프리즘과 공기의 경계면에서 전반사하기 위한 굴절률 n으로 가장 옳은 것은? (단, 공기의 굴절률은 1이다.)

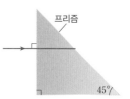

① $n>1$ ② $n>\sqrt{2}$ ③ $n>2$
④ $n>2\sqrt{2}$ ⑤ $n>4$

05 그림은 물이 담긴 페트병의 아래 부분에 구멍을 뚫어 물줄기가 나오게 한 후, 구멍 뚫린 반대편에서 물줄기 안으로 입사된 레이저가 점 P에 입사각 i로 입사하여 전반사하는 모습을 나타낸 것이다.

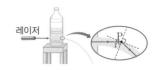

이에 대한 설명으로 옳은 것을 〈보기〉에서 있는 대로 고른 것은?

보기
ㄱ. 물의 굴절률이 공기의 굴절률보다 크다.
ㄴ. i는 임계각보다 작다.
ㄷ. 전반사는 광섬유를 이용한 광통신에 활용된다.

① ㄱ   ② ㄴ   ③ ㄱ, ㄷ
④ ㄴ, ㄷ   ⑤ ㄱ, ㄴ, ㄷ

06 그림 (가)는 동일한 단색광이 각각 물질 B와 물질 C에서 물질 A를 향해 동일한 입사각 θ로 입사하여, B에서 A로 입사할 때는 θ보다 큰 각으로 굴절하고, C에서 A로 입사할 때는 물질의 경계면에서 전반사하는 것을 나타낸 것이다. 그림 (나)는 코어를 클래딩이 감싸고 있는 광섬유에 빛이 입사하여 코어와 클래딩의 경계면상의 P점에서 전반사하는 것을 나타낸 것이다.

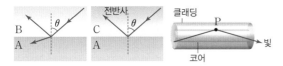

이에 대한 설명으로 옳은 것만을 〈보기〉에서 있는 대로 고른 것은?

<보기>
ㄱ. 빛의 속력은 A에서가 B에서보다 빠르다.
ㄴ. B의 굴절률이 C의 굴절률보다 작다.
ㄷ. 코어는 B로, 클래딩은 C로 만들면 빛은 전반사할 수 있다.

① ㄱ   ② ㄴ   ③ ㄷ
④ ㄱ, ㄴ   ⑤ ㄴ, ㄷ

07 그림은 파장에 따른 전자기파의 종류를 나타낸 것이다.

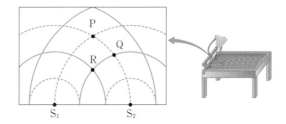

전자기파의 종류에 대한 설명으로 옳지 않은 것은?

① 전파: 마이크로파, 라디오파 등으로 나누고 통신 수단으로 이용된다.
② 적외선: 야간 감시 카메라, TV 리모컨 등에 이용된다.
③ 자외선: 가시광선에 비해 파장이 짧으며 멸균이나 소독에 이용된다.
④ X선: 원자핵이 붕괴할 때 방출되어 투과력이 강하다.
⑤ γ선: 에너지가 매우 커서 의료 분야에서 암 치료에 이용된다.

08 아래 자료는 영희가 전자기파에 대해 조사한 내용의 일부이다.

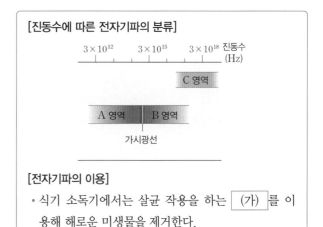

[전자기파의 이용]
• 식기 소독기에서는 살균 작용을 하는 (가) 를 이용해 해로운 미생물을 제거한다.
• 공항에는 열화상 카메라를 설치하여 승객들에게서 발생하는 (나) 를 측정하여 체온을 감지한다.

(가)와 (나)에 들어갈 알맞은 전자기파의 영역에 해당하는 것을 옳게 짝 지은 것은?

	(가)	(나)		(가)	(나)
①	A영역	B영역	②	A영역	C영역
③	B영역	A영역	④	B영역	C영역
⑤	C영역	A영역			

09 그림은 수면파 투영 장치의 두 파원 S_1과 S_2에서 진폭, 진동수가 같은 수면파를 같은 위상으로 발생시켜 얻은 어느 순간의 모습을 나타낸 것이다. 실선과 점선은 각각 수면파의 마루와 골이고, 수면파의 파장은 λ이다.

이에 대한 설명으로 옳은 것만을 〈보기〉에서 있는 대로 고른 것은?

<보기>
ㄱ. P에서는 보강 간섭이 일어난다.
ㄴ. 수면파의 진폭은 Q에서와 R에서가 같다.
ㄷ. S_1에서 S_2까지 거리는 3λ이다.

① ㄱ   ② ㄴ   ③ ㄱ, ㄴ
④ ㄱ, ㄷ   ⑤ ㄴ, ㄷ

10 그림은 얇은 기름 막의 두께와 단색광의 파장에 따라서 여러 가지 색의 무늬가 나타나는 원리를 나타낸 것이다.

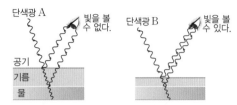

이에 대한 설명으로 옳은 것만을 〈보기〉에서 있는 대로 고른 것은?

<보기>
ㄱ. 기름 막 표면과 아래에서 반사하는 빛이 간섭을 일으킨다.
ㄴ. 기름 막의 두께에 따라 얇은 기름 막에서 보강 간섭 하는 빛의 파장이 달라진다.
ㄷ. 보는 각도가 달라지면 보이는 색도 달라진다.

① ㄴ   ② ㄷ   ③ ㄱ, ㄴ
④ ㄴ, ㄷ   ⑤ ㄱ, ㄴ, ㄷ

11 그림은 일함수가 W_0인 금속판에 단색광을 비추었을 때, 방출된 광전자의 최대 운동 에너지 E_k를 단색광의 진동수에 따라 나타낸 것이다.

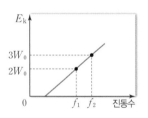

일함수가 $2W_0$인 금속판에 단색광을 비추었을 때, 방출된 광전자의 최대 운동 에너지를 단색광의 진동수에 따라 나타낸 그래프로 가장 적절한 것은?

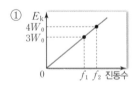 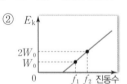

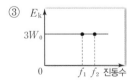 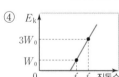

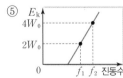

12 그림은 금속판에 단색광 A, B, C를 비추며 광전류를 측정하는 장치를 모식적으로 나타낸 것이다. 표는 금속판에 비춘 빛의 종류와 전류계로 측정된 전류의 세기를 나타낸 것이다.

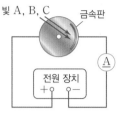

빛의 종류	전류의 세기 (μA)
A	200
A, B	200
B, C	100

이에 대한 설명으로 옳은 것만을 〈보기〉에서 있는 대로 고른 것은?

<보기>
ㄱ. B의 진동수는 금속판의 문턱 진동수보다 작다.
ㄴ. 빛의 세기는 A가 C보다 세다.
ㄷ. A와 C를 금속판에 비추면 광전류는 $300\ \mu A$가 된다.

① ㄱ   ② ㄷ   ③ ㄱ, ㄴ
④ ㄴ, ㄷ   ⑤ ㄱ, ㄴ, ㄷ

13 그림은 운동 에너지가 서로 같은 입자 A, B가 속력이 각각 v, $2v$인 상태로 운동하는 모습을 나타낸 것이다.
A, B의 물질파 파장의 비 $\lambda_A : \lambda_B$는?

① 4 : 1   ② 2 : 1   ③ 1 : 4   ④ 1 : 2   ⑤ 1 : 1

14 그림은 전자빔 발생 장치에서 전압 V로 가속된 전자빔을 이중 슬릿에 통과시켰을 때의 무늬를 나타낸 것이다.

이에 대한 설명으로 옳은 것만을 〈보기〉에서 있는 대로 고른 것은?

<보기>
ㄱ. 이 실험을 통해 전자의 파동성을 입증할 수 있다.
ㄴ. 스크린에서 밝은 지점은 보강 간섭이 일어난 지점이다.
ㄷ. 가속 전압을 높이면 전자의 운동량의 크기가 증가한다.

① ㄱ   ② ㄷ   ③ ㄱ, ㄴ
④ ㄴ, ㄷ   ⑤ ㄱ, ㄴ, ㄷ

15 그림 (가)는 물속에 있는 연필이 꺾여 보이는 것을 나타낸 것이고, 그림 (나)는 이 원리를 모식적으로 나타낸 것이다.

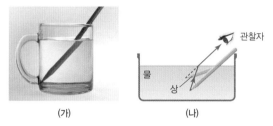

(가)   (나)

(1) 연필에서 나온 빛이 물속에서 나오면서 꺾이는 까닭을 서술하시오.

(2) 위의 자료를 토대로 '놓친 물고기가 더 크다.'라는 속담에 숨어 있는 과학 원리를 서술하시오.

16 그림은 물속에 물고기가 있고 물 밖에는 고양이가 있는 것을 나타낸 것이다.

고양이와 물고기가 서로 상대방으로 볼 때 각도에 따라 전반사 현상에 의해 상대방을 볼 수 없는 것은 고양이인지, 물고기인지 쓰고 그 까닭을 서술하시오.

17 그림은 소음 제거 헤드폰의 원리를 나타낸 것이다.

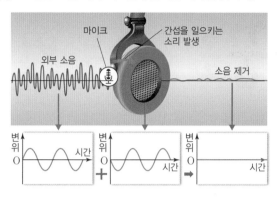

(1) 외부 소음이 외부 소음에 의해 마이크에서 발생시키는 소음과 일으키는 간섭의 종류를 쓰시오.

(2) 외부 소음과 간섭을 일으키는 소리의 위상차에 대하여 서술하시오.

18 그림은 지폐에 자외선을 비추었을 때 보이는 형광 무늬를 나타낸 것이다.

(1) 가시광선을 동일한 지폐에 비추었을 때 형광 무늬가 나타나는 여부를 쓰시오.

(2) 그림과 같은 결과가 나타나는 까닭을 서술하시오.

너의 꿈은
무니?

꿈을 이루는 법

자신감은 불가능을 가능하게 만듭니다.
꿈의 실현은 '난 할 수 있다'는 자신감으로부터 시작됩니다.
스스로에게 할 수 있다는 주문을 걸어보세요.
"난 못해", "난 잘 할 수가 없어." 같은 말은 자신감 형성에
방해가 되므로 하지 말아야겠죠.

작은 결과가 모여 성공의 힘이 됩니다.
자신에 대한 조그마한 긍정적 체험이 모여
자신을 바꿔가는 힘이 됩니다.
꿈을 이루기 위한 계획을 세울 때도
크고 무리한 계획에 무너지지 말고 작은 계획부터
실천해 보세요. 계획을 실천하는 성취감을 맛보면
이것이 모여 스스로 능력을 키울 수 있습니다.

목표에 집중하세요.
대부분 우리들은 바라는 어떤 것,
꿈꾸는 것을 이루기 위해서는 많은 것들을
해야 한다고 생각합니다.
꿈을 이루려면 어떻게 해야 할까요?
목표를 더 분명히 하고 더 집중해 보세요.
성취된 느낌에 집중할 때
꿈은 어느새 현실이 되어 있음을 느낄 수 있습니다.

내 꿈은
'한식왕'이다~옹!

지학사

개념 학습과 정리가 한번에 끝나는 기본서

개념풀

물리학 I

정답과 해설

개념과 정리가 한번에 끝나는 기본서

개념풀

─ 물리학 I ─

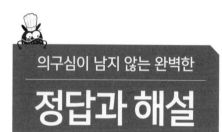

의구심이 남지 않는 완벽한

정답과 해설

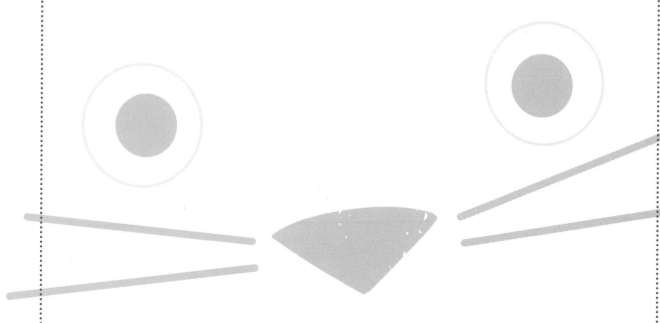

1 » 힘과 운동

01 ~ 여러가지 운동

개념POOL · 013쪽

01 ㉠ 3 ㉡ 3 m **02** 2.5 m

02 0초부터 2초까지 2 m, 2초부터 3초까지 0.5 m이다.

탐구POOL · 014쪽

01 4 m/s² **02** (1) × (2) ○

01 0.1초 간격으로 물체의 위치가 2칸(4 cm=0.04 m)씩 증가하므로 가속도는 $\dfrac{0.4 \text{ m/s}}{0.1 \text{ s}}=4 \text{ m/s}^2$이다.

02 (1) 시간당 위치 변화량은 일정하게 증가한다.

콕콕! 개념 확인하기 · 015쪽

✓ 잠깐 확인!

1 이동 거리 **2** 변위 **3** 속력, 운동 방향, 변위 **4** 등속 직선 **5** 속도 **6** 증가 **7** 변위, 가속도

01 이동 거리: 50 m, 변위: 서쪽으로 10 m
02 (1) × (2) ○ (3) × (4) ○
03 (1) 서쪽, 5 m/s² (2) 서쪽, 10 m/s² (3) 동쪽, 3 m/s²
04 (1) ○ (2) ○ (3) × (4) ○
05 (1) ─㉠ (2) ─㉢ (3) ─㉣ (4) ─㉡

01 이동 거리는 운동 방향과 상관없이 이동한 경로의 전체 길이이고, 변위는 물체의 처음 위치에서 나중 위치까지의 위치 변화량이다.

02 (1) 출발점과 도착점이 같으면 변위는 이동 경로에 무관하게 같다.
(3) 속도─시간 그래프에서 접선의 기울기는 순간 가속도를 의미한다.

03 동쪽을 +, 서쪽을 ─라고 하면,
(1) $a=\dfrac{0-(+10)}{2}=-5 \text{ m/s}^2$, (2) $a=\dfrac{-10-(+10)}{2}=-10 \text{ m/s}^2$, (3) $a=\dfrac{(+16)-(+10)}{2}=+3 \text{ m/s}^2$이다.

04 (3) 지하철역에서 일정한 속도로 운동하는 무빙워크는 등속 직선 운동을 한다.

탄탄! 내신 다지기 · 016쪽~017쪽

01 ② **02** ③ **03** ③ **04** ④ **05** 1 : 1 **06** ⑤ **07** ①
08 ⑤ **09** ④ **10** ③

01 변위는 처음 위치에서부터 나중 위치까지의 방향과 직선 거리로 나타낸다.

02 평균 속력은 전체 이동 거리를 걸린 시간으로 나눈 값이므로 $\dfrac{100}{2.5}=40 \text{ km/h}$이다.

03 | 선택지 분석 |
㉠ 이동 거리는 변위의 크기보다 크다.
➡ 운동 경로가 곡선이므로 이동 거리가 변위의 크기보다 크다.
㉡ 평균 속력은 평균 속도의 크기보다 크다.
➡ 이동 거리가 변위의 크기보다 크므로 평균 속력이 평균 속도의 크기보다 크다.
✗ C점 이후 가속도의 방향이 오른쪽이면 비행기의 속력은 ~~감소한다.~~ 증가한다.
➡ 가속도의 방향과 운동 방향이 같으면 속력은 증가한다.

04 A에서 C까지 이동 거리는 14 m이고, 변위의 크기는 10 m이다. A에서 C까지 이동하는 데 걸린 시간은 10초이므로 평균 속력은 $\dfrac{14}{10}=1.4 \text{ m/s}$이고, 평균 속도의 크기는 $\dfrac{10}{10}=1 \text{ m/s}$이다.

05 10초 동안 A, B, C가 이동한 거리를 각각 s_A, s_B, s_C라고 하면, $s_A=15 \text{ m/s}\times10 \text{ s}=150 \text{ m}$, $s_B=25 \text{ m/s}\times10 \text{ s}=250 \text{ m}$, $s_C=30 \text{ m/s}\times10 \text{ s}=300 \text{ m}$이다. $s_1=s_B-s_A+100=200 \text{ m}$이고, $s_2=s_C-s_B+150=200 \text{ m}$이다. 따라서 $s_1 : s_2=1 : 1$이다.

06 직선 컨베이어 벨트 위에 올려놓은 상자는 속력과 운동 방향이 모두 일정한 등속 직선 운동을 한다.

07 | 선택지 분석 |
㉠ 운동 방향이 변하는 운동이다.
➡ 등속 원운동 하는 물체의 운동 방향은 각 위치에서의 접선 방향이다.
✗ 속도는 ~~일정하다.~~ 계속 변한다.
➡ 운동 방향이 변하므로 속도는 계속 변한다.
✗ 물체에 작용하는 알짜힘은 0이다.
➡ 속도가 변하는 가속도 운동이므로 물체에는 원 궤도의 중심 방향으로 힘이 작용한다.

08 | 선택지 분석 |

ㄱ 0초부터 8초까지 이동 거리는 40 m이다.

➡ 0초부터 8초까지 가속도의 크기는 $\frac{5}{4}$ m/s²로 일정하므로 이동 거리는 $\frac{1}{2} \times \frac{5}{4} \times 8^2 = 40$ m이다.

ㄴ 가속도의 크기는 2초일 때가 10초일 때보다 크다.

➡ 8초부터 20초까지 가속도의 크기는 $\frac{5}{6}$ m/s²이므로 가속도의 크기는 2초일 때가 10초일 때보다 크다.

ㄷ 출발선에 도착선까지 운동하는 동안 평균 속력은 5 m/s이다.

➡ 출발선에서부터 도착선까지 운동하는 데 걸린 시간은 20초이므로 평균 속력은 $\frac{100}{20} = 5$ m/s이다.

09 | 선택지 분석 |

① 0초부터 15초까지 이동 거리는 ~~75 m~~이다.
                                    62.5 m

➡ 0초부터 15초까지 물체의 운동 방향은 바뀌지 않으므로 이동 거리는 변위의 크기와 같다. 속도−시간 그래프에서 변위는 속도와 시간이 이루는 넓이이므로 0초부터 15초까지 이동 거리는 62.5 m 이다.

② 운동 방향은 12초일 때가 17초일 때와 ~~같다.~~
                                        반대이다.

➡ 15초일 때 물체의 운동 방향이 바뀐다.

③ 10초부터 20초까지 가속도의 크기는 ~~감소한다.~~
                                        일정하다.

➡ 그래프의 기울기가 일정하므로 가속도의 크기는 일정하다.

☑ 물체의 위치는 10초일 때와 20초일 때와 같다.

➡ 10초부터 20초까지 물체의 변위는 0이다.

⑤ 가속도의 방향은 12초일 때가 17초일 때와 ~~반대이다.~~
                                            같다.

➡ 가속도의 방향은 속도−시간 그래프에서의 기울기의 부호이다. 물체는 10초 이후부터 등가속도 운동을 한다.

10 | 선택지 분석 |

ㄱ (가)에서 공은 등가속도 운동을 한다.

➡ 포물선 운동 하는 공은 중력 가속도로 등가속도 운동을 한다.

ㄴ (나)에서 회전 목마는 속도가 변하는 운동을 한다.

➡ 등속 원운동 하는 회전 목마는 속력은 일정하지만 운동 방향이 변하는 운동을 하므로 속도가 변하는 운동이다.

✗ (다)에서 왕복 운동 하는 동안 그네의 속력은 일정하다.

➡ 그네는 속력과 운동 방향이 모두 변하는 운동을 한다.

더 알아보기 여러 가지 운동

운동	종류
속력과 운동 방향 모두 일정한 운동	등속 직선 운동
운동 방향은 일정하고 속력만 변하는 운동	등가속도 직선 운동
속력은 일정하고 운동 방향만 변하는 운동	등속 원운동
속력과 운동 방향이 모두 변하는 운동	진자 운동, 포물선 운동

01 ③	02 ③	03 ③	04 ④	05 ③	06 ③

07 2.5 m/s

08 | 모범 답안 | 속력이 증가한다. 위치−시간 그래프에서 기울기는 속력을 나타낸다. 따라서 0초부터 2초까지 물체의 속력은 증가한다. (2) 2 : 1

09 | 모범 답안 | 5L, 가속도의 크기는 $2aL = v^2$에서 $a = \frac{v^2}{2L}$이다. C와 D 사이의 거리를 x라고 하면, $9v^2 - 4v^2 = 2\left(\frac{v^2}{2L}\right)x$에서 $x = 5L$이다.

01 | 선택지 분석 |

✗ 0초부터 6초까지 이동 거리는 ~~6 m~~이다.
                                    10 m

➡ 0초부터 4초까지 이동 거리가 8 m이고, 4초부터 6초까지 이동 거리가 2 m이므로 0초부터 6초까지 이동 거리는 10 m이다.

✗ 운동 방향은 3초일 때와 5초일 때가 ~~같다.~~
                                        반대이다.

➡ 3초일 때와 5초일 때 변위의 방향이 서로 반대이므로 운동 방향은 서로 반대이다.

ㄷ 0초부터 6초까지 평균 속도의 크기는 1 m/s이다.

➡ 0초부터 6초까지 변위의 크기는 6 m이므로 평균 속도의 크기는 $\frac{6 \text{ m}}{6 \text{ s}} = 1$ m/s이다.

02 | 선택지 분석 |

ㄱ A에서 물체의 속력은 감소한다.

➡ A에서 위치 사이의 간격이 줄어들고 있으므로 속력이 감소한다.

ㄴ 평균 속력은 A에서와 B에서가 같다.

➡ A와 B에서 물체를 촬영한 개수가 같으므로 걸린 시간이 같다. 같은 시간 동안 이동한 거리가 A 구간과 B 구간에서 모두 15 cm로 같으므로 평균 속력은 서로 같다.

✗ 평균 가속도의 크기는 ~~A에서가 B에서의~~ 2배이다.
                        B에서가 A에서의

➡ 평균 속도 변화량이 B에서가 A에서의 2배이므로 평균 가속도의 크기는 B에서가 A에서의 2배이다.

03 | 선택지 분석 |

ㄱ 고무마개에는 원의 중심 방향을 향하는 힘이 작용한다.

➡ 등속 원운동 하는 물체의 운동 방향에 대해 수직이고 원 궤도의 중심을 향하는 힘을 구심력이라고 한다.

ㄴ 고무마개와 같은 운동을 하는 물체의 예로는 지구 주위를 도는 인공위성이 있다.

➡ 지구 주위를 도는 인공위성, 선풍기의 날개 등이 등속 원운동을 한다.

✗ 운동하던 중에 갑자기 실이 끊어지면 고무마개는 원의 ~~중심 방향을 향해~~ 날아간다.
        접선 방향으로

➡ 등속 원운동 하던 물체에 작용하는 힘이 갑자기 사라지면 물체는 원의 접선 방향으로 날아간다.

04 속도-시간 그래프에서 속력과 시간축이 이루는 넓이는 변위이다. 0초일 때 B가 A보다 10 m 앞서 있음을 고려해야 한다.

| 선택지 분석 |

ㄱ. 0초부터 2초까지 이동 거리는 A가 B의 2배이다.
➡ 동일 직선상에서 운동하므로 변위의 크기는 이동 거리와 같다. 0초부터 2초까지 이동 거리는 A가 12 m이고, B가 6 m이다.

ㄴ. 0초부터 2초까지 A와 B 사이의 거리는 가까워진다.
➡ 0초일 때 A와 B 사이의 거리는 10 m이고, 2초일 때 A와 B 사이의 거리는 4 m이므로 A와 B 사이의 거리는 가까워진다.

✗. ~~3초~~일 때 A와 B는 서로 만난다.
$\dfrac{10}{3}$초
➡ 0초일 때 B가 A보다 10 m 앞서 있었으므로 A와 B가 만나는 시간을 t라 하면, $6t=10+3t$에서 $t=\dfrac{10}{3}$초이다.

05 등가속도 운동 하는 물체의 처음 속도가 v_0이고 나중 속도가 v일 때 평균 속력은 $\dfrac{v_0+v}{2}$이다. 철수가 등가속도 운동을 하는 구간에서 평균 속력은 $\dfrac{0+v}{2}=\dfrac{v}{2}$이므로 $t_1=\dfrac{2L}{v}$이다. 등속도 운동을 하는 구간에서 운동하는 시간은 $t_2=\dfrac{L}{v}$이다. 따라서 $t_1 : t_2=2 : 1$이다.

06 | 선택지 분석 |

ㄱ. A가 P에서 R까지 운동하는 데 걸린 시간은 10초이다.
➡ P와 R 사이의 거리가 200 m이고, A는 20 m/s의 속력으로 등속도 운동 하므로 걸린 시간은 $\dfrac{200\text{ m}}{20\text{ m/s}}=10$ s이다.

ㄴ. B의 가속도의 크기는 2 m/s²이다.
➡ A와 B는 같은 시간 동안 이동 거리가 같으므로 평균 속력이 같다. B는 등가속도 운동을 하므로 B가 P를 지날 때 속력을 v라고 하면, $\dfrac{10+v}{2}=20$ m/s에서 $v=30$ m/s이다. 따라서 B의 가속도 크기는 $\dfrac{30-10}{10}=2$ m/s²이다.

✗. B가 R에서 Q까지 이동하는 데 걸린 시간은 ~~6초이다.~~
6초보다 작다.
➡ A와 B가 기준선 Q를 동시에 통과하였으므로 출발한 순간부터 Q에 도달할때까지 A와 B가 이동한 거리의 합은 200 m이다. 6초 동안 A가 이동한 거리는 $20\times6=120$ m이고, B가 이동한 거리는 $10\times6+\dfrac{1}{2}\times2\times6^2=96$ m이다. A와 B가 이동한 거리의 합이 $200+96=216$ m이므로 A와 B는 6초 이전에 Q에 동시에 도달한다.

07 학교에서 집까지의 평균 속력은 전체 걸린 시간에 반비례하므로 뛰어갈 때의 평균 속력은 2.5 m/s이다.

08 (1) 위치-시간 그래프에서 기울기의 크기는 속력이다. 따라서 0초부터 2초까지 물체의 속력은 증가한다.

채점 기준	배점
위치-시간 그래프의 기울기 변화를 이용하여 속력의 변화를 옳게 서술한 경우	100 %
속력의 변화만 옳은 경우	50 %

(2) 0초부터 2초까지 물체의 변위는 2 m이므로 $v_1=\dfrac{2}{2}=1$ m/s이고, 2초부터 4초까지 물체의 변위는 1 m이므로 $v_2=\dfrac{1}{2}=\dfrac{1}{2}$ m/s이다. 따라서 $v_1 : v_2=2 : 1$이다.

09 가속도의 크기는 $2aL=v^2$에서 $a=\dfrac{v^2}{2L}$이다. C와 D 사이의 거리를 x라 하면, $9v^2-4v^2=2\left(\dfrac{v^2}{2L}\right)x$에서 $x=5L$이다.

채점 기준	배점
풀이 과정과 답을 모두 옳게 쓴 경우	100 %
풀이 과정만 옳게 쓴 경우	60 %
답만 옳게 쓴 경우	40 %

02 뉴턴 운동 제1, 2법칙

개념POOL 023쪽

01 7.5 m/s² **02** (1) ○ (2) ○ (3) ○

01 $a=\dfrac{3}{(3+1)}\times10=7.5$ m/s²

탐구POOL 024쪽

01 $3a$ **02** $\dfrac{1}{2}a$

01 힘의 크기가 3배가 되면 가속도의 크기는 3배가 된다.

02 질량이 2배가 되면 가속도의 크기는 $\dfrac{1}{2}$배가 된다.

콕콕! 개념 확인하기 025쪽

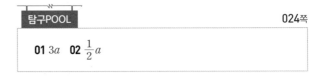

✔ 잠깐 확인!

1 힘 **2** 작용점 **3** 알짜힘 **4** 관성 **5** 등속 직선 운동
6 알짜힘, 질량

01 (1) ○ (2) × (3) × **02** 힘의 평형 **03** (1) ○ (2) ○
(3) × **04** A **05** (1) 1 : 2 (2) 2 : 1

01 (2) 물체에 작용하는 알짜힘과 운동 방향이 서로 수직이면 속력이 일정하고 운동 방향이 변하는 운동을 한다.
(3) 한 물체에 동시에 서로 반대 방향으로 힘이 작용하면 알짜힘의 크기는 큰 힘에서 작은 힘을 빼 준 것과 같다.

02 물체에 작용하는 알짜힘이 0이 되어 힘의 평형을 이루면 물체의 운동 상태가 변하지 않는다.

03 (3) 갈릴레이의 사고 실험에서 수평면을 운동하는 물체는 등속 직선 운동을 한다.

04 A에는 실을 당기는 힘과 추의 무게가 같이 작용하고, B에는 당기는 힘만 작용하므로 A가 끊어진다.

05 (1) A, B의 가속도의 비가 2:1이다. 힘의 크기가 같을 때 가속도는 질량에 반비례한다.
(2) A, B의 가속도의 비가 2:1이다. 질량이 같을 때 힘의 크기는 가속도의 크기에 비례한다.

탄탄! 내신 다지기

026쪽~027쪽

01 ② **02** ③ **03** ② **04** 알짜힘의 방향은 운동 방향과 같다. **05** ② **06** ㉠ 증가 ㉡ 감소 ㉢ 등속 직선 **07** ① **08** ④ **09** ⑤ **10** ④

01 힘의 3요소는 힘의 크기, 방향, 작용점이다.

02 물체에 작용하는 두 힘의 방향이 서로 반대 방향이므로 알짜힘의 크기는 10 N－4 N＝6 N이고, 힘의 방향은 큰 힘의 방향인 오른쪽이다.

03 | 선택지 분석 |

✗ 수평면을 미끄러지며 속력이 감소하는 물체
➡ 운동 방향과 반대 방향으로 힘이 작용하고 있다.

㉡ 일정한 속도로 달리고 있는 자동차
➡ 등속도 운동 하는 물체에 작용하는 알짜힘은 0이다.

✗ 일정한 속력으로 원운동하는 인공위성
➡ 등속 원운동은 속력은 일정하지만 운동 방향이 계속 바뀌는 운동이므로 힘이 작용한다.

04 알짜힘의 방향과 운동 방향이 같으면 물체의 속력은 증가한다.

더 알아보기

구분	운동 변화	예
알짜힘이 운동 방향과 같은 방향으로 작용	속력 증가	자유 낙하 운동
알짜힘이 운동 방향과 반대 방향으로 작용	속력 감소	연직 위로 던진 물체가 위로 올라가는 동안의 운동
알짜힘이 운동 방향과 수직으로 작용	속력 일정, 운동 방향 변화	등속 원운동
알짜힘이 운동 방향과 비스듬히 작용	속력과 운동 방향 모두 변화	진자의 운동
알짜힘이 작용하지 않음	속력과 운동 방향 모두 일정	등속 직선 운동

05 | 선택지 분석 |

✗ 정지한 물체는 관성이 없다. (있다.)
➡ 정지해 있는 물체도 관성이 있다.

㉡ 질량이 클수록 관성의 크기는 크다.
➡ 관성의 크기는 질량에 비례한다.

✗ 마찰이 없을 때 물체에 힘이 작용하지 않으면 운동하던 물체는 점점 속력이 줄어들어 정지한다. (계속 등속 직선 운동 한다.)
➡ 물체에 힘이 작용하지 않으면 물체는 관성 때문에 운동 상태를 유지한다.

06 ㉠ 물체에 작용하는 힘의 방향과 운동 방향이 같으므로 물체의 속력이 증가한다.
㉡ 물체에 작용하는 힘의 방향과 운동 방향이 반대 방향이므로 물체의 속력이 감소한다.
㉢ 마찰이 없는 수평면에서 물체에 작용하는 알짜힘은 0이므로 물체는 등속 직선 운동을 한다.

07 (가)에서 A의 질량은 $\dfrac{10\text{ N}}{5\text{ m/s}^2} = 2\text{ kg}$이고, (나)에서 B의 질량은 $\dfrac{10\text{ N}}{2\text{ m/s}^2} = 5\text{ kg}$이다. (다)에서 A, B의 가속도 크기는 $\dfrac{7\text{ N}}{7\text{ kg}} = 1\text{ m/s}^2$이다.

08 | 선택지 분석 |

✗ 물체에 작용하는 알짜힘의 방향은 5초일 때와 15초일 때가 반대이다. (같다.)
➡ 물체에 작용하는 알짜힘의 방향은 가속도의 방향과 같다. 물체는 0초부터 20초까지 등가속도 운동을 하므로 알짜힘의 방향은 변하지 않는다.

㉡ 물체의 운동 방향은 5초일 때와 15초일 때가 반대이다.
➡ 물체의 운동 방향은 10초일 때 바뀐다.

㉢ 10초일 때 물체에 작용하는 알짜힘의 크기는 1 N이다.
➡ 물체의 가속도는 일정하므로 물체에 작용하는 알짜힘의 크기는 $5\text{ kg} \times \dfrac{1}{5}\text{ m/s}^2 = 1\text{ N}$이다.

05

09 | 선택지 분석 |

ㄱ 가속도의 크기는 A가 B의 2배이다.

➡ 가속도의 크기는 A가 2 m/s²이고, B가 1 m/s²이다.

ㄴ 질량은 A와 B가 같다.

➡ 질량 $=\dfrac{알짜힘}{가속도}$이다. 물체에 작용하는 힘은 A가 B의 2배이고, 가속도는 A가 B의 2배이므로 질량은 A와 B가 같다.

ㄷ 출발점으로부터 50 m를 이동하는데 걸린 시간은 B가 A의 $\sqrt{2}$배이다.

➡ A, B는 등가속도 운동을 하므로 같은 거리를 이동하는 데 걸린 시간은 $t \propto \dfrac{1}{\sqrt{a}}$이다. 가속도의 크기는 A가 B의 2배이므로 50 m를 이동하는 데 걸린 시간은 B가 A의 $\sqrt{2}$배이다.

10 | 자료 분석 |

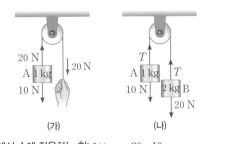

(가) (나)

(가)에서 A에 작용하는 힘: $1 \times a_{(가)} = 20 - 10$

(나)에서 A에 작용하는 힘: $1 \times a_{(나)} = T - 10$

(나)에서 B에 작용하는 힘: $2 \times a_{(나)} = 20 - T$

(가)에서 A에 작용하는 알짜힘은 20 N − 10 N = 10 N이므로 $a_{(가)} = 10$ m/s²이다.

(나)에서 $a_{(나)} = \dfrac{2-1}{1+2} \times 10 = \dfrac{10}{3}$ m/s²이다. 따라서 $a_{(가)}$: $a_{(나)} = 3$: 1이다.

도전! 실력 올리기　　　　　028쪽~029쪽

01 ① **02** ⑤ **03** ⑤ **04** ② **05** ③ **06** ②

07 $-\dfrac{mv^2}{2L}$

08 | 모범 답안 | 승객이 넘어지는 까닭은 승객이 자신의 운동 상태를 유지하려는 관성 때문이다. 관성에 의한 현상으로는 달리던 사람이 돌부리에 걸려 넘어지는 현상 등이 있다.

09 | 모범 답안 | $\dfrac{1}{2}a$, A, B의 질량을 m이라고 하면, (가)에서 A의 가속도의 크기는 $a = \dfrac{F}{m}$이다. (나)에서 A와 B에 작용하는 힘은 $F + mg - mg = 2ma_{(나)}$에서 $a_{(나)} = \dfrac{F}{2m} = \dfrac{1}{2}a$이다.

01 | 선택지 분석 |

철수: 정지해 있는 물체에 작용하는 알짜힘은 0이야.

➡ 정지해 있거나 등속 운동을 하는 물체에 작용하는 알짜힘은 0

이다.

영희: 물체의 운동 방향은 물체에 작용하는 힘의 방향과 항상 같아.

➡ 운동 방향과 물체에 작용하는 알짜힘의 방향이 항상 같은 것은 아니다. 물체가 속력이 감소하는 경우 물체의 운동 방향과 물체에 작용하는 알짜힘의 방향은 서로 반대 방향이다.

민수: 물체에 작용하는 알짜힘이 감소하면, 물체의 속력도 항상 감소해.

➡ 물체에 작용하는 알짜힘이 감소하면 가속도가 감소한다. 가속도가 감소하면 속도의 변화량이 감소하는 것이지 속력이 감소하는 것은 아니다.

02 | 선택지 분석 |

ㄱ 물체에 작용하는 알짜힘은 0이다.

➡ 물체가 정지해 있으므로 물체에 작용하는 알짜힘은 0이다.

ㄴ 물체에 작용하는 탄성력의 크기는 20 N이다.

➡ 물체에 작용하는 아래 방향의 중력과 위 방향의 탄성력은 서로 크기가 같으므로 탄성력의 크기는 중력의 크기인 20 N과 같다.

ㄷ 물체에 작용하는 힘들은 서로 평형을 이루고 있다.

➡ 물체에 작용하는 탄성력과 중력은 서로 평형을 이루고 있다.

03 | 선택지 분석 |

ㄱ 물체에 작용하는 알짜힘의 크기는 2 N이다.

➡ 두 힘의 방향이 반대 방향이므로 물체에 작용하는 알짜힘의 크기는 8 N − 6 N = 2 N이다.

ㄴ 가속도의 크기는 ~~2 m/s²~~이다.　1 m/s²

➡ 물체의 가속도의 크기는 $\dfrac{2\text{ N}}{2\text{ kg}} = 1$ m/s²이다.

ㄷ 물체가 왼쪽으로 운동하는 동안 물체의 속력은 감소한다.

➡ 물체가 왼쪽 방향으로 운동하는 동안 물체에 작용하는 알짜힘의 방향은 오른쪽이므로 물체의 속력은 감소한다.

04 A에 작용하는 힘은 아래 방향으로 크기가 10 N인 중력과 위 방향으로 3 N, 수평면이 떠받치는 힘 F이다. A가 정지해 있으므로 A에 작용하는 알짜힘은 0이고, $3 + F = 10$에서 $F = 7$ N이다.

05 (나)에서 속도−시간 그래프에서 기울기는 가속도이다. 따라서 가속도의 크기는 A가 $\dfrac{10}{3}$ m/s²이고, B가 $\dfrac{20}{3}$ m/s²이다. A가 실에 매달렸을 때 가속도의 크기는 $\dfrac{m_A}{M + m_A} \times 10 = \dfrac{10}{3}$에서 $m_A = \dfrac{1}{2}M$이다. B가 실에 매달렸을 때 가속도의 크기는 $\dfrac{m_B}{M + m_B} \times 10 = \dfrac{20}{3}$에서 $m_B = 2M$이다. 따라서 m_A : $m_B = 1$: 4이다.

06 (가)에서 물체의 가속도의 크기는 $\dfrac{3-2}{3+2}g = 2$ m/s²이다.

06

(나)에서 A의 질량을 m이라고 할 때, 물체의 가속도의 크기는 $\dfrac{m}{m+2}g$이다. 물체의 가속도의 크기는 (가)에서와 (나)에서가 같으므로 $2\ \text{m/s}^2=\dfrac{m}{m+2}g$에서 $m=\dfrac{1}{2}\ \text{kg}$이다.

07 일정한 크기의 힘을 받아 운동하므로 물체는 등가속도 직선 운동을 한다. $2as=v^2-v_0{}^2$에서 처음 속력이 v이고 나중 속력이 0이므로, $2aL=-v^2$으로부터 $a=-\dfrac{v^2}{2L}$이고, $F=ma$이므로 $F=-\dfrac{mv^2}{2L}$이다. (−)부호는 운동 방향과 힘의 방향이 반대임을 나타낸다.

08 정지해 있던 승객에게는 계속 정지해 있으려는 정지 관성이 작용하고, 달리던 승객에게는 계속 운동하려는 운동 관성이 작용한다.

채점 기준	배점
승객이 넘어지는 까닭을 관성과 연관 지어 옳게 서술하고, 예를 옳게 쓴 경우	100 %
두 가지 중 하나만 옳게 쓴 경우	50 %

09 A, B의 질량을 m이라 하면, (가)에서 A의 가속도의 크기는 $a=\dfrac{F}{m}$이다. (나)에서 A와 B에 작용하는 힘은 $F+mg-mg=2ma_{(나)}$에서 $a_{(나)}=\dfrac{F}{2m}=\dfrac{1}{2}a$이다.

채점 기준	배점
풀이 과정과 답을 모두 옳게 쓴 경우	100 %
답만 옳게 쓴 경우	50 %

03~뉴턴 운동 제3법칙

개념POOL 032쪽

01 (1) F_1과 F_4, F_2과 F_3 (2) F_1과 F_2
02 (1) ○ (2) × (3) × (4) ○

02 (2) F_1과 F_2는 평형 관계에 있으므로 크기가 같다.
(3) 작용 반작용 관계에 있는 두 힘은 합성이 불가능하다.

콕콕! 개념 확인하기 033쪽

✔ 잠깐 확인!
1 작용 반작용 **2** 방향, 작용점 **3** 질량, 변위 **4** 땅, 발, 앞으로 **5** 크기, 방향

01 (1) ○ (2) × (3) ○ (4) ○ **02** (1) 30 N (2) 3 : 2
03 (1) ○ (2) × (3) ○ (4) ○ **04** F_2, F_3

01 (2) 작용 반작용 관계에 있는 두 힘의 크기는 질량에 상관없이 같고 방향은 서로 반대이다.

02 (1) A가 줄을 잡아당기는 힘의 크기는 줄이 A를 잡아당기는 힘의 크기와 같다.
(2) A, B에 작용하는 힘의 크기가 같고 질량은 A가 B의 $\dfrac{2}{3}$배이므로 가속도는 A가 B의 $\dfrac{3}{2}$배이다. 따라서 $a_\text{A} : a_\text{B}$ =3 : 2이다.

03 (2) 책상 위에 놓여 있는 책의 무게와 책상이 책을 떠받치는 힘은 평형 관계에 있는 힘이다.

04 작용 반작용 관계인 두 힘은 크기가 같고 방향이 반대인 힘이다. 힘의 평형 관계인 두 힘은 동일한 물체에 작용하고 힘의 크기가 같고, 방향이 반대인 힘이다.

탄탄! 내신 다지기 034쪽~035쪽

01 ① **02** ① **03** ① **04** ⑤ **05** ② **06** ① **07** ③
08 16 N **09** ④ **10** ②

01 작용 반작용 관계에 있는 두 힘의 크기는 같으므로 B가 A를 당기는 힘의 크기도 2 N이다.

02 작용 반작용 관계에 있는 두 힘은 크기는 같고, 방향은 반대이며, 동일한 작용선상에서 작용점이 서로 다른 물체에 있다.

03 | 선택지 분석 |
◯ A에 작용하는 알짜힘의 크기
➡ (가)와 (나)에서 A와 B의 질량의 합이 같고, 힘의 크기가 같으므로 가속도의 크기가 같다. A에 작용하는 알짜힘의 크기는 (가)에서와 (나)에서가 같다.
✕ B의 가속도의 방향
➡ 가속도의 방향은 알짜힘의 방향과 같다. B의 가속도의 방향은 (가)에서는 왼쪽 방향이고, (나)에서는 오른쪽 방향이다.
✕ B가 실을 당기는 힘의 크기
➡ B가 실을 당기는 힘의 반작용은 실이 B를 당기는 힘이다. (가)에서 실이 B를 당기는 힘의 크기는 B에 작용하는 알짜힘이다. (나)에서 실이 B를 당기는 힘의 크기는 실이 A를 당기는 힘의 크기와 같다. 즉, (나)에서 실이 B를 당기는 힘의 크기는 A에 작용하는 알짜힘의 크기와 같다. A와 B의 질량은 같지 않으므로 실이 B를 당기는 힘도 같지 않다.

04 | 선택지 분석 |
◯ A의 가속도의 크기는 2 m/s²이다.
➡ $a=\dfrac{10\ \text{N}}{5\ \text{kg}}=2\ \text{m/s}^2$이다

✗ 물체에 작용하는 알짜힘의 크기는 A와 B가 같다.
　　　　　　　　　　　　 A가 B보다 작다.
➡ A에 작용하는 알짜힘의 크기는 2 kg×2 m/s²=4 N이고, B에 작용하는 알짜힘의 크기는 3 kg×2 m/s²=6 N이다.

ⓒ B가 A를 미는 힘의 크기는 6 N이다.
➡ B가 A를 미는 힘의 반작용은 A가 B를 미는 힘이다. A가 B를 미는 힘은 B에 작용하는 알짜힘인 6 N이다.

05 정지 상태에서 작용 반작용에 의해 움직이는 동안 두 물체의 가속도와 속력, 이동 거리는 서로의 질량에 반비례한다. 질량비가 2 : 3이므로 속력과 이동 거리의 비는 3:2이다.

06 | 선택지 분석 |

✓① 작용 반작용 관계에 있는 두 힘은 합성할 수 있다.
　　　　　　　　　　　　　　　　　　 없다.
➡ 작용 반작용 관계에 있는 두 힘의 작용점은 서로 다른 물체에 있으므로 두 힘은 합성할 수 없다.

② 로켓이 가스를 아래로 밀어낼 때 가스는 로켓을 위로 밀어낸다.
➡ 로켓이 가스를 밀어내는 힘에 대한 반작용은 가스가 로켓을 밀어내는 힘이다.

③ 작용 반작용 관계에 있는 두 힘의 작용점은 서로 다른 물체에 있다.
➡ 작용 반작용 관계에 있는 두 힘은 동일한 작용선상에서 작용점이 서로 다른 물체에 있다.

④ 사람이 걸어갈 때 발이 땅을 미는 힘을 작용이라고 하면 반작용은 땅이 발을 미는 힘이다.
➡ A가 B에 작용하는 힘의 반작용은 B가 A에 작용하는 힘이다.

⑤ 지구 주위를 도는 인공위성이 있을 때 지구가 인공위성에 작용하는 중력과 인공위성이 지구를 당기는 힘의 크기는 같다.
➡ 작용 반작용 관계에 있는 두 힘의 크기는 서로 같다.

07 | 선택지 분석 |

ⓐ 철수에게 작용하는 알짜힘은 0이다.
➡ 철수는 가만히 매달려 정지해 있으므로 철수에게 작용하는 알짜힘은 0이다.

ⓑ 철수가 철봉을 당기는 힘의 크기는 철수에게 작용하는 중력의 크기와 같다.
➡ 철수가 철봉을 당기는 힘은 철봉이 철수를 당기는 힘의 반작용이다. 철수에게 작용하는 중력은 철봉이 철수를 당기는 힘과 평형을 이룬다.

✗ 철수가 철봉을 당기는 힘과 수평면이 철봉을 떠받치는 힘은 작용 반작용 관계이다.
➡ 철수가 철봉을 당기는 힘의 반작용은 철봉이 철수를 당기는 힘이다.

08 A의 무게는 20 N이므로 A와 B 사이에 작용하는 자기력의 크기는 4 N이다. A가 B에 작용하는 자기력은 B가 A에 작용하는 자기력과 작용과 반작용의 관계이므로 B에 작용하는 자기력의 크기는 4 N이고 방향은 위 방향이다.

따라서 B의 무게보다 자기력의 크기인 4 N만큼 감소하게 되어 접시저울의 눈금은 16 N이다.

| 자료 분석 |

A와 B는 정지해 있으므로 A와 B에 각각에 작용하는 알짜힘은 0이다.

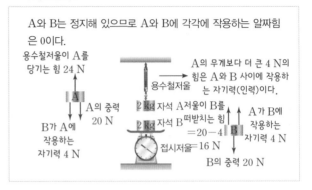

09 | 선택지 분석 |

ⓐ (가)에서 수영 선수가 벽을 미는 힘의 크기는 벽이 수영 선수를 미는 힘의 크기와 같다.
➡ 수영 선수가 벽을 미는 힘과 벽이 수영 선수를 미는 힘은 작용 반작용 관계이다.

✗ (나)에서 A는 정지한 채로 B가 A쪽으로 끌려온다.
　　　　　　　　　 A는 B쪽으로
➡ A와 B는 서로를 향해 움직인다.

ⓒ (다)에서 물체에 작용하는 중력과 용수철의 탄성력은 힘의 평형 관계이다.
➡ A에 작용하는 중력과 용수철의 탄성력은 동일한 물체에 작용하고 힘의 크기는 같으므로 두 힘은 평형 관계의 힘이다.

10 | 자료 분석 |

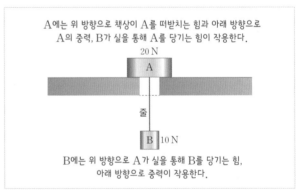

A에는 위 방향으로 책상이 A를 떠받치는 힘과 아래 방향으로 A의 중력, B가 실을 통해 A를 당기는 힘이 작용한다.

B에는 위 방향으로 A가 실을 통해 B를 당기는 힘, 아래 방향으로 중력이 작용한다.

| 선택지 분석 |

✗ A가 책상을 누르는 힘의 크기는 20 N이다.
　　　　　　　　　　　　　　　　 30 N
➡ A는 정지해 있으므로 A에 작용하는 알짜힘은 0이다. 책상이 A를 떠받치는 힘은 A와 B의 중력의 합인 30 N이다.

ⓑ B가 줄을 당기는 힘의 크기는 10 N이다.
➡ B가 줄을 당기는 힘의 크기는 줄이 B를 당기는 힘의 크기와 같으므로 B가 줄을 당기는 힘의 크기는 10 N이다.

✗ 줄이 A를 당기는 힘과 책상이 A를 떠받치는 힘은 평형 관계이다.
➡ 줄이 A를 당기는 힘의 크기는 10 N이고, 책상이 A를 떠받치는 힘의 크기는 30 N이다.

01 ④ **02** ⑤ **03** ① **04** ④ **05** ① **06** ⑤

---

07 1 kg, 10 N

08 | 모범 답안 | 가속도의 크기는 감소하고 A가 B를 미는 힘의 크기는 증가한다. B의 질량이 증가하면 A와 B의 가속도의 크기는 감소하고 A에 작용하는 알짜힘은 감소한다. 따라서 B가 A를 미는 힘의 크기는 증가한다. A가 B를 미는 힘은 B가 A를 미는 힘의 반작용이므로 역시 크기가 증가한다.

09 | 모범 답안 | 3 : 2, A가 B를 미는 힘과 B가 A를 미는 힘은 작용과 반작용의 관계이므로 서로를 미는 힘의 크기는 같다. 힘을 받는 동안 가속도의 크기는 A가 B의 $\frac{2}{3}$배이므로, 질량은 B가 A의 $\frac{2}{3}$배이다.

01 수레 한 개의 질량을 M이라고 할 때, (가)에서 두 수레의 가속도는 $\frac{F}{2M}$이고, (나)에서 세 수레의 가속도는 $\frac{F}{3M}$이다. 수레 2가 A, B를 당기는 힘의 크기는 실 A, B가 수레 2를 당기는 힘과 작용 반작용 관계에 있으므로 수레 2가 A를 당기는 힘은 $M \times \left(\frac{F}{2M}\right) = \frac{F}{2}$, B를 당기는 힘은 $2M \times \frac{F}{3M} = \frac{2F}{3}$이다.

02 | 선택지 분석 |

✗ (가)에서 p가 A를 당기는 힘과 q가 B를 당기는 힘은 작용과 반작용의 관계이다.
➡ (가)에서 p가 A를 당기는 힘의 반작용은 A가 p를 당기는 힘이다.

ㄴ (나)에서 A의 가속도의 크기는 $\frac{10}{3}$ m/s²이다.
➡ (나)에서 A의 가속도의 크기는 $\frac{2-1}{2+1} \times 10 = \frac{10}{3}$ m/s²이다.

ㄷ p가 A를 당기는 힘의 크기는 (가)에서가 (나)에서보다 크다.
➡ (가)에서 A는 정지해 있으므로 $20-T_1=0$에서 $T_1=20$ N이다. (나)에서 A에 작용하는 힘은 $20-T_2=2 \times \frac{10}{3}$에서 $T_2=\frac{40}{3}$ N이다. 따라서 p가 A를 당기는 힘의 크기는 (가)에서가 (나)에서보다 크다.

03 | 선택지 분석 |

ㄱ 가속도의 크기는 A가 B의 2배이다.
➡ A와 B에 작용하는 힘의 크기가 같고, 질량은 B가 A의 2배이므로 가속도의 크기는 A가 B의 2배이다.

✗ A와 B가 만나기 직전 속력은 ~~A와 B가 같다.~~ A가 B의 2배이다.
➡ 속력은 가속도의 크기에 비례하므로 A와 B가 만나기 직전 속력은 A가 B의 2배이다.

✗ A가 줄을 당기는 힘과 ~~B가 줄을~~ 당기는 힘은 작용과 반작용의 관계이다. 줄이 A를
➡ A가 줄을 당기는 힘의 반작용은 줄이 A를 당기는 힘이다.

04 | 선택지 분석 |

✗ 용수철이 A를 잡아당기는 힘과 B가 A를 밀어내는 자기력은 작용과 반작용의 ~~관계이다.~~ 관계가 아니다.
➡ 용수철이 A를 잡아당기는 힘과 반작용 관계에 있는 힘은 A가 용수철을 잡아당기는 힘이다.

ㄴ B에 작용하는 알짜힘은 0이다.
➡ B는 정지해 있으므로 B에 작용하는 알짜힘은 0이다.

ㄷ 지면이 B를 떠받치는 힘의 크기는 B에 작용하는 중력의 크기보다 크다.
➡ A가 B를 밀어내는 자기력과 B에 작용하는 중력의 합은 지면이 B를 떠받치는 힘과 같다. 따라서 지면이 B를 떠받치는 힘의 크기는 B에 작용하는 중력의 크기보다 크다.

05 | 선택지 분석 |

ㄱ 킥보드에 작용하는 알짜힘은 0이다.
➡ 킥보드는 등속도 운동을 하므로 킥보드에 작용하는 알짜힘은 0이다.

✗ 킥보드가 A에게 작용하는 힘과 ~~A가 받는 중력은~~ 작용 반작용 관계이다. A가 킥보드에 작용하는 힘은
➡ 킥보드가 A에 작용하는 힘의 반작용은 A가 킥보드에 작용하는 힘이다.

✗ A가 킥보드에 작용하는 힘의 크기와 수평면이 킥보드에 작용하는 힘의 크기는 ~~같다.~~ 는 보다 작다
➡ A가 킥보드에 작용하는 힘은 A의 무게이다. 수평면이 킥보드에 작용하는 힘은 A와 킥보드의 무게의 합이다. 따라서 A가 킥보드에 작용하는 힘의 크기는 수평면이 킥보드에 작용하는 힘의 크기보다 작다.

06 | 선택지 분석 |

ㄱ (가)에서 B가 A를 떠받치는 힘의 크기는 A에 작용하는 중력의 크기와 같다.
➡ (가)에서 A는 정지해 있으므로 A에 작용하는 알짜힘은 0이다. 따라서 (가)에서 B가 A를 떠받치는 힘의 크기는 A에 작용하는 중력의 크기와 같다.

✗ (가)에서 손이 B를 떠받치는 힘과 A가 B를 누르는 힘은 평형을 이룬다.
➡ 손이 B를 떠받치는 힘은 A가 B를 누르는 힘과 B에 작용하는 중력의 합과 같다.

ㄷ (나)에서 물체에 작용하는 알짜힘의 크기는 A와 B가 같다.
➡ A와 B의 질량이 같고, (나)에서 A와 B의 가속도가 같으므로 물체에 작용하는 알짜힘의 크기는 A와 B가 같다.

07 책상이 사과를 떠받치는 힘과 지구가 사과에 작용하는 중력은 서로 평형을 이루므로 사과의 질량은 1 kg이다. 사과가 지구를 당기는 힘은 사과에 작용하는 중력의 반작용이므로 10 N이다.

08 B의 질량이 증가하면 A와 B의 가속도의 크기는 감소하고 A에 작용하는 알짜힘은 감소한다. 따라서 B가 A를 미는 힘의 크기는 증가한다. B가 A를 미는 힘의 반작용은 A가 B를 미는 힘이다.

채점 기준	배점
A의 가속도, A가 B를 미는 힘의 변화와 까닭이 모두 옳은 경우	100 %
A의 가속도, A가 B를 미는 힘의 변화는 옳지만, 까닭은 옳지 않은 경우	50 %

09 A가 B를 미는 힘과 B가 A를 미는 힘은 작용과 반작용의 관계이므로 서로를 미는 힘의 크기는 같다. 힘을 받는 동안 가속도의 크기는 A가 B의 $\frac{2}{3}$배이므로, 질량은 B가 A의 $\frac{2}{3}$배이다.

채점 기준	배점
질량의 비를 옳게 구하고 풀이 과정을 옳게 서술한 경우	100 %
질량의 비만 옳게 구한 경우	50 %

실전! 수능 도전하기 039쪽~041쪽

01 ①	02 ③	03 ①	04 ④	05 ①	06 ④
07 ②	08 ④	09 ③	10 ③	11 ④	12 ⑤

01 등가속도 운동을 하므로 $v^2-v_0^2=2as$이다. 이를 정리하면 $v=\sqrt{v_0^2+2as}$이므로 그래프는 ①이 가장 적절하다.

02 | 자료 분석 |

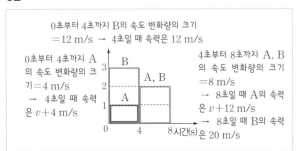

0초부터 4초까지 B의 속도 변화량의 크기 =12 m/s → 4초일 때 속력은 12 m/s

0초부터 4초까지 A의 속도 변화량의 크기=4 m/s → 4초일 때 속력은 $v+4$ m/s

4초부터 8초까지 A, B의 속도 변화량의 크기 =8 m/s → 8초일 때 A의 속력은 $v+12$ m/s → 8초일 때 B의 속력은 20 m/s

| 선택지 분석 |

ㄱ. L=88 m이다.
➡ 4초일 때 A, B의 속력은 각각 $v+4$ m/s, 12 m/s이고 8초일 때 A, B의 속력은 $v+12$ m/s, 20 m/s이다. 0초부터 4초까지 B의 평균 속력은 $\frac{0+12}{2}$=6 m/s이고, 4초부터 8초까지 B의 평균 속력은 $\frac{12+20}{2}$=16 m/s이다. 따라서 8초 동안 B의 이동 거리는 $6\times4+16\times4$=88 m이다.

ㄴ. v=6 m/s이다.
➡ 0초부터 4초까지 A의 평균 속력은 $\frac{2v+4}{2}$=$v+2$이고, 4초부터 8초까지 A의 평균 속력은 $\frac{2v+16}{2}$=$v+8$이다. 0초부터

8초까지 A와 B의 이동 거리는 같으므로 $(v+2)\times4+(v+8)\times4=8v+40=88$에서 $v=6$ m/s이다.

ㄷ. 4초일 때 속력은 A가 B보다 ~~크다.~~ 작다.
➡ 4초일 때 A의 속력은 10 m/s이고, B의 속력은 12 m/s이므로 A가 B보다 작다.

03 | 선택지 분석 |

ㄱ. 두 자동차가 기준선을 통과한 순간부터 속력이 v로 같아질 때까지 걸린 시간은 4초이다.
➡ 같은 시간 t 동안 이동 거리는 A가 B보다 20 m 앞서고 있으므로 $\frac{10+v}{2}\times t-\frac{v}{2}\times t=20$이다. 따라서 4초이다.

ㄴ. v=~~30 m/s~~이다. 20 m/s
➡ 같은 시간 동안 속도 변화량의 크기는 A가 $v-10$이고, B가 v이다. A, B의 가속도의 크기는 각각 a, $2a$이므로 $\frac{v-10}{a}=\frac{v}{2a}$에서 $v=20$ m/s이다.

ㄷ. a=~~2 m/s²~~이다. 2.5 m/s²
➡ A가 기준선에서 출발한 순간부터 속력이 v가 되기까지 걸린 시간은 4초이므로 가속도의 크기 $a=\frac{v-10}{4}$이고 $v=20$ m/s 로부터 $a=2.5$ m/s²이다.

04 | 자료 분석 |

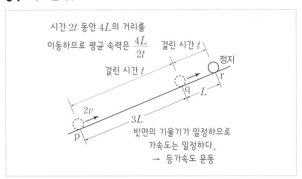

시간 $2t$ 동안 $4L$의 거리를 이동하므로 평균 속력은 $\frac{4L}{2t}$

걸린 시간 t

걸린 시간 t

2v

3L

정지

빗면의 기울기가 일정하므로 가속도는 일정하다. → 등가속도 운동

| 선택지 분석 |

ㄱ. p에서 r까지 걸린 시간은 $\frac{4L}{v}$이다.
➡ p에서 q까지 걸린 시간을 t라고 하면, p에서 r까지 걸린 시간은 $2t$이다. p에서 r까지 등가속도 운동 하므로 p에서 r까지 평균 속력은 $\frac{2v+0}{2}$=v이다. p에서 r까지 거리는 $v\times2t=4L$이므로 $t=\frac{2L}{v}$이고, p에서 r까지 걸린 시간은 $2t=\frac{4L}{v}$이다.

ㄴ. 가속도의 크기는 $\frac{v^2}{2L}$이다.
➡ p에서 r까지 속도 변화량의 크기가 $2v$이고, 걸린 시간이 $2t$이므로 가속도의 크기는 $\frac{2v}{2t}=\frac{v^2}{2L}$이다.

ㄷ. q에서의 속력은 ~~$\frac{3}{2}v$~~이다. v
➡ p에서 q까지 걸린 시간은 t이므로 q에서의 속력은 $2v-at=2v-\left(\frac{v^2}{2L}\right)\left(\frac{2L}{v}\right)=v$이다.

05 | 선택지 분석 |

㉠ p와 q 사이의 거리는 $v_0 T$이다.

➡ A, B의 가속도의 크기는 $\dfrac{3v_0}{T}$로 같다. T동안 B의 변위는 s_B $=\dfrac{1}{2}aT^2$이고, A의 변위는 $s_A=-v_0 T+\dfrac{1}{2}aT^2$이므로 p와 q 사이의 거리는 $s_B-s_A=v_0 T$이다.

✗ A가 최고점에 도달하는 순간, A와 B 사이의 거리는 $\dfrac{1}{4}v_0 \cancel{T}$이다. $\dfrac{2}{3}v_0 T$

➡ 최고점에 도달하는 순간은 $\dfrac{1}{3}T$이고, 이 시간 동안 A는 $\dfrac{1}{6}v_0 T$ 만큼 올라가고, B는 $\dfrac{1}{6}v_0 T$만큼 내려간다. p와 q 사이의 거리는 $v_0 T$이므로 A가 최고점에 도달하는 순간, 두 물체 사이의 거리는 $\dfrac{2}{3}v_0 T$이다.

✗ A와 B가 만나는 순간, A의 속력은 $\cancel{v_0}$이다. $2v_0$

➡ A와 B의 가속도가 같으므로 속도 변화량의 크기도 같다. A와 B가 만나는 순간 A의 속력을 v라 하면, $v-(-v_0)=3v_0$에 서 $v=2v_0$이다.

06 | 자료 분석 |

> (가)와 (나)에서 물체의 가속도는 같다.
>
> $6=m_B a$ $F-6=m_A a$ $3=m_A a$ $F-3=m_B a$
>
> B $\xrightarrow{6\,\text{N}}$ p $\xleftarrow{6\,\text{N}}$ A $\xrightarrow{F}$ 　　A $\xrightarrow{3\,\text{N}}$ p $\xleftarrow{3\,\text{N}}$ B $\xrightarrow{F}$
>
> (가)　　　　　　　　　　(나)

| 선택지 분석 |

㉠ A에 작용하는 알짜힘의 크기는 (가)에서가 (나)에서와 같다.

➡ 물체의 가속도의 크기는 (가)에서와 (나)에서가 같으므로 A에 작용하는 알짜힘의 크기는 (가)에서와 (나)에서가 같다.

✗ 질량은 $\underset{\text{B가 A의}}{\cancel{\text{A가 B의}}}$ 2배이다.

➡ A와 B의 가속도의 크기가 같고, 알짜힘의 크기는 B가 A의 2배이므로 질량은 B가 A의 2배이다.

㉢ $F=9$ N이다.

➡ A에 작용하는 힘의 크기는 3 N, B에 작용하는 힘의 크기는 6 N이므로 $F=9$ N이다.

07 (가)에서 A의 가속도의 크기는 $\dfrac{m}{m+m}g=\dfrac{1}{2}g$이다. A의 가속도의 크기는 (가)에서가 (나)에서의 2배이므로 (나)에 서 A의 가속도의 크기는 $\dfrac{m_C-m}{m+m_C}g=\dfrac{1}{4}g$이다. 이를 정리 하면 $m_C=\dfrac{5}{3}m$이다.

08 실이 끊어지기 전까지 가속도의 크기는 1 m/s²이므로 $\dfrac{1}{2}\times1\times t^2=0.4$에서 $t=\dfrac{2}{\sqrt5}$초이다. A에 빗면 아래쪽 방 향으로 작용하는 힘의 크기를 F라 하고 A와 B를 하나의 물체로 취급하면 물체에 작용하는 힘은 $30-F=(m+3)\times1$, $-F=-4m$에서 $5m=27$이므로 $m=\dfrac{27}{5}$ kg이다.

09 (가)에서 A, B는 정지해 있으므로 실이 A 또는 B를 잡아 당기는 힘의 크기 $F_1=mg$이다. (나)에서 A, B의 가속도 의 크기는 $\dfrac{m}{m+m}g=\dfrac{1}{2}g$이므로 실이 물체를 당기는 힘의 크기는 $\dfrac{1}{2}mg$이다. 따라서 $F_1:F_2=2:1$이다.

10 | 자료 분석 |

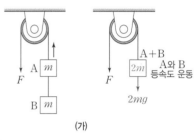

> (가)에서 A와 B를 질량이 $2m$인 한 물체로 생각하면
>
> A $\boxed{m}$ ↓F
> B $\boxed{m}$
>
> A+B ↑
> $\boxed{2m}$ A와 B F 등속도 운동
> ↓$2mg$
>
> (가)
>
> (A+B)물체는 등속도 운동을 하므로 알짜힘이 0이다. 따라 서 F는 (A+B)물체의 중력의 크기와 같은 $2mg$이다.

(가)에서 물체는 등속도 운동을 하므로 $F=2mg$이다. (나) 에서 A와 C에 작용하는 힘에 대한 운동 방정식은

$F-(m+m_C)g=(m+m_C)\dfrac{1}{3}g$에서 $F=2mg$이므로

$m_C=\dfrac{1}{2}m$이다.

11 | 선택지 분석 |

㉠ A의 가속도의 크기는 5 m/s²이다.

➡ A의 가속도의 크기를 a라 하면, A, B, C에 작용하는 알짜힘 은 $60-30=(3+2+1)\times a$에서 $a=5$ m/s²이다.

㉡ p가 A를 당기는 힘의 크기는 45 N이다.

➡ A에 작용하는 힘 $T_p-30=3\times5$에서 $T_p=45$ N이다.

✗ q가 B를 당기는 힘의 크기는 q가 C를 당기는 힘의 크 기보다 작다. $\underset{\text{같다.}}{}$

➡ q가 B를 당기는 힘의 크기를 T_B, q가 C를 당기는 힘의 크기 를 T_C라 하면, C에 작용하는 힘은 $60-T_C=1\times5$에서 T_C $=55$ N이다. B에 작용하는 힘은 $T_B-T_p=2\times5$에서 $T_B=45$ N 이므로 $T_B=55$ N이다.

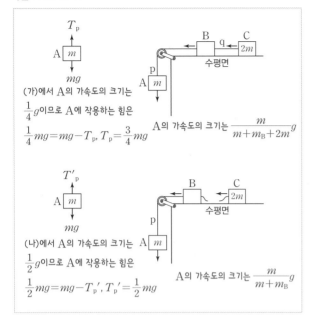

(가)에서 A의 가속도의 크기는 $\frac{1}{4}g$이므로 A에 작용하는 힘은 $\frac{1}{4}mg=mg-T_{\mathrm{p}}$, $T_{\mathrm{p}}=\frac{3}{4}mg$

A의 가속도의 크기는 $\dfrac{m}{m+m_{\mathrm{B}}+2m}g$

(나)에서 A의 가속도의 크기는 $\frac{1}{2}g$이므로 A에 작용하는 힘은 $\frac{1}{2}mg=mg-T_{\mathrm{p}}{}'$, $T_{\mathrm{p}}{}'=\frac{1}{2}mg$

A의 가속도의 크기는 $\dfrac{m}{m+m_{\mathrm{B}}}g$

| 선택지 분석 |

✕ (가)에서 A의 가속도의 크기는 $\dfrac{1}{2}g$이다.
(밑줄친 $\frac{1}{2}g$를 $\frac{1}{4}g$로 수정)

➡ (가)에서 A의 가속도의 크기는 $\dfrac{m}{m+m_{\mathrm{B}}+2m}g$이고, (나)에서 A의 가속도의 크기는 $\dfrac{m}{m+m_{\mathrm{B}}}g$이다. $\dfrac{2m}{m+m_{\mathrm{B}}+2m}g$ $=\dfrac{m}{m+m_{\mathrm{B}}}g$에서 $m_{\mathrm{B}}=m$이다. 따라서 (가)에서 A의 가속도의 크기는 $\dfrac{1}{4}g$이다.

㉡ (가)에서 p가 A를 당기는 힘의 크기는 q가 B를 당기는 힘의 크기보다 크다.

➡ p가 A를 당기는 힘의 크기는 p가 B를 당기는 힘의 크기와 같다. B는 왼쪽 방향으로 등가속도 운동을 하므로 p가 A를 당기는 힘의 크기는 q가 B를 당기는 힘의 크기보다 크다.

㉢ p가 A를 당기는 힘의 크기는 (가)에서가 (나)에서의 $\dfrac{3}{2}$배이다.

➡ (가)에서 $mg-T_{\mathrm{p}}=\dfrac{1}{4}mg$이고, (나)에서 $mg-T_{\mathrm{p}}{}'=\dfrac{1}{2}mg$이다. 따라서 p가 A를 당기는 힘의 크기는 (가)에서는 $T_{\mathrm{p}}=\dfrac{3}{4}mg$이고, (나)에서는 $T_{\mathrm{p}}{}'=\dfrac{1}{2}mg$이다.

04~ 운동량 보존 법칙

탐구POOL 044쪽

01 (1) ○ (2) × (3) ○ **02** $\dfrac{2}{3}v$

---

01 (2) B의 질량과 처음 속력이 일정할 때 A의 질량이 작을수록 나중 속력이 커진다.

02 충돌 전과 충돌 후의 운동량의 총합은 보존되므로 $2mv=(2m+m)v'$에서 $v'=\dfrac{2}{3}v$이다.

콕콕! 개념 확인하기 045쪽

✓ 잠깐 확인!

1 운동량, 질량, 속도 **2** 방향 **3** 속도 **4** 운동량 보존
5 운동 에너지 **6** 완전 비탄성

01 (1) × (2) ○ (3) × (4) ○ **02** (1) 15 kg·m/s
(2) 50 kg·m/s **03** (1) × (2) × **04** 왼쪽 방향, $\dfrac{2}{3}$ m/s
05 $\dfrac{12}{5}$ m/s

01 (1) 운동량은 물체의 질량과 속도의 곱으로 정의된다.
(3) 속력이 같을 때 질량이 클수록 운동량의 크기는 크다.

02 (2) 지면에 닿기 직전의 속력은 $\sqrt{2\times10\times5}=10$ m/s이다. 질량은 5 kg이므로 운동량의 크기는 $5\times10=50$ kg·m/s이다.

03 (1) 외력이 작용하지 않는 물체 A, B가 충돌할 때 충돌 전후 두 물체의 운동량의 변화량은 같다.
(2) 운동량이 보존되기 위한 조건은 두 물체들 간의 상호 작용에서 외력이 작용하지 않는 것이다.

04 $(5\times1)-(3\times3)=-2+3v$에서 B의 속력 $v=-\dfrac{2}{3}$ m/s이고 운동 방향은 왼쪽 방향이다.

05 $(2\times3)+(3\times2)=5v$에서 $v=\dfrac{12}{5}$ m/s이다.

탄탄! 내신 다지기 046쪽~047쪽

01 ⑤ **02** ④ **03** ② **04** ⑤ **05** ⑤ **06** ③ **07** 1 : 2
08 ① **09** ④

01 | 선택지 분석 |

✕ 운동량은 크기만을 갖는 물리량이다.
(밑줄친 "크기만을"을 "크기와 방향을"로 수정)
➡ 운동량은 크기와 방향을 갖는 물리량이다.

㉡ 물체에 힘이 작용하면 운동량이 변한다.
➡ 물체에 힘이 작용하면 속도가 변하므로 운동량이 변한다.

㉢ 운동량의 방향은 물체의 운동 방향과 항상 같다.
➡ 운동량은 질량과 속도의 곱이다. 따라서 운동량의 방향은 물체의 운동 방향과 항상 같다.

02 | 선택지 분석 |

① 공의 운동량이 클수록 볼링핀이 더 많이 쓰러진다.
➡ 축구공보다 볼링공이, 속도가 느린 쪽보다 빠른 쪽이 운동량이 커서 볼링핀을 더 많이 쓰러뜨릴 수 있다.

② 속력이 같을 때 질량이 클수록 운동량이 크다.
➡ 운동량은 질량에 비례한다.

③ 질량이 같을 때 속력이 빠를수록 운동량이 크다.
➡ 운동량의 크기는 속력에 비례한다.

✓ 볼링공과 축구공을 같은 속력으로 굴릴 때 축구공의 운동량이 더 크다.
➡ 볼링공을 굴릴 때 볼링핀이 더 많이 쓰러졌으므로 볼링공의 운동량이 더 크다.

⑤ 동일한 볼링공을 빠르게 굴릴 때 운동량이 크다.
➡ 운동량은 질량이 클수록, 속력이 빠를수록 크다.

03 A의 운동량의 크기는 $1 \times 2 = 2$ kg·m/s이고, B의 운동량의 크기는 $2 \times 3 = 6$ kg·m/s이다.

04 | 선택지 분석 |

㉠ A는 등속도 운동을 한다.
➡ 위치-시간 그래프에서 기울기는 속도이다. A는 2 m/s로 등속도 운동을 한다.

㉡ 2초일 때 A의 운동량의 크기는 4 kg·m/s이다.
➡ A는 2 m/s의 속력으로 운동하므로 운동량의 크기는 2 kg $\times$ 2 m/s = 4 kg·m/s이다.

㉢ A에 작용하는 알짜힘은 0이다.
➡ A는 등속도 운동을 하므로 A에 작용하는 알짜힘은 0이다.

05 | 선택지 분석 |

㉠ 충돌 과정에서 A가 B에 작용한 힘의 크기는 B가 A에 작용한 힘의 크기와 같다.
➡ A가 B에 작용한 힘과 B가 A에 작용한 힘은 작용과 반작용의 관계이므로 힘의 크기가 같다.

㉡ 충돌 전후 운동량의 변화량의 크기는 A와 B가 같다.
➡ 충돌 과정에서 운동량의 변화량의 크기는 A와 B가 같다.

㉢ 충돌 전후 속도 변화량의 크기는 A가 B보다 작다.
➡ 질량은 A가 B보다 크므로 속도 변화량의 크기는 A가 B보다 작다.

06 | 선택지 분석 |

✗ A를 던진 후 우주인의 속력은 v보다 ~~크다.~~ 작다.
➡ A를 던지기 전 운동량은 0이고, 질량은 우주인이 A보다 크므로 우주인의 속력은 v보다 작다.

✗ A를 던진 후 운동량의 크기는 우주인이 ~~A보다 크다.~~ A와 같다.
➡ A를 던지기 전 물체와 우주인의 운동량의 합은 0이므로 A를 던진 후 운동량의 크기는 A와 우주인이 같다.

㉢ 우주인이 A를 던질 때 우주인이 A에 작용하는 힘의 크기는 A가 우주인에 작용하는 힘의 크기와 같다.
➡ 두 힘은 작용과 반작용의 관계이므로 힘의 크기가 서로 같다.

07 운동량 보존 법칙에 의해 $m_A \times 3$ m/s $= (m_A + m_B) \times 1$ m/s이므로 $m_A : m_B = 1 : 2$ 이다.

08 | 선택지 분석 |

㉠ 충돌 후 B의 운동량의 크기는 충돌 전 A의 운동량의 크기와 같다.
➡ 충돌 과정에서 운동량은 보존된다.

✗ 질량은 ~~A가 B의~~ B가 A의 2배이다.
➡ $m_A v = m_B \left(\dfrac{v}{2} \right)$에서 $m_B = 2m_A$이다.

✗ 충돌 과정에서 운동량의 변화량의 크기는 ~~A가 B보다 크다.~~ A와 B가 같다.
➡ 충돌 과정에서 A, B가 서로에게 작용한 힘의 크기는 같으므로 운동량의 변화량의 크기는 같다.

09 | 선택지 분석 |

㉠ 평균 속력은 A가 B보다 작다.
➡ 타점의 개수가 A가 B보다 많으므로 s만큼 이동하는 데 걸린 시간은 A가 B보다 크다. 따라서 평균 속력은 A가 B보다 작다.

✗ 가속도의 크기는 A가 B보다 ~~크다.~~ 작다.
➡ 같은 거리를 이동하는 데 걸린 시간은 A가 B보다 크므로 가속도의 크기는 A가 B보다 작다.

㉢ 운동량의 변화량의 크기는 A가 B보다 작다.
➡ 가속도의 크기가 B가 A보다 크므로 속력 변화는 B가 A보다 크다. 따라서 운동량의 변화량의 크기는 A가 B보다 작다.

도전! 실력 올리기   048쪽~049쪽

01 ④ **02** ③ **03** ③ **04** ① **05** ④ **06** ③ **07** ①

08 6 m/s

09 | 모범 답안 | 1 m/s, 3 m/s, A, B가 1초일 때 기준선으로부터 3 m인 위치에서 충돌하므로 충돌 전 A의 속력은 3 m/s이고, B의 속력은 1 m/s이다. 충돌 후 A의 속력이 1 m/s이므로 운동량 보존 법칙에 의해 B의 속력은 3 m/s이다.

10 | 모범 답안 | 2 : 3, A가 B와 한 덩어리가 되어 운동할 때 속력은 $\dfrac{1}{2}v$이므로 $t_1 = \dfrac{2L}{v}$이다. A, B가 C와 한 덩어리가 되어 운동할 때 속력은 $\dfrac{1}{3}v$이므로 $t_2 = \dfrac{3L}{v}$ 이다. 따라서 $t_1 : t_2 = 2 : 3$이다.

01 | 자료 분석 |

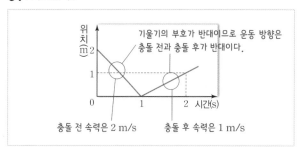

기울기의 부호가 반대이므로 운동 방향은 충돌 전과 충돌 후가 반대이다.
충돌 전 속력은 2 m/s
충돌 후 속력은 1 m/s

충돌 후 A의 운동 방향은 충돌 전과 반대가 된다. 충돌 전 A의 운동 방향을 음(−)의 방향이라고 하면, $-2m+mv_B$ $=2m \times 1$에서 B의 속력은 4 m/s이다.

02 | 선택지 분석 |

㉠ (가)에서 충돌 후 B의 속력은 0.8 m/s이다.
➡ 충돌 과정에서 운동량은 보존되므로 $1 \times 2 = 1 \times 0.4 + 2 \times v_B$에서 $v_B = 0.8$ m/s이다.

㉡ 충돌 과정에서 운동량의 변화량의 크기는 B가 C보다 크다.
➡ (나)에서 충돌 후 A와 C는 한 덩어리가 되어 운동하므로 $1 \times 2 = (1+2) \times v_C$에서 $v_C = \frac{2}{3}$ m/s이다. B의 운동량의 변화량의 크기는 $2 \times 0.8 = 1.6$ kg·m/s이고, C의 운동량의 변화량의 크기는 $2 \times \frac{2}{3} = \frac{4}{3}$ kg·m/s이다.

✗ 충돌 후 A의 운동량의 크기는 (가)에서와 (나)에서가 같다.
  (가)에서가 (나)에서보다 작다.
➡ 충돌 후에 A의 운동량의 크기는 (가)에서는 $1 \times (0.4) = 0.4$ kg·m/s이고, (나)에서는 $1 \times \left(\frac{2}{3}\right) = \frac{2}{3}$ kg·m/s이다.

03 충돌 후, 물체의 속도를 각각 v_A, v_B라고 하면, $v_B = v_A + v$ 이다. 충돌 과정에서 운동량이 보존되므로 $2mv = mv_A + mv_B$에서 $v_A = \frac{1}{2}v$, $v_B = \frac{3}{2}v$이다. 따라서 A의 운동량의 변화량의 크기는 $\left| m\left(\frac{1}{2}v\right) - m(2v) \right| = \frac{3}{2}mv$이다.

04 | 선택지 분석 |

㉠ 수레 멈추개에 도달하기 직전 속력은 A가 B보다 크다.
➡ 같은 시간 동안 이동 거리가 A가 B보다 크다.

✗ 수레 멈추개에 도달하기 직전 운동량의 크기는 A가 B보다 크다.
  A와 B가 같다.
➡ 용수철을 퉁기기 전 운동량의 총합은 0이므로 수레 멈추개에 도달하기 직전 운동량의 크기는 A와 B가 같다.

✗ 질량은 A가 B의 2배이다.
  B가 A의
➡ 운동량의 크기가 같고, 속력은 A가 B의 2배이므로 질량은 B가 A의 2배이다.

05 | 선택지 분석 |

㉠ 철수가 영희를 미는 힘과 영희가 철수에게 작용하는 힘은 작용 반작용 관계이다.
➡ 반발 과정에서 서로에게 작용하는 힘은 작용 반작용 관계로 크기가 같고 방향이 서로 반대이다.

✗ 철수가 영희를 밀어 준 후 철수와 영희의 운동량의 크기의 비는 3 : 2이다.
  1 : 1
➡ 철수와 영희가 처음에 정지하고 있었으므로 철수가 영희를 밀어 준 후 철수와 영희의 운동량의 크기는 같다.

㉢ 영희의 질량은 50 kg이다.
➡ 철수가 영희를 밀어 준 후 속력의 비가 2 : 3이고, 운동량의 크기가 같으므로 철수와 영희의 질량비는 3 : 2이다.

06 B와 C의 충돌 과정에서 운동량 보존 법칙을 적용하면 $mv = -mv_B + 2m(0.6v)$에서 $v_B = 0.2v$이다. B가 A와 충돌할 때까지 이동 거리는 $2d$이므로 걸린 시간은 $\frac{2d}{0.2v}$ $= \frac{10d}{v}$이다.

07 | 선택지 분석 |

㉠ 충돌 전 속력은 A가 B보다 크다.
➡ A와 B가 충돌했으므로 속력은 A가 B보다 크다.

✗ 질량은 A가 B보다 크다.
  B가 A보다
➡ 충돌 전 운동량의 크기는 A와 B가 같으므로 질량은 B가 A보다 크다.

✗ $p = \frac{p_A - p_B}{2}$이다.
       $\frac{p_A + p_B}{2}$
➡ 충돌 전과 충돌 후의 운동량의 총합은 같으므로 $p = \frac{p_A + p_B}{2}$이다.

08 충돌 후 A, B의 운동량의 합은 $1.5 \times 2 = 3$ kg·m/s이므로 충돌 전 A의 속도는 $0.5 \times v = 3$ kg·m/s에서 $v = 6$ m/s이다.

09 A, B가 1초일 때 기준선으로부터 3 m인 위치에서 충돌하므로 충돌 전 A의 속력은 3 m/s이고, B의 속력은 1 m/s이다. 그래프에서 충돌 후 A의 속력이 1 m/s이므로 운동량 보존 법칙에 의해 충돌 후 B의 속력은 3 m/s이다.

채점 기준	배점
A와 B의 속력과 풀이 과정이 모두 옳은 경우	100 %
A와 B의 속력만 옳은 경우	50 %

10 A가 B와 한 덩어리가 되어 운동할 때 속력은 $\frac{1}{2}v$이므로 $t_1 = \frac{2L}{v}$이다. A, B가 C와 한 덩어리가 되어 운동할 때 속력은 $\frac{1}{3}v$이므로 $t_2 = \frac{3L}{v}$이다. 따라서 $t_1 : t_2 = 2 : 3$이다.

채점 기준	배점
$t_1 : t_2$를 옳게 구하고 풀이 과정이 옳은 경우	100 %
$t_1 : t_2$만 옳은 경우	50 %

05 ~ 충격량

01 (1) ○ (2) × **02** ㄱ, ㄷ

01 (1) 힘-시간 그래프 아래의 넓이가 같으므로 충격량의 크기는 A와 B가 같다.
(2) 충격량은 A와 B가 같고, 힘을 받는 시간은 B가 A보다 크므로 충격력의 크기는 A가 B보다 크다.

02 골프채를 휘둘러 공과의 충돌 시간을 길게 하는 것은 힘이 일정할 때 시간을 길게 해서 충격량을 크게 하는 사례이다.

✓ 잠깐 확인!

1 충격량 **2** 변화량, 힘 **3** 충격량 **4** 충격력
5 길수록 **6** 길게

---

01 (1) ○ (2) ○ (3) ○ (4) × **02** 5 N·s
03 2 m/s **04** 4 N **05** (1) ○ (2) × (3) ○ **06** ㄱ, ㄷ

01 (4) 운동량-시간 그래프에서 기울기는 알짜힘을 의미한다.

02 $I=Ft$에서 $I=50\times0.1=5$ N·s이다.

03 나중 운동량을 p라 하면, 충격량은 운동량의 변화량이므로 $p-(10\times5)=-30$에서 $p=20$ kg·m/s이다. 물체의 질량이 10 kg이므로 물체의 속력은 2 m/s이다.

04 물체가 받은 충격력의 크기는 충격량의 크기를 힘이 작용한 시간으로 나눠 준 값이다.

05 (2) 충격량이 일정할 때 충돌 시간과 충격력의 크기는 반비례한다.

01 ③ **02** ④ **03** ③ **04** ② **05** ⑤ **06** ② **07** ⑤
08 $\dfrac{3mv}{t}$ **09** ③ **10** ⑤

01 물체가 받은 충격량의 크기는 힘의 크기와 힘이 작용한 시간의 곱이다. 따라서 $2\times10=20$ N·s이다.

02 | 선택지 분석 |

~~철수~~: 충격량은 크기는 있지만 방향은 없는 물리량이다.
크기와 방향을 모두 갖는
➡ 충격량에서는 크기와 방향 모두 중요하다.

~~영희~~: 충격량의 크기는 힘의 크기와 힘이 작용한 시간의 곱이다.
➡ 충격량의 정의는 힘과 힘이 작용한 시간의 곱으로 주어진다.

~~민수~~: 힘-시간 그래프에서 그래프와 시간 축으로 둘러싸인 부분의 넓이는 충격량의 크기를 나타내.
➡ 힘-시간 그래프에서 그래프 아래의 넓이는 충격량을, 운동량-시간 그래프에서 기울기는 알짜힘을 의미한다.

03 | 자료 분석 |

물체의 질량은 (가)와 (나)에서 같으므로 질량을 m이라 하면,

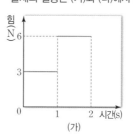
(가)

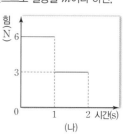
(나)

	(가)		(나)	
	0초~1초	1초~2초	0초~1초	1초~2초
가속도의 크기	$\dfrac{3}{m}$	$\dfrac{6}{m}$	$\dfrac{6}{m}$	$\dfrac{3}{m}$
속력	1초일 때 속력: $\dfrac{3}{m}$	2초일 때 속력: $\dfrac{9}{m}$	1초일 때 속력: $\dfrac{6}{m}$	2초일 때 속력: $\dfrac{9}{m}$
평균 속력	$\dfrac{3}{2m}$	$\dfrac{6}{m}$	$\dfrac{3}{m}$	$\dfrac{15}{2m}$
이동 거리	$\dfrac{3}{2m}$	$\dfrac{6}{m}$	$\dfrac{3}{m}$	$\dfrac{15}{2m}$
		$\dfrac{15}{2m}$		$\dfrac{21}{2m}$

| 선택지 분석 |

ㄱ. 0초부터 2초까지 물체가 받은 충격량의 크기
➡ 힘-시간 그래프에서 면적은 충격량이다. 0초부터 2초까지 (가)와 (나)에서 힘과 시간축이 이루는 면적은 같다.

ㄴ. 2초일 때 속력
➡ 0초부터 2초까지 운동량의 변화량이 같다.

~~ㄷ~~. 0초부터 2초까지 이동한 거리
➡ 0초부터 2초까지 이동 거리는 (나)에서가 (가)에서보다 크다.

04 | 선택지 분석 |

① 0초부터 2초까지 물체가 받은 충격량의 크기는 5 N·s이다.
➡ 충격량의 크기는 $5\times2\times\dfrac{1}{2}=5$ N·s이다.

~~②~~ 2초부터 4초까지 동안에 가속도의 크기는 일정하다.
증가한다.
➡ 힘의 크기가 증가하므로 가속도의 크기도 증가한다.

③ 2초부터 4초까지 운동량의 변화량의 크기는 15 kg·m/s이다.

➡ 2초부터 4초까지 물체가 받은 충격량의 크기는 $(5+10) \times 2 \times \frac{1}{2} = 15$ N·s이므로 운동량의 변화량의 크기는 15 kg·m/s이다.

④ 4초일 때 가속도의 크기는 5 m/s²이다.

➡ 4초일 때 물체에 작용하는 힘의 크기가 10 N이고, 물체의 질량은 2 kg이므로 가속도의 크기는 $\frac{10}{2} = 5$ m/s²이다.

⑤ 4초일 때 물체의 속력은 10 m/s이다.

➡ 4초일 때 운동량의 크기는 $10 \times 4 \times \frac{1}{2} = 20$ kg·m/s이고, 물체의 질량은 2 kg이므로 속력은 10 m/s이다.

05 | 선택지 분석 |

✗ 0초부터 1초까지 가속도의 크기는 ~~일정하다.~~ 증가한다

➡ 가속도의 크기는 힘의 크기에 비례한다. 힘의 크기가 증가하므로 가속도의 크기도 증가한다.

ⓛ 0초부터 2초까지 물체에 작용한 충격량의 크기는 6 N·s이다.

➡ 물체가 받은 충격량의 크기는 물체의 운동량의 변화량의 크기와 같다. 2초일 때 물체의 속력은 3 m/s이므로 2초일 때 충격량의 크기는 6 N·s이다.

ⓒ $F = 6$ N이다.

➡ 힘 – 시간 그래프에서 그래프 아래의 면적은 물체에 작용한 충격량이다. $F \times 2 \times \frac{1}{2} = 6$ N·s이므로 $F = 6$ N이다.

06 힘 – 시간 그래프 아래 부분의 넓이는 충격량의 크기를 의미한다. 그래프 아래의 넓이가 같으므로 충격량의 크기가 12 N·s로 같다. 따라서 물체가 받은 충격력의 크기는 2 N이다.

07 | 선택지 분석 |

ⓛ 0초부터 0.10초까지 물체가 이동한 거리는 1 m이다.

➡ 속도 – 시간 그래프의 면적은 변위이다. 직선 운동 하는 물체의 변위의 크기와 이동 거리는 같다.

ⓛ 벽에 닿기 전 물체의 운동량의 크기는 20 kg·m/s이다.

➡ 운동량은 질량과 속도의 곱으로 정의된다. 운동량 $= 2$ kg $\times$ 10 m/s $= 20$ kg·m/s이다.

ⓒ 벽과 충돌하는 동안 벽이 물체에 작용한 힘의 크기는 2000 N이다.

➡ 물체에 작용한 충격력의 크기는 $\frac{2 \times 10}{0.01} = 2000$ N이다.

08 방망이와 충돌 후 공의 운동 방향이 충돌 전과 반대 방향이므로 운동량의 변화량의 크기는 $3mv$이다. 물체에 작용한 충격력의 크기는 $\frac{3mv}{t}$이다.

09 | 선택지 분석 |

ⓛ 면봉이 힘을 받는 시간은 (가)에서가 (나)에서보다 짧다.

➡ 빨대를 벗어나까지 걸린 시간이 (나)가 더 길므로 면봉이 힘을 받는 시간은 (가)에서가 (나)에서보다 짧다.

ⓛ 빨대를 반으로 잘라서 실험해도 (가)와 같은 효과를 낼 수 있다.

➡ 빨대를 반으로 자르면 힘을 받는 시간이 짧아진다.

✗ 면봉이 받는 충격량의 크기는 (가)에서가 (나)에서보다 크다.

➡ 충격력의 크기는 (가)에서와 (나)에서 같고 힘을 받는 시간이 (나)에서 더 길므로 면봉이 받는 충격량의 크기는 (나)에서가 (가)에서보다 크다.

10 | 선택지 분석 |

ⓛ 공중 곡예사 밑에 그물을 설치한다.

➡ 그물을 설치하면 곡예사가 힘을 받는 시간이 길어져서 곡예사가 받는 충격력이 감소한다.

✗ 대포의 포신을 길게 한다.

➡ 포신을 길게 하면 포탄이 힘을 받는 시간이 길어져서 충격량이 커진다.

ⓒ 높이뛰기 선수가 착지하는 곳에 두꺼운 매트를 설치한다.

➡ 두꺼운 매트를 설치하면 높이뛰기 선수가 힘을 받는 시간이 길어져 선수가 받는 충격력이 감소한다.

도전! 실력 올리기

056쪽~057쪽

01 ⑤ **02** ③ **03** ② **04** ⑤ **05** ⑤ **06** ④

07 8 m/s

08 | 모범 답안 | 방망이가 공에 작용하는 힘을 작용하는 시간을 길게 하면 공에 작용하는 충격량이 증가하므로 공의 속력이 커져 공이 멀리 날아간다.

09 | 모범 답안 | $I_1 < I_2 < I_3$, A, B, C의 질량을 m이라고 하면, A가 받은 충격량은 $|3m-5m| = 2m$, B가 받은 충격량은 $|0-5m| = 5m$, C가 받은 충격량의 크기는 $|-2m-5m| = 7m$이다. 따라서 $I_1 < I_2 < I_3$이다. P, Q, R가 받은 충격량은 각각 A, B, C가 받은 충격량과 같다.

01 운동량 – 시간 그래프에서 기울기는 물체에 작용한 알짜힘이다. 0초부터 2초까지 물체에 작용한 알짜힘의 크기는 5 N으로 일정하고, 2초부터 4초까지 물체에 작용한 알짜힘의 크기는 5 N으로 일정하다. 2초를 전후로 알짜힘의 방향은 반대이다. 가장 적절한 그래프는 ⑤번이다.

02 | 자료 분석 |

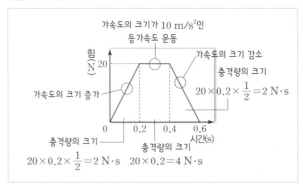

| 선택지 분석 |

㉠ 0초부터 0.2초까지 물체가 받은 충격량의 크기는 2 N·s이다.

➡ 0초부터 0.2초까지 물체가 받은 충격량의 크기는 $20 \times 0.2 \times \frac{1}{2} = 2$ N·s이다.

✗ 물체의 운동량의 크기는 0.2초일 ~~때와~~ 때가 0.4초일 ~~때와~~ 때보다 ~~같다.~~ 작다.

➡ 0.2초부터 0.4초까지 등가속도 운동을 하므로 속력이 증가한다. 따라서 운동량의 크기는 증가한다. 0.2초일 때 운동량의 크기는 2 N·s이고, 0.4초일 때 운동량의 크기는 6 N·s이다.

㉢ 0.6초일 때 물체의 속력은 4 m/s이다.

➡ 0초부터 0.6초까지 물체가 받은 충격량의 크기는 $(0.6+0.2) \times 20 \times \frac{1}{2} = 8$ N·s이다. 물체의 질량은 2 kg이므로 물체의 속력은 $\frac{8}{2} = 4$ m/s이다.

03 0초부터 3초까지 물체가 받은 충격량의 크기는 6 N·s이다. 따라서 3초일 때 물체의 속력은 $\frac{6}{2} = 3$ m/s이다.

04 | 선택지 분석 |

✗ 물체가 벽에 작용한 충격량의 크기는 A가 B보다 ~~크다.~~ 작다.

➡ 물체가 벽에 작용한 충격량의 크기는 벽이 물체에 작용한 충격량의 크기와 같으므로 A가 100 N·s이고, B가 150 N·s이다.

㉡ 벽과 충돌하기 전 운동량의 크기는 B가 A보다 크다.

➡ 충돌 후 A, B의 운동량의 크기는 0이고, 충격량의 크기는 B가 A보다 크므로 충돌 전 운동량의 크기는 B가 A보다 크다.

㉢ 질량은 B가 A의 $\frac{3}{2}$배이다.

➡ 충돌 과정에서 물체가 받은 충격량의 크기는 B가 A의 $\frac{3}{2}$배이고 속도의 변화량은 A와 B가 같으므로 질량은 B가 A의 $\frac{3}{2}$배이다.

05 | 자료 분석 |

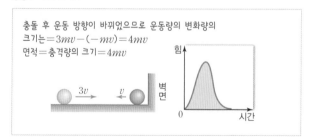

충돌 후 운동 방향이 바뀌었으므로 운동량의 변화량의 크기는 $= 3mv - (-mv) = 4mv$
면적 = 충격량의 크기 $= 4mv$

| 선택지 분석 |

㉠ 물체가 벽면과 충돌하기 전 운동량의 크기는 $3mv$이다.

➡ 벽면과 충돌하기 전 물체의 운동량의 크기는 $3mv$이다.

㉡ 공이 충돌하는 동안 공이 벽에 작용한 힘의 크기는 벽이 공에 작용한 힘의 크기와 같다.

➡ 물체와 벽이 서로 작용하는 힘은 작용과 반작용의 관계이므로 크기가 같다.

㉢ (나)에서 힘과 시간축이 이루는 면적은 $4mv$이다.

➡ 힘과 시간축이 이루는 면적은 물체가 받은 충격량의 크기이므로 $4mv$이다.

06 | 선택지 분석 |

✗ 충돌 과정에서 A의 운동량 변화량의 크기는 ~~$2mv$~~이다. $4mv$

➡ A가 벽과 충돌하면서 운동 방향이 반대 방향으로 바뀌었으므로 A의 운동량의 변화량의 크기는 $3mv + mv = 4mv$이다.

㉡ B가 벽과 충돌하는 동안 B가 벽에 작용한 힘의 방향은 벽이 B에 작용한 힘의 방향과 반대이다.

➡ B가 벽에 작용한 힘과 벽이 B에 작용한 힘은 작용과 반작용의 관계이므로 크기가 같고 방향이 반대이다.

㉢ 충돌하는 동안 벽이 물체에 작용하는 평균 힘의 크기는 (나)에서가 (가)에서의 $\frac{5}{2}$배이다.

➡ A가 받은 충격량의 크기는 $4mv$이고, B가 받은 충격량의 크기는 $5mv$이다. A, B가 벽과 충돌하는 시간을 각각 $2t$, t이므로 물체가 받은 평균 힘의 크기는 A가 $\frac{4mv}{2t}$이고, B가 $\frac{5mv}{t}$이다.

07 물체에 가해진 충격량은 2 N $\times$ 2 s $= 4$ N·s이고, 이는 물체의 운동량 변화량과 같으므로 2초 후의 속력은 8 m/s이다.

08 방망이가 공에 작용하는 힘을 작용하는 시간을 길게 하면 공에 작용하는 충격량이 증가하므로 공의 속력이 커져 공이 멀리 날아간다.

채점 기준	배점
힘을 작용하는 시간을 길게 해 충격량이 커진다고 설명하는 경우	100 %
힘을 작용하는 시간에 대해 설명하지 않고, 충격량이 커진다고만 설명하는 경우	50 %

09 A, B, C의 질량을 m이라 하면, A가 받은 충격량은 $|3m - 5m| = 2m$, B가 받은 충격량은 $|0 - 5m| = 5m$, C가 받은 충격량의 크기는 $|-2m - 5m| = 7m$이다. P, Q, R가 받은 충격량은 각각 A, B, C가 받은 충격량과 같다. 따라서 $I_1 < I_2 < I_3$이다.

채점 기준	배점
P, Q, R가 받은 충격량의 크기를 옳게 비교하고, 풀이 과정이 옳은 경우	100 %
P, Q, R가 받은 충격량의 크기만 옳게 비교한 경우	50 %

| 실전! 수능 도전하기 | 059쪽~062쪽 |

01 ④	**02** ③	**03** ⑤	**04** ①	**05** ③	**06** ⑤	**07** ⑤
08 ④	**09** ④	**10** ⑤	**11** ⑤	**12** ④	**13** ⑤	**14** ③
15 ⑤	**16** ④

01 | 선택지 분석 |

ㄱ. B의 질량은 1 kg이다.

➡ 충돌 전후 운동량은 보존되므로 $2\times1+m_{\rm B}\times0=2\times\dfrac{1}{3}+m_{\rm B}$ $\times\dfrac{4}{3}$에서 $m_{\rm B}=1$ kg이다.

✗ A와 B가 충돌하는 동안 B가 A로부터 받은 충격량의 크기는 충돌 전후 A의 운동량 변화량의 크기~~보다 작다.~~ _{와 같다.}

➡ A와 B가 충돌하는 동안에 B가 A로부터 받은 충격량의 크기는 충돌 전과 후 B의 운동량의 변화량의 크기와 같고, B의 운동량의 변화량의 크기는 A의 운동량의 변화량의 크기와 같다. 따라서 A와 B가 충돌하는 동안에 B가 A로부터 받은 충격량의 크기는 충돌 전과 후 A의 운동량의 변화량의 크기와 같다.

ㄷ. 한 덩어리가 된 B와 C의 속력은 $\dfrac{2}{3}$ m/s이다.

➡ $1\times\dfrac{4}{3}=(1+1)\times V$에서 $V=\dfrac{2}{3}$ m/s이다.

02 | 자료 분석 |

충돌 후 운동 방향이 반대로 바뀌었으므로
A가 받은 충격량의 크기는 $mv+2mv=3mv$

(가)   (나)
B가 받은 충격량의 크기도 $3mv$이므로
충돌 후 속력은 $\dfrac{3}{2}mv$이다.

B가 받은 충격량의 크기는 B의 운동량의 변화량의 크기와 같다. 충돌 과정에서 운동량은 보존되므로 $m(2v)+0=$ $-mv+2m(v_{\rm B})$에서 $v_{\rm B}=\dfrac{3}{2}v$이다. 따라서 B의 운동량의 변화량은 $2m\times\dfrac{3}{2}v=3mv$이다.

03 운동량의 크기는 속력에 비례하므로 충돌 후 속력은 $0.8v$이다. 충격량의 크기는 물체의 운동량의 변화량의 크기와 같으므로 $|-0.8p-p|=1.8p$이다.

04 | 선택지 분석 |

ㄱ. 0부터 t_0까지 물체가 받은 충격량의 크기는 A가 B보다 작다.

➡ 충격량의 크기는 힘과 시간축이 이루는 넓이이다. 따라서 충격량의 크기는 A가 B보다 작다.

✗ t_0일 때, 물체의 속력은 ~~A가 B보다 작다.~~ _{A와 B가 같다.}

➡ t_0일 때 A의 운동량의 크기는 $\dfrac{1}{2}F_0t_0$이고, B의 운동량의 크기는 F_0t_0이다. t_0일 때 운동량의 크기는 B가 A의 2배이고, 질량은 B가 A의 2배이므로 속력은 A와 B가 같다.

✗ $2t_0$일 때, 물체의 운동량의 크기는 ~~A가 B보다 작다.~~ _{A와 B가 같다.}

➡ $2t_0$일 때 A의 운동량의 크기는 $2F_0t_0$이고, B의 운동량의 크기는 $2F_0t_0$이므로 서로 같다.

05 | 선택지 분석 |

ㄱ. 충돌하는 동안 A가 B로부터 받은 충격량의 크기는 2 N·s이다.

➡ A가 B로부터 받은 충격량의 크기는 B가 A로부터 받은 충격량의 크기와 같다. 따라서 2 N·s이다.

ㄴ. 충돌하는 동안 B가 A로부터 받은 평균 힘의 크기는 200 N이다.

➡ $F=\dfrac{\Delta p}{\Delta t}=\dfrac{2}{0.01}=200$ N이다.

✗ 충돌 후 A의 운동 방향은 충돌 전과 ~~반대이다.~~ _{같다.}

➡ A가 받은 충격량의 크기가 2 N·s이므로 충돌 후 A의 운동량의 크기는 $4-2=2$ kg·m/s이다. 따라서 A는 충돌 전과 같은 방향으로 1 m/s의 속력으로 운동한다.

06 | 선택지 분석 |

✗ 달걀이 받은 충격량의 크기는 (가)가 (나)보다 ~~크다.~~ _{(가)에서와 (나)에서가 같다.}

➡ 같은 높이에서 떨어져 정지하였으므로 충격량의 크기는 같다.

ㄴ. 충돌 시간은 (가)가 (나)보다 작다.

➡ 충돌 시간은 마룻바닥에 떨어질 때가 방석에 떨어질 때보다 짧다.

ㄷ. 충격력의 크기는 (가)가 (나)보다 크다.

➡ 충격량은 같고 충돌 시간은 (가)에서가 (나)에서보다 작으므로 충격력의 크기는 (가)에서가 (나)에서보다 크다.

07 | 선택지 분석 |

ㄱ. 충돌하는 동안 B가 받은 충격량의 크기는 $\dfrac{2}{3}mv_0$이다.

➡ B가 받은 충격량의 크기는 힘과 시간축이 이루는 면적이므로 $\dfrac{2}{3}mv_0$이다.

✗ 충돌 후 A의 속력은 ~~$\dfrac{2}{3}v_0$이다.~~ _{$\dfrac{1}{3}v_0$}

➡ 충돌 과정에서 운동량은 보존되므로 $mv_0+0=mv_{\rm A}+\dfrac{2}{3}mv_0$에서 $v_{\rm A}=\dfrac{1}{3}v_0$이다.

ㄷ. 충돌 후 A와 B의 운동량의 합의 크기는 mv_0이다.

➡ 운동량은 보존되므로 충돌 후 A와 B의 운동량의 합의 크기는 mv_0이다.

08 정지 상태에서 출발하여 등가속도 운동 하는 물체의 속력은 $\sqrt{2as}$이므로 Q에서 속력은 $\sqrt{2aL}=v$, R에서 속력은 $\sqrt{2a(2L)}=\sqrt{2}v$이다. 물체의 질량을 m이라 하면, $I_1=mv$이고, $I_2=\sqrt{2}mv-mv=(\sqrt{2}-1)mv$이다. 따라서 $\dfrac{I_2}{I_1}=\sqrt{2}-1$이다.

09 | 선택지 분석 |

ㄱ. 0부터 t_1까지 공이 받은 충격량의 크기는 A가 B보다 크다.

➡ 0부터 t_1까지 운동량의 변화량이 A가 B보다 크므로 충격량

의 크기도 A가 B보다 크다.

ㄴ t_2일 때 공의 속력은 A가 B보다 크다.

➡ t_2일 때 운동량이 같고, 질량은 B가 A의 2배이므로 속력은 A가 B의 2배이다.

✗ 0부터 t_1까지 A가 받은 평균 힘의 크기는 0부터 t_2까지 B가 받은 평균 힘의 크기보다 ~~작다~~.
크다.

➡ 충격량의 크기는 A와 B가 같고, 충돌 시간이 A가 B보다 작으므로 평균 힘의 크기는 A가 B보다 크다.

10 | 선택지 분석 |

✗ 충돌 전 운동량의 크기는 A가 B의 ~~4배~~이다.
8배

➡ 충돌 전 A, B의 속력은 각각 2 m/s, $\frac{1}{2}$ m/s이므로 속력은 A가 B의 4배이다. 질량은 A가 B의 2배이므로 운동량의 크기는 A가 B의 8배이다.

ㄴ 충돌하는 동안 속도 변화량의 크기는 B가 A의 2배이다.

➡ 충돌 후 A, B의 속력은 $\frac{3}{2}$ m/s이다. 따라서 물체의 속도 변화량의 크기는 A가 $\frac{1}{2}$ m/s이고, B가 1 m/s이므로 B가 A의 2배이다.

ㄷ 충돌하는 동안 A가 받은 충격량의 크기는 B가 받은 충격량의 크기와 같다.

➡ 충돌 과정에서 A와 B는 운동량의 변화량의 크기가 같으므로, A와 B가 받은 충격량의 크기는 같다.

11 | 선택지 분석 |

✗ 막대와 충돌 후 등속도 운동을 하는 동안 운동량의 크기는 ~~A와 B가 같다~~.
A가 B의 2배이다.

➡ 힘과 시간축이 이루는 면적은 충격량이고, 충격량은 물체의 운동량의 변화량과 같으므로 운동량의 크기는 A가 B의 2배이다.

ㄴ 질량은 A가 B의 2배이다.

➡ 운동량의 크기는 A가 B의 2배이고, 속력은 A와 B가 같으므로 질량은 A가 B의 2배이다.

ㄷ 막대로 공을 치는 동안 공이 막대로부터 받은 평균 힘의 크기는 A가 B의 3배이다.

➡ 충격량의 크기는 A가 B의 2배이고, 충돌 시간은 A가 B의 $\frac{2}{3}$배이므로 막대로부터 받은 평균 힘의 크기는 A가 B의 3배이다.

12 질량은 A가 B의 2배이므로 가속도의 크기는 B가 A의 2배이다. s만큼 이동하는 데까지 걸린 시간은 A가 B의 $\sqrt{2}$배이므로 물체가 받은 충격량의 크기는 A가 B의 $\sqrt{2}$배이다.

13 | 선택지 분석 |

✗ 충돌하는 동안, A가 B로부터 받은 충격량의 크기는 B가 A로부터 받은 충격량의 크기~~보다 크다~~.
와 같다.

➡ 충돌하는 동안 A와 B가 서로 주고받은 충격량의 크기는 같다.

ㄴ 충돌 직후 B의 속력은 $\frac{S}{m}$이다.

➡ 힘과 시간축이 이루는 넓이는 B가 받은 충격량이다. 충돌 전 B는 정지해 있었으므로 $mv_B=S$에서 $v_B=\frac{S}{m}$이다.

ㄷ 충돌하는 동안, A가 B에 작용한 평균 힘의 크기는 $\frac{S}{T}$이다.

➡ 충돌 시간이 T이므로 평균 힘의 크기는 $\frac{S}{T}$이다.

14 | 선택지 분석 |

ㄱ A의 가속도의 크기는 2 m/s²이다.

➡ (나)에서 그래프의 기울기는 A에 작용하는 알짜힘이다. A에 작용한 알짜힘의 크기는 6 N이므로 A의 가속도의 크기는 $\frac{6}{3}=2$ m/s²이다.

✗ $F=$ ~~6 N~~이다.
8 N

➡ A와 B의 질량의 합이 4 kg이므로 $F=(3+1)\times2=8$ N이다.

ㄷ B가 A를 미는 힘의 크기는 2 N이다.

➡ B가 A를 미는 힘은 B에 작용하는 알짜힘과 같으므로 2 N이다.

15 | 선택지 분석 |

ㄱ A의 질량은 4 kg이다.

➡ 3초일 때 A의 가속도의 크기는 10 m/s²이므로 $F=10m_A$이고, 1초일 때 A와 B의 가속도의 크기는 5 m/s²이다. 줄이 끊어진 후에도 B의 가속도의 크기는 실이 끊어지기 전과 같으므로 빗면 아래 방향으로 5 m/s²이고 빗면 아래 방향의 힘의 크기는 $2\times5=10$ N이다. 따라서 A와 B에 작용하는 힘은 $10m_A-10=(m_A+2)\times5$에서 $m_A=4$ kg이다.

ㄴ 1초일 때, B에 작용하는 알짜힘의 크기는 10 N이다.

➡ 1초일 때 B의 가속도의 크기는 5 m/s²이므로 B에 작용하는 알짜힘은 10 N이다.

ㄷ 3초일 때, B의 운동량의 크기는 20 kg·m/s이다.

➡ 줄이 끊어지는 순간 B의 속도는 빗면 위쪽 방향으로 15 m/s이고, B의 가속도는 빗면 아래 방향으로 5 m/s²이므로 3초일 때 B의 속력은 10 m/s이다. 따라서 3초일 때 B의 운동량의 크기는 20 kg·m/s이다.

16 $F_1=\frac{3mv_0-0}{t_0}$, $F_2=\frac{3mv_0-(-2mv_0)}{2t_0}=\frac{5mv_0}{2t_0}$이므로 $F_1 : F_2=6 : 5$이다.

I. 역학과 에너지

2 » 에너지와 열

01~ 역학적 에너지 보존

개념POOL 067쪽

01 ㉠ 역학적 ㉡ 퍼텐셜
02 ㉠ 0 ㉡ 200 ㉢ 50 ㉣ 150 ㉤ 100 ㉥ 100 ㉦ 150 ㉧ 50
㉨ 200

02 공기 저항 없이 자유 낙하 하는 동안 물체의 역학적 에너지가 보존된다. 따라서 물체의 운동 에너지와 퍼텐셜 에너지의 합은 항상 일정하다.

탐구POOL 068쪽

01 나무 도막에 작용하는 마찰력을 다르게 하기 위해서
02 열에너지

01 바닥면의 거칠기가 달라지면 나무 도막에 작용하는 마찰력도 달라진다.

02 나무 도막의 역학적 에너지가 바닥과의 마찰에 의해 열에너지로 전환된다.

콕콕! 개념 확인하기 069쪽

✔ 잠깐 확인!

1 에너지 **2** 운동 **3** 알짜힘 **4** 퍼텐셜 **5** 탄성 퍼텐셜
6 역학적

01 (1) ○ (2) × (3) ○ (4) ○
02 (1) 100 J (2) 100J (3) 10 m/s **03** (1) ○ (2) ○ (3) ×
04 ㉠ 운동 에너지 ㉡ 보존 ㉢ 열에너지

02 알짜힘이 물체에 한 일(10 N × 10 m = 100 J)은 물체의 운동 에너지 변화량과 같으므로 $\frac{1}{2}mv^2 = 100$ J이다. 따라서 물체의 속력은 10 m/s이다.

04 역학적 에너지는 공기 저항과 마찰이 없을 때 보존된다.

탄탄! 내신 다지기 070쪽~071쪽

01 ④ **02** ③ **03** ④ **04** ② **05** ⑤ **06** ⑤ **07** 4E
08 ① **09** ② **10** ④ **11** ④ **12** ② **13** ③

01 운동 에너지 $E_k = \frac{1}{2}mv^2$이므로 $\frac{1}{2} \times 2 \times 5^2 = 25$(J)이다.

02 힘이 물체에 한 일 $W = Fs = 30 \times 10 = 300$(J)이다.

03 중력이 물체에 한 일 $W = Fs = (-10) \times 10 = -100$(J)이다. 중력과 움직이는 방향이 반대 방향이면 힘이 한 일은 음(−)이다.

04 일·운동 에너지 정리에 의해 알짜힘이 한 일 W = (30 − 10) × 10 = 200 J은 운동 에너지 변화량과 같다. 즉, 200(J) = $\frac{1}{2} \times 1 \times v^2$이므로, 물체의 속력 $v = 20$ m/s이다.

05 자동차에 작용하는 알짜힘의 크기를 F라 하면 일·운동 에너지 정리에 의해 $F \times 45 = \frac{1}{2} \times 1000 \times 30^2$이므로 $F = 10000$ N이다.

06 중력 퍼텐셜 에너지는 기준면으로부터의 높이를 h라 할 때 mgh로 나타낼 수 있다. 지면을 기준면으로 한 중력 퍼텐셜 에너지는 $5 \times 10 \times 10 = 500$(J)이고, 옥상 면을 기준면으로 한 중력 퍼텐셜 에너지는 0이다.

07 용수철이 가지는 탄성 퍼텐셜 에너지의 크기는 용수철의 변형된 길이의 제곱에 비례한다. 따라서 늘어난 길이가 2배가 되면 탄성 퍼텐셜 에너지의 크기는 4배가 된다.

08 (나)에서 물체에 작용하는 힘은 탄성력과 중력으로, 물체가 정지해 있으므로 알짜힘은 0이다. 따라서 용수철이 물체에 작용하는 탄성력의 크기는 물체에 작용하는 중력의 크기와 같은 10 N이다. 탄성력의 크기 $F = kx$이므로 10 N = $k \times 0.1$ m이고, 용수철 상수 $k = 100$ N/m이다.

09 (나)에서 탄성 퍼텐셜 에너지 $E_p = \frac{1}{2}kx^2 = \frac{1}{2} \times 100 \times (0.1)^2 = 0.5$(J)이다.

10 천장을 기준면으로 할 때 물체의 탄성 퍼텐셜 에너지는 $E_p = \frac{1}{2}kx^2 = \frac{1}{2} \times 100 \times (0.1)^2 = 0.5$(J)이고, 물체의 중력 퍼텐셜 에너지는 $E_p = mgh = 1 \times 10 \times (-1.1) = -11$(J)이다. 따라서 물체의 중력 퍼텐셜 에너지와 탄성 퍼텐셜 에너지의 합은 −10.5 J이다.

11 역학적 에너지 보존에 의해 던져지는 순간의 운동 에너지는 최고점에서의 중력 퍼텐셜 에너지와 같다. 따라서 $\frac{1}{2}m \times 20^2 = m \times 10 \times h$이므로, $h=20(\text{m})$이다.

12 역학적 에너지 보존에 의해 용수철이 가장 많이 늘어났을 때(진폭)의 탄성 퍼텐셜 에너지는 평형점에서의 운동 에너지와 같다. 따라서 $\frac{1}{2} \times 4 \times 10^2 = \frac{1}{2} \times 100 \times x^2$이고, 물체의 진폭 $x=2(\text{m})$이다.

13 | 선택지 분석 |

ㄱ) 퍼텐셜 에너지와 운동 에너지의 합이다.
　➡ 역학적 에너지는 중력 퍼텐셜 에너지나 탄성 퍼텐셜 에너지를 비롯한 모든 퍼텐셜 에너지와 운동 에너지의 합이다.

✗ 공기 저항을 받으며 낙하하는 물체의 역학적 에너지는 ~~보존된다.~~ 보존되지 않는다.
　➡ 공기 저항이나 마찰을 받으며 운동하는 물체의 역학적 에너지는 보존되지 않는다.

ㄷ) 공기 저항이나 마찰에 의해 열에너지로 전환될 수 있다.
　➡ 공기 저항과 마찰에 의해 역학적 에너지가 열에너지로 전환된다.

도전! 실력 올리기 072쪽~073쪽

01·④　02·⑤　03·①　04·①　05·④　06·④

07 Fs

08 (1) | 모범 답안 | 물체를 처음 가만히 놓을 때의 역학적 에너지는 최고점에서의 역학적 에너지와 같다. 처음 가만히 놓을 때와 최고점에서 물체의 속력은 0이므로 운동 에너지는 0이다. 따라서 처음 가만히 놓을 때의 중력 퍼텐셜 에너지는 최고점에서의 중력 퍼텐셜 에너지와 같으므로 $h=h'$이다.
(2) | 모범 답안 | 처음 가만히 놓을 때 물체의 속력은 0이지만 최고점에서 물체는 수평 방향의 속력을 가지고 있으므로 운동 에너지는 0이 아니다. 즉, 처음 위치에서 물체의 중력 퍼텐셜 에너지는 최고점에서 중력 퍼텐셜 에너지와 운동 에너지의 합과 같으므로 최고점에서의 중력 퍼텐셜 에너지는 처음 위치에서의 중력 퍼텐셜 에너지보다 작다. 따라서 $h > h''$이다.

01 | 선택지 분석 |

✗ 사과에 작용하는 알짜힘은 ~~0~~이다. mg
　➡ 떨어지고 있는 사과에 작용하는 알짜힘은 연직 아래 방향의 중력이다.

ㄴ) 사과의 운동 에너지는 증가한다.
　➡ 운동 방향과 힘의 방향이 나란하기 때문에 사과의 속력은 증가하고 운동 에너지도 증가한다.

ㄷ) 중력이 사과에 하는 일과 사과의 운동 에너지 변화량은 같다.

➡ 일-운동 에너지 정리에 의해 중력이 사과에 하는 일만큼 사과의 운동 에너지는 증가한다.

02 철수: 물체가 힘이 작용하는 방향에 대해 수직 방향으로 움직이므로 철수가 물체에 한 일은 0이다.
영희: 물체에 한 일은 물체의 운동 에너지 변화량과 같으므로 $\frac{1}{2} \times 1 \times 10^2 = 50(\text{J})$이다.
민수: 물체에 한 일은 $100 \times 1 = 100(\text{J})$이다.

03 | 자료 분석 |

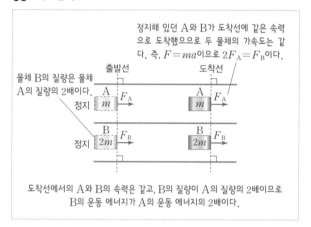

정지해 있던 A와 B가 도착선에 같은 속력으로 도착했으므로 두 물체의 가속도는 같다. 즉, $F=ma$이므로 $2F_A = F_B$이다.

물체 B의 질량은 물체 A의 질량의 2배이다.

출발선　도착선

정지　A m $\xrightarrow{F_A}$　　A m $\xrightarrow{F_A}$

정지　B $2m$ $\xrightarrow{F_B}$　　B $2m$ $\xrightarrow{F_B}$

도착선에서의 A와 B의 속력은 같고, B의 질량이 A의 질량의 2배이므로 B의 운동 에너지가 A의 운동 에너지의 2배이다.

| 선택지 분석 |

ㄱ) $F_A < F_B$이다.
　➡ 정지해 있던 A, B가 같은 거리만큼 이동했을 때 속력이 같으므로 가속도의 크기도 같다. 질량이 B가 A의 2배이므로 $2F_A = F_B$이다.

✗ 도착선에서 A와 B의 운동 에너지는 ~~같다.~~ 다르다.
　➡ 도착선에서의 속력은 같지만 질량은 B가 A의 2배이므로 운동 에너지도 B가 A의 2배이다.

✗ 출발선에서 도착선까지 A와 B에 작용하는 알짜힘이 각각 A와 B에 한 일은 ~~같다.~~ 다르다.
　➡ 알짜힘이 물체에 한 일은 물체의 운동 에너지 변화량과 같으므로 A와 B에 작용하는 알짜힘이 각각 A와 B에 한 일은 다르다.

04 처음 던져질 때의 역학적 에너지가 동일하므로 지면에 닿을 때 역학적 에너지(운동 에너지)가 모두 같아야 한다. 따라서 $v_A = v_B = v_C$이다.

05 탄성 퍼텐셜 에너지가 운동 에너지로 전환되어 빗면까지 이동한 후, 빗면을 올라가면서 물체의 중력 퍼텐셜 에너지로 전환된다. 역학적 에너지 보존에 의해 (가)에서 $\frac{1}{2}kx^2 = mgh$이고 (나)에서 $\frac{1}{2}k(2x)^2 = 2mgh'$이므로, $h' = 2h$이다.

06 | 선택지 분석 |

✗ 물체의 운동 에너지는 ~~증가~~하였다.
　　　　　　　　　　　감소
　➡ 물체의 운동 방향과 마찰력의 방향이 반대 방향이므로 물체의 속력은 감소하고 운동 에너지도 감소한다.

ㄴ 물체의 역학적 에너지가 열에너지로 전환된다.
　➡ 마찰에 의해 물체의 운동 에너지가 열에너지로 전환되기 때문에 물체의 속력이 감소한다.

ㄷ 바닥면의 마찰력이 더 커지면 정지할 때까지 물체가 이동하는 거리가 줄어든다.
　➡ 물체가 정지할 때까지 마찰력이 한 일은 물체의 운동 에너지 변화량과 같고, 마찰력이 커지면 물체의 이동 거리는 감소한다.

07 마찰력이 한 일은 $-Fs$이고 이는 물체의 운동 에너지 변화량과 같다. 따라서 속력이 줄어들기 전 물체의 운동 에너지는 Fs이다.

08 공기 저항과 마찰이 없이 중력만을 받으며 운동하므로 역학적 에너지는 일정하게 보존된다.

문항	채점 기준	배점
(1)	역학적 에너지 보존을 이용해 h와 h'의 크기를 옳게 비교하고, 까닭도 옳게 서술한 경우	100 %
	h와 h'의 크기 비교만 옳은 경우	50 %
(2)	역학적 에너지 보존을 이용해 h와 h''의 크기를 옳게 비교하고, 까닭도 옳게 서술한 경우	100 %
	h와 h''의 크기 비교만 옳은 경우	50 %

02 ~ 열역학 제1법칙

개념POOL　　　　　　　　　　078쪽

01 ㉠ 등압 ㉡ 등적 ㉢ 등온 ㉣ 단열
02 (1) ○ (2) ○ (3) ✕ (4) ✕ (5) ○

콕콕! 개념 확인하기　　　　　　　079쪽

✔ 잠깐 확인!
1 열 **2** 내부 **3** 일 **4** 열역학 **5** 이상 기체 **6** 단열

01 (1) ○ (2) ○ (3) ✕ (4) ✕ **02** $2P_0V_0$ **03** 단열 팽창
04 ㉠ 흡수 ㉡ 감소 ㉢ 증가 **05** (1) − ㉢ (2) − ㉠ (3) − ㉡

02 기체가 한 일 $W = P\Delta V = P_0(3V_0 - V_0) = 2P_0V_0$이다.

03 지표면의 공기가 상승하면 주변의 기압이 낮아져 부피가 팽창한다. 한편 상승하는 동안 주변의 공기와 거의 열 교환을 하지 않기 때문에 이때 상승하는 공기에 일어나는 열역학 과정은 단열 팽창으로 근사할 수 있다.

04 기체가 외부에 일을 하는 경우는 부피가 증가하는 경우이다. 등압 과정에서 기체가 열을 흡수하거나 단열 과정에서는 기체의 내부 에너지가 감소하면 기체의 부피가 증가한다.

탄탄! 내신 다지기　　　　　　080쪽~081쪽

01 ① **02** ① **03** ④ **04** ③ **05** ③ **06** 300 J **07** ②
08 ③ **09** ⑤ **10** (1) $6P_0V_0$ (2) 0

01 부피가 일정한 상태에서 열을 가하면 기체의 압력과 온도가 증가한다. 따라서 기체의 평균 속력, 내부 에너지, 평균 운동 에너지 등은 증가한다. 하지만 밀도는 전체 기체의 양이 변하지 않으므로 일정하다.

02 기체에 열을 가하더라도 압력이 일정하게 유지되려면 기체의 부피가 증가해야 한다. 부피가 증가하면 기체의 온도가 증가하고 내부 에너지와 평균 운동 에너지가 증가한다.

| 선택지 분석 |

☑ 외부에 일을 한다.
　➡ 기체의 부피가 증가하므로 기체는 외부에 일을 한다.
② 내부 에너지는 ~~일정하다~~.
　　　　　　　　증가한다.
　➡ 기체의 온도가 증가하므로 내부 에너지는 증가한다.
③ 평균 운동 에너지는 ~~감소한다~~.
　　　　　　　　　　　증가
　➡ 기체의 온도가 증가하므로 기체의 평균 운동 에너지도 증가한다.
④ 부피는 ~~일정하다~~.
　　　　　증가한다.
　➡ 열을 가하는데도 압력이 일정하게 유지되기 위해서는 부피가 증가해야 한다.
⑤ 공급한 열은 모두 기체 분자의 운동 에너지로 전환된다.
　➡ 공급한 열은 기체 분자의 운동 에너지 증가와 외부에 한 일과 같다.

03 | 선택지 분석 |

ㄱ 에너지 보존 법칙의 다른 표현이다.
　➡ 열역학 제1법칙은 에너지 보존 법칙의 또 다른 표현이다.
✗ 반응의 방향성에 대한 법칙이다.
　➡ 반응의 방향성과 관련 있는 법칙은 열역학 제2법칙이다.
ㄷ 기체가 흡수한 열은 기체의 내부 에너지 변화량과 기체가 외부에 한 일의 합과 같다.
　➡ $Q = \Delta U + W$

04 | 자료 분석 |

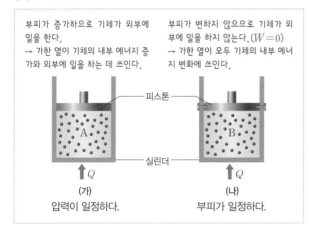

부피가 증가하므로 기체가 외부에 일을 한다.
→ 가한 열이 기체의 내부 에너지 증가와 외부에 일을 하는 데 쓰인다.

부피가 변하지 않으므로 기체가 외부에 일을 하지 않는다.($W=0$)
→ 가한 열이 모두 기체의 내부 에너지 변화에 쓰인다.

피스톤
실린더
↑Q
(가)
압력이 일정하다.

↑Q
(나)
부피가 일정하다.

B가 들어 있는 실린더의 피스톤은 움직이지 않으므로 B의 부피 변화는 없고 B는 외부에 일을 하지 않는다. 열역학 제1법칙 $Q=\Delta U+W$에 의해 B가 흡수한 Q는 모두 내부 에너지 증가로 사용된다. 따라서 B의 압력, 내부 에너지, 평균 운동 에너지, 피스톤에 가하는 평균 힘이 A보다 크다.

05 기체가 단열 압축 되면 기체의 압력과 온도가 증가한다. 따라서 내부 에너지와 평균 운동 에너지가 증가한다.

| 선택지 분석 |

① 외부에 일을 한다.
외부로부터 일을 받는다.
➡ 기체의 부피가 감소하므로 기체는 외부로부터 일을 받는다.

② 내부 에너지는 일정하다.
증가한다.
➡ 온도가 증가하므로 내부 에너지도 증가한다.

✔ 평균 운동 에너지는 증가한다.
➡ 온도가 증가하므로 평균 운동 에너지는 증가한다.

④ 압력은 일정하다.
증가한다.
➡ 단열 압축 되면 압력은 증가한다.

⑤ 온도는 감소한다.
증가
➡ 단열 압축 하고 있으므로 온도는 증가한다.

06 열역학 제1법칙 $Q=\Delta U+W$에 의해 500 J$=\Delta U+200$ J이므로 $\Delta U=300$ J이다.

07 | 선택지 분석 |

① A → B 과정에서 외부에 일을 한다.
➡ 부피가 팽창하고 있으므로 외부에 일을 한다.

✔ B → C 과정에서 내부 에너지가 증가한다.
감소
➡ B → C 과정은 단열 과정으로 기체가 외부에 한 일은 내부 에너지 감소량과 같다. 부피가 늘어나 기체가 외부에 일을 하므로 내부 에너지는 감소한다.

③ C → D 과정에서 평균 운동 에너지는 감소한다.
➡ 압력이 일정하게 유지되며 부피가 감소하므로 기체의 온도는 감소하고 기체의 평균 운동 에너지도 감소한다.

④ D → A 과정에서 온도는 증가한다.
➡ 단열 압축 되고 있으므로 온도는 증가한다.

⑤ C → D 과정에서 외부로 열을 방출한다.
➡ 내부 에너지도 감소하고 외부로부터 일도 받고 있으므로 기체는 외부에 열을 방출한다.

08 | 선택지 분석 |

ㄱ (가)에서 기체는 외부로부터 일을 받는다.
➡ (가)에서 기체의 부피가 감소하고 있으므로 기체는 외부로부터 일을 받는다.

ㄴ (나)에서 기체의 압력은 증가한다.
➡ (나)에서 기체의 부피 변화가 없이 열을 흡수하고 있으므로 기체의 압력은 증가한다.

✘ (가)에서 기체의 온도는 하강한다.
상승
➡ (가)에서 기체는 단열 압축 하고 있으므로 기체의 온도는 상승한다.

09 | 자료 분석 |

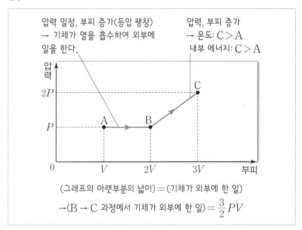

압력 일정, 부피 증가(등압 팽창)
→ 기체가 열을 흡수하여 외부에 일을 한다.

압력, 부피 증가
→ 온도: C>A
내부 에너지: C>A

압력
$2P$ ⋯⋯⋯⋯⋯⋯ C
P ⋯ A →→ B
0 V $2V$ $3V$ 부피

(그래프의 아랫부분의 넓이)＝(기체가 외부에 한 일)
→(B → C 과정에서 기체가 외부에 한 일)$=\dfrac{3}{2}PV$

| 선택지 분석 |

ㄱ. A → B 과정에서 기체는 열을 흡수한다.
➡ A → B 과정은 등압 팽창 과정이므로 기체는 열을 흡수한다.

ㄴ. B → C 과정에서 기체가 외부에 한 일은 $\dfrac{3}{2}PV$이다.
➡ 그래프의 아랫부분의 넓이가 기체가 외부에 한 일이므로 B → C 과정에서 기체가 한 일은 $\dfrac{3}{2}PV$이다.

ㄷ. 기체의 내부 에너지는 C에서가 A에서보다 크다.
➡ 압력과 부피가 모두 C에서가 A에서보다 더 크므로 온도는 C에서가 A에서보다 더 높고 내부 에너지도 C에서가 A에서보다 더 크다.

10 기체가 외부에 한 일 $W=P\Delta V$이므로 A → B 과정은 $3P_0(3V_0-V_0)=6P_0V_0$이고, A → C 과정은 부피 변화가 없으므로 0이다.

01 ⑤ **02** ④ **03** ① **04** ② **05** ⑤ **06** ⑤ **07** PV

08 (1) | 모범 답안 | 압력－부피 그래프에서 아랫부분의 넓이가 기체가 외부에 한 일과 같으므로 넓이가 더 큰 A → B 과정에서가 A → C 과정에서보다 기체가 외부에 한 일이 더 크다.

(2) | 모범 답안 | A → B 과정에서 기체가 흡수한 열과 A → C 과정에서 기체의 내부 에너지 감소량은 각각의 과정에서 기체가 외부에 한 일과 같다. 기체가 외부에 한 일은 A → B 과정에서 A → C 과정에서보다 더 크므로, A → B 과정에서 기체가 흡수한 열량이 A → C 과정에서 기체의 내부 에너지 감소량보다 크다.

01 | 선택지 분석 |

㉠ A의 압력은 증가한다.
➡ 피스톤이 자유롭게 움직일 수 있으므로 A와 B의 압력은 같다. B가 단열 압축 되며 압력이 증가하고 있으므로 A의 압력도 증가한다.

㉡ B는 외부로부터 일을 받는다.
➡ B의 부피가 감소하고 있으므로 B는 외부로부터 일을 받는다.

㉢ B의 내부 에너지는 증가량은 A가 외부에 한 일과 같다.
➡ A가 외부에 한 일은 B가 외부로부터 받은 일과 같다. B는 단열 압축 되고 있기 때문에 B의 내부 에너지 증가량은 B가 외부로부터 받은 일과 같다. 따라서 B의 내부 에너지 증가량은 A가 외부에 한 일과 같다.

02 | 선택지 분석 |

✘ A에서 기체가 외부로부터 받은 일은 기체의 내부 에너지 변화량과 같다.
➡ A는 단열 과정이 아니므로 A에서 기체가 외부로부터 받은 일은 기체의 내부 에너지 변화량과 같지 않다.

㉡ B와 C에서 기체의 내부 에너지 변화량은 같다.
➡ B와 C에서 온도 변화가 같으므로 기체의 내부 에너지 변화량은 같다.

㉢ D에서 기체는 외부로 열을 방출한다.
➡ D는 부피가 일정한 상태에서 압력이 감소하므로 기체는 외부로 열을 방출한다.

03 | 선택지 분석 |

㉠ 기체의 내부 에너지는 (가)가 (나)보다 크다.
➡ 압력이 일정할 때, 기체의 온도는 부피에 반비례하므로 기체의 온도는 (가)에서가 (나)에서보다 더 높고 내부 에너지도 더 크다.

✘ (가) → (나) 과정에서 기체는 외부에 일을 한다. (로부터 일을 받는다.)
➡ (가) → (나) 과정에서 기체의 부피가 감소하므로 기체는 외부로부터 일을 받는다.

✘ (가) → (나) 과정에서 기체가 방출한 열은 기체의 내부 에너지 감소량과 같다.
➡ 열역학 제1법칙에 의해 (가) → (나) 과정에서 기체가 방출한 열은 기체의 내부 에너지 감소량과 기체가 외부로부터 받은 일의 합과 같다.

04 | 선택지 분석 |

㉠ A → B 과정에서 기체의 부피는 증가한다.
➡ A → B 과정에서 기체의 온도는 증가하지만 압력은 감소하므로 부피는 증가한다.

㉡ B → C 과정에서 기체는 외부에 열을 방출한다.
➡ B → C 과정에서 기체의 내부 에너지가 감소하고 부피도 감소하므로 기체는 외부에 열을 방출한다.

✘ C → A 과정에서 기체가 외부로부터 받은 일은 0이다. (아니다.)
➡ C → A 과정에서 기체의 부피가 감소하므로 기체가 외부로부터 받은 일은 0이 아니다.

05 | 선택지 분석 |

㉠ (가) → (나) 과정에서 기체가 방출한 열량은 기체가 외부로부터 받은 일과 같다.
➡ (가) → (나) 과정은 등온 과정이므로 기체의 내부 에너지 변화가 없다. 따라서 기체가 방출한 열량은 기체가 외부로부터 받은 일과 같다.

㉡ (나)에서 기체의 압력은 $2P$이다.
➡ 온도가 일정할 때 기체의 압력은 부피에 반비례한다. 따라서 (나)에서 기체의 압력은 $2P$이다.

㉢ $P = \dfrac{mg}{S}$이다.
➡ (나)에서 기체의 압력이 $2P$이므로 모래의 무게에 의한 압력이 P이다. 따라서 $P = \dfrac{mg}{S}$이다.

06 | 선택지 분석 |

✘ A의 압력은 증가한다. (감소)
➡ A는 단열 팽창하고 있으므로 압력은 감소한다.

㉡ A의 내부 에너지는 감소한다.
➡ A는 단열 팽창하고 있으므로 온도가 내려가고 내부 에너지도 감소한다.

㉢ B의 내부 에너지 증가량은 A가 B에 한 일과 같다.
➡ B가 외부로부터 받은 일은 B의 내부 에너지 증가량과 같다.

07 한 번의 순환 과정 동안 기체가 한 알짜일은 압력－부피 그래프에서 그래프 내부의 면적과 같다.

08 압력－부피 그래프에서 아랫부분의 넓이는 기체가 외부에 한 일을 나타낸다. 등온 과정에서 기체가 외부에 한 일은 기체가 흡수한 열과 같고, 단열 과정에서 기체가 외부에 한 일은 기체의 내부 에너지 감소량과 같다.

문항	채점 기준	배점
(1)	그래프의 밑면적을 이용하여 기체가 외부에 한 일의 크기를 옳게 비교하고, 까닭도 옳게 서술한 경우	100 %
	기체가 외부에 한 일의 크기만 옳게 비교한 경우	50 %
(2)	흡수한 열과 내부 에너지 감소량의 크기를 옳게 비교하고, 까닭도 옳게 서술한 경우	100 %
	흡수한 열과 내부 에너지 감소량의 크기만 옳게 비교한 경우	50 %

03 ~ 열역학 제2법칙

콕콕! 개념 확인하기　　　　　　087쪽

✓ 잠깐 확인!

1 가역　**2** 2　**3** 열, 열　**4** 열평형　**5** 카르노　**6** 영구

01 (1) ㄱ, ㄷ　(2) ㄴ, ㄹ　　**02** (1) ○ (2) ○ (3) × (4) ×

03 엔트로피　**04** 20 %　**05** $1 - \dfrac{T_L}{T_H}$

03 무질서한 정도를 나타내는 엔트로피는 자연 현상의 방향성을 결정짓는 물리량이다.

04 열효율(%) $= \dfrac{\text{열기관이 한 일}}{\text{공급받은 열}} \times 100 = \dfrac{100}{500} \times 100 = 20(\%)$

05 온도가 T_H인 고열원으로부터 공급받는 열을 Q_H, 온도가 T_L인 저열원으로 방출하는 열을 Q_L라 할 때 일반적인 열기관의 열효율은 $1 - \dfrac{Q_L}{Q_H}$이고, 카르노 기관의 열효율은 $1 - \dfrac{T_L}{T_H}$이다.

탄탄! 내신 다지기　　　　　　088쪽~089쪽

01 ①　**02** ㉠ 가역 ㉡ 비가역　**03** ⑤　**04** ⑤　**05** ④
06 ①　**07** ③　**08** ③　**09** ③　**10** 1 : 1

01 가역 과정이란 주변을 변화시키지 않고 처음 원래 상태로 되돌아갈 수 있는 과정을 말한다.

| 선택지 분석 |

◯ 진공에서 진자가 진동 운동을 한다.
➡ 진공에서 진동하는 진자는 주변의 변화없이 원래 위치로 되돌아오므로 가역 과정이다.

✗ 뜨거운 물체와 차가운 물체를 접촉시켰더니 열평형 상태에 도달하였다.
➡ 열평형 상태에서 다시 온도가 차이나는 상태로 되돌아갈 수 없으므로 비가역 과정이다.

✗ 풍선이 터져 풍선 안에 있던 헬륨 기체가 사방으로 퍼졌다.
➡ 헬륨 기체가 다시 저절로 풍선 안으로 모일 수 없으므로 비가역 과정이다.

02 원래 상태로 되돌아갈 수 없거나, 되돌아가기 위해서 주변의 에너지 변화 등이 필요한 과정을 비가역 과정이라고 한다.

03 | 선택지 분석 |

✗ 에너지 보존 법칙의 다른 표현이다.
➡ 에너지 보존 법칙의 또 다른 표현은 열역학 제1법칙이다.

✗ 일은 열로 모두 바꿀 수 없지만, 열은 일로 모두 바꿀 수 있다. (있지만 / 없다.)
➡ 일은 열로 모두 바꿀 수 있지만 열은 일로 모두 바꿀 수 없다.

✗ 열효율이 100 %인 열기관이 존재한다. (존재하지 않는다.)
➡ 열효율이 100 %인 열기관은 존재하지 않는다.

04 | 선택지 분석 |

① 비가역 과정이다.
➡ 공기 저항을 받는 진자의 운동은 비가역 과정이다.

② 상자 안의 전체 에너지는 보존된다.
➡ 상자 안은 고립계이므로 상자 안의 전체 에너지는 보존된다.

③ 상자 안 기체의 내부 에너지는 증가한다.
➡ 추의 역학적 에너지가 기체의 내부 에너지로 전환된다.

④ 상자 안 물체의 전체 엔트로피가 증가하는 과정이다.
➡ 비가역 과정은 엔트로피가 증가하는 과정이다.

✓ 정지해 있는 추가 공기와의 충돌에 의해 스스로 다시 진동하는 과정도 일어날 수 있다. (없다.)
➡ 공기 분자의 운동 방향이 무질서하므로 정지한 추가 공기 분자와의 충돌로 다시 진동할 수는 없다.

05 | 선택지 분석 |

◯ 엔트로피는 (나)에서가 (가)에서보다 크다.
➡ 기체 분자가 어느 한쪽에만 존재할 확률도 존재하지만 기체 분자가 골고루 퍼져 있는 확률이 훨씬 크다. 따라서 (나)에서가 (가)에서보다 엔트로피가 더 크다.

✗ 기체가 (가)와 같이 분포할 확률이 (나)와 같이 분포할 확률보다 크다. (작다.)
➡ 기체 분자가 어느 한쪽에만 존재할 확률도 존재하지만 기체 분자가 골고루 퍼져 있는 확률이 훨씬 크다.

◯ (나)에서 (가)로 변하는 과정보다 (가)에서 (나)로 변하는 과정이 일어나기 쉽다.
➡ 자연에서 일어나는 자발적 반응들은 모두 엔트로피가 증가하는 방향으로 진행된다.

06 | 선택지 분석 |

◯ 엔트로피가 증가하고 있다.
➡ 잉크가 확산되는 현상은 엔트로피가 증가하는 현상이다.

✗ 가역 과정이다. (비가역)
➡ 확산된 잉크가 다시 한 지점으로 모이는 현상은 일어나지 않는다.

✗ 에너지 보존 법칙에 위배된다.
　　　　　　　　　이 성립한다.
➡ 엔트로피가 증가하는 비가역 과정이지만 에너지는 보존된다.

07 | 선택지 분석 |

✗ 열효율은 $\dfrac{Q_L}{Q_H}$이다.
　　　　　　$1-\dfrac{Q_L}{Q_H}$

➡ $e=\dfrac{W}{Q_H}=\dfrac{Q_H-Q_L}{Q_H}=1-\dfrac{Q_L}{Q_H}$

✗ $Q_H=Q_L$일 때, 열효율은 최대이다.
　　　　　　　　　　　　　0이다.

➡ $Q_H=Q_L$일 때 열기관이 외부에 하는 일 W가 0이므로 열효율은 0이다.

ㄷ $Q_L=0$인 열기관은 만들 수 없다.

➡ $Q_L=0$이라는 것은 열효율이 100%인 가상의 영구 기관을 의미한다.

08 | 선택지 분석 |

✗ 열효율이 100 %인 이상적인 열기관이다.
　　　　　　　　　　　　　　　이 아니다.

➡ 카르노 기관은 영구 기관이 아니다.

✗ 한 번 순환하는 동안 2번의 등온 과정과 2번의 등적 과정을 거친다.
　　　　　　　　　　　　　　　　　　단열

➡ 카르노 기관의 순환 과정은 2번의 등온 과정(팽창, 수축)과 2번의 단열 과정(팽창, 수축)으로 이루어진다.

ㄷ 저열원의 온도가 낮을수록 열효율은 높다.

➡ 카르노 기관에서의 열효율은 $1-\dfrac{T_L}{T_H}$이므로 고열원의 온도가 높을수록, 저열원의 온도가 낮을수록 열효율이 높다.

09 카르노 기관의 순환 과정은 2번의 등온 과정과 2번의 단열 과정으로 이루어진다. A → B, C → D 과정은 등온 과정이고 B → C, D → A 과정은 단열 과정이다.

| 선택지 분석 |

ㄱ A와 B에서 기체의 내부 에너지는 같다.

➡ A → B 과정은 등온 과정이므로 내부 에너지 변화가 없다.

✗ B → C 과정에서 기체는 열을 흡수한다.
　　　　　　　　　　　　　　흡수하지 않는다.

➡ B → C 과정은 단열 과정이므로 열을 흡수하지 않는다.

ㄷ D → A 과정에서 기체가 외부로부터 받은 일은 내부 에너지 증가량과 같다.

➡ D → A 과정에서 기체는 단열 압축 되고 있으므로 기체가 외부로부터 받은 일은 내부 에너지 증가량과 같다.

10 $e=\dfrac{W}{Q_1}=\dfrac{Q_1-Q_2}{Q_1}=1-\dfrac{Q_2}{Q_1}$에서 e_A와 e_B 모두 0.4이다.

---

01 ②　**02** ⑤　**03** ①　**04** ①　**05** ①　**06** ③

07 ㉠ 증가 ㉡ 열평형

08 | 모범 답안 | 열역학 제2법칙에 의해 자연에서 일어나는 모든 과정은 엔트로피, 즉 무질서도가 증가하는 방향으로 진행된다. 한편 잉크 분자와 물 분자가 골고루 퍼져 있는 상태가 잉크 분자 한 곳에 모여 있는 상태보다 무질서도가 더 큰 상태이므로 잉크가 퍼져 물 전체가 물드는 과정은 일어날 수 있지만 반대로 퍼진 잉크가 한 곳에 모여 물이 맑아 지는 과정은 일어나지 않는다.

09 | 모범 답안 | 카르노 기관에서 열효율은 $1-\dfrac{T_L}{T_H}$인데, 열효율이 100 %가 되기 위해서는 저열원의 온도가 0, 고열원의 온도가 무한대가 되어야만 가능하기 때문에 카르노 기관의 열효율이 100 %가 될 수 없다.

01 | 선택지 분석 |

ㄱ 열은 손에서 얼음으로 이동한다.

➡ 열은 고온에서 저온으로 이동하기 때문에 열은 손에서 얼음으로 이동한다.

ㄴ 얼음이 녹는 과정에서 엔트로피는 증가한다.

➡ 얼음이 녹는 과정은 자발적으로 일어나는 자연 현상으로 엔트로피가 증가하는 비가역 과정이다.

✗ 가역 과정이다.
　 비가역

02 | 선택지 분석 |

ㄱ 기체의 압력은 (가)에서가 (나)에서보다 높다.

➡ (나)에서가 (가)에서보다 부피가 더 크므로 압력은 (나)에서가 (가)에서보다 더 작다.

ㄴ 엔트로피는 (나)에서가 (가)에서보다 크다.

➡ 무질서도가 (나)에서가 (가)에서보다 더 크므로 엔트로피도 (나)에서가 (가)에서보다 크다.

ㄷ (가) → (나) 과정은 비가역 과정이다.

➡ (가) → (나) 과정은 엔트로피가 증가하는 비가역 과정이다.

03 | 선택지 분석 |

ㄱ 열효율은 $1-\dfrac{T_L}{T_H}$이다.

➡ 카르노 기관에서의 열효율은 $1-\dfrac{T_L}{T_H}$이다.

✗ 한 번 순환하는 동안 기체의 엔트로피는 증가한다.
　　　　　　　　　　　　　　　　　　일정하다.

➡ 카르노 기관에서의 순환 과정은 가역 과정이므로 한 번 순환하는 동안 기체의 엔트로피는 변하지 않는다.

✗ A → B 과정에서 흡수한 열량과 C → D 과정에서 방출한 열량은 같다.
　　　　　　　　　　　다르다.

➡ A → B 과정에서 흡수한 열량이 C → D 과정에서 방출한 열량보다 크다.

04 추가 공기와 충돌하며 추가 가지고 있는 역학적 에너지가 공기 분자의 운동 에너지로 전환된다. 하지만 상자 내부의 전체 에너지는 보존된다.

05 | 선택지 분석 |

⊙ 물체의 역학적 에너지가 열에너지로 전환되었다.
➡ 물체의 역학적 에너지가 모두 열에너지로 전환되어 물체는 정지한다.

✕ 열은 모두 일로 전환될 수 ~~있다.~~
　　　　　　　　　　　　 없다.
➡ 일은 모두 열로 전환될 수 있지만 열은 모두 일로 전환될 수 없다.

✕ 물체가 미끄러져 내려와 정지하는 과정은 ~~가역 과정이다.~~
　　　　　　　　　　　　　　　　　비가역 과정
　

06 | 선택지 분석 |

⊙ ㄱ. A → B 과정에서 기체의 온도는 T_1이다.
➡ A → B 과정에서가 C → D 과정에서보다 온도가 높다. 따라서 A → B 과정에서 기체의 온도는 T_1이고, C → D 과정에서 기체의 온도는 T_2이다.

✕ ~~A → B → C 과정에서 기체가 한 일은 W이다.~~
　A → B → C → D → A 과정
➡ A → B → C → D → A 과정에서 기체가 한 알짜일이 W이다.

⊙ 열효율은 $1 - \dfrac{T_2}{T_1}$이다.
➡ 온도가 T_1인 고열원에서 Q_1의 열을 흡수한 후 온도가 T_2인 저열원으로 Q_2의 열을 방출하는 카르노 기관의 열효율은 $1 - \dfrac{Q_2}{Q_1}$ 또는 $1 - \dfrac{T_2}{T_1}$이다.

07 두 물체의 온도가 같아지는 과정은 엔트로피가 증가하는 비가역 과정이고, 두 물체의 온도가 같아져 열평형 상태에 도달하면 더 이상 열의 이동은 없다.

08 물속에서 잉크가 퍼지는 확산 현상은 비가역 과정이다. 열역학 제2법칙은 이러한 자연 현상의 비가역적인 방향성을 설명하는 법칙이다.

채점 기준	배점
열역학 제2법칙에서 무질서도가 증가하는 방향으로 반응이 진행된다는 것과 물 분자와 잉크가 골고루 섞여 있는 상태가 무질서도가 더 큰 상태라는 것을 2가지 모두 서술한 경우	100 %
열역학 제2법칙에서 무질서도가 증가하는 방향으로 반응이 진행된다는 것과 물 분자와 잉크가 골고루 섞여 있는 상태가 무질서도가 더 큰 상태라는 것 중 1가지만 서술한 경우	50 %

09 '열효율이 100 %인 열기관은 만들 수 없다.'는 열역학 제2법칙의 다양한 표현 중 하나이다.

채점 기준	배점
카르노 기관의 열효율을 온도로 나타내고, 저열원과 고열원의 온도와 연관지어 까닭을 옳게 서술한 경우	100 %
카르노 기관의 열효율을 온도로 나타내지 않거나 저열원과 고열원의 온도와 연관없이 까닭을 서술한 경우	50 %

실전! 수능 도전하기　　　　　093쪽～096쪽

01 ⑤	02 ④	03 ③	04 ③	05 ⑤	06 ③	07 ⑤
08 ③	09 ①	10 ③	11 ⑤	12 ③	13 ③	14 ⑤
15 ②	16 ⑤					

01 | 선택지 분석 |

⊙ 빗면이 물체를 떠받치는 힘이 한 일은 0이다.
➡ 0초부터 2초까지 빗면이 물체에 떠받치는 힘은 물체의 운동 방향과 수직이므로 물체에 일을 하지 못한다.

⊙ 물체의 역학적 에너지는 보존된다.
➡ 물체가 운동하는 동안 중력만 물체에 일을 하므로 물체의 역학적 에너지는 보존된다.

⊙ 중력이 물체에 한 일은 100 J이다.
➡ 중력이 물체에 한 일은 물체의 운동 에너지 변화량과 같으므로 $W = \dfrac{1}{2} \times 2 \times (10)^2 - 0 = 100 \, (\text{J})$이다.

02 | 선택지 분석 |

✕ 역학적 에너지는 ~~보존된다.~~
　　　　　　　　　 되지 않는다.
➡ 종이 비행기가 낙하하는 동안 공기와의 마찰에 의해 열에너지가 발생하므로 역학적 에너지는 보존되지 않는다.

⊙ 중력이 일을 한다.
➡ 중력 방향으로의 이동 거리가 있으므로 중력은 종이 비행기에 일을 한다.

⊙ 중력 퍼텐셜 에너지는 감소한다.
➡ 종이 비행기의 높이가 낮아지므로 중력 퍼텐셜 에너지는 감소한다.

03 | 선택지 분석 |

⊙ s만큼 이동하는 동안 B의 역학적 에너지 감소량은 A의 역학적 에너지 증가량과 같다.
➡ 역학적 에너지 보존에 의해 B의 역학적 에너지 감소량은 A의 역학적 에너지 증가량과 같다.

✕ s만큼 이동하는 동안 중력이 B에 한 일은 A의 운동 에너지 증가량과 같다.
　　　　　　　　　　　　　　　　　　　　　　　　B
➡ 중력이 B에 한 일은 A와 B의 운동 에너지 증가량과 같다.

⊙ A의 속력은 $2\sqrt{\dfrac{gs}{3}}$이다.
➡ $2mgs = \dfrac{1}{2} 3mv^2$, 따라서 $v = 2\sqrt{\dfrac{gs}{3}}$이다.

04 | 선택지 분석 |

⊙ 중력이 한 일은 A와 B가 서로 같다.
➡ 질량이 같은 물체가 같은 높이만큼 내려오므로 중력이 A와 B에 한 일은 같다.

⊙ 운동 에너지 변화량은 A와 B가 서로 같다.
➡ 같은 높이만큼 내려오므로 운동 에너지 변화량은 같다.

✗ 역학적 에너지는 A와 B가 서로 ~~같다.~~
　다르다.
➡ h인 지점에 두 물체를 가만히 놓으면 같은 거리만큼 이동하는 데 걸리는 시간은 A가 B보다 크다. 그런데 높이 h인 지점을 동시에 통과하고, 같은 거리만큼 이동하여 동시에 수평면에 도달하였으므로 h인 지점을 지나는 순간의 속력은 A가 B보다 커야 한다. 따라서 h인 지점에서 중력 퍼텐셜 에너지는 같으므로 역학적 에너지는 A가 B보다 크다.

더 알아보기

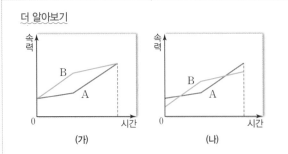

(가) | (나)

만약, A와 B의 역학적 에너지가 서로 같다면 수평면에서 운동 에너지가 같으므로 수평면에서 A와 B의 속력이 같고, 빗면에서 높이 h를 내려오는 동안 A와 B의 운동 에너지 변화량이 같으므로 높이 h인 지점에서 A와 B의 속력이 같아야 한다. 경사면의 경사각이 클수록 가속도가 크므로, A와 B의 역학적 에너지가 서로 같다면 속력－시간 그래프는 그림 (가)와 같게 되어(이동 거리는 B가 A보다 크다.) A와 B의 이동 거리가 같다는 사실과 모순이 된다. 그림 (가)에서 A의 그래프를 위로 평행 이동시켜 A와 B의 이동 거리를 같게 만든 그림 (나)의 그래프가 주어진 조건을 모두 만족시키므로, 빗면에서 운동하는 동안역학적 에너지는 A가 B보다 크다.

05 | 선택지 분석 |

㉠ 용수철이 압축되는 동안 물체에 작용하는 탄성력은 물체에 음(－)의 일을 한다.
➡ 용수철이 압축되는 동안 물체에 작용하는 탄성력과 물체의 운동 방향은 서로 반대이므로 탄성력은 물체에 음(－)의 일을 한다.

㉡ (가)에서 물체의 운동 에너지는 (나)에서 물체의 탄성 퍼텐셜 에너지와 같다.
➡ 역학적 에너지 보존에 의해 물체의 운동 에너지가 물체의 탄성 퍼텐셜 에너지로 전환된다.

㉢ $x = \sqrt{\dfrac{m}{k}} v$이다.
➡ $\dfrac{1}{2} mv^2 = \dfrac{1}{2} kx^2$이므로 $x = \sqrt{\dfrac{m}{k}} v$이다.

06
탄성 퍼텐셜 에너지는 용수철에 연결되어 있는 물체의 질량과 무관하다. 용수철이 최대로 압축되거나 늘어날 때의 탄성 퍼텐셜 에너지가 진동하는 동안 물체의 전체 역학적 에너지와 같다. O에서 물체의 운동 에너지가 같으므로 속력은 질량이 작은 물체가 더 크다.

07 | 자료 분석 |

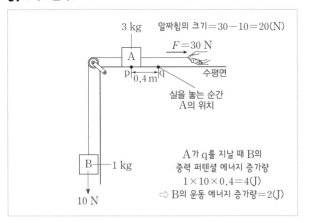

F가 10 N일 때 A, B가 정지 상태이므로 B의 질량은 1 kg이다. A가 p에서 q까지 운동하는 동안 알짜힘이 A와 B에 한 일은 20 N×0.4 m=8 J이다. 한편 A가 p에서 q까지 운동하는 동안 B의 중력 퍼텐셜 에너지 증가량은 B의 운동 에너지 증가량의 2배이므로 A가 q를 지날 때 A의 운동 에너지는 6 J, B의 운동 에너지는 2 J이다. 따라서 A의 질량은 3 kg이다. A가 q를 지날 때의 전체 역학적 에너지는 운동 에너지 8 J, B의 중력 퍼텐셜 에너지 4 J을 합쳐 12 J이고 이는 다시 A가 p를 지날 때의 A와 B의 운동 에너지와 같다. 따라서 p를 지날 때 A의 운동 에너지는 9 J이다.

08 | 선택지 분석 |

✗ 기체의 내부 에너지는 (나)가 (가)~~보다 크다.~~
　　　　　　　　　　　　　　　　와 같다.
➡ (가) → (나) 과정에서 온도가 일정하기 때문에 내부 에너지는 변화가 없다.

✗ 기체의 압력은 (가)에서가 (나)에서보다 ~~크다.~~
　　　　　　　　　　　　　　　　　　　작다
➡ (가) → (나) 과정에서 기체의 온도가 일정한 상태에서 부피가 감소하므로 기체의 압력은 증가한다.

㉢ (가) → (나) 과정에서 기체는 외부로 열을 방출한다.
➡ 기체의 내부 에너지는 변화가 없는데 외부로부터 일을 받으므로 기체는 열을 방출한다.

09 | 자료 분석 |

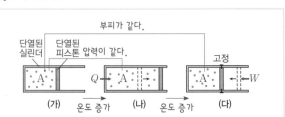

(가) → (나) 과정: 열을 흡수하여 A의 온도, 부피가 증가한다.
(나) → (다) 과정: 일을 받아 A의 온도, 압력이 증가한다.
(가) → (나) 과정에서 A의 부피 변화량과 (나) → (다) 과정에서 A의 부피 변화량이 같다.

| 선택지 분석 |

㉠ A의 온도는 (가)에서가 (다)에서보다 낮다.

➡ A의 온도는 (다)>(나)>(가) 순으로 높다.

✗ (나) → (다) 과정에서 A의 압력은 ~~일정하다.~~
증가 한다.

➡ (나) → (다) 과정은 단열 압축 과정으로 A의 내부 에너지가 증가하므로 온도도 증가한다. 따라서 A의 압력은 증가해야 한다.

✗ (가) → (나) 과정에서 A가 한 일은 (나) → (다) 과정에서 A의 내부 에너지 변화량과 ~~같다.~~
다르다.

➡ 부피 변화는 같지만 (가) → (나) 과정에서의 평균 압력이 (나) → (다) 과정에서의 평균 압력보다 작다. 따라서 A가 외부에 한 일은 W보다 작다. 한편 (나) → (다) 과정은 단열 과정이므로 이 때 A의 내부 에너지 변화량은 W이다. 따라서 (나) → (다) 과정에서 A의 내부 에너지 변화량이 (가) → (나) 과정에서 A가 한 일보다 크다.

10 | 선택지 분석 |

㉠ A → B 과정에서 기체의 내부 에너지는 증가한다.

➡ A → B 과정에서 기체의 부피는 일정한 상태로 압력이 증가하므로 온도와 내부 에너지는 증가한다.

✗ $P_1V_1 \neq P_2V_2$이다.

➡ B → C 과정은 단열 과정이므로 $P_1V_1 \neq P_2V_2$이다.

㉢ C → A 과정에서 기체가 외부로부터 받은 일은 $P_2(V_2-V_1)$이다.

➡ C → A 과정에서 기체가 외부로부터 받은 일은 $P\Delta V = P_2(V_2-V_1)$이다.

11 | 선택지 분석 |

✗ 이 기관의 열효율은 ~~75 %~~이다.
25 %

➡ 카르노 기관의 열효율은 $1-\dfrac{T_L}{T_H}$이므로 이 기관의 열효율은 25%이다.

㉡ $Q_1 = Q_2 + W$이다.

➡ 에너지 보존에 의해 $Q_1 = Q_2 + W$이다.

㉢ 한 번의 순환 과정에서 기체가 외부에 한 일은 A이다.

➡ 순환 과정의 압력−부피 그래프에서 내부 면적은 기체가 외부에 한 일과 같다.

12 | 선택지 분석 |

㉠ 엔트로피는 (나)에서가 (가)에서보다 크다.

➡ (가) → (나) 과정은 비가역 과정으로 엔트로피가 증가하는 반응이다.

✗ (나) → (가) 과정도 자발적으로 일어날 수 ~~있다.~~
없다.

➡ (가) → (나) 과정은 비가역 과정이므로 역과정은 자발적으로 일어나지 않는다.

㉢ A 내부 기체의 압력은 (가)에서가 (나)에서보다 크다.

➡ 기체의 부피가 증가하였으므로 기체의 압력은 감소한다.

13 | 선택지 분석 |

㉠ $T_1 > T_2$이다.

➡ 열은 고온에서 저온으로 흐르므로 $T_1 > T_2$이다.

㉡ $W = 4$ kJ이다.

➡ 에너지 보존에 의해 10 kJ $= W + 6$ kJ의 관계가 성립하므로 $W = 4$ kJ이다.

✗ 열기관의 열효율은 ~~0.6~~이다.
0.4

➡ 열효율은 $\dfrac{4 \text{ kJ}}{10 \text{ kJ}} = 0.40$이다.

14 | 선택지 분석 |

㉠ A의 온도는 감소한다.

➡ A는 단열 팽창, B는 단열 압축 하므로 A의 온도는 감소하고 B의 온도는 증가한다.

㉡ B의 압력은 증가한다.

➡ B는 온도가 증가하며 부피가 감소하므로 압력은 증가한다.

㉢ A의 내부 에너지 감소량은 B의 내부 에너지 증가량과 같다.

➡ 단열 과정에서 A가 외부에 한 일과 B가 외부로부터 받은 일이 같으므로 A의 내부 에너지 감소량은 B의 내부 에너지 증가량과 같다.

15 | 선택지 분석 |

✗ A → B 과정에서 기체의 온도는 변하지 ~~않는다.~~
증가한다.

➡ A → B 과정은 단열 수축 과정이므로 기체의 온도는 증가한다.

✗ B → C 과정에서 모래의 양을 ~~감소시킨다.~~
은 일정하다.

➡ B → C 과정은 압력이 일정하므로 모래의 양이 일정하다.

㉢ B → C 과정에서 기체는 열을 흡수한다.

➡ B → C 과정에서 내부 에너지도 증가하고 외부에 일을 하므로 기체는 열을 흡수한다.

16 | 선택지 분석 |

㉠ A → B 과정에서 기체의 부피는 감소한다.

➡ A → B 과정은 온도는 일정한데 압력이 증가하고 있으므로 부피는 감소해야 한다.

㉡ B → C 과정에서 기체는 외부에 일을 한다.

➡ B → C 과정에서 기체의 온도는 증가하는데 압력은 일정하므로 부피는 증가해야 한다. 따라서 기체는 외부에 일을 한다.

㉢ D → A 과정에서 기체가 외부로 방출한 열은 기체의 내부 에너지 감소량과 같다.

➡ D → A 과정은 정적 과정이므로 기체는 외부에 일을 하지 않는다. 따라서 기체가 외부로 방출한 열은 기체의 내부 에너지 감소량과 같다.

3 ≫ 시공간의 이해

01ᵛ 특수 상대성 이론

개념POOL   101쪽

01 ㉠ 관성 ㉡ 등속도   **02** (1) c (2) c

02 진공에서의 빛의 속력은 광원이나 관찰자의 운동 상태와 관계없이 항상 c이다.

개념POOL   102쪽

01 ㉠ 시간 지연 ㉡ 길이 수축   **02** (1) ✕ (2) ○

콕콕! 개념 확인하기   103쪽

✔ 잠깐 확인!

1 관성   **2** 광속 불변   **3** 느리게   **4** 고유 시간
5 길이 수축   **6** 나란한   **7** 고유 길이

---

01 (1) ○ (2) ✕ (3) ✕   **02** 상대성 원리, 광속 불변 원리
03 A   **04** (1) ○ (2) ○ (3) ✕

02 동시성의 상대성은 상대성 원리와 광속 불변 원리로 설명할 수 있다.

03 길이 수축은 운동 방향에 대해 나란한 방향에 대해서만 일어나고 수직 방향에 대해서는 일어나지 않는다.

탄탄! 내신 다지기   104쪽~105쪽

01 ②   **02** ②, ④   **03** 상대성 원리, 광속 불변 원리   **04** c
05 ②   **06** ③   **07** ④   **08** ③   **09** ①   **10** ⑤

01 같은 방향으로 움직이고 있으므로 철수가 관측할 때 영희의 상대 속도는 (영희의 속도) − (철수의 속도) = 7 − 5 = 2(m/s)이다.

02 | 선택지 분석 |

① A가 측정한 B의 속력은 v이다.
➡ 상대성 원리에 의해 A와 B는 서로 상대방이 속력 v로 등속도 운동한다고 관측한다.

② 관성의 법칙은 B의 좌표계에서는 성립하지만 A의 좌표계에서는 ~~성립하지 않는다.~~
                            에서도 성립한다.
➡ 모든 관성 좌표계에서 물리 법칙은 동일하게 성립한다.

③ 정지한 광원에서 나온 빛의 속력은 어느 관성 좌표계에서나 동일하다.
➡ 광속 불변 원리에 의해 모든 관성 좌표계에서 진공에서 빛의 속력은 광원이나 관찰자의 속도에 관계없이 항상 일정하다.

④ A는 자신이 등속도 운동을 하는지 정지해 있는지 물리 법칙의 차이에 의해 구별할 수 ~~있다.~~
                                     없다.
⑤ A가 운동 방향으로 발사한 빛의 속력은 A와 B가 측정하였을 때 서로 같다.
➡ 광속 불변 원리

03 특수 상대성 이론의 2가지 기본 과정은 상대성 원리와 광속 불변 원리이다.

04 광속 불변 원리에 의해 빛의 속력은 광원이나 관찰자의 운동 상태에 관계없이 항상 일정하다.

05 | 선택지 분석 |

✕ (가)와 (나)는 동일한 ~~좌표계이다.~~
                    가 아니다.
➡ (가)와 (나)는 모두 관성 좌표계이지만 속도가 다르므로 동일한 좌표계는 아니다.

㉡ (가)와 (나)에서 물리 법칙은 동일하게 성립한다.
➡ 관성 좌표계에서의 모든 물리 법칙은 동일하게 성립한다.

✕ (나)에서 물체를 가만히 낙하시키면 ~~q점보다 왼쪽에 있는 기차의 바닥에~~ 떨어진다.
                                              q점에
➡ p점에서 가만히 놓은 물체도 q점으로 낙하한다.

06 | 선택지 분석 |

㉠ 어떤 관찰자에게 동시에 일어난 사건은 다른 관찰자에게는 동시에 일어나지 않을 수 있다.
➡ 특수 상대성 이론에 의하면 관찰자에 따라 동시성의 상대성이 나타날 수 있다.

✕ 빠르게 움직이는 물체의 운동 방향의 길이가 ~~늘어나~~ 보인다.
                                   줄어들어
➡ 빠르게 움직이는 물체의 길이가 줄어들어 보인다.

㉢ 정지한 A에 대해 광속에 가까운 등속도로 B가 운동할 때, B는 A의 시간이 느리게 가는 것으로 관측한다.
➡ 광속에 가까운 일정한 속도로 서로 상대적인 운동을 할 때, 상대방의 시계가 느리게 가는 것으로 관찰된다.

07 정지해 있는 관찰자가 측정한 고유 길이가 가장 길고, 관찰자에 대한 물체의 운동 속력이 빠를수록 물체의 길이 수축은 크게 일어난다.

08 | 자료 분석 |

철수가 측정한 A와 B 사이 거리(고유 길이) > 영희가 측정한 A와 B 사이 거리 ⇨ 길이 수축

A 철수 B
전구
0.8c

철수: 빛이 A, B에 동시에 도달한다.
영희: 빛이 A에 먼저 도달한다.
⇨ 동시성의 상대성

철수와 영희 모두 상대방의 시간이 느리게 가는 것처럼 관측한다.
⇨ 시간 지연

| 선택지 분석 |

① 전구에서 B를 향하는 빛의 속력은 ~~c보다 크다.~~
c이다.

➡ 광속 불변 원리에 의해 진공에서 빛의 속력은 항상 c이다.

② A에서 B까지의 거리는 철수가 측정할 때보다 ~~길다.~~
짧다.

➡ A, B 사이의 거리는 철수가 측정할 때가 고유 길이이므로 철수가 측정할 때가 더 길다.

✓③ 전구에서 발생한 빛은 B보다 A에 먼저 도달한다.

➡ 빛이 광검출기를 향해 나아가는 동안 우주선이 오른쪽으로 이동하므로 전구에서 발생한 빛은 A에 먼저 도달한다.

④ 전구에서 A까지의 거리와 전구에서 B까지의 거리는 ~~다르다.~~
같다.

➡ 철수가 측정한 전구에서 A까지의 거리와 전구에서 B까지의 거리가 같으므로 영희가 측정할 때도 두 거리는 같은 비율로 길이 수축이 일어나기 때문에 같아야 한다.

⑤ 철수의 시계가 자신의 시계보다 더 ~~빠르게~~ 간다.
느리게

➡ 시간 지연에 의해 영희는 철수의 시계가 자신의 시계보다 느리게 가는 것으로 관측한다.

09 | 선택지 분석 |

㉠ A에서 측정한 B의 길이는 L_0보다 짧다.

➡ A에서 측정할 때 B는 길이 수축이 일어나므로 B의 길이는 고유 길이보다 짧다.

✗ B에서 측정할 때 A와 B의 길이는 ~~같다.~~
다르다.

➡ B에서 측정한 B의 길이는 고유 길이이고 A의 길이는 고유 길이보다 짧다. 따라서 B가 측정할 때, B의 길이가 A의 길이보다 길다.

✗ B에서 측정할 때, B의 시간이 A의 시간보다 ~~느리게~~ 간다.
빠르게

➡ B에서 측정할 때, B는 정지해 있고 A가 빠르게 움직이므로 시간 지연이 일어나 A의 시간이 B의 시간보다 느리게 간다.

10 | 선택지 분석 |

㉠ P에서 지면까지의 거리는 L보다 짧다.

➡ 뮤온의 좌표계에서 관측할 때 길이 수축에 의해 P에서 지면까지의 거리는 L보다 짧다.

㉡ 뮤온의 수명은 T보다 짧다.

➡ 뮤온의 수명은 뮤온 좌표계에서 측정할 때가 고유 수명이고, 이는 T보다 짧다.

㉢ 영희의 시계가 뮤온의 시계보다 느리게 간다.

➡ 뮤온 좌표계에서는 영희가 빠르게 운동하므로 영희의 시계가 뮤온의 시계보다 느리게 간다.

도전! 실력 올리기
106쪽~107쪽

01 ④ **02** ⑤ **03** ③ **04** ③ **05** ② **06** ④

07 ㉠ 관성 ㉡ 광속 불변

08 | 모범 답안 | 뮤온의 좌표계에서는 지표면이 뮤온에게 매우 빠른 속력으로 다가오므로 길이 수축에 의해 뮤온과 지표면 사이의 거리가 줄어들기 때문에 뮤온이 지표면에 도달할 수 있다. 지표면의 좌표계에서는 뮤온이 속력이 매우 빠르므로 시간 지연에 의해 뮤온의 시간이 느리게 흘러 뮤온이 고유 수명보다 더 오래 존재할 수 있기 때문에 지표면까지 도달할 수 있다.

09 | 모범 답안 | A와 B 사이의 거리는 영희가 측정할 때가 고유 길이이므로 다른 관성 좌표계인 철수가 측정한 거리보다 길다. 우주선이 A에서 B까지 이동하는 데 걸리는 시간은 철수가 측정한 시간이 고유 시간이므로 다른 관성 좌표계의 영희가 측정한 시간보다 짧다.

01 | 선택지 분석 |

✗ P에서 B를 향하는 빛의 속력이 P에서 A를 향하는 빛의 속력보다 ~~크다.~~
과 같다.

➡ 광속 불변 원리에 의해 빛의 속력은 광원이나 관찰자의 운동 상태와 무관하다.

㉡ P에서 발생한 빛은 B보다 A에 먼저 도달한다.

➡ 영희가 측정할 때, 우주선이 오른쪽으로 움직이므로 P에서 발생한 빛은 B보다 A에 먼저 도달한다.

㉢ P에서 A까지의 거리와 P에서 B까지의 거리는 같다.

➡ 철수가 측정할 때 P에서 A까지의 거리와 P에서 B까지의 거리는 같으므로 영희가 측정할 때도 두 거리는 같다.

02 | 선택지 분석 |

㉠ P에서 A까지의 거리와 P에서 B까지의 거리는 같다.

➡ 철수가 측정한 P에서 A까지의 거리와 P에서 B까지의 거리는 같으므로 영희가 측정할 때도 두 거리는 같은 비율로 길이 수축이 일어나기 때문에 같다.

㉡ 철수의 시간이 자신의 시간보다 느리게 간다.

➡ 영희가 측정할 때, 철수는 $0.5c$의 속력으로 운동하므로 시간 지연이 일어난다.

㉢ 빛은 A에서가 B에서보다 먼저 발생하였다.

➡ A에서 발생한 빛과 B에서 발생한 빛이 동시에 P에 도달하는 사건은 P라는 같은 장소에서 일어난 사건이기 때문에 어떠한 관찰자가 관찰하더라도 동시에 일어난다. 영희가 측정할 때 우주선이 오른쪽으로 이동하고 있으므로 빛은 A에서 먼저 발생하고 B에서 나중에 발생해야 A와 B에서 발생한 빛이 P에 동시에 도달한다.

03 | 선택지 분석 |

㉠ 철수가 측정할 때, 민수의 시간이 영희의 시간보다 느리게 간다.

➡ 철수가 측정할 때, 민수의 속력이 영희의 속력보다 더 빠르므로 민수의 시간이 영희의 시간보다 느리게 간다.

✗ 철수와 영희가 측정한 P와 Q 사이의 거리는 서로 ~~같다.~~ 다르다.

➡ 철수와 영희의 속력이 다르므로 둘이 측정한 P와 Q 사이의 거리는 서로 같지 않다.

㉢ 민수가 측정할 때, 철수가 탄 우주선의 길이가 영희가 탄 우주선의 길이보다 길다.

➡ 길이 수축은 속력이 빠를 때 더 크게 나타나므로, 민수가 측정할 때 철수가 탄 우주선의 길이가 영희가 탄 우주선의 길이보다 길다.

04 | 선택지 분석 |

㉠ O에서 P까지의 거리

➡ O에서 P까지의 거리는 운동 방향에 대해 수직이므로 길이 수축이 일어나지 않는다.

✗ O에서 출발한 빛이 P에 도달하는 동안 이동한 거리

➡ 영희가 관측할 때 P에서 발생한 빛이 P를 향해 가는 동안 우주선도 이동하므로, 영희가 측정한 빛이 이동하는 거리는 O에서 P까지의 거리보다 더 길다.

㉢ O에서 P를 향하는 빛의 속력

➡ 광속 불변 원리에 의해 빛의 속력은 일정하다.

05 | 자료 분석 |

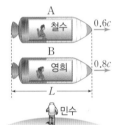

속력이 빠를수록 시간 지연이 크게 일어난다.
⇨ 철수가 측정할 때 영희의 상대 속도($0.2c$) < 민수의 상대 속도($-0.6c$)
⇨ 민수의 시간이 영희의 시간보다 더 느리게 간다.

속력이 빠를수록 길이 수축이 크게 일어난다.
⇨ 민수가 측정할 때 B에서 길이 수축이 더 크게 일어난다.

| 선택지 분석 |

㉠ B의 고유 길이가 A의 고유 길이보다 길다.

➡ 민수가 측정할 때, 속력이 상대적으로 더 빠른 B와 느린 A의 길이가 같게 측정되므로 고유 길이는 B가 A보다 길다.

㉡ 철수가 측정한 B의 길이는 L보다 길다.

➡ 철수가 측정할 때, B의 속력은 $0.8c$보다 작으므로 B의 길이는 L보다 길게 측정된다.

✗ 철수가 측정할 때 영희의 시간이 민수의 시간보다 ~~느리게~~ 간다. 빠르게

➡ 철수가 측정할 때, 민수의 속력이 영희의 속력보다 더 빠르므로 민수의 시간이 영희의 시간보다 더 느리게 간다.

06 영희가 측정할 때 광원에서 나온 빛이 A와 B에 동시에 도달하므로 광원에서 A, 광원에서 B까지의 고유 길이는 L로 같다. 길이 수축은 운동 방향과 나란한 방향으로 일어나고 수직 방향으로는 일어나지 않는다.

07 특수 상대성 이론은 모든 관성 좌표계에서 물리 법칙이 동일하다는 상대성 원리와 빛의 속력은 진공에서 항상 일정하다는 광속 불변 원리를 기본 가정으로 하는 이론이다.

08 지상에서 뮤온 입자가 관측되는 것은 특수 상대성 이론의 시간 지연과 길이 수축으로 설명할 수 있다.

채점 기준	배점
뮤온의 좌표계와 지표면의 좌표계를 기준으로 2가지 모두 옳게 서술한 경우	100 %
뮤온의 좌표계와 지표면의 좌표계를 기준으로 1가지만 옳게 서술한 경우	50 %

09 고유 시간은 다른 관성 좌표계에 있는 관찰자가 측정하는 시간보다 항상 짧고, 고유 길이는 다른 관성 좌표계에 있는 관찰자가 측정하는 길이보다 항상 길다.

채점 기준	배점
A, B 사이의 거리와 걸리는 시간을 고유 물리량을 이용해 옳게 비교한 경우	100 %
A, B 사이의 거리와 걸리는 시간 중 1가지만 옳게 비교한 경우	50 %

02 ~ 질량과 에너지

개념POOL
110쪽

01 ㉠ 핵융합 ㉡ 핵분열 ㉢ 질량 결손

02 (1) ✗ (2) ✗ (3) ○ (4) ○

콕콕! 개념 확인하기
111쪽

✔ 잠깐 확인!!

1 빛 **2** 동등성 **3** 정지 에너지 **4** 핵융합 **5** 핵분열 **6** 질량 결손

---

01 (1) ○ (2) ○ (3) ○ (4) ✗ **02** m_0c^2

03 (1) ✗ (2) ✗ (3) ○ **04** 질량 결손 **05** 핵융합 발전

02 정지한 물체의 질량을 정지 질량 m_0이라고 할 때, 정지 질량에 해당하는 에너지는 m_0c^2이며 이를 정지 에너지라고 한다.

04 핵분열 과정에서는 생성 물질의 질량의 총합이 반응 물질의 질량의 총합보다 작아지는 질량 결손이 일어나는데, 질량 결손에 의해 질량이 에너지로 전환되어 방출된다.

05 핵융합 발전은 화석 연료를 이용하는 화력 발전이나 핵분열을 이용하는 발전에 비해 오염 물질의 배출 문제나 원료 부족 문제가 적은 발전 방식이다.

탄탄! 내신 다지기   112쪽~113쪽

01 ②   **02** ③   **03** ③   **04** ②   **05** ⑤   **06** ㉠ 양성자
㉡ 중성자   **07** ②   **08** ⑤   **09** 철   **10** ④   **11** ⑤

01

✗ 에너지는 질량으로 전환될 수 있지만, 질량은 에너지로 전환될 수 없다.
→ 질량과 에너지는 서로 전환이 가능하다.

✗ 정지 상태에 있는 물체의 정지 에너지는 0이다
→ 정지 상태의 물체도 정지 에너지를 가지고 있다.

㉢ 질량이 m에 해당하는 에너지의 양은 mc^2이다.
→ 질량 에너지 동등성에 의해 질량 m에 해당하는 에너지의 양은 $E=mc^2$이다.

02 | 선택지 분석 |

㉠ 속력이 증가하면 물체의 질량은 증가한다.
→ 속력이 증가할수록 물체의 상대론적 질량은 증가한다.

㉡ 관찰자의 속력에 따라 물체의 질량은 다르게 측정될 수 있다.
→ 관찰자의 속력이 달라지면 측정되는 물체의 속력도 달라지므로, 물체의 질량도 다르게 측정된다.

✗ 주변의 빠르게 움직이는 자동차나 비행기 등에서 쉽게 질량 증가 현상을 관찰할 수 있다.
→ 질량 증가 현상은 물체의 속력이 빛의 속력에 가까워질 때에 관찰할 수 있다.

더 알아보기

정지 상태의 물체의 질량: 정지 질량(m_0)
정지 상태의 물체가 가지는 에너지: 정지 에너지(m_0c^2)

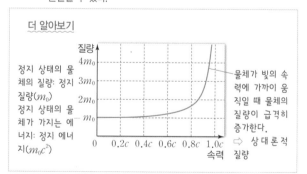

물체가 빛의 속력에 가까이 움직일 때 물체의 질량이 급격히 증가한다.
⇨ 상대론적 질량

03 | 선택지 분석 |

㉠ 정지 에너지는 m_0c^2이다.
→ 정지 질량이 m_0이므로 정지 에너지는 m_0c^2이다.

㉡ 질량이 m_0보다 크다.
→ 물체의 속력이 $0.8c$이므로 질량은 m_0보다 크게 측정된다.

✗ 물체를 정지시키기 위해서는 mc^2의 일을 해 주어야 한다.

→ 운동하고 있는 물체의 정지 에너지 차이만큼 일을 해 주어야 하므로, $W = mc^2 - m_0c^2 = \dfrac{1}{\sqrt{1-\dfrac{(0.8c)^2}{c^2}}} m_0c^2 - m_0c^2 = \dfrac{2}{3}m_0c^2$의 만큼의 일을 해 주어야 한다.

04 | 선택지 분석 |

✗ (가)는 ~~양성자이다.~~ 중성자이다.
→ (가)는 중성자($_0^1 n$)로, 양성자보다 질량이 약간 크다.

㉡ (가)의 질량수는 1이다.
→ 중성자의 질량수는 1이다.

✗ 헬륨 원자핵의 질량이 중수소 원자핵과 삼중수소 원자핵의 질량의 합보다 ~~크다.~~ 작다
→ 핵융합 과정에서 반응 후 질량 결손이 생기므로, 헬륨 원자핵과 중성자의 질량의 합이 중수소 원자핵과 삼중수소 원자핵의 질량의 합보다 작다.

05 | 선택지 분석 |

㉠ 핵분열 반응이다.
→ 우라늄이 중성자를 흡수해 붕괴하는 핵분열 과정이다.

㉡ 핵반응 전과 후에 질량수가 보존된다.
→ 핵반응 과정에서 질량수는 보존된다.

㉢ 핵반응 과정에서 질량 결손이 일어난다.
→ 질량 결손이 일어나기 때문에 질량은 보존되지 않는다.

06 동위 원소란 원자 번호는 같으나 질량수가 다른 원소들을 말한다.

07 | 선택지 분석 |

✗ ~~핵분열 반응이다.~~ 핵융합
→ 태양의 중심부에서 일어나는 수소 핵융합 반응을 나타낸 것이다.

✗ (가)는 ~~중성자이다.~~ 양전자
→ (가)는 양전자(e^+)이다.

㉢ 헬륨 원자핵($_2^4$He) 1개의 질량이 수소 원자핵($_1^1$He) 4개의 질량의 합보다 작다.
→ 질량 결손이 일어나므로 헬륨 원자핵($_2^4$He) 1개의 질량이 수소 원자핵($_1^1$He) 4개의 질량의 합보다 작다.

08 | 선택지 분석 |

㉠ (가)는 중성자이다.
→ 우라늄이 핵분열하는 과정을 나타낸 것으로, (가)는 중성자이다.

㉡ 핵반응 후 질량의 합이 반응 전보다 줄어든다.

㉢ 핵반응 과정에서 질량 결손이 일어난다.
→ 핵반응 과정에서 질량 결손이 일어나기 때문에 에너지가 발생한다.

09 철 원자핵은 핵자당 평균 질량이 가장 작은 원자핵으로, 핵자 사이의 결합 에너지가 가장 크고 안정되어 있는 원자핵이다.

10 | 선택지 분석 |

✗ 양성자의 질량이 중성자보다 크다.
➡ 중성자의 질량이 양성자의 질량보다 크다.

Ⓛ $^2_1$H 원자핵에는 양성자 1개가 있다.
➡ $^2_1$H 원자핵에는 양성자 1개와 중성자 1개가 있다.

Ⓒ $^2_1$H 원자핵 1개의 질량은 2.0160u보다 작다.
➡ 양성자 1개와 중성자 1개가 결합을 하면 에너지가 방출되므로 질량 결손에 의해 $^2_1$H 원자핵 1개의 질량은 2.0160u보다 작다.

11 | 선택지 분석 |

㉠ (가)는 핵분열 반응이다.
➡ (가)는 우라늄이 핵분열하는 과정이다.

Ⓛ 핵반응 전후에 전하량이 보존된다.
➡ 핵반응 전후에 질량수와 전하량이 보존된다.

Ⓒ 핵반응 과정에서 질량 결손은 (가)에서가 (나)에서보다 더 크다.
➡ (가)에서가 (나)에서보다 더 큰 에너지가 발생하고 있으므로 핵반응 과정에서 질량 결손은 (가)에서가 (나)에서보다 더 크다.

도전! 실력 올리기
114쪽~115쪽

01 ④ **02** ② **03** ② **04** ⑤ **05** ② **06** ③

07 ㉠ 수소 ㉡ 중수소

08 | 모범 답안 | 핵융합이나 핵분열 과정에서 반응 후의 질량이 반응 전의 질량보다 작아지는 질량 결손이 생기는데, 이때 감소한 질량이 에너지로 전환되어 방출된다.

09 (1) | 모범 답안 | A는 중성자($^1_0$n)이다. 전하량 보존을 적용하면 A의 양성자는 0개이고, 질량수 보존을 적용하면 질량수는 1이기 때문이다.

(2) | 모범 답안 | 수소 원자핵과 입자 A의 질량의 합이 중수소 원자핵의 질량보다 크다. 핵반응 과정에서 에너지가 발생하므로 질량 결손이 일어나야 하기 때문이다.

01 | 선택지 분석 |

✗ 정지 질량은 m_0보다 작다.
　　　　　　　　 이다.
➡ 영희에 대해 물체가 정지해 있으므로 영희가 측정한 질량이 정지 질량이다.

Ⓛ 철수가 측정한 물체의 질량은 m_0보다 크다.
➡ 철수가 측정하면 물체는 빠른 속도로 운동하고 있으므로 질량은 정지 질량보다 크다.

Ⓒ 물체가 가지는 에너지는 철수가 측정할 때가 영희가 측정할 때보다 크다.
➡ 철수가 측정할 때가 영희가 측정할 때보다 물체의 속력이 더 빠르므로 물체가 가지는 에너지가 정지 에너지보다 크게 측정된다.

02 | 선택지 분석 |

✗ A는 전자이다.
　　 중성자
➡ A는 중성자이다.

✗ 삼중수소 원자핵에 들어 있는 양성자 수는 2개이다.
　　　　　　　　　　　　　　　　　　　　 1개
➡ 삼중수소 원자핵은 1개의 양성자와 2개의 중성자로 구성된다.

Ⓒ 반응 물질의 질량의 총합이 생성 물질의 질량의 총합보다 더 크다.
➡ 핵반응 과정에서는 질량 결손이 일어나므로 반응 물질의 총합이 생성 물질의 총합보다 더 크다.

03 | 선택지 분석 |

✗ 핵변환 과정에서 질량은 보존된다.
　　　　　　　　　　　　　　 되지 않는다.
➡ 핵변환 과정에서 질량수는 보존되지만 질량은 보존되지 않는다.

Ⓛ (가)는 중수소 원자핵($^2_1$H)이다.
➡ 전하량 보존과 질량수 보존을 적용하면 (가)는 중수소 원자핵($^2_1$H)이고, (나)는 중성자($^1_0$n)이다.

✗ (나)는 전자이다.
　　 중성자
➡

04 | 선택지 분석 |

㉠ ㉠은 중성자이다.
➡ 우라늄 원자핵에 중성자가 결합하게 되면 핵분열이 일어나게 된다.

Ⓛ 크립톤의 중성자 수는 56개이다.
➡ 크립톤의 질량수는 92이고 양성자수는 36이므로 중성자수는 56이다.

Ⓒ 핵반응에서 방출된 에너지는 질량 결손에 의한 것이다.
➡ 핵분열 과정에서 방출되는 에너지는 질량 결손에 의한 것이다.

05 | 자료 분석 |

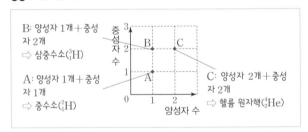

| 선택지 분석 |

✗ 현재 원자로에서 원자력 발전에 이용되는 핵반응이다.
➡ A는 중소수($^2_1$H), B는 삼중수소($^3_1$H), C는 헬륨($^4_2$He) 원자핵으로, 핵융합 반응이다. 현재 원자로에서는 핵분열을 이용하고 있다.

Ⓛ A와 B는 동위 원소 관계이다.
➡ A와 B는 양성자수는 같지만 중성자수가 다른 동위 원소 관계이다.

✗ (가)와 양성자는 서로 끌어당기는 전기력이 작용한다.
　　　　　　　　　　　　　　　　　　　　　　　　 작용하지 않는다.
➡ (가)는 중성자로 양성자와 전기적 상호 작용을 하지 않는다.

06 | 선택지 분석 |

㉠ X는 헬륨 원자핵($_2^4$He)이다.

➡ 전하량과 질량수 보존을 적용하면 X는 헬륨 원자핵($_2^4$He)이다.

✗ 라듐(Ra)과 라돈(Rn)은 동위 원소 관계이다. ~~가 아니다.~~

➡ 라듐과 라돈은 원자 번호가 다르므로 동위 원소가 아니다.

㉢ $2M_1 > M_2 - M_3$이다.

➡ 반응 과정에서 질량 결손이 일어나기 때문에 $2M_1 > M_2 - M_3$이다.

07 태양의 중심부에서는 수소 원자핵이 융합해 헬륨 원자핵이 되고, 핵융합로에서는 중수소 원자핵과 삼중수소 원자핵이 융합해 헬륨 원자핵이 된다.

08 핵반응 후 질량 결손(Δm)이 생기며, 이 질량에 해당하는 에너지($E = \Delta mc^2$)가 방출된다.

채점 기준	배점
질량 결손과 질량이 에너지로 전환됨을 모두 옳게 서술한 경우	100 %
질량 결손과 질량이 에너지로 전환됨 중 1가지만 옳게 서술한 경우	50 %

09 (1) 핵반응식에서 반응 전후의 질량수와 전하량은 보존된다.
(2) 에너지가 방출되는 핵반응은 모두 핵반응 전후 질량 결손이 생기고, 이 질량 결손이 에너지로 전환되어 방출된다.

문항	채점 기준	배점
(1)	A가 무엇인지 옳게 쓰고, 그 까닭을 옳게 서술한 경우	100 %
	A가 무엇인지만 옳게 서술한 경우	50 %
(2)	크기 비교와 까닭이 모두 옳은 경우	100 %
	크기 비교만 옳은 경우	50 %

실전! 수능 도전하기   117쪽~119쪽

01 ① 02 ③ 03 ③ 04 ② 05 ④ 06 ② 07 ① 08 ③
09 ① 10 ③ 11 ④ 12 ①

01 | 자료 분석 |

A가 측정할 때: p, q는 A에 대해 정지해 있으므로 L은 고유 길이다.
B가 측정할 때: p, q는 B에 대해 $0.9c$의 속력으로 움직이므로 길이 수축이 일어난다.

A가 측정할 때: A에 대해 $0.9c$로 움직이는 B의 시간이 느리게 가므로 시간 지연이 일어난다.

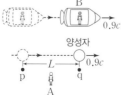

B가 측정할 때: 자신이 위치한 곳에서 일어난 두 사건 사이의 시간 간격이므로 T는 고유 시간이다

| 선택지 분석 |

㉠ $L > 0.9cT$이다.

➡ B가 측정한 p와 q 사이의 거리는 $0.9cT$로, 이는 A가 측정한 p와 q 사이의 고유 길이인 L보다 작다.

✗ A가 측정한 p에서 q까지 양성자가 이동하는 데 걸린 시간은 T보다 ~~작다.~~ 크다.

➡ B가 측정한 p에서 q까지 양성자가 이동하는 데 걸린 시간 T가 고유 시간이다. 따라서 A가 측정한 시간은 T보다 크다.

✗ B가 측정한 양성자의 정지 에너지는 0이다. ~~아니다.~~

➡ 정지 상태에서 양성자의 정지 질량이 0이 아니므로, B가 측정한 양성자의 정지 에너지는 0이 아니다.

02 | 선택지 분석 |

㉠ O와 P 사이의 거리와 O와 R 사이의 거리는 같다.

➡ 길이 수축은 같은 비율로 일어나므로 철수가 측정할 때 O와 P 사이의 거리와 O와 R 사이의 거리는 같다.

✗ O에서 발생한 빛은 ~~P와 R에 동시에 도달한다.~~ P보다 R에 먼저 도달한다.

➡ 철수가 측정할 때, P는 빛이 진행하는 방향과 같은 방향으로 운동하고 R은 빛이 진행하는 방향과 반대 방향으로 운동한다. 따라서 O에서 발생한 빛은 P보다 R에 먼저 도달한다.

㉢ 빛이 O에서 Q 사이를 왕복하는 데 걸리는 시간은 $\dfrac{2L}{c}$보다 크다.

➡ 철수가 측정할 때, 빛이 왕복하는 거리가 $2L$보다 크기 때문에 빛이 왕복하는 데 걸리는 시간은 $\dfrac{2L}{c}$보다 크다.

03 | 선택지 분석 |

㉠ 철수가 측정한 물체의 길이는 L이다.

➡ 물체는 철수에 대해 정지해 있으므로 철수가 측정한 물체의 길이는 고유 길이와 같다.

㉡ 민수가 측정한 물체의 길이가 영희가 측정한 물체의 길이보다 짧다.

➡ 운동 방향과 나란한 방향으로 길이 수축이 일어나므로 민수에 대해 물체의 길이는 길이 수축이 일어나지만, 영희에 대해서는 길이 수축이 일어나지 않는다.

✗ 철수가 측정할 때, 민수의 시계가 영희의 시계 ~~보다 느리게 간다.~~ 와 동일하게

➡ 철수가 측정할 때, 민수와 영희의 속력은 같으므로 시간 지연은 동일하게 일어난다.

04 | 선택지 분석 |

✗ 관찰자가 측정할 때 A가 생성된 순간부터 붕괴하는 순간까지 걸리는 시간은 t_0~~이다.~~ 보다 크다.

➡ 뮤온의 고유 수명이 t_0이므로 관찰자가 측정한 뮤온의 수명은 t_0보다 크다.

㉡ 지표면에 도달하는 순간 붕괴하는 뮤온은 B이다.

➡ 속력이 빠르면 시간 지연이 더 크게 일어나므로 지면까지 도달하는 뮤온은 B이다.

✕ 관찰자가 측정할 때 h는 $0.99ct_0$어타.
　　　　　　　　　　　　　　 보다 크다.
➡ 관찰자가 측정할 때 B가 지표면에 도달하는 데 걸리는 시간은 t_0보다 크다. 따라서 관찰자가 측정할 때 h는 $0.99ct_0$보다 크다.

05 | 선택지 분석 |

✕ 전등과 A 사이의 거리와 전등과 B 사이의 거리는 같다.
　　　　　　　　　　　　　　　　　　　　　　　　　 다르다.
➡ 영희가 측정할 때, 전등에서 발생한 빛이 A와 B에 동시에 도달하므로 전등과 A 사이의 거리가 전등과 B 사이의 거리보다 크다.

ㄴ A와 B 사이의 거리는 L보다 길다.
➡ A와 B 사이의 거리는 철수가 측정할 때가 고유 길이이고, 이는 L보다 길다.

ㄷ 기차가 플랫폼의 P, Q 지점을 지나가는 데 걸리는 시간은 T보다 작다.
➡ 기차가 플랫폼의 P, Q 지점을 지나가는 데 걸리는 시간은 철수가 측정할 때가 고유 시간이고, 이는 영희가 측정한 시간보다 작다.

06 진공에서 빛의 속력은 항상 일정하다. 철수가 측정할 때, 우주선의 길이는 길이 수축이 일어나 더 짧아지고 뮤온의 수명은 시간 지연이 일어나 더 길어진다.

07 | 선택지 분석 |

✕ A에서는 질량 결손이 일어나지 않는다.
　　　　　　　　　　　　　 일어난다.
➡ 핵반응 과정에서 에너지가 발생하는 경우에는 항상 질량 결손이 일어난다.

ㄴ B는 원자력 발전소에서 일어나는 반응이다.
➡ B는 우라늄의 핵분열 반응으로 원자력 발전소에서 일어나는 반응이다.

✕ (가)의 질량수는 2이다.
　　　　　　　　　 1
➡ (가)는 중성자로($^1_0 n$), 질량수는 1이다.

08 | 선택지 분석 |

ㄱ 핵자당 방출되는 에너지는 핵융합 반응에서가 핵분열 반응에서보다 크다.
➡ 우라늄 원자핵 1개가 분열할 때 헬륨 원자핵 1개가 융합될 때보다 더 많은 에너지가 발생하지만 핵자당 방출되는 에너지는 핵융합에서가 핵분열에서보다 더 크다.

ㄴ ㉠의 질량수는 1이다.
➡ ㉠은 중성자($^1_0 n$)로, 질량수는 1이다.

✕ 핵분열 반응에서는 질량 결손이 일어나자만 핵융합 반응에서는 질량 결손이 일어나지 않는다.
　　　　　　　　　　 일어나고　　　　　　　 일어난다.
➡ 핵분열과 핵융합 반응 모두에서 질량 결손이 일어나고, 이 질량 결손에 의해 에너지가 방출된다.

09 | 선택지 분석 |

ㄱ X는 $^2_1 H$ 원자핵이다.
➡ X는 중수소 원자핵($^2_1 H$)이고 Y는 중성자($^1_0 n$)이다.

✕ $2M_2 = M_5$이다.
　 $2M_2 > M_5$
➡ 핵융합 과정에서 질량 결손이 일어나므로 $2M_2 > M_5$이다.

✕ Y의 질량은 M_2보다 크타.
　　　　　　　　　　 작다
➡ 중성자의 질량은 중수소 원자핵의 질량보다 작다.

10 | 자료 분석 |

$^{238}_{92} U \rightarrow {}^{234}_{90} Th + \alpha$ ─ $\left[\begin{array}{l} 238 = 234 + x_1 에서 \alpha의 질량수는 x_1 = 4이다. \\ 92 = 90 + y_1 에서 \alpha의 양성자수는 y_1 = 2이다. \end{array}\right.$

$^{12}_{5} B \rightarrow {}^{12}_{6} C + \beta$ ─ $\left[\begin{array}{l} 12 = 12 + x_2 에서 \beta의 질량수는 x_2 = 0이다. \\ 5 = 6 + y_2 에서 \beta의 양성자수는 y_2 = -1이다. \end{array}\right.$

$^{12}_{6} C \rightarrow {}^{12}_{6} C + \gamma$ ── γ의 질량수와 양성자수가 모두 0이다.

| 선택지 분석 |

ㄱ A는 질량수가 4이다.
➡ A는 헬륨 원자핵($^4_2 He$)으로, 질량수는 4이다.

ㄴ 양성자와 B의 전하량의 크기는 같다.
➡ B는 전자로, 전하량의 크기가 양성자와 같다.

✕ γ의 질량수는 중성자와 같다.
　　　　　　　　　　　 0이다.
➡ γ는 질량수가 0이다.

11 | 선택지 분석 |

ㄱ A는 핵분열이다.
➡ 질량이 큰 원자핵이 질량이 작은 원자핵으로 쪼개지는 것을 핵분열이라고 한다.

✕ B에서 핵의 질량의 합은 반응 후가 반응 전보다 크다.
　　　　　　　　　　　　　　　　　　　　　　　　　 작다
➡ 핵반응에서 질량 결손이 일어나기 때문에 반응 전보다 반응 후가 질량이 작다.

ㄷ C는 중성자이다.
➡ 우라늄에 중성자가 흡수되면 우라늄은 핵분열 과정을 거치게 된다.

12 | 선택지 분석 |

ㄱ (나)는 핵분열 반응이다.
➡ (가)는 핵융합, (나)는 핵분열 반응이다.

✕ (가)에서 핵반응 전후 질량은 보존된다.
　　　　　　　　　　　　　　　　　 감소
➡ 핵반응 전후 질량은 보존되지 않고 감소한다.

✕ 원자력 발전에 이용되는 핵반응은 (가)이다.
　　　　　　　　　　　　　　　　　 (나)
➡ 원자력 발전에는 핵분열이 이용되고 있다.

01 ①　**02** ②　**03** ⑤　**04** ③　**05** ④　**06** ⑤　**07** ⑤　**08** ③
09 ④　**10** ③　**11** ②　**12** ⑤

---

13 A: 0.3 m/s² B: 0.15 m/s² C: 0.1 m/s²

(2) | 모범 답안 | 물체에 작용하는 힘이 일정할 때 물체의 가속도의 크기는 질량에 반비례한다.

14 | 모범 답안 | 에어백은 충돌 시간을 증가시켜 운전자가 받는 충격력을 감소시킨다.

15 | 모범 답안 | 상대성 원리란 모든 관성 좌표계에서 물리 법칙은 동일하게 성립한다는 것이고, 광속 불변 원리는 모든 관성 좌표계에서 진공 중에서의 빛의 속력은 관찰자나 광원의 속도에 관계없이 항상 같다는 것이다.

16 (1) 2개의 양전자(e^+)

(2) | 모범 답안 | 헬륨 원자핵($^4_2$He)과 (가)의 질량의 합이 4개의 수소 원자핵($^1_1$H)의 질량의 합보다 작다. 핵반응 과정에서 에너지가 발생하고 있으므로 질량 결손이 일어나야 하기 때문이다.

17 | 모범 답안 | 물속에서 잉크가 퍼진 상태가 한곳에 모인 상태보다 엔트로피, 즉 무질서도가 더 큰 상태이다. 열역학 제2법칙에 의하면 자연에서 일어나는 자발적인 자연 현상은 항상 엔트로피가 증가하는 방향으로 진행된다. 따라서 퍼졌던 잉크가 다시 한곳으로 모이는 현상은 저절로 일어나지 않는다.

---

01 | 선택지 분석 |

ㄱ 이동 거리는 변위의 크기보다 크다.
　➡ 운동 방향이 바뀌므로 이동 거리는 변위의 크기보다 크다.

✗ 평균 속력과 평균 속도의 크기는 같다.
　　　　　　　　　평균 속력 > 평균 속도
　➡ 이동 거리가 변위의 크기보다 크므로 평균 속력은 평균 속도의 크기보다 크다.

✗ 등속도 운동이다.
　속도가 변하는 가속도
　➡ 운동 방향과 속력이 변하므로 등속도 운동이 아니다.

02 도착선에 A와 B가 동시에 도달하고, A가 10 m/s로 운동하여 100 m를 운동하는 데 걸린 시간은 10초이므로 B도 기준선에 도착선까지 10초 동안 등가속도 운동을 한다.

$\frac{1}{2}at^2 = s$에서 $a = \frac{2s}{t^2} = \frac{2 \times 100}{100} = 2$(m/s²)이다.

03 | 선택지 분석 |

✗ 3초일 때 가속도의 크기는 2 m/s²이다.
　　　　　　　　　　　　　　$\frac{3}{2}$
　➡ 속도─시간 그래프에서 기울기가 가속도이므로, 3초일 때 가속도의 크기는 $\frac{4-1}{4-2} = \frac{3}{2}$(m/s²)이다.

ㄴ 3초일 때 자동차의 운동 방향과 자동차에 작용하는 알짜힘의 방향은 같다.

　➡ 2초부터 4초까지 속력이 증가하므로 자동차의 운동 방향과 자동차에 작용하는 알짜힘의 방향은 같다.

ㄷ 0부터 6초까지 평균 속도의 크기는 2 m/s이다.
　➡ 0초부터 6초까지 변위의 크기는 속도와 시간축이 이루는 면적과 같으므로 12 m이다. 따라서 평균 속도의 크기는 $\frac{12}{6} = 2$ (m/s)이다.

04 | 선택지 분석 |

ㄱ 운동 방향은 1초일 때와 5초일 때가 같다.
　➡ 2초일 때와 4초일 때 운동 방향이 바뀌므로 운동 방향은 1초일 때와 5초일 때가 같다.

ㄴ 6초일 때 속력의 크기는 4 m/s이다.
　➡ 0부터 3초까지 속력의 감소량과, 3초부터 6초까지 속력의 증가량이 같으므로 6초일 때의 속력은 0초일 때의 속력과 같은 4m/s이다.

✗ 0초부터 6초까지 이동 거리는 6 m이다.
　　　　　　　　　　　　　　　　　10 m
　➡ 물체는 2초일 때와 4초일 때 운동 방향이 바뀐다. 0초부터 3초까지 이동 거리는 5 m이고 3초부터 6초까지 이동 거리는 5 m이므로, 0초부터 6초까지 이동 거리는 10 m이다.

05 | 선택지 분석 |

ㄱ A에 작용하는 중력의 크기는 20 N이다.
　➡ A의 질량이 2 kg이므로 A에 작용하는 중력의 크기는 2×10＝20 N이다.

✗ p가 B를 당기는 힘의 크기는 B에 작용하는 중력의 크기보다 크다.
　　　　　　　　　　　　　　　　　　　　　같다.
　➡ B는 정지해 있으므로 B에 작용하는 알짜힘은 0이다. 따라서 p가 B를 당기는 힘의 크기는 B에 작용하는 중력의 크기와 같다.

ㄷ p가 A를 당기는 힘의 크기는 10 N이다.
　➡ p가 B를 당기는 힘의 크기는 10 N이므로 p가 A를 당기는 힘의 크기는 10 N이다.

06 | 선택지 분석 |

✗ B의 질량은 2m이다.
　　　　　　　3m
　➡ (가)에서 A에 작용하는 힘은 $\frac{mg}{2} = T - mg$이고, B에 작용하는 힘은 $\frac{m_B g}{2} = m_B g - T$이므로 $m_B = 3m$이다.

ㄴ p가 A를 당기는 힘의 크기는 (가)에서가 (나)에서의 $\frac{3}{2}$배이다.
　➡ (가)에서 $T = \frac{3}{2}mg$이고, (나)에서 A는 정지해 있으므로 p에 작용하는 힘은 mg이다.

ㄷ (나)에서 B가 지면을 누르는 힘의 크기는 $2mg$이다.
　➡ (나)에서 B에 작용하는 중력은 $3mg$이고, p가 B를 당기는 힘의 크기는 mg이므로 B가 지면을 누르는 힘의 크기는 $2mg$이다.

07 | 선택지 분석 |

㉠ 충돌 과정에서 A가 받은 충격량의 크기는 충돌 후 B의 운동량의 크기와 같다.

➡ 충돌 전 B는 정지해 있었으므로 충돌 후 B의 운동량의 크기는 B가 받은 충격량의 크기와 같다. 충돌하는 동안 A가 받은 충격량의 크기와 B가 받은 충격량의 크기는 같다.

㉡ 충돌 후 속력은 A와 B가 같다.

➡ 위치-시간 그래프에서 기울기는 속도이다. 충돌 후 A와 B의 속력은 1 m/s로 같다.

㉢ 질량은 B가 A의 3배이다.

➡ 충돌 과정에서 운동량은 보존되므로 $2m_A = -m_A + m_B$에서 $m_B = 3m_A$이다.

08 | 선택지 분석 |

㉠ 운동하는 동안 물체의 가속도 크기는 10 m/s²이다.

➡ 물체에 중력이 연직 아래로 10 N 작용하므로 알짜힘은 연직 위로 10 N이다. 따라서 가속도의 크기는 10 m/s²이다.

㉡ 10 m 이동하는 동안 중력이 물체에 한 일은 −100 J이다.

➡ 물체가 10 m 이동하는 동안 중력 10 N이 운동 방향과 반대 방향으로 작용하므로 중력이 물체에 한 일은 −100 J이다.

✗ 10 m 이동했을 때 물체의 속력은 ~~10 m/s~~이다.
  $10\sqrt{2}$ m/s

➡ 알짜힘이 한 일은 운동 에너지 변화량과 같으므로 100 J= $\frac{1}{2} \times 1 \times (v^2 - 0)$에서 속력 $v = 5\sqrt{2}$ m/s이다.

09 역학적 에너지 보존에 의해 수평면에서의 탄성 퍼텐셜 에너지는 빗면의 최고점에서의 물체의 중력 퍼텐셜 에너지와 같다. $\frac{1}{2} \times 100 \times 1^2 = 2 \times 10 \times h$이므로 $h = 2.5$ m이다.

10 부피가 일정하므로 기체가 받은 열은 기체의 내부 에너지 증가량과 같다. 따라서 기체의 온도와 내부 에너지는 증가하고 기체의 압력도 증가한다. 부피 변화가 없으므로 기체는 외부에 일을 하지 않는다.

11 | 선택지 분석 |

✗ A → B 과정에서 온도는 일정하게 ~~유지된다.~~
  유지되지 않는다.

➡ A와 B에서 기체의 온도가 다르므로 A → B 과정에서 온도는 일정하지 않다.

㉡ B → C 과정에서 내부 에너지는 감소한다.

➡ C 과정은 등압 수축 과정으로 내부 에너지가 감소한다.

✗ C → A 과정은 ~~단열과정~~이다.
  등적 과정

➡ C → A 과정은 등적 가열 과정으로 기체가 열을 흡수하여 온도와 압력이 모두 올라간다.

12 | 선택지 분석 |

㉠ 철수가 측정할 때 영희의 시간이 자신의 시간보다 느리게 간다.

➡ 철수가 측정할 때 영희가 빠르게 움직이므로, 영희의 시간이 자신의 시간보다 느리게 간다.

㉡ 영희가 측정할 때 철수의 시간이 자신의 시간보다 느리게 가는 것으로 관찰된다.

➡ 영희가 측정할 때 철수가 빠르게 움직이므로, 철수의 시간이 자신의 시간보다 느리게 가는 것으로 관찰된다.

㉢ 철수가 측정할 때 물체의 질량은 m_0보다 크다.

➡ 철수가 측정할 때 물체는 빠르게 움직이므로 물체의 질량은 정지 질량 m_0보다 크게 측정된다.

13 뉴턴 운동의 제2법칙(가속도의 법칙)을 알아보는 실험으로, 가속도의 크기는 작용하는 힘의 크기에 비례하고 질량에 반비례한다.

채점 기준	배점
용어 3개를 모두 포함하여 옳게 서술한 경우	100 %
용어 2개만 포함하여 옳게 서술한 경우	70 %
용어 1개만 포함하여 옳게 서술한 경우	40 %

14 자동차의 처음 속력과 나중 속력은 에어백의 유무에 관계없이 일정하므로, 자동차의 운동량 변화량(충격량)도 일정하다. 충격량이 일정할 때, 충돌 시간이 클수록 충격력이 작아진다.

채점 기준	배점
충돌 시간의 변화와 충격력의 변화를 모두 옳게 설명한 경우	100 %
충돌 시간의 변화와 충격력 변화 중 1가지만 옳게 설명한 경우	50 %

15 특수 상대성 이론은 상대성 원리와 광속 불변 원리, 2가지 기본 가정으로 성립하는 이론이다.

채점 기준	배점
2가지 모두 옳게 서술한 경우	100 %
2가지 중 1가지만 옳게 서술한 경우	50 %

16 태양 에너지의 근원은 태양 중심부에서 일어나는 핵융합 과정으로, 질량 결손에 의해 많은 에너지를 방출한다.

채점 기준	배점
핵반응 전후의 질량의 합의 크기 비교와 까닭을 옳게 서술한 경우	100 %
크기 비교만 옳게 서술한 경우	50 %

17 물속에 잉크가 퍼지는 현상은 비가역 과정 중 하나로, 비가역 과정은 스스로 처음 상태로 되돌아갈 수 없다.

채점 기준	배점
잉크가 퍼진 상태가 모인 상태보다 엔트로피가 더 큰 상태라는 것과 자연에서 저절로 일어나는 반응은 엔트로피가 증가하는 방향으로 진행된다는 것을 모두 서술한 경우	100 %
잉크가 퍼진 상태가 모인 상태보다 엔트로피가 더 큰 상태라는 것과 자연에서 저절로 일어나는 반응은 엔트로피가 증가하는 방향으로 진행된다는 것 중 1가지만 서술한 경우	50 %

1 >> 물질의 구조와 전기적 성질

01~ 원자와 전기력

개념POOL　　　　　　　　　130쪽

01 원자핵과 전자 사이의 전기력
02 (1) ○ (2) ○ (3) ×
03 (1) 전자 (2) ㉠ A ㉡ B

01 원자핵과 전자 사이에는 서로 끌어당기는 전기력이 작용하고, 전자는 이 전기력에 의해 원자핵 주위를 벗어나지 않고 돌 수 있다.

02 (3) 전자가 털가죽에서 유리 막대로 이동하여 털가죽은 (+)전하로, 유리 막대는 (−)전하로 대전된다.

03 (2) A~C를 대전열 순서로 나열하면 (+) A−C−B (−)이다. 따라서 A와 B를 마찰시키면 A는 (+)전하를 띠고, B는 (−)전하를 띤다.

콕콕! 개념 확인하기　　　　　　　131쪽

✔ 잠깐 확인!

1 원자핵, 전자　**2** 음극선　**3** 원자핵　**4** 전자　**5** 전하, 전하량　**6** 쿨롱　**7** 척력

01 (1) × (2) × (3) × (4) ○
02 (+), 원자핵
03 (1) ○ (2) × (3) × (4) ○
04 ㉠ 전하량 ㉡ 거리의 제곱 ㉢ $\frac{1}{4}F$

01 1897년 톰슨은 음극선에 대한 몇 가지 실험을 통해 음극선이 (−)전하를 띠는 입자임을 알아냈다.
(1) 음극선은 (−)극에서 (+)극을 향한다.
(2) 음극선은 전기장과 자기장의 영향을 받아 휘어진다.
(3) 음극선은 모든 물질에 공통적으로 들어 있다.
(4) 음극선은 질량을 가진 입자이다.

02 원자의 중심에는 (+)전하를 띤 원자핵이 존재하므로 알파($α$) 입자와 전기적인 반발력 때문에 산란이 일어난다.

03 (2) 전자는 음(−)전하를 띠므로 전자를 잃은 물체는 (+)전하를 띠고, 전자를 얻은 물체는 (−)전하를 띤다.

---

(3) 같은 종류의 전하를 띤 대전체 사이에는 서로 밀어내는 척력이 작용한다.

04 전기력의 크기는 두 전하의 전하량의 곱에 비례하고, 두 전하 사이의 거리의 제곱에 반비례한다. 따라서 거리가 2배가 되면 전기력은 $\frac{1}{4}$배로 감소한다.

탄탄! 내신 다지기　　　　　　132쪽~133쪽

01 ①　**02** ②　**03** ⑤　**04** 원자핵　**05** ⑤　**06** ④
07 ②　**08** ㉠ 2 ㉡ $\sqrt{2}d$　**09** r　**10** ③　**11** ②

01 | 선택지 분석 |

① 전자를 잃은 원자는 (−)전하를 띤다.
　　　　　　　　　　　　　(+)전하
➡ 중성인 원자는 전자를 잃으면 (+)전하를 띤다.

② 원자는 원자핵과 전자로 이루어져 있다.
➡ 원자는 (+)전하를 띠는 원자핵과 (−)전하를 띠는 전자로 이루어져 있다.

③ 원자핵은 원자 질량의 대부분을 차지하며, (+)전하를 띤다.
➡ 원자의 중심에는 원자 질량의 대부분을 차지하는 원자핵이 있으며, 원자핵은 (+)전하를 띤다.

④ 원자핵과 전자 사이에는 서로 끌어당기는 전기력이 작용한다.
➡ 원자핵은 (+)전하를 띠고, 전자는 (−)전하를 띠므로 원자핵과 전자 사이에는 서로 끌어당기는 전기력이 작용한다.

⑤ 원자에 비해 원자핵의 크기는 매우 작고, 원자의 내부는 대부분 빈 공간이다.
➡ 원자핵의 크기는 매우 작으며, 원자의 내부는 빈 공간이다.

02 톰슨은 음극선에 대한 몇 가지 실험에서 (−)극으로 사용한 금속의 종류와 방전관에 들어 있는 기체의 종류에 관계없이 음극선은 같은 특성을 보이므로 음극선의 구성 입자가 모든 물질에 공통적으로 들어 있는 입자라고 생각하였고, 이를 전자라고 명명하였다.

03 | 선택지 분석 |

㉠ (가)에서 음극선은 (+)극판 쪽으로 휘어진다.
➡ 음극선은(−)전하를 띠므로 (+)극판 쪽으로 힘을 받는다.

㉡ (나)에서 음극선은 질량이 있는 입자의 흐름이라는 것을 알 수 있다.
➡ 바람개비가 회전한다는 것은 음극선이 질량을 가지고 있음을 의미한다.

㉢ (다)에서 음극선의 진행 경로를 통해 음극선이 (−)전하를 띠고 있다는 것을 알 수 있다.
➡ 자기장 내에서 음극선이 받는 힘의 방향을 알면 전류의 방향을 알 수 있고, 전류의 방향과 음극선의 이동 방향이 반대이므로 음극선이 (−)전하를 띤다는 것을 알 수 있다.

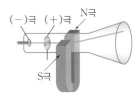
04 러더퍼드의 알파(α) 입자 산란 실험을 통해 원자핵을 발견
하였다.

05 │ 선택지 분석 │

ㄱ 알파(α) 입자 산란 실험을 통해 제안되었다.
　➡ 러더퍼드는 알파(α) 입자 산란 실험을 통해 원자의 중심에
　있는 원자핵의 존재를 밝혀냈다.

ㄴ 원자핵의 크기는 원자의 크기에 비해 매우 작다.
　➡ 대부분의 알파(α) 입자가 금박을 그대로 통과한 것으로 보아
　원자의 대부분은 빈 공간이고, 원자핵은 원자 중심의 매우 작은
　공간에 밀집되어 있다.

ㄷ 전자의 질량은 매우 작고, 원자핵이 원자 질량의 대부
분을 차지한다.
　➡ 전자의 질량은 원자핵의 질량에 비해 매우 작다.

06 │ 선택지 분석 │

ㄱ 마찰 전기는 서로 다른 두 물체를 마찰시킬 때 마찰에
의해 발생하는 전기이다.
　➡ 마찰 전기는 마찰에 의해 한 물체에서 다른 물체로 전자가 이
　동하여 발생하는 전기이다.

✗ 마찰 전기에 의해 어떤 물체가 대전될 때 한 물체에서
다른 물체로 ~~원자핵이~~ 이동한다.
　　　　　　　　　　　　전자가
　➡ 마찰 전기에 의해 물체가 대전되는 과정에서 이동하는 것은
　전자이다.

ㄷ 털가죽과 유리 막대를 마찰시키면 털가죽은 (+)전하
로 대전되고, 유리 막대는 (─)전하로 대전된다.
　➡ 털가죽이 유리 막대보다 전자를 잃기 쉬우므로 털가죽과 유
　리 막대를 마찰시키면 털가죽은 (+)전하를 띠고, 유리 막대는
　(─)전하를 띤다.

07 │ 선택지 분석 │

ㄱ A와 B의 전하의 종류는 다르다.
　➡ A와 B 사이에는 서로 끌어당기는 전기력이 작용하므로 A와
　B의 전하의 종류는 다르다.

ㄴ A와 B에 작용하는 전기력의 방향은 서로 반대이다.
　➡ A에 작용하는 전기력의 방향은 오른쪽이고, B에 작용하는
　전기력의 방향은 왼쪽이다.

✗ A에 작용하는 전기력의 크기는 ~~$2F$~~이다.
　　　　　　　　　　　　　　　F
　➡ 작용 반작용 법칙에 의해 주고받는 힘의 크기는 같다. 따라서
　A에 작용하는 전기력의 크기도 F이다.

08 │ 자료 분석 │

A의 전하량	B의 전하량	거리	전기력의 크기
1 C	2 C	d	F
2 C	(㉠)C	d	$2F$
1 C	4 C	(㉡)	F

$$F=k\frac{1\times2}{d^2}=k\frac{2}{d^2}$$

$$2F=k\frac{2\times㉠}{d^2} \Rightarrow ㉠=2$$

$$F=k\frac{1\times4}{㉡^2}=k\frac{4}{㉡^2} \Rightarrow ㉡=\sqrt{2}d$$

전하량의 곱이 2 C^2이고 거리가 d일 때 전기력이 F이다.
거리가 d, 전기력의 크기가 $2F$이면 전하량의 곱은 4 C^2이
되어야 한다. 따라서 ㉠은 2 C이다. 전하량의 곱이 4 C^2,
전기력의 크기가 F이면 거리는 $\sqrt{2}$배가 되어야 한다. 따라
서 ㉡은 $\sqrt{2}d$이다.

09 C에 작용하는 전기력이 0이므로 A와 C 사이에 작용하는
힘과 B와 C 사이에 작용하는 힘의 크기는 같다. 따라서
$\frac{4Qq}{(d+r)^2}=\frac{Qq}{r^2}$이므로 $d=r$이다.

10 │ 선택지 분석 │

ㄱ B는 (+)전하이다.
　➡ +1 C의 전하가 A로부터 받는 전기력의 방향은 $+x$ 방향
　인데, A와 B에 의한 전기력의 방향이 $-x$ 방향이므로 B로부
　터 받는 전기력의 방향이 $-x$ 방향이어야 한다. 따라서 B는
　(+)전하이다.

✗ 전하량은 A가 B보다 ~~크다.~~
　　　　　　　　　　　작다.
　➡ +1 C의 전하가 B로부터 받는 전기력이 크다. 따라서 전하
　량은 B가 A보다 크다.

ㄷ A와 O 사이에 +1 C의 전하가 받는 전기력이 0인 지
점이 있다.
　➡ 전하량이 B가 A보다 크므로 A와 O 사이에 +1 C의 전하
　가 받는 전기력이 0인 지점이 있다.

11 │ 선택지 분석 │

✗ 양성자와 전자 사이에는 서로 ~~밀어내는~~ 전기력이 작용
한다.
　　　　　　　　　끌어당기는
　➡ 양성자는 (+)전하, 전자는 (─)전하를 띠므로 서로 끌어당
　기는 전기력이 작용한다.

ⓒ 양성자와 전자 사이에 작용하는 전기력의 크기는 쿨롱 법칙으로 계산할 수 있다.
➡ 전기력의 크기는 두 전하의 전하량의 곱에 비례하고, 두 전하 사이의 거리의 제곱에 반비례한다. 이를 쿨롱 법칙이라고 한다.

✘ 양성자와 전자 사이의 거리가 멀어지면 전기력의 크기는 ~~커진다.~~
　　　작아진다.
➡ 전기력은 두 전하 사이의 거리의 제곱에 반비례하므로 양성자와 전자 사이의 거리가 멀어지면 전기력의 크기는 작아진다.

도전! 실력 올리기
134쪽~135쪽

01 ⑤　**02** ⑤　**03** ③　**04** ②　**05** ④　**06** ④

---

07 | 모범 답안 | (1) C, 러더퍼드는 알파(α) 입자의 운동량이 크기 때문에 금박 속의 (＋)전하를 통과한다고 생각하였다.
(2) 원자에 비해 원자핵의 크기가 매우 작기 때문이다.

08 0

09 | 모범 답안 | (가)의 A와 B를 접촉시킨 후 분리하면 A와 B의 전하량은 $\dfrac{+4Q+(-2Q)}{2}=+Q$이므로 (나)의 A와 B 사이에는 척력이 작용한다. 따라서 (나)의 B에 작용하는 전기력의 방향은 $+x$ 방향이다. (가)에서 A에 작용하는 전기력의 크기가 $F=k\dfrac{8Q^2}{16d^2}=k\dfrac{Q^2}{2d^2}$이므로 (나)에서 B에 작용하는 전기력의 크기는 $F'=k\dfrac{Q^2}{4d^2}=\dfrac{1}{2}F$이다.

---

01 | 선택지 분석 |

ⓖ 톰슨의 원자 모형에 대한 설명이다.
➡ 톰슨은 (＋)전하가 균일하게 분포되어 있는 구 속에 (－)전하인 전자들이 띄엄띄엄 박혀 있는 원자 모형을 제시하였다.

ⓛ 원자가 전기적으로 중성임을 설명할 수 있다.
➡ 원자 안의 (＋)전하와 (－)전하의 양이 같으므로 원자가 전기적으로 중성임을 설명할 수 있다.

ⓒ ㉠은 음극선 실험을 통해 밝혀진 입자이다.
➡ 전자는 음극선 실험으로 발견하였다.

02 ㄱ, ㄴ은 음극선이 (－)전하를 띤다는 것을, ㄷ은 음극선이 질량이 있는 입자라는 것을 보여 주는 실험 결과이다.

03 | 선택지 분석 |

ⓖ 알파(α) 입자는 (＋)전하를 띠고 있다.
➡ 알파(α) 입자는 헬륨($^4_2$He) 원자핵이므로 (＋)전하를 띠고 있다.

✘ 원자 질량의 대부분은 ~~전자~~의 질량이다.
　　　　　　　　　　　　원자핵
➡ 원자 질량의 대부분은 원자핵의 질량이다.

ⓒ 원자의 중심에는 (＋)전하를 띤 원자핵이 존재한다.
➡ 알파(α) 입자의 산란이 일어나는 것으로 보아 원자의 중심에 (＋)전하를 띤 원자핵이 존재하는 것을 알 수 있다.

더 알아보기 **알파(α) 입자 산란 실험**
러더퍼드는 금박에 방사성 원소인 라듐에서 나오는 알파(α) 입자를 충돌시킨 후 알파(α) 입자의 진로를 관찰하여 원자핵의 존재를 알아냈다.

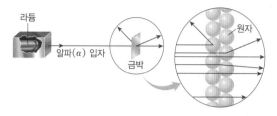

• 알파(α) 입자는 질량수가 4이고, 전하량이 $+2e$인 헬륨 원자핵($^4_2$He)이다.
• 대부분의 알파(α) 입자는 금박을 통과하여 직진한다. ⇨ 원자 내부의 대부분은 빈 공간이다.
• 소수의 알파(α) 입자가 큰 각도로 휘거나 튕겨 나온다. ⇨ 원자의 중심에는 (＋)전하를 띠는 매우 작고 무거운 입자가 존재한다.

---

04 | 선택지 분석 |

ⓖ B는 (－)전하이다.
➡ A에 작용하는 전기력이 0이 되려면 A와 B, A와 D 사이에는 인력이 작용해야 한다. 따라서 B, D는 모두 (－)전하이다.

ⓛ C에 작용하는 전기력은 0이다.
➡ C는 A로부터 척력을 받고, B, D로부터 인력을 받으며, 작용하는 각 힘의 크기는 A의 경우와 같다. 따라서 C에 작용하는 전기력은 0이다.

✘ B가 A에 작용하는 전기력의 크기는 C가 A에 작용하는 전기력의 크기보다 ~~크다.~~
　　　　　　　　　　　　　　　　　　　　　　　작다.
➡ B가 A에 작용하는 전기력과 D가 A에 작용하는 전기력의 합력은 C가 A에 작용하는 전기력과 크기가 같으므로 B가 A에 작용하는 전기력은 C가 A에 작용하는 전기력보다 작다.

05 | 자료 분석 |

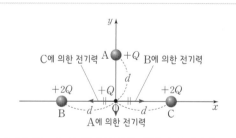

• O에 놓인 $+Q$의 전하에 작용하는 힘은 A가 밀어내는 전기력뿐이다. ⇨ 전기력의 방향: $-y$ 방향
• B와 C 사이의 전기력 $F=k\dfrac{4Q^2}{4d^2}=k\dfrac{Q^2}{d^2}$
• O와 A 사이의 전기력 $F'=k\dfrac{Q^2}{d^2}=F$

O에 $+Q$의 전하를 고정시켜 놓으면 B와 C에 의한 전기력의 크기는 같고 방향이 반대이므로 B와 C에 의한 전기

력의 합력은 0이고, O의 $+Q$에는 A가 밀어내는 전기력만 작용하므로 $+Q$에 작용하는 전기력의 방향은 $-y$ 방향이다.

B와 C 사이에 작용하는 전기력은 $F=k\dfrac{4Q^2}{4d^2}=k\dfrac{Q^2}{d^2}$이다. O에 있는 $+Q$와 A 사이에 작용하는 전기력의 크기는 $F'=k\dfrac{Q^2}{d^2}=F$이다.

06 | 선택지 분석 |

✘ A는 <s>(+)</s>전하이다.
    (−)전하

  ➡ C를 $x=d$에 놓을 때 전기력이 0이므로 A와 B의 전하의 종류는 같고, 전하량은 B가 A의 4배이다. C를 $x=4d$에 놓을 때 전기력의 방향이 $-x$ 방향이므로 A와 C, B와 C 사이에는 모두 인력이 작용한다. 따라서 A와 B는 (−)전하이다.

ⓒ ㉠은 $+x$ 방향이다.
  ➡ C를 $x=2d$에 놓을 때 B에 의한 전기력이 A에 의한 전기력보다 크므로 전기력의 방향은 $+x$ 방향이다.

ⓒ ㉡은 $\dfrac{13}{12}F$이다.
  ➡ A의 전하량을 $-Q$라고 하면 B의 전하량은 $-4Q$이다. 오른쪽 방향을 (+)라고 하면 C를 $x=2d$에 놓을 때 전기력의 크기는 $F=k\dfrac{4Q^2}{d^2}-k\dfrac{Q^2}{4d^2}=k\dfrac{15Q^2}{4d^2}$이다. C를 $x=4d$에 놓을 때 전기력의 크기는 $F'=\left|-k\dfrac{4Q^2}{d^2}-k\dfrac{Q^2}{16d^2}\right|=k\dfrac{65Q^2}{16d^2}=\dfrac{13}{12}F$이다.

07 (1) 러더퍼드는 알파(α) 입자들의 운동량이 크기 때문에 금박 속의 (+)전하를 통과한다고 생각하였다.

(2) 원자에 비해 원자핵의 크기는 매우 작다. 원자의 대부분은 빈 공간이므로 산란되는 알파(α) 입자가 많지 않다.

채점 기준	배점
(1)과 (2)를 옳게 서술한 경우	100 %
(1)과 (2) 중 한 가지만 옳게 서술한 경우	50 %

08 B는 A와 C로부터 각각 인력을 받으므로 두 힘의 방향은 서로 반대 방향이다. B가 A로부터 받는 전기력의 크기는 $k\dfrac{q^2}{d^2}$이고, B가 C로부터 받는 전기력의 크기도 $k\dfrac{4q^2}{4d^2}=k\dfrac{q^2}{d^2}$이므로 B에 작용하는 전기력의 합력은 0이다.

09 (가)의 A와 B를 접촉시킨 후 분리하면 A와 B의 전하량은 (+)전하와 (−)전하가 상쇄되고 남은 전하가 둘로 나누어지므로 $+Q$이다. 따라서 (나)의 A와 B 사이에는 척력이 작용하므로 B에 작용하는 전기력의 방향은 $+x$ 방향이다.
(가)에서 A에 작용하는 전기력의 크기가 $F=k\dfrac{8Q^2}{16d^2}$

$=k\dfrac{Q^2}{2d^2}$이므로 (나)에서 B에 작용하는 전기력의 크기는 $F'=k\dfrac{Q^2}{4d^2}=\dfrac{1}{2}F$이다.

채점 기준	배점
크기와 방향을 모두 옳게 서술한 경우	100 %
크기와 방향 중 1가지만을 옳게 서술한 경우	50 %

02~선 스펙트럼과 보어의 원자 모형

개념POOL   139쪽

01 (1) ㉠ 4 ㉡ 0.66 (2) ㉢ > ㉣ > ㉤ <
02 (1) ◯ (2) ◯ (3) ◯ (4) ✕

01 (1) 광자 1개의 에너지는 두 궤도의 에너지 준위의 차이와 같다. 따라서 $n=4$인 궤도에서 $n=2$인 궤도로 전이할 때는 $E_A=-0.85-(-3.40)=2.55(\text{eV})$이고, $n=4$인 궤도에서 $n=3$인 궤도로 전이할 때는 $E_B=-0.85-(-1.51)=0.66(\text{eV})$이다.

02 (4) 광자의 에너지는 방출되는 빛의 파장에 반비례한다.

탐구POOL   140쪽

01 (1) ◯ (2) ◯ (3) ✕
02 ㉠ 선 ㉡ 양자화

01 (3) 기체 내 전자의 에너지 준위는 불연속적이다.

02 전자의 에너지 준위가 양자화되어 있어 스펙트럼이 연속적이지 않고 선 스펙트럼의 형태를 보인다.

콕콕! 개념 확인하기   141쪽

✔ 잠깐 확인!

1 연속   **2** 흡수   **3** 보어   **4** 양자수   **5** 가시광선
6 라이먼

01 (1) ― ㉠ (2) ― ㉢ (3) ― ㉡
02 (1) ◯ (2) ✕ (3) ◯ (4) ◯ (5) ◯
03 ㉠ 바닥 ㉡ 흡수 ㉢ 들뜬 ㉣ 방출
04 A: 라이먼 계열 B: 발머 계열 C: 파셴 계열

01 여러 가지 파장의 빛이 연속적으로 나타나는 것은 연속 스펙트럼이고, 검은 바탕에 몇 개의 밝은 선이 나타나는 것은 방출 스펙트럼이며, 연속 스펙트럼에 검은 선이 나타나는 것은 흡수 스펙트럼이다.

02 (2) 원자 속의 전자는 불연속적인 에너지를 갖는 특정한 궤도에만 존재할 수 있고, 각 궤도의 중간 부분에는 존재할 수 없다.

04 A는 들뜬상태의 전자가 $n=1$인 궤도로 전이할 때 자외선을 방출하는 라이먼 계열이다. B는 들뜬상태의 전자가 $n=2$인 궤도로 전이할 때 가시광선을 방출하는 발머 계열이다. C는 들뜬상태의 전자가 $n=3$인 궤도로 전이할 때 적외선을 방출하는 파셴 계열이다.

탄탄! 내신 다지기　　　　　　142쪽~143쪽

01 ⑤　　**02** ③　　**03** ㉠ 연속 ㉡ 선　　**04** ②　　**05** ㉠ 파장
㉡ 진동수(또는 에너지)　　**06** ③　　**07** ①　　**08** ①　　**09** ①
10 ㉠ 라이먼 ㉡ 자외선

---

01 동일한 기체의 방출 스펙트럼과 흡수 스펙트럼에 나타나는 선의 위치는 일치한다.

02 A, B, C의 방출 스펙트럼과 (나)의 흡수 스펙트럼을 비교하면 A와 C의 방출 스펙트럼을 합한 선의 위치가 흡수 스펙트럼의 선의 위치와 일치하므로 용기 안에 들어 있는 기체의 종류는 A, C이다.

03 햇빛을 프리즘에 통과시키면 연속 스펙트럼이 나타나고, 가열된 기체에서 방출된 빛을 프리즘에 통과시키면 선 스펙트럼이 나타난다.

04 | 선택지 분석 |

㉠ (가)는 백열등에서 나오는 빛의 스펙트럼이다.
　➡ (가)는 연속 스펙트럼이므로 백열등에서 나오는 빛의 스펙트럼이다.

㉡ (나)는 선 스펙트럼이다.
　➡ (나)는 선 스펙트럼으로, 기체 방전관에 높은 전압을 걸어 줄 때 방출되는 빛의 스펙트럼이다.

✗ (나)는 전자의 에너지 준위가 ~~연속적인~~ 상태에서 나타난다.
　　　　　　　　　　　불연속적인
　➡ (나)의 선 스펙트럼은 전자의 에너지 준위가 불연속적인 상태에서 나타난다.

05 빛의 파장은 보라색에서 빨간색으로 갈수록 길어지며, 빛의 파장이 길어질수록 진동수와 에너지는 작아진다.

---

06 | 선택지 분석 |

① 전자가 가지는 에너지는 불연속적이다.
　➡ 전자가 돌고 있는 궤도와 가질 수 있는 에너지는 양자수에 따라 결정되므로 불연속적이다.

② 양자수 $n=1$인 에너지 준위에 있을 때를 바닥상태라고 한다.
　➡ 바닥상태는 원자 내 전자가 가장 낮은 에너지 준위를 갖는 상태로, 양자수 $n=1$인 궤도에 있을 때이다.

✓ 전자가 전이할 때 흡수하거나 방출하는 에너지는 ~~파장~~에 비례한다.
　　　　　　　　　　　　　　　　　　　　　　진동수
　➡ 전자가 전이할 때 흡수하거나 방출하는 에너지는 진동수에 비례하고 파장에 반비례한다.

④ 전자가 가지는 에너지는 바닥상태일 때 가장 작고, 양자수 n이 커질수록 커진다.
　➡ 바닥상태일 때 전자의 에너지가 가장 작아 안정되고, 양자수 n이 커질수록 전자의 에너지 준위가 커진다.

⑤ 전자의 에너지는 양자화되어 있어 원자의 스펙트럼은 선 스펙트럼으로 나타난다.
　➡ 전자의 에너지는 양자화되어 있어 불연속적이다. 따라서 원자의 스펙트럼은 띄엄띄엄한 선으로 나타난다.

07 | 선택지 분석 |

㉠ (가)에서 전자는 가장 안정한 상태이다.
　➡ 전자는 양자수 $n=1$인 궤도에 있을 때 가장 안정하다.

✗ 전자가 (가)에서 (나)로 전이할 때 빛을 ~~방출~~한다.
　　　　　　　　　　　　　　　　　　흡수
　➡ 전자가 에너지 준위가 낮은 궤도에서 높은 궤도로 전이하면 두 궤도의 에너지 준위의 차이에 해당하는 에너지를 가진 빛을 흡수한다.

✗ 전자의 에너지 준위는 (가)에서가 (나)에서보다 ~~크다~~.
　　　　　　　　　　　　　　　　　　　　　　작다.
　➡ 전자는 양자수가 커질수록 에너지 준위가 증가하므로 에너지 준위는 (가)에서가 (나)에서보다 작다.

더 알아보기 **에너지의 흡수와 방출**

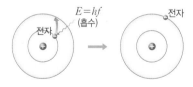

· 바닥상태의 전자가 에너지를 흡수하면 높은 에너지 준윗값을 가지는 궤도로 옮겨간다.

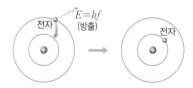

· 들뜬상태의 전자가 에너지를 방출하면 낮은 에너지 준윗값을 가지는 궤도로 옮겨간다.

---

08 | 선택지 분석 |

✓ b는 눈으로 볼 수 ~~없다~~.
　　　　　　　　있다.
　➡ 가시광선 영역이므로 눈으로 볼 수 있다.

② 발머 계열의 스펙트럼이다.

➡ 양자수 $n=2$인 궤도로 전이하면서 방출하는 빛의 스펙트럼 계열은 발머 계열이다.

③ 광자 1개의 에너지는 b가 a보다 크다.

➡ 광자의 에너지는 진동수에 비례하므로 광자 1개의 에너지는 b가 a보다 크다.

④ 수소 원자의 에너지 준위는 양자화되어 있다.

➡ 수소 원자의 에너지 준위는 양자수에 따라 결정되는 특정한 값만을 가질 수 있으므로 양자화되어 있다.

⑤ a는 양자수 $n=3$인 궤도에서 $n=2$인 궤도로 전이할 때 방출하는 빛이다.

➡ a는 발머 계열의 빛 중 진동수가 가장 작은 빛이므로 양자수 $n=3$인 궤도에서 $n=2$인 궤도로 전이할 때 방출하는 빛이다.

09 | 자료 분석 |

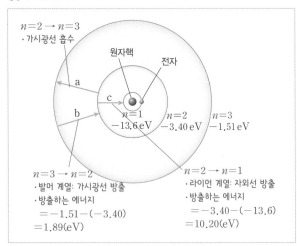

| 선택지 분석 |

✔ a일 때 흡수하는 빛은 자~~외선~~ 영역이다.
_{가시광선}

➡ 전자가 $n=2$인 궤도에서 $n=3$인 궤도로 전이할 때 흡수하는 빛은 가시광선 영역이다.

② b일 때 방출하는 빛은 발머 계열이다.

➡ 전자가 $n=3$인 궤도에서 $n=2$인 궤도로 전이할 때 방출하는 빛의 스펙트럼은 발머 계열이다.

③ c일 때 방출하는 빛의 에너지는 10.2 eV이다.

➡ c일 때 방출하는 빛의 에너지는 $-3.40-(-13.6)=$ 10.2(eV)이다.

④ 전자는 $n=1$인 궤도에서 가장 안정하다.

➡ 전자가 가지는 에너지는 바닥상태일 때 가장 작으므로 전자는 $n=1$인 궤도에서 가장 안정하다.

⑤ 원자핵과 전자 사이에 작용하는 쿨롱 힘의 크기는 $n=1$인 궤도에서 가장 크다.

➡ $n=1$인 궤도에서 전자의 궤도 반지름이 가장 작으므로 원자핵과 전자 사이의 전기력이 가장 크다.

10 들뜬상태의 전자가 $n=1$인 궤도로 전이할 때 방출하는 빛의 선 스펙트럼은 라이먼 계열로, 자외선 영역의 빛을 방출한다.

01 ③ **02** ① **03** ④ **04** ③ **05** ③ **06** ④

07 연속 스펙트럼

08 | 모범 답안 | 기체 원자의 에너지 준위가 불연속적이기 때문에 선 스펙트럼이 나타나고, 기체의 종류가 다르면 전자 궤도의 에너지 분포가 다르기 때문에 수소와 헬륨의 선 스펙트럼에서 선의 위치가 다르다.

09 | 모범 답안 | 12.1 eV, $E_a=-3.40-(-13.6)=$ $10.2(eV)$이고, $E_b=-1.51-(-3.40)=1.89(eV)$이므로 $E_a+E_b=12.09$ eV≒12.1 eV이다.

01 | 선택지 분석 |

ㄱ (가)는 흡수 스펙트럼이다.

➡ 백열등에서 나온 빛이 저온의 기체를 통과하면 연속 스펙트럼에 검은 선이 나타나는 흡수 스펙트럼이 생긴다.

ㄴ 태양의 성분에는 수소가 있음을 알 수 있다.

➡ 수소 기체의 흡수 스펙트럼과 태양의 스펙트럼의 위치가 일치하므로 태양의 성분에는 수소가 있음을 알 수 있다.

✗ 파장이 a인 광자 1개의 에너지와 같은 에너지 준위 차이가 수소 기체에 ~~있다.~~
_{없다.}

➡ (가)의 스펙트럼에 파장 a에 해당하는 스펙트럼 선이 없으므로 수소 기체에는 파장이 a인 광자 1개의 에너지와 같은 에너지 준위 차이가 없다.

02 | 선택지 분석 |

ㄱ A와 B는 같은 종류의 기체이다.

➡ A의 흡수 스펙트럼과 B의 방출 스펙트럼의 선의 위치가 일치하므로 A와 B는 같은 종류의 기체이다.

✗ A의 에너지 준위는 ~~연속적~~이다.
_{불연속적}

➡ 백색광이 저온의 기체 A를 통과한 후 흡수 스펙트럼이 만들어지므로 A의 에너지 준위는 불연속적이다.

✗ B에서 전이하는 전자의 에너지 준위 차이는 b를 방출한 경우가 a를 방출한 경우보다 ~~크다.~~
_{작다.}

➡ 전이하는 전자의 에너지 준위 차이는 파장이 작을수록 크다. 따라서 B에서 전이하는 전자의 에너지 준위 차이는 b를 방출한 경우가 a를 방출한 경우보다 작다.

03 | 선택지 분석 |

✗ $f_{(가)}$가 $f_{(나)}$보다 ~~크다.~~
_{작다.}

➡ 에너지 준위의 차이가 클수록 진동수가 큰 빛을 방출하므로 $f_{(가)}$가 $f_{(나)}$보다 작다.

ㄴ 전자의 에너지 준위는 양자화되어 있다.

➡ 수소 원자 모형에서 전자가 원자핵 주변을 돌 수 있는 거리는 정해져 있다. 즉, 전자가 갖는 에너지 준위는 특정한 값만을 가질 수 있으므로 양자화되어 있다.

ㄷ 전자가 $n=2$인 궤도에서 $n=1$인 궤도로 전이할 때 방출하는 빛의 진동수는 $f_{(나)}-f_{(가)}$이다.

➡ 전자가 $n=2$인 궤도에서 $n=1$인 궤도로 전이할 때 방출하는 빛의 진동수를 f라고 하면 $f_{(나)}=f_{(가)}+f$이므로 $f=f_{(나)}-f_{(가)}$이다.

04 | 자료 분석 |

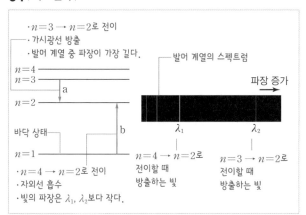

· $n=3 \rightarrow n=2$로 전이
· 가시광선 방출
· 발머 계열 중 파장이 가장 길다.

발머 계열의 스펙트럼

파장 증가 →

$n=4$
$n=3$
$\quad$ a
$n=2$

바닥 상태
$\quad$ b

$n=1$

λ_1 $\qquad$ λ_2

$n=4 \rightarrow n=2$로
전이할 때
방출하는 빛

$n=3 \rightarrow n=2$로
전이할 때
방출하는 빛

· $n=4 \rightarrow n=2$로 전이
· 자외선 흡수
· 빛의 파장은 λ_1, λ_2보다 작다.

| 선택지 분석 |

㉠ a 과정에서 방출하는 빛의 파장은 λ_2이다.
➡ $n=3$인 궤도에서 $n=2$인 궤도로 전이할 때 방출하는 빛은 발머 계열에서 파장이 가장 길다.

✗ b 과정에서 흡수하는 빛의 파장은 λ_2보다 ~~길다.~~ 짧다.
➡ b 과정에서 흡수하는 빛은 자외선 영역이고, λ_2는 가시광선 영역의 파장이므로 b 과정에서 흡수하는 빛의 파장은 λ_2보다 짧다.

㉢ 전자가 가지는 에너지는 $n=1$일 때가 가장 작다.
➡ 전자가 가지는 에너지는 바닥상태일 때가 가장 작다.

05 | 선택지 분석 |

① ㉠은 E_1이다.
➡ 바닥상태의 에너지는 E_1이고, 이때 전자의 에너지가 가장 작다.

② ㉡은 흡수이다.
➡ 에너지 준위가 낮은 궤도에서 높은 궤도로 전이할 때 에너지를 흡수한다.

③ ㉢이 가지는 에너지는 ~~13.6 eV~~이다.
10.2 eV
➡ ㉢은 $-3.40\ eV-(-13.6\ eV)=10.2\ eV$이다.

④ ㉣은 방출이다.
➡ 에너지 준위가 높은 궤도에서 낮은 궤도로 전이할 때 에너지를 방출한다.

⑤ ㉤은 짧다이다.
➡ 빛의 에너지는 파장에 반비례한다. 따라서 전자가 $n=1$인 궤도에서 $n=2$인 궤도로 전이할 때 흡수하는 빛의 파장은 $n=3$인 궤도에서 $n=2$인 궤도로 전이할 때보다 짧다.

06 | 선택지 분석 |

✗ 광자 1개의 에너지는 B가 A보다 ~~크다.~~ 작다.
➡ 광자 1개의 에너지는 파장이 작을수록 크다.

㉡ λ_3은 전자가 $n=4$인 궤도에서 $n=2$인 궤도로 전이할 때 방출하는 빛의 파장이다.
➡ λ_3은 발머 계열에서 파장이 두 번째로 긴 빛이므로 전자가 $n=4$인 궤도에서 $n=2$인 궤도로 전이할 때 방출하는 빛의 파장이다.

㉢ $\dfrac{1}{\lambda_1}=\dfrac{1}{\lambda_2}+\dfrac{1}{\lambda_4}$이다.
➡ A는 $n=3 \rightarrow n=1$, B는 $n=2 \rightarrow n=1$, D는 $n=3 \rightarrow n=2$로 전이할 때 방출하는 빛이므로 각각의 에너지를 E_1, E_2, E_4라고 하면 $E_1=E_2+E_4$이다. 광자의 에너지는 파장에 반비례하므로 $\dfrac{1}{\lambda_1}=\dfrac{1}{\lambda_2}+\dfrac{1}{\lambda_4}$이다.

07 빛의 색이 연속적으로 나타나는 스펙트럼을 연속 스펙트럼이라고 한다.

08 기체 원자 내의 전자는 불연속적인 에너지 준위를 갖는다. 이때 기체의 종류가 다르면 전자 궤도의 에너지 분포가 다르므로 선 스펙트럼에서 선의 위치, 개수, 모양 등이 다르게 나타난다.

채점 기준	배점
선 스펙트럼이 만들어지는 까닭과 선 스펙트럼에서 선의 위치가 다른 까닭을 모두 옳게 서술한 경우	100 %
선 스펙트럼이 만들어지는 까닭과 선 스펙트럼에서 선의 위치가 다른 까닭 중 1가지만 옳게 서술한 경우	50 %

09 전자가 에너지 준위가 낮은 궤도에서 높은 궤도로 전이할 때 두 에너지 준위의 차이에 해당하는 빛을 흡수한다.

채점 기준	배점
계산한 값과 풀이 과정이 모두 옳은 경우	100 %
계산한 값만 옳은 경우	50 %

실전! 수능 도전하기 $\qquad$ 147쪽~149쪽

01 ② $\quad$ 02 ② $\quad$ 03 ② $\quad$ 04 ② $\quad$ 05 ③ $\quad$ 06 ③ $\quad$ 07 ②
08 ③ $\quad$ 09 ③ $\quad$ 10 ② $\quad$ 11 ④ $\quad$ 12 ②

01 | 선택지 분석 |

✗ ~~(가)~~에서 발견된 입자는 원자 질량의 대부분을 차지한다.
(나)
➡ (나)에서 발견된 입자는 원자핵으로, 원자 질량의 대부분을 차지한다.

✗ (가)와 (나)에서 발견된 입자는 모두 (−)전하를 띤다.
➡ (가)에서 발견된 입자는 (−)전하를 띠는 전자이고, (나)에서 발견된 입자는 (+)전하를 띠는 원자핵이다.

㉢ (나)에서 A가 산란되도록 하는 입자는 원자의 중심에 존재한다.
➡ 알파(α) 입자의 산란은 원자 중심의 원자핵 때문에 일어난다.

02 | 선택지 분석 |

✗ ㉠에 들어갈 과학자는 ~~보어~~이다.
톰슨
➡ 음극선 실험을 통해 전자를 발견한 과학자는 톰슨이다.

㉡ 알파(α) 입자가 산란되는 까닭은 ㉡ 때문이다.

➡ ⓒ은 원자핵이다. (＋)전하를 띠고 있는 원자핵 때문에 알파 (α) 입자가 산란된다.

✗ ⓒ은 수소 원자의 에너지 준위가 ~~연속적~~이기 때문에 _{불연속적} 만들어진다.

➡ 수소 원자의 에너지 준위가 불연속적이기 때문에 수소 원자에서 방출되는 빛은 선 스펙트럼의 형태로 나타난다.

더 알아보기 원자 모형의 발전

▲ 톰슨   ▲ 러더퍼드   ▲ 보어

• **톰슨의 원자 모형**: 원자 안에 (＋)전하가 골고루 퍼져 있고, 전자들이 푸딩의 건포도처럼 듬성듬성 박혀 있다.

• **러더퍼드의 원자 모형**: 원자의 중심에는 (＋)전하를 띠고 크기는 매우 작으나 원자 질량의 대부분을 차지하는 무거운 원자핵이 있으며, 그 주위를 (－)전하를 띠는 가벼운 전자가 돌고 있다.

• **보어의 원자 모형**: 원자핵 주위의 전자는 특정한 에너지를 가진 궤도를 돌고 있다.

---

03 | 선택지 분석 |

✗ A는 ~~(－)전하~~이다. _{(＋)전하}

➡ p에 놓인 ＋1 C의 전하가 A와 B로부터 받는 전기력의 방향은 같고, q에 있는 ＋1 C의 전하가 A와 B로부터 받는 전기력의 방향은 반대이므로 p에 있는 ＋1 C의 전하는 A와 B로부터 $-x$ 방향으로 전기력을 받는다. 따라서 A와 B는 모두 (＋)전하이다.

ⓛ 전하량은 B가 A보다 많다.

➡ q에 있는 ＋1 C의 전하는 A로부터 ＋x 방향으로 전기력을 받고, B로부터 $-x$ 방향으로 전기력을 받는다. A와 B의 전기력의 합력의 방향이 $-x$ 방향이므로 전하량은 B가 A보다 많다.

✗ ＋1 C의 전하를 r에 놓았을 때 A와 B로부터 받는 전기력의 크기는 p에 ＋1 C의 전하를 놓았을 때 A와 B로부터 받는 전기력의 ~~크기와 같다~~. _{크기보다 크다.}

➡ 전하량은 B가 A보다 많다. 따라서 ＋1 C의 전하를 r에 놓았을 때 A와 B로부터 받는 전기력의 크기는 ＋1 C의 전하를 p에 놓았을 때 A와 B로부터 받는 전기력의 크기보다 크다.

---

04 | 선택지 분석 |

✗ A는 ~~(＋)전하~~이다. _{(－)전하}

➡ A와 C는 다른 종류의 전하이고, A와 B도 다른 종류의 전하이므로 B와 C는 같은 종류의 전하이다. q에서 B와 C에 의한 전기장의 방향은 ＋x 방향이고, 전기장의 방향은 (＋)전하가 받는 전기력의 방향이므로 B와 C는 (＋)전하, A는 (－)전하이다.

ⓛ 전하량은 C가 B보다 많다.

➡ p에서 A와 C에 의한 전기장이 0이므로 A와 C는 다른 종류의 전하이며, 전하량은 C가 A보다 많다. q에서 A와 B에 의

한 전기장이 0이므로 A와 B는 다른 종류의 전하이며, 전하량은 A가 B보다 많다. 따라서 전하량은 C가 B보다 많다.

✗ p에서 A, B, C에 의한 전기장의 방향은 ~~＋x 방향~~이다. _{－x 방향}

➡ p에서 A와 C에 의한 전기장이 0이므로 p에서의 전기장은 B에 의한 전기장이다. B는 (＋)전하이므로 B에 의한 전기장의 방향은 $-x$ 방향이다.

---

05 A와 B가 각각 C에 작용하는 전기력의 크기는 같고, 방향은 반대이다. 따라서 A와 B는 다른 종류의 전하이고, A가 (＋)전하이므로 B는 (－)전하이다. B의 전하량을 $-Q_B$, C의 전하량을 ＋q라고 하면 $k\dfrac{Q_0 q}{9d^2}=-k\dfrac{Q_B q}{d^2}$에서 $Q_B=-\dfrac{1}{9}Q_0$이다.

---

06 | 선택지 분석 |

✗ A와 B의 전하의 종류는 ~~같다~~. _{다르다.}

➡ A와 B 사이에는 서로 끌어당기는 전기력이 작용하므로 A, B의 전하의 종류는 다른 종류이다.

✗ A에 작용하는 전기력이 B에 작용하는 전기력보다 작다.

➡ 작용 반작용 법칙에 의해 A와 B 사이에 작용하는 전기력의 크기는 같다.

ⓒ 질량은 A가 B보다 작다.

➡ θ_2가 θ_1보다 크므로 질량은 A가 B보다 작다.

---

07 | 선택지 분석 |

① LCD 화면에서 나오는 빛의 스펙트럼은 ~~A~~이다. _D

➡ LCD 화면에서 나오는 빛은 빨강, 초록, 파랑에 해당하는 특정 영역이 나타나는 D이다.

✓ 수소 기체 방전관에서 나오는 빛의 스펙트럼은 C이다.

➡ 수소 기체 방전관에서 나오는 빛은 밝은 선이 띄엄띄엄 나타나는 선 스펙트럼이므로 C이다.

③ 백열등에서 나오는 빛의 스펙트럼은 ~~D~~이다. _A

➡ 백열등에서 나오는 빛의 스펙트럼은 연속 스펙트럼이므로 A이다.

④ 저온 기체관에는 수소 기체가 들어 있다.

➡ 저온의 기체를 통과한 백열등 빛의 흡수 스펙트럼인 B는 수소 기체 방전관에서 나오는 빛의 스펙트럼인 C와 선의 위치가 다르므로 저온 기체관에 들어 있는 기체는 수소 기체가 아니다.

⑤ 수소 원자의 에너지 준위는 ~~연속적~~이다. _{불연속적}

➡ C에서 밝은 선이 띄엄띄엄 나타나므로 수소 원자의 에너지 준위는 불연속적이다.

---

08 | 선택지 분석 |

ⓛ ㉠＋㉡＝4이다.

➡ 전자는 두 궤도의 에너지 준위 차이에 해당하는 빛을 흡수하므로 전자가 흡수한 빛의 에너지는 -1.51 eV$-(-13.6$ eV$)$ ＝12.09 eV이다. 따라서 전자가 $n=1$인 궤도에서 $n=3$인 궤도로 전이할 때이므로 ㉠은 1이고, ㉡은 3이다.

ⓒ ⓒ은 자외선 영역이다.
➡ 12.09 eV인 빛을 흡수하는 경우는 전자가 양자수 $n=1$인 궤도에 있을 때이다. 이때 전자가 전이하기 위해 흡수하는 빛은 자외선 영역이다.

✗ ~~$n=2$인 궤도와 $n=3$인 궤도 사이에 전자가 존재할 수 있다.~~
없다.
➡ 전자는 특정한 궤도에만 존재하며, 궤도와 궤도 사이에는 존재할 수 없다.

09 | 자료 분석 |

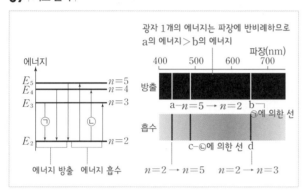

광자 1개의 에너지는 파장에 반비례하므로
a의 에너지 > b의 에너지

| 선택지 분석 |

ⓒ 광자 1개의 에너지는 a가 b보다 크다.
➡ 광자의 에너지는 파장에 반비례하므로 광자 1개의 에너지는 a가 b보다 크다.

ⓒ c는 ⓒ에 의해 나타난 스펙트럼 선이다.
➡ b에서 방출하는 에너지와 d에서 흡수하는 에너지는 같다. c는 d 다음으로 큰 에너지를 흡수하는 전이 과정이므로 ⓒ에 의해 나타난 스펙트럼 선이다.

✗ d에서 광자의 진동수는 $\dfrac{E_5-E_2}{h}$이다.
➡ d에서 흡수하는 에너지는 b에서 방출하는 에너지와 같으므로 d에서 흡수하는 광자 1개의 에너지는 $E_3-E_2=hf$에서 $f=\dfrac{E_3-E_2}{h}$이다.

10 | 선택지 분석 |

✗ 수소 원자는 13.6 eV보다 큰 에너지를 갖는 광자를 방출할 수 있다.
➡ 수소 원자에서 방출하는 광자가 가지는 에너지의 최댓값은 13.6 eV이다.

ⓒ 수소 원자에서 방출되는 빛 중 파장이 가장 짧은 것은 라이먼 계열에 속한다.
➡ 수소 원자에서 방출되는 빛 중 파장이 가장 짧은 빛, 즉 진동수가 가장 큰 빛은 라이먼 계열에 속한다.

✗ 파셴 계열의 가장 큰 진동수는 발머 계열의 가장 작은 진동수보다 ~~크다.~~
작다.
➡ 파셴 계열에서 광자가 가지는 에너지의 최댓값은 1.51 eV이고, 발머 계열에서 광자가 가지는 에너지의 최솟값은 1.89 eV이므로 파셴 계열의 가장 큰 진동수는 발머 계열의 가장 작은 진동수보다 작다.

11 | 선택지 분석 |

✗ ~~$f_1+f_2=f_4$이다.~~
f_3
➡ f_1은 양자수 $n=3$에서 $n=2$로 전이할 때의 진동수이고, f_3, f_4는 각각 양자수 $n=2$에서 $n=1$로, $n=3$에서 $n=1$로 전이할 때의 진동수이다. 따라서 $f_1+f_3=f_4$이다.

ⓒ 수소 원자의 에너지 준위는 불연속적이다.
➡ 수소 원자의 에너지 준위가 불연속적이므로 선 스펙트럼이 나타난다.

ⓒ f_4는 전자가 양자수 $n=3$인 궤도에서 $n=1$인 궤도로 전이할 때 방출하는 빛의 진동수이다.
➡ 라이먼 계열은 전자가 들뜬상태에서 양자수 $n=1$인 궤도로 전이할 때 방출하는 빛이므로 두 번째로 진동수가 작은 빛은 양자수 $n=3$인 궤도에서 $n=1$인 궤도로 전이할 때 방출하는 빛이다.

12 | 선택지 분석 |

✗ A는 ~~e 과정~~에서 방출되는 빛이다.
a 과정
➡ A는 발머 계열의 가장 긴 파장의 빛이므로 a 과정에서 방출되는 빛이다.

ⓒ λ_2는 라이먼 계열의 빛의 파장이다.
➡ λ_2는 전자가 양자수 $n=2$인 궤도에서 $n=1$인 궤도로 전이할 때 방출하는 빛이므로 라이먼 계열이다.

✗ ~~$\lambda_1+\lambda_2=\lambda_3$이다.~~
➡ λ_1, λ_2, λ_3의 광자 1개의 에너지를 각각 E_1, E_2, E_3이라고 하면 $E_3=E_1+E_2$이다. $E=\dfrac{hc}{\lambda}$이고, 광자 1개의 에너지는 파장에 반비례하므로 $\dfrac{1}{\lambda_1}+\dfrac{1}{\lambda_2}=\dfrac{1}{\lambda_3}$이다.

03 ~ 에너지띠와 전기 전도성

| 개념POOL | 153쪽 |

01 (1) ㉠ 도체 ㉡ A ㉢ B (2) A: 원자가 띠 B: 전도띠
02 (1) ✗ (2) ✗ (3) ○ (4) ○ (5) ✗

01 (1) 원자가 띠인 A와 전도띠인 B가 겹쳐 있으므로 이 고체는 도체이다.

02 (1) 에너지띠 사이의 띠 간격에는 전자가 존재하지 않는다.
(2) 기체의 에너지 준위는 불연속적인 선으로 존재한다.
(5) 양공은 (+)전하의 성질을 띤다.

| 탐구POOL | 154쪽 |

01 약 1.3×10^5 $1/\Omega\cdot m$
02 띠 간격
03 ㉠ 도체 ㉡ 절연체 ㉢ 반도체

01 (1) 전기 전도도 $= \dfrac{1}{\rho} = \dfrac{1}{RS} = \dfrac{0.1}{1 \times \pi (0.5 \times 10^{-3})^2}$

$\fallingdotseq 1.3 \times 10^5 (1/\Omega \cdot m)$

02 띠 간격이 없거나 붙어 있거나 겹쳐 있으면 전기 전도도가 큰 도체이고, 띠 간격이 넓으면 전기 전도도가 작은 절연체이다.

콕콕! 개념 확인하기   155쪽

✓ 잠깐 확인!

1 파울리 배타   **2** 에너지띠   **3** 원자가 띠   **4** 전도띠
5 띠 간격   **6** 양공   **7** 도체

01 ㉠ 파울리 배타 ㉡ 에너지띠
02 ㉠ 허용된 띠 ㉡ 띠 간격 ㉢ 원자가 띠 ㉣ 전도띠
03 A: 전자 B: 양공
04 (1) ○ (2) ✕ (3) ○ (4) ✕

01 원자가 많을수록 파울리 배타 원리에 의해 에너지 준위는 미세한 차이를 두면서 존재하여 에너지띠를 형성한다.

02 전자가 존재할 수 있는 허용된 띠는 원자가 띠와 전도띠이며, 전자가 존재할 수 없는 영역은 띠 간격이다.

04 (2) A는 띠 간격이므로 전자는 이 구간에 존재할 수 없다.
(4) 규소, 저마늄은 반도체이므로 (다)에 해당한다.

탄탄! 내신 다지기   156쪽~157쪽

01 ③   **02** ③   **03** ④   **04** ⑤   **05** ④   **06** 0.67 eV
07 ②   **08** ②   **09** ③   **10** ⑤   **11** ㉠ 절연체 ㉡ 전자
㉢ 반도체

01 | 선택지 분석 |

① (가)에서 E_1은 E_2보다 작다.
➡ 양자수가 클수록 에너지 준위가 크므로 E_2가 E_1보다 크다.

② (가)에서는 에너지 준위가 불연속적이다.
➡ (가)는 기체 원자의 에너지 준위이고, 기체 원자의 에너지 준위는 불연속적이다.

③̌ (나)는 ~~기체~~ 원자의 에너지 준위이다.
    고체
➡ 에너지띠는 원자들이 매우 좁은 영역에 모여 있는 고체에서 만들어진다. 따라서 (나)는 고체 원자 에너지 준위이다.

④ (나)에서 전자는 허용된 띠에만 존재한다.
➡ 전자는 원자가 띠, 전도띠와 같은 허용된 띠에만 존재한다.

⑤ (나)에서 전자들의 에너지 준위가 겹쳐져서 에너지띠를 만든다.
➡ 고체에서 전자들의 에너지 준위가 미세하게 나누어져 겹쳐져서 에너지띠를 만든다.

더 알아보기 기체 원자와 고체 원자의 에너지 준위 분포 차이

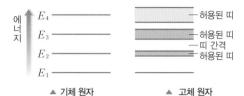

▲ 기체 원자   ▲ 고체 원자

• 기체는 원자들 사이의 거리가 멀기 때문에 서로 영향을 주지 않는다.
• 고체는 원자 사이의 간격이 가깝기 때문에 인접한 원자들이 모두 전자의 궤도에 영향을 준다. 원자들이 서로 가까워지면 원자의 에너지 준위는 서로 겹치지 않도록 미세한 차이를 두면서 분포하게 되고, 에너지 준위가 연속적인 띠(에너지띠)를 이루게 된다.

02 | 선택지 분석 |

㉠ 물질의 상태는 고체이다.
➡ 에너지띠는 고체 물질에 만들어진다.

✕ ㉠에는 하나의 전자만 존재할 수 있다.
➡ 기체 원자는 하나의 궤도에 하나의 전자만 존재할 수 있지만, 고체의 에너지띠는 무수히 많은 에너지 준위가 합쳐져서 만들어지므로 에너지띠에는 무수히 많은 전자가 분포한다.

㉢ ㉡은 띠 간격이다.
➡ 띠 간격은 에너지띠와 에너지띠 사이의 영역이다.

03 | 선택지 분석 |

① (가)는 전도띠이다.
➡ (가)는 원자가 띠 바로 위의 에너지띠이므로 전도띠이다.

② A가 좁은 고체일수록 전기 전도성이 좋다.
➡ 띠 간격이 좁은 고체일수록 전기 전도성이 좋다.

③ (나)에서 전자의 에너지 준위는 미세하게 겹쳐 있다.
➡ 에너지띠에서 전자의 에너지 준위는 미세하게 겹쳐 있다.

④̌ 원자가 띠의 전자가 에너지를 흡수하면 A에 존재할 수 ~~있다.~~
    없다.
➡ 에너지띠와 에너지띠 사이에는 전자가 존재할 수 없으므로 띠 간격인 A에는 전자가 존재할 수 없다.

⑤ 고체에 전류가 흐를 수 있도록 하는 자유 전자는 (가)에 분포한다.
➡ (가)는 전도띠이며, 자유 전자는 전도띠에 분포한다.

04 | 선택지 분석 |

① A는 전자이다.
➡ 원자가 띠에서 전도띠로 이동한 A는 전자이다.

② B는 (+)전하의 성질을 띤다.
➡ 원자가 띠에 생긴 전자의 빈 자리는 양공으로, (+)전하와 같은 성질을 가진다.

③ (가)는 전도띠이다.
➡ (가)는 원자가 띠 위쪽에 있으므로 전도띠이다.

④ (다)는 원자가 띠이다.

➡ (다)에는 전자가 존재하며, 에너지가 가장 높은 상태의 에너지 띠인 원자가 띠이다.

☑ A가 흡수한 에너지는 (나)보다 <del>작다.</del>
　　　　　　　　　　　　　　　　　크다.

➡ 전자는 띠 간격 이상의 에너지를 흡수해야 원자가 띠에서 전도띠로 올라갈 수 있으므로 A가 흡수한 에너지는 (나)보다 크다.

05 원자가 띠에 있는 전자가 에너지를 흡수하여 전도띠로 이동하므로 자유 전자는 전도띠, 양공은 원자가 띠에 존재한다.

06 원자가 띠와 전도띠 사이의 띠 간격이 0.67 eV이므로 원자가 띠에 있는 전자는 0.67 eV 이상의 에너지를 흡수해야 전도띠로 이동할 수 있다. 따라서 전자가 전도띠로 이동하기 위해 흡수해야 하는 에너지의 최솟값은 0.67 eV이다.

07 | 선택지 분석 |

① 규소(Si)는 (가)에 해당한다.

➡ (가)는 반도체의 에너지띠 구조이므로 규소(Si)는 (가)에 해당한다.

☑ (나)의 전도띠에는 전자가 채워져 있다.
　　　　　　　　　　　　　존재하지 않는다.

➡ (나)는 절연체로, 원자가 띠의 전자가 전도띠로 이동하기 매우 어렵다. 따라서 (나)의 전도띠에는 전자가 존재하지 않는다.

③ 전기 전도성은 (가)가 (나)보다 좋다.

➡ 띠 간격이 좁을수록 전기 전도성이 좋으므로 (가)의 전기 전도성이 (나)보다 좋다.

④ 띠 간격이 6 eV인 물체는 절연체이다.

➡ 띠 간격이 5.33 eV인 (나)가 절연체이므로 띠 간격이 6 eV인 물체도 절연체이다.

⑤ 원자가 띠에 있던 전자가 전도띠로 이동할 때 에너지를 흡수한다.

➡ 전자가 에너지 준위가 낮은 원자가 띠에서 에너지 준위가 높은 전도띠로 이동할 때에는 에너지를 흡수한다.

더 알아보기 도체, 절연체, 반도체의 특징

도체	절연체	반도체
원자가 띠에 전자가 일부만 채워져 있다.	띠 간격이 비교적 넓고, 원자가 띠에 전자가 가득 채워져 있다.	띠 간격이 비교적 좁고, 원자가 띠에 전자가 가득 채워져 있다.
원자가 띠의 전자가 전도띠로 쉽게 이동하여 자유 전자가 될 수 있다.	전자가 전도띠로 이동할 수 없기 때문에 전류가 거의 흐르지 않는다.	원자가 띠의 전자가 에너지를 흡수하면 전도띠로 이동하여 자유 전자가 될 수 있다.
전기 전도도가 크다.	전기 전도도가 매우 작다.	전기 전도도가 도체와 절연체의 중간이다.
은, 구리, 알루미늄	나무, 고무, 유리, 다이아몬드, 석영	규소(Si), 저마늄(Ge)

---

08 | 선택지 분석 |

✘ 에너지 준위는 A가 B보다 <del>크다.</del>
　　　　　　　　　　　　　　　작다.

➡ A는 원자가 띠이고, B는 전도띠이므로 에너지 준위는 A가 B보다 작다.

☑ 이 물체의 전기 전도성은 반도체보다 좋다.

➡ 이 물체는 원자가 띠와 전도띠가 겹쳐진 도체이므로 전기 전도성은 반도체보다 좋다.

✘ B에 있는 전자들의 에너지 준위는 <del>모두 같다.</del>
　　　　　　　　　　　　　　　　　　　같지 않다.

➡ B는 에너지띠이므로 B에 있는 전자들의 에너지 준위는 미세하게 차이가 있다.

09 (가)는 절연체, (나)는 도체, (다)는 반도체의 에너지띠 구조이다. 구리는 도체, 석영은 절연체, 저마늄은 반도체이다.

10 | 선택지 분석 |

① B는 전도띠이다.

➡ A는 원자가 띠, B는 전도띠이다.

② 전기 전도성이 반도체보다 나쁘다.

➡ 절연체는 띠 간격이 넓고, 반도체는 절연체보다 띠 간격이 좁다. 따라서 전기 전도성은 절연체가 반도체보다 나쁘다.

③ 띠 간격에는 전자가 존재할 수 없다.

➡ 띠 간격은 원자가 띠와 전도띠 사이의 간격으로, 전자가 존재할 수 없는 영역이다.

④ 원자가 띠에는 전자가 가득 차 있다.

➡ 절연체의 원자가 띠에는 전자가 가득 차 있어 전자가 움직일 수 없다.

☑ 약간의 에너지만으로도 원자가 띠의 전자가 전도띠로 전이할 수 있다.

➡ 절연체는 띠 간격이 매우 넓어 원자가 띠의 전자가 전도띠로 전이하기 어렵다.

11 ㉠은 전자가 전도띠로 갈 수 없으므로 절연체이고, ㉡은 전자가 외부에서 에너지를 흡수하면 전도띠로 올라갈 수 있으므로 반도체이다.

도전! 실력 올리기　　　　　　　　158쪽~159쪽

01 ②　**02** ④　**03** ②　**04** ①　**05** ⑤　**06** ④

07 규소, 저마늄

08 | 모범 답안 | n, 파울리 배타 원리에 의해 하나의 전자는 하나의 양자 상태를 가지므로 인접한 원자가 n개로 늘어나면 에너지 준위가 미세하게 차이를 두고 n개로 늘어난다.

09 | 모범 답안 | A, A는 띠 간격이 없어 원자가 띠의 전자들이 작은 에너지만 흡수해도 전도띠로 쉽게 이동할 수 있기 때문이다.

01 | 선택지 분석 |

✗ (나)에서 A는 전자가 가득 채워진 가장 높은 상태의 ~~에너지띠이다.~~ (원자가 띠)

➡ A는 전도띠이다. 전자가 가득 채워진 가장 높은 상태의 에너지띠는 원자가 띠이다.

✗ (나)에서 에너지 준위가 증가할수록 에너지띠 사이의 간격이 ~~넓어진다.~~ (좁아진다.)

ⓒ 인접한 원자의 수가 많아지면 원자 내의 전자의 에너지 준위는 (가)에서 (나)처럼 된다.

➡ 인접한 원자의 수가 많아지면 에너지 준위들이 밀집하여 하나의 넓은 띠와 같은 연속적인 에너지띠로 존재한다.

02 | 선택지 분석 |

✗ (가)에서 전자가 바닥상태에 머물러 있는 동안 일정한 진동수의 전자기파를 ~~방출한다.~~ (방출하지 않는다.)

➡ 보어의 수소 원자 모형에서 전자가 특정한 궤도에 머물러 있는 동안은 전자기파를 방출하지 않는다.

ⓛ (나)에서 A의 크기에 따라 고체의 전기 전도성이 달라진다.

➡ A는 띠 간격으로, 고체의 전기 전도성을 결정한다.

ⓒ (나)의 원자가 띠에서 전도띠로 이동한 전자는 자유 전자가 된다.

➡ 원자가 띠의 전자가 띠 간격보다 큰 에너지를 흡수하면 전자는 전도띠로 이동하여 자유 전자가 된다.

03 | 자료 분석 |

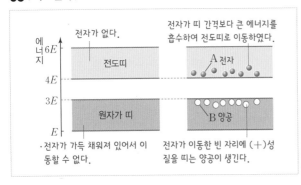

| 선택지 분석 |

✗ (가)에서 원자가 띠의 전자는 여러 원자 사이를 ~~자유롭게 이동한다.~~ (이동할 수 없다.)

➡ (가)에서 원자가 띠에는 모든 에너지 준위에 전자들이 가득 채워져 있으므로 원자가 띠의 전자는 여러 원자 사이를 이동할 수 없다.

✗ (나)에서 A가 흡수한 에너지는 ~~$0.5E$이다.~~ ($0.5E$보다 크다.)

➡ (나)에서 전자가 흡수한 에너지는 띠 간격보다 커야 하므로 E보다 크다.

ⓒ 고체의 전기 전도성은 (나)가 (가)보다 크다.

➡ (가)는 전도띠에 전자가 없지만 (나)는 원자가 띠의 전자가 전도띠로 이동하여 전도띠에 전자가 있으므로 전기 전도성은 (나)가 (가)보다 좋다.

04 | 선택지 분석 |

ⓖ 전기 전도성은 A가 B보다 좋다.

➡ A는 원자가 띠와 전도띠가 겹쳐 있으므로 도체이고, B는 반도체이다. 따라서 전기 전도성은 A가 B보다 좋다.

✗ A에는 에너지가 E_3인 전자가 ~~존재한다.~~ (존재하지 않는다.)

➡ A에서 에너지가 E_3인 곳은 띠 간격이므로 A에는 에너지가 E_3인 전자가 존재하지 않는다.

✗ 원자가 띠에 있는 전자의 에너지는 모두 ~~같다.~~ (다르다.)

➡ 원자가 띠의 전자들은 모두 에너지 준위가 다르므로 전자의 에너지는 모두 다르다.

05 | 선택지 분석 |

ⓖ 전선의 에너지띠 구조는 A이다.

➡ 전선은 도체로, 전선 피복은 절연체로 만들어져 있으므로 전선의 에너지띠 구조는 A이다.

ⓛ 띠 간격이 넓을수록 전기 전도성이 나빠진다.

➡ 띠 간격이 넓을수록 원자가 띠의 전자가 전도띠로 이동하기가 어려우므로 전기 전도성이 나빠진다.

ⓒ 전선에 전류가 흐를 때 전도띠에 있는 전자의 수는 A가 B보다 많다.

➡ 고체에 띠 간격 이상의 에너지가 공급되면 원자가 띠에 있던 전자들이 더 높은 에너지 준위인 전도띠로 이동하게 된다. 도체는 전도띠와 원자가 띠가 겹쳐 있으므로 전도띠로 다수의 전자가 쉽게 이동할 수 있다. 따라서 전도띠에 있는 전자의 수는 도체인 A가 절연체인 B보다 많다.

06 | 자료 분석 |

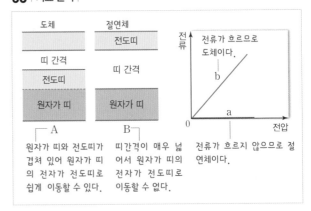

| 선택지 분석 |

ⓖ A는 도체이다.

➡ A는 원자가 띠와 전도띠가 겹쳐 있으므로 도체이다.

✗ B는 원자가 띠 일부에만 전자가 채워져 있다.

➡ B는 절연체이며, 원자가 띠에 전자가 가득 채워져 있어 전류가 흐를 수 없다.

ⓒ b는 A로 만들었다.

➡ a는 절연체, b는 도체이므로 b는 A로 만들었다.

07 원자가 띠에 있는 전자가 적당한 에너지를 흡수하여 전도띠로 올라가는 것은 반도체이다. 반도체로는 규소, 저마늄 등이 있다.

08 파울리 배타 원리에 의해 하나의 전자는 하나의 양자 상태를 가진다.

채점 기준	배점
빈칸에 들어갈 말을 쓰고, 그 까닭을 옳게 서술한 경우	100 %
빈칸에 들어갈 말만 쓴 경우	50 %

09 A는 전도띠와 원자가 띠가 겹쳐 있어 띠 간격이 없다. 따라서 원자가 띠의 전자가 쉽게 전도띠로 이동할 수 있으므로 전기 전도성이 좋다.

채점 기준	배점
전기 전도성이 좋은 물질을 쓰고, 그 까닭을 옳게 서술한 경우	100 %
전기 전도성이 좋은 물질만 쓴 경우	50 %

04~ 반도체와 다이오드

개념POOL 163쪽

01 (1) ㉠ 첨가 ㉡ p형 반도체 ㉢ n형 반도체 (2) ㉡ 양공 ㉢ 전자
02 (1) ○ (2) ○ (3) ○ (4) × (5) ×

01 (1) 순수 반도체에 원자가 전자가 5개인 원소를 첨가하면 n형 반도체가 되고, 순수 반도체에 원자가 전자가 3개인 원소를 첨가하면 p형 반도체가 된다.
(2) n형 반도체의 전하 운반자는 전자이고, p형 반도체의 전하 운반자는 양공이다.

02 (4) 순수 반도체에 불순물을 첨가하면 전기 전도성이 좋아진다.
(5) 붕소를 첨가한 반도체는 p형 반도체이므로 양공이 증가한다.

탐구POOL 164쪽

01 b **02** p형 반도체 **03** 초록색 빛을 방출하는 발광 다이오드(LED)

01 전구에 불이 켜지기 위해서는 p형 반도체에 전원의 (+)극, n형 반도체에 전원의 (−)극이 연결되어야 한다.

02 긴 다리가 전지의 (+)극에 연결되면 LED에 불이 켜지므로 긴 다리와 연결된 반도체는 p형 반도체이다.

03 띠 간격이 넓은 LED일수록 파장이 짧은 빛을 방출한다.

콕콕! 개념 확인하기 165쪽

✓ 잠깐 확인!
1 도핑 **2** 양공 **3** 5, 3 **4** 전자, 양공 **5** 다이오드
6 정류 작용 **7** 발광

01 (1) ○ (2) ○ (3) ×
02 ㉠ 전자 ㉡ 양공
03 (1)—㉢ (2)—㉠ (3)—㉡
04 (1) +, − (2) 역방향 (3) R_B
05 ㉠ p−n 접합 다이오드 ㉡ 정류 작용

03 순수 반도체는 전자 수와 양공 수가 같고, n형 반도체는 전자 수가 양공 수보다 많으며, p형 반도체는 양공 수가 전자 수보다 많다.

05 p−n 접합 다이오드는 전류를 한 방향으로만 흐르게 하므로 교류를 직류로 전환시키는 정류 작용을 한다.

탄탄! 내신 다지기 166쪽~167쪽

01 ② **02** ② **03** ⑤ **04** (가) n형 반도체 (나) p형 반도체 **05** ㉠ 5 ㉡ 3 **06** ⑤ **07** ⑤ **08** ② **09** ①
10 ⑤ **11** 정류

01 | 선택지 분석 |
① 4개의 원자가 전자를 갖는다.
➡ 순수 반도체는 원자가 전자가 4개이다.
✓② 온도가 높아지면 전기 저항은 ~~커진다.~~
작아진다.
➡ 반도체는 매우 낮은 온도에서는 절연체처럼 동작하고, 상온에서는 낮은 전기 전도성을 갖는다. 온도가 높아지면 저항이 작아져서 전기 전도성이 좋아진다.
③ 규소(Si)나 저마늄(Ge)을 주로 사용한다.
➡ 순수 반도체로는 원자가 전자가 4개인 규소(Si)나 저마늄(Ge)을 사용한다.
④ 반도체 내부의 원자들은 공유 결합을 한다.
➡ 반도체 내부의 원자들은 고체 내에서 주위의 원자 4개와 전자쌍을 서로 공유하는 공유 결합을 한다.
⑤ 원자가 띠와 전도띠 사이의 간격은 절연체보다 좁다.
➡ 원자가 띠와 전도띠 사이의 간격인 띠 간격은 도체보다 넓고, 절연체보다 좁다.

02 n형 반도체이므로 ㉠에는 15족 원소인 인(P), 비소(As) 등이 들어갈 수 있다.

03 p형 반도체의 원자가 전자의 배열이므로 A에는 13족 원소인 붕소(B), 갈륨(Ga), 알루미늄(Al) 등이 들어갈 수 있다.

04 불순물을 첨가한 후에 전자가 남아 있으면 n형 반도체이고, 양공이 남아 있으면 p형 반도체이다.

05 n형 반도체는 순수 반도체에 원자가 전자가 5개인 원소를, p형 반도체는 순수 반도체에 원자가 전자가 3개인 원소를 첨가하여 전기 전도성을 좋게 한다.

06 | 선택지 분석 |

ㄱ. X는 p형 반도체이다.
➡ X는 양공이 있으므로 p형 반도체이다.

ㄴ. a는 원자가 전자가 5개이다.
➡ Y는 남는 전자가 있으므로 n형 반도체이다. 따라서 a의 원자가 전자는 5개이다.

ㄷ. p-n 접합 다이오드에 순방향 전압을 걸어 주면 p형 반도체에 있는 양공은 접합면 쪽으로 이동한다.
➡ p-n 접합 다이오드에 순방향 전압을 걸어 주면 p형 반도체에는 (+)극이, n형 반도체에는 (-)극이 연결되므로 p형 반도체의 양공과 n형 반도체의 전자는 접합면 쪽으로 이동한다.

더 알아보기 **순방향 전압**

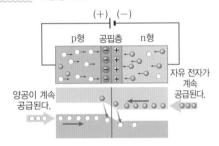

- p-n 접합 다이오드에 순방향 전압이 걸렸을 때에만 전류가 흐른다.
- p형 반도체에 전원의 (+)극, n형 반도체에 전원의 (-)극을 연결할 때 순방향 전압이 걸렸다고 한다.
- p-n 접합면에서 양공은 (-)극 쪽으로, 전자는 (+)극 쪽으로 서로 반대 방향으로 이동하고, 다이오드의 양 끝에서 양공과 전자를 계속 공급하므로 전류가 지속적으로 흐른다.

---

07 | 선택지 분석 |

① ㉠은 첨가이다.
➡ 순수 반도체에 불순물을 첨가하는 것을 첨가라고 한다.

② ㉡은 p형 반도체이다.
➡ 원자가 전자가 3개인 원소를 첨가한 반도체는 p형 반도체이다.

③ ㉢의 전하 운반자는 전자이다.
➡ 원자가 전자가 5개인 원소를 첨가한 반도체는 n형 반도체이다. n형 반도체의 전하 운반자는 전자이다.

④ ㉣은 순방향이다.
➡ p-n 접합 다이오드에 순방향 전압이 걸려야 전류가 흐른다.

✔ ㉤일 때 p형 반도체에 전원의 (+)극이 연결되어 있다.
➡ p-n 접합 다이오드에 역방향 전압이 걸리면 전류가 흐르지 않는다. 이때 p형 반도체에 전원의 (-)극이 연결되어 있다.

08 | 선택지 분석 |

ㄱ. p형 반도체에서 주된 전하 운반자는 ㉡이다.
➡ ㉠은 전자이고, ㉡은 양공이므로 p형 반도체의 주된 전하 운반자는 ㉡이다.

ㄴ. LED가 빛을 방출하려면 n형 반도체에 전원의 (-)극을 연결해야 한다.
➡ LED가 빛을 방출하려면 p형 반도체에 (+)극을, n형 반도체에 전원의 (-)극을 연결해야 한다.

✗ ㉢은 빨간색 빛이 파란색 빛보다 넓다.
　　　　　　　　　　　　　　　　좁다.
➡ 띠 간격이 넓을수록 파장이 짧은 빛을 방출한다. 파장은 파란색 빛이 빨간색 빛보다 짧다.

09 | 선택지 분석 |

✔ X는 p형 반도체이다.
➡ 다이오드에 순방향 전압이 걸려야 하므로 p형 반도체에 전원의 (+)극이, n형 반도체에 (-)극이 연결되어야 한다. 따라서 X는 p형 반도체이다.

② 다이오드는 직류를 교류로 바꾼다.
　　　　　　　　　교류를 직류로
➡ 다이오드는 교류를 직류로 바꾸는 정류 작용을 한다.

③ n형 반도체는 양공이 전하 운반자이다.
　　　　　　　　전자가
➡ n형 반도체는 전자가, p형 반도체는 양공이 전하 운반자이다.

④ 전원의 극을 바꾸어 연결해도 빛을 방출한다.
　　　　　　　　　　　하면 빛을 방출하지 않는다.
➡ 전원의 극을 바꾸어 연결하면 역방향 전압이 걸리므로 빛을 방출하지 않는다.

⑤ 전자는 n형 반도체 쪽으로, 양공은 p형 반도체 쪽으로
　　　　　　　p형　　　　　　　　　　　　　　n형
이동한다.

10 | 선택지 분석 |

① 전원 장치의 단자 a는 (+)극이다.
➡ 빛이 방출되면 순방향 전압이 걸린 것이므로 p형 반도체는 전원의 (+)극에, n형 반도체는 전원의 (-)극에 연결되어 있다.

② p형 반도체에서는 주로 양공이 전류를 흐르게 한다.
➡ p형 반도체의 전하 운반자는 양공이다.

③ n형 반도체는 순수 반도체에 원자가 전자가 5개인 원소를 첨가한 것이다.
➡ n형 반도체는 순수 반도체에 원자가 전자가 5개인 원소를 첨가하여 만들며, 이때 공유 결합하고 남는 전자가 전하 운반자가 되어 전류를 흐르게 한다.

④ n형 반도체의 전도띠에 있던 전자가 접합면으로 이동한다.
➡ n형 반도체의 전도띠에 있던 전자가 p형 반도체의 원자가 띠로 이동하면서 빛을 방출한다.

✔ 띠 간격이 더 넓은 발광 다이오드(LED)를 연결하면 파장이 더 큰 빛이 나온다.
　　　　　　　　　　　　　　　　　　　　　　　　짧은
➡ 띠 간격이 넓을수록 방출되는 빛의 파장은 짧아진다.

11 교류를 직류로 전환시키는 작용을 정류 작용이라고 한다.

01 ③   **02** ③   **03** ③   **04** ④   **05** ④   **06** ③

---

07 | 모범 답안 | n형 반도체, 상온에서 전도띠에 전자 수가 양공 수보다 많기 때문이다.

08 다이오드

09 | 모범 답안 | 띠 간격은 B가 A보다 넓다. 파장이 짧은 빛일수록 띠 간격이 넓고, 파란색 빛의 파장이 빨간색 빛보다 짧으므로 B의 띠 간격이 A보다 넓다.

---

01 | 선택지 분석 |

① 순수 반도체이다.
➡ 순수 반도체로는 원자가 전자가 4개인 규소(Si), 저마늄(Ge) 등을 사용한다.

② 원자가 전자가 4개이다.
➡ 순수 반도체는 원자가 전자가 4개이다.

③ 규소에 인(P)을 첨가하면 p형 반도체가 된다.
     n형
➡ (빈칸)

④ 규소에 붕소(B)를 첨가하면 전기 저항이 감소한다.
➡ 규소에 붕소(B)를 첨가하면 양공이 증가하므로 전기 저항이 감소한다.

⑤ 규소 원자들은 전자쌍을 공유하는 공유 결합을 한다.
➡ 규소 원자들은 전자를 내놓아 전자쌍을 만들고, 이 전자쌍을 서로 공유하는 공유 결합을 한다.

02 | 선택지 분석 |

㉠ 인(P)의 원자가 전자는 5개이다.
➡ 인(P)은 원자가 전자가 5개인 원소이므로 순수 반도체에 인(P)을 첨가하면 남는 전자가 생긴다.

㉡ Y는 n형 반도체이다.
➡ Y 원자의 전자 배열에 남는 전자가 있으므로 Y는 n형 반도체이다.

✗ X가 Y보다 전기 전도성이 좋다.
     나쁘다.
➡ 불순물 반도체 Y는 순수 반도체 X보다 전자가 많으므로 Y가 X보다 전기 전도성이 좋다.

더 알아보기   n형 반도체

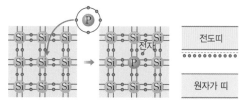

• 원자가 전자가 4개인 규소(Si)에 원자가 전자가 5개인 비소(As), 인(P), 안티몬(Sb)등을 첨가하면 5개의 원자가 전자 중 4개는 규소와 결합하고, 남는 전자가 존재한다. 이 전자가 전하 운반자가 되어 전류가 흐르는 반도체이다.
• 규소(Si)에 불순물로 인(P)을 첨가하면 남는 전자에 의해 전도띠 바로 아래에 새로운 에너지띠가 만들어져서 전자가 작은 에너지로도 전도띠로 쉽게 올라가 전류가 흐를 수 있다.

03 | 선택지 분석 |

㉠ ㉠은 양공이다.
➡ p형 반도체는 양공에 의해 원자가 띠 바로 위에 새로운 에너지띠가 만들어진다.

㉡ X는 p형 반도체이다.
➡ 순수 반도체에 불순물을 첨가했을 때 양공에 의해 원자가 띠 바로 위에 새로운 에너지띠를 만드는 반도체는 p형 반도체이다.

✗ 붕소는 규소보다 원자가 전자가 1개 많다.
                              적다.
➡ 붕소(B)는 원자가 전자가 3개인 원소로, 규소(Si)보다 원자가 전자가 1개 적다.

더 알아보기   p형 반도체

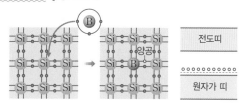

• 원자가 전자가 4개인 규소(Si)에 원자가 전자가 3개인 붕소(B), 알루미늄(Al), 인듐(In), 갈륨(Ga)등을 첨가하면 규소 원자에 비해 전자 1개가 부족하여 전자가 비어 있는 자리인 양공이 생긴다. 이 양공이 전하 운반자가 되어 전류가 흐르는 반도체이다.
• 규소(Si)에 불순물로 붕소(B)를 첨가하면 원자가 띠 바로 위에 양공에 의한 새로운 에너지띠가 만들어져서 원자가 띠의 전자가 작은 에너지로도 전도띠로 쉽게 올라가 전류가 흐를 수 있다.

04 | 선택지 분석 |

㉠ X는 p형 반도체이다.
➡ 스위치를 a에 연결하면 순방향 전압이 걸리므로 전원의 (+)극과 연결된 X는 p형 반도체이다.

✗ 스위치를 a에 연결하면 X 내부의 전자는 접합면 쪽으로 이동한다.
                                양공은
➡ 순방향 전압이 걸리면 X 내부의 양공이 접합면 쪽으로 이동한다.

㉢ 스위치를 b에 연결하면 전구에서 불이 켜지고 꺼지는 것이 반복된다.
➡ 스위치를 b에 연결하면 다이오드의 정류 작용에 의해 전구에는 불이 켜지고 꺼지는 것이 반복된다.

05 | 선택지 분석 |

✗ A는 전류를 흐르게 하는 전자가 많아지도록 도핑하였다.
                                양공이
➡ A는 p형 반도체이므로 양공이 많아지도록 도핑되어 있다.

㉡ B는 n형 반도체이다.
➡ p-n 접합 다이오드이므로 A는 p형 반도체, B는 n형 반도체이다.

㉢ 스위치를 b에 연결하면 전구에서 빛이 방출되지 않는다.
➡ 스위치를 b에 연결하면 Q에 역방향 전압이 걸려 회로에 전류가 흐르지 않으므로 전구에서 빛이 방출되지 않는다.

06 | 선택지 분석 |

✗ ㉠이면 n형 반도체에는 전원의 ~~(＋)극~~이, p형 반도체
　　에는 전원의 ~~(－)극~~이 연결되어 있다.
　　　　　　　　　　　　(＋)극
　➡ 순방향 전압이 걸리면 n형 반도체에는 전원의 (－)극이, p
　　형 반도체에는 전원의 (＋)극이 연결된다.

✗ ㉡이 넓을수록 방출되는 빛의 파장은 ~~길다.~~
　　　　　　　　　　　　　　　　　　　　　짧다.
　➡ 띠 간격이 넓을수록 방출되는 빛의 진동수가 크므로 파장은
　　짧다.

○ ㉢의 방향은 a이다.
　➡ 전류는 (＋)극에서 (－)극으로 흐르므로 회로에 흐르는 전
　　류의 방향은 a이다.

07 원자가 띠의 전자가 에너지를 얻어 전도띠로 올라가 전도
　　띠에 있는 전자 수가 원자가 띠에 있는 양공 수보다 많아
　　졌다.

채점 기준	배점
반도체의 종류를 쓰고, 그 까닭을 옳게 서술한 경우	100 %
반도체의 종류만 쓴 경우	50 %

08 교류가 직류로 전환되므로 전기 소자 A는 다이오드이다.

09 발광 다이오드에서는 띠 간격에 해당하는 만큼의 에너지를
　　빛으로 방출한다. 이때 띠 간격이 넓을수록 진동수가 큰
　　빛, 즉 파장이 짧은 빛을 방출한다. 파란색 빛의 파장이 빨
　　간색 빛의 파장보다 짧으므로 B의 띠 간격이 A보다 넓다.

채점 기준	배점
띠 간격을 옳게 비교하고, 그 까닭을 옳게 서술한 경우	100 %
띠 간격만 옳게 비교한 경우	50 %

┌─────────────────────────────────┐
│ **실전! 수능 도전하기**　　　　　　171쪽~174쪽 │
│ 01 ①　02 ⑤　03 ①　04 ①　05 ⑤　06 ②　07 ④ │
│ 08 ③　09 ③　10 ④　11 ④　12 ①　13 ③　14 ① │
│ 15 ③　16 ③ │
└─────────────────────────────────┘

01 | 선택지 분석 |

○ 철수: (가)는 기체의 에너지 준위를 나타내는 거야.
　➡ 기체는 불연속적인 에너지 준위를 나타내고, 고체는 연속적인 에
　　너지 분포에 의한 에너지띠를 나타낸다.

✗ 영희: A에는 전자가 가득 채워져 있어.
　　　　　원자가 띠
　➡ A는 전도띠이다. 전자가 가득 채워져 있는 에너지띠는 원자가 띠
　　이다.

✗ 민수: 원자가 띠에 있는 전자의 에너지 준위는 모두 ~~같다.~~
　　　　　　　　　　　　　　　　　　　　　　　　　　다르다.
　➡ 원자 사이의 간격이 매우 좁은 고체의 경우에는 전자의 에너지 준
　　위가 미세하게 겹치게 되어 에너지띠로 나타나게 된다.

02 | 선택지 분석 |

○ ㉠은 파울리 배타 원리로 설명할 수 있다.
　➡ 고체의 에너지띠는 하나의 양자 상태에 1개의 전자만 채워질
　　수 있다는 원리인 파울리 배타 원리로 설명할 수 있다.

○ ㉡은 전자가 채워진 에너지띠 중에서 에너지가 가장
　　크다.
　➡ 전자가 채워진 에너지띠 중에서 에너지가 가장 큰 것은 원자
　　가띠이다.

○ ㉡과 ㉢의 에너지 준위의 차이가 클수록 전류가 흐르
　　기 어려운 물질이다.
　➡ ㉡과 ㉢의 에너지 준위의 차이인 띠 간격이 넓을수록 전류가
　　흐르기 어려운 물질이다.

03 | 선택지 분석 |

○ A의 원자가 띠에 있는 전자가 전도띠로 이동하기 위해
　　서는 1.14 eV 이상의 에너지를 흡수해야 한다.
　➡ A의 띠 간격이 1.14 eV이므로 띠 간격 이상의 에너지를 흡
　　수해야 원자가 띠의 전자가 전도띠로 전이한다.

✗ ㉠은 절연체이다.
　➡ B는 띠 간격이 A(반도체)보다 작으므로 ㉠은 절연체는 아니다.

✗ ㉡은 0.67 eV보다 작다.
　➡ C가 절연체이므로 ㉡은 1.14 eV보다 크다.

04 | 선택지 분석 |

○ A는 절연체이다.
　➡ A는 띠 간격이 가장 크므로 절연체이다.

✗ 상온에서 전기 전도성은 ~~B가 C보다 좋다.~~
　　　　　　　　　　　　　　　　C가 B보다
　➡ B는 반도체이고, C는 도체이므로 전기 전도성은 C가 A보다
　　좋다.

✗ 온도가 높을수록 B에서 양공 수는 ~~줄어든다.~~
　　　　　　　　　　　　　　　　　　　늘어난다.
　➡ 온도가 높을수록 B의 원자가 띠에서 에너지를 얻어 전도띠로
　　전이되는 전자의 수가 증가하므로 B에서 양공 수는 늘어난다.

05 | 선택지 분석 |

○ (가)에서 전자는 허용된 띠의 에너지 준위만 가질 수
　　있다.
　➡ 고체에서 전자는 허용된 띠의 에너지 준위만 가질 수 있다.

○ B에서 전자가 원자가 띠에서 전도띠로 전이하면 양공
　　이 생긴다.
　➡ 전자가 원자가 띠에서 전도띠로 전이하면 원자가 띠에는 양
　　공이 생긴다.

○ 원자가 띠에 있던 전자가 전도띠로 전이할 때 필요한
　　최소한의 에너지는 A가 B보다 크다.
　➡ 띠 간격이 넓을수록 원자가 띠에 있던 전자가 전도띠로 전이
　　할 때 필요한 에너지가 크다.

06 | 선택지 분석 |

✗ A의 원자가 띠 일부에만 전자가 채워져 있다.

➡ A는 절연체이므로 A의 원자가 띠에는 전자가 가득 채워져 있다.

ㄴ. Y는 B의 에너지띠 구조를 나타낸다.

➡ B는 도체이므로 원자가 띠와 전도띠가 겹쳐 있는 Y가 도체의 에너지띠 구조이다.

✗ B와 같은 물질로 규소(Si)가 있다.

➡ 규소(Si)는 반도체이므로 B가 아니다.

07 | 선택지 분석 |

✗ (가)에서 원자가 띠에 있는 전자의 에너지는 모두 같다.
　　　　　　　　　　　　　　　　　　　　　　　　　다르다.

➡ 원자가 띠에 있는 전자의 에너지는 미세한 에너지 준위의 차이가 있으므로 에너지가 모두 다르다.

ㄴ. (나)에서 a의 원자가 전자는 5개이다.

➡ 규소(Si)에 불순물 a를 첨가한 반도체는 n형 반도체이므로 a의 원자가 전자는 5개이다.

ㄷ. (나)에서 p-n 접합 다이오드에 순방향 전압을 걸면 p형 반도체에 있는 양공은 p-n 접합면 쪽으로 이동한다.

➡ 다이오드에 순방향 전압을 걸어 주면 다이오드에 전류가 흐르므로 p형 반도체의 양공과 n형 반도체의 전자는 p-n 접합면 쪽으로 이동한다.

08 | 선택지 분석 |

ㄱ. a는 원자가 전자가 5개이다.

➡ Y는 n형 반도체이므로 a는 원자가 전자가 5개인 원소이다.

ㄴ. Y는 n형 반도체이다.

➡ 순수 반도체에 원소 a를 첨가하면 전도띠 바로 아래에 새로운 에너지띠가 만들어져서 원자가 띠의 전자가 작은 에너지로도 전도띠로 쉽게 올라갈 수 있으므로 Y는 n형 반도체이다.

✗ X는 Y보다 전기 전도성이 좋다.
　　 Y는 X보다

➡ 순수 반도체에 불순물을 첨가하면 전자 또는 양공이 증가하므로 불순물 반도체는 순수 반도체보다 전기 전도성이 좋다.

09 | 선택지 분석 |

ㄱ. ㉠은 다이오드이다.

➡ 한 방향으로만 전류를 흐르게 하는 전기 소자는 다이오드이다.

ㄴ. 전기 전도성은 ㉡이 순수 반도체보다 좋다.

➡ n형 반도체의 전기 전도성은 순수 반도체보다 좋다.

✗ ㉡의 방향은 n형 반도체→접합면→p형 반도체이다.
　　　　　　　　 p형　　　　　　　　　n형

➡ 다이오드에 순방향 전압이 걸리면 p형 반도체의 양공은 p형 반도체에서 n형 반도체로 이동하므로 전류는 p형 반도체→접합면→n형 반도체로 흐른다.

10 | 선택지 분석 |

✗ A는 p형 반도체이다.
　　　 n형

ㄴ. B에서는 주로 양공이 전류를 흐르게 한다.

➡ B는 p형 반도체이므로 주로 양공이 전류를 흐르게 한다.

ㄷ. (나)의 다이오드에 역방향 전압이 걸린다.

➡ n형 반도체인 A에 전원의 (+)극이, p형 반도체인 B에 전원의 (-)극이 연결되어 있으므로 다이오드에 역방향 전압이 걸린다.

11 | 자료 분석 |

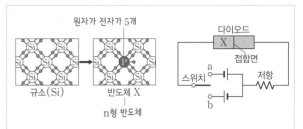

원자가 전자가 5개

규소(Si)　반도체 X
　　　　 n형 반도체

다이오드
X
접합면
스위치 a
　　　 저항
b

• 스위치를 a에 연결: 순방향 전압 ⇨ 전자와 양공은 접합면 쪽으로 이동한다.
• 스위치를 b에 연결: 역방향 전압 ⇨ 전자와 양공은 접합면에서 멀어진다.

| 선택지 분석 |

✗ X는 p형 반도체이다.
　　　 n형

➡ 순수 반도체에 원자가 전자가 5개인 원소를 첨가하였으므로 X는 n형 반도체이다.

ㄴ. 스위치를 a에 연결하면 다이오드에 순방향 전압이 걸린다.

➡ 스위치를 a에 연결하면 n형 반도체인 X에 (-)극이 연결되므로 순방향 전압이 걸린다.

ㄷ. 스위치를 b에 연결하면 X 내부에서 전자는 접합면에서 멀어진다.

➡ 스위치를 b에 연결하면 역방향 전압이 걸리므로 X 내부의 전자는 접합면에서 멀어진다.

12 | 선택지 분석 |

ㄱ. (가)에서 A에는 원자가 전자가 3개인 원소를 첨가하였다.

➡ (나)에서 전도띠의 전자 수가 원자가 띠의 양공 수보다 많으므로 B는 n형 반도체이다. A는 p형 반도체이므로 A에는 원자가 전자가 3개인 원소를 첨가하였다.

✗ (가)에서 B 내부의 전자는 접합면에서 멀어진다.
　　　　　　　　　　　　　　　 접합면 쪽으로 이동한다.

➡ (가)에서 다이오드에 순방향 전압이 걸리므로 n형 반도체 내부의 전자는 접합면 쪽으로 이동한다.

✗ (나)에서 원자가 띠에 있던 전자가 에너지를 방출하며
　　　　　　　　　　　　　　　　　　　　　　　흡수
전도띠로 전이한다.

➡ (나)에서 원자가 띠에 있던 전자는 에너지를 흡수하여 전도띠로 전이한다.

13 | 선택지 분석 |

ㄱ. 저항에는 a 방향으로 전류가 흐른다.

➡ A가 p형 반도체, B가 n형 반도체이므로 다이오드에 순방향 전압이 걸리고, a 방향으로 전류가 흐른다.

ㄴ. A와 B의 접합면에서 전도띠에 있던 전자와 원자가 띠에 있는 양공이 결합한다.

➡ 빛이 방출되므로 A와 B의 접합면에서 전도띠에 있던 전자와 원자가 띠에 있던 양공이 결합한다.

✗ 전원 장치의 두 단자를 바꾸어 연결해도 LED에서 빛이 방출된다.

➡ 전원 장치의 두 단자를 바꾸어 연결하면 역방향 전압이 걸리므로 LED에서 빛이 방출되지 않는다.

14 | 선택지 분석 |

ㄱ. (가)의 (＋)극에는 X가 연결되어 있다.

➡ (나)에서 원자가 띠에 양공이 많은 X가 p형 반도체이고, 전도띠에 전자가 많은 Y가 n형 반도체이다. (가)에서 빛이 방출되므로 다이오드에는 순방향 전압이 걸려 있다. 따라서 (＋)극에는 p형 반도체인 X가 연결되어 있다.

✗ 원자가 띠 상단에 있는 양공이 전도띠 바닥에 있는 전자보다 에너지 준위가 <del>높다</del>. _{낮다.}

✗ 띠 간격이 넓을수록 파장이 <del>긴</del> 빛이 방출된다. _{짧은}

15 | 선택지 분석 |

ㄱ. (나)에서 a는 (＋)극이다.

➡ 양공과 전자가 접합면으로 이동하므로 LED에는 순방향 전압이 걸려 있다. 따라서 양공이 많은 반도체가 p형 반도체이고, p형 반도체가 전원의 (＋)극과 연결되어 있어야 하므로 a는 (＋)극이다.

ㄴ. (나)의 LED에 걸린 전압은 순방향 전압이다.

➡ 양공과 전자가 접합면으로 이동하므로 다이오드에 순방향 전압이 걸려 있다.

✗ <del>빨강</del> LED가 <del>파랑</del> LED보다 원자가 띠와 전도띠 사이_{파랑}   _{빨강}
의 띠 간격이 넓다.

➡ 파란색 빛이 빨간색 빛보다 파장이 짧다. 원자가 띠와 전도띠 사이의 띠 간격이 넓을수록 파장이 짧은 빛이 방출된다.

16 | 자료 분석 |

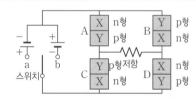

• 스위치를 a에 연결: A, D가 켜짐 ➡ X: n형 반도체 ➡ 전류의 방향: D→저항→A
• 스위치를 b에 연결: B, C가 켜짐 ➡ Y: p형 반도체 ➡ 전류의 방향: B→저항→C

| 선택지 분석 |

ㄱ. X는 n형 반도체이다.

➡ 스위치를 a에 연결했을 때 A가 켜졌으므로 A에는 순방향 전압이 걸린 것이다. 이때 X에 (−)극이 연결되므로 X는 n형 반도체이다.

ㄴ. 스위치를 b에 연결했을 때 Y에서는 양공이 전류를 흐르게 한다.

➡ Y는 p형 반도체이다. C에 순방향 전압이 걸릴 때 Y에서는 양공이 전류를 흐르게 한다.

✗ 스위치를 a에 연결했을 때와 b에 연결했을 때 저항에 흐르는 전류의 방향은 서로 반대이다.

➡ 스위치를 a에 연결하면 저항에 흐르는 전류의 방향은 D→저항→A이고, b에 연결하면 저항에 흐르는 전류의 방향은 B→저항→C이므로 저항에는 모두 왼쪽 방향으로 전류가 흐른다.

Ⅱ. 물질과 전자기장

2 » 물질의 자성과 전자기 유도

01~ 전류에 의한 자기장

탐구POOL   178쪽

01 A, D   **02** ㉠ 비례 ㉡ 반비례

01 오른손의 엄지손가락을 전류의 방향으로 향하게 할 때 나머지 네 손가락이 감아쥐는 방향이 자기장의 방향이다.

02 직선 전류에 의한 자기장의 세기는 도선에 흐르는 전류의 세기에 비례하고, 도선으로부터의 거리에 반비례한다.

콕콕! 개념 확인하기   179쪽

✓ 잠깐 확인!

1 자성 **2** 자기장 **3** N **4** 전류 **5** 균일 **6** 전기, 운동 **7** 전자석

01 (1) × (2) ○ (3) ○ (4) × **02** ㉠ 전류 ㉡ 자기장 ㉢ 전류 ㉣ 자기장 **03** (1) × (2) × (3) ○ **04** B **05** A: 동쪽 B: 서쪽 C: 동쪽 D: 서쪽

01 (1) 자석은 N극과 S극을 분리할 수 없다.
(4) 자기장의 방향은 나침반 자침의 N극이 가리키는 방향이다.

03 (1) a에서 P에 의한 자기장의 방향은 종이면에서 수직으로 나오는 방향이다.
(2) b에서 P, Q에 의한 자기장의 방향이 같으므로 자기장은 0이 아니다.

04 원형 도선의 중심에서 전류에 의한 자기장의 세기는 도선에 흐르는 전류의 세기에 비례하고, 원형 도선의 반지름에 반비례한다. 따라서 전류의 세기가 2배, 원형 도선의 반지름이 2배가 되면 자기장의 세기는 변함없이 B이다.

탄탄! 내신 다지기   180쪽~181쪽

01 ⑤ **02** ② **03** (가), (라) **04** $\frac{1}{2}B$ **05** ④ **06** ④
07 1 : 4 **08** ② **09** N극 **10** ② **11** ③

01 Q에 놓은 나침반 자침의 N극이 $+x$ 방향을 가리키므로 A의 오른쪽이 N극, B의 왼쪽이 S극이다. 따라서 A의 왼쪽은 S극, B의 오른쪽은 N극, C의 왼쪽은 S극, C의 오른쪽은 N극이므로 P, R, S에서 나침반 자침의 N극은 $+x$ 방향을 가리킨다.

02 | 선택지 분석 |

ㄱ. 전류의 방향은 남 → 북 방향이다.
➡ 나침반이 놓여 있는 지점에서 전류에 의한 자기장의 방향이 동쪽이므로 도선에 흐르는 전류의 방향은 남쪽에서 북쪽 방향이다.

ㄴ. 전류의 세기를 증가시키면 θ가 커진다.
➡ 전류에 의한 자기장의 세기는 도선에 흐르는 전류의 세기에 비례하므로 전류의 세기를 증가시키면 자침과 도선이 이루는 각 θ가 증가한다.

✗ 전류의 세기만 변화시켜서 나침반 자침의 N극이 북서 방향을 향하게 할 수 <s>있었다.</s> 없다.
➡ 전류의 세기만 변화시키면 나침반 자침의 N극의 방향은 북동쪽이나 동쪽을 가리킨다.

03 오른손을 이용하여 자기장의 방향을 찾으면 나침반 자침의 N극이 (가), (라)는 오른쪽으로, (나), (다)는 왼쪽으로 회전한다.

04 도선으로부터의 수직 거리가 2배가 되면 자기장의 세기는 $\frac{1}{2}$배로 감소하므로 자기장의 세기는 $\frac{1}{2}B$이다.

05 | 자료 분석 |

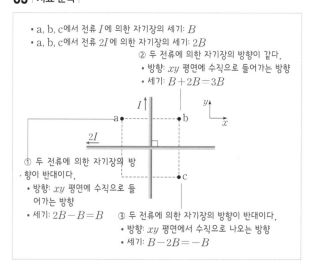

- a, b, c에서 전류 I에 의한 자기장의 세기: B
- a, b, c에서 전류 $2I$에 의한 자기장의 세기: $2B$
② 두 전류에 의한 자기장의 방향이 같다.
- 방향: xy 평면에 수직으로 들어가는 방향
- 세기: $B+2B=3B$
① 두 전류에 의한 자기장의 방향이 반대이다.
- 방향: xy 평면에 수직으로 들어가는 방향
- 세기: $2B-B=B$
③ 두 전류에 의한 자기장의 방향이 반대이다.
- 방향: xy 평면에서 수직으로 나오는 방향
- 세기: $B-2B=-B$

a와 c에서는 두 전류에 의한 자기장의 방향이 반대이고, b에서는 두 전류에 의한 자기장의 방향이 같다. 따라서 a, b, c에서 두 전류에 의한 자기장의 세기는 $B_b>B_a=B_c$이다.

06 (나)에서 두 원형 전류의 방향이 같으므로 Q에서 자기장의 방향은 종이면에서 수직으로 나오는 방향이다.

반지름이 r인 원형 전류에 의한 자기장의 세기를 B라고 하면 반지름이 $2r$인 원형 전류에 의한 자기장의 세기는 $\frac{1}{2}B$이다. (가)에서는 두 전류에 의한 자기장의 방향이 반대이므로 P에서 자기장의 세기는 $B_0=B-\frac{1}{2}B=\frac{1}{2}B$이고, (나)에서는 두 전류에 의한 자기장의 방향이 같으므로 Q에서 자기장의 세기는 $B+\frac{1}{2}B=\frac{3}{2}B=3B_0$이다.

07 같은 길이의 도선을 두 바퀴 감으면 $2\pi r : r = \pi r : r'$에서 $r'=\frac{1}{2}r$이므로 반지름은 처음의 $\frac{1}{2}$배가 된다. 원형 전류의 중심에서 자기장의 세기는 전류의 세기에 비례하고, 원형 도선의 반지름에 반비례한다. 따라서 반지름이 $\frac{1}{2}$배인 원형 도선 2개가 겹쳐진 모양이 되므로 자기장의 세기는 4배가 된다.

08 | 선택지 분석 |

① 솔레노이드 내부에는 균일한 자기장이 생긴다.
➡ 솔레노이드 내부에는 중심축과 나란하고 균일한 자기장이 생긴다.

✓ 솔레노이드 내부에서 자기장의 방향은 <s>B에서 A 방향</s>이다. A에서 B 방향
➡ 솔레노이드 내부에서 자기장의 방향은 S극에서 N극을 향한다.

③ A에 나침반을 놓으면 나침반 자침의 N극이 동쪽을 가리킨다.
➡ 솔레노이드의 오른쪽이 N극, 왼쪽이 S극이 되므로 A에 놓은 나침반 자침의 N극은 인력이 작용하여 동쪽을 가리킨다.

④ 전원의 전압을 증가시키면 솔레노이드 내부의 자기장의 세기도 증가한다.
➡ 솔레노이드 내부의 자기장의 세기는 전류의 세기에 비례한다. 전원의 전압을 증가시키면 전류의 세기도 증가하므로 내부 자기장의 세기도 증가한다.

⑤ B에 막대자석의 N극을 가까이 하면 서로 밀어내는 자기력이 작용한다.
➡ 솔레노이드의 오른쪽은 N극이 되므로 B에 막대자석의 N극을 가까이 하면 척력이 작용한다.

09 | 자료 분석 |

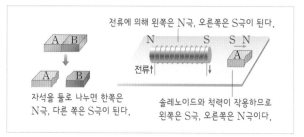

전류에 의해 왼쪽은 N극, 오른쪽은 S극이 된다.
자석을 둘로 나누면 한쪽은 N극, 다른 쪽은 S극이 된다.
솔레노이드와 척력이 작용하므로 왼쪽은 S극, 오른쪽은 N극이다.

솔레노이드의 왼쪽이 N극, 오른쪽이 S극이고, 솔레노이드와 A 사이에 척력이 작용하므로 A의 왼쪽이 S극, 오른쪽이 N극이다. 따라서 B의 왼쪽이 S극, 오른쪽이 N극이다.

10 | 선택지 분석 |

✗ ㉠은 세기와 방향이 일정하다.
　　　　　　　　　　주기적으로 변한다.
➡ 소리 정보에 의해 코일에 흐르는 전류는 세기와 방향이 주기적으로 변하는 교류이다.

◯ ㉡은 자기장이다.
➡ 코일에 흐르는 전류가 변하면 코일 내부에 생기는 자기장도 변한다.

✗ ㉢은 서로 당기는 힘만 있다.
　　　　　　　　　힘과 밀어내는 힘이 있다.
➡ 코일에 교류가 흐르면 코일을 통과하는 자기장이 변하여 코일과 자석 사이에 전류의 방향에 따라 당기는 힘과 밀어내는 힘이 작용하여 진동판이 진동한다.

11 | 선택지 분석 |

① 전자석은 자석의 세기를 조절할 수 있다.
➡ 전자석은 전류의 세기를 조절하여 자기장의 세기를 조절한다.

② 솔레노이드에 흐르는 전류의 방향은 a이다.
➡ 솔레노이드의 오른쪽과 나침반 자침의 N극 사이에 척력이 작용하므로 솔레노이드의 오른쪽이 N극이 되도록 자기화되어야 한다. 따라서 전류의 방향은 a이다.

✓③ 철심을 빼면 나침반 자침의 N극은 시계 방향으로 더 많이 회전한다.
　　　　　　　　　　　　　　　　　　적게
➡ 자기장의 세기가 감소하므로 나침반 자침의 N극은 시계 방향으로 더 적게 회전한다.

④ 코일을 더 많이 감으면 나침반 자침의 N극은 시계 방향으로 더 많이 회전한다.
➡ 전류의 세기가 증가하므로 자기장의 세기도 증가하여 나침반 자침의 N극은 시계 방향으로 더 많이 회전한다.

⑤ 전류의 세기를 증가시키면 나침반 자침의 N극은 시계 방향으로 더 많이 회전한다.
➡ 자기장의 세기가 증가하므로 나침반 자침의 N극은 시계 방향으로 더 많이 회전한다.

도전! 실력 올리기
182쪽~183쪽

01 ④ **02** ④ **03** ⑤ **04** ⑤ **05** ② **06** ④

07 종이면에 수직으로 들어가는 방향

08 | 모범 답안 | A에 의해 a에 만들어지는 자기장의 방향은 화살표와 반대 방향이므로 B에 의해 만들어지는 자기장의 방향이 화살표 방향이어야 한다. 따라서 B에 흐르는 전류의 방향은 A와 같다. 또 B에 의한 자기장의 세기가 A에 의한 자기장의 세기보다 커야 하므로 I_B가 I_A보다 크다.

09 | 모범 답안 | 솔레노이드에 흐르는 전류의 세기를 변화시킨다. 단위길이당 도선의 감은 수를 변화시킨다.

01 | 선택지 분석 |

✗ p에서 자기장의 방향은 xy 평면에 수직으로 들어가는 방향이다.
　　　　　　　　　　　　　　나오는
➡ 오른손의 엄지손가락을 전류의 방향으로 향하게 할 때 나머

지 네 손가락이 감아쥐는 방향이 자기장의 방향이므로 p에서 자기장의 방향은 xy 평면에서 수직으로 나오는 방향이다.

◯ p와 q에서 자기장의 방향은 반대이다.
➡ 자기장의 방향은 p에서는 xy 평면에서 수직으로 나오는 방향이고, q에서는 xy 평면에 수직으로 들어가는 방향이므로 p와 q에서 자기장의 방향은 서로 반대이다.

◯ 도선에 흐르는 전류의 세기가 2배가 되면 q에서 자기장의 세기는 B가 된다.
➡ p에서 자기장의 세기가 B이므로 q에서 자기장의 세기는 $\frac{1}{2}B$인데, 도선에 흐르는 전류의 세기를 2배로 하면 q에서 자기장의 세기는 B가 된다.

02 | 선택지 분석 |

✗ A와 B에 흐르는 전류의 방향은 서로 반대이다.
　　　　　　　　　　　　　　　　　　같다.
➡ 두 도선으로부터 같은 거리만큼 떨어져 있는 b에서 자기장이 0이므로 A와 B에는 같은 방향으로 세기가 같은 전류가 흐른다.

◯ a에서 자기장의 방향은 종이면에서 수직으로 나오는 방향이다.
➡ A와 B에 흐르는 전류의 방향이 같으므로 a에서 A와 B에 의한 자기장의 방향은 같다. 오른손의 엄지손가락을 전류의 방향으로 향하게 할 때 나머지 네 손가락의 방향, 즉 자기장의 방향은 종이면에서 수직으로 나오는 방향이다.

◯ a와 c에서 자기장의 세기는 같다.
➡ A와 B에 흐르는 전류의 세기가 같으므로 a와 c에서 A와 B에 의한 합성 자기장의 세기는 같고, 방향은 반대이다.

03 a에서 자기장이 0이므로 B에는 $+y$ 방향으로 세기가 A의 2배인 전류가 흐른다. 따라서 A와 B에 의한 합성 자기장의 방향은 b에서는 xy 평면에서 수직으로 나오는 방향이고, c에서는 xy 평면에 수직을 들어가는 방향이므로 서로 반대 방향이다. b에서 B에 의한 자기장의 세기는 A에 의한 자기장의 세기의 2배이고 A와 B에 의한 자기장의 방향이 반대이며, c에서는 b에서와 자기장의 세기가 같고 A와 B에 의한 자기장의 방향이 같으므로 b와 c에서 자기장의 세기의 비는 1 : 3이다.

04 | 자료 분석 |

① A와 B에 흐르는 전류

구분	(가)	(나)	(다)
A	$+I$	$+I$	$-2I$
B	$-2I$	$+2I$	$+2I$

(+는 시계 방향, −는 반시계 방향)

② O에서의 자기장
· 전류 I에 의한 자기장의 세기: B
· 전류 $2I$에 의한 자기장의 세기: $2B$
· 종이면에 수직으로 들어가는 방향은 +, 종이면에서 수직으로 나가는 방향은 −로 한다.

구분	(가)	(나)	(다)
A에 의한 자기장	$+B$	$+B$	$-2B$
B에 의한 자기장	$-B$	$+B$	$+B$
A와 B의 합성 자기장	0	$+2B$	$-B$

| 선택지 분석 |

ㄱ. (가)에서 자기장은 0이다.

➡ (가)에서 A와 B에 의한 자기장의 세기는 같고 방향이 반대이므로 O에서의 자기장은 0이다.

ㄴ. 자기장의 세기는 (나)에서가 (가)에서보다 세다.

➡ (나)에서는 A와 B에 의한 자기장의 방향이 같고, (가)에서는 A와 B에 의한 자기장이 0이므로 O에서 자기장의 세기는 (나)에서가 (가)에서보다 세다.

ㄷ. (다)에서 자기장의 방향은 종이면에서 수직으로 나오는 방향이다.

➡ (다)에서 A에 의한 자기장이 B에 의한 자기장보다 세다. 따라서 A와 B에 의한 자기장의 방향은 A에 의한 자기장의 방향과 같으므로 종이면에서 수직으로 나오는 방향이다.

05 (나)에서 원형 전류와 직선 전류에 의한 자기장의 세기는 모두 B_0으로 같고, 방향도 종이면에 수직으로 들어가는 방향으로 같다. (다)에서 원형 전류에 의한 자기장은 종이면에 수직으로 들어가는 방향으로 B_0이고, 직선 전류에 의한 자기장은 종이면에서 수직으로 나오는 방향으로 $\frac{1}{2}B_0$이다. 따라서 (다)에서 원의 중심에서 자기장은 종이면에 수직으로 들어가는 방향으로 $\frac{1}{2}B_0$이다.

06 | 자료 분석 |

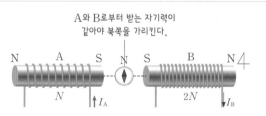

A와 B로부터 받는 자기력이
같아야 북쪽을 가리킨다.

- I_A와 I_B의 세기: A의 감은 수가 B보다 적으므로 A에 흐르는 전류의 세기가 B에 흐르는 전류의 세기보다 세다.(∵A가 작용하는 힘＝B가 작용하는 힘)
- I_B의 방향: B의 왼쪽에 S극이 생기도록 흐른다.

A와 B 사이에 서로 밀어내는 자기력이 작용하고, A와 B가 나침반 자침에 작용하는 힘은 서로 같다. 따라서 A와 B에 흐르는 전류의 방향은 반대이고, 감은 수가 적은 A에 흐르는 전류의 세기가 B에 흐르는 전류의 세기보다 세야 한다.

07 A와 B에 의한 자기장의 방향이 서로 반대이고, A에 의한 자기장의 세기가 더 세므로 O에서 자기장의 방향은 종이면에 수직으로 들어가는 방향이다.

08 두 직선 전류에 의한 자기장을 합성할 때에는 각각의 전류에 의한 자기장의 세기와 방향을 고려해야 한다.

채점 기준	배점
B에 흐르는 전류의 방향을 옳게 설명하고, I_A, I_B의 크기를 옳게 비교한 경우	100 %
B에 흐르는 전류의 방향만 설명하거나 I_A, I_B의 크기만 비교한 경우	50 %

09 전자석은 솔레노이드에 흐르는 전류의 세기와 단위길이당 도선의 감은 수를 변화시켜 세기를 조절할 수 있다.

채점 기준	배점
자기장의 세기를 조절할 수 있는 방법을 2가지 이상 옳게 서술한 경우	100 %
자기장의 세기를 조절할 수 있는 방법을 1가지만 옳게 서술한 경우	50 %

02 ~ 물질의 자성

개념POOL 187쪽

01 ㉠ 시계 ㉡ b ㉢ 스핀 ㉣ 시계 ㉤ d   **02** (1) × (2) ○

02 (1) 전자의 궤도 운동 방향과 반대 방향으로 전류가 흐르는 것과 같은 효과가 나타나므로 궤도 운동에 의한 전류의 방향은 시계 방향이다.

(2) 전류의 방향이 시계 방향이므로 O에서 자기장의 방향은 종이면에 수직으로 들어가는 방향이다.

탐구POOL 188쪽

01 ㉠ 강자성체 ㉡ 상자성체 ㉢ 반자성체

02 (1) — ㉡ (2) — ㉢ (3) — ㉠

03 (1) 약하게 (2) 오래 유지된다

01 강자성체는 자석에 잘 끌려오고, 상자성체는 자석에 약하게 끌려오며, 반자성체는 자석에 밀려난다.

콕콕! 개념 확인하기 189쪽

✔ 잠깐 확인!

1 전자 **2** 자기화 **3** 자성, 반자성 **4** 강자성체 **5** 상자성체 **6** 반자성체 **7** 반자성 **8** 강자성체

01 ㉠ 전자 ㉡ 스핀 ㉢ 자기장   **02** (1) ○ (2) × (3) ○ (4) ×   **03** ㉠ 강자성체 ㉡ 상자성체 ㉢ 반자성체
04 (1) ○ (2) × (3) ×

01 자성이 나타나는 것은 물질을 구성하는 원자 안의 전자의 궤도 운동과 스핀으로 인해 자기장이 발생하기 때문이다.

04 초전도체가 자석 위에 뜨는 것은 반자성에 의해 나타나는 현상이다. 초전도체의 이러한 성질을 마이스너 효과라고 한다.

탄탄! 내신 다지기

190쪽~191쪽

01 ③　**02** ①　**03** ⑤　**04** ②　**05** A: 구리, 유리 B: 종이, 알루미늄 C: 철, 니켈　**06** ㉠ 강자성체 ㉡ 자기 구역
07 ②　**08** ⑤　**09** ①　**10** ⑤

01 | 선택지 분석 |

㉠ (가)와 (나)로 인해 물질에 자성이 나타난다.
➡ 원자 내의 전자의 궤도 운동과 스핀에 의해 자성이 나타난다.

✗ A는 ~~N극~~이다.
　S극
➡ (가)에서 전류가 시계 방향으로 흐르는 것과 같은 효과가 나타나므로 오른손을 이용하여 자극을 찾으면 A는 S극임을 알 수 있다.

㉢ A와 B는 같은 극이다.
➡ 전자의 운동 방향과 스핀 방향의 반대 방향으로 전류가 흐르는 것과 같은 효과가 나타나므로 A와 B는 S극이다.

02 ㉠은 외부 자기장을 제거하더라도 자성을 유지하므로 강자성이고, ㉡은 외부 자기장을 제거하면 자성이 사라지므로 상자성이며, ㉢은 외부 자기장을 제거했을 때 원자 자석이 없는 상태이므로 반자성이다.

더 알아보기　자성체의 종류

종류	외부 자기장을 가했을 때	외부 자기장을 제거했을 때
강자성체	물질 내 원자 자석들이 외부 자기장의 방향으로 강하게 자기화된다.	외부 자기장을 제거해도 자성이 오래 유지된다.
상자성체	물질 내 원자 자석들이 외부 자기장의 방향으로 약하게 자기화된다.	외부 자기장을 제거하면 자성이 곧바로 사라진다.
반자성체	물질 내 원자 자석들이 외부 자기장의 반대 방향으로 자기화된다.	외부 자기장을 제거하면 원자 자석이 없는 상태가 된다.

03 | 선택지 분석 |

① 물질이 자석에 반응하는 성질이다.
➡ 물질이 자석이나 외부 자기장에 반응하는 성질을 자성이라고 한다.

② 물질을 구성하는 원자 내 전자의 운동 때문에 자성이 나타난다.
➡ 원자 내 전자의 궤도 운동과 스핀에 의해 자성이 나타난다.

③ 상자성체에 외부 자기장을 가했다가 제거하면 자성이 없어진다.
➡ 상자성체는 외부 자기장을 가하면 외부 자기장의 방향으로 약하게 자기화되고, 외부 자기장을 제거하면 자성이 없어진다.

④ 반자성체는 외부 자기장을 가하면 외부 자기장과 반대 방향으로 자기화되는 물질이다.
➡ 반자성체는 외부 자기장과 반대 방향으로 자기화되므로 반자성체에 자석을 가까이 하면 척력이 작용한다.

✗ ~~강자성체~~는 원자 내에서 전자의 회전 방향과 스핀 방향
　반자성체
이 반대인 전자들이 대부분 짝을 이루고 있는 물체이다.
➡ 원자 내 전자의 회전 방향과 스핀 방향이 반대인 전자들이 대부분 짝을 이루고 있는 물체는 반자성체이다.

04 외부 자기장의 방향으로 자기화되었다가 외부 자기장을 제거하면 자성이 곧바로 사라지는 자성체는 상자성체이다. 철과 코발트는 강자성체이고, 구리와 유리는 반자성체이다.

05 A는 반자성체이므로 구리, 유리이고, B는 상자성체이므로 종이, 알루미늄이며, C는 강자성체이므로 철, 니켈이다.

06 자기 구역은 수많은 원자 자석들이 같은 방향으로 정렬되는 구역으로, 강자성체에만 있다.

07 | 선택지 분석 |

㉠ 물체는 반자성체이다.
➡ 자석과 물체 사이에는 서로 밀어내는 힘이 작용하므로 물체는 반자성체이다.

㉡ 물체의 P 부분은 S극으로 자기화되어 있다.
➡ 서로 밀어내는 힘이 작용하므로 P는 S극, 반대쪽은 N극으로 자기화되어 있다.

✗ 자석의 극을 반대로 하면 물체는 ~~자석에 달라붙는다.~~
　　　　　　　　　　　　　　자석에서 밀려난다.
➡ 자석의 극을 반대로 해도 자석과 반자성체인 물체 사이에는 서로 밀어내는 힘이 작용한다.

08 | 자료 분석 |

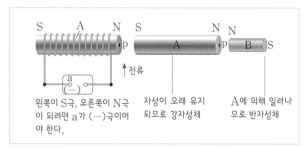

왼쪽이 S극, 오른쪽이 N극이 되려면 a가 (一)극이어야 한다.
자성이 오래 유지되므로 강자성체
A에 의해 밀려나므로 반자성체

| 선택지 분석 |

㉠ a는 (ㅡ)극이다.

➡ B의 오른쪽이 S극으로 자기화되었으므로 A의 오른쪽은 N극이고, a는 (ㅡ)극이다.

㉡ A는 강자성체이다.

➡ (나)에서 A는 자기화 상태를 유지하고 있으므로 강자성체이다.

㉢ B는 구리와 같은 자기적 성질을 가진다.

➡ B는 반자성체이므로 구리와 같은 자기적 성질을 가진다.

09 | 선택지 분석 |

㉠ A는 초전도체이다.

➡ 초전도체는 외부 자기장과 반대 방향으로 자기화되므로 자석 위에 뜬다.

✗ ㉠에 들어갈 말은 '같은'이다.   (반대)

➡ 초전도체는 반자성을 가지므로 외부 자기장과 반대 방향으로 자기화되려는 성질을 가지고 있다.

✗ 하드디스크의 정보 저장 물질은 A와 동일한 자기적 성질을 갖는다.   (다른)

➡ 하드디스크의 정보 저장 물질인 산화 철은 강자성체이다.

10 | 선택지 분석 |

㉠ 철심의 A는 N극이다.

➡ 철심의 A는 N극이고, 반대쪽은 S극으로 자기화된다.

㉡ 마그네틱선은 강자성체이다.

➡ 마그네틱선에 입힌 강자성체 분말이 자기화되어 정보가 저장된다.

㉢ 코일에 흐르는 전류의 방향을 바꾸면 마그네틱선의 자기화 방향이 바뀐다.

➡ 코일에 흐르는 전류의 방향을 바꾸면 자기장의 방향이 바뀌므로 마그네틱선의 자기화 방향도 바뀐다.

도전! 실력 올리기   192쪽~193쪽

01 ② **02** ① **03** ② **04** ② **05** ② **06** ③

07 반자성

08 | 모범 답안 | 구리, 유리, 구리와 유리는 반자성체이므로 외부 자기장과 반대 방향으로 자기화되어 네오디뮴 자석과 척력이 작용한다.

09 | 모범 답안 | 강자성, 헤드에 정보를 담은 전류가 흐르면 헤드에 자기장이 발생한다. 디스크(플래터)가 헤드를 지나가면 강자성체인 디스크의 정보 저장 물질이 자기력에 의해 자기화되어 정보가 저장된다.

01 | 선택지 분석 |

㉠ (가)의 원자핵이 있는 곳에서 종이면에 수직으로 들어가는 방향의 자기장이 생긴다.

➡ 전자의 회전 방향과 반대 방향으로 전류가 흐르는 것과 같은 효과가 나타나므로 원자핵이 있는 곳에서 자기장의 방향은 종이

면에 수직으로 들어가는 방향이다.

㉡ ㉠은 스핀이다.

➡ 전자의 고유한 물리량인 스핀에 의해서도 자기장이 나타난다.

✗ 원자 내에서 전자의 회전 방향이 반대인 전자들이 모두 짝을 이루기 때문에 자성이 나타난다.   (이루지 않기)

➡ 원자 내에서 전자의 회전 방향이 반대인 전자들이 짝을 이루면 자성이 나타나지 않는다.

02 | 선택지 분석 |

철수: 전자의 궤도 운동과 스핀 때문에 자성이 나타나.

➡ 전자의 궤도 운동과 스핀 때문에 자기장이 발생하고 자성이 나타난다.

영희: 스핀이 서로 반대인 전자들이 짝을 이루면 자성은 더 강해져.   (나타나지 않는다.)

➡ 스핀이 반대인 전자들이 짝을 이루면 전자가 만드는 자기장이 상쇄되므로 자성이 나타나지 않는다.

민수: 반자성은 원자가 만드는 자기장의 방향이 외부 자기장의 방향으로 정렬될 때 나타나.   (반대 방향으로)

➡ 반자성은 원자가 만드는 자기장의 방향이 외부 자기장의 방향과 반대 방향으로 자기화될 때 나타난다.

03 | 자료 분석 |

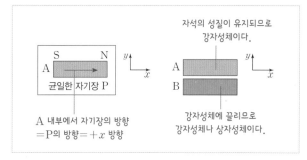

자석의 성질이 유지되므로 강자성체이다.

A 내부에서 자기장의 방향 = P의 방향 = $+x$ 방향

강자성체에 끌리므로 강자성체나 상자성체이다.

| 선택지 분석 |

㉠ A는 강자성체이다.

➡ A는 외부 자기장을 제거해도 자석의 상태를 유지하므로 강자성체이다.

㉡ P의 방향은 $+x$ 방향이다.

➡ A는 강자성체이므로 외부 자기장의 방향으로 자기화된다. 따라서 A 내부에서 자기장의 방향이 $+x$ 방향이므로 P의 방향도 $+x$ 방향이다.

✗ B를 구성하는 원자 내에서 전자의 회전 방향과 스핀 방향이 반대인 전자들이 모두 짝을 이루고 있다.

➡ B는 A와 서로 당기는 힘이 작용하므로 강자성체나 상자성체이다. 따라서 B를 구성하는 원자 내에서 전자의 회전 방향과 스핀 방향이 반대인 전자들이 모두 짝을 이루고 있지는 않다.

04 | 선택지 분석 |

㉠ 물체는 반자성체이다.

➡ 전류가 흐르는 솔레노이드와 물체 사이에 서로 밀어내는 힘이 작용하므로 물체는 반자성체이다.

ⓒ 물체 내에서 자기장의 방향은 Q에서 P 방향이다.
➡ 코일에 의한 자기장과 반대 방향으로 자기화되므로 P가 N극, Q가 S극이 된다. 따라서 물체 내에서 자기장의 방향은 Q에서 P 방향이다.

✗ 스위치를 열어도 수레는 가속도 운동을 한다.
➡ 스위치를 열면 물체가 코일로부터 받는 자기력이 0이 되므로 수레는 가속도 운동을 할 수 없다.

05 | 선택지 분석 |

✗ 철, 코발트, 니켈은 A에 해당한다.
　　　　　　　　　　　 B
➡ 철, 코발트, 니켈은 강자성체이므로 B에 해당한다.

ⓒ (가)에서 C는 외부 자기장의 반대 방향으로 자기화된다.
➡ C는 반자성체이므로 외부 자기장의 반대 방향으로 자기화된다.

✗ (나)에서 A는 강하게 자기화되어 있다.
➡ A는 상자성체이므로 자기장을 제거하면 자성이 곧바로 사라진다.

06 | 선택지 분석 |

ⓒ 디스크(플래터)에는 강자성체가 입혀져 있다.
➡ 하드디스크 표면에 입혀져 있는 정보 저장 물질은 강자성체이다.

✗ 하드디스크에 연결된 전원을 끄면 저장된 정보가 사라진다.
　　　　　　　　　　 사라지지 않는다.
➡ 하드디스크 표면에 입혀진 물질이 강자성체이므로 하드디스크에 연결된 전원을 꺼도 저장된 정보는 사라지지 않는다.

ⓒ 헤드에 발생한 자기장을 이용하여 정보를 저장한다.
➡ 헤드에서 발생한 자기장의 자기력을 이용하여 디스크(플래터)의 강자성 물질을 자기화시킨다.

07 특정 온도 이하에서 초전도체는 반자성을 띠므로 외부 자기장을 밀어내 자석 위에 떠 있을 수 있다.

08 네오디뮴 자석에 밀려나는 물질은 반자성체이다. 반자성체는 외부 자기장과 반대 방향으로 자기화되어 네오디뮴 자석과 척력이 작용한다. 반자성체로는 구리, 유리 등이 있다.

채점 기준	배점
물질을 2가지 쓰고, 그 까닭을 옳게 서술한 경우	100 %
물질 2가지만 쓴 경우	50 %

09 헤드에 정보를 담은 전류가 흐르면 헤드에 자기장이 발생하고, 이때 디스크(플래터)가 헤드를 지나가면 강자성체인 디스크의 정보 저장 물질(산화 철)이 자기화되어 정보가 저장된다.

채점 기준	배점
정보 저장 물질의 자성을 쓰고, 정보가 저장되는 까닭을 옳게 서술한 경우	100 %
정보 저장 물질의 자성만 쓴 경우	50 %

03 ~ 전자기 유도

개념POOL　　　　　　　　　　　　　　　197쪽

01 ㉠ N ㉡ B ㉢ A ㉣ 척력
02 코일에서 멀어지는 방향

01 코일에는 자석의 운동을 방해하는 방향으로 유도 전류가 흐른다. 자석의 N극이 접근하면 척력이 작용하도록 코일의 위쪽에 N극이 생기게 유도 전류가 흐른다. 따라서 검류계에 흐르는 전류의 방향은 B→ⓐ→A 방향이다.

02 자석과 코일 사이에 인력이 작용하므로 자석은 코일에서 멀어지는 방향으로 운동한다.

탐구POOL　　　　　　　　　　　　　　　198쪽

01 ㉠ 왼쪽 ㉡ 왼쪽 ㉢ 오른쪽
02 (1) — ㉡ (2) — ㉠ (3) — ㉠ (4) — ㉡

콕콕! 개념 확인하기　　　　　　　　　　199쪽

✓ 잠깐 확인!
1 전자기 유도 　**2** 유도 전류 　**3** 렌츠 　**4** 패러데이
5 발전기 　**6** 자기장

01 전자기 유도 　　**02** ㉠ N ㉡ S ㉢ b ㉣ S ㉤ N ㉥ a
03 (1) ✗ (2) ✗ (3) ○ (4) ○ (5) ✗ 　　**04** ㉠ 전자기 유도
㉡ 자석

02 코일에는 자석의 운동을 방해하는 방향으로 유도 전류가 흐른다. 코일에 자석이 접근하면 척력, 멀어지면 인력이 작용하도록 유도 전류가 흐른다.

04 발전기는 코일과 자석으로 이루어져 있으며, 코일이 회전할 때 코일을 통과하는 자기 선속이 변하는 원리를 이용하여 전기 에너지를 생산하는 장치이다.

탄탄! 내신 다지기　　　　　　　　　200쪽~201쪽

01 ③ 　**02** ② 　**03** ㉠ a ㉡ b ㉢ 반대 　**04** ③ 　**05** ③
06 ② 　**07** ② 　**08** ㉠ 증가 ㉡ b 　**09** ③ 　**10** ⑤

01 | 선택지 분석 |

① 코일을 지나는 자기 선속이 변할 때 코일에 전류가 흐르는 현상이다.

➡ 코일과 자석의 상대적 운동으로 코일을 지나는 자기 선속이 변하여 코일에 전류가 흐르는 현상을 전자기 유도라고 한다.

② 코일 주위에서 자석이 움직이지 않으면 유도 전류가 흐르지 않는다.

➡ 코일 주위에서 자석이 움직이지 않으면 자기 선속이 변하지 않으므로 유도 전류가 흐르지 않는다.

③ 자석을 코일에 가까이 할 때와 멀리 할 때 유도 전류의 방향은 같다.
　　　　　　　반대이다.

④ 자석을 빠르게 움직일수록 유도 전류의 세기는 세진다.

➡ 자석을 빠르게 움직이면 자기 선속의 변화가 커져 유도 전류의 세기가 세진다.

⑤ 코일의 감은 수가 많을수록 유도 전류의 세기는 세진다.

➡ 코일의 감은 수가 많을수록 자기 선속의 변화가 커져 유도 전류의 세기가 세진다.

02 | 선택지 분석 |

코일에 막대자석의 N극을 가까이 할 때 검류계의 바늘이 왼쪽으로 움직이는 것은 코일의 위쪽이 N극이 되도록 유도 전류가 흐르기 때문이다.

㉠ 코일에서 막대자석의 N극을 멀리 한다.

➡ 코일의 위쪽이 S극이 되도록 유도 전류가 흐르므로 검류계의 바늘은 오른쪽으로 움직인다.

㉡ 코일에 막대자석의 S극을 가까이 한다.

➡ 코일의 위쪽이 S극이 되도록 유도 전류가 흐르므로 검류계의 바늘은 오른쪽으로 움직인다.

✗ 코일에서 막대자석의 S극을 멀리 한다.

➡ 코일의 위쪽이 N극이 되도록 유도 전류가 흐르므로 검류계의 바늘은 왼쪽으로 움직인다.

03 코일에 자석의 N극을 가까이 하면 코일의 위쪽은 N극, 코일의 아래쪽은 S극이 되도록 유도 전류가 흐른다. 따라서 코일에 흐르는 전류의 방향은 a→ⓖ→b 방향이고, 자석과 코일 사이에는 척력이 작용한다.

04 | 자료 분석 |

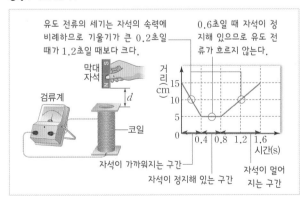

유도 전류의 세기는 자석의 속력에 비례하므로 기울기가 큰 0.2초일 때가 1.2초일 때보다 크다.

0.6초일 때 자석이 정지해 있으므로 유도 전류가 흐르지 않는다.

막대자석

검류계

코일

자석이 가까워지는 구간

자석이 정지해 있는 구간

자석이 멀어지는 구간

| 선택지 분석 |

✗ 0.2초일 때 막대자석이 코일로부터 받는 자기력의 방향은 운동 방향과 같다.
　　　　　　　반대이다.

➡ 0.2초일 때는 막대자석이 코일에 가까워지므로 막대자석은 코일로부터 척력을 받는다. 따라서 자석의 운동을 방해하는 방향인 운동 방향과 반대 방향으로 자기력이 작용한다.

✗ 0.6초일 때 코일에는 일정한 세기의 전류가 흐른다.

➡ 0.6초일 때 자석이 정지해 있으므로 코일에는 유도 전류가 흐르지 않는다.

㉢ 코일에 흐르는 유도 전류의 세기는 0.2초일 때가 1.2초일 때보다 세다.

➡ 자석의 속력이 0.2초일 때가 1.2초일 때보다 크므로 유도 전류의 세기도 0.2초일 때가 1.2초일 때보다 세다.

05 | 선택지 분석 |

① (가)에서 자석은 등가속도 직선 운동을 한다.

➡ 플라스틱관에는 유도 전류가 흐르지 않으므로 자석에는 중력만 작용하여 등가속도 직선 운동을 한다.

② (나)의 구리관에는 유도 전류가 흐른다.

➡ 구리관에는 전자기 유도에 의해 유도 전류가 흐른다.

✗ (나)에서 자석이 구리관으로부터 받는 자기력의 방향은 변한다.
　　　　　　　운동 방향과 반대 방향이다.

➡ 자석이 구리관으로부터 받는 힘의 방향은 자석의 운동을 방해하는 방향이므로 항상 자석의 운동 방향과 반대 방향으로 힘을 받는다.

④ (나)에서 자석은 구리관으로부터 운동 반대 방향으로 힘을 받는다.

➡ 구리관에는 자석의 운동을 방해하는 자기력이 작용하므로 항상 자석의 운동 방향과 반대 방향으로 힘을 받는다.

⑤ 바닥에 도달하는 데 걸리는 시간은 (나)에서가 (가)에서보다 크다.

➡ 구리관에는 자석의 운동을 방해하는 방향으로 유도 전류가 흐르므로 자석이 플라스틱관에서보다 천천히 떨어진다. 따라서 자석이 바닥에 도달하는 데 걸리는 시간은 구리관에서가 플라스틱관에서보다 크다.

06 직선 도선이 일정한 속력으로 움직이므로 회로를 통과하는 자기 선속의 변화율이 일정하다. 따라서 저항에는 일정한 크기의 전압이 걸린다. 종이면에 수직으로 들어가는 자기 선속이 증가하므로 종이면에서 수직으로 나오는 방향의 자기 선속이 생기도록 전류가 흐른다. 따라서 저항에 흐르는 전류의 방향은 b 방향이다.

07 태블릿 컴퓨터, 변압기, 교류 발전기, 금속 탐지기, 신용카드 단말기 등의 원리는 전자기 유도이고, 스피커는 전류가 흐르는 도선이 자기장 속에서 받는 자기력을 이용한 장치이다.

08 영구 자석에 의해 기타 줄의 아래쪽은 S극으로 자기화된다. 기타 줄의 P점이 코일에 가까워지면 코일을 통과하는 자기 선속이 증가하므로 코일의 위쪽이 S극, 아래쪽이 N극이 되도록 유도 전류가 b 방향으로 흐른다.

더 알아보기 전기 기타의 원리

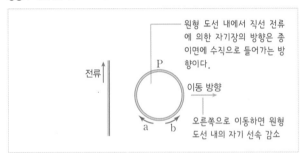

기타 줄

영구 자석

코일

전류

기타 줄 아래의 영구 자석에 의해 자기화된 기타 줄이 진동하면 코일을 통과하는 자기 선속이 변하기 때문에 코일에 유도 전류가 흘러 전기 신호가 발생한다. 이 전기 신호를 증폭하면 스피커에서 소리가 발생한다.

09 | 선택지 분석 |

ㄱ. ㉠은 자기장이다.
➡ 코일을 감은 철심이 자석 주위를 회전하면 코일을 통과하는 자기장이 변한다.

ㄴ. ㉡의 세기는 시간에 따라 ~~변하지 않는다.~~
변한다.
➡ 자기장의 변화에 의해 생기는 유도 전류는 세기와 방향이 계속 변한다.

ㄷ. 발광 킥보드에 불이 들어오는 원리는 전자기 유도로 설명할 수 있다.
➡ 전자기 유도의 원리에 의해 발광 킥보드에 불이 들어온다.

10 | 선택지 분석 |

ㄱ. 마이크는 전자기 유도에 의해 소리 신호가 전기 신호로 변환된다.
➡ 소리 신호가 전기 신호로 전환되는 마이크의 원리는 전자기 유도이다.

ㄴ. 진동판이 진동하면 코일에는 세기와 방향이 변하는 전류가 흐른다.
➡ 소리가 진동판을 진동시키면 코일에는 세기와 방향이 변하는 전류가 흐른다.

ㄷ. 소리가 클수록 코일에 흐르는 전류의 세기는 세다.
➡ 소리가 클수록 진동판을 크게 진동시키므로 코일에 흐르는 전류의 세기는 세다.

도전! 실력 올리기 202쪽~203쪽

01 ⑤ **02** ② **03** ① **04** ② **05** ⑤ **06** ④

---

07 | 모범 답안 | b 방향. 코일의 왼쪽이 N극, 오른쪽이 N극이 되도록 유도 전류가 흐르므로 자석과 코일 사이에는 서로 밀어내는 척력이 작용한다. 자석이 코일에 접근할 때 척력이 작용하므로 자석의 운동 방향은 b 방향이다.

08 | 모범 답안 | 증가, 원형 도선에 전류가 시계 방향으로 흐르는 경우는 xy 평면에서 수직으로 나오는 방향의 자기장이 증가할 때이므로 직선 도선에 흐르는 전류의 세기가 증가할 때이다.

09 반시계 방향

01 | 선택지 분석 |

ㄱ. (가)에서 금속 고리에 흐르는 전류의 방향은 a 방향이다.
➡ 금속 고리에 막대자석의 N극을 가까이 하면 금속 고리의 오른쪽이 N극, 왼쪽이 S극이 되도록 유도 전류가 흐르므로 전류의 방향은 a 방향이다.

ㄴ. 금속 고리에 흐르는 유도 전류의 세기는 (나)에서가 (가)에서보다 크다.
➡ 자석을 빠르게 가까이 하면 금속 고리에 흐르는 전류의 세기는 세진다.

ㄷ. (다)에서 금속 고리에는 전류가 흐르지 않는다.
➡ 자석을 금속 고리 속에 넣고 정지시키면 유도 전류가 흐르지 않는다.

02

Ⅰ과 Ⅱ에서의 자기장의 세기는 같고, 방향이 반대이면 a와 b에서 세기와 방향이 같은 전류가 흐른다. b에 흐르는 유도 전류의 방향이 시계 방향이므로 Ⅱ에서 자기장의 방향은 xy 평면에서 수직으로 나오는 방향이다. 따라서 Ⅰ에서 자기장의 방향은 xy 평면에 수직으로 들어가는 방향이고, Ⅱ에서 자기장의 세기는 B_0이다.

03 | 자료 분석 |

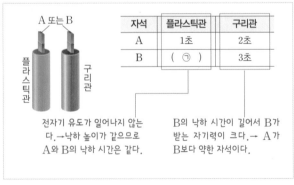

전류

P

이동 방향

a b

원형 도선 내에서 직선 전류에 의한 자기장의 방향은 종이면에 수직으로 들어가는 방향이다.

오른쪽으로 이동하면 원형 도선 내의 자기 선속 감소

P를 오른쪽으로 이동시키면 종이면에 수직으로 들어가는 방향의 자기 선속이 감소하므로 P에는 a 방향으로 유도 전류가 흐른다. P가 직선 도선에서 멀어질수록 자기 선속의 변화율이 감소하므로 기전력의 크기는 감소한다.

04 | 자료 분석 |

A 또는 B

플라스틱관

구리관

자석	플라스틱관	구리관
A	1초	2초
B	(㉠)	3초

전자기 유도가 일어나지 않는다.→낙하 높이가 같으므로 A와 B의 낙하 시간은 같다.

B의 낙하 시간이 길어서 B가 받는 자기력이 크다. → A가 B보다 약한 자석이다.

| 선택지 분석 |

ㄱ. ~~㉠은 1초보다 크다.~~
1초이다.
➡ 플라스틱관에서는 전자기 유도가 일어나지 않으므로 A와 B의 낙하 시간은 같다.

ⓒ A는 B보다 세기가 약한 자석이다.

➡ 자석의 세기가 셀수록 구리관을 통과하는 시간이 길다. 따라서 A가 B보다 약한 자석이다.

✕ 구리관에서 자석이 낙하하는 동안 자석의 역학적 에너지는 ~~보존된다.~~
보존되지 않는다.

➡ 구리관에서는 역학적 에너지가 전기 에너지로 전환되므로 역학적 에너지는 보존되지 않는다.

05 | 선택지 분석 |

① (가)에서 B는 $-y$ 방향으로 자기화된다.

➡ B는 반자성체이므로 외부 자기장의 방향과 반대인 $-y$ 방향으로 자기화된다.

② (나)에서 A가 q를 지날 때 원형 도선과 A 사이에는 척력이 작용한다.

➡ A가 q를 지날 때는 원형 도선과 A 사이에 서로 밀어내는 자기력이 작용한다.

③ (나)에서 A가 원형 도선으로부터 받는 힘의 방향은 q와 r에서 같다.

➡ A가 원형 도선으로부터 받는 힘의 방향은 q와 r에서 운동 방향과 반대 방향으로 같다.

④ (나)에서 $d_1 > d_2$이다.

➡ q와 r에서 유도 전류의 세기가 같으므로 자기 선속의 변화가 같다. 따라서 자석으로부터 떨어진 거리는 속력이 빠른 q가 r보다 크다.

✓⑤ B를 (나)의 p에 가만히 놓을 때 r에서 B의 속력은 v보다 ~~작다.~~
크다.

➡ A가 강자성체이고, B가 반자성체이다. 따라서 B는 (나)에서 전자기 유도가 일어나지 않으므로 r를 통과할 때의 속력은 v보다 크다.

06 | 선택지 분석 |

✕ 1차 코일에 흐르는 전류에 의한 자기장의 세기는 ~~일정하다.~~
변한다.

➡ 2차 코일에 유도 기전력이 발생하기 위해서는 1차 코일에 흐르는 전류에 의한 자기장의 세기가 변해야 한다.

ⓒ 2차 코일에는 유도 기전력이 발생한다.

➡ 전원이 연결된 1차 코일에 흐르는 전류에 의해 2차 코일에 전자기 유도가 발생하여 2차 코일에 유도 기전력이 발생한다.

ⓒ 휴대 전화의 배터리 충전은 전자기 유도를 이용한다.

➡ 휴대 전화의 배터리를 충전하는 원리는 전자기 유도이다.

07
유도 전류의 방향이 A→ⓖ→B이므로 오른손을 이용하여 코일의 자극을 구하면 코일의 왼쪽이 S극, 오른쪽이 N극이다. 코일 왼쪽에서 자석의 S극이 움직이고, 자석과 코일 사이에는 서로 밀어내는 척력이 작용하므로 자석의 운동 방향은 b 방향이다.

채점 기준	배점
자석의 운동 방향을 쓰고, 그 까닭을 모두 옳게 서술한 경우	100 %
자석의 운동 방향만 쓴 경우	50 %

08
원형 전류가 놓여 있는 지점에서 직선 전류에 의한 자기장의 방향은 xy 평면에서 수직으로 나오는 방향이다. 원형 도선에 전류가 시계 방향으로 흐르는 경우는 xy 평면에서 수직으로 나오는 방향의 자기장이 증가할 때이다. 직선 도선에 흐르는 전류의 세기를 증가시키면 원형 도선이 놓여 있는 지점에서 수직으로 나오는 방향의 자기장의 세기가 증가하므로 이를 방해하려는 방향, 즉 xy 평면에 수직으로 들어가는 방향의 자기장이 유도되도록 원형 도선에 시계 방향으로 유도 전류가 흐른다.

채점 기준	배점
전류의 세기 변화를 쓰고, 그 까닭을 옳게 서술한 경우	100 %
전류의 세기 변화만 쓴 경우	50 %

09
도선이 자기장 영역으로 들어가는 동안 종이면에 수직으로 들어가는 방향의 자기장이 증가하므로 이 자기장을 감소시키는 방향으로 유도 전류가 흐른다.

실전! 수능 도전하기
205쪽~207쪽

01 ④	02 ③	03 ②	04 ③	05 ②	06 ③	07 ③
08 ③	09 ③	10 ②	11 ③	12 ②		

01 | 선택지 분석 |

ⓒ 도선에 흐르는 전류의 방향은 a 방향이다.

➡ P가 놓여 있는 지점에서 전류에 의한 자기장의 방향이 서쪽이므로 도선에 흐르는 전류의 방향은 a 방향이다.

ⓒ Q가 놓여 있는 지점에서 전류에 의한 자기장의 방향은 북쪽이다.

➡ 도선에 흐르는 전류의 방향이 a 방향이므로 Q가 놓여 있는 지점에서 전류에 의한 자기장의 방향은 북쪽이다.

✕ P가 놓여 있는 지점에서 자기장의 세기는 Q가 놓여 있는 지점에서 자기장의 세기보다 ~~크다.~~
작다.

➡ P가 놓여 있는 지점에서 지구 자기장의 방향과 전류에 의한 자기장의 방향은 서로 수직이고, Q가 놓여 있는 지점에서 지구 자기장의 방향과 전류에 의한 자기장의 방향은 같은 방향이다. 따라서 P가 놓여 있는 지점에서 자기장의 세기는 Q가 놓여 있는 지점에서 자기장의 세기보다 작다.

02 | 선택지 분석 |

ⓒ 전류의 방향은 P와 Q에서 서로 반대 방향이다.

➡ c에서 전류에 의한 자기장이 0이므로 P와 Q에 흐르는 전류의 방향은 반대이다.

ⓒ 전류의 세기는 P에서가 Q에서보다 크다.

➡ c에서 전류에 의한 자기장이 0이므로 c에서 멀리 떨어져 있는 P에 흐르는 전류의 세기가 c에 가까이 있는 Q에 흐르는 전류의 세기보다 크다.

✗ 전류에 의한 자기장의 세기는 a에서가 b에서보다 <del>크다.</del>
작다.

➡ a에서는 P와 Q에 의한 자기장의 방향이 반대이고, b에서는 P와 Q에 의한 자기장의 방향이 같으므로 자기장의 세기는 a에서가 b에서보다 작다.

03 | 선택지 분석 |

✗ B에 흐르는 전류의 세기는 <del>2I</del>이다.
4I

➡ B에 흐르는 전류에 의한 자기장은 A에 흐르는 전류에 의한 자기장의 2배가 되어야 하므로 B에 흐르는 전류의 세기는 $4I$이다.

ㄴ Q에서 자기장의 방향은 종이면에서 수직으로 나오는 방향이다.

➡ P와 Q에서 자기장의 방향은 서로 반대이다. 따라서 Q에서 자기장의 방향은 종이면에서 수직으로 나오는 방향이다.

✗ B에 흐르는 전류의 방향을 반대로 하면 Q에서 자기장의 세기는 <del>$2B_0$</del>이 된다.
$3B_0$

➡ B에 흐르는 전류의 방향을 반대로 하면 A와 B에 흐르는 전류에 의한 자기장의 방향이 같으므로 Q점에서 자기장의 세기는 $B_0 + 2B_0 = 3B_0$이 된다.

04 | 자료 분석 |

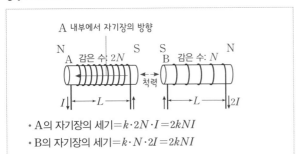

• A의 자기장의 세기$= k \cdot 2N \cdot I = 2kNI$
• B의 자기장의 세기$= k \cdot N \cdot 2I = 2kNI$

| 선택지 분석 |

✗ A 내부에서 자기장의 방향은 <del>오른쪽</del> 방향이다.
왼쪽

➡ A의 왼쪽이 N극, 오른쪽이 S극이므로 A 내부에서 자기장의 방향은 왼쪽 방향이다.

✗ 솔레노이드 내부의 자기장의 세기는 <del>A가 B의 2배이다.</del>

➡ 솔레노이드 내부의 자기장의 세기는 전류의 세기와 단위길이당 감은 수에 비례하므로 A와 B 내부의 자기장의 세기는 같다.

ㄷ A와 B 사이에는 척력이 작용한다.

➡ A의 오른쪽이 S극, B의 왼쪽이 S극이므로 A와 B 사이에는 척력이 작용한다.

05 | 선택지 분석 |

✗ 솔레노이드에 흐르는 전류의 방향은 <del>a 방향</del>이다.
b 방향

➡ 나침반 자침의 N극이 북쪽을 가리키므로 솔레노이드의 왼쪽이 N극이 되도록 전류가 흐른다. 따라서 솔레노이드에 흐르는 전류의 방향은 b 방향이다.

✗ 솔레노이드 내부의 자기장의 방향은 <del>A→B 방향</del>이다.
B→A 방향

➡ b 방향으로 전류가 흐르므로 솔레노이드의 왼쪽이 N극, 오른쪽이 S극이 된다. 따라서 솔레노이드 내부에서 자기장의 방향은 B→A 방향이다.

ㄷ 솔레노이드에 흐르는 전류의 세기를 감소시키면 나침반 자침의 N극은 시계 방향으로 회전한다.

➡ 솔레노이드에 흐르는 전류의 세기를 감소시키면 솔레노이드에 의한 자기장의 세기가 감소하므로 막대자석의 N극이 작용하는 힘이 더 커진다. 따라서 나침반 자침의 N극은 시계 방향으로 회전한다.

06 | 선택지 분석 |

ㄱ A는 반자성체이다.

➡ A는 반자성체이고, B는 강자성체이다.

ㄴ ㉠은 A이고, ㉡은 B이다.

➡ A는 반자성체이고, B는 강자성체이므로 A에는 클립이 붙지 않고, B에는 클립이 붙는다.

✗ <del>B</del>의 원자 내에서 전자의 회전 방향과 스핀 방향이 반
A
대인 전자들이 모두 짝을 이루고 있다.

➡ 원자 내에서 전자의 회전 방향과 스핀 방향이 반대인 전자들이 모두 짝을 이루고 있는 물체는 반자성체인 A이다.

07 | 선택지 분석 |

ㄱ A는 반자성 물체이다.

➡ A는 자석과 척력이 작용하므로 반자성체이다.

✗ B는 자석에 가까운 아랫면이 <del>N극</del>으로 자기화된다.
S극

➡ B는 상자성 물체이므로 자석과 인력이 작용한다. 따라서 자석에 가까운 아랫면은 S극으로 자기화된다.

ㄷ 자석이 A에 작용하는 힘의 크기는 자석이 B에 작용하는 힘의 크기보다 작다.

➡ A와 자석 사이에 작용하는 힘의 크기는 0.001 N이고, B와 자석 사이에 작용하는 힘의 크기는 0.002 N이므로 A와 자석 사이에 작용하는 힘의 크기는 B와 자석 사이에 작용하는 힘의 크기보다 작다.

08 | 자료 분석 |

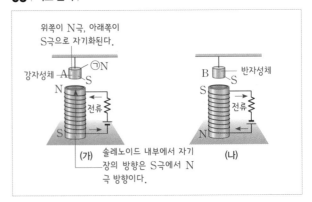

| 선택지 분석 |

ㄱ (가)에서 A의 ㉠은 N극으로 자기화된다.

➡ A가 강자성체이므로 솔레노이드와 A 사이에는 인력이 작용한다. (가)의 솔레노이드는 위쪽이 N극, 아래쪽이 S극이므로 ㉠은 N극이다.

❌ (가)에서 솔레노이드 내부의 자기장의 방향은 ~~아래~~ 방
향이다.
　　　　　　　　　　　　　　　　　위
　➡ (가)에서 솔레노이드 내부의 자기장의 방향은 S극에서 N극
　쪽이므로 위 방향이다.

ⓒ 실이 천장을 당기는 힘의 크기는 (가)에서가 (나)에서
보다 크다.
　➡ (가)에서 솔레노이드와 A 사이에는 인력이, (나)에서 솔레노
　이드와 B 사이에는 척력이 작용하므로 실이 천장을 당기는 힘의
　크기는 (가)에서가 (나)에서보다 크다.

09 | 선택지 분석 |

ⓐ P는 강자성체이다.
　➡ (나)에서 원형 도선에 시계 방향으로 유도 전류가 흐르므로 P
　는 강자성체이다.

ⓒ (가)에서 원형 도선에 흐르는 전류의 방향은 a 방향이다.
　➡ (나)에서 원형 도선에 시계 방향으로 유도 전류가 흐르므로
　원형 도선의 위쪽은 S극이 되고, N극이 멀어지는 경우이다. 즉,
　P의 아래쪽은 N극이다. 따라서 (가)에서 자석의 아래쪽도 N극
　이고, N극이 원형 도선에 접근하므로 원형 도선의 위쪽에 N극
　이 생기도록 유도 전류가 흐른다. 따라서 원형 도선에 흐르는 전
　류의 방향은 a 방향이다.

❌ (나)에서 P의 위쪽은 ~~N극~~이다.
　　　　　　　　　　　 S극
　➡ (나)에서 원형 도선에 시계 방향으로 유도 전류가 흐르므로
　원형 도선의 위쪽이 S극이 되고, 원형 도선으로부터 멀어지는 P
　의 아래쪽은 N극, 위쪽은 S극이 된다.

10 금속 고리가 0에서 d까지 운동하는 동안 시계 방향으로 유
도 전류가 흐르므로 Ⅰ에서 자기장의 방향은 종이면에서
수직으로 나오는 방향이고, 금속 고리가 d에서 $2d$까지 운
동하는 동안 유도 전류가 0이므로 Ⅱ에서 자기장은 Ⅰ에서
와 세기와 방향이 같다. 금속 고리가 $2d$에서 $3d$까지 운동
하는 동안 유도 전류가 반시계 방향으로 흐르고, 0에서 d
까지 운동하는 동안 흐르는 전류의 세기의 2배이므로 Ⅲ에
서의 자기장은 Ⅱ에서와 세기는 같고 방향은 반대이다.

11 금속 고리가 Ⅱ로 들어갈 때 금속 고리에 흐르는 전류의
방향이 같으므로 Ⅱ에서 자기장의 방향은 종이면에 수직
으로 들어가는 방향이고, 자기장의 세기는 Ⅱ에서가 Ⅰ에
서의 2배가 되어야 하므로 $2B_0$이다.

12 p의 위치가 a에서 $2a$까지 이동할 때 흐르는 전류가 $-a$에
서 0까지 이동할 때 흐르는 전류의 세기의 2배이고 방향이
같으므로 Ⅱ의 세기는 Ⅰ의 세기의 2배이고 방향은 반대이
다. 따라서 Ⅰ에서의 자기장의 세기를 $+B_0$, Ⅱ에서의 자
기장의 세기는 $-2B_0$이지만 Q가 자기장 영역을 들어갈 때
자기장이 변하는 면적은 P가 들어갈 때의 절반이다. 따라
서 자기 선속의 변화율이 $\frac{1}{2}$이 되므로 Q에 흐르는 전류의
최댓값은 $\frac{1}{2}I_0$이다.

01 ④　**02** ⑤　**03** ②　**04** ④　**05** ②　**06** ⑤　**07** ②

08 ⑤　**09** ②　**10** ①　**11** ②　**12** ②

13 | 모범 답안 | (1) (가) (2) 선 스펙트럼과 흡수 스펙트럼의
검은 선과 밝은 선의 위치는 에너지 준위에 의해 결정이 되
므로 같은 원소의 방출 스펙트럼과 흡수 스펙트럼은 같다.

14 | 모범 답안 | (1) p형 반도체 (2) LED에 순방향 전압이 걸
리면 n형 반도체의 전도띠에 있는 전자가 p형 반도체의 양
공으로 전이하면서 띠 간격에 해당하는 만큼의 에너지를 빛
으로 방출한다.

15 | 모범 답안 | (1) B (2) 반도체(B)는 온도가 높을수록 원
자가 띠에서 전도띠로 전이하는 전자의 수가 많아지기 때문
에 저항이 감소한다.

16 | 모범 답안 | (1) b (2) 직선 도선으로부터 멀어질수록 자
기 선속의 변화율이 감소하므로 도선에 흐르는 전류의 세기
도 감소한다.

01 | 선택지 분석 |

❌ (가)에서 발견된 입자의 질량이 (나)에서 발견된 입자
의 질량보다 ~~크다.~~
　　　　　　　　　 작다.
　➡ (가)는 전자를 발견한 실험이고, (나)는 원자핵을 발견한 실험
　이다. 원자핵이 원자 질량의 대부분을 차지하므로 원자핵의 질
　량이 전자의 질량보다 크다.

ⓒ (나)의 실험을 통해 전자가 원자핵 주변을 공전하는 원
자 모형이 탄생하였다.
　➡ 알파(α) 입자 산란 실험을 통해 전자가 원자핵 주변을 공전
　하는 러더퍼드 원자 모형이 탄생하였다.

ⓒ (가)와 (나)에서 발견한 입자들 사이에는 서로 끌어당
기는 전기력이 작용한다.
　➡ 전자는 (−)전하를 띠고, 원재핵은 (＋)전하를 띠므로 두
　입자 사이에는 서로 끌어당기는 전기력이 작용한다.

더 알아보기　전자와 원자핵의 발견

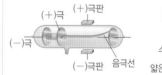

(＋)극판 쪽으로 휘어진다. | 대부분의 알파(α) 입자는 산란되지 않는다.
▲ 음극선 실험　　　　　　　▲ 알파(α)입자 산란 실험

· 1897년 톰슨은 기체 방전관에 높은 전압을 걸어 주면 (−)
극에서 (＋)극 쪽으로 음극선이 나오는 것을 발견하였고, 이
음극선이 (−)전하를 띠는 전자임을 알아냈다.
· 1910년 러더퍼드는 방사성 원소인 라듐에서 나오는 알파(α)
입자를 금박에 충돌시킨 후 입자의 진로를 관찰하여 원자핵
의 존재를 알아냈다.

02 (가)에서 A와 B 사이의 거리를 $2d$라고 하면 B에 작용하

는 전기력의 크기는 $F=k\dfrac{2Q^2}{4d^2}=k\dfrac{Q^2}{2d^2}$이다. (나)에서 B에 작

용하는 전기력의 크기는 $F'=k\dfrac{2Q^2}{d^2}-k\dfrac{Q^2}{2d^2}=k\dfrac{3Q^2}{2d^2}=3F$

이고, C에 의한 전기력이 A에 의한 전기력보다 크므로 전
기력의 방향은 오른쪽이다.

03 | 자료 분석 |

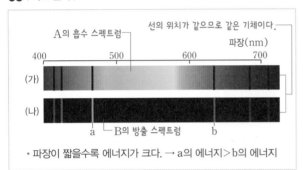

A의 흡수 스펙트럼

선의 위치가 같으므로 같은 기체이다.

파장(nm)

400　　　500　　　600　　　700

(가)

(나)

a　—B의 방출 스펙트럼　　　b

· 파장이 짧을수록 에너지가 크다. → a의 에너지>b의 에너지

| 선택지 분석 |

✗ A와 B는 서로 ~~다른~~ 종류의 기체이다.
　　　　　　　　　같은
　➡ (가)와 (나)에서 A와 B에 의한 스펙트럼의 선의 위치가 동일
하므로 A와 B는 같은 종류의 기체이다.

Ⓛ 원자는 특정한 파장의 빛을 방출하거나 흡수한다.
　➡ 냉각된 기체가 백색광의 일부를 흡수하여 검은 선으로 나타
난 스펙트럼과 가열된 기체가 특정한 파장의 빛을 방출하여 밝
은 선으로 나타난 스펙트럼을 통해 원자는 특정한 파장의 빛을
방출하거나 흡수한다는 것을 알 수 있다.

✗ 광자 1개의 에너지는 b가 a보다 ~~크다.~~
　　　　　　　　　　　　　　작다.
　➡ 광자의 에너지는 파장에 반비례하므로 광자 1개의 에너지
는 a가 b보다 크다.

04 | 자료 분석 |

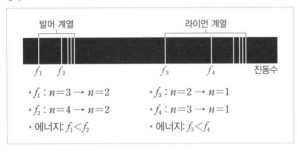

발머 계열　　　　　　　라이먼 계열

f_1　f_2　　　　f_3　　f_4　　진동수

· $f_1: n=3 \rightarrow n=2$　　· $f_3: n=2 \rightarrow n=1$
· $f_2: n=4 \rightarrow n=2$　　· $f_4: n=3 \rightarrow n=1$
· 에너지: $f_1<f_2$　　　　· 에너지: $f_3<f_4$

| 선택지 분석 |

✗ 광자 1개의 에너지는 f_1일 때가 f_2일 때보다 ~~크다.~~
　　　　　　　　　　　　　　　　　　　　작다.
　➡ 광자 1개의 에너지는 진동수에 비례하므로 f_2일 때가 f_1일 때
보다 크다.

Ⓛ f_2는 전자가 $n=4$인 궤도에서 $n=2$인 궤도로 전이할
때 방출하는 빛의 진동수이다.
　➡ f_1은 전자가 $n=3$인 궤도에서 $n=2$인 궤도로 전이할 때 방
출하는 빛의 진동수이고, f_2는 전자가 $n=4$인 궤도에서 $n=2$인
궤도로 전이할 때 방출하는 빛의 진동수이다.

Ⓔ $f_1+f_3=f_4$이다.

　➡ f_4는 양자수가 $n=3$인 궤도에서 양자수가 $n=1$인 궤도로 전
자가 전이할 때 방출하는 빛의 진동수이므로 $f_1+f_3=f_4$이다.

05 | 선택지 분석 |

✗ n형 반도체는 ㉠이 많아지도록 첨가한다.
　p형
　➡ 양공인 ㉠이 많아지도록 첨가한 반도체는 p형 반도체이다.

✗ 원자가 띠에 있는 전자의 에너지 준위는 모두 ~~같다.~~
　　　　　　　　　　　　　　　　　　　　다르다.
　➡ 원자가 띠에 있는 전자들은 모두 다른 에너지 준위를 갖는다.

Ⓔ 전자가 원자가 띠에서 전도띠로 전이하는 데 필요한
최소한의 에너지는 1.14 eV이다.
　➡ 원자가 띠에 있는 전자는 띠 간격 이상의 에너지를 흡수해야
전도띠로 전이하므로 전이하는 데 필요한 최소한의 에너지는
1.14 eV이다.

06 | 선택지 분석 |

Ⓖ 전기 전도성은 A가 B보다 좋다.
　➡ A는 도체, B는 반도체이므로 전기 전도성은 A가 B보다 좋다.

Ⓛ 규소(Si)와 저마늄(Ge)은 B에 해당한다.
　➡ 규소(Si)와 저마늄(Ge)은 반도체이므로 B에 해당한다.

Ⓔ 온도가 높을수록 B에서 양공의 수는 늘어난다.
　➡ 온도가 높을수록 B의 원자가 띠에서 에너지를 얻어 전도띠로
전이되는 전자의 수가 증가하므로 B에서 양공의 수는 늘어난다.

07 | 선택지 분석 |

✗ A는 p형 반도체이다.
　　　n형
　➡ ㄱ. A는 전도띠에 전자가 많으므로 n형 반도체이다.

Ⓛ B에서는 주로 양공이 전류를 흐르게 한다.
　➡ B는 p형 반도체이므로 양공이 전류를 흐르게 한다.

✗ 순수 반도체는 B보다 전기 전도성이 ~~좋다.~~
　　　　　　　　　　　　　　　　　　나쁘다.
　➡ B는 양공이 많아지도록 첨가한 p형 반도체이므로 순수 반도
체보다 전기 전도성이 좋다.

08 | 선택지 분석 |

Ⓖ A는 p형 반도체이다.
　➡ A는 원자가 전자가 3개인 인듐(In)을 첨가하였으므로 p형
반도체이다.

Ⓛ S를 a에 연결하면 p형 반도체의 양공이 p−n 접합면
으로 이동한다.
　➡ S를 a에 연결하면 다이오드에 순방향 전압이 걸리므로 p형
반도체의 양공은 p−n 접합면으로 이동한다.

Ⓔ S를 b에 연결하면 정류 작용을 한다.
　➡ S를 b에 연결하면 다이오드가 정류 작용을 하여 전류가 한
방향으로만 흐른다.

09 O에서 A와 B에 의한 자기장은 세기가 같고 방향이 반대
이므로 O에서 자기장은 C에 의한 자기장이다. C에 흐르
는 전류의 방향이 xy 평면에 수직으로 들어가는 방향이므
로 O에서 자기장의 방향은 $+y$ 방향이다. O에서 A에 의

한 자기장의 세기가 B_0이고, 자기장의 세기는 도선으로부터의 거리에 반비례하므로 O에서 C에 의한 자기장의 세기는 $\frac{1}{2}B_0$이다.

10 | 자료 분석 |

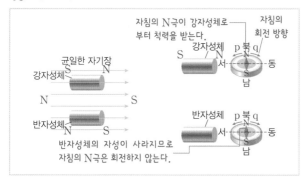

균일한 자기장
강자성체
반자성체
반자성체의 자성이 사라지므로 자침의 N극은 회전하지 않는다.

자침의 N극이 강자성체로부터 척력을 받는다.
자침의 회전 방향
강자성체

| 선택지 분석 |

⃝ (가)에서 자기화된 방향은 강자성체와 반자성체가 반대이다.

➡ 강자성체는 외부 자기장의 방향으로 자기화되고, 반자성체는 외부 자기장과 반대 방향으로 자기화되므로 강자성체와 반자성체가 자기화된 방향은 반대이다.

✗ (나)에서 나침반 자침의 회전 방향은 ~~p 방향~~이다.
q 방향

➡ (가)에서 강자성체는 오른쪽이 N극이 되도록 자기화된다. (나)에서 나침반 자침의 N극은 강자성체와 척력이 작용하므로 q 방향으로 회전한다.

✗ (다)에서 나침반 자침의 회전 방향은 q 방향이다.

➡ 반자성체는 외부 자기장을 제거하면 자성이 사라지므로 나침반 자침의 N극은 회전하지 않는다.

11 | 선택지 분석 |

✗ A는 ~~p형~~ 반도체이다.
n형

➡ 다이오드에 순방향 전압이 걸리므로 전류가 흘러들어오는 B는 p형 반도체, 흘러나가는 A는 n형 반도체이다.

✗ 코일에 흐르는 유도 전류에 의한 코일 내부의 자기장의 방향은 자석의 운동 방향과 ~~같은~~ 방향이다.
반대

➡ 코일에는 자석의 운동을 방해하는 방향으로 자기장이 생기도록 유도 전류가 흐른다. 따라서 코일의 위쪽이 N극, 아래쪽이 S극이 되도록 유도 전류가 흐르므로 유도 전류에 의한 코일 내부의 자기장의 방향은 자석의 운동 방향과 반대 방향이다.

⃝ 자석의 극을 반대로 바꾸어 같은 방향으로 운동시키면 P점을 지날 때 전구에 불이 들어오지 않는다.

➡ 자석의 S극을 코일에 가까이 하면 코일의 위쪽이 S극, 아래쪽이 N극이 되도록 유도 전류가 흐르므로 다이오드에 역방향 전압이 걸려 전류가 흐지 않아 전구에 불이 들어오지 않는다.

12 | 선택지 분석 |

✗ ㉠은 세기와 방향이 ~~일정하다~~.
변한다

➡ 자기 선속의 변화에 의해 유도 전류는 세기와 방향이 변한다.

⃝ 기타 줄이 코일에 접근하는 동안 a 방향으로 유도 전류가 흐른다.

➡ 기타 줄의 아래쪽이 S극으로 자기화되므로 기타 줄이 접근하면 코일의 위쪽이 S극이 되도록 유도 전류가 흐른다. 따라서 전류의 방향은 a 방향이다.

✗ 전기 기타의 원리로 하드디스크에 정보를 ~~저장~~하는 과정을 설명할 수 있다.
재생

➡ 전기 기타와 하드디스크의 정보를 재생하는 과정의 원리는 같다.

13 (1) 저온의 수소 기체를 통과한 백열등의 스펙트럼은 저온의 기체가 백색광의 일부를 흡수한 부분이 검은 선으로 나타난다.

(2) 원자의 에너지 준위가 양자화되어 있으므로 원자 내에서 전자가 존재할 수 있는 에너지 궤도는 정해져 있다.

채점 기준	배점
저온의 수소 기체를 통과한 스펙트럼과을 쓰고, 검은 선과 밝은 선의 위치가 같은 까닭을 옳게 서술한 경우	100 %
검은 선과 밝은 선의 위치가 같은 까닭만 서술한 경우	50 %
저온의 수소 기체를 통과한 스펙트럼만 쓴 경우	30 %

14 (1) LED에 순방향 전압이 걸리므로 p형 반도체에는 전원의 (+)극이, n형 반도체에는 전원의 (−)극이 연결되어 있다.

(2) LED에 순방향 전압이 걸리면 n형 반도체의 전도띠에 있는 전자가 p형 반도체의 양공으로 전이한다.

채점 기준	배점
반도체의 종류와 빛을 방출하는 까닭을 옳게 서술한 경우	100 %
빛을 방출하는 까닭만 서술한 경우	50 %
반도체의 종류만을 옳게 쓴 경우	30 %

15 (1) 도체는 온도가 올라가면 저항이 증가하고, 반도체는 온도가 올라가면 저항이 감소한다.

채점 기준	배점
반도체에 해당하는 고체를 쓰고, 온도가 올라가면 B의 저항이 감소하는 까닭을 옳게 서술한 경우	100 %
온도가 올라가면 B의 저항이 감소하는 까닭만 서술한 경우	50 %
반도체에 해당하는 고체만 쓴 경우	30 %

16 (1) 직선 도선의 오른쪽에는 종이면에 수직으로 들어가는 자기 선속이 만들어진다. 원형 도선이 오른쪽으로 이동하면 종이면에 수직으로 들어가는 방향의 자기 선속이 감소하므로 변화를 방해하는 방향인 b 방향으로 유도 전류가 흐른다.

채점 기준	배점
전류의 방향을 쓰고, 원형 도선에 흐르는 전류의 세기 변화를 옳게 서술한 경우	100 %
전류의 세기 변화만 서술한 경우	50 %
전류의 방향만 쓴 경우	30 %

1 » 파동의 성질과 활용

01~ 파동의 속력과 굴절

개념POOL   219쪽

01 (1) 입사각: 45°, 굴절각 30° (2) 2초 (3) 1 cm/s
02 (1) ○ (2) ○ (3) × (4) ○ (5) ×

01 | 자료 분석 |

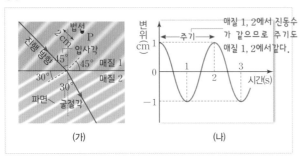

(가)   (나)

(1) 입사각은 입사파와 법선이 이루는 각, 또는 입사파의 파면과 경계면이 이루는 각이므로 45°이고, 굴절각은 굴절파와 법선이 이루는 각, 또는 굴절파의 파면과 경계면이 이루는 각이므로 30°이다.

(2) 매질 1에서 주기가 2초이므로 매질 2에서 주기도 2초이다.

(3) 매질 1에서 파동의 속력은 $\dfrac{2 \text{ cm}}{2 \text{ s}} = 1 \text{ cm/s}$이다.

02 (3) 굴절각이 입사각보다 작으므로 매질의 절대 굴절률은 2에서가 1에서보다 크다.

(4) 매질 1에 대한 매질 2의 상대 굴절률 n_{12}는 $n_{12} = \dfrac{n_2}{n_1} =$

$\dfrac{v_1}{v_2} = \dfrac{\sin 45°}{\sin 30°} > 1$이다.

탐구POOL   220쪽

01 같다.   **02** 물의 깊이가 달라졌기 때문이다.

01 물결파의 진동수는 나무 막대의 진동수에 의해 결정되고 매질(수심)에 의해 영향을 받지 않는다.

02 파동의 속력은 매질의 종류와 성질에 따라 달라진다. 파동이 다른 매질에 입사하여 파장이 짧아지면 파동의 속력이 느려지고, 반대로 파장이 길어지면 속력이 빨라져서 굴절이 일어난다.

콕콕! 개념 확인하기   221쪽

✔ 잠깐 확인!
1 파동   **2** 횡파, 종파   **3** 마루, 골, 진폭, 파장
4 주기, 진동수   **5** 파장, 진동수   **6** 사인   **7** 크, 작

01 (1) ○ (2) × (3) × (4) ○   **02** 위상   **03** 0.2 m/s
04 ㉠ 빠르고 ㉡ 느리다 ㉢ 느려진다
05 (1) C (2) C (3) 모두 같다. (4) 모두 같다. (5) C

01 (2) 파동이 진행할 때 에너지는 파동을 따라 이동하지만 매질은 제자리에서 진동만 한다.

(3) 횡파에서 이웃한 마루와 마루 사이, 또는 골과 골 사이의 거리를 파장이라고 한다.

(4) 동일한 용수철에서 파동의 속력은 같으므로 주기가 짧을수록 파장이 짧아진다. 따라서 파장을 의미하는 밀한 곳에서 이웃한 밀한 곳까지의 거리가 작아진다.

03 $v = \dfrac{\lambda}{T} = \dfrac{0.3 \text{ m}}{1.5 \text{ s}} = 0.2 \text{ m/s}$이다.

05 물결파는 물의 깊이가 깊을수록 빠르고 파장이 길며, 속력이 빠르다. 매질이 변해도 물결파의 주기와 진동수는 변하지 않는다. 파장이 C>B>A 순으로 길므로 물의 깊이도 C>B>A 순으로 깊다.

탄탄! 내신 다지기   222쪽~223쪽

01 ①   **02** ㄱ   **03** 2.5 Hz, 종파   **04** 2 m/s   **05** ⑤
06 파장, 주기   **07** ③   **08** ④
09 $n_1 : n_2 = 1 : \sqrt{2}$, $v_1 : v_2 = \sqrt{2} : 1$ **10** ②   **11** ④

01 | 선택지 분석 |

☑ 파동의 진행 방향은 파면과 수직이다.
➡ 파면과 파동의 진행 방향은 항상 수직이다.

② 파동이 진행해도 진폭은 변하지 않는다.
　　　　　　　　　　　　　　　감소한다.
➡ 구면파에서 파면의 길이가 커지므로 진폭이 감소해야 전체 에너지가 일정하다.

③ 매질은 파동의 진행 방향으로 이동한다.
　　　　　　　　　　이동하지 않고 제자리에서 진동한다.
➡ 파동이 진행할 때 매질은 제자리에서 진동하고 에너지가 이동한다.

④ 이웃한 두 파면 사이의 거리는 반파장이다.
　　　　　　　　　　　　　　　파장
➡ 이웃한 두 파면 사이의 거리는 파장이다.

⑤ 파동이 진행할수록 파면과 파면 사이의 거리는 멀어진다.
　　　　　　　　　　　　　　　　　　　　일정하다.
➡ 파동이 진행하더라도 매질이 변하지 않으면 속력이 일정하므로 파면과 이웃한 파면 사이의 거리인 파장은 일정하다.

02 | 선택지 분석 |

◯ A는 횡파이고, B는 종파이다.

➡ 매질의 진동 방향과 파동의 진행 방향이 A는 서로 수직이므로 횡파이고, B는 나란하므로 종파이다.

✗ A와 B의 파장은 <del>같다.</del>
다르다.

➡ 파장은 A가 B의 2배이다.

✗ A는 지진파의 <del>P파</del>, B는 지진파의 <del>S파</del>에 해당한다.
S파   P파

➡ 지진파의 P파는 종파, 지진파의 S파는 횡파이다.

03 $f = \dfrac{1}{T} = \dfrac{1}{0.4\ \text{s}} = 2.5\ \text{Hz}$이고, 파동의 진행 방향과 매질의 진동 방향이 모두 x축 방향이므로 종파이다.

04 이 파동의 파장은 0.4 m이고, 주기는 0.2초이므로 속력은

$$v = \frac{\lambda}{T} = \frac{0.4\ \text{m}}{0.2\ \text{s}} = 2\ \text{m/s}$$이다.

05 | 자료 분석 |

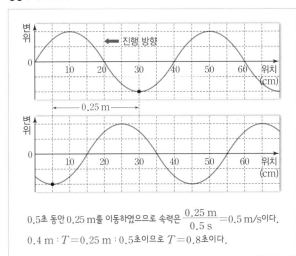

0.5초 동안 0.25 m를 이동하였으므로 속력은 $\dfrac{0.25\ \text{m}}{0.5\ \text{s}} = 0.5\ \text{m/s}$이다.

0.4 m : T = 0.25 m : 0.5초이므로 T = 0.8초이다.

파동은 0.5초 동안 0.25 m를 왼쪽으로 이동하므로 주기는 0.8초이고, 속력은 0.5 m/s이다.

06 $v = \dfrac{\lambda}{T} = f\lambda$, $f = \dfrac{1}{T}$에서 v가 일정하고 f가 커지므로 주기 T와 파장 λ는 작아진다.

07 | 선택지 분석 |

◯ 진동수는 B에서가 A에서의 4배이다.

➡ A와 B에서의 진동수는 각각 2 Hz, 8 Hz이다.

◯ 파장은 A에서가 B에서의 2배이다.

➡ A에서의 파장은 2 m, B에서의 파장은 1 m이므로 파장은 A가 B의 2배이다.

✗ 줄은 A가 B보다 <del>가늘다.</del>
굵다.

➡ A에서 속력은 2 m × 2 Hz = 4 m/s, B에서의 속력은 1 m × 8 Hz = 8 m/s로 B에서가 A에서보다 빠르다. 줄이 가늘수록 파동의 속력이 빠르므로 줄은 A가 B보다 굵다.

08 | 선택지 분석 |

① 파장은 A보다 B에서 <del>길다.</del>
짧다.

➡ 파장의 파면과 이웃한 파면 사이의 거리로 A보다 B에서 짧다.

② 진동수는 <del>B보다 A에서 크다.</del>
A와 B에서 같다.

➡ 매질이 변해도 진동수와 주기는 변하지 않는다.

③ 물의 깊이는 A보다 B에서 <del>깊다.</del>
얕다.

➡ 물의 깊이가 깊을수록 파동의 파장이 길다.

☑ 파동의 속력은 B보다 A에서 빠르다.

➡ 물의 깊이가 깊을수록 파동의 속력이 빠르다.

⑤ A와 B의 경계에서 파동의 진행 방향은 <del>바뀌지 않는다.</del>
바뀐다.

➡ A와 B의 경계면에 비스듬히 입사한 물결파는 굴절 현상이 일어나 파동의 진행 방향이 바뀐다.

09 굴절 법칙을 적용하면 $\dfrac{n_2}{n_1} = \dfrac{\sin45°}{\sin30°} = \dfrac{v_1}{v_2}$이다.

따라서 $n_1 : n_2 = 1 : \sqrt{2}$, $v_1 : v_2 = \sqrt{2} : 1$이다.

> **더 알아보기** **굴절률 비교하기**
> 매질 1의 물질이 동일하고 매질 2의 물질이 다르며, 매질 1에서 2로 진행할 때 입사각이 같은 경우
>
>
>
> 세 경우 모두 빛의 속력이 빠른 매질에서 느린 매질로 빛이 진행하므로 입사각이 굴절각보다 크다. 빛이 공기에서 다이아몬드로 진행할 때 가장 크게 굴절하는데, 이는 공기에서 다이아몬드로 진행할 때 빛의 속력 변화가 가장 크기 때문이다.

10 | 선택지 분석 |

유리에 대한 공기의 굴절률은 $\dfrac{n_{공기}}{n_{유리}} = \dfrac{\sin30°}{\sin60°} = \dfrac{v_{유리}}{v_{공기}}$이다.

① 반사각은 30°이다.

➡ 입사각과 반사각은 항상 같다.

☑ 유리에 대한 공기의 굴절률은 <del>$\sqrt{3}$</del>이다.
$\dfrac{1}{\sqrt{3}}$

➡ 유리에 대한 공기의 굴절률은 $\dfrac{n_{공기}}{n_{유리}} = \dfrac{1}{n_{유리}} = \dfrac{\sin30°}{\sin60°} = \dfrac{1}{\sqrt{3}}$ 이다.

③ 공기에서의 단색광의 파장은 $\sqrt{3}\lambda$이다.

➡ $\dfrac{\sin30°}{\sin60°} = \dfrac{\lambda_{유리}}{\lambda_{공기}} = \dfrac{\lambda}{\lambda_{공기}}$이므로 $\lambda_{공기} = \sqrt{3}\lambda$이다.

④ 단색광의 진동수는 유리와 공기에서가 같다.

➡ 굴절하는 동안 빛의 진동수는 변하지 않는다.

⑤ 빛의 속력은 입사 광선이 굴절 광선보다 작다.

➡ $\dfrac{\sin30°}{\sin60°} = \dfrac{v_{공기}}{v_{유리}} = \dfrac{1}{\sqrt{3}}$이므로 $v_{유리} > v_{공기}$이다.

11 | 선택지 분석 |

○ 두 경우 모두 빛이 굴절되어 생긴 현상이다.

➡ 신기루는 빛의 굴절에 의해 나타나는 현상이다.

✕ (가)는 지표면에 ~~찬 공기층~~, 지표 상공에 ~~뜨거운 공기~~
               뜨거운 공기층   찬 공기층
  층이 형성되어 있다.

➡ 빛은 고온의 기체에서는 빠르고, 저온의 기체에서는 느리다.
(가)는 지표면에 뜨거운 공기층, 지표 상공에 차가운 공기층이 형성되어 빛이 상공 쪽으로 굴절할 때 나타나는 현상이다.

○ 맑은 날 밤에 지표면에서 먼 곳의 소리가 잘 들리는 현상은 소리가 (나)와 같은 경로로 진행하기 때문이다.

➡ (나)는 빛이 지표면으로 굴절하는 현상이다. 밤에 소리가 지표면으로 굴절하므로 지표면의 먼 곳까지 소리가 전달된다.

더 알아보기 신기루

- **지면 근처의 공기가 뜨거울 때의 신기루:** 물체에서 나온 빛은 도로 근처의 뜨거운 공기에 의해 굴절되어 관찰자의 눈으로 들어온다. 관찰자는 빛이 직진한 것으로 인식하므로 도로에 상이 보이게 된다.

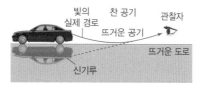

- **지면 근처의 공기가 차가울 때의 신기루:** 빙산에서 나오는 빛은 해수면 위의 찬 공기에 비해 따뜻한 상층의 공기를 통과하면서 굴절되어 관찰자의 눈으로 들어온다. 관찰자는 빛이 직진한 것으로 인식하므로 공중에 상이 보이게 된다.

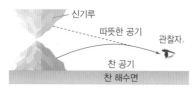

도전! 실력 올리기

224쪽~225쪽

01 ④   **02** ③   **03** ②   **04** ②   **05** ④   **06** ①

---

07 | 모범 답안 | 유리와 글리세린의 굴절률이 거의 같아 빛이 굴절하지 않고 직진하기 때문이다.

08 | 모범 답안 | 이산화 탄소 풍선을 지난 소리가 커졌으므로, 소리는 이산화 탄소 풍선을 지나면서 모였고, 헬륨 풍선을 지난 소리가 작아졌으므로, 소리는 헬륨 풍선을 지나면서 퍼졌다. 이는 소리가 굴절 되었기 때문이다. 소리가 굴절할 때 매질에 관계없이 소리의 진동수(높낮이)는 변하지 않는다.

---

01 | 자료 분석 |

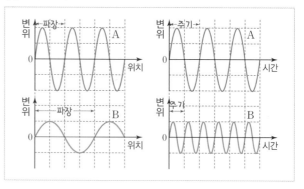

| 선택지 분석 |

○ 파장은 B가 A의 2배이다.

➡ A의 파장은 두 칸, B의 파장은 네 칸이다.

✕ 진동수는 A가 B의 ~~2배~~이다.
                      $\frac{1}{2}$배

➡ 주기는 A가 두 칸, B는 한 칸이다. 주기와 진동수는 서로 역수 관계이므로 진동수는 B가 A의 2배이다.

○ 한 주기 동안 매질의 한 점의 평균 속력은 A와 B가 같다.

➡ 주기는 A가 B의 2배이고, 한 주기 동안 매질의 한 점의 이동 거리는 A가 B의 2배이므로 한 주기 동안 매질의 한 점의 평균 속력은 A와 B가 서로 같다.

---

02 | 선택지 분석 |

✕ 파동의 진행 방향은 $+x$방향이다.
                          $-x$

➡ 시간이 0일 때 P의 운동 방향이 $+y$방향이므로 파동의 진행 방향은 $-x$방향이다.

✕ 파동의 전파 속력은 $\frac{x_0}{t}$이다.
                             $\frac{x_0}{2t}$

➡ 파장은 $2x_0$, 주기는 $4t$이므로 속력은 $\frac{x_0}{2t}$이다.

○ (나)에서 빗금 친 부분의 면적은 $2A_0$이다.

➡ (나)에서 빗금 친 부분의 면적은 P가 $-A_0$에서 A_0까지 이동한 거리인 $2A_0$이다.

---

03 물결파는 깊은 곳에서 속력이 더 빠르므로 깊은 곳에서 파면 사이의 간격이 더 넓다. 얕은 곳에서는 아래쪽이 위쪽보다 앞에서 진행하고 있으므로 얕은 곳에서 깊은 곳으로 진행할 때도 아래쪽이 위쪽보다 앞에서 진행해야 한다.

---

04 | 선택지 분석 |

원의 반지름을 d라고 하면 물에 대한 공기의 굴절률은

$$\frac{n_{공기}}{n_{물}} = \frac{\sin i}{\sin r} = \frac{\dfrac{\overline{AB}}{d}}{\dfrac{\overline{CD}}{d}} = \frac{\overline{AB}}{\overline{CD}} < 1 \text{이다.}$$

05 │ 선택지 분석 │

ⓖ 물속의 다리가 짧아 보이는 까닭은 빛의 굴절 현상으로 설명할 수 있다.

➡ 빛이 물에서 공기로 비스듬히 진행할 때 빛의 진행 방향이 꺾이는 굴절 현상에 의해 다리가 짧아 보인다.

✕ 발바닥이 있는 곳의 깊이가 실제보다 깊어 보인다.
　　　　　　　　　　　　　　　　　얕아

➡ 빛의 속력은 공기에서가 물에서보다 빠르다. 따라서 빛이 물에서 공기로 진행하다 굴절할 때 굴절각이 입사각보다 커서 발바닥이 있는 곳의 깊이가 실제보다 얕아 보인다.

ⓒ 빛은 공기보다 물속에서 속력이 느리다.

➡ 빛의 굴절률이 공기보다 물속에서 크므로 빛의 속력은 공기보다 물속에서 느리다.

더 알아보기 수심이 얕아 보이는 까닭

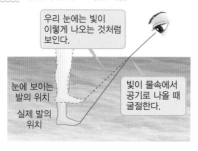

우리 눈에는 빛이 이렇게 나오는 것처럼 보인다.

눈에 보이는 발의 위치

실제 발의 위치

빛이 물속에서 공기로 나올 때 굴절한다.

빛이 물속에서 공기 중으로 나올 때 굴절각이 입사각보다 크게 굴절하기 때문에 나타나는 현상이다.
빛의 속력은 공기에서가 물에서보다 빠르고 빛의 파장도 공기에서가 물에서보다 길다. 하지만 빛의 진동수는 공기에서와 물에서가 같다.

---

06 │ 자료 분석 │

매질의 굴절률 비교

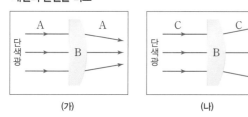

(가)　　　　　　(나)

B가 볼록 렌즈 형태이므로 (가)에서 A를 공기, B를 유리라고 하면 굴절률은 B가 A보다 크다.
(나)에서 B는 볼록 렌즈 형태인데 빛이 발산하므로 이것은 공기 중에 있는 오목 렌즈의 역할과 같다. 이 경우에는 굴절률이 B가 C보다 작아야 한다.

│ 선택지 분석 │

✕ 굴절률은 A가 C보다 크다.
　　　　　　　　　작다

➡ (가)에서 빛이 B에서 A로 진행할 때 입사각보다 굴절각이 크므로 굴절률은 B가 A보다 크다. (나)에서 빛이 B에서 C로 진행할 때 입사각보다 굴절각이 작으므로 굴절률은 C가 B보다 크다. 따라서 굴절률은 C가 가장 크고 A가 가장 작다.

ⓒ 단색광의 속력은 A에서가 B에서보다 빠르다.

➡ 매질의 굴절률은 매질에서의 빛의 속력과 서로 반비례한다. 굴절률은 C가 가장 크고 A가 가장 작으므로 단색광의 속력은 A에서가 가장 빠르고, C에서가 가장 느리다.

✕ 단색광의 진동수는 A에서가 C에서보다 크다.
　　　　　　　　　　　　　　A와 C에서가 같다.

➡ 빛이 굴절할 때 빛의 진동수는 변하지 않는다.

---

07 유리와 글리세린의 굴절률이 같으면 음료수에서 나오는 빛이 유리와 글리세린을 지나는 동안 직진하기 때문에 음료수의 실제 양 그대로 보인다.

채점 기준	배점
유리와 글리세린의 굴절률이 거의 같다고 쓰고, 빛이 굴절하지 않고 직진한다고 제시한 경우	100 %
빛이 굴절하지 않고 직진한다고만 제시한 경우	60 %
유리와 글리세린의 굴절률이 거의 같다고만 쓴 경우	40 %

더 알아보기 글리세린이 들어 있는 유리병을 글리세린 속에 넣은 경우

글리세린이 들어 있는 유리병

글리세린

글리세린이 들어 있는 유리병을 글리세린에 속에 넣으면 글리세린 속에 잠긴 병의 모습이 보이지 않는다. 이는 글리세린과 유리의 굴절률이 거의 같기 때문에 유리와 글리세린의 경계면에서 빛이 굴절하지 않고 직진하기 때문이다.

---

08 │ 자료 분석 │

소리의 굴절

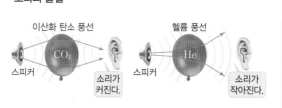

이산화 탄소 풍선　　　　　헬륨 풍선

스피커　　CO₂　　소리가 커진다.　　스피커　　He　　소리가 작아진다.

이산화 탄소 풍선은 빛을 모으는 볼록 렌즈와 같이 소리를 모이게 한다. 반면, 헬륨 풍선은 빛을 퍼뜨리는 오목 렌즈와 같이 소리를 퍼뜨린다.

이산화 탄소 풍선을 지난 소리가 굴절하여 한 곳에 모인 것이고, 헬륨 풍선을 지난 소리가 굴절하여 퍼진 것이다.

채점 기준	배점
소리의 크기 변화와 소리의 높낮이가 일정한 까닭 2가지를 옳게 서술한 경우	100 %
소리의 크기의 변화와 소리의 높낮이가 일정한 까닭 중 1가지만 옳게 서술한 경우	50 %

02 ~ 전반사와 광통신

탐구POOL   228쪽

> **01** 임계각은 작아야 한다. 매질 1의 굴절률은 커야 한다.
> **02** 전반사

01 빛이 매질 1에서 공기로 진행할 때 $\sin i_c = \dfrac{1}{n_1}$이므로 $\sin i_c$와 n_1은 반비례한다. 즉, n_1이 크면 $\sin i_c$는 작고 전반사를 일으킬 입사각의 범위가 넓어진다.

02 손가락으로 구멍을 막아 두 컵 사이에 공기층이 있을 때는 안쪽 컵 A에서 나온 빛이 물속으로 진행할 때 굴절하므로, 수면으로 입사하는 각이 B에서 나온 빛보다 커지게 된다. 이것을 수면 밖의 특정 각도에서 보면 B는 굴절하여 그림이 보이지만, A는 전반사하여 안쪽 컵의 그림이 보이지 않게 된다.

콕콕! 개념 확인하기   229쪽

> ✔ 잠깐 확인!
>
> **1** 임계각   **2** 느린, 빠른   **3** 임계각   **4** 반비례   **5** 광섬유
> **6** 코어, 클래딩   **7** 광통신
> -
> **01** (1) × (2) ○ (3) ×   **02** $\dfrac{1}{n}$ **03** (1) 1개 (2) 2개
> (3) 2개   **04** (1) × (2) ○ (3) ○   **05** (1) 수신기 (2) 광섬유

01 (1) 빛의 반사할 때 빛의 진동수, 파장, 속력은 변하지 않는다.
(3) 빛이 밀한 매질에서 소한 매질로 진행하면서 입사각이 임계각보다 큰 경우에만 전반사가 일어난다.

02 굴절 법칙을 적용하면 $\dfrac{\sin i_c}{\sin 90°} = \dfrac{1}{n}$이다. 따라서 $\sin i_c = \dfrac{1}{n}$이다.

03 직각 전반사 프리즘은 빛의 진행 방향을 90°나 180° 바꿀 수 있다.

(1)   (2)   (3)

04 (1) 전기 통신의 장점이다. 광통신은 전기 통신에 비해 설치 및 관리 비용이 많이 들며, 광섬유가 끊어졌을 때 연결하기 어렵다.

05 (1) 송신기는 전기 신호를 빛 신호로, 수신기는 빛 신호를 전기 신호로 바꾼다.
(2) 광섬유는 전반사를 이용하여 에너지 손실 없이 신호를 전달한다.

탄탄! 내신 다지기   230쪽~231쪽

> **01** ⑤   **02** ③   **03** ①   **04** ②   **05** 매질의 굴절률이 Ⅱ가
> Ⅰ 보다 커야 한다. 임계각이 45°보다 작아야 한다.
> **06** ①   **07** ⑤   **08** $\dfrac{1}{2}$ **09** ⑤   **10** ④   **11** ㉠ 전기 ㉡ 빛

01 | 선택지 분석 |

임계각을 i_c라고 하면 $\sin i_c = \dfrac{n_A}{n_B}$이다. 임계각을 작게 하면 전반사를 일으킬 수 있다.

① 입사각을 60°보다 크게 한다.
➡ 임계각이 60°이므로 입사각을 60°보다 크게 하면 전반사가 일어난다.

② B를 굴절률이 더 큰 물질로 바꾼다.
➡ n_B를 크게 하면 임계각이 작아져 전반사가 일어난다.

③ B에 대한 A의 굴절률을 작게 한다.
➡ $\dfrac{n_A}{n_B}$를 작게 하면 임계각이 작아져 전반사가 일어난다.

④ A를 굴절률이 더 작은 물질로 바꾼다.
➡ n_A를 작게 하면 임계각이 작아져 전반사가 일어난다.

⑤ 입사각이 60°가 되도록 빛을 A에서 B로 입사시킨다.
　　　　　보다 크게 빛을 B에서 A로
➡ 소한 매질에서 밀한 매질로 빛이 진행할 경우에는 전반사가 일어나지 않는다.

02 | 자료 분석 |

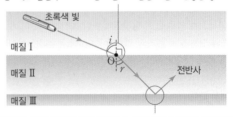

입사각 > 굴절각이므로 소한 매질에서 밀한 매질로 진행한 경우이다.

전반사가 일어났으므로 밀한 매질에서 소한 매질로 진행한 경우이다.

| 선택지 분석 |

㉠ Ⅰ과 Ⅱ에서 빛의 진동수는 같다.
➡ 빛이 굴절해도 빛의 진동수는 변하지 않는다.

ⓒ 세 매질 중에서 굴절률은 II가 가장 크다.

➡ I에서 II로 진행할 때 입사각이 굴절각보다 크므로 굴절률은 II가 I보다 크고, II에서 III으로 진행할 때 전반사가 일어나므로 굴절률은 II가 III보다 크다. 따라서 세 매질 중 굴절률은 II가 가장 크다.

✗ ~~i가 커지면 O에서 전반사가 일어날 수 있다.~~
　　　　　　　　　　　일어나지 않는다.

➡ 입사각이 굴절각보다 크므로 전반사 조건을 만족하지 않는다. 따라서 아무리 입사각을 크게 해도 전반사는 일어나지 않는다.

03 | 자료 분석 |

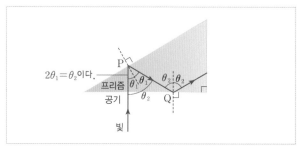

$2\theta_1 = \theta_2$이다.

프리즘의 굴절률을 $n_\text{프}$라고 하면, $2\theta_1 = \theta_2$이므로 굴절 법칙을 적용하면 $\dfrac{n_\text{프}}{1} = \dfrac{\sin90°}{\sin\theta_2} = \dfrac{1}{\sin2\theta_1}$이다.

04 | 선택지 분석 |

✗ ~~굴절률은 물이 공기보다 작다.~~
　　　　　　　　　　　크다.

➡ 전반사하는 빛은 굴절률이 큰 매질 내에서만 이동한다.

✗ 빛이 물에서 공기로 진행할 때 입사각은 임계각보다 ~~작다.~~
　　　　　　　　　　　크다.

➡ 전반사는 입사각이 임계각보다 클 때 발생한다.

ⓒ 전반사는 광섬유를 이용한 광통신에 활용된다.

➡ 광통신은 광섬유에서 빛의 전반사 현상을 활용한다.

05
전반사는 빛이 굴절률이 큰 매질에서 굴절률이 작은 매질로 진행해야 하고, 입사각이 임계각보다 커야 발생한다.

06
직각 프리즘은 빛의 진행 방향은 90° 또는 180° 바꾼다. 그림의 잠망경은 빛의 진행 방향을 90°만큼 2번 바꾸어야 한다. 직각 프리즘의 긴 면에서 입사각이 45°일 때 반사각이 45°가 되어 빛의 진행 방향이 90°만큼 바뀐다.

07 | 선택지 분석 |

ⓐ A의 임계각은 60°보다 크다.

➡ A에서는 단색광이 굴절하였으므로 입사각 60°는 임계각보다 작다. 즉, A의 임계각은 60°보다 크다.

ⓑ C의 굴절률은 A보다 크다.

➡ 같은 크기의 입사각 60°로 입사한 빛이 C에서만 전반사하였으므로, C의 굴절률이 A~C 중에서 가장 크다.

ⓒ B의 굴절률은 $\dfrac{2}{\sqrt{3}}$이다.

➡ B의 굴절률을 n_B라고 하면 $\dfrac{1}{n_\text{B}} = \dfrac{\sin60°}{\sin90°}$이므로 $n_\text{B} = \dfrac{2}{\sqrt{3}}$이다.

08 | 자료 분석 |

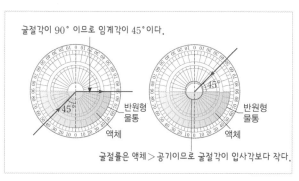

굴절각이 90°이므로 임계각이 45°이다.

굴절률은 액체 > 공기이므로 굴절각이 입사각보다 작다.

액체의 굴절률을 n이라고 하면, 액체에서 공기로 진행할 때 임계각이 45°이므로 $\dfrac{\sin45°}{\sin90°} = \dfrac{1}{n}$이다. 따라서 $n = \sqrt{2}$이고, 굴절각을 θ라고 하면 $\sqrt{2} = \dfrac{\sin45°}{\sin\theta}$에서 $\sin\theta = \dfrac{1}{2}$이다.

09 | 선택지 분석 |

ⓐ 굴절률은 코어가 클래딩보다 크다.

➡ 빛이 코어에서 클래딩으로 진행할 때 전반사가 일어나므로 굴절률은 코어가 클래딩보다 크다.

ⓑ A와 B의 빛의 세기는 같다.

➡ 전반사하면 빛에너지의 손실이 없다.

ⓒ 클래딩에서 코어로 단색광을 입사시키면 입사각에 관계없이 전반사가 일어나지 않는다.

➡ 클래딩에서 코어로 입사시키면 굴절률이 작은 매질에서 굴절률이 큰 매질로 빛이 진행하므로 전반사가 일어나지 않는다.

10 | 선택지 분석 |

① ~~굴절률은 A가 B보다 작다.~~
　　　　　　　　　　　크다.

➡ 전반사는 굴절률이 큰 매질에서 작은 매질로 진행할 때 발생한다.

② (가)에서 임계각은 θ보다 ~~크다.~~
　　　　　　　　　　　작다.

➡ 전반사가 일어나려면 입사각이 임계각보다 커야 한다.

③ ~~광통신은 설치 및 관리 비용이 적게 든다.~~
　　　　　　　　　　　　　　　　많이

➡ 광통신은 전기 통신이나 전파 통신에 비해 설치 및 관리 비용이 많이 든다.

④✓ 광통신은 전기 통신에 비해 도청이 어렵다.

➡ 광통신은 전기 통신이나 전파 통신에 비해 간섭을 받지 않으므로 도청이 어렵다.

⑤ ~~광섬유에 작은 틈이 생겨도 통신이 잘 된다.~~
　　　　　　　　　　　　　　잘 되지 않는다.

➡ 광섬유에 작은 틈이 생기면 전반사 현상이 발생하지 않으므로 통신이 잘 되지 않는다.

11
송신기는 전기 신호를 빛 신호로 변환하고, 수신기는 빛 신호를 전기 신호로 변환한다.

01 ④ **02** ④ **03** ⑤ **04** ③ **05** ② **06** ③ **07** ②

08 ㉠ 전반사 ㉡ 굴절

09 | 모범 답안 | 굴절률이 크면 빛이 다이아몬드에서 공기로 진행할 때 임계각이 작아 전반사할 수 있는 각의 범위가 크다. 따라서 다이아몬드에서는 외부에서 들어온 빛이 전반사를 통해 대부분 되돌아 나오기 때문에 반짝여 보인다.

01 | 자료 분석 |

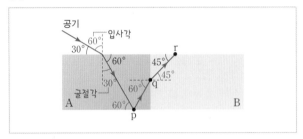

| 선택지 분석 |

㉠ A에서 단색광의 속력은 $\frac{c}{\sqrt{3}}$이다.

➡ A에서 단색광의 속력을 v_A라고 하면, 공기에서 A로 입사할 때 입사각이 60°, 굴절각이 30°이므로 A의 굴절률 n_A는

$n_A = \frac{\sin 60°}{\sin 30°} = \sqrt{3} = \frac{c}{v_A}$이다. 따라서 $v_A = \frac{c}{\sqrt{3}}$이다.

✕ B의 굴절률은 $\frac{\sqrt{6}}{2}$이다. $\frac{3\sqrt{2}}{2}$

➡ B의 굴절률을 n_B라고 하면 A에 대한 B의 굴절률은 $\frac{n_B}{n_A} = \frac{\sin 60°}{\sin 45°} = \frac{\sqrt{3}}{\sqrt{2}}$이다. 따라서 $n_B = \frac{\sqrt{3}}{\sqrt{2}} n_A = \frac{\sqrt{3}}{\sqrt{2}} \times \sqrt{3} = \frac{3\sqrt{2}}{2}$이다.

㉢ r에서 전반사가 일어난다.

➡ B에서 공기로 진행할 때 빛의 임계각을 θ_c라고 하고 굴절 법칙을 적용하면 $\frac{\sin \theta_c}{1} = \frac{1}{n_B}$이 되어 $\sin \theta_c = \frac{\sqrt{2}}{3}$이다. r에서의 입사각이 45°이므로 $\sin 45° = \frac{\sqrt{2}}{2} > \frac{\sqrt{2}}{3} = \sin \theta_c$이다. 따라서 $45° > \theta_c$이므로 r에서 전반사가 일어난다.

02 | 선택지 분석 |

㉠ 물체의 굴절률은 $\sqrt{3}$이다.

➡ 굴절 법칙을 적용하면 물체의 굴절률 n은 $\frac{n}{n_{공기}} = \frac{\sin 60°}{\sin 30°} = \sqrt{3}$이다. 따라서 $n = \sqrt{3}$이다.

✕ 물체 내에서 단색광의 파장은 $\sqrt{3}\lambda$이다. $\frac{1}{\sqrt{3}}\lambda$

➡ 굴절 법칙을 적용하면 $\frac{n}{n_{공기}} = \frac{\lambda}{\lambda_{물체}} = \sqrt{3}$이므로 $\lambda_{물체} = \frac{1}{\sqrt{3}}\lambda$이다.

㉢ (나)의 P점에서 전반사가 일어난다.

➡ (나)의 P점에서 입사각이 45°이므로 임계각을 i_c라고 하면 $\sin 45° = \frac{1}{\sqrt{2}} > \frac{1}{\sqrt{3}} = \sin i_c$이다. 따라서 입사각이 임계각보다 크므로 전반사가 일어난다.

03 전반사는 굴절률이 큰 매질에서 굴절률이 작은 매질로 빛이 진행할 때 일어난다. 임계각 i_c가 작을수록 전반사가 일어나는 입사각의 범위가 크다. 임계각의 sin값 $\sin i_c$는 두 매질의 굴절률 중 작은 값의 굴절률을 큰 값의 굴절률로 나눈 값이다. 각각의 경우 $\sin i_c$는 다음과 같다.

① 전반사가 일어나지 않는다.

② $\frac{1}{1.33} \simeq \frac{3}{4}$ ③ $\frac{1.33}{1.5} \simeq \frac{8}{9}$

④ $\frac{1.5}{2.4} = \frac{5}{8}$ ⑤ $\frac{1}{2.4} = \frac{5}{12}$

따라서 ⑤의 경우가 임계각이 가장 작고 빛의 전반사가 일어나는 입사각의 범위가 가장 크다.

04 | 선택지 분석 |

㉠ i는 임계각보다 크다.

➡ 전반사하므로 입사각 i는 임계각보다 크다.

㉡ 굴절률은 A가 B보다 크다.

➡ 전반사하므로 입사 광선이 진행하는 매질 A의 굴절률이 B의 굴절률보다 크다.

✕ A와 B의 위치만 서로 바꾸면 경계면에서 ~~전반사한다.~~ 전반사하지 못한다.

➡ A와 B의 위치만 서로 바꾸면 전반사 조건을 만족하지 못하므로 경계면에서 전반사하지 않는다.

05 직각 삼각형 프리즘에서는 전반사가 2번 발생하고 정삼각형 프리즘에서는 전반사가 1번 발생하여 그림과 같이 빛이 진행한다.

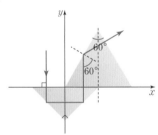

따라서 프리즘에서 처음 빠져나오는 레이저 빛의 진행 방향은 x축과 30°의 각을 이룬다.

06 | 선택지 분석 |

㉠ (가)에서 i와 r는 같다.

➡ 각 단계에서 굴절 법칙을 적용하면 $\frac{n_A}{n_공} = \frac{\sin i}{\sin \theta_A}, \frac{n_B}{n_A} = \frac{\sin \theta_A}{\sin \theta_B}$,

$\frac{n_공}{n_B} = \frac{\sin \theta_B}{\sin r}$이다. 따라서 $\sin i = \sin r$이 되어 $i = r$이다.

㉡ (가)에서 A의 두께를 두껍게 하고 B의 두께를 얇게 하면 x가 커진다.

➡ A가 두꺼울수록 오른쪽으로 빛이 많이 진행하므로 x가 커진다.

✕ (나)에서 코어는 A로 만든다. B

➡ 빛의 속력은 A에서가 B에서보다 빠르므로 코어는 B, 클래딩은 A로 만든다.

07 │ 자료 분석 │

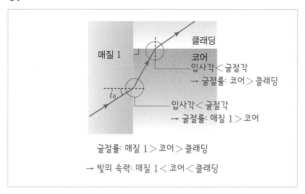

매질 1

클래딩

코어

입사각 < 굴절각
→ 굴절률: 코어 > 클래딩

i_0

입사각 < 굴절각
→ 굴절률: 매질 1 > 코어

굴절률: 매질 1 > 코어 > 클래딩

→ 빛의 속력: 매질 1 < 코어 < 클래딩

│ 선택지 분석 │

✗ 단색광의 속력은 매질 1에서가 코어에서보다 <u>크다.</u>
작다

➡ 입사각보다 굴절각이 크므로 단색광의 속력은 코어에서가 매질 1에서보다 크다.

ⓛ 굴절률은 매질 1이 클래딩보다 크다.

➡ 단색광의 속력이 클래딩에서 가장 크고, 매질 1에서 가장 작으므로 굴절률은 매질 1이 클래딩보다 크다.

✗ 코어와 클래딩의 경계면에서 전반사가 일어나려면 단색광의 입사각을 i_0보다 <u>크게</u> 해야 한다.
작게

➡ 입사각이 i_0보다 크면 코어와 클래딩의 경계면에서 입사각이 작아지므로 전반사가 일어나지 않는다.

08 공기와 유리의 굴절률의 차이가 물과 유리의 굴절률의 차이보다 커서 임계각이 작다. 따라서 이 기술은 공기와 유리에서는 전반사가, 물과 유리에서는 굴절 현상이 일어나는 것을 이용한다.

09 다이아몬드로 입사한 빛이 다이아몬드 내부로 굴절하지 않고 전반사하여 되돌아 나오기 때문에 반짝여 보이는 것이다.

채점 기준	배점
'임계각이 작다.' 또는 '전반사할 수 있는 각의 범위가 크다.' 중 1가지를 옳게 서술하고, '외부에서 들어온 빛이 다시 되돌아오기 때문이다.'라고 서술한 경우	100 %
'임계각이 작다.' 또는 '전반사할 수 있는 각의 범위가 크다.' 중 1가지를 옳게 서술하거나 '외부에서 들어온 빛이 다시 되돌아오기 때문이다.'라고 서술한 경우	50 %

실전! 수능 도전하기

235쪽~237쪽

01 ④ 02 ① 03 ① 04 ⑤ 05 ⑤ 06 ① 07 ④
08 ③ 09 ② 10 ③ 11 ⑤ 12 ③

01 │ 선택지 분석 │

✗ 진동수는 A가 B의 <u>2배</u>이다.
$\frac{3}{2}$배

➡ (가)는 변위−시간 그래프이므로 A, B의 주기는 각각 $\frac{2}{3}$초, 1초이다. 주기와 진동수는 역수 관계이므로 A의 진동수는 $\frac{1}{\frac{2}{3} \text{ s}}$ $=\frac{3}{2}$ Hz이고, B의 진동수는 $\frac{1}{1 \text{ s}}=1$ Hz이다. 따라서 A의 진동수는 B의 $\frac{3}{2}$배이다.

ⓛ B의 파장은 1 m이다.

➡ (나)에서 진폭이 3 cm이므로 (나)는 (가)의 B를 나타낸 것이다. (나)는 변위−위치 그래프이므로 B의 파장은 1 m이다.

ⓒ A의 진행 속력은 2 m/s이다.

➡ 파동의 진행 속력은 $v=\frac{\lambda}{T}$이므로 B의 진행 속력은 $v_B=\frac{\lambda_B}{T_B}=\frac{1 \text{ m}}{1 \text{ s}}=1$ m/s이다. 따라서 A의 진행 속력은 2 m/s이다.

02 │ 선택지 분석 │

ⓛ 매질의 진동 방향과 파동의 진행 방향에 따른 파동의 종류는 음파와 같다.

➡ 이 파동은 종파이다. 따라서 매질의 진동 방향과 파동의 진행 방향에 따른 파동의 종류는 종파인 음파와 같다.

✗ 파장은 <u>0.1 m</u>이다.
0.2 m

➡ 파장은 이웃한 밀한 곳에서 밀한 곳, 또는 소한 곳에서 소한 곳까지의 거리인 0.2 m이다.

✗ 진행 속력은 <u>0.2 m/s</u>이다.
0.4 m/s

➡ 파동의 진행 속력은 $v=\frac{\lambda}{T}=\frac{0.2 \text{ m}}{0.5 \text{ s}}=0.4$ m/s이다.

03 │ 선택지 분석 │

ⓛ A의 파장은 λ_1이다.

➡ 파동이 동일한 매질에서 진행할 때는 속력이 변하지 않으므로 파장이 변하지 않는다. 따라서 A의 파장은 λ_1이다.

✗ Ⅰ에 대한 Ⅱ의 굴절률은 $\frac{\lambda_2}{\lambda_1}$이다.
$\frac{\lambda_1}{\lambda_2}$

➡ 굴절 법칙에 의해 매질 Ⅰ에 대한 Ⅱ의 굴절률은 $\frac{n_\text{Ⅱ}}{n_\text{Ⅰ}}=\frac{v_\text{Ⅰ}}{v_\text{Ⅱ}}=\frac{\lambda_1}{\lambda_2}$이다.

✗ 진동수는 <u>B가 C보다 작다.</u>
B와 C가 같다.

➡ 파동이 굴절률이 다른 매질로 투과하여 진행하더라도 진동수는 변하지 않는다.

04 │ 자료 분석 │

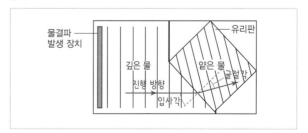

물결파
발생 장치

유리판

깊은 물

얕은 물

굴절각

진행 방향

입사각

| 선택지 분석 |

① 굴절각이 입사각보다 크다.
　　　　　　　　　　　　작다
➡ 경계면이 파면과 이루는 각은 입사각 또는 굴절각과 같다. 경계면이 파면과 이루는 각은 깊은 물에서가 얕은 물에서보다 크므로 입사각이 굴절각보다 크다.

② 얕은 물에서 물결파의 주기는 길어진다.
　　　　　　　　　　　　　　변하지 않는다.
➡ 매질이 변해도 주기는 변하지 않는다.

③ 입사각을 증가시키면 상대 굴절률은 증가한다.
　　　　　　　　　　　　　　　　변하지 않는다.
➡ 입사각이 증가하면 굴절각도 증가하므로 상대 굴절률은 변하지 않는다. 즉, 매질이 변하지 않으면 상대 굴절률은 변하지 않는다.

④ 물결파의 속력은 얕은 물에서가 깊은 물에서보다 더 빠르다.
　　　　　　　　　　　　　　　　　　　　　　　느리다.
➡ 물결파에서 파장과 속력은 비례한다. 이웃한 파면 사이의 거리인 물결파의 파장은 깊은 물에서가 얕은 물에서보다 길다. 따라서 물결파의 속력은 깊은 물에서가 얕은 물에서보다 빠르다.

✔️ 깊은 물에 대한 얕은 물의 상대 굴절률은 1보다 크다.
➡ 깊은 물에 대한 얕은 물의 상대 굴절률은 $\dfrac{n_{얕}}{n_{깊}}=\dfrac{v_{깊}}{v_{얕}}$이다. 물결파의 속력이 깊은 물에서가 얕은 물에서보다 빠르므로 깊은 물에 대한 얕은 물의 상대 굴절률은 1보다 크다.

05 | 자료 분석 |

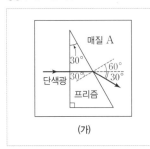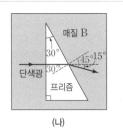

| 선택지 분석 |

㉠ (가)에서 단색광의 속력은 프리즘에서가 A에서보다 작다.
➡ (가)에서 프리즘에서 매질 A로 빛이 진행할 때 입사각은 30°이고 굴절각은 60°이다. 굴절시 빛의 속력은 법선과 이루는 각이 큰 매질에서 더 빠르다. 따라서 단색광의 속력은 프리즘에서가 A에서보다 작다.

㉡ (나)에서 단색광의 파장은 B에서가 프리즘에서의 $\sqrt{2}$배이다.
➡ (나)에서 단색광의 입사각은 30°이고, 굴절각은 45°이다. 따라서 프리즘에서 빛의 파장을 λ_0이라고 하고 굴절 법칙을 적용하면 $\dfrac{\lambda_0}{\lambda_B}=\dfrac{\sin 30°}{\sin 45°}=\dfrac{1}{\sqrt{2}}$이다. 따라서 단색광의 파장은 B에서가 프리즘에서의 $\sqrt{2}$배이다.

㉢ A에 대한 B의 굴절률은 $\sqrt{\dfrac{3}{2}}$이다.
➡ A에 대한 B의 굴절률은 프리즘에 대한 B의 굴절률을 프리즘에 대한 A의 굴절률로 나누어 준 값과 같다. 따라서 프리즘에 대한 A의 굴절률은 $\dfrac{\sin 30°}{\sin 60°}=\dfrac{1}{\sqrt{3}}$, 프리즘에 대한 B의 굴절률은 $\dfrac{\sin 30°}{\sin 45°}=\dfrac{1}{\sqrt{2}}$이므로, A에 대한 B의 굴절률은 $\sqrt{\dfrac{3}{2}}$이다.

06 | 선택지 분석 |

㉠ O에서 B의 입사각은 굴절각보다 작다.
➡ B의 속력은 공기에서가 물에서보다 더 빠르므로 B의 입사각은 굴절각보다 작다.

✗ B의 진동수는 공기 중보다 물속에서 작다.
　　　　　　　　　　　　　변하지 않는다.
➡ 굴절할 때 진동수는 변하지 않는다.

✗ 공기와 물의 경계면에서 임계각은 A가 B보다 크다.
　　　　　　　　　　　　　　　　　　　　　작다
➡ A는 전반사하므로 입사각이 임계각보다 크다.

07 | 선택지 분석 |

㉠ 더운 날씨에 사막에 나타나는 신기루
➡ 한낮의 사막은 지면이 가열되어 지면 근처 공기의 온도가 매우 높아 상공과의 온도차가 발생한다. 이 온도 차이에 의해 빛의 속력차가 발생하고 굴절 현상에 의해 신기루가 발생한다.

㉡ 비온 뒤에 나타나는 무지개
➡ 무지개는 빛이 공기 중의 물방울을 통과할 때 파장에 따라 굴절되는 정도에 차이가 있기 때문에 발생하는 현상이다.

✗ 거울에 비치는 사람의 모습
➡ 사람의 모습이 거울에 비춰 보이는 것은 빛의 반사에 의한 현상이다.

08 | 선택지 분석 |

㉠ 플라스틱의 굴절률은 $\dfrac{1}{\sin 40°}$이다.
➡ 임계각 i_c와 플라스틱의 굴절률 n의 관계는 $\sin i_c=\dfrac{1}{n}$이고, 단색광이 플라스틱에서 공기로 입사할 때 임계각이 40°이므로 $n=\dfrac{1}{\sin i_c}=\dfrac{1}{\sin 40°}$이다.

㉡ 점광원에서 연직선에 대해 42°의 각을 이루며 나온 광선은 스크린에 도달할 수 없다.
➡ 점광원에서 연직선에 대해 42°의 각을 이루며 나온 광선은 입사각이 42°이며, 이것은 임계각보다 크므로 이러한 광선은 전반사한다. 따라서 광선은 스크린에 도달할 수 없다.

✗ P에 도달하는 단색광은 없다.
　　　　　　　　　　　　있다.
➡ 임계각이 40°이므로 40°보다 작은 입사각으로 입사한 광선은 전반사되지 않으므로 광선의 일부가 굴절되어 P에 도달하게 된다.

09 | 선택지 분석 |

✗ A와 C 사이의 임계각은 θ보다 크다.
　　　　　　　　　　　　　　　　작다
➡ A에서 C로 빛이 진행하면서 전반사하므로 굴절률은 A가 C보다 크고 임계각은 입사각(θ)보다 작다.

㉡ 굴절률은 B가 C보다 크다.
➡ A에서 B로 빛이 굴절할 때 입사각(θ) < 굴절각이므로 굴절률은 A가 B보다 크다. 따라서 같은 입사각에서 A에서 B로 진행할 때는 굴절하고, A에서 C로 진행할 때는 전반사가 일어났으므로 굴절률은 A>B>C이다.

✗ (나)에서 코어는 ~~B~~로 만들어졌다.
　　　　　　　A로

➡ 빛이 굴절률이 큰 매질에서 작은 매질로 진행할 때 전반사가 일어나므로 코어는 A, 클래딩은 B로 만들어졌다.

더 알아보기 전반사와 임계각

그림과 같이 동일한 입사각 θ로 공기에서 매질 A, B로 진행할 때 굴절각을 각각 θ_1, θ_2라고 하면, A의 굴절률이 B의 굴절률보다 작은 경우 $\theta_1 > \theta_2$이다.

 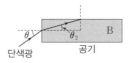

---

10 │ 선택지 분석 │

㉠ $n_1 > n_2$이다.

➡ 전반사는 굴절률이 큰 매질에서 작은 매질로 진행할 때 일어날 수 있다. 코어에서 클래딩으로 진행할 때 경계면에서 전반사하므로 코어의 굴절률(n_1)은 클래딩의 굴절률(n_2)보다 크다.

㉡ 단색광의 속력은 공기에서가 코어에서보다 크다.

➡ 단색광이 공기에서 코어로 진행할 때 굴절각은 입사각보다 작으므로 단색광의 속력은 공기에서가 코어에서보다 크다.

✗ n_2를 작게 하면 i_m은 ~~작아진다.~~
　　　　　　　　　　　　커진다.

➡ n_2를 작게 하면 코어에서 클래딩으로 진행할 때의 임계각이 감소하므로 전반사가 일어날 수 있는 입사각의 범위가 증가하게 된다. 따라서 코어와 클래딩 사이에서 전반사가 일어나기 위해 공기에서 코어로 입사하는 각의 최댓값 i_m은 커진다.

11 │ 선택지 분석 │

㉠ 송신기는 전기 에너지를 빛에너지로 전환한다.

➡ 송신기에서는 전기 신호를 빛 신호로 변환시켜 광섬유에 보낸다. 따라서 송신기는 전기 에너지를 빛에너지로 전환한다.

㉡ 수신기는 빛 신호를 전기 신호로 바꾼다.

➡ 수신기의 광 검출기에서는 빛 신호를 전기 신호로 바꾼다.

㉢ 에너지 손실이 적어 먼 거리를 보내더라도 전기 통신에 비해 강도가 크게 떨어지지 않는다.

➡ 광통신의 장점은 전반사를 이용하여 먼 거리까지 신호를 전달할 수 있다는 것이다.

12 │ 선택지 분석 │

㉠ 스피커는 전기 신호를 소리로 전환한다.

➡ 스피커는 전류의 자기 작용(자기력)을 이용한다. 스피커는 교류 전류가 흐르는 코일과 자석 사이 자기력이 작용하여 코일과 연결된 진동판이 진동하여 소리를 발생시킨다.

㉡ 광섬유는 빛의 전반사 현상을 이용하여 신호를 전달한다.

➡ 광섬유는 굴절률이 큰 코어를 굴절률이 작은 클래딩이 둘러싸고 있는 구조로, 빛을 코어에 입사시켜 코어와 클래딩의 경계면에서 빛의 입사각이 임계각보다 클 때 발생하는 전반사 현상을 이용하여 빛의 손실 없이 신호를 전달한다.

✗ 컴퓨터와 무선 공유기 사이의 통신에는 ~~초음파~~가 이용된다.
　　　　　　　　　　　　　　　　　　　　　　전자기파

➡ 컴퓨터와 무선 공유기 사이에는 전자기파를 이용하여 정보를 주고받는다. 초음파는 초음파 진단 장치, 어군 탐지기, 자동차의 후방 감지기 등에 이용된다.

Ⅲ

03 ~ 전자기파의 분류와 이용

개념POOL　　　　　　　　　　　　　　240쪽

01 A: X선 B: 자외선 C: 적외선

02 (1) × (2) ○ (3) × (4) ×

---

02 (1) X선은 인체 내부를 볼 수 있는 X선 사진에 이용되며, 위성통신에 이용되는 것은 전파이다.

(3) 매질은 제자리에서 진동만 하며 에너지를 전달한다.

(4) 전기장과 자기장이 서로 수직으로 진동하면서 전자기파가 진행한다.

콕콕! 개념 확인하기　　　　　　　　　241쪽

✔ 잠깐 확인!

1 전자기파　**2** 자기장, 자기장　**3** 매질, 속력　**4** 빠르, 느려　**5** 감마선　**6** 자외선, 가시광선　**7** 길, 작

----

01 (1) ○ (2) × (3) × (4) ○　**02** 약 3×10^8 m/s　**03** 라디오파 – 마이크로파 – 적외선 – 가시광선 – 자외선 – X선 – 감마(γ)선　**04** (1) ㉡ (2) ㉢ (3) ㉠ (4) ㉣ (5) ㉢　**05** 마이크로파

---

01 (2) 전자기파는 전기장과 자기장의 진동 방향과 진행 방향이 서로 수직인 횡파이다.

(3) 전자기파는 매질이 없는 공간에서도 진행한다.

02 전자기파의 진공 중에서의 속력은 파장에 관계없이 약 3.0×10^8 m/s로 일정하고, 매질이 달라지면 진행하는 매질의 굴절률에 반비례한다.

05 마이크로파는 파장이 약 1 mm~1 m로, 전기 기구에서 전자의 진동으로 발생하고 전자레인지, 휴대 전화, 레이더와 위성 통신 등에 이용된다.

01 ④	02 ⑤	03 ④	04 $f_A : \dfrac{c}{\lambda}$　$f_B : \dfrac{c}{2\lambda}$	05 ②

06 ②	07 ③	08 (가) 가시광선 (나) 적외선 (다) 자외선

09 ⑤	10 ②

01 | 선택지 분석 |

ㄱ 전자기파는 전기장과 자기장이 서로 진동하여 진행하는 파동이다.

➡ 전자기파는 전기장과 자기장이 서로 수직으로 진동하며 전기장과 자기장에 각각 수직인 방향으로 진행한다.

✗ 전기장의 진동 방향과 전자기파의 진행 방향이 서로 ~~나란하다.~~ 수직이다.

➡ 전기장의 진동 방향, 자기장의 진동 방향, 전자기파의 진행 방향은 각각 서로 수직이다.

ㄷ 에너지를 전달할 수 있다.

➡ 전자기파는 매질이 없는 진공 중에서도 진행하며, 에너지를 전달한다.

02 | 자료 분석 |

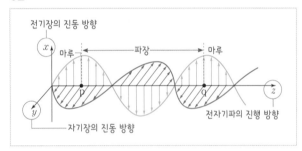

전기장의 진동 방향 · x · 마루 · 파장 · 마루 · p · q · z · y · 자기장의 진동 방향 · 전자기파의 진행 방향

| 선택지 분석 |

ㄱ 자기장의 진동 방향은 전자기파의 진행 방향과 수직이다.

➡ 전기장의 진동 방향, 자기장의 진동 방향, 전자기파의 진행 방향은 각각 서로 수직이다.

ㄴ 전자기파의 파장은 a이다.

➡ 이웃한 마루와 마루 사이의 거리는 파장이므로 전자기파의 파장은 a이다.

ㄷ 전자기파의 진동수는 $\dfrac{c}{a}$이다.

➡ 속력＝진동수×파장이므로 진동수는 속력을 파장으로 나눈 값이다.

03 전자기파는 시간에 따라 변하는 전기장과 자기장이 서로 유도되며, 전기장과 자기장의 진동 방향이 전자기파의 진행 방향에 수직인 횡파이다. 진공에서 전자기파의 속력은 일정하다.

04 빛의 진동수는 속력을 파장으로 나눈 값이다. 따라서 $f_A=\dfrac{c}{\lambda}$, $f_B=\dfrac{c}{2\lambda}$이다.

05 진동수는 파장에 반비례한다. 가시광선보다 진동수가 큰 전자기파는 가시광선보다 파장이 짧은 전자기파이고, 감마(γ)선을 제외하면 X선과 자외선이다. 이 중 식기 소독기에 사용되는 전자기파는 자외선이다.

06 | 선택지 분석 |

✗ 전자기파의 진행 방향은 전기장과 자기장의 진동 방향에 모두 ~~나란하다.~~ 수직이다.

➡ 전자기파의 진행 방향은 전기장과 자기장의 진동 방향에 수직이다.

✗ A 영역의 전자기파의 파장은 B 영역의 전자기파의 파장보다 ~~짧다.~~ 길다.

➡ 전자기파는 진동수가 크면 파장이 짧다. 따라서 B 영역의 전자기파의 파장보다 A 영역의 전자기파의 파장이 길다.

ㄷ 의료 장비에 사용되는 X선은 C 영역에 속한다.

➡ X선은 감마(γ)과 자외선 사이에 존재한다. 따라서 C 영역에 속한다.

07 A는 자외선, B는 X선, C는 적외선이다. 이 중에서 진동수는 X선이 가장 크고, 적외선이 가장 작다.

08 디스플레이나 조명의 빛이 사람의 눈에 들어오므로 (가)는 가시광선, 열작용을 하므로 (나)는 적외선, 살균 및 소독 작용을 하므로 (다)는 자외선이다.

더 알아보기 **전자기파의 이용**

감마(γ)선	원자핵이 붕괴할 때 발생하며 투과력이 강하다. 암 치료, 물질의 구조 분석, 감마선 망원경 등에 이용된다.
X선	투과력의 차이에 따라 인체 내부의 이상을 알아볼 수 있으며 공항에서의 물품 검사 등에 이용된다.
자외선	살균 및 소독에 이용된다.
가시광선	사람의 눈으로 볼 수 있어 사물을 볼 때나 광학 현미경에 이용된다.
적외선	리모컨, 적외선 센서, 열화상 사진 등에 이용된다.
라디오파	휴대 전화, 라디오 방송, 텔레비전 방송 등에 이용된다.

09 | 선택지 분석 |

A, B, C는 각각 X선, 자외선, 적외선이다.

ㄱ P는 A 영역의 전자기파이다.

➡ 전자기파 P는 X선이다.

ㄴ 진동수는 B 영역의 전자기파가 전파보다 크다.

➡ 자외선은 전파보다 진동수가 크다.

ㄷ 열화상 카메라에 이용되는 것은 C 영역의 전자기파이다.

➡ 열화상 카메라에는 적외선을 이용한다.

10 | 선택지 분석 |

✗ ~~마이크로파~~ 자외선 는 위조지폐 감별기에 사용돼.

➡ 마이크로파는 전자레인지에, 자외선은 위조지폐 감별기에 이용한다.

Ⓑ 물 분자는 마이크로파를 잘 흡수해.

➡ 전자레인지는 마이크로파를 방출하며, 물 분자가 마이크로파를 흡수하여 진동하면 물의 온도가 올라간다.

✘ 물속에서 마이크로파의 전파 속력은 공기에서와 같아.
　　　　　　　　　　　　　　　　　공기에서보다 느리다.

➡ 전자기파의 전파 속력은 공기에서가 물에서보다 빠르다.

도전! 실력 올리기

244쪽~245쪽

01 ⑤　**02** ④　**03** ⑤　**04** ⑤　**05** ④　**06** ①

07 감마(γ)선

08 | 모범 답안 | 눈으로 관찰하면 리모컨의 불빛이 관찰되지 않고, 디지털카메라로 관찰하면 리모컨의 불빛이 관찰된다. 리모컨에서 방출되는 빛은 가시광선이 아니라 적외선이기 때문이다.

09 | 모범 답안 | 적외선. 밤에는 물체에서 반사되는 가시광선이 없기 때문에 CCTV에 장착된 적외선 LED에서 방출되는 적외선이 사물에서 반사되는 것을 이용한다.

---

01 | 선택지 분석 |

㉠ B는 yz평면과 나란하다.

➡ 전기장은 x축과 나란하므로 자기장은 y축과 나란하다. 따라서 자기장 B는 yz평면과 나란하다.

㉡ 이 전자기파의 진행 방향은 z축과 나란하다.

➡ 전자기파는 횡파로, 전기장과 자기장의 진동 방향 및 전자기파의 진행 방향이 각각 수직이다. 전기장과 자기장이 각각 x축, y축과 나란하므로 전자기파의 진행 방향은 z축과 나란해야 한다.

㉢ 이 전자기파가 공기 중에서 물로 진행하면 $+x$방향의 이웃한 E의 최대값 사이의 거리가 짧아진다.

➡ $+x$방향의 이웃한 E의 최대값 사이의 거리는 파장으로 전자기파가 공기 중에서 물로 진행하면 속력이 느려지므로 파장이 짧아진다.

---

02 전기장이 자기장을 유도하고 자기장이 전기장을 유도하므로 시간에 따른 전기장과 자기장의 변화는 같아야 한다.

---

03 | 선택지 분석 |

A는 마이크로파, B는 자외선, C는 감마(γ)선이다.

✘ A는 사람의 뼈 사진 촬영에 사용된다.

➡ 사람의 뼈 사진 촬영에는 X선이 사용된다.

㉡ B는 치과 치료에서 치아 레진을 굳히는 데 사용된다.

➡ 자외선은 치아 레진을 굳히는 데 사용된다.

㉢ C는 감마(γ)선이다.

➡ 마이크로파는 가시광선보다 파장이 길다. 따라서 A는 마이크로파이고 피부 속에 비타민 D를 합성하는 B는 자외선이다. 따라서 C는 감마(γ)선이다.

---

04 | 선택지 분석 |

A, B, C는 각각 마이크로파, 전파(마이크로파), 자외선이다.

✘ A는 C보다 진동수가 크타.
　　　　　　　　　　　작다.

➡ 진동수는 자외선이 마이크로파보다 크다.

㉡ B는 전리층에서 반사된다.

➡ 전파는 전리층에서 반사된다.

㉢ C를 형광 물질에 비추면 가시광선이 방출된다.

➡ 자외선을 형광 물질에 비추면 가시광선이 방출된다.

---

05 | 선택지 분석 |

㉠ (가)는 A 영역에 해당한다.

➡ (가)는 암 치료용 의료 기기에서 사용되므로 감마(γ)선이다.

✘ B 영역의 전자기파의 진동수는 C 영역의 전자기파의 진동수보다 작타.
　　　　　　　　　　　　　　　　　　　　　　크다.

➡ (나)는 X선, B, C, D는 각각 자외선, 적외선, 전파이다. 자외선의 진동수가 적외선보다 크다.

㉢ (나)는 투과력이 D 영역의 전자기파보다 크므로 X선에 해당한다.

➡ (나)는 X선으로 D 영역의 전자기파인 전파보다 파장이 짧아 투과력이 크다.

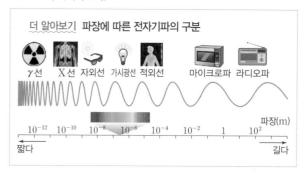

더 알아보기 **파장에 따른 전자기파의 구분**

γ선　X선　자외선　가시광선 적외선　　마이크로파 라디오파

10^{-12}　10^{-10}　10^{-8}　10^{-6}　10^{-4}　10^{-2}　1　10^{2}　파장(m)

짧다　　　　　　　　　　　　　　　　　　　　　길다

---

06 | 선택지 분석 |

Ⓐ 광섬유는 적외선의 전반사 현상을 이용해

➡ 광섬유는 빛(적외선)의 전반사 현상을 이용한다.

✘ 파장이 30 m인 라디오파의 진동수는 $\frac{3 \times 10^7 \text{ Hz}}{10^7 \text{ Hz}}$이야.

➡ 진동수는 광속을 파장으로 나눈 값이므로 $f = \dfrac{3 \times 10^8 \text{ m/s}}{30 \text{ m}} = 10^7$ Hz이다.

✘ a는 뼈 사진 촬영이나 공항에서 수하물 검사에 사용돼.
　　　　　　　　　　　　　　　　　　　사용되지 않는다.

➡ a는 마이크로파이다.
뼈 사진 촬영이나 공항에서 수하물 검사에 사용되는 것은 X선이다.

---

07 감마(γ)선은 전자기파 중 파장이 가장 짧고 진동수가 가장 커 전자기파 중에서 에너지와 투과력이 가장 크다.

III

- 분자가 진동하거나 회전할 때 적외선이 발생한다.

진동 · 회전하는 분자

- 원자 속의 전자가 전이할 때 가시광선, 자외선, X선이 발생한다.

전자가 위의
궤도에서 아래
궤도로 떨어진다.

- 불안정한 원자핵이 안정한 상태로 되면서 파장이 매우 짧은 감마(γ)선이 발생한다.

원자핵

08 리모컨에서는 적외선이 방출되며, 디지털 카메라로는 적외선을 촬영할 수 있다.

채점 기준	배점
결과와 까닭을 옳게 서술한 경우	100 %
결과만 옳게 서술한 경우	50 %

09 낮에는 가시광선을 이용하므로 컬러로 녹화되고, 밤에는 적외선을 이용하므로 흑백으로 녹화된다.

채점 기준	배점
적외선을 쓰고, 까닭을 옳게 서술한 경우	100 %
적외선만 쓴 경우	50 %

04 ~ 파동의 간섭과 이용

개념POOL   249쪽

01 ㉠ 같은 ㉡ 반대 ㉢ 보강 ㉣ 상쇄
02 (1) ○ (2) ○ (3) ✕

01 두 파동이 같은 위상으로 만나면 보강 간섭이 일어나고, 두 파동이 반대 위상으로 만나면 상쇄 간섭이 일어난다.

02 (3) 파동의 독립성에 의해 두 파동이 중첩된 후 두 파동은 중첩되기 전의 파형을 그대로 유지하면서 원래 방향으로 계속 진행한다.

탐구POOL   250쪽

01 위상차가 없다. **02** 상쇄 간섭

01 마루와 마루가 중첩되면 보강 간섭이 일어나므로 두 파동의 위상차는 없다.

02 마루와 골이 만날 때는 상쇄 간섭, 골과 골 또는 마루와 마루가 만날 때는 보강 간섭이 일어난다.

콕콕! **개념 확인하기**   251쪽

✔ 잠깐 확인!

1 중첩 **2** 독립성 **3** 보강 **4** 짝수, 홀수 **5** 간섭
6 상쇄, 보강
---
01 (1) ○ (2) ○ (3) ✕ (4) ✕ **02** 골과 골이 중첩되는 경우
03 마디선 **04** 간섭 **05** ㄱ, ㄷ, ㅁ

01 (3) 파동의 종류와 상관없이 상쇄 간섭과 보강 간섭이 모두 나타난다.
(4) 진폭이 각각 2 cm, 3 cm인 두 파동이 만나 상쇄 간섭하였을 때 진폭은 3 cm − 2 cm = 1 cm이다.

02 골과 골이 중첩되면 물의 두께가 오목 렌즈 역할을 하여 빛을 분산시키므로 스크린에 가장 어두운 부분으로 나타난다.

03 마디선은 같은 경로차이고 상쇄 간섭을 일으키는 점들을 연결한 선이다.

04 소리의 세기가 가장 큰 곳은 보강 간섭을, 가장 작은 곳은 상쇄 간섭을 일으키는 지점이다.

탄탄! **내신 다지기**   252쪽~253쪽

01 ④ **02** ① **03** 파동의 독립성 **04** ③ **05** ① **06** ④
07 ② **08** 반파장의 짝수 배 **09** ⑤ **10** 간섭

01 두 파동이 중첩되었을 때 최대 변위의 크기는 3 cm＋2 cm＝5 cm이다.

02 파동의 독립성에 의해 중첩 후 두 파동은 원래 상태를 유지한다.

03 중첩 후 두 파동이 원래 상태를 유지하는 것을 파동의 독립성이라고 한다.

04 | 선택지 분석 |

ㄱ P점에서는 보강 간섭이 일어난다.
➡ 마루와 마루가 만나는 P와 골과 골이 만나는 R에서는 보강 간섭이 일어나고, Q에서는 마루와 골이 만나므로 상쇄 간섭이 일어난다.

✗ Q에서 수면의 높이가 가장 낮다.
  R
➡ 수면의 높이는 P에서 가장 높고, R에서 가장 낮다.

ㄷ 밝기는 P에서가 R에서보다 더 밝다.
➡ 수면이 높은 곳이 밝기가 밝으므로 P에서가 R에서보다 밝다.

더 알아보기 **물결파의 간섭**

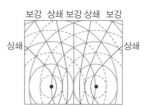

보강 상쇄 보강 상쇄 보강
상쇄 상쇄

- **보강 간섭**: 두 점파원으로부터의 경로차가 반 파장의 짝수 배인 곳에서 두 파동이 같은 위상으로 중첩되어 보강 간섭이 일어난다.

경로차＝$\frac{\lambda}{2}(2m)$＝0, λ, 2λ, … (m＝0, 1, 2, …)

- **상쇄 간섭**: 두 점파원으로부터의 경로차가 반 파장의 홀수배인 곳에서 두 파동이 반대 위상으로 중첩하여 상쇄 간섭이 일어난다.

경로차＝$\frac{\lambda}{2}(2m+1)$＝$\frac{\lambda}{2}$, $\frac{3\lambda}{2}$, … (m＝0, 1, 2, …)

---

05 | 선택지 분석 |

ㄱ 소리의 크기가 증가하다가 감소하는 것이 반복된다.
➡ 보강 간섭과 상쇄 간섭이 반복적으로 일어나므로 소리의 크기도 증가하다가 감소하는 것이 반복된다.

✗ 소음 측정기에 측정되는 소리의 진동수가 변한다.
                                        변하지 않는다.
➡ 중첩이 되어도 합성파의 진동수는 변하지 않는다.

✗ 소리의 크기가 0인 지점은 보강 간섭이 발생하였다.
                          상쇄 간섭
➡ 소리의 크기가 0인 지점에서는 상쇄 간섭이 일어난다.

06 | 선택지 분석 |

ㄱ R는 P와 Q로부터 경로차가 0이다.
➡ R는 P와 Q로부터 같은 거리에 있으므로 경로차가 0이다.

ㄴ R에서 합성파의 진폭은 2A이다.
➡ R에서는 보강 간섭이 일어나므로 합성파의 진폭은 2A이다.

✗ P와 Q를 잇는 직선 사이에서는 소리의 세기가 항상 일정하게 측정된다.
➡ P와 Q를 잇는 직선 사이에서는 보강 간섭과 상쇄 간섭이 번갈아 일어나므로 소리가 작게 들리다 크게 들리는 것이 반복된다.

07 | 자료 분석 |

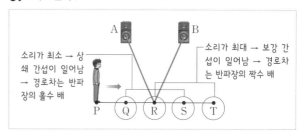

소리가 최소 → 상쇄 간섭이 일어남 → 경로차는 반파장의 홀수 배

소리가 최대 → 보강 간섭이 일어남 → 경로차는 반파장의 짝수 배

| 선택지 분석 |

✗ 두 스피커에서 Q까지 경로차는 한 파장이다.
                                    반파장
➡ Q에서 소리의 세기가 최소이므로 두 스피커에서 Q까지 경로차는 반파장이다.

ㄴ R에서 두 스피커에서 발생한 소리는 보강 간섭을 한다.
➡ R에서는 소리의 세기가 최대이므로 두 스피커에서 발생한 소리는 보강 간섭 한다.

✗ T에서 두 스피커에서 발생한 소리는 서로 반대 위상으로 중첩된다.
                                            같은
➡ T에서는 두 소리가 보강 간섭 하므로 두 소리는 위상이 같은 상태에서 중첩한다.

08 같은 위상의 소리가 발생하는 두 스피커로부터의 경로차가 반파장의 짝수 배이면 보강 간섭, 반파장의 홀수 배이면 상쇄 간섭이 발생한다.

09 냉장고에서 발생하는 소음을 상쇄 간섭을 이용해서 제거한다.

| 선택지 분석 |

① 빛이 거울에 반사된다.
➡ 빛의 반사는 파동의 반사에 해당한다.

② 수영장 물의 깊이는 실제보다 더 얕게 보였다.
➡ 물과 공기에서 빛의 속력이 변하여 빛의 진행 방향이 꺾이는 굴절 현상 때문에 수심이 얕게 보이다.

③ 공사장 소음이 낮에는 밤보다 멀리 전달되지 않았다.
➡ 낮에는 지표면이 상공보다 온도가 높아 소리의 속력이 빠르다. 따라서 공사장 소음은 지표면으로 전달되지 않고 상공으로 굴절한다.

④ 세로 방향으로 긴 스피커에서 나오는 소리가 위아래 방향으로 잘 퍼지지 않았다.
➡ 소리가 좁은 틈을 지나면 회절 현상이 나타난다.

✔ 동일한 소리가 나오는 두 스피커 주위에 소리가 잘 들리지 않는 지점이 있었다.
➡ 동일한 소리가 만나서 상쇄 간섭을 일으키면 합성파의 진폭은 0이다.

10 이중 슬릿을 각각 지난 두 빛이 만나 보강 간섭 하면 밝은 무늬가 나타나고, 상쇄 간섭 하면 어두운 무늬가 나타난다.

01 ①   **02** ⑤   **03** ④   **04** ②   **05** ④   **06** ⑤

07 0.34 m

08 | 모범 답안 | 마디선이 나타나는 지점에서는 두 파원으로부터의 경로차가 반파장의 홀수 배이기 때문에 상쇄 간섭이 일어나 파동이 상쇄된다.

09 | 모범 답안 | 렌즈 위에 코팅을 하면 코팅면 위쪽과 아래쪽 경계면에서 반사된 빛이 서로 반대 위상으로 만나게 되어 상쇄 간섭을 일으켜 반사되지 않는 것으로 보이게 한다.

01 | 선택지 분석 |

ㄱ. 2초가 지난 순간 P의 변위는 1 m이다.
  ➡ 2초가 지난 순간 P에는 B의 마루와 A의 골이 지나므로 P의 변위는 1 m이다.

✗ 3초가 지난 순간 Q의 변위는 ~~1 m이다.~~ 3 m이다.
  ➡ 3초가 지난 순간 Q에는 A와 B의 골이 지나므로 Q의 변위는 3 m이다.

✗ 파동의 진동수는 ~~B가 A보다 크다.~~ A와 B가 같다.
  ➡ A와 B는 속력과 파장이 같으므로 진동수도 같다.

02 | 선택지 분석 |

✗ 음파의 파장은 ~~0.34 m~~이다. 0.68 m
  ➡ $v=f\lambda$에서 340 m/s=500 Hz×λ이므로 λ=0.68 m이다.

ㄴ. S_1, S_2에서 B_1까지 경로차는 0.34 m이다.
  ➡ B_1은 첫 번째 상쇄 간섭이 일어나는 지점이므로 경로차가 반파장이어야 한다. 한 파장이 0.68 m이므로 경로차는 $|\overline{S_1B_1} - \overline{S_2B_1}|$=0.5$\lambda$=0.34 m이다.

ㄷ. 두 스피커 사이의 거리를 더 가깝게 하면 A_1과 B_1 사이의 간격이 더 커진다.
  ➡ 두 스피커 사이의 거리를 더 가깝게 하면 A_1과 A_2 사이의 간격이 더 커지므로 A_1과 B_1 사이의 간격도 더 커진다.

03 | 자료 분석 |

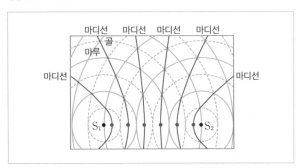

마디선은 상쇄 간섭이 일어나는 점들을 이은 선이다. 두 파원으로부터의 경로차가 반파장인 것 2개, 1.5파장인 것 2개, 2.5파장인 것 2개를 합하면 두 점 파원 사이의 직선에 만들어지는 상쇄 간섭 점은 6개이다.

04 경로차가 반파장의 짝수 배(ㄴ)이면 보강 간섭, 반파장의 홀수 배(ㄱ, ㄷ)이면 상쇄 간섭을 일으킨다. 빛의 파장을 λ라고 할 때, ㄱ, ㄴ, ㄷ의 경우 두 빛의 경로차는 각각 $\frac{\lambda}{2}$, λ, $\frac{3}{2}\lambda$이다.

05 정상파는 간섭에 의한 현상이다. 기타 소리와 리코더 소리는 간섭에 의해 만들어지는 소리이고, 담장 너머로 들려오는 소리는 소리의 회절 현상으로 설명할 수 있다.

06 | 선택지 분석 |

ㄱ. 기름 막의 윗면과 아랫면에서 반사된 빛이 보강 간섭 하면 빛을 볼 수 있다.
  ➡ 두 빛이 보강 간섭 하면 합성파의 진폭이 커져 사람의 눈에 보인다.

ㄴ. 기름 막에서 여러 색이 보이는 것은 기름 막의 두께가 다르기 때문이다.
  ➡ 기름 막의 두께에 따라 보강 간섭 하는 빛의 파장이 다르므로 여러 색이 보인다.

ㄷ. 홀로그램 이미지나 스티커에서 빛을 비추는 각도에 따라 서로 다른 색이 보이는 것은 빛의 간섭 때문이다.
  ➡ 홀로그램도 빛의 간섭 현상으로 설명할 수 있다.

07 A와 B에서 발생한 소리가 중첩하여 정상파를 만들며, 정상파의 배에서는 소리의 세기가 커지다가 작아진다. 정상파에서 배와 배 사이의 거리는 반파장이므로 두 지점 사이의 거리는 $\frac{\lambda}{2} = \frac{v}{2f} = \frac{340\ \text{m/s}}{2 \times 500\ \text{Hz}}$=0.34 m이다.

08 마디선은 상쇄 간섭이 일어나는 점들을 이은 선이다. 상쇄 간섭은 두 파원으로부터의 경로차가 반파장의 홀수 배일 때 일어난다.

채점 기준	배점
마디선이 나타나는 지점은 두 파원으로부터의 경로차가 반파장의 홀수 배라고 쓰고, 상쇄 간섭이 일어난다는 것을 모두 쓴 경우	100 %
2가지 중 1가지만 쓴 경우	50 %

09 코팅면에서 반사된 두 빛은 간섭한다.

채점 기준	배점
반사된 두 빛을 언급하고 상쇄 간섭을 언급한 경우	100 %
반사된 두 빛과 상쇄 간섭 중 1가지만 언급한 경우	50 %

01 ⑤	02 ④	03 ①	04 ⑤	05 ①	06 ③	07 ①
08 ①	09 ③	10 ③	11 ①	12 ④	13 ⑤	14 ②
15 ④	16 ①	17 ⑤				

01 | 선택지 분석 |

㉠ 한 지점에서 전기장의 세기가 최대일 때 자기장의 세기가 최대이다.
➡ 전기장과 자기장이 서로를 유도하면서 전자기파가 진행하므로 전기장의 세기가 최대일 때 자기장의 세기도 최대이다.

㉡ 전자기파의 파장은 a이다.
➡ 전자기파의 파장은 전기장과 자기장의 파장과 같은 a이다.

㉢ 전자기파의 속력은 물속에서가 진공 중에서보다 느리다.
➡ 전자기파의 속력은 진공 중에서 가장 빠르다.

02 | 선택지 분석 |

✗ A 영역의 전자기파의 파장은 B 영역의 전자기파의 파장보다 <s>짧다.</s> 길다.
➡ 전자기파의 파장과 진동수는 서로 반비례한다. 따라서 전자기파의 파장은 진동수가 작은 A 영역에서가 B 영역에서보다 길다.

㉡ B영역에 속하는 f_0의 진동수로 송출되는 FM 방송 전파의 파장은 $\dfrac{c}{f_0}$이다.
➡ $c = f_0\lambda$이므로 파장은 $\lambda = \dfrac{c}{f_0}$이다.

㉢ 의료 장비에 사용되는 X선은 C 영역에 속한다.
➡ C 영역은 자외선과 감마(γ)선 사이의 전자기파이므로 X선이 속하는 영역이다.

03 | 선택지 분석 |

✗ 무선 공유기와 휴대 전화 사이에 사용하는 전자기파는 적외선보다 진동수가 <s>커.</s> 작아
➡ 무선 공유기와 휴대 전화 사이에 사용하는 전자기파는 전파로 적외선보다 파장이 길고 진동수가 작다.

Ⓑ 전자기파는 전기장과 자기장이 진동하면서 전파돼.
➡ 변하는 전기장에 의해 변하는 자기장이 유도되는 현상이 반복되면서 전자기파가 발생하여 전파된다.

✗ 전자기파는 매질이 없을 때는 전파가 안 돼.
➡ 전자기파는 매질이 없는 진공 상태에서도 전파된다.

04 파장은 감마(γ)선이 가장 짧고, 라디오파가 가장 길다. 따라서 $\lambda_C < \lambda_B < \lambda_A$이다.

05 | 선택지 분석 |

㉠ 진동수는 가시광선보다 작다.
➡ 마이크로파는 가시광선보다 파장이 길고 진동수가 작다.

✗ 진공에서의 파장은 X선보다 <s>작다.</s> 길다.
➡ 마이크로파는 X선보다 파장이 길다.

✗ 진공에서의 속력은 자외선보다 <s>크다.</s> 같다.
➡ 진공에서 모든 전자기파의 속력은 같다. 따라서 진공에서 마이크로파와 자외선의 속력은 같다.

06 ㄱ은 0.5초 동안 두 파동이 각각 5 cm씩 이동하여 중첩 직전의 모습이다. ㄴ은 1초 동안 두 파동이 각각 10 cm씩 이동하여 -5 cm와 5 cm 사이에서 상쇄 간섭 한 모습이다. ㄷ은 2초 동안 이동하여 -10 cm와 10 cm 사이에서 상쇄 간섭 한 모습이다.

07 서로 반대 방향으로 진행하는 두 파동이므로 $\dfrac{T}{4}$마다 보강 간섭과 상쇄 간섭을 반복한다. 또 $\dfrac{T}{8}$ 동안 $\dfrac{\lambda}{8}$만큼 진행한다.

08 | 자료 분석 |

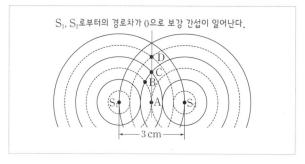

S_1, S_2로부터의 경로차가 0으로 보강 간섭이 일어난다.

| 선택지 분석 |

㉠ B는 시간이 지나도 수면의 높이가 변하지 않는다.
➡ 마루와 골이 만나는 B점에서는 상쇄 간섭이 일어나므로 수면의 높이가 변하지 않는다.

✗ A에서는 <s>상쇄</s> 보강 간섭이 일어나고, B에서는 <s>보강</s> 상쇄 간섭이 일어난다.
➡ 마루와 마루가 만나는 C점, 골과 골이 만나는 A와 D점에서는 보강 간섭이 일어난다.

✗ C에 도달하는 두 파동의 경로차는 D에서보다 작다.
➡ C와 D점은 모두 경로차가 0인 지점이다.

09 | 선택지 분석 |

㉠ A에서는 B에서보다 소리가 크게 들린다.
➡ 보강 간섭이 일어나는 지점인 A에서는 상쇄 간섭이 일어나는 B에서보다 소리가 크게 들린다.

✗ S_1, S_2로부터 B까지의 경로차는 <s>λ의 정수 배</s>이다. $\dfrac{\lambda}{2}$의 홀수 배
➡ 상쇄 간섭은 경로차가 $\dfrac{\lambda}{2}$의 홀수 배일 때 생긴다.

㉢ d만을 감소시키면 A와 B 사이의 거리는 증가한다.
➡ 보강 간섭과 상쇄 간섭이 생기는 지점 사이의 거리는 d가 작을수록, λ가 클수록 크다.

10 • 보강 간섭이 일어날 조건: 두 점파원으로부터의 경로차가 반파장의 짝수 배인 지점에서는 두 소리가 보강 간섭을 한다. → 소리가 크게 들린다.

• 상쇄 간섭이 일어날 조건: 두 점파원으로부터의 경로차

가 반파장의 홀수 배인 지점에서는 두 소리가 상쇄 간섭을 한다. → 소리가 작게 들린다.
따라서 경로차와 파장을 알면 보강 간섭, 상쇄 간섭을 일으키는 지점을 찾을 수 있다.

11 | 선택지 분석 |

ㄱ. (가)에서 해저에 입사된 초음파와 반사된 초음파의 진동수는 같다.
➡ 파동의 반사에서 입사파와 반사파는 같은 매질에서 진행하므로 속력, 파장, 진동수는 각각 서로 같다.

✗ (가)의 초음파 속력은 공기 중에서가 바닷물 속에서보다 ~~크다.~~ 작다.
➡ 초음파는 소리이므로 초음파의 속력은 매질이 고체 > 액체 > 기체의 순으로 크다. 따라서 (가)의 초음파 속력은 공기 중에서가 바닷물 속에서보다 작다.

✗ (나)는 파동의 ~~보강~~ 간섭 현상을 이용한다. 상쇄
➡ (나)의 소음 제거 원리는 진폭이 같고 위상이 반대인 마루와 골이 만나 합성파의 진폭이 0이 되는 파동의 상쇄 간섭 현상을 이용한 것이다.

12 | 자료 분석 |

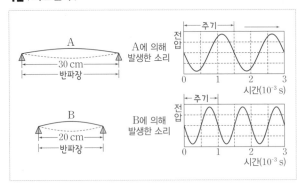

| 선택지 분석 |

✗ A의 파장은 ~~30 cm~~이다. 60 cm
➡ A의 파장은 60 cm, B의 파장은 40 cm이다.

ㄴ. B의 진동수는 1000 Hz이다.
➡ B에 의해 발생한 소리의 주기가 0.001초이므로, 진동수는
$\frac{1}{10^{-3} \text{ s}} = 1000 \text{ Hz}$이다.

ㄷ. B가 A보다 높은 소리를 발생시킨다.
➡ 주기는 A가 1.5×10^{-3}초, B가 1×10^{-3}초로 A가 B보다 크다. 따라서 진동수는 B가 A보다 크므로 B가 A보다 높은 소리를 발생시킨다.

13 | 선택지 분석 |

그림 (가)의 상황에서 각 θ를 $0°$에서부터 증가시키면 보강 간섭이 일어나는 지점과 상쇄 간섭이 일어나는 지점을 번갈아가면서 지나게 된다.

✗ S_1과 S_2 사이의 거리는 ~~파장의 정수 배~~이다. 반파장의 홀수 배
➡ $\theta = 0°$에서 소음의 크기가 0이므로 상쇄 간섭이 일어난다.

$\theta = 0°$에서 두 파원으로부터의 경로차는 두 파원 사이의 거리와 같으므로, 두 파원 사이의 거리는 반파장의 홀수 배이다.

ㄴ. $\theta = \theta_0$인 지점은 S_1과 S_2로부터의 경로차가 파장의 $\frac{1}{2}$인 지점이다.
➡ θ_0는 $\theta = 90°$에서 각을 줄였을 때 처음으로 나타나는 상쇄 간섭 지점이므로 S_1과 S_2로부터의 경로차가 파장의 $\frac{1}{2}$인 지점이다.

ㄷ. S_1과 S_2 사이를 지나는 마디선은 2개이다.
➡ O점과 S_2 사이를 지나는 마디선은 $\theta = \theta_0$인 지점을 지나므로 O점과 S_1 사이를 지나는 마디선도 있다. 따라서 마디선은 총 2개이다.

14
간섭무늬의 간격은 파장이 길수록 이중 슬릿 사이의 간격이 좁을수록 크다. 따라서 간섭무늬의 간격이 최대일 때는 파장이 λ_1인 빛을 사용하고 슬릿의 간격은 작은 B를 사용할 때이다. 반대로 간섭무늬의 간격이 최소일 때는 파장 λ_2인 빛을 사용하고 슬릿의 간격이 큰 A를 사용할 때이다.

15 | 선택지 분석 |

ㄱ. 스크린에 생긴 간섭무늬의 밝은 부분은 빛의 보강 간섭에 의해 생긴다.
➡ 이중 슬릿을 통과한 빛이 스크린에서 보강 간섭하여 밝은 무늬가 나타난다.

✗ 슬릿 간격은 P가 Q보다 ~~넓다.~~ 좁다.
➡ 결과 (나)에서 간섭무늬의 간격은 슬릿 P일 때가 Q일 때보다 크므로 슬릿 간격은 P가 Q보다 좁다.

ㄷ. $\lambda_1 > \lambda_2$이다.
➡ 결과 (다)에서 간섭무늬의 간격은 빛의 파장이 λ_1일 때가 λ_2일 때보다 크므로 $\lambda_1 > \lambda_2$이다.

16 | 선택지 분석 |

✗ R에서 입사파와 반사파의 위상은 ~~반대이다.~~ 같다.
➡ R에서 보강 간섭 하므로 입사파와 반사파의 위상은 같다.

ㄴ. 마이크로파의 파장은 $2d$이다.
➡ R, S, T에서 마이크로파 검출기의 반응이 최대이므로 이 지점은 정상파의 배에 해당한다. 마이크로파의 파장은 이웃한 배와 배 사이의 거리의 2배인 $2d$이다.

✗ R과 T 사이에 있는 정상파의 마디는 ~~3개~~이다. 2개
➡ R, S, T는 정상파의 배에 해당한다. 따라서 R과 S, S와 T 사이에 마디가 각각 1개씩 있다.

17 | 선택지 분석 |

ㄱ. 단색광의 진동수는 (가)에서와 (나)에서가 같다.
➡ 빛의 진동수는 매질에 관계없이 일정하다. 따라서 (가)와 (나)에서 빛의 진동수는 같다.

ㄴ. 단색광의 파장은 (가)에서가 (나)에서보다 크다.
➡ 빛의 파장은 물속에서 짧아지므로 (가)에서가 (나)에서보다 크다.

ㄷ. 간섭무늬 사이의 간격은 (가)에서가 (나)에서보다 크다.
➡ 간섭무늬 사이의 간격은 파장이 클수록 크므로 (가)에서가 (나)에서보다 크다.

2 » 빛과 물질의 이중성

01~ 빛의 이중성과 CCD

탐구POOL
264쪽

01 ㉠ > ㉡ > ㉢ 약한 ㉣ 센   **02** (1) × (2) ×

01 광자 1개의 에너지가 일함수보다 클 때 광전자가 방출되는 광전 효과가 나타난다. 빛의 세기가 셀수록 광자 수가 많아 방출되는 광전자 수도 많아진다.

02 (1), (2) 문턱 진동수보다 빛의 진동수가 크면 광자의 에너지가 일함수보다 크기 때문에 전자가 금속 표면을 벗어날 수 있다.

콕콕! 개념 확인하기
265쪽

✓ 잠깐 확인!

1 입자설, 파동설   **2** 파동설   **3** 광전 효과, 입자설   **4** 진동수, 광양자설   **5** 광 다이오드   **6** 광전 효과

01 (1) × (2) ○ (3) ○ (4) ×   **02** ㉠ 진동수 ㉡ 세기   **03** 전자
04 (1) ○ (2) × (3) ○   **05** ㉠ 빛 ㉡ 전기 ㉢ 입자성 ㉣ 셀
06 아날로그 신호

01 (1) 뉴턴은 빛이 입자라는 입자설을 주장했다.
(4) 전자기파는 빛의 파동성으로 설명할 수 있다.

02 광전 효과의 발생 여부는 빛의 세기와 무관하고 빛의 진동수가 문턱 진동수보다 커야 한다. 광전자는 광자 수가 많을수록 많이 방출되므로 빛의 세기에 비례한다.

03 아연판의 문턱 진동수보다 큰 진동수의 빛을 비추면 광전 효과에 의해 광전자가 방출된다.

04 (2) 광 다이오드에 빛을 비추면 전자−양공 쌍이 생성된다.

05 CCD는 빛의 입자성으로 설명할 수 있는 광전 효과를 통해 빛에너지를 전기 에너지로 전환한다. 광전 효과가 발생하면 빛의 세기가 셀수록 광자 수가 많아 광전자가 많이 발생한다.

06 CCD에서 발생한 아날로그 전기 신호를 아날로그·디지털 변환기를 통해 디지털 신호로 전환하여 메모리에 저장한다.

탄탄! 내신 다지기
266쪽~267쪽

01 ④   **02** ④   **03** 문턱 진동수(한계 진동수)   **04** ④
05 ⑤   **06** 광 다이오드   **07** ②   **08** ⑤   **09** ③   **10** ⑤

01 금속에 X선을 쪼여 주면 전자가 방출되면서 산란된 X선의 파장이 길어지는 콤프턴 산란은 입자설로 설명이 가능하다.

02 | 선택지 분석 |

철수: 광전 효과는 금속 표면에 빛을 비추면 광전자가 튀어 나오는 현상이야.
➡ 광전 효과는 금속 표면에 금속의 문턱 진동수보다 큰 진동수의 빛을 비추면 광전자가 튀어 나오는 현상을 말한다.

영희: 빛의 진동수가 문턱 진동수보다 작아도 빛의 세기를 세게 하면 광전자가 방출돼. (세게 하<u>여도</u>, 방출되지 않아.)
➡ 빛의 진동수가 문턱 진동수보다 작으면 광자 1개의 에너지가 작으므로 빛의 세기를 세게 하여도 광전자를 금속으로부터 방출시킬 수 없다.

민수: 금속 표면에 비춰진 빛의 진동수에 따라 방출되는 광전자의 최대 운동 에너지는 달라져.
➡ 광전 효과가 발생할 때 빛의 진동수를 증가시키면 광전자의 최대 운동 에너지도 증가한다.

03 광전 효과는 금속 표면에 문턱 진동수 이상의 진동수를 가진 빛을 비출 때 금속에서 전자가 튀어 나오는 현상이다.

04 (가)에서 광전자의 운동 에너지를 E라 하고, 에너지 보존 법칙을 (가)와 (나)에서 각각 적용하면 $E = h \times 2f - W$, $4E = h \times 3f - W$이다. 두 식을 연립하고 $W = hf_0$를 대입하면 한계 진동수는 $f_0 = \frac{5}{3}f$이다.

05 | 자료 분석 |

빛의 진동수	문턱 진동수보다 작을 때	문턱 진동수 이상일 때
광자의 에너지	$hf < W$	$hf \geq W$
광전자의 방출 여부	광자의 에너지가 금속의 일함수보다 작으므로, 광전자가 방출되지 않는다.	광자의 에너지가 금속의 일함수 이상일 때 광자의 에너지를 흡수한 전자가 즉시 방출된다.
빛의 세기와의 관계	빛의 세기에 관계없이 광전자는 방출되지 않는다.	빛의 세기가 셀수록 광자의 수가 많으므로, 방출되는 광전자의 수도 많다.

| 선택지 분석 |

ㄱ. 빛의 진동수는 b가 a보다 크다.
➡ 광전 효과가 나타나는 b가 광전 효과가 나타나지 않는 a보다 진동수가 크다.

ㄴ. (가)에서 a의 세기를 증가시켜도 금속박이 벌어지지 않는다.
➡ 광전 효과는 빛의 세기와 무관하다.

ㄷ. (나)에서 금속박은 양(+)전하로 대전되어 있다.
➡ 광전 효과에 의해 전자가 계속 방출되므로 검전기에 양(+)전하량은 점점 커진다. 따라서 금속박은 양(+)전하를 띠며 벌어진다.

06 광 다이오드에 빛을 비추면 광전 효과에 의해 전류와 전압이 발생한다.

07 CCD는 빛에너지를 전기 에너지로 전환하는 장치이다.

08 | 선택지 분석 |

✗ 색 필터는 광전 효과를 이용해서 빛에너지를 전기 에너지로 바꾼다.
      광 다이오드
➡ 색 필터는 특정 파장의 빛만 통과시키는 역할을 한다. 광전 효과를 이용해서 빛에너지를 전기 에너지로 바꾸는 것은 광 다이오드이다.

ㄴ. 각 화소에 저장된 광전자를 인접한 화소로 전달하여 측정 장치까지 순차적으로 이동시킨다.
➡ 각 화소에 저장된 광전자의 전하량을 측정하기 위해 광전자를 인접한 화소로 전달하여 측정 장치까지 순차적으로 이동시킨다.

ㄷ. CCD는 일반 필름보다 감도가 높다.
➡ CCD는 일반 필름보다 감도가 약 100배 이상 높기 때문에 CCD를 활용한 카메라는 어두운 장소에서도 잘 찍을 수 있다.

09 | 선택지 분석 |

ㄱ. A는 p형 반도체이다.
➡ 접합면에서 생성된 양공이 왼쪽으로 이동하므로 A는 p형 반도체이다.

ㄴ. CCD에 빛을 비추면 A와 B의 경계면에서 전자−양공 쌍이 생성된다.
➡ 광자 1개의 에너지가 반도체의 띠 간격보다 클 때 원자가 띠의 전자가 전도띠로 전이하여 원자가 띠에 양공이, 전도띠에 전자가 생긴다.

✗ CCD의 원리는 빛의 파동성으로 설명할 수 있다.
      입자성
➡ CCD는 빛의 입자성을 이용한 것이다.

10 ㄱ. 대형 전광판은 여러 가지 색의 발광 다이오드(LED)를 이용하여 정보를 표시한다. ㄴ, ㄷ. 스캐너는 반사된 빛을 전기 신호로 전환시켜 그림의 이미지를 읽고, 우주 천체 망원경은 CCD를 통해 천체에서 나온 빛의 정보를 수신한다.

더 알아보기 **디지털 카메라의 구조**

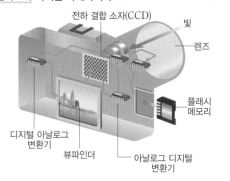

① **렌즈**: 피사체의 반사광을 이용하여 이미지 센서에 상을 맺는다.
② **이미지 센서**: 수백만 개의 화소로 이루어져 있으며, 빛의 세기 분포를 아날로그 전기 신호로 바꾼다.
③ **아날로그 디지털 변환기**: 이미지 센서에서 얻은 아날로그 전기 신호를 디지털 신호로 변환한다.
④ **플래시 메모리**: 디지털 신호로 변환된 이미지 정보를 저장한다.
⑤ **디지털 아날로그 변환기**: 스크린과 같은 화면으로 보기 위해 디지털화된 이미지 정보를 다시 아날로그 신호로 변환한다.
⑥ **뷰파인더**: 작은 화면을 통해 촬영한 이미지 등을 보여 준다.

도전! 실력 올리기 268쪽~269쪽

01 ⑤ **02** ⑤ **03** ② **04** ④ **05** ④ **06** ④

07 $E_A > E_0 > E_B$

08 해설 참조

09 | 모범 답안 | 빛을 파동으로 보면 빛의 세기가 약할 때에는 전자를 방출시키기 위해 필요한 에너지가 모여야 하므로 시간이 걸려야 한다.

01 | 선택지 분석 |

ㄱ. 빛의 파장은 A가 B보다 길다.
➡ 빛의 진동수와 광자 1개의 에너지는 비례한다. (가)에서는 A에 의해 광전 효과가 발생하지 않았고 (나)에서는 B에 의해 광전 효과가 발생하였다. 따라서 빛의 진동수는 B가 A보다 크고, 빛의 파장은 A가 B보다 길다.

ㄴ. 금속의 일함수는 Q가 P보다 크다.
➡ 금속의 일함수가 작을수록, 빛의 진동수가 클수록 광전 효과가 잘 발생한다. (나)에서는 B에 의해 P에서 광전 효과가 발생하였고, (다)에서는 B에 의해 광전 효과가 Q에서 발생하지 않았다. 따라서 금속의 일함수는 Q가 P보다 크다.

ㄷ. (가)에서 B보다 진동수가 큰 빛을 P에 비추면 금속박은 벌어진다.
➡ (나)에서 B에 의해 P에서 광전 효과가 발생하였으므로 B보다 진동수가 큰 빛을 P에 비추면 광전 효과가 발생하여 금속박은 벌어진다.

02 |선택지 분석|

ㄱ 자외선의 세기가 증가하면 전자석에 의한 자기력의 크기도 커진다.

➡ 광자 한 개의 에너지가 일함수보다 클 때 발생하는 광전 효과에서 빛의 세기가 증가하면 광전류의 세기도 증가한다. 따라서 솔레노이드에 흐르는 전류의 세기가 증가하므로 전자석에 의한 자기력의 크기도 커진다.

ㄴ 자외선 광자 한 개의 에너지는 광전관 내 금속의 일함수보다 크다.

➡ 자외선에 의해 광전 효과가 발생하므로 자외선 광자 한 개의 에너지는 광전관 내 금속의 일함수보다 크다.

ㄷ X선을 광전관에 비추어도 부저가 울리지 않는다.

➡ X선은 자외선보다 진동수가 큰 빛이므로 광전 효과를 일으켜 솔레노이드에 전류가 흐르게 할 수 있다.

03 |선택지 분석|

✗ 빛의 진동수는 A가 B보다 <s>작다.</s>
   크다.

➡ 파장은 B가 A보다 길어 진동수는 A가 B보다 크다.

✗ C의 세기를 증가시키면 <s>광전자의 최대 운동 에너지가</s>
   켜도 광전자는 발생하지 않는다.
   <s>증가한다.</s>

➡ C의 진동수는 금속판의 문턱 진동수보다 작으므로 C의 세기를 증가시켜도 광전자는 발생하지 않는다.

ㄷ A와 B를 동시에 비추면 B만 비추었을 때보다 광전관에 흐르는 전류의 세기가 세다.

➡ A에 의해서도 광전 효과가 일어나므로 A와 B를 동시에 비추면 빛의 세기가 세지는 효과가 있다.

04 |선택지 분석|

ㄱ 각 전극에 걸린 전압을 조정하여 광전자를 이동시킨다.

➡ 인접한 전극에 (+)전압을 걸어 주어 전자를 이동시킨다.

✗ 전송단이 아닌 열에서도 수직 방향으로 이동이 <s>가능</s>
   는   불가능하다.
   <s>하다.</s>

➡ 각 화소에 저장된 전자는 수평 방향으로 전극을 따라 이동한 후 수직 방향으로 전송단을 따라 전하량 측정 장치로 이동한다.

ㄷ 전하량 측정 장치에서는 축적된 전하량의 세기를 측정하여 CCD에 입사한 빛의 세기를 측정한다.

➡ 광전 효과에서 방출된 광전자의 수는 빛의 세기에 비례하기 때문에 광전자의 축적된 전하량의 세기를 측정하면 빛의 세기를 측정할 수 있다.

05 |선택지 분석|

✗ 광자 1개의 에너지는 적외선이 파랑 빛보다 <s>크다.</s>
   작다.

➡ 광자 1개의 에너지는 빛의 진동수에 비례한다. 진동수는 파랑 빛이 적외선보다 크므로 광자 1개의 에너지도 파랑 빛이 적외선보다 크다.

ㄴ (나)에서 빛을 전기 신호로 바꾸는 것은 광전 효과로 설명할 수 있다.

➡ 광전 효과는 빛을 전기 신호로 바꾸는 현상이다.

ㄷ 플래시 메모리는 정보 저장 물질로 강자성체를 이용한다.

➡ 플래시 메모리는 자기장을 제거해도 오랫동안 자성을 유지하는 물질을 정보 저장 물질로 사용한다.

06 |선택지 분석|

✗ A는 <s>p형</s> 반도체이다.
   n형

➡ A쪽으로 전자가 이동하고 있으므로 A는 n형 반도체이다.

ㄴ CCD에서 측정되는 전자의 수는 쪼여지는 빛의 세기에 비례한다.

➡ 광전 효과가 발생하면 빛의 세기는 광자 수에 비례하고 광자 수는 광전자 수와 같다. 따라서 CCD에서 측정되는 전자의 수는 쪼여지는 빛의 세기에 비례한다.

ㄷ 금속 전극은 전자를 모으는 역할을 한다.

➡ 금속 전극은 양(+)극이 걸려 있으므로 전자를 모으는 역할을 한다.

07 광전 효과를 일으키는 빛의 광자 1개의 에너지는 광 다이오드의 띠틈보다 크다.

08

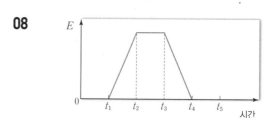

진동수가 f_0보다 작은 빛을 비추면 광전 효과가 발생하지 않는다. 광전 효과가 발생하면 빛의 진동수가 커질수록 광전자의 최대 운동 에너지도 커진다.

채점 기준	배점
5개의 시간 구간의 그래프가 모두 옳게 그린 경우	100 %
1개의 시간 구간이 오답이면 20 %씩 감점	

09 빛을 파동으로 보면 빛의 세기가 약하면 전자를 방출시키기 위해 필요한 에너지가 모여야 하므로 시간이 걸려야 한다.

채점 기준	배점
에너지가 모인다는 의미와 시간이 걸린다는 의미가 모두 포함된 경우	100 %
에너지가 모인다는 의미와 시간이 걸린다는 의미 중 하나만 포함된 경우	50 %

02 ~ 물질의 이중성과 전자 현미경

개념POOL   272쪽

01 ㉠ 전자총 ㉡ 자기렌즈 ㉢ 대물렌즈 ㉣ 증폭기
02 (1) × (2) ○ (3) ○ (4) ○ (5) ○ (6) ×

02 (1) (가)는 투과 전자 현미경의 구조이다.
(6) 투과 전자 현미경의 분해능은 약 0.05 nm, 주사 전자 현미경의 분해능은 약 0.7 nm 정도로 투과 전자 현미경의 분해능이 주사 전자 현미경의 분해능보다 좋다.

콕콕! 개념 확인하기   273쪽

✓ 잠깐 확인!
1 물질파 **2** 질량, 속력 **3** 이중성 **4** 파동 **5** 분해능
6 자기렌즈 **7** 짧 **8** 주사
-----
01 (1) ○ (2) ○ (3) × (4) × **02** 파동성 **03** (나) **04** (1) ×
(2) ○ (3) × (4) ○ **05** ㉠ 빨라져서 ㉡ 커지고 ㉢ 짧아진다.
06 투과 전자 현미경

01 (3) 질량이 m이고 속력이 v인 물체의 물질파 파장은 $\dfrac{h}{mv}$ 로 주어진다.
(4) 전자가 바람개비를 회전시킬 수 있는 것은 전자가 질량을 가진 입자이기 때문이다.

02 회절은 파동성을 나타내는 현상이다. 전자선이 회절 무늬를 나타내는 것은 전자가 파동성을 가지고 있기 때문이다.

03 (가)는 전자가 입자처럼 행동하였으므로 이중 슬릿을 통과한 전자가 스크린에 두 줄로 나타난 것이고, (나)는 전자가 이중 슬릿을 통과할 때 전자가 파동처럼 행동하여 스크린에 간섭무늬를 만든 것이다.

04 (1) 바이러스의 크기는 광학 현미경의 분해능보다 작다.
(3) 렌즈의 크기가 같을 때 빛의 파장이 짧을수록 분해능이 우수하다.

05 가속 전압을 높이면 전자의 운동 에너지가 커져서 전자의 속력이 빨라진다. 전자의 속력이 빨라지면 전자의 운동량의 크기가 커지고, 전자의 물질파 파장은 전자의 운동량의 크기에 반비례하므로 전자의 물질파 파장은 짧아진다.

탄탄! 내신 다지기   274쪽~275쪽

01 ④ **02** ⑤ **03** ④ **04** ③ **05** ② **06** 3.32×10^{-34} J·s
07 ⑤ **08** 자기렌즈 **09** ③ **10** ⑤ **11** ③ **12** ㉠ 얇아
㉡ 전기 전도성

01 | 선택지 분석 |
철수: 빛이 입자의 성질을 갖는 것처럼 물질도 파동의 성질을 가져.
➡ 드브로이는 빛의 이중성에 착안하여 물질도 파동의 성질을 갖는다고 주장하였다.
영희: 물질파의 파장은 물질의 운동량이 클수록 길어져. → 짧아져.
➡ 물질파의 파장은 운동량이 클수록 짧아진다.
민수: 물질이 파동적 성질을 갖는 것은 전자빔 회절 실험 등에서 확인할 수 있어.
➡ 전자빔 회절 실험에서 회절 무늬가 나타나는 것은 전자의 파동성 때문이다.

02 $\lambda = \dfrac{h}{mv}$ 이므로 $m = \dfrac{h}{\lambda v}$ 이다. 따라서 $m_A : m_B = \dfrac{h}{\lambda v} : \dfrac{h}{4\lambda v}$
$= 4 : 1$이다.

03 $\lambda = \dfrac{h}{mv} = \dfrac{h}{\sqrt{2mE}}$ 이다. 따라서 $\lambda_A : \lambda_B = 2 : 1$이다.

04 | 선택지 분석 |
㉠ (나)의 무늬는 전자의 회절 무늬이다.
➡ (가)는 X선, (나)는 전자의 회절 무늬이다.
㉡ (나)의 무늬는 전자가 파동성을 갖기 때문에 나타난다.
➡ 전자의 회절 무늬는 전자가 파동성을 갖기 때문에 나타난다.
✗ 전자의 속력이 커지면 전자의 물질파 파장이 길어진다. → 짧아진다.
➡ 전자의 속력이 커지면 운동량의 크기가 커져 물질파 파장이 짧아진다.

05 $mgH = \dfrac{1}{2} mv^2$ 이므로 $v = \sqrt{2gH}$ (h: 처음 높이)이다. 물질파 파장은 $\lambda = \dfrac{h}{mv}$ 이므로 물질파의 파장은 $m\sqrt{H}$ 에 반비례한다. 따라서 $\lambda_A : \lambda_B = 1 : \sqrt{2}$이다.

06 물질의 드브로이 파장 $\lambda = \dfrac{h}{mv}$ 로 주어지므로
$\lambda = \dfrac{6.63 \times 10^{-34}}{0.1 \times 20} = 3.32 \times 10^{-34}$ m이다.

07 빛이 회절하기 때문에 두 점의 사의 가장자리에 원 모양의 고리가 생긴다. 두 점의 상을 구분할 수 있는 파장이 짧은 빛이 분해능이 좋다.

08 자기렌즈는 코일로 만든 원통형 전자석으로, 전자가 자기장에 의해 힘을 받아 경로가 휘어지는 성질을 사용하여 전자빔을 한 점에 모아 주는 장치이다.

09 태양 전지는 빛의 입자성을 보여 주는 광전 효과를 이용한 것이고 전자 현미경은 빛의 파동성을 이용한 것이다.

10 | 선택지 분석 |

① 물질의 파동성을 이용하여 상을 얻는다.
　➡ 전자 현미경은 전자의 파동성을 이용하여 상을 얻는다.

② 전자가 물체를 통과하면서 회절한다.
　➡ 전자가 파동의 성질을 나타내므로 물체를 통과한 후 회절한다.

③ 전자의 속력이 빠를수록 물질파 파장은 짧아진다.
　➡ 전자의 속력이 빠를수록 전자의 물질파 파장이 짧아지므로 회절이 덜 일어나 더 작은 물체까지 볼 수 있다.

④ 전자의 속력이 빠를수록 더 작은 물체까지 볼 수 있다.
　➡ 전자의 속력이 빠를수록 물질파 파장이 짧아지므로 더 작은 물체까지 볼 수 있다.

⑤ 전압이 낮을수록 더 작은 물체까지 볼 수 있다. (낮을수록 → 높을수록)
　➡ 전압이 낮을수록 전자의 속력이 느려져 물질파 파장이 길어지므로 분해능이 나빠져 배율이 작아진다.

11 | 선택지 분석 |

㉠ (나)는 전자의 파동성을 이용한다.
　➡ 전자 현미경은 전자의 파동성을 이용하여 확대한 상을 볼 수 있다.

㉡ 전자 현미경에서 전자의 운동량의 크기를 더 작게 하면 분해능이 커진다. (커진다 → 짧아진다)
　➡ 전자의 운동량의 크기가 커져야 물질파 파장이 짧아지고 분해능이 커진다.

㉢ 전자 현미경은 광학 현미경보다 더 높은 배율로 볼 수 있다.
　➡ 전자 현미경이 사용하는 물질파의 파장이 광학 현미경에서 사용하는 가시광선의 파장보다 짧다. 따라서 전자 현미경이 광학 현미경보다 더 높은 배율로 볼 수 있다.

12 투과 전자 현미경은 전자가 시료를 투과하는 동안 속력이 느려져서 드브로이 파장이 커지면 분해능이 떨어지므로 시료를 얇게 만들어야 한다. 주사 전자 현미경은 전기 전도성이 좋은 물질로 코팅하지 않으면 전자가 시료 표면에 쌓여 측정을 방해한다.

01 ①　**02** ③　**03** ④　**04** ①　**05** ⑤　**06** ③　**07** ①

08 ㉠ 투과 전자 현미경 ㉡ 주사 전자 현미경

09 | 모범 답안 | 전자총에서 방출된 전자들은 파동성을 나타내므로 이중 슬릿을 통과하여 간섭을 일으켜 스크린에 간섭무늬를 나타낸다.

10 | 모범 답안 | $\lambda = \dfrac{h}{mv}$에서 플랑크 상수 h가 물체의 질량 m에 비해 매우 작기 때문에 물질파 파장 λ가 매우 짧아 눈으로 파동성을 관찰하기 어렵다.

01 | 선택지 분석 |

㉠ 입자의 속력이 v_0일 때, 질량
　➡ 입자의 물질파 파장은 $\lambda = \dfrac{h}{mv}$이다. 따라서 v가 일정할 때 λ는 m에 반비례한다.

✗ 물질파의 파장이 λ_0일 때, 운동량의 크기
　➡ 입자의 물질파 파장은 $\lambda = \dfrac{h}{mv}$이다. 따라서 λ가 일정할 때 mv도 일정하다.

✗ 물질파의 파장이 λ_0일 때, 운동 에너지
　➡ 입자의 운동 에너지는 $E = \dfrac{(mv)^2}{2m}$이다. λ가 일정할 때 mv도 일정하므로 E는 m에 반비례한다.

02 A, B의 운동 에너지는 각각 W_0, $4W_0$이다. 따라서 광전자의 물질파 파장은 운동 에너지의 제곱근에 반비례하므로 $\left(\lambda = \dfrac{h}{mv} = \dfrac{h}{\sqrt{2mE}} \right)$ 광전자의 물질파 파장은 A일 때가 B일 때의 2배이다.

더 알아보기 전자의 물질파 파장

정지 상태에 있는 전자를 전압 V로 가속시켜 속력이 v가 되었다면 이 전자의 운동 에너지는 전기력이 전자에 한 일과 같으므로 $\dfrac{1}{2}mv^2 = \dfrac{(mv)^2}{2m} = eV = E_k$이다. 따라서 전자의 운동량은 $mv = \sqrt{2mE_k}$가 되므로 전자의 물질파 파장은 $\lambda = \dfrac{h}{mv} = \dfrac{h}{\sqrt{2mE_k}} = \dfrac{h}{\sqrt{2meV}}$이다. V가 100 V정도이면 전자의 물질파 파장은 1.23 Å정도로 파동성을 관찰할 수 있다.

03 A의 속력을 v_A라고 하면 $\dfrac{h}{mv_A}=\lambda$이므로 $v_A=v$이다. 운동량 보존 법칙을 적용하면 충돌 후 B의 속력도 v이다. 따라서 충돌 후 A와 B의 운동 에너지 합은 $mv^2=\dfrac{(mv)^2}{m}=\dfrac{h^2}{m\lambda^2}$이다.

04 | 선택지 분석 |

ㄱ 전자의 운동량은 $\dfrac{h}{\lambda}$이다.

➡ 전자의 물질파 파장과 X선의 파장이 같으므로 $p=\dfrac{h}{\lambda}$이다.

✗ 이 실험의 결과로 광전 효과를 설명할 수 있었다.
_{없다.}

➡ 광전 효과는 빛의 입자성을 보여 주는 실험이다.

✗ 전자의 속력이 빠를수록 회절 무늬 사이의 간격이 넓어진다.
좁아진다.

➡ 전자의 속력이 빠를수록 전자의 파동성이 작아지므로 회절 무늬 사이의 간격이 좁아진다.

05 | 선택지 분석 |

ㄱ 물질의 파동성을 입증하는 실험이다.

➡ 산란된 전자가 특정 각도에서 많이 검출되는 것을 통해 전자의 파동성을 확인할 수 있다.

ㄴ 반사되어 나온 전자의 수는 각도에 따라 달라진다.

➡ $\phi=50°$에서 전자가 가장 많이 검출된다.

ㄷ 이러한 실험 결과가 나타나는 까닭은 물질파가 특정한 각도에서 보강 간섭 하기 때문이다.

➡ 전자의 물질파가 반사되어 나올 때 특정한 각도에서 보강 간섭 하기 때문에 이러한 실험 결과가 나타난다.

06 | 선택지 분석 |

Ⓐ 전자도 파동성을 가지고 있어.

➡ 빛이 이중성을 가지듯 전자도 이중성을 가진다. 따라서 전자의 물질파는 전자의 파동성을 나타낸다.

Ⓑ 전자의 속력이 빠를수록 더 작은 물체까지 관찰할 수 있어.

➡ 전자의 속력이 빠를수록 물질파 파장이 짧아 현미경의 분해능이 좋아진다.

✗ 전자 현미경에서 전자의 물질파는 가시광선보다 회절이 잘 돼.
_{되지 않아.}

➡ 전자 현미경이 광학 현미경보다 분해능이 좋은 것은 전자의 물질파 파장이 가시광선보다 짧고 회절이 잘 되지 않기 때문이다.

07 광학 현미경은 빛의 굴절 현상을 이용하고, 투과 전자 현미경은 현미경 중에서 배율이 가장 큰 전자 현미경이며, 주사 전자 현미경은 전자의 물질파를 이용하여 시료의 입체적인 상을 촬영한다.

08 투과 전자 현미경은 시료를 투과한 전자가 형광 물질에 부딪혀 나오는 빛을 촬영하고, 주사 전자 현미경은 가속된 전자빔을 시료의 표면에 부딪혀 방출된 2차 전자로 영상을 촬영한다.

09 스크린에 밝고 어두운 무늬가 나타난 까닭은 이중 슬릿을 통과한 전자가 서로 간섭하기 때문이다.

채점 기준	배점
전자가 파동성을 갖는 것과 간섭을 일으킨다는 사실을 모두 포함하여 서술한 경우	100 %
두 가지 중 하나만 서술한 경우	50 %

10 $\lambda=\dfrac{h}{mv}$에서 플랑크 상수 h는 매우 작고, 물질의 질량 m이 매우 크기 때문에 물질파 파장 λ가 매우 짧아 눈으로 파동성을 관찰하기 어렵다.

채점 기준	배점
플랑크 상수가 물체의 질량에 비해 매우 작고 물질파 파장이 매우 짧다는 사실을 모두 포함하여 서술한 경우	100 %
두 가지 중 하나만 서술한 경우	50 %

실전! 수능 도전하기   279쪽~281쪽

01 ⑤	02 ①	03 ②	04 ⑤	05 ⑤	06 ③	07 ②
08 ②	09 ①	10 ④	11 ⑤	12 ④	13 ④	

01 | 선택지 분석 |

ㄱ 진동수가 f이고 세기가 $2I$인 빛을 P에 비추면, 방출되는 광전자의 최대 운동 에너지는 E이다.

➡ 방출되는 광전자의 최대 운동 에너지는 빛의 세기와 무관하다.

ㄴ 진동수가 $2f$이고 세기가 I인 빛을 P에 비추면, 방출되는 광전자의 최대 운동 에너지는 E보다 크다.

➡ 광전 효과가 발생할 때 빛의 진동수가 커지면 광전자의 최대 운동 에너지도 커진다.

ㄷ 빛의 입자성을 보여주는 현상이다.

➡ 광전 효과는 빛이 광자의 흐름이라는 빛의 입자성을 확인할 수 있는 현상이다.

> **더 알아보기**
>
> **광전 효과:** 금속에 금속의 문턱 진동수보다 큰 진동수의 빛을 비추면 금속에서 광전자가 방출되는 현상으로, 빛이 입자성을 가지고 있다는 증거이다.
>
>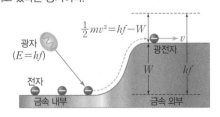

02 | 선택지 분석 |

ㄱ P의 진동수는 금속판의 문턱 진동수보다 크다.

➡ P를 비출 때 광전자가 발생하므로 P의 진동수는 금속판의 문턱 진동수보다 크다.

✕ 빛의 세기는 P가 Q보다 ~~크다.~~
_{작다.}

➡ 빛의 세기는 단위 시간당 금속판에 도달하는 광자 수에 비례하고 광전 효과가 발생할 때 광자 수는 광전자 수와 비례하며, 광전자 수는 광전류의 세기에 비례한다. 따라서 빛의 세기는 광전류의 세기가 큰 Q가 P보다 크다.

✕ P를 금속판에 비출 때 빛을 비추는 시간을 길게 ~~하면~~
_{해도}
Q와 같은 그래프를 얻을 수 ~~있다.~~
_{없다.}

➡ 빛을 비추는 시간을 길게 해도 단위 시간당 금속판에 도달하는 광자 수가 변하지 않으므로 광전류의 세기도 변하지 않는다.

> **더 알아보기 광전 효과 실험의 결과**
> ① 광전자의 방출은 빛의 세기와 무관하고, 진동수에만 관계가 있다.
> ② 방출되는 광전자의 최대 운동 에너지는 비춰 준 빛의 진동수 f가 클수록 크고, 빛의 세기와는 무관하다.
> ③ 방출되는 광전자의 수는 빛의 세기가 강할수록 많고, 빛의 진동수와는 무관하다.

03 | 선택지 분석 |

✕ 진동수는 A가 B보다 ~~작다.~~
_{크다.}

➡ A는 광전 효과를 일으키고, B는 광전 효과를 일으키지 못하므로 A의 진동수는 B의 진동수보다 크다.

ㄴ A의 진동수가 클수록 방출되는 광전자의 최대 운동 에너지가 크다.

➡ 방출되는 광전자의 최대 운동 에너지는 $E_k = hf - W$로 주어진다.

✕ B의 세기를 세게 하면 광전자가 ~~방출된다.~~
_{해도}   _{방출되지 않는다.}

➡ 광전 효과는 빛의 진동수에만 관계있고 빛의 세기와 무관하다.

04 | 선택지 분석 |

ㄱ (다)에서 자외선등으로 바꾸어 주는 것은 아연판에 비추는 빛의 진동수를 바꾸기 위해서이다.

➡ 네온등과 자외선등은 방출하는 빛의 진동수가 다르다. (다) 과정에서 빛을 네온등에서 자외선등으로 바꾸는 것은 빛의 진동수를 바꾸기 위한 것이다.

ㄴ 금속박이 오므라드는 것은 아연판에서 광전자가 방출되기 때문이다.

➡ 금속박이 오므라들기 위해서는 검전기의 (−)전하가 감소해야 하므로, 광전 효과에 의해 검전기에서 광전자가 아연판을 통해 방출된다.

ㄷ 자외선등을 가까이 비추어 빛의 세기를 크게 하면 단위 시간당 방출되는 광전자의 수가 증가한다.

➡ 금속박이 더 빨리 오므라드는 것은 (−)전하가 더 빨리 줄어들기 때문이다. 따라서 (라)에서 자외선등을 가까이 하였을 때 빛의 세기가 증가하였다.

05 | 선택지 분석 |

ㄱ 전하 결합 소자에는 수많은 광 다이오드가 배열되어 있다.

➡ 전하 결합 소자는 수많은 광 다이오드가 배열되어 있고 각 광 다이오드는 화소를 의미한다.

ㄴ 단위 면적당 화소 수가 클수록 세밀한 상을 얻을 수 있다.

➡ 단위 면적당 광 다이오드 수가 많으면 화소 수가 크고 세밀한 상을 얻는다.

ㄷ 전하 결합 소자에서 전기 신호를 만드는 광전자의 수는 입사하는 빛의 세기가 셀수록 많아진다.

➡ 광전 효과에 의해 빛의 세기가 셀수록 광자 수가 많아 전기 신호를 만드는 광전자 수도 많아진다.

> **더 알아보기 조도 센서**
> ① 빛의 양에 따라 저항값이 변하는 광센서로, 황화 카드뮴(CdS)을 사용한다.
>
>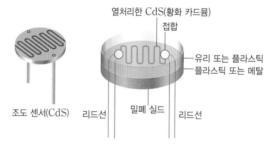
> 열처리한 CdS(황화 카드뮴)
> 접합
> 유리 또는 플라스틱
> 플라스틱 또는 메탈
> 조도 센서(CdS)   리드선   밀폐 실드   리드선
>
> ② 조도 센서는 주위의 밝기에 따라 저항값의 변화가 매우 크다.
> ③ 조도 센서 주위가 밝을수록 저항값이 작아지고, 회로에 전류가 잘 흐르게 된다.
> ④ 가로등, 자동차의 전조등, CCTV 카메라 등에 사용되어 자동으로 등이 켜지거나 꺼지게 한다.

06

힘−이동 거리 그래프에서 넓이는 힘이 입자에 한 일이고 힘이 입자에 한 일은 입자의 운동 에너지 변화량과 같다. 따라서 d일 때와 $2d$일 때 입자의 운동 에너지의 비는 $2 : 3$이고 드브로이 파장 $\lambda = \dfrac{h}{\sqrt{2mE_k}}$이므로 $\lambda_1 : \lambda_2$은 $\sqrt{3} : \sqrt{2}$이다.

07

전자의 물질파 파장은 전자의 속력에 반비례하므로 $v_A : v_B = 1 : 2$이고, 운동 에너지는 속력의 제곱에 비례하므로 $E_A : E_B = 1 : 4$이다. 따라서 $\dfrac{v_B}{v_A} : \dfrac{E_B}{E_A} = 1 : 2$이다.

08 | 선택지 분석 |

✕ 금속판 A의 일함수는 hf보다 ~~크다.~~
_{작다.}

➡ 진동수 f에서 광전자가 발생하므로 빛의 진동수는 문턱 진동수보다 크다. 따라서 일함수는 광자 한 개의 에너지인 hf보다 작다.

ㄴ f를 더 크게 하면 A에서 나오는 광전자의 물질파 파장은 더 짧아진다.

➡ 광전자의 최대 운동 에너지는 금속판에 쬐어 준 빛의 진동수가 클수록 크다. 따라서 f가 더 커지면 A에서 나오는 광전자의 속력이 더 빨라지면서 물질파 파장은 더 짧아진다.

✗ 광전자의 물질파 파장은 광전자가 A에서 B로 가면서 점점 ~~짧아진다.~~
길어진다.
➡ 금속판 A에 양극이 연결되어 있으므로 광전자에는 금속판 A 방향으로 전기력이 작용한다. 따라서 광전자는 B로 가면서 속력이 점점 느려지므로 물질파 파장은 점점 길어진다.

09 | 선택지 분석 |

◯ 양극판의 틈을 통과하는 순간 전자의 운동량
➡ V가 커지면 전자의 속력이 커지고 전자의 운동 에너지와 운동량이 커진다.

✗ 양극판의 틈을 통과하는 순간 전자의 드브로이 파장
➡ 운동량이 커지면 드브로이 파장은 짧아진다.

✗ 전자가 나타내는 회절 무늬 사이의 간격
➡ 파장이 짧아지면 회절 무늬 사이의 간격은 좁아진다.

10
데이비슨과 거머는 니켈 결정에 54 V의 전압으로 가속된 전자빔을 입사시켰을 때 전자가 가장 많이 발견된 산란각 50°가 전자기파의 회절에 의한 보강 간섭이 일어나는 조건과 일치함을 보임으로써 드브로이의 물질파 이론을 검증하였다.

11 | 선택지 분석 |

철수: 속력이 같은 경우 전자의 드브로이 파장은 야구공의 드브로이 파장보다 길어
➡ 드브로이 파장 $\lambda=\dfrac{h}{mv}$이다. 속력(v)이 같은 경우 질량(m)이 작은 전자의 드브로이 파장이 질량이 큰 야구공의 드브로이 파장보다 길다.

영희: 전자의 운동량이 증가할수록 전자의 드브로이 파장은 감소해.
➡ $\lambda=\dfrac{h}{mv}$이므로 운동량(mv)이 증가할수록 드브로이 파장은 감소한다.

민수: 전자의 파동적 성질을 이용한 예로는 전자 현미경이 있어.
➡ 전자 현미경은 전자의 드브로이 파장이 가시광선보다 짧기 때문에 분해능이 높아 광학 현미경보다 더 미세하게 볼 수 있는 것으로 전자의 파동성을 이용한 것이다.

12 | 선택지 분석 |

◯ (가) 현미경은 시료의 두께가 얇아야 한다.
➡ (가) 현미경은 투과 주사 현미경으로 시료의 두께가 얇아야 분해능에 영향을 미치지 않는다.

✗ 분해능은 (가)보다 (나) 현미경이 더 좋다.
좋지 않다.
➡ 주사 전자 현미경은 분해능이 투과 전자 현미경보다는 다소 떨어진다.

◯ (나) 현미경은 살아 있는 시료는 관찰할 수 없다.

➡ 주사 전자 현미경은 시료의 표면에 전자를 쬐어 주기 때문에 살아 있는 시료는 관찰할 수 없다.

13 | 선택지 분석 |

◯ 전자의 드브로이 파장은 가시광선의 파장보다 짧다.
➡ 파장이 짧을수록 분해능이 높다. 전자 현미경이 광학 현미경보다 분해능이 높으므로 전자의 드브로이 파장은 가시광선의 파장보다 짧다.

✗ 분해능을 증가시키기 위해서는 전자의 속력을 ~~감소~~시켜야 한다.
증가
➡ 분해능을 증가시키기 위해서는 파장을 짧게 해야 한다.

◯ 전자의 드브로이 파장은 $\dfrac{h}{\sqrt{2mE_k}}$이다.
➡ $E_k=\dfrac{p^2}{2m}$에서 $p=\sqrt{2mE_k}$이다. 따라서 드브로이 파장은 $\dfrac{h}{\sqrt{2mE_k}}$이다.

한번에 끝내는 **대단원 문제**	284쪽~287쪽 ▶

01 ②　**02** ④　**03** ⑤　**04** ②　**05** ③　**06** ④　**07** ④
08 ③　**09** ①　**10** ⑤　**11** ②　**12** ⑤　**13** ④　**14** ⑤

15 (1) | 모범 답안 | 빛이 물속에서 공기 중으로 진행할 때 속력이 달라지기 때문에 굴절이 일어난다.
(2) | 모범 답안 | 물속에서 공기 중으로 빛이 나올 때 굴절각이 커지는 방향으로 굴절하기 때문에 물속에 있는 물고기는 실제 크기보다 커 보인다.

16 | 모범 답안 | 고양이, 물고기에서 나온 빛이 물속에서 공기 중으로 진행할 때 입사각이 굴절각보다 작으므로 각도에 따라 전반사가 일어난다. 전반사가 일어나면 물고기에서 나온 빛이 고양이에 도달하지 않는다.

17 (1) 상쇄 간섭　(2) | 모범 답안 | 외부 소음과 발생시키는 소음은 상쇄 간섭을 일으키므로 위상이 서로 반대이다.

18 (1) 나타나지 않는다.　(2) | 모범 답안 | 자외선을 비추면 자외선 광자 1개와 형광 물질의 전자 1개가 충돌하여 전자가 광자의 에너지를 흡수한다. 형광 물질의 전자가 빛을 흡수하여 들뜬상태가 되었다가 아주 짧은 시간 후에 고유한 색깔의 빛을 방출하면서 이 에너지를 방출한다.

01 | 선택지 분석 |

✗ A와 B의 파장은 ~~같다.~~
서로 다르다.
➡ (가)에서 파장은 A가 B의 2배이다.

◯ 진동수는 B가 A의 2배이다.
➡ (나)에서 주기도 A가 B의 2배이므로 진동수는 B가 A의 2배이다.

✗ 전파 속력은 ~~B가 A의 2배이다.~~
A와 B가 같다.
➡ 파장은 A가 B의 2배이고 진동수는 B가 A의 2배이다. 전파 속력은 파장과 진동수의 곱이므로 A와 B가 같다.

02 | 선택지 분석 |

㉠ 물의 깊이는 Ⅰ에서가 Ⅱ에서보다 깊다.

→ 물의 깊이가 깊을수록 속력이 빠르다. Ⅰ에서가 Ⅱ에서보다 파면과 파면 사이의 거리가 크므로 속력이 빠르다. 따라서 Ⅰ에서가 Ⅱ에서보다 물의 깊이가 깊다.

✗ 진동수는 Ⅰ에서가 Ⅱ에서보다 <s>크다.</s>
                                    와 같다.

→ 굴절에서 진동수는 변하지 않는다. 따라서 파동의 진동수는 Ⅰ과 Ⅱ에서 같다.

㉢ 파장은 Ⅱ에서가 Ⅰ에서보다 짧다.

→ 파면과 파면 사이의 거리인 파장은 Ⅱ에서가 Ⅰ에서보다 짧다.

03 (가)에서 A의 굴절률은 $n_A = \dfrac{3}{2}$, (나)에서 B의 굴절률은 $n_B = \dfrac{4}{3}$이다. $\dfrac{n_B}{n_A} = \dfrac{\sin i}{\sin r} = \dfrac{8}{9}$이므로 $\dfrac{\sin 45°}{\sin r} = \dfrac{8}{9}$이 되어 $\sin r = \dfrac{9}{8} \times \dfrac{\sqrt{2}}{2} = \dfrac{9\sqrt{2}}{16}$이다.

04 빛이 프리즘과 공기의 경계면에서 전반사하기 위해서는 입사각이 임계각보다 커야 한다. 입사각이 45°이므로 $45° > i_C$(임계각)이다. 굴절 법칙을 적용하면 $\dfrac{1}{n} = \dfrac{\sin i_C}{\sin 90°}$이 되어 $n > \sqrt{2}$이다.

05 | 선택지 분석 |

㉠ 물의 굴절률이 공기의 굴절률보다 크다.

→ 전반사가 일어나므로 물의 굴절률이 공기의 굴절률보다 크다.

✗ i는 임계각보다 <s>작다.</s>
                    크다.

→ i가 임계각보다 클 때 전반사가 일어난다.

㉢ 전반사는 광섬유를 이용한 광통신에 활용된다.

→ 광통신은 전반사의 원리를 이용한다.

06 | 선택지 분석 |

㉠ 빛의 속력은 A에서가 B에서보다 빠르다.

→ B에서 A로 빛이 진행할 때 굴절각이 입사각보다 크므로 빛의 속력은 A에서가 B에서보다 빠르다.

㉡ B의 굴절률이 C의 굴절률보다 작다.

→ B에서 A로 입사할 때는 전반사하지 않지만 C에서 A로 입사할 때는 전반사하므로 C와 A의 굴절률이 더 크게 차이난다. 따라서 B의 굴절률은 C의 굴절률보다 작다.

✗ 코어는 B로, 클래딩은 C로 만들면 빛은 전반사할 수 <s>있다.</s>
없다.

→ 코어는 굴절률이 큰 물질로, 클래딩은 굴절률이 작은 물질로 만든다.

07 전자기파는 파장이 긴 순서로 전파, 적외선, 가시광선, 자외선, X선, γ선이다. X선은 고속의 전자가 금속과 충돌할 때 전자의 감속 때문에 발생한다. γ선은 원자핵이 붕괴할 때 나오는 방사선의 일종으로 파장이 가장 짧으며 진동수와 에너지가 가장 크다.

08 식기 소독기는 살균 작용을 하므로 자외선을 이용한다. 귀 체온계와 열화상 카메라는 모두 체온을 측정하는 장치로 적외선을 이용한다. 그림에서 자외선은 B영역, 적외선은 A영역이다.

09 | 선택지 분석 |

㉠ P에서는 보강 간섭이 일어난다.

→ P는 골과 골이 만나는 지점이므로 보강 간섭이 일어난다.

✗ 수면파의 진폭은 Q에서와 R에서가 <s>같다.</s>
                                      서로 다르다.

→ Q는 상쇄 간섭, R는 보강 간섭이 발생하므로 수면파의 진폭은 서로 다르다.

✗ S_1에서 S_2까지 거리는 <s>3λ이다.</s>
                               $\dfrac{3}{2}\lambda$

→ S_1에서 S_2까지 거리는 이웃한 마루와 골 사이의 거리의 3배이므로 $\dfrac{3}{2}\lambda$이다.

10 | 선택지 분석 |

㉠ 기름 막 표면과 아래에서 반사하는 빛이 간섭을 일으킨다.

→ 기름 막 표면과 아래에서 반사하는 빛의 위상차 때문에 두 빛이 서로 만나면 간섭을 일으킨다.

㉡ 기름 막의 두께에 따라 얇은 기름 막에서 보강 간섭 하는 빛의 파장이 달라진다.

→ 경로차가 파장의 정수 배에 해당할 때 빛이 보강 간섭 한다.

㉢ 보는 각도가 달라지면 보이는 색도 달라진다.

→ 빛의 경로가 달라지면 경로차도 달라지기 때문에 보강 간섭 조건도 달라진다.

11 일함수가 다른 금속판으로 바꿔 실험하거나 진동수가 다른 빛으로 쪼여 주더라도 그래프의 기울기는 항상 플랑크 상수와 같아야 한다. 주어진 자료에서 그래프의 기울기는 $\dfrac{W_0}{f_2 - f_1}$이다. 이러한 기울기를 가지면서 그래프가 원점을 통과하지 않는 것은 ②뿐이다.

12 | 선택지 분석 |

㉠ B의 진동수는 금속판의 문턱 진동수보다 작다.

→ A, B에서 광전류의 세기가 같으므로 B의 진동수는 금속판의 문턱 진동수보다 작다.

㉡ 빛의 세기는 A가 C보다 크다.

→ B, C에 의한 광전류의 세기가 100 μA이므로 C에 의해 광전류의 세기가 100 μA이다. 따라서 빛의 세기는 광전류의 세기가 센 A가 C보다 크다.

㉢ A와 C를 금속판에 비추면 광전류는 300 μA가 된다.

→ A와 C를 비추면 광전류의 세기는 300 μA이 된다.

13 입자의 운동 에너지를 $E = \dfrac{1}{2}mv^2 = \dfrac{(mv)^2}{2m}$이고, 물질파

파장은 $\lambda = \dfrac{h}{mv} = \dfrac{h}{\sqrt{2mE}}$ 이다. A와 B의 질량의 비는 4 : 1

이므로 $\lambda_A : \lambda_B = 1 : 2$이다.

14 | 선택지 분석 |

㉠ 이 실험을 통해 전자의 파동성을 입증할 수 있다.

➡ 전자의 파동성 때문에 이중 슬릿을 통과할 때 간섭이 일어나 간섭무늬를 만든다.

㉡ 스크린에서 밝은 지점은 보강 간섭이 일어난 지점이다.

➡ 밝은 지점은 보강 간섭, 어두운 지점은 상쇄 간섭이 일어난 지점이다.

㉢ 가속 전압을 높이면 전자의 운동량의 크기가 증가한다.

➡ 가속 전압을 높이면 전자의 속력이 빨라져 운동량의 크기가 증가한다.

15 (1) 빛의 굴절은 빛이 한 매질에서 다른 매질로 진행하면서 속력이 달라질 때 일어난다.

(2) 물속에서 공기 중으로 빛이 나올 때 굴절각이 커지는 방향으로 굴절하기 때문에 물속에 있는 물고기는 실제 크기보다 커 보인다.

	채점 기준	배점
(1)	빛이 물속에서 공기 중으로 진행할 때 속력이 달라진다는 것과 굴절을 모두 서술한 경우	100 %
	빛의 굴절만 서술한 경우	50 %
(2)	물속에서 공기 중으로 빛이 나오는 것과 굴절각이 커지는 방향으로 굴절하는 것을 모두 포함하여 서술한 경우	100 %
	물속에서 공기 중으로 빛이 나오는 것과 굴절각이 커지는 방향으로 굴절하는 것 중 1가지만 옳게 서술한 경우	50 %

16 전반사 현상은 입사각이 굴절각보다 크고 굴절률이 큰 매질에서 작은 매질로 입사할 때 일어난다.

채점 기준	배점
정답과 까닭을 모두 옳게 서술한 경우	100 %
정답만 옳게 쓴 경우	50 %

17 (1) 헤드폰에 마이크를 달아 마이크로 입력된 소음과 상쇄 간섭을 일으킬 수 있는 소리를 발생시키면 원래 소음과 헤드폰에서 발생시킨 소리가 서로 상쇄되어 소음이 줄어든다.

(2) 마루와 골이 서로 만나는 상쇄 간섭을 일으키므로 위상이 서로 반대이다.

채점 기준	배점
'상쇄 간섭', '위상이 반대이다.'를 포함하여 옳게 서술한 경우	100 %
2가지 중 1가지만 옳게 서술한 경우	50 %

18 (1) 자외선은 형광 물질을 자극하여 가시광선을 방출하지만, 가시광선은 에너지가 자외선보다 작아 형광 물질을 충분히 자극하지 못한다.

(2) 전자가 광자의 에너지를 흡수하여 들뜬상태가 되었다가 다시 바닥상태로 돌아오면서 형광 빛을 방출한다.

채점 기준	배점
(1)과 (2)를 모두 옳게 서술한 경우	100 %
(2)만 옳게 서술한 경우	60 %
(1)만 옳게 쓴 경우	40 %

개념 학습과 정리가 한번에 끝나는 기본서

개념풀
물리학 I

사과탐
성적 향상
전략

개념 학습은?

개념풀

사과탐 실력의 기본은 개념,
개념을 알기 쉽게 풀어 이해가 쉬운
개념풀 기본서로 개념을 완성하세요.

사회	과학
통합사회	통합과학
한국사	물리학 I
생활과 윤리	화학 I
윤리와 사상	생명과학 I
한국지리	지구과학 I
세계지리	화학 II
정치와 법	생명과학 II
사회·문화	

시험 대비는?

개념풀
문제편

빠르게 내신 실력을 올리는 전략,
내신기출문제를 철저히 분석하여 구성한
개념풀 문제편으로 내신 만점에 도전하세요.

사회	과학
통합사회	통합과학
생활과 윤리	물리학 I
한국지리	화학 I
정치와 법	생명과학 I
사회·문화	지구과학 I

지학사 서포터즈 모집안내

상기 모집 내용 및 일정은 사정에 따라 변동될 수 있습니다. 자세한 사항은 지학사 홈페이지 (www.jihak.co.kr)를 통해 공지됩니다.

모집 분야

개념 학습과 정리가 한번에 끝나는 기본서 **개념풀**	수학을 쉽게 만들어 주는 자 **풍산자**
• **대상** 고등학생(1~2학년)	• **대상** 중·고등학생(1~3학년)
• **모집 시기** 매년 3월, 12월	• **모집 시기** 매년 2월, 8월

활동 내용

❶ 교재 리뷰 작성   ❷ 홍보 미션 수행

혜택

❶ 해당 시리즈 교재 중 1권 증정   ❷ 미션 수행자에게 푸짐한 선물 증정

개념 학습과 정리가 한번에 끝나는 기본서

개념풀

물리학 I

발 행 인 권준구
발 행 처 (주)지학사 (등록번호 : 1957.3.18 제 13−11호) 04056 서울시 마포구 신촌로6길 5
발 행 일 2018년 9월 30일 [초판 1쇄]　2023년 9월 30일 [2판 3쇄]
구입 문의 TEL 02-330-5300 | FAX 02-325-8010　구입 후에는 철회되지 않으며, 잘못된 제품은 구입처에서 교환해 드립니다.
내용 문의 www.jihak.co.kr　전화번호는 홈페이지 〈고객센터 → 담당자 안내〉에 있습니다.

지학사

학습한 개념을
스스로 정리해 보는
개념책 1:1 맞춤

정리
노트

개념풀

물리학 I

의 노트

개념과 정리가 한번에 끝나는 기본서

개념풀

─ 물리학 I ─

개념책 1:1 맞춤

정리노트

c o n t e n t s

학습한 개념을 단권화 할 수 있는
개념풀 정리노트 사용법

정리노트를 작성하기 전 중단원의 흐름을 살펴보면서 워밍업을 해 보세요.

❶ 노트 정리 전에 공부할 마음을 다잡아 보아요.

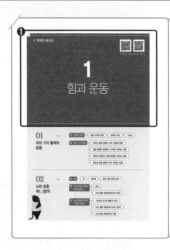 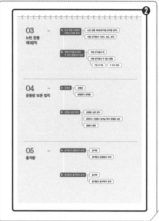

❷ 중단원의 흐름을 한번에 훑어 보세요. 공부했던 내용들의 흐름이 기억날 거예요.

> 기억이 잘 안난다구요?
> 기억이 나지 않아도 걱정 마세요.
> 이제부터 시작이니까요.

소단원별 중요 내용의 구조를 보고, 개념을 정리하세요.

❶ 선배들이 개념책을 보고 소단원 전체의 소제목과 내용 구조를 정리했어요.

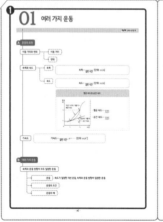 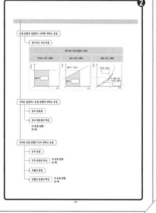

❷ 어디서부터 어떻게 정리해야 할지 모른다구요? 개념책을 펴 보세요. 흐름이 같지요? 개념책의 내용을 나만의 스타일로 정리해 보세요.

> 무엇이 중요하고 무엇을 꼭 정리해 놓고 공부해야 하는지 알 수 있어요.

대단원별로 중요 그림 다시 보기와 마인드맵으로 단원 내용을 확실하게 정리하세요.

❶ 대단원별 중요한 그림에 자신만의 설명을 적어 보세요. 단원의 핵심 자료를 확실하게 정리할 수 있어요.

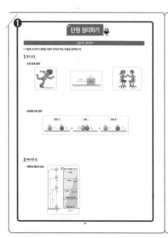 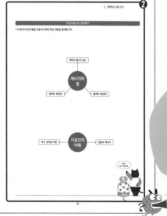

❷ 자신만의 마인드맵을 만들어 보아요. 단원의 핵심 내용이 머릿속에 쏙!

> **정리노트 사용하는 2가지 방법**
> 1. 개념책이나 교과서를 펴놓고 중요 개념을 보면서 써 보기!
> 2. 외웠던 것을 스스로 확인하는 차원에서 정리해 보기!

수능 1등급 받은
선배들의 정리노트 이야기

정리노트를 작성하기가 막막해?
정리노트를 다시 쓰고 싶다고?
지학사 홈페이지(www.jihak.co.kr)에 들어오면,
빈 노트와 선배들의 정리노트를 다운받을 수 있어!

선배들이 직접 들려주는
정리노트 노하우!

"노트 정리를 하며 공부하려고 하면 무엇부터 써야하는지 막막하잖아. 노트 정리법을 직접 알려주려고 동영상을 만들었어. 어떤 노하우가 있는지 궁금하지 않아?"

▲ 정리노트 활용
동영상 바로보기

▲ 나만의 공부 팁!
동영상 바로보기

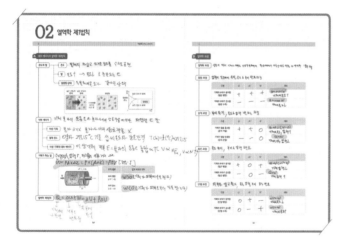

전상윤 서울대 재학생

"개념풀 정리노트는 어느 정도 틀이 잡혀 있어서 정리할 때 막막하지 않아. 빈칸이 있는 표와 그래프까지 나와 있어서 한눈에 보기 쉽게 정리할 수 있어서 좋아!"

◀ 전상윤 학생의 노트 바로가기

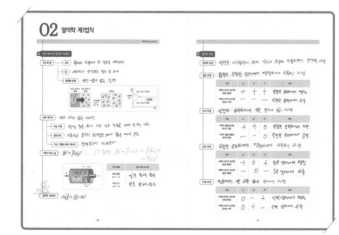

조성윤 서울대 재학생

"개념풀 정리노트는 단원 구성을 한눈에 볼 수 있어서 단원의 흐름을 잡을 수 있어. 또 정리노트를 사용하면 개념을 다시 한번 정리하게 돼서 시험에 대한 자신감도 생겨!"

◀ 조성윤 학생의 노트 바로가기

» 선배들이 작성한 정리노트 바로가기

1
힘과 운동

01 >>>
여러 가지 운동

A | 운동의 표현 ── 이동 거리와 변위 ── 속력과 속도 ── 가속도

B | 여러 가지 운동 ── 속력과 운동 방향이 모두 일정한 운동

── 운동 방향은 일정하고 속력만 변하는 운동

── 속력은 일정하고 운동 방향만 변하는 운동

── 속력과 운동 방향이 모두 변하는 운동

02 >>>
뉴턴 운동 제1, 2법칙

A | 힘 ── 힘 ── 알짜힘 ── 힘에 의한 운동 변화

B | 뉴턴 운동 제1법칙 (관성 법칙) ── 관성

── 뉴턴 운동 제1법칙(관성의 법칙)

C | 뉴턴 운동 제1법칙 (가속도 법칙) ── 가속도와 힘 및 질량의 관계

── 뉴턴 운동 제2법칙(가속도 법칙)

── 뉴턴 운동 제2법칙의 적용

03
뉴턴 운동 제3법칙

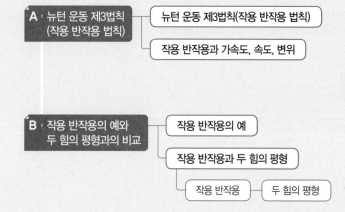

A 뉴턴 운동 제3법칙
(작용 반작용 법칙)
- 뉴턴 운동 제3법칙(작용 반작용 법칙)
- 작용 반작용과 가속도, 속도, 변위

B 작용 반작용의 예와
두 힘의 평형과의 비교
- 작용 반작용의 예
- 작용 반작용과 두 힘의 평형
  - 작용 반작용 ─ 두 힘의 평형

04
운동량 보존 법칙

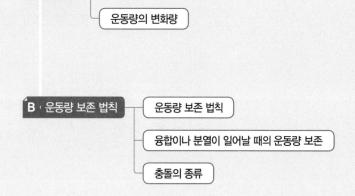

A 운동량
- 운동량
- 운동량의 변화량

B 운동량 보존 법칙
- 운동량 보존 법칙
- 융합이나 분열이 일어날 때의 운동량 보존
- 충돌의 종류

05
충격량

A 충격량과 운동량의 관계
- 충격량
- 충격량과 운동량의 관계

B 충격량과 충격력의 관계
- 충격력
- 충격량과 충격력의 관계

01 여러 가지 운동

A 운동의 표현

이동 거리와 변위 ─┬─ 이동 거리 :
　　　　　　　　└─ 변위 :

속력과 속도 ─┬─ 속력

$$속력 = \frac{}{걸린 시간} \text{[단위: m/s]}$$

　　　　　　└─ 속도

$$속도 = \frac{}{걸린 시간} \text{[단위: m/s]}$$

평균 속도와 순간 속도

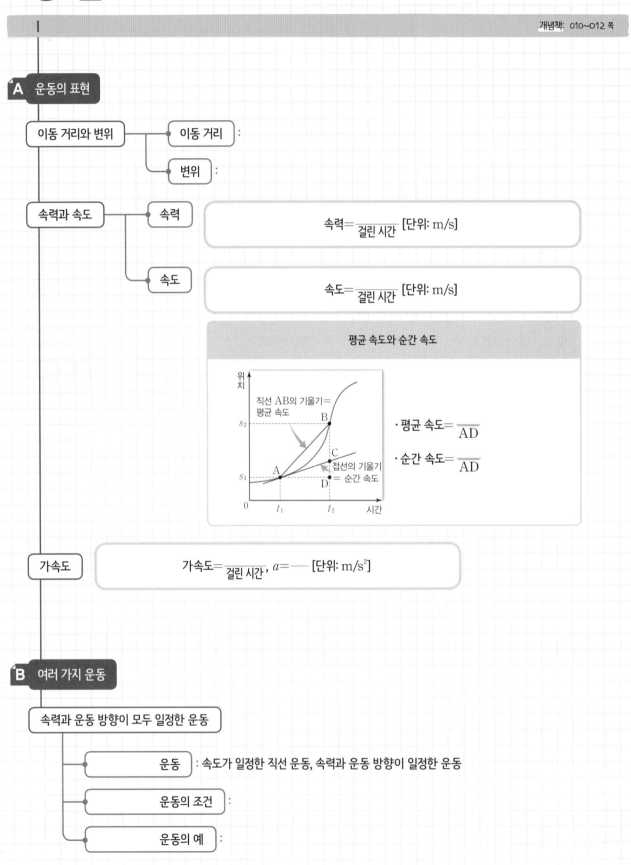

·평균 속도 = $\dfrac{}{\overline{AD}}$

·순간 속도 = $\dfrac{}{\overline{AD}}$

가속도

$$가속도 = \frac{}{걸린 시간}, \quad a = \frac{}{} \text{[단위: m/s}^2\text{]}$$

B 여러 가지 운동

속력과 운동 방향이 모두 일정한 운동

├─ [　　] 운동 : 속도가 일정한 직선 운동, 속력과 운동 방향이 일정한 운동

├─ 운동의 조건 :

└─ 운동의 예 :

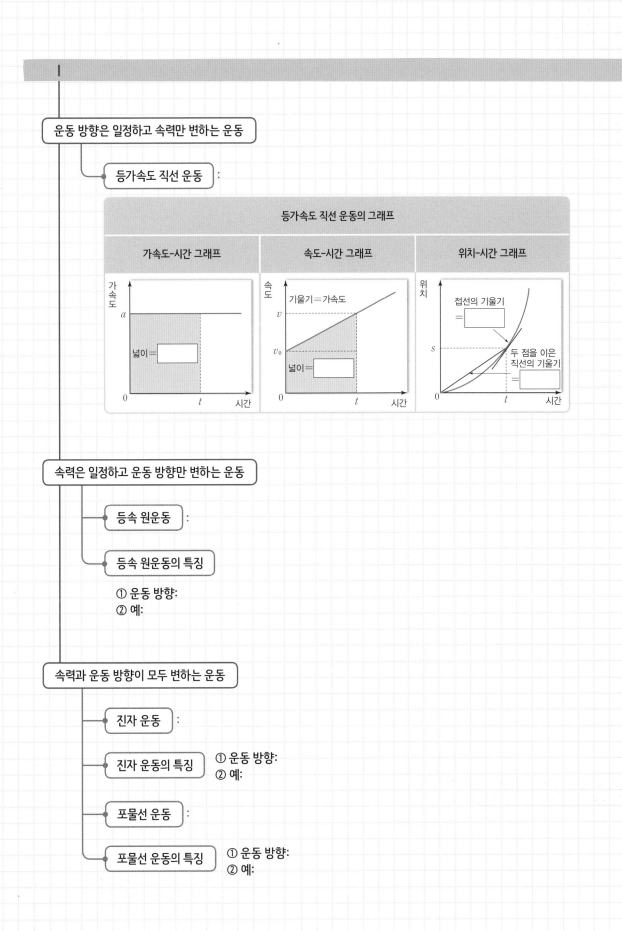

운동 방향은 일정하고 속력만 변하는 운동

등가속도 직선 운동 :

등가속도 직선 운동의 그래프		
가속도-시간 그래프	속도-시간 그래프	위치-시간 그래프

가속도-시간 그래프
- a
- 넓이 =
- 시간 t

속도-시간 그래프
- 기울기 = 가속도
- v
- v_0
- 넓이 =
- 시간 t

위치-시간 그래프
- 접선의 기울기 =
- s
- 두 점을 이은 직선의 기울기 =
- 시간 t

속력은 일정하고 운동 방향만 변하는 운동

등속 원운동 :

등속 원운동의 특징

① 운동 방향:
② 예:

속력과 운동 방향이 모두 변하는 운동

진자 운동 :

진자 운동의 특징
① 운동 방향:
② 예:

포물선 운동 :

포물선 운동의 특징
① 운동 방향:
② 예:

02 뉴턴 운동 제1, 2법칙

개념책: 020~022 쪽

A 힘

힘 :

알짜힘 :

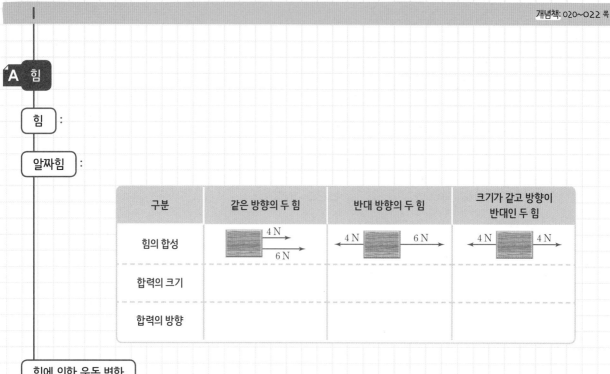

구분	같은 방향의 두 힘	반대 방향의 두 힘	크기가 같고 방향이 반대인 두 힘
힘의 합성			
합력의 크기			
합력의 방향			

힘에 의한 운동 변화

구분	운동 변화	예
알짜힘이 운동 방향과 같은 방향으로 작용		
알짜힘이 운동 방향과 반대 방향으로 작용		
알짜힘이 운동 방향과 수직으로 작용		
알짜힘이 운동 방향과 비스듬히 작용		
알짜힘이 작용하지 않음		

B 뉴턴 운동 제1법칙(관성 법칙)

관성 :

뉴턴 운동 제1법칙(관성 법칙) :

C 뉴턴 운동 제2법칙(가속도 법칙)

가속도, 힘 및 질량의 관계

- 가속도와 힘의 관계 :

- 가속도와 질량의 관계 :

가속도-힘 그래프는
직접 그려 봐!

힘과 가속도의 관계		질량과 가속도의 관계	
속도-시간 그래프	가속도-힘 그래프	속도-시간 그래프	가속도-질량 그래프

뉴턴 운동 제2법칙(가속도 법칙) :

$$가속도 = \frac{\qquad}{\qquad}, \quad a = \frac{\quad}{\quad} \Rightarrow F =$$

뉴턴 운동 제2법칙의 적용

구분	수평면에서 접촉해 있는 두 물체	수평면에서 실로 연결된 두 물체
가속도	$a =$	$a =$
A에 작용하는 알짜힘		
B에 작용하는 알짜힘		

03 뉴턴 운동 제3법칙

개념책: 030~031 쪽

A 뉴턴 운동 제3법칙(작용 반작용 법칙)

뉴턴 운동 제3법칙(작용 반작용 법칙) ──── 작용과 반작용 :

└── 뉴턴 운동 제3법칙(작용 반작용 법칙) :

$$F_{AB} = -$$

작용 반작용 관계에 있는 두 힘은 크기는 같고, 방향은 반대이며, 동일한 작용선상에서 작용점이 서로 다른 물체에 있다.

작용 반작용과 가속도, 속도, 변위 :

$$\frac{a_1}{a_2} = \qquad , \frac{v_1}{v_2} = \qquad , \frac{s_1}{s_2} =$$

나만의 메모

B 작용 반작용의 예와 두 힘의 평형

작용 반작용의 예

구분	걸어가는 사람	지구 주위를 공전하는 인공위성	로켓의 상승
예	발이 땅을 뒤로 미는 힘 · 땅이 발을 앞으로 미는 힘	인공위성	
작용	발이 땅을 뒤로 미는 힘	지구가 인공위성을 당기는 중력	로켓이 가스를 아래로 미는 힘
반작용			

작용 반작용과 두 힘의 평형

구분	작용 반작용	두 힘의 평형
공통점		
차이점		

나만의 메모

04 운동량 보존 법칙

개념책: 042~043 쪽

A 운동량

운동량 :

> 운동량의 정의 :
>
> 운동량= ×   , $p=$ [단위: kg·m/s]

> 운동량의 크기 :

> 운동량의 방향 :

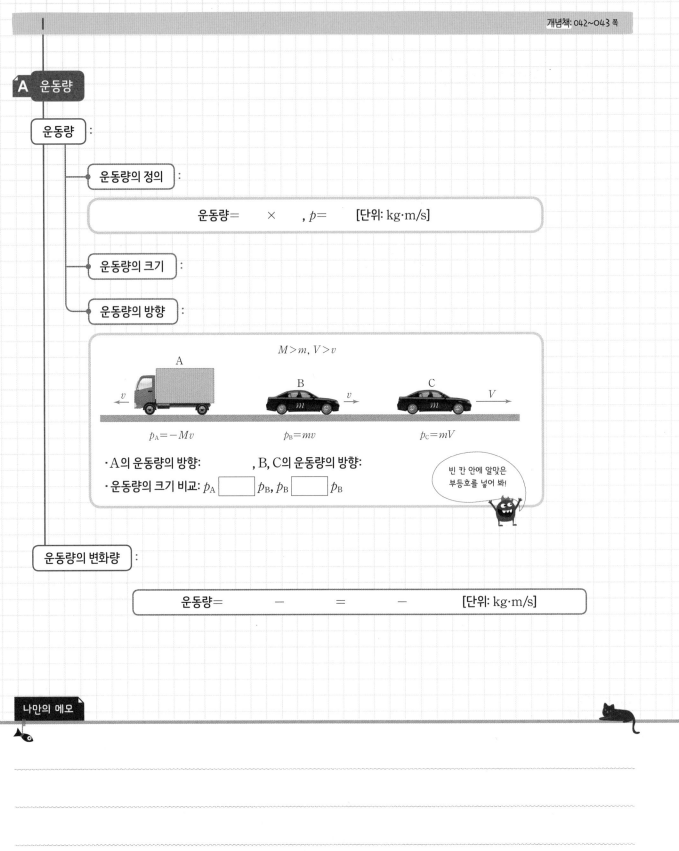

$M>m, V>v$

A

v

B

m v

C

m V

$p_A=-Mv$ $p_B=mv$ $p_C=mV$

· A의 운동량의 방향: , B, C의 운동량의 방향:

· 운동량의 크기 비교: p_A ☐ p_B, p_B ☐ p_B

빈 칸 안에 알맞은 부등호를 넣어 봐!

운동량의 변화량 :

> 운동량=   −   =   −   [단위: kg·m/s]

나만의 메모

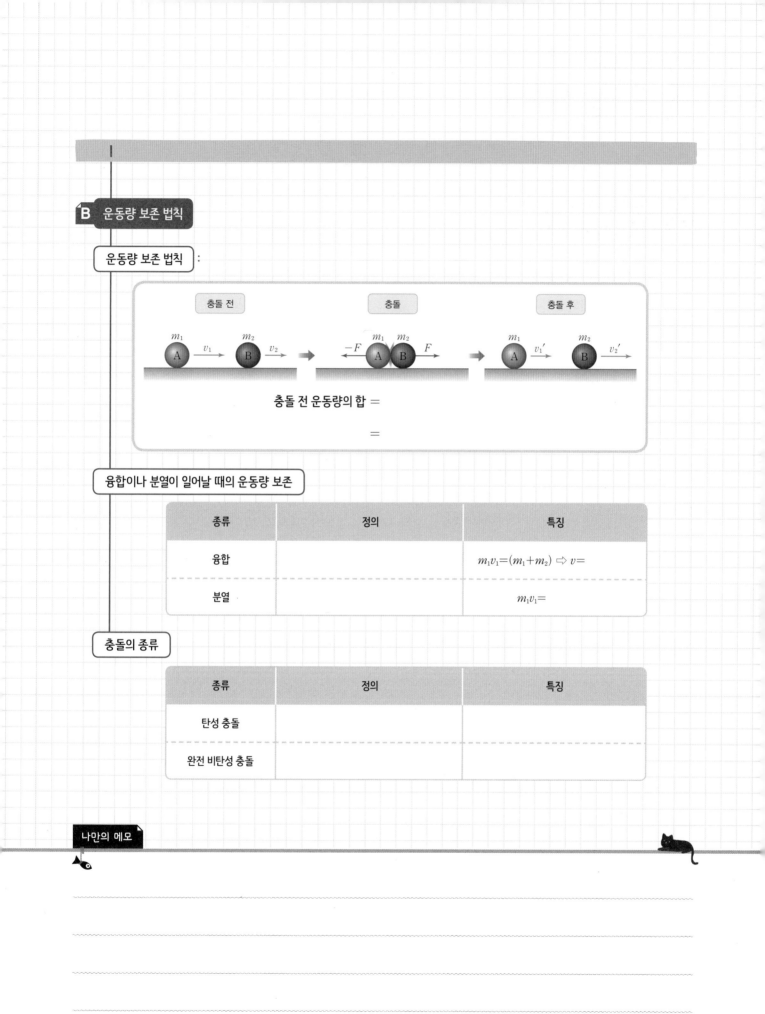

B 운동량 보존 법칙

운동량 보존 법칙 :

충돌 전   충돌   충돌 후

m_1 v_1 m_2 v_2 $-F$ m_1 m_2 F m_1 v_1' m_2 v_2'
A   B   A B   A   B

충돌 전 운동량의 합 =

=

융합이나 분열이 일어날 때의 운동량 보존

종류	정의	특징
융합		$m_1 v_1 = (m_1 + m_2) \Rightarrow v =$
분열		$m_1 v_1 =$

충돌의 종류

종류	정의	특징
탄성 충돌		
완전 비탄성 충돌		

나만의 메모

- 13 -

05 충격량

A 충격량과 운동량의 관계

충격량 :

├─ 충격량의 정의 :

> 충격량=   ×   , $I=$

├─ 충격량의 크기 :

├─ 충격량의 방향 :

└─ 그래프의 해석 :

힘-시간 그래프	운동량-시간 그래프

충격량과 운동량의 관계 :

Δt 동안 힘 F가 작용

> 충격량=   =   −
> $I=$ =

- 14 -

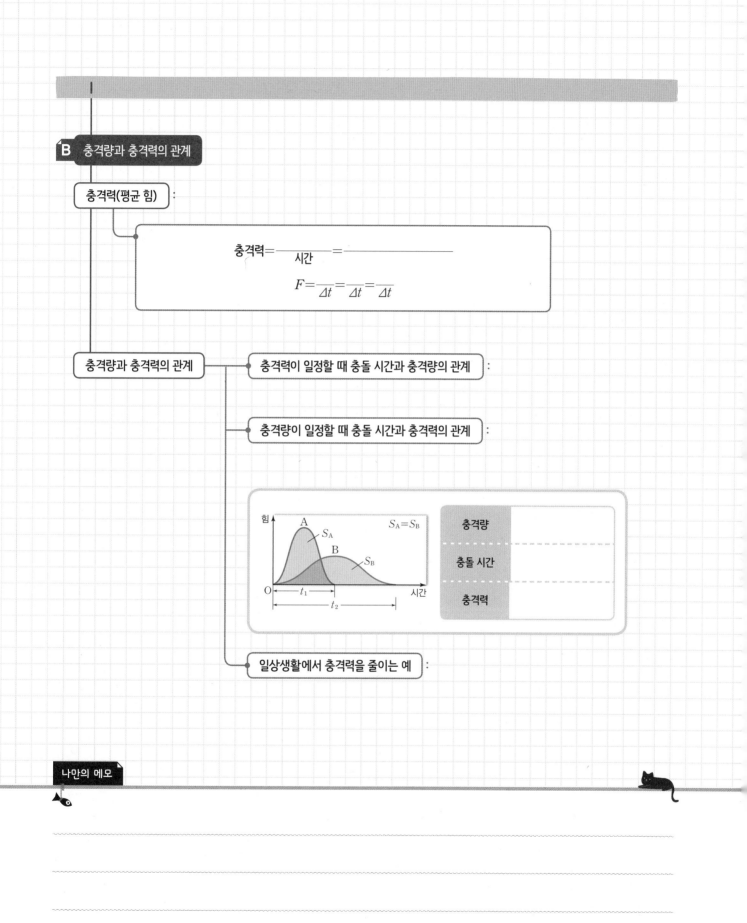

B 충격량과 충격력의 관계

충격력(평균 힘) :

$$\text{충격력} = \frac{}{\text{시간}} = \frac{}{}$$

$$F = \frac{}{\varDelta t} = \frac{}{\varDelta t} = \frac{}{\varDelta t}$$

충격량과 충격력의 관계

충격력이 일정할 때 충돌 시간과 충격량의 관계 :

충격량이 일정할 때 충돌 시간과 충격력의 관계 :

일상생활에서 충격력을 줄이는 예 :

충격량	
충돌 시간	
충격력	

2

에너지와 열

01

역학적 에너지 보존

>>>

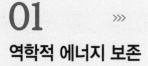

A · 일과 에너지
- 일
- 운동 에너지 — 일 · 운동 에너지 정리
- 퍼텐셜 에너지 — 중력 퍼텐셜 에너지
  - 탄성 퍼텐셜 에너지

B · 역학적 에너지 보존
- 역학적 에너지
- 역학적 에너지 보존 — 중력에 의한 역학적 에너지 보존
  - 탄성력에 의한 역학적 에너지 보존
- 역학적 에너지가 보존되지 않는 경우

02

열역학 제1법칙

>>>

A · 내부 에너지와 열역학 제1법칙
- 온도와 열 — 온도 — 열 — 열평형
- 내부 에너지 — 이상 기체 — 절대 온도
- 기체가 하는 일
- 열역학 제1법칙

B · 열역학 과정
- 등압 과정
- 등적 과정
- 등온 과정
- 단열 과정

03

열역학 제2법칙

>>>

A · 열역학 제2법칙
- 가역 과정
- 비가역 과정
- 열역학 제2법칙

B · 열기관과 열효율
- 열기관
- 열기관의 열효율
- 카르노 기관
- 영구 기관

01 역학적 에너지 보존

개념책: 064~066 쪽

A 일과 에너지

일 :

┬ 일의 양 :

└ 힘-이동 거리 그래프

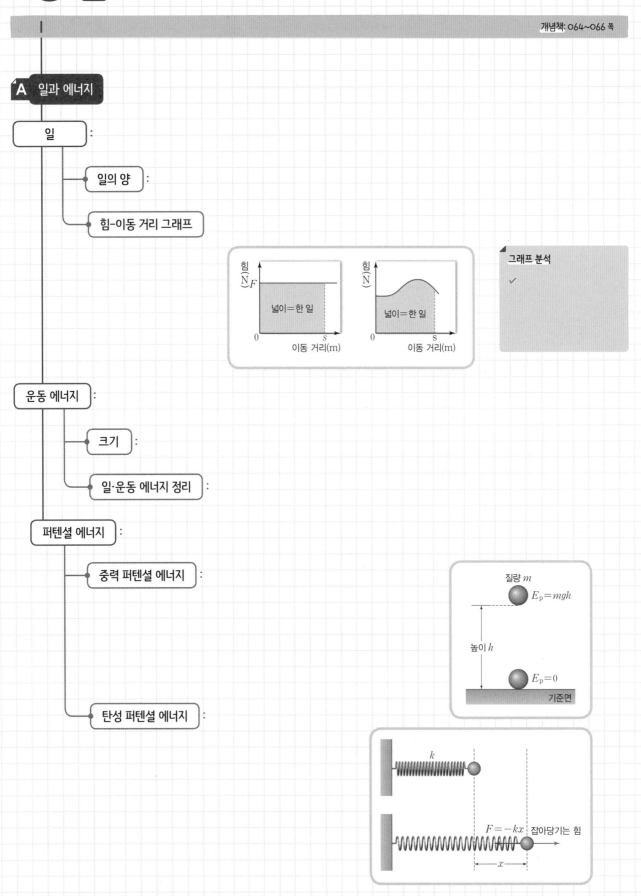

그래프 분석
✓

운동 에너지 :

┬ 크기 :

└ 일·운동 에너지 정리 :

퍼텐셜 에너지 :

┬ 중력 퍼텐셜 에너지 :

질량 m
$E_p = mgh$
높이 h
$E_p = 0$
기준면

└ 탄성 퍼텐셜 에너지 :

k

$F = -kx$ 잡아당기는 힘
x

B 역학적 에너지 보존

역학적 에너지 :

역학적 에너지 보존 법칙 :

중력에 의한 역학적 에너지 보존 :

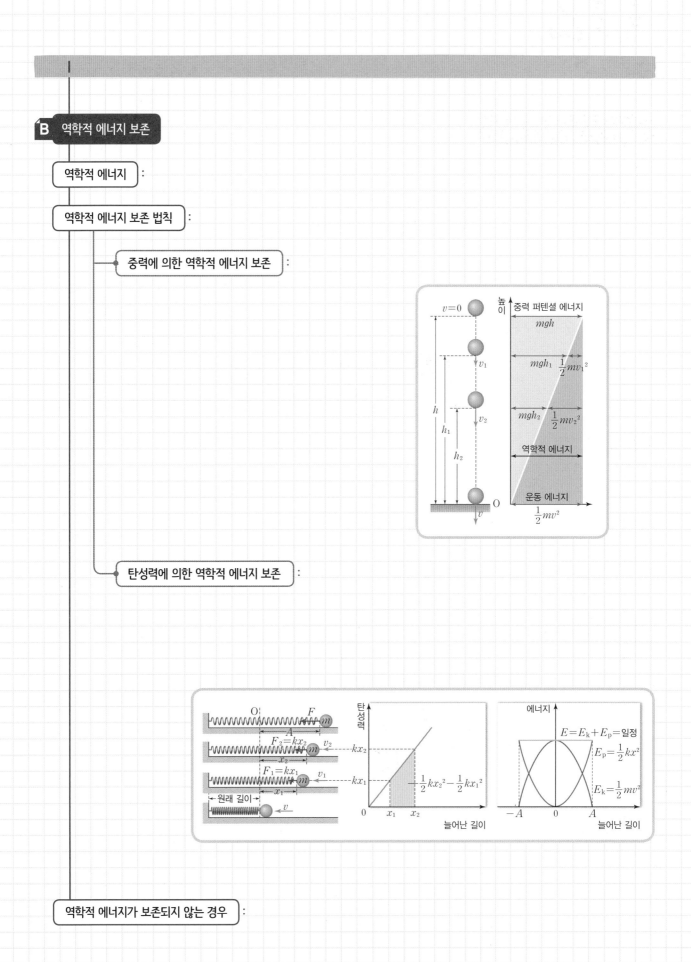

탄성력에 의한 역학적 에너지 보존 :

역학적 에너지가 보존되지 않는 경우 :

02 열역학 제1법칙

개념책: 074~077 쪽

A 내부 에너지와 열역학 제1법칙

온도와 열 ─┬─ 온도 :

├─ 열 :

└─ 열평형 상태 :

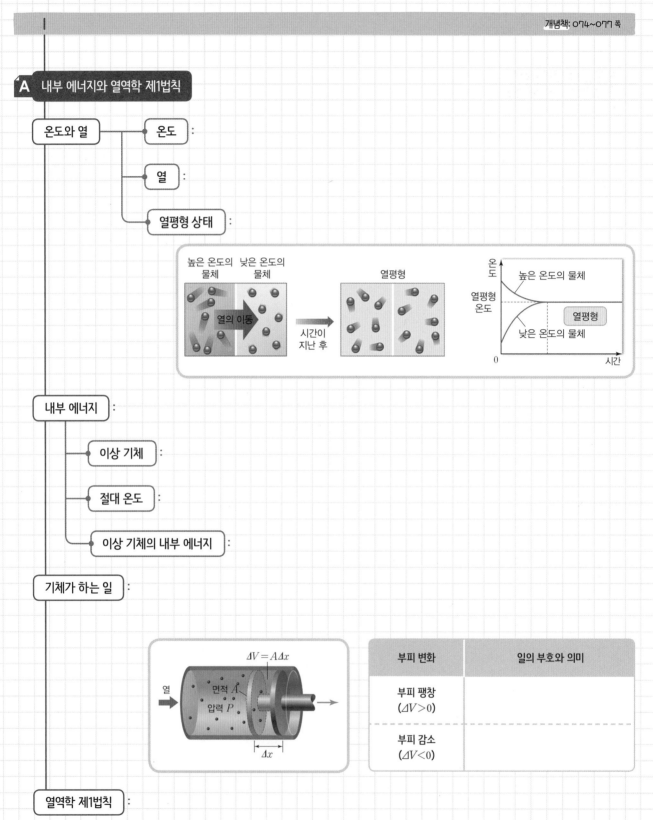

내부 에너지 :

├─ 이상 기체 :

├─ 절대 온도 :

└─ 이상 기체의 내부 에너지 :

기체가 하는 일 :

부피 변화	일의 부호와 의미
부피 팽창 ($\Delta V > 0$)	
부피 감소 ($\Delta V < 0$)	

열역학 제1법칙 :

B 열역학 과정

열역학 과정 :

등압 과정 :

구분	Q	ΔU	W	의미
기체의 부피가 증가함 (등압 팽창)				
기체의 부피가 감소함 (등압 수축)				

등적 과정 :

구분	Q	ΔU	W	의미
기체가 열을 흡수함 (등적 가열)				
기체가 열을 방출함 (등적 감열)				

등온 과정 :

구분	Q	ΔU	W	의미
기체의 부피가 증가함 (등온 팽창)				
기체의 부피가 감소함 (등온 팽창)				

단열 과정 :

구분	Q	ΔU	W	의미
기체의 부피가 증가함 (단열 팽창)				
기체의 부피가 감소함 (단열 수축)				

03 열역학 제2법칙

A 열역학 제2법칙

가역 과정 :

> 예 :

비가역 과정 :

> 예 :

열역학 제2법칙 :

> 엔트로피 :

> 열역학 제2법칙의 다양한 표현들 :

B 열기관과 열효율

열기관 :

열기관의 열효율 :

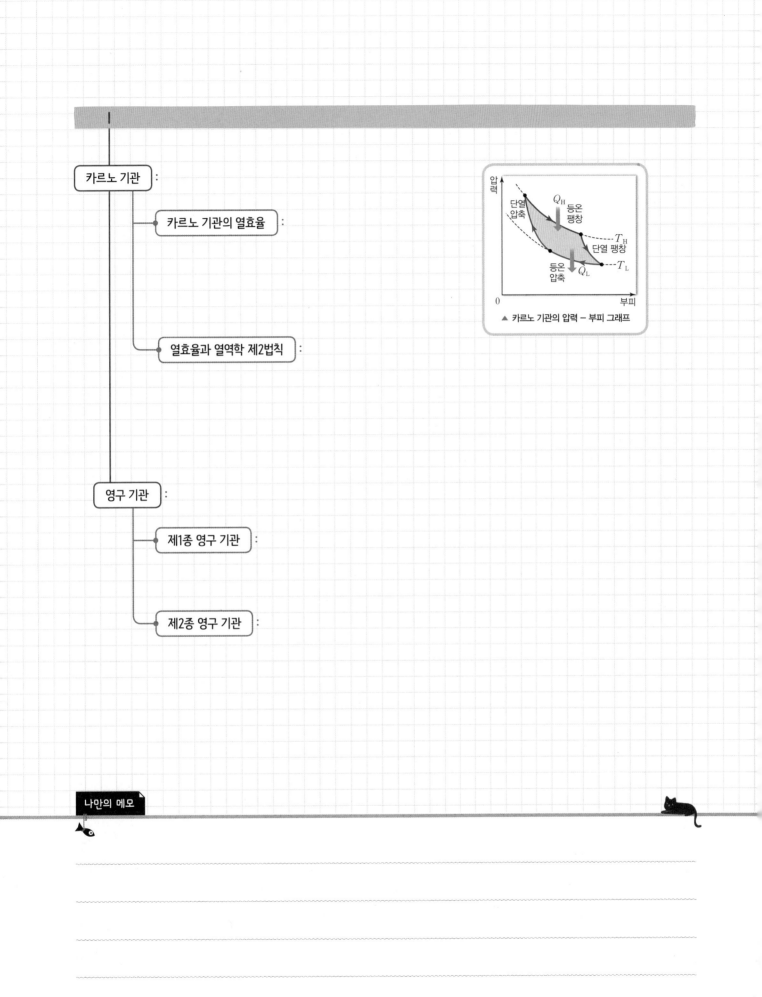

카르노 기관 :

　　카르노 기관의 열효율 :

　　열효율과 열역학 제2법칙 :

영구 기관 :

　　제1종 영구 기관 :

　　제2종 영구 기관 :

압력

단열
압축　　Q_H　등온
　　　　　　팽창

　　　　　　　　T_H
　　　　　　단열 팽창

등온　Q_L　　T_L
압축

0　　　　　　　　부피

▲ 카르노 기관의 압력 − 부피 그래프

3

시공간의 이해

01

>>>

특수 상대성 이론

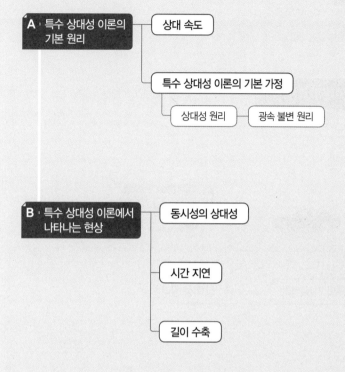

- **A** 특수 상대성 이론의 기본 원리
  - 상대 속도
  - 특수 상대성 이론의 기본 가정
    - 상대성 원리 ── 광속 불변 원리

- **B** 특수 상대성 이론에서 나타나는 현상
  - 동시성의 상대성
  - 시간 지연
  - 길이 수축

02

>>>

질량과 에너지

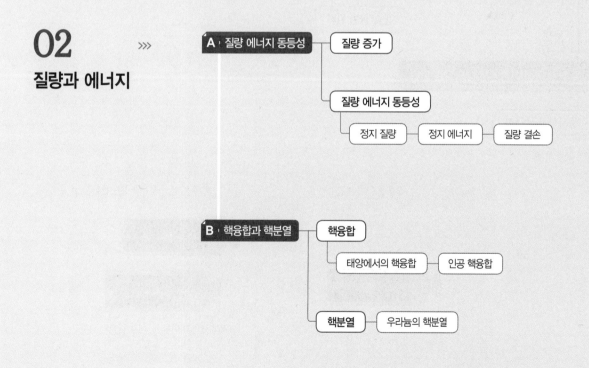

- **A** 질량 에너지 동등성
  - 질량 증가
  - 질량 에너지 동등성
    - 정지 질량 ── 정지 에너지 ── 질량 결손

- **B** 핵융합과 핵분열
  - 핵융합
    - 태양에서의 핵융합 ── 인공 핵융합
  - 핵분열
    - 우라늄의 핵분열

01 특수 상대성 이론

개념책: 098~100 쪽

A 특수 상대성 이론의 기본 원리

상대 속도 :

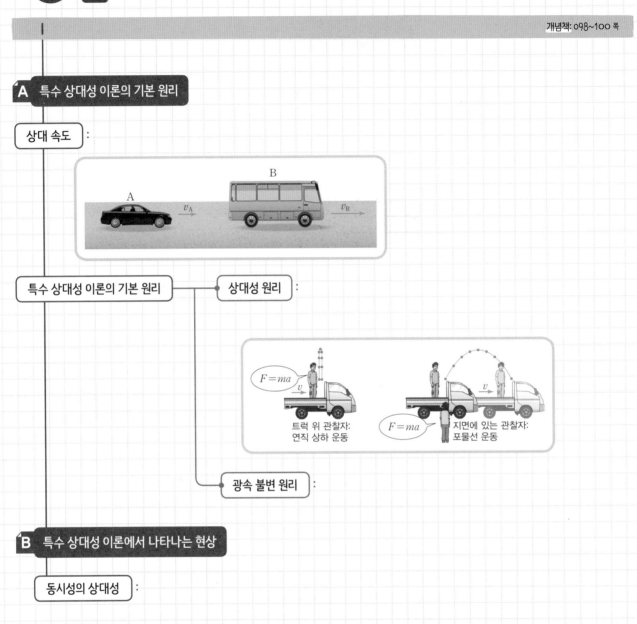

특수 상대성 이론의 기본 원리 ─── 상대성 원리 :

트럭 위 관찰자:
연직 상하 운동

$F = ma$

지면에 있는 관찰자:
포물선 운동

광속 불변 원리 :

B 특수 상대성 이론에서 나타나는 현상

동시성의 상대성 :

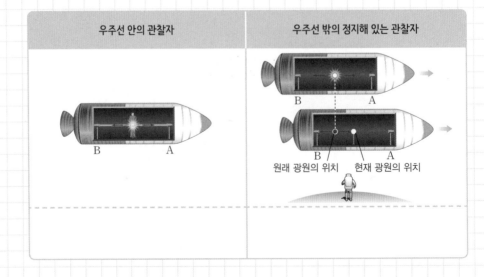

우주선 안의 관찰자	우주선 밖의 정지해 있는 관찰자
B A	B A
	원래 광원의 위치 현재 광원의 위치

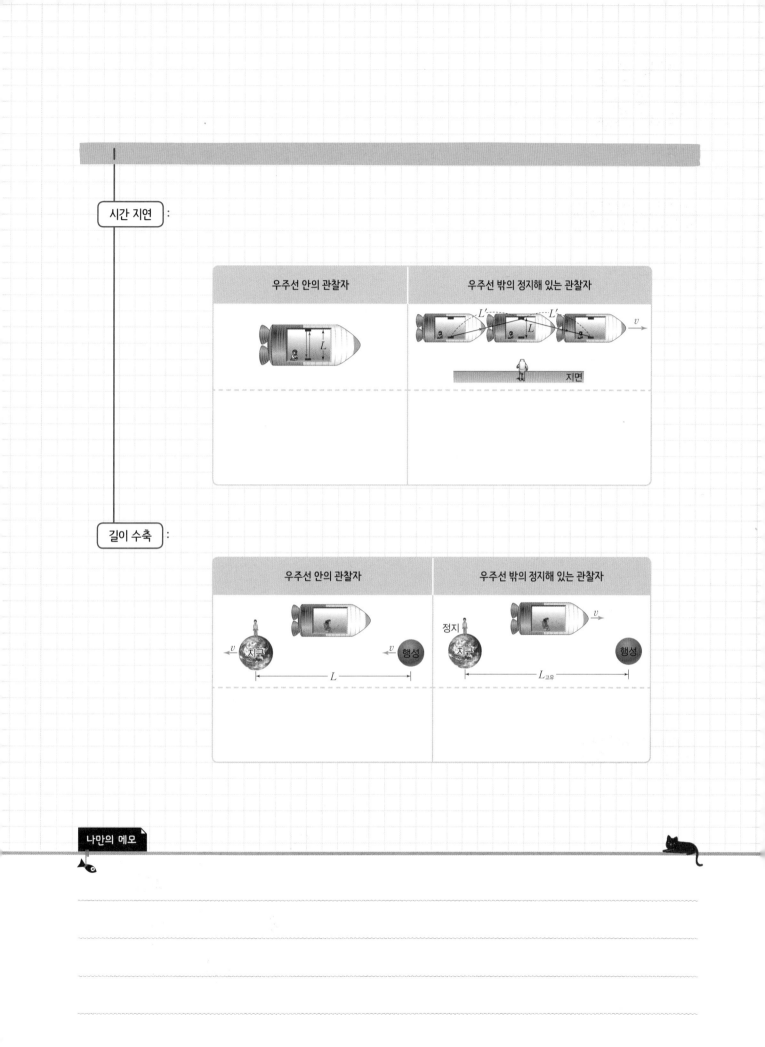

02 질량과 에너지

개념책: 108~109 쪽

A 질량 에너지 동등성

질량 증가 :

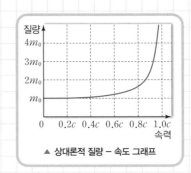

▲ 상대론적 질량 – 속도 그래프

질량 에너지 동등성 :

정지 질량 :

정지 에너지 :

질량 결손 :

B 핵융합과 핵분열

핵분열 ── 우라늄의 핵분열 :

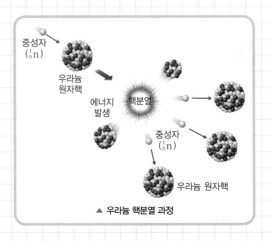

▲ 우라늄 핵분열 과정

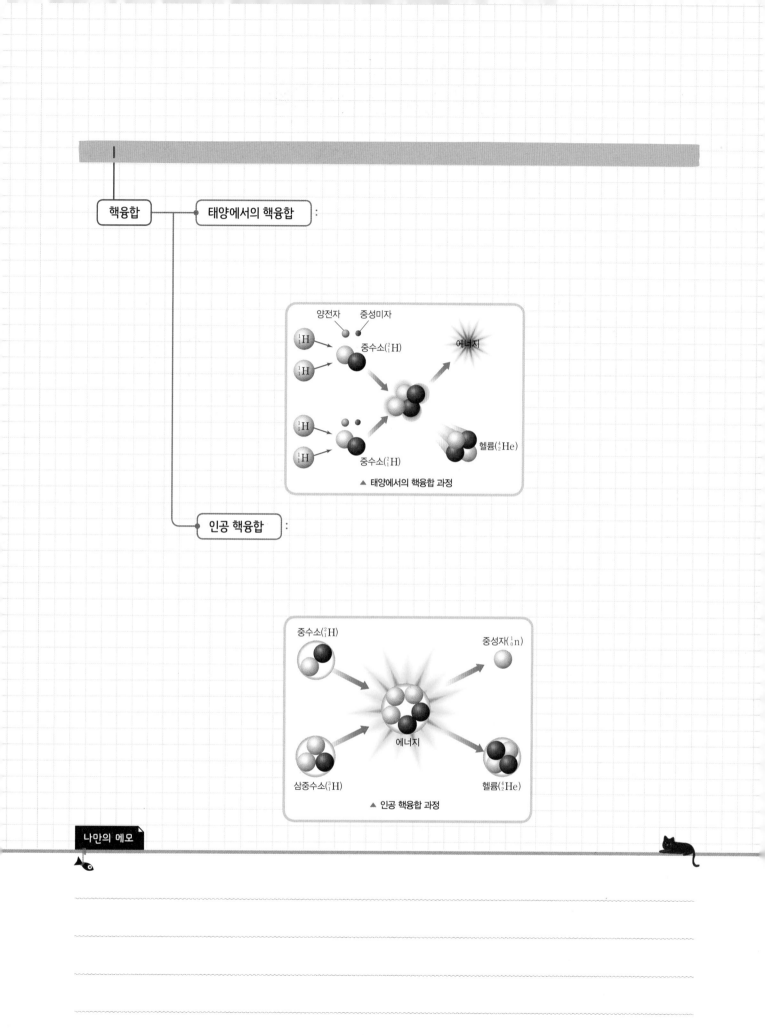

핵융합 ── 태양에서의 핵융합 :

▲ 태양에서의 핵융합 과정

인공 핵융합 :

▲ 인공 핵융합 과정

나만의 메모

단원 정리하기

◎ 그림에 자신만의 설명을 덧붙여 단원의 핵심 내용을 정리해 보자.

1 힘과 운동

• 뉴턴 운동 법칙

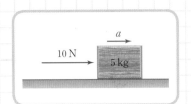

• 운동량 보존 법칙

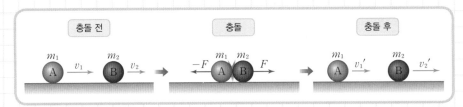

충돌 전   충돌   충돌 후

2 에너지와 열

• 역학적 에너지 보존

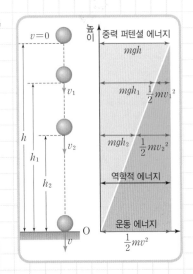

◎ 그림에 자신만의 설명을 덧붙여 단원의 핵심 내용을 정리해 보자.

• 기체가 하는 일

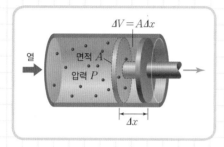

• 열기관의 열효율

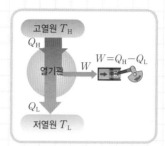

3 시공간의 이해

• 길이 수축

• 질량 결손

◉ 자신만의 마인드맵을 만들어 단원의 핵심 내용을 정리해 보자.

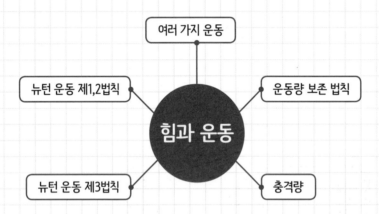

마인드맵으로 정리하기

◉ 자신만의 마인드맵을 만들어 단원의 핵심 내용을 정리해 보자.

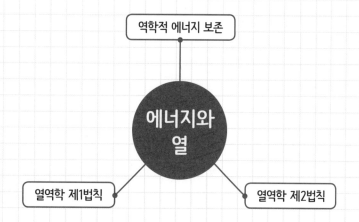

오웃!
잘 그리는데!

》 선배들이 작성한 정리노트 바로가기

1

물질의 구조와
전기적 성질

01 》》》

원자와 전기력

A · 원자 ── 원자

전자와 원자핵의 발견

전자의 발견

원자핵의 발견

B · 마찰 전기와 전기력 ── 마찰 전기

전기력

전기력의 종류

전기력의 크기(쿨롱 법칙)

원자핵과 전자 사이의 전기력

01 원자와 전기력

개념책: 128~129 쪽

A 원자

원자 :

전자와 원자핵의 발견 ─── 전자의 발견

① 음극선의 발견:

② 음극선 실험:

③ 톰슨의 원자 모형:

원자핵의 발견

① 원자핵의 발견:

② 알파(α) 입자 산란 실험:

③ 알파(α) 입자 산란 실험 결과
  ·
  ·

④ 러더퍼드의 원자 모형:

B 마찰 전기와 전기력

마찰 전기 :

전기력

── 전기력의 종류 :

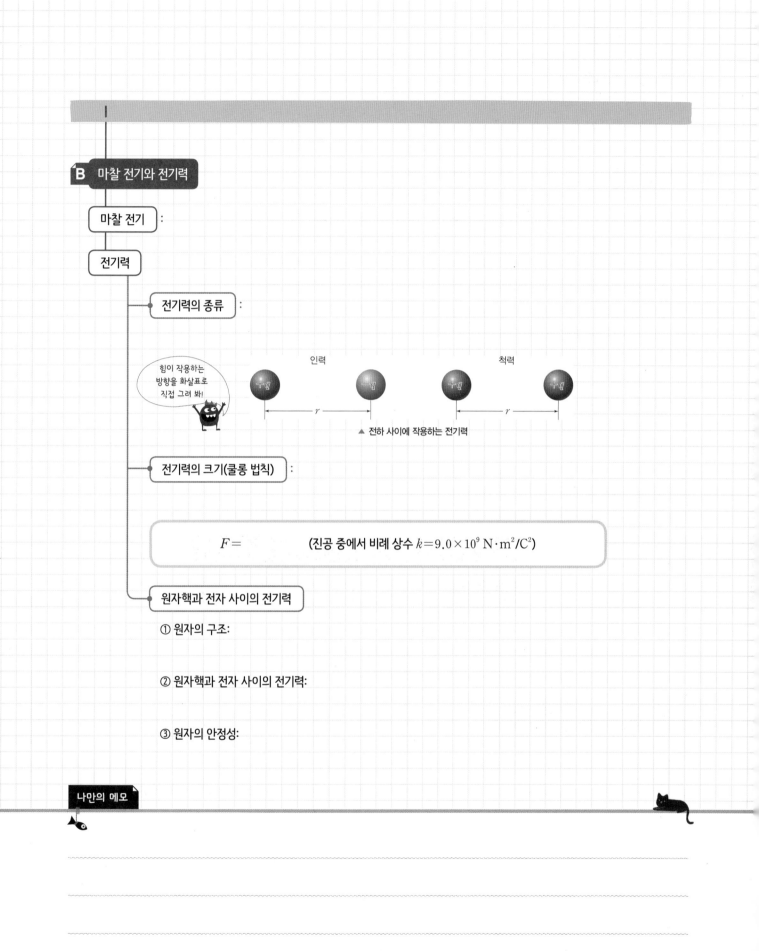

힘이 작용하는 방향을 화살표로 직접 그려 봐!

인력　　　　　　　　　　　　척력

▲ 전하 사이에 작용하는 전기력

── 전기력의 크기(쿨롱 법칙) :

$$F = \qquad\qquad \text{(진공 중에서 비례 상수 } k = 9.0 \times 10^9 \text{ N·m}^2/\text{C}^2)$$

── 원자핵과 전자 사이의 전기력

① 원자의 구조:

② 원자핵과 전자 사이의 전기력:

③ 원자의 안정성:

나만의 메모

02 선 스펙트럼과 보어의 원자 모형

개념책: 136~138 쪽

A 스펙트럼

- 스펙트럼 ─┬─ 연속 스펙트럼 :
           └─ 선 스펙트럼 :

- 기체의 스펙트럼 ─┬─ 방출 스펙트럼 :
                 ├─ 흡수 스펙트럼 :
                 └─ 방출 스펙트럼과 흡수 스펙트럼의 비교 :

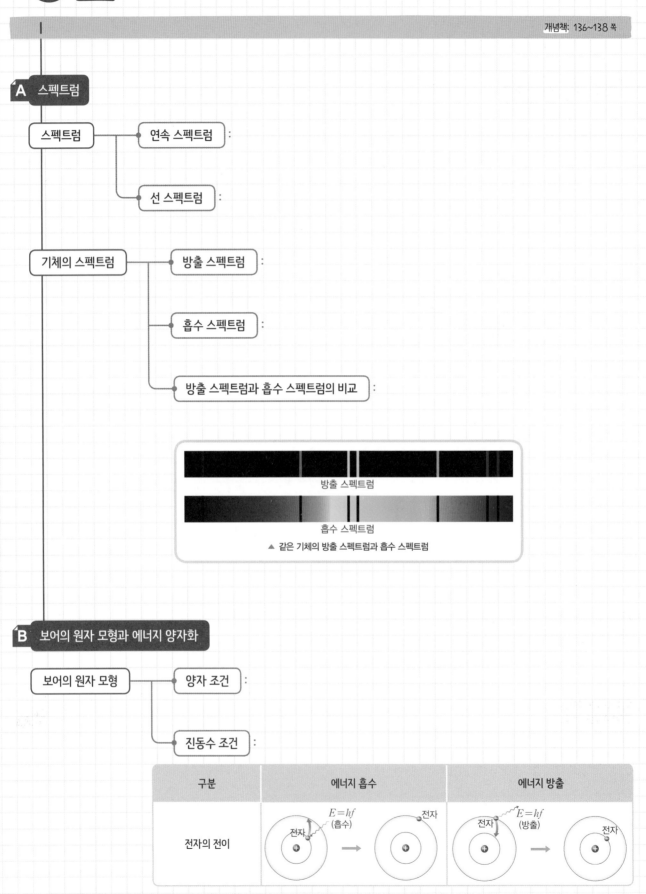

방출 스펙트럼

흡수 스펙트럼

▲ 같은 기체의 방출 스펙트럼과 흡수 스펙트럼

B 보어의 원자 모형과 에너지 양자화

- 보어의 원자 모형 ─┬─ 양자 조건 :
                  └─ 진동수 조건 :

구분	에너지 흡수	에너지 방출
전자의 전이	$E = hf$ (흡수) 전자 전자 $\oplus$ → 전자 $\oplus$	전자 $E = hf$ (방출) $\oplus$ → 전자 $\oplus$

C 수소 원자의 스펙트럼

수소 원자의 에너지 준위 :

$$E = \qquad\qquad (n = 1, 2, 3, \cdots)$$

수소 원자의 스펙트럼

수소 원자의 스펙트럼 계열 :

구분	라이먼 계열	발머 계열	파셴 계열
전자 전이		들뜬 상태의 전자가 n=2인 궤도로 전이할 때 방출	
방출되는 빛			
물리량 비교	·에너지, 진동수: 라이먼 계열 > 발머 계열 > 파셴 계열 ·파장: 라이먼 계열 < 발머 계열 < 파셴 계열		

발머 계열의 선 스펙트럼

①

②

나만의 메모

03 에너지띠와 전기 전도성

개념책: 150~152 쪽

A 고체 원자의 에너지 준위와 에너지띠

기체와 고체의 에너지 준위 ─── 기체 원자의 에너지 준위

①

②

고체 원자의 에너지 준위

①

②

고체의 에너지띠 (1)

(2)

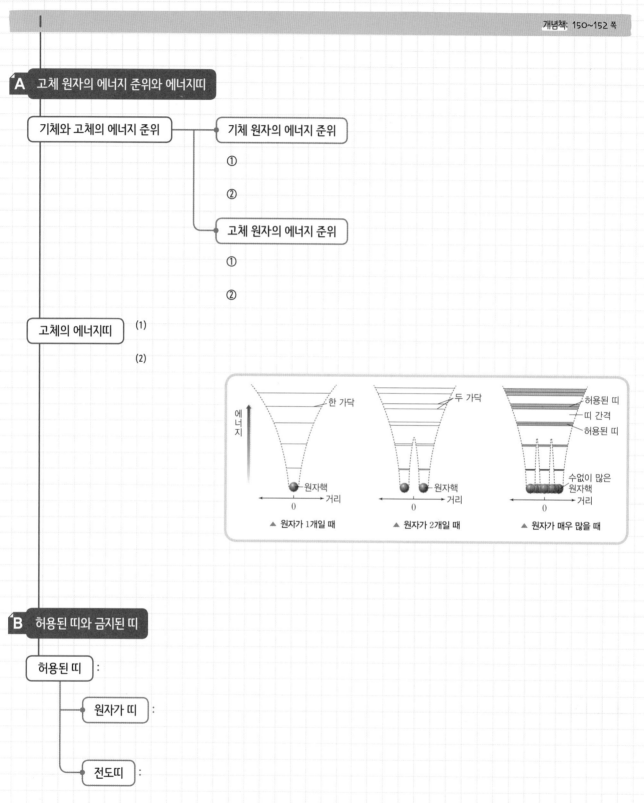

에
너
지

한 가닥

두 가닥

허용된 띠

띠 간격

허용된 띠

원자핵

원자핵

수없이 많은
원자핵

0 → 거리

0 → 거리

0 → 거리

▲ 원자가 1개일 때

▲ 원자가 2개일 때

▲ 원자가 매우 많을 때

B 허용된 띠와 금지된 띠

허용된 띠 :

원자가 띠 :

전도띠 :

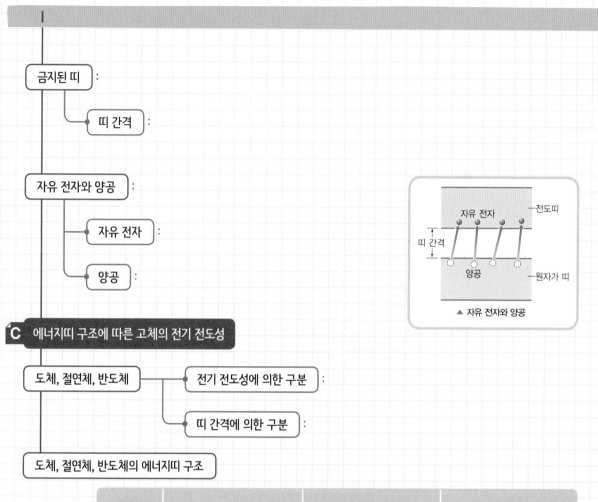

금지된 띠 :

띠 간격 :

자유 전자와 양공 :

자유 전자 :

양공 :

C 에너지띠 구조에 따른 고체의 전기 전도성

도체, 절연체, 반도체

전기 전도성에 의한 구분 :

띠 간격에 의한 구분 :

도체, 절연체, 반도체의 에너지띠 구조

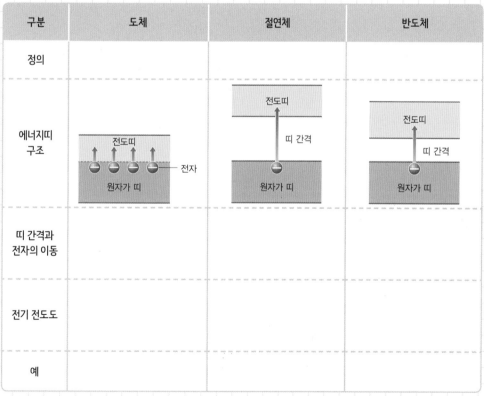

구분	도체	절연체	반도체
정의			
에너지띠 구조			
띠 간격과 전자의 이동			
전기 전도도			
예			

04 반도체와 다이오드

개념책: 160~162 쪽

A 반도체

반도체의 종류 ── 순수 반도체 :

── 불순물 반도체

① 도핑:

② n형 반도체:

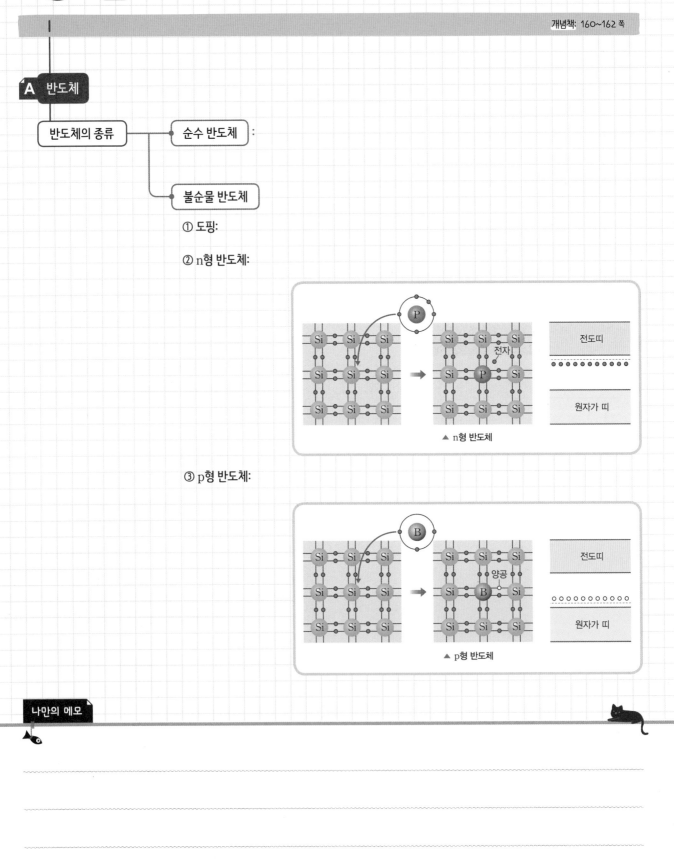

▲ n형 반도체

③ p형 반도체:

▲ p형 반도체

나만의 메모

개념책: 160~162 쪽

B 다이오드

p−n 접합 다이오드 :

　공핍층 :

　순방향 전압 :

　　① 연결 방법:

　　② 원리:

　역방향 전압 :

　　① 연결 방법:

　　② 원리:

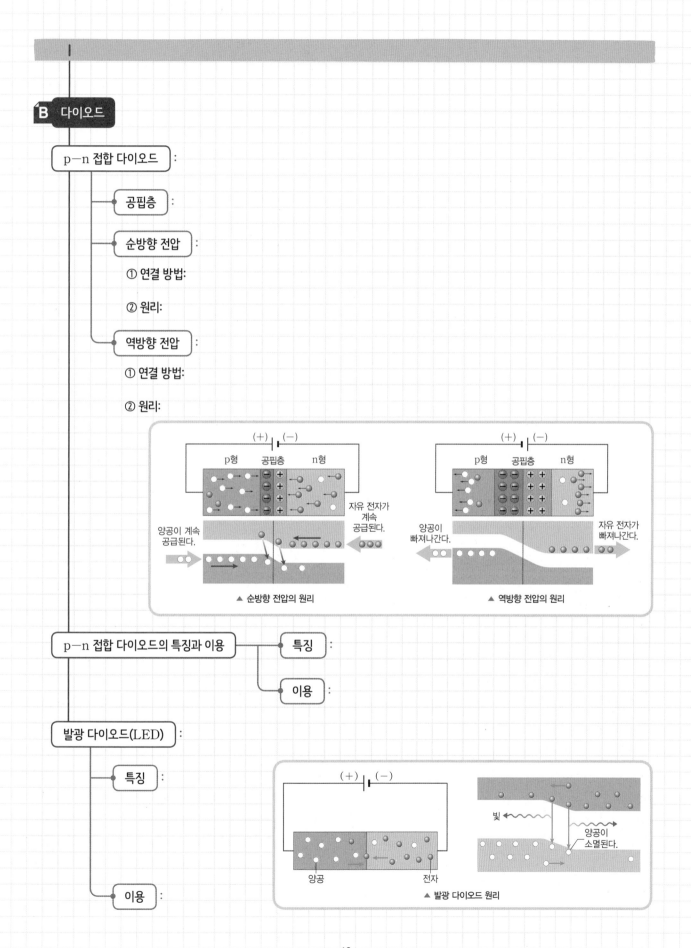

▲ 순방향 전압의 원리　　　　　　▲ 역방향 전압의 원리

p−n 접합 다이오드의 특징과 이용 ── 특징 :

　　　　　　　　　　　　　　　　└─ 이용 :

발광 다이오드(LED) :

　특징 :

　이용 :

▲ 발광 다이오드 원리

2

물질의 자성과
전자기 유도

01
전류에 의한 자기장

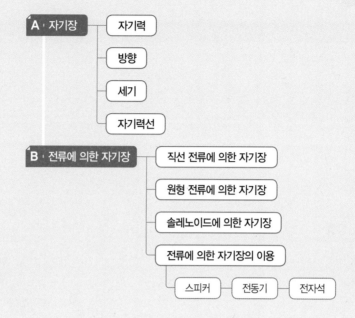

A 자기장
- 자기력
- 방향
- 세기
- 자기력선

B 전류에 의한 자기장
- 직선 전류에 의한 자기장
- 원형 전류에 의한 자기장
- 솔레노이드에 의한 자기장
- 전류에 의한 자기장의 이용
  - 스피커 — 전동기 — 전자석

02
물질의 자성

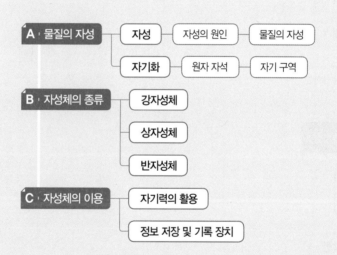

A 물질의 자성
- 자성 — 자성의 원인 — 물질의 자성
- 자기화 — 원자 자석 — 자기 구역

B 자성체의 종류
- 강자성체
- 상자성체
- 반자성체

C 자성체의 이용
- 자기력의 활용
- 정보 저장 및 기록 장치

03
전자기 유도

A 전자기 유도
- 전자기 유도 — 전자기 유도 — 유도 전류
- 렌츠 법칙 — 유도 전류의 방향
- 페러데이 법칙 — 유도 전류의 세기

B 전자기 유도의 이용
- 발전기 — 금속 탐지기 — 발광 퀵보드
- 휴대 전화의 무선 충전 — 교통 카드 — 전기 기타
- 마이크 — 비파괴 검사 장비 — 놀이 기구의 제동 장치

01 전류에 의한 자기장

개념책: 176~177 쪽

A 자기장

자기력 :

자기장 :

　　　방향 :

　　　세기 :

　　　자기력선 :

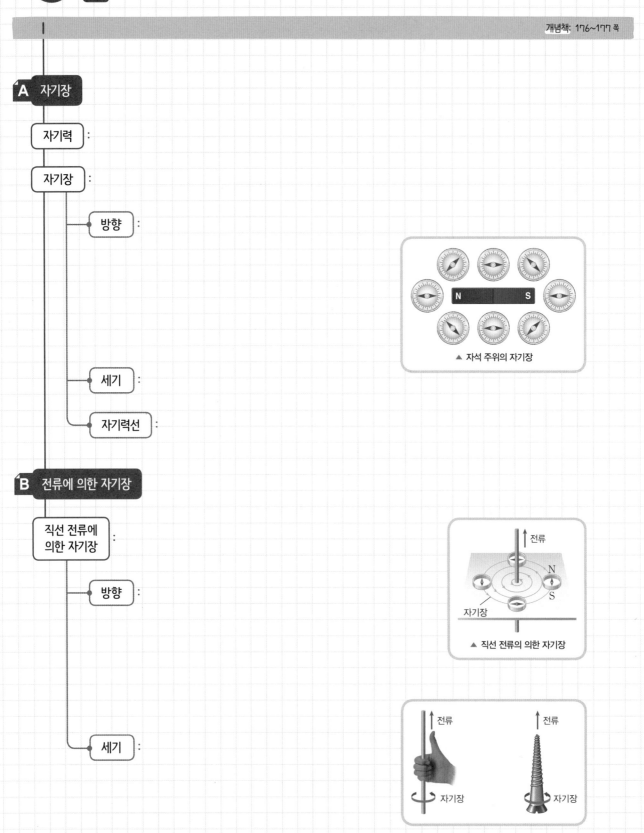

▲ 자석 주위의 자기장

B 전류에 의한 자기장

직선 전류에
의한 자기장 :

　　　방향 :

　　　세기 :

▲ 직선 전류의 의한 자기장

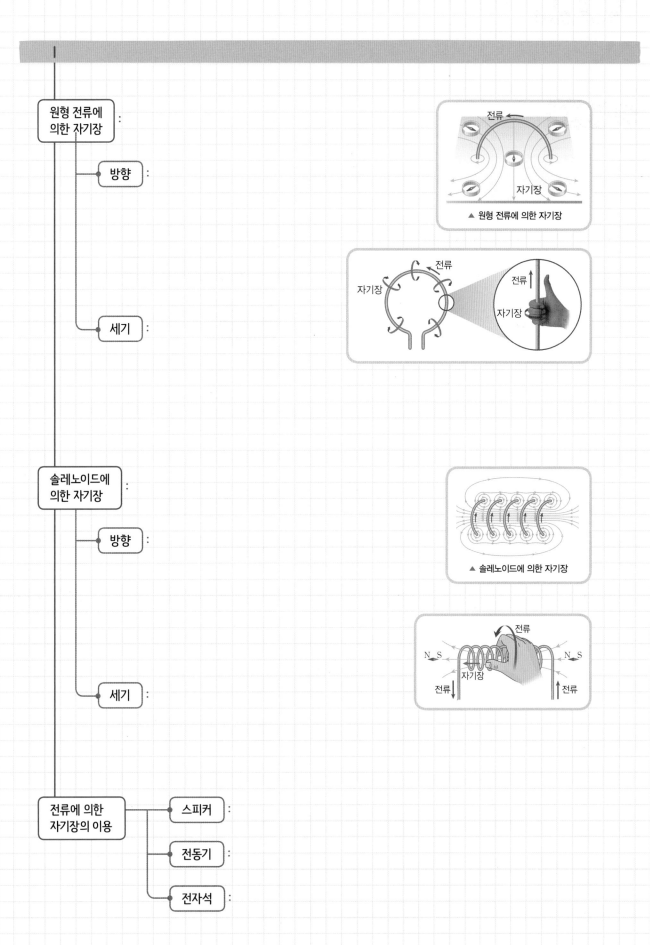

원형 전류에
의한 자기장 :

　방향 :

　세기 :

전류

자기장

▲ 원형 전류에 의한 자기장

전류

자기장

전류

자기장

솔레노이드에
의한 자기장 :

　방향 :

　세기 :

▲ 솔레노이드에 의한 자기장

전류

N　S

자기장

N　S

전류

전류

전류에 의한
자기장의 이용

　스피커 :

　전동기 :

　전자석 :

02 물질의 자성

개념책: 184~186 쪽

A 물질의 자성

자성 :

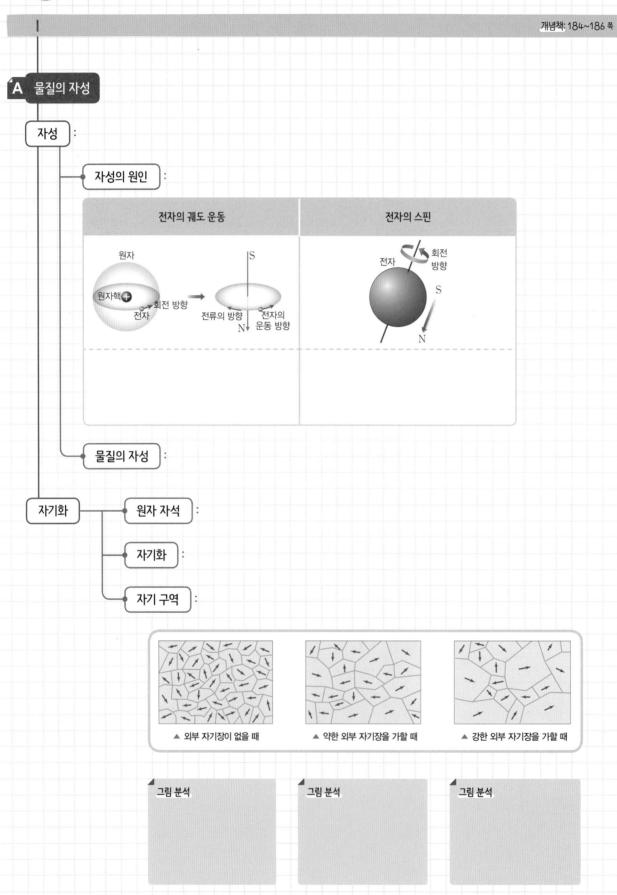

┌─ 자성의 원인 :

전자의 궤도 운동	전자의 스핀

물질의 자성 :

자기화 ┬─ 원자 자석 :

├─ 자기화 :

└─ 자기 구역 :

▲ 외부 자기장이 없을 때 ▲ 약한 외부 자기장을 가할 때 ▲ 강한 외부 자기장을 가할 때

그림 분석

그림 분석

그림 분석

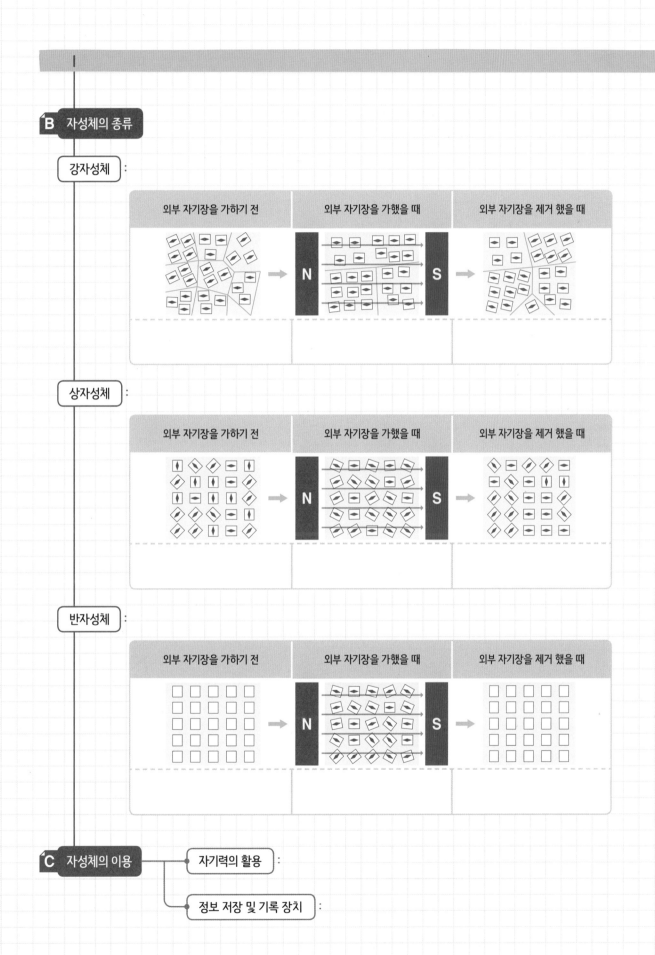

B 자성체의 종류

강자성체 :

외부 자기장을 가하기 전	외부 자기장을 가했을 때	외부 자기장을 제거 했을 때

상자성체 :

외부 자기장을 가하기 전	외부 자기장을 가했을 때	외부 자기장을 제거 했을 때

반자성체 :

외부 자기장을 가하기 전	외부 자기장을 가했을 때	외부 자기장을 제거 했을 때

C 자성체의 이용 ── 자기력의 활용 :

── 정보 저장 및 기록 장치 :

03 전자기 유도

개념책: 194~196 쪽

A 전자기 유도

전자기 유도 ┬→ 전자기 유도 :

└→ 유도 전류 :

렌츠 법칙 :

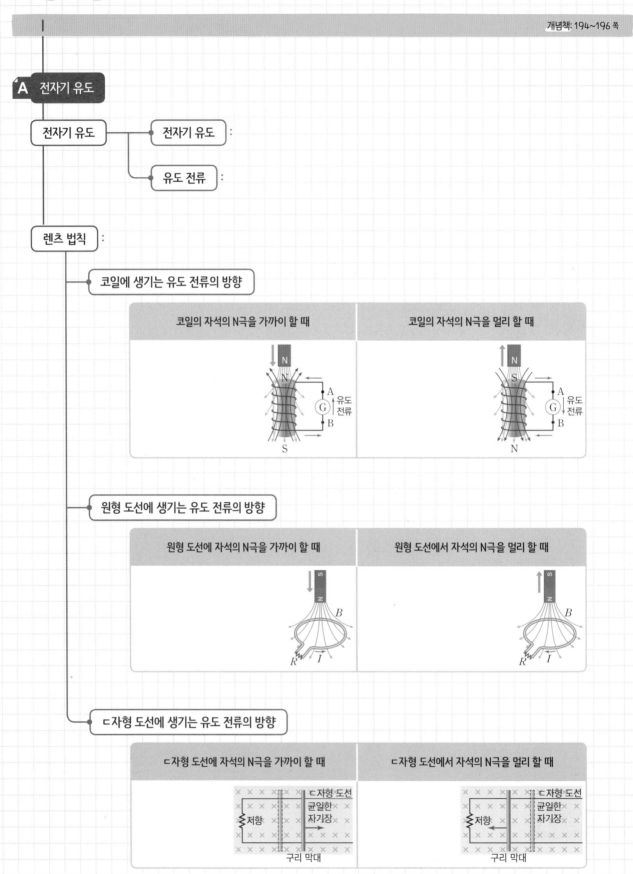

─ 코일에 생기는 유도 전류의 방향

코일의 자석의 N극을 가까이 할 때	코일의 자석의 N극을 멀리 할 때

─ 원형 도선에 생기는 유도 전류의 방향

원형 도선에 자석의 N극을 가까이 할 때	원형 도선에서 자석의 N극을 멀리 할 때

─ ㄷ자형 도선에 생기는 유도 전류의 방향

ㄷ자형 도선에 자석의 N극을 가까이 할 때	ㄷ자형 도선에서 자석의 N극을 멀리 할 때

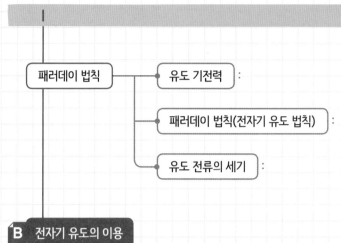

패러데이 법칙 ── 유도 기전력 :

────── 패러데이 법칙(전자기 유도 법칙) :

────── 유도 전류의 세기 :

발전기	금속 탐지기	발광 퀵보드

휴대 전화의 무선 충전	교통 카드	전기 기타

마이크	비파괴 검사 장비	놀이 기구의 제동 장치

단원 정리하기

● 그림에 자신만의 설명을 덧붙여 단원의 핵심 내용을 정리해 보자.

1 물질의 구조

• 원자핵과 전자 사이의 전기력

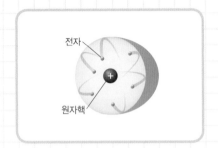

• 보어의 원자 모형

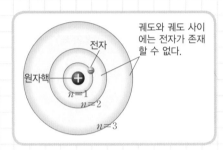

2 물질의 전기적 성질

• 고체의 전기 전도성

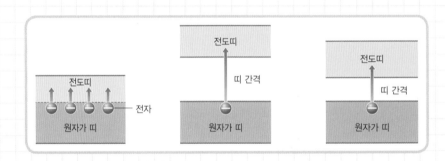

3 전자기 유도

• 전류에 의한 자기장의 방향

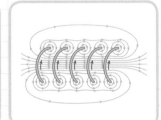

마인드맵으로 정리하기

● 자신만의 마인드맵을 만들어 단원의 핵심 내용을 정리해 보자.

물질의 구조와 전기적 성질

물질과
전자기장

물질의 자성과 전자기 유도

오옷!
잘 그리는데!

≫ 선배들이 작성한 정리노트 바로가기

1
파동의
성질과 활용

01

**파동의
속력과 굴절**

>>>

A 파동 — 파동
— 파동의 표시

B 파동의 속력 — 파동의 속력
— 줄에서의 파동의 속력
— 소리(음파)의 속력
— 물결파의 속력

C 파동의 굴절 — 파동의 굴절
— 파동의 굴절
— 굴절 법칙
— 굴절률
— 파동의 굴절이 일어나는 사례

01 파동의 속력과 굴절

개념책: 216~218 쪽

A 파동

파동 :

　　파원과 매질 :

　　파동의 분류 :

　　　① 횡파와 종파:
　　　　· 횡파:
　　　　· 종파:
　　　② 평면파와 구면파:
　　　　· 평면파:
　　　　· 구면파:

파동의 표시　　마루와 골 :

　　　　　　　　진폭 :

　　　　　　　　파장 :

　　　　　　　　주기 :

　　　　　　　　진동수 :

　　　　　　　　파동을 나타내는 그래프

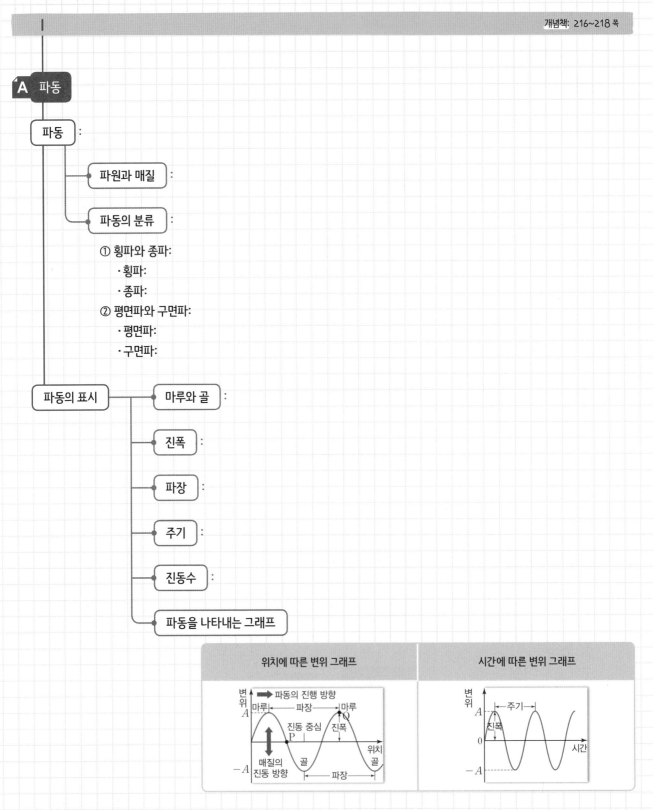

위치에 따른 변위 그래프	시간에 따른 변위 그래프

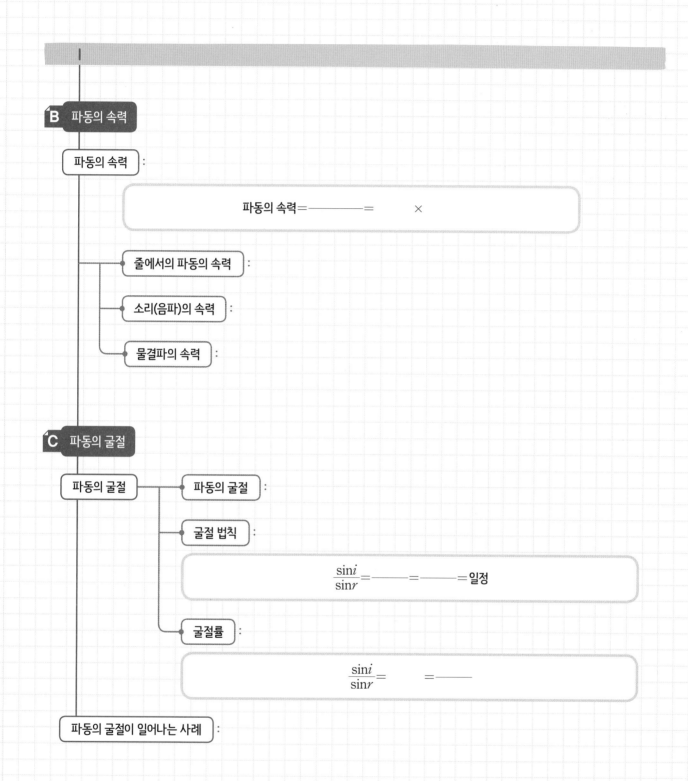

B 파동의 속력

파동의 속력 :

$$\text{파동의 속력} = \underline{\hspace{3cm}} = \underline{\hspace{2cm}} \times$$

- 줄에서의 파동의 속력 :
- 소리(음파)의 속력 :
- 물결파의 속력 :

C 파동의 굴절

파동의 굴절

- 파동의 굴절 :
- 굴절 법칙 :

$$\frac{\sin i}{\sin r} = \underline{\hspace{2cm}} = \underline{\hspace{2cm}} = \text{일정}$$

- 굴절률 :

$$\frac{\sin i}{\sin r} = \underline{\hspace{2cm}} = \underline{\hspace{2cm}}$$

파동의 굴절이 일어나는 사례 :

02 전반사와 광통신

개념책: 226~227쪽

A 전반사

파동의 반사 :

반사 법칙 :

반사의 특성 :

전반사 :

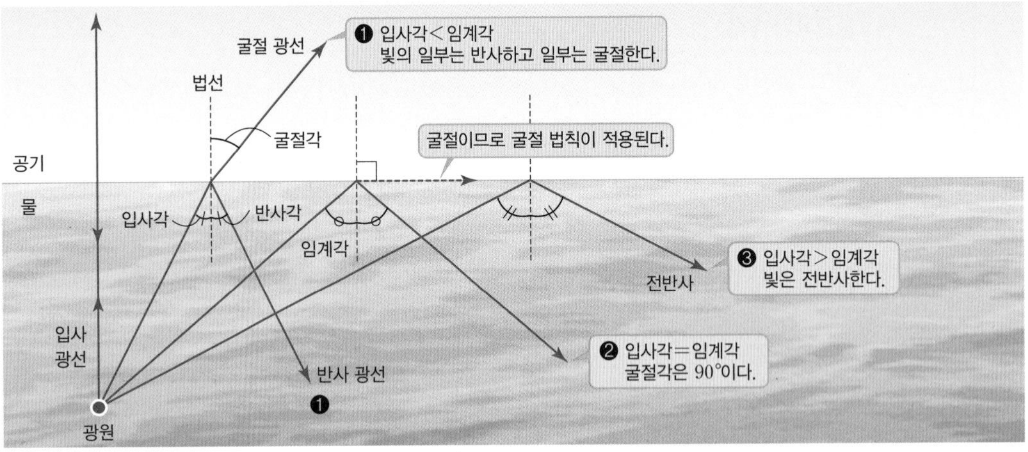
굴절 광선
❶ 입사각<임계각
빛의 일부는 반사하고 일부는 굴절한다.
법선
굴절각
굴절이므로 굴절 법칙이 적용된다.
공기
물
입사각
반사각
임계각
전반사
❸ 입사각>임계각
빛은 전반사한다.
입사 광선
❷ 입사각=임계각
굴절각은 90°이다.
반사 광선
❶
광원

임계각과 굴절 법칙 :

전반사 조건

·

·

생활 속의 전반사 현상의 이용 :

B 광섬유와 광통신

광섬유 :

└ 광섬유의 구조 :

└ 광섬유 내에서의 빛의 진행 :

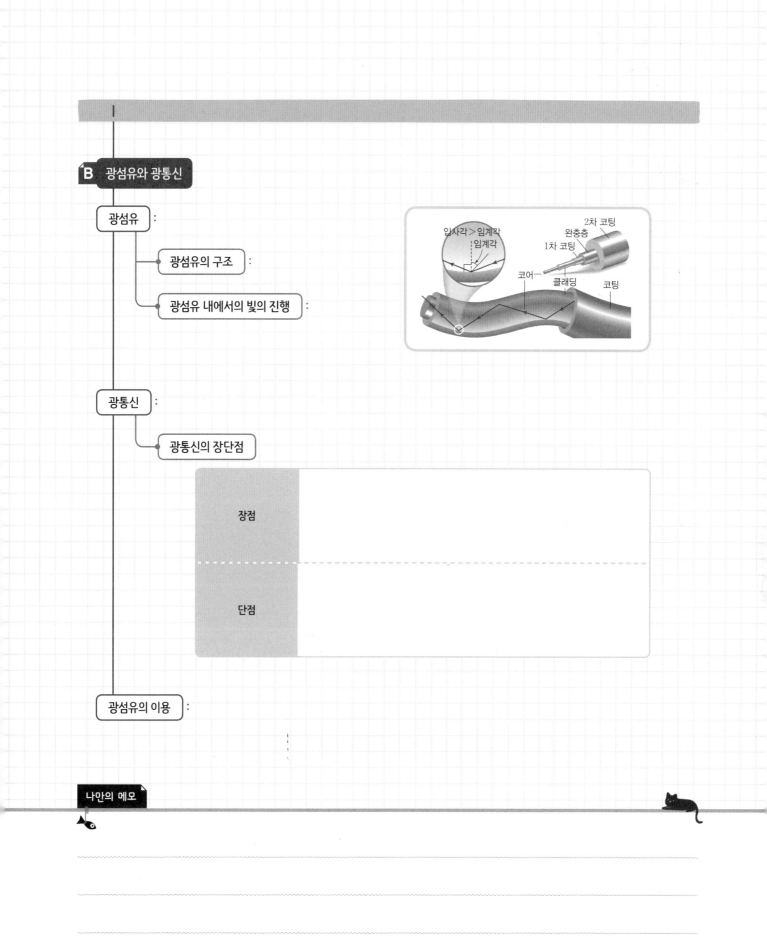

입사각 > 임계각
임계각

2차 코팅
완충층
1차 코팅

코어
클래딩
코팅

광통신 :

└ 광통신의 장단점

장점	
단점	

광섬유의 이용 :

나만의 메모

03 전자기파의 분류와 이용

개념책: 238~239쪽

A 전자기파의 성질

전자기파 :

전자기파의 성질 ┬ 전자기파의 진행 :

├ 전자기파의 매질 :

├ 전자기파의 속력 :

속력= × , $c=$

└ 전자기파의 에너지 :

B 전자기파의 분류와 이용

전자기파의 분류 :

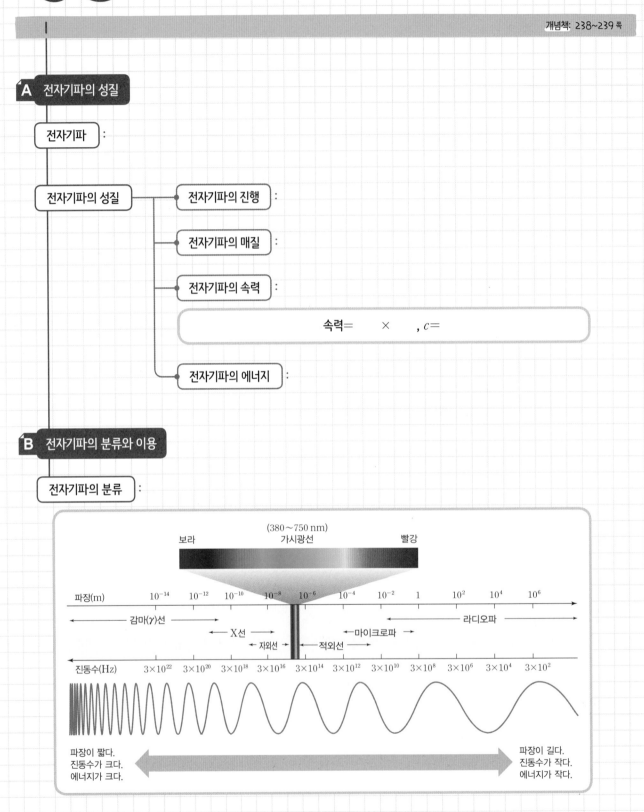

종류	특징	이용
감마(γ)선		
		X선 사진, CT 사진, 수화물 검사, 건물 비파괴 검사 등
자외선		
		조명이나 디스플레이 등
적외선		
마이크로파		
		TV, 라디오 등

04 파동의 간섭과 이용

개념책: 246~248 쪽

A 파동의 중첩과 독립성

파동의 중첩 :

파동의 독립성 :

B 파동의 간섭

파동의 간섭 :

구분	보강 간섭	상쇄 간섭
정의		
중첩된 파동의 모양	파동 1 파동 2 파동 1 + 파동 2	파동 1 파동 2 파동 1 + 파동 2

파동의 간섭 조건 :

이중 슬릿에서의 빛의 간섭 :

　보강 간섭이 일어나는 곳 :

　상쇄 간섭이 일어나는 곳 :

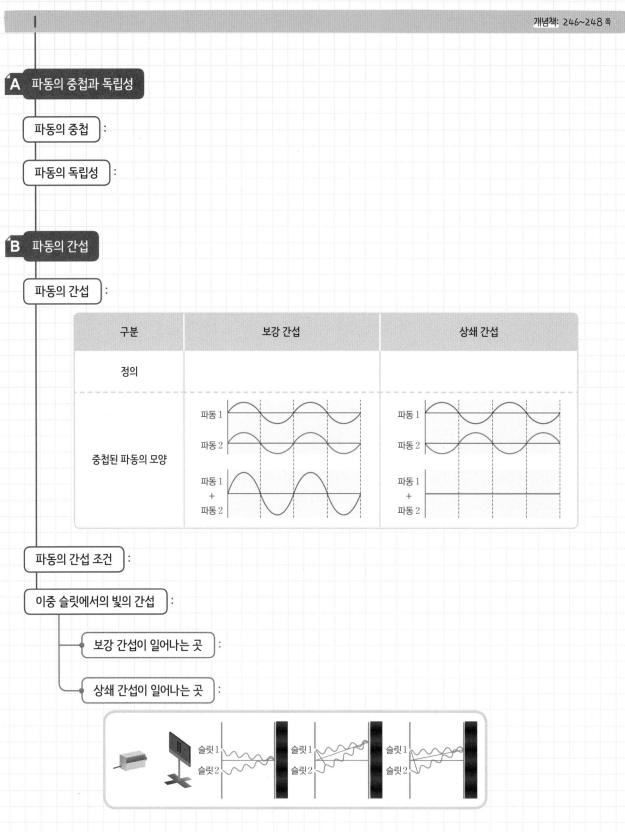

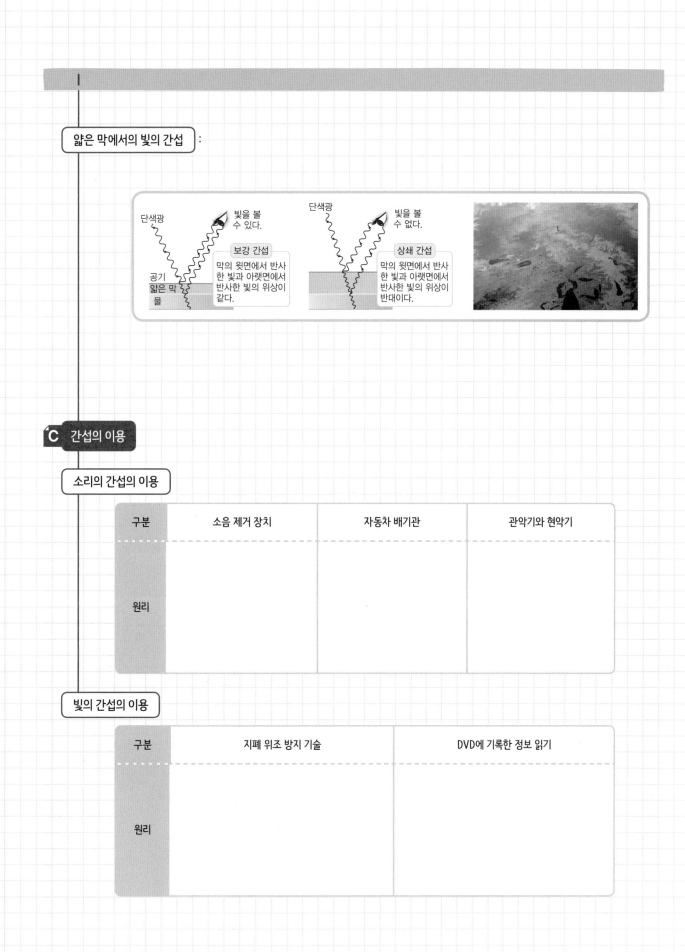

얼은 막에서의 빛의 간섭 :

단색광   빛을 볼 수 있다.   단색광   빛을 볼 수 없다.

보강 간섭
막의 윗면에서 반사한 빛과 아랫면에서 반사한 빛의 위상이 같다.

상쇄 간섭
막의 윗면에서 반사한 빛과 아랫면에서 반사한 빛의 위상이 반대이다.

공기
얼은 막
물

C 간섭의 이용

소리의 간섭의 이용

구분	소음 제거 장치	자동차 배기관	관악기와 현악기
원리			

빛의 간섭의 이용

구분	지폐 위조 방지 기술	DVD에 기록한 정보 읽기
원리		

2

빛과 물질의 이중성

01

>>>

빛의 이중성과
CCD

A 빛의 입자성과 광전 효과 — 빛의 입자설과 파동설

광전 효과
- 광전자
- 문턱 진동수
- 광양자설
- 에너지 보존 법칙
- 광전류의 세기

빛의 이중성

B 광 다이오드와 CCD — 광 다이오드

전하 결합 소재(CCD)
- 구조
- 원리
- 영상 정보의 저장

02

>>>

물질의 이중성과
전자 현미경

A 물질파의 확인과 물질의 이중성 — 드브로이의 물질파

물질파의 확인

물질의 이중성

B 분해능과 전자 현미경 — 분해능

전자 현미경

광학 현미경과 전자 현미경의 비교
- 광학 현미경
- 투과 전자 현미경(TEM)
- 주사 전자 현미경(SEM)

01 빛의 이중성과 CCD

개념책: 262~263 쪽

A 광전 효과와 빛의 이중성

빛의 입자설과 파동설 :

입자설		파동설	
뉴턴		하위헌스	
아인슈타인		영	
콤프턴		맥스웰	

광전 효과

　　　光전자 :

　　　문턱 진동수 :

　　　광양자설 :

　　　에너지 보존 법칙 :

　　　광전류의 세기 :

빛의 이중성 :

나만의 메모

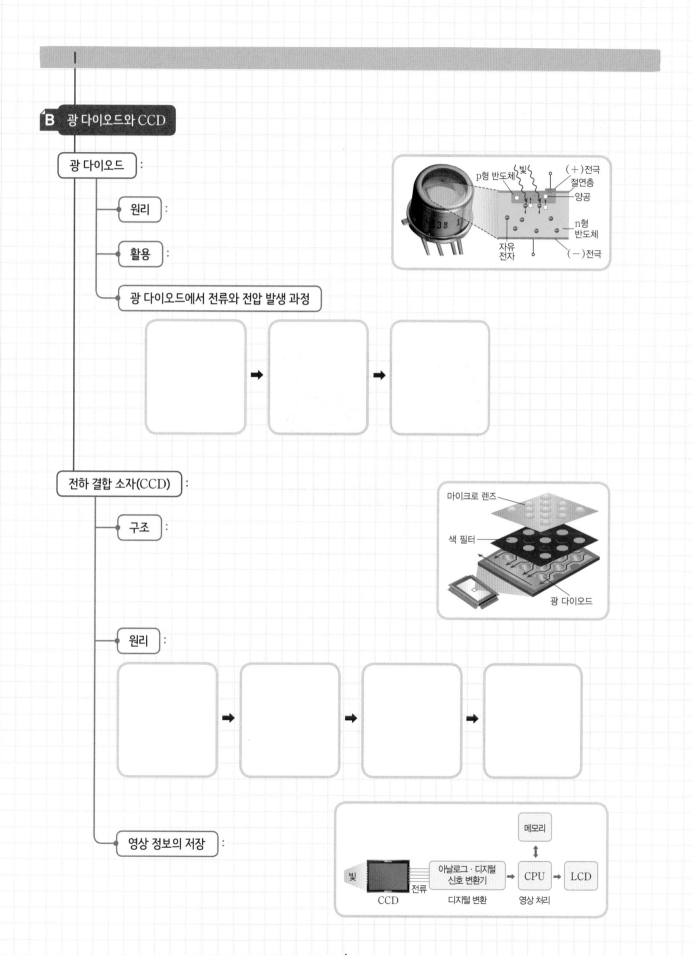

B 광 다이오드와 CCD

광 다이오드 :

　　원리 :

　　활용 :

　　광 다이오드에서 전류와 전압 발생 과정

　　　p형 반도체　빛　(＋)전극
　　　　절연층
　　　　양공
　　　　n형 반도체
　　자유
　　전자　(－)전극

전하 결합 소자(CCD) :

　　구조 :

　　　마이크로 렌즈
　　　색 필터
　　　광 다이오드

　　원리 :

　　영상 정보의 저장 :

　　　메모리
　　빛　　아날로그·디지털　　CPU → LCD
　　　　신호 변환기
　　　전류
　　CCD　디지털 변환　영상 처리

02 물질의 이중성과 전자 현미경

개념책: 270~271 쪽

A 물질파의 확인과 물질의 이중성

드브로이의 물질파 ─┬─ 물질파(드브로이파) :

└─ 물질파의 파장(드브로이 파장) :

$$\lambda = \qquad (h: \text{플랑크 상수}, h=6.63\times10^{-34}\,\text{J·s})$$

물질파의 확인

전자빔과 X선 회절	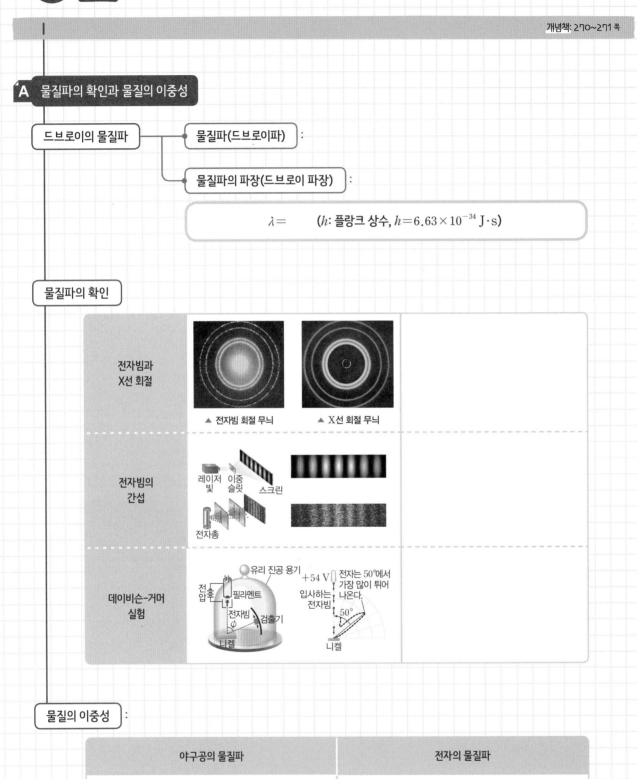 ▲ 전자빔 회절 무늬　　▲ X선 회절 무늬	
전자빔의 간섭		
데이비슨-거머 실험		

물질의 이중성 :

야구공의 물질파	전자의 물질파

B 분해능과 전자 현미경

분해능 :

①

②

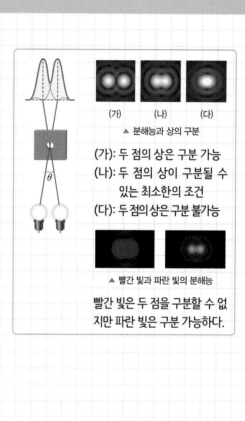

(가) (나) (다)
▲ 분해능과 상의 구분

(가): 두 점의 상은 구분 가능
(나): 두 점의 상이 구분될 수
     있는 최소한의 조건
(다): 두 점의 상은 구분 불가능

▲ 빨간 빛과 파란 빛의 분해능

빨간 빛은 두 점을 구분할 수 없
지만 파란 빛은 구분 가능하다.

전자 현미경 :

├ 분해능과 배율 :

└ 전자 현미경의 활용 :

광학 현미경과 전자 현미경의 비교

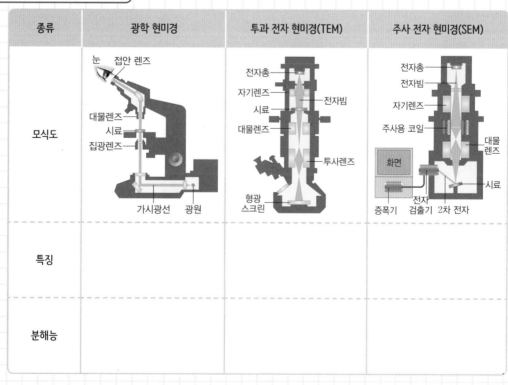

종류	광학 현미경	투과 전자 현미경(TEM)	주사 전자 현미경(SEM)
모식도	눈 접안 렌즈 대물렌즈 시료 집광렌즈 가시광선 광원	전자총 자기렌즈 시료 대물렌즈 전자빔 투사렌즈 형광 스크린	전자총 전자빔 자기렌즈 주사용 코일 화면 증폭기 전자 검출기 2차 전자 대물 렌즈 시료
특징			
분해능			

단원 정리하기

● 그림에 자신만의 설명을 덧붙여 단원의 핵심 내용을 정리해 보자.

1 파동의 성질과 활용

・**파동의 굴절**

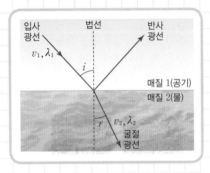

・**전반사**

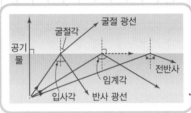

・**전자기파**

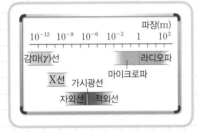

・**간섭**

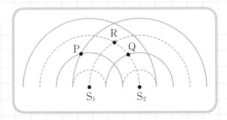

2 빛과 물질의 이중성

・**광전 효과**

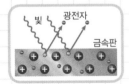

・**전자 현미경**

마인드맵으로 정리하기

＠자신만의 마인드맵을 만들어 단원의 핵심 내용을 정리해 보자.

파동의 성질과 활용

파동과
정보통신

빛과 물질의 이중성

오옷!
잘 그리는데!

집중력을 높이는
미로 Game

두방보조 몬스터!
냥뉍에게 요리 재료를 무사히 전달하라!

집중력을 높이는